DIREITO PENAL E CONSTITUIÇÃO

DIÁLOGOS ENTRE BRASIL E PORTUGAL

2018

Direito Penal e Constituição: diálogos entre Brasil e Portugal

1ª edição: 2018

AUTORES:

Álvaro Oxley da Rocha
Ana Paula Gonzatti da Silva
António Miguel Veiga
Augusto Jobim do Amaral
Aury Lopes Jr.
Cláudia Cruz Santos
Claudia Maria Dadico
Diego Albrecht
Fabrício Dreyer de Ávila Pozzebon
Gina Ribeiro Gonçalves Muniz
Guilherme Ceolin
Henrique Saibro
Inês Horta Pinto
João Prata Rodrigues
Luciano Feldens
Luíza Nívea Dias Pessoa
Marcelo Machado Bertoluci
Maria João Antunes
Nereu Giacomolli
Paulo Saint Pastous Caleffi
Paulo Vinicius Sporleder de Souza
Pedro Sá Machado
Raquel Lima Scalcon
Ruth M. Chittó Gauer

ORGANIZAÇÃO:

Fábio Roberto D'Avila
Cláudia Cruz Santos
Maria João Antunes
Nereu Giacomolli

CRIAÇÃO E DIAGRAMAÇÃO:

Dharana Rivas

REVISÃO ORTOGRÁFICA:

Renato Deitos

DADOS INTERNACIONAIS DE CATALOGAÇÃO NA PUBLICAÇÃO (CIP)

D598 Direito Penal e Constituição : diálogos entre Brasil e Portugal
/ organização Fábio Roberto D'Ávila... [et al.]. – Porto Alegre : Boutique Jurídica, 2018.

618 p.

ISBN: 978-85-68014-64-6

1. Direito penal. 2. Direito processual penal. 3. Constituição – Brasil, 1988. 4. Direito constitucional. I. D'Ávila, Fábio Roberto. II. Antunes, Maria João. III. Santos, Cláudia Cruz. IV. Giacomolli, Nereu.

CDD – 341.5

PRODUÇÃO EDITORIAL E DISTRIBUIÇÃO:

contato@boutiquejuridicaeditora.com.br
www.boutiquejuridicaeditora.com.br

DIREITO PENAL E CONSTITUIÇÃO

DIÁLOGOS ENTRE BRASIL E PORTUGAL

ÁLVARO OXLEY DA ROCHA
ANA PAULA GONZATTI DA SILVA
ANTÓNIO MIGUEL VEIGA
AUGUSTO JOBIM DO AMARAL
AURY LOPES JR
CLÁUDIA CRUZ SANTOS
CLAUDIA MARIA DADICO
DIEGO ALBRECHT
FABRÍCIO DREYER DE ÁVILA POZZEBON
GINA RIBEIRO GONÇALVES MUNIZ
GUILHERME CEOLIN
HENRIQUE SAIBRO
INÊS HORTA PINTO
JOÃO PRATA RODRIGUES
LUCIANO FELDENS
LUÍZA NÍVEA DIAS PESSOA
MARCELO MACHADO BERTOLUCI
MARIA JOÃO ANTUNES
NEREU GIACOMOLLI
PAULO SAINT PASTOUS CALEFFI
PAULO VINICIUS
PEDRO SÁ MACHADO
RAQUEL LIMA SCALCON
RUTH M. CHITTÓ GAUER

PALAVRAS PRÉVIAS

A história do Programa de Pós-Graduação em Ciências Criminais da PUCRS (PPGCCrim/PUCRS), ao longo de suas duas décadas de existência, tem sido fortemente marcada pela valiosa e constante presença da Universidade de Coimbra. Mesmo antes da fundação do PPGCCrim em 1997, a secular universidade portuguesa viria a conceder o título de Doutor em História Moderna e Contemporânea à Prof. Ruth Chittó Gauer, grande responsável pela afirmação e consolidação do Programa, em investigação voltada justamente à influência dos egressos daquela Casa na formação da nacionalidade brasileira. Em 2000, a Faculdade de Direito da Universidade de Coimbra receberia, em seu primeiro Programa de Doutoramento, em um ditoso movimento de abertura, os dois primeiros egressos do Mestrado em Ciências Criminais da PUCRS, Paulo Vinícios Sporleder de Souza e Fabio Roberto D'Avila, hoje Professores Titulares da Escola de Direito da PUCRS, estreitando ainda mais as relações entre essas duas Instituições.

Nas salas de aula e nos espaços de investigação do PPGCCrim, desde o seu mais inaugural instante, os grandes mestres portugueses sempre se fizeram tão próximos quanto os intransponíveis nomes da literatura nacional. Proximidade que se via reforçada pela efetiva presença de Professores da Faculdade de Direito e da Faculdade de História da Universidade de Coimbra em aulas, conferências, congressos e projetos promovidos em parceria com a PUCRS, mas também, e fundamentalmente, pela permanente e generosa abertura ao constante diálogo e investigação.

Com o passar dos anos, os já sólidos laços acadêmicos converteram-se em laços de amizade; o que era mero ofício transbordou em pessoalidade, não deixando mais visível qualquer linha de corte. Em 2013, fundou-se, no seio do PPGCCrim, e com o largo apoio e motivação de Alberto Silva Franco e José de Faria Costa, o Instituto Eduardo Correia de Direito Penal, Constitucional e Filosofia do Direito, com o objetivo de aprofundar ainda mais as relações acadêmicas e científicas entre as letras jurídicas brasileiras e a Universidade de

Coimbra. E, mais recentemente, a Escola de Direito da PUCRS e o prestigioso Instituto de Direito Penal Económico e Europeu (IDPEE) firmaram importante protocolo de cooperação científica, selando de forma definitiva essa comunhão de vontades. O Atlântico perdeu em tamanho. De barreira tornou-se ponte a ligar escolas e ideias que, em verdade, como bem prova a história, ainda que à distância, sempre estiveram irmanadas.

A presente obra é mais um passo dado nesse já frutuoso caminho. No aniversário de 30 anos da Constituição brasileira, nada mais adequado do que a promoção de um diálogo a envolver os espaços de juridicidade penal e constitucional, com a participação de docentes e discentes de pós-graduação de ambos os lados do Atlântico, e tendo como pano de fundo os novos – ou, por vezes, apenas renovados – problemas da contemporaneidade.

Tudo, é bom que se diga, envolto por aquilo que melhor nos identifica e anima: a confiança no estudo e reflexão rigorosos, críticos e cientificamente comprometidos, iluminados pelos ideais de tolerância e liberdade, e pelos valores da pluralidade e da multiculturalidade dos povos. Fundamentos inarredáveis para a construção de uma sociedade que se pretenda verdadeiramente justa, pacífica e solidária.

A todos uma boa leitura!

Maria João Antunes
Faculdade de Direito da Universidade de Coimbra

Fabio Roberto D'Avila
Escola de Direito e PPGCCrim/PUCRS

Cláudia Cruz Santos
Faculdade de Direito da Universidade de Coimbra

Nereu Giacomolli
Escola de Direito e PPGCCrim/PUCRS

ÍNDICE

ABERTURA

DIREITO PENAL

Os primórdios do constitucionalismo brasileiro

Ruth M. Chittó Gauer[1*]

Professora do Programa de do Programa de Pós-Graduação em
Ciências Criminais da Escola de Direito da PUCRS

Introdução

Em 1822, quando da primeira reunião do conselho de procuradores das províncias do Brasil, deu-se a convocação da Assembleia Geral Constituinte. Esse ato foi uma articulação de José Clemente Pereira, juntamente com o manifesto de Gonçalves Ledo, pedindo que se considerassem inimigas as tropas portuguesas. José Bonifácio redigiu a proclamação para que outras nações mantivessem relações diretas com o Brasil e enviou, com autorização do regente, representantes brasileiros para os Estados Unidos da América, Inglaterra e França, estabelecendo assim as relações internacionais do Brasil. Em 17 de abril de 1823 ocorreu a sessão preparatória da Assembleia Constituinte, e em 3 de maio do mesmo ano, a abertura ordinária[2]. Tais ações davam visibilidade à questão do início do processo de independência do Brasil marcado pela estruturação do constitucionalismo brasileiro cuja tradição refletia as bases da formação jurídica adquirida na Universidade de Coimbra.

A convocação da Assembleia Constituinte de 1823

Se, em 1822, a opção escravocrata dos constituintes foi situada no contexto mais amplo do liberalismo da primeira metade do século XIX, como explica a autora[3], "onde a doutrina dos direitos naturais, teorizada no período anterior, foi preservada, por outro lado também se pode afirmar que a doutrina acabou

[1] * Optou-se por transcrever os documentos do século XIX respeitando a ortografia da época.

[2] *Falas do Trono.* Prefacio de Pedro Calmon. São Paulo: Melhoramentos, 1977.

[3] SILVA, Cristina Nogueira da. *Constitucionalismo e Império. A cidadania no ultramar português.* Coimbra: Almedina, 2009, p. 259.

coexistindo com outros princípios que colidiam com ela". Além da natureza legiscêntrica da cultura jurídica oitocentista, apontada pela autora, que enfraquecia a hipótese de os escravos obterem a liberdade por meio da aplicação direta das constituições e dos direitos nelas declarados, existiam, no pensamento liberal, de matriz jusnaturalista, categorias que permitiam enquadrar a escravidão, ainda que em permanente tensão. Essas categorias explicam as tensões geradas, os silêncios, além das omissões por meio dos quais se exprimiu. No Brasil, durante o ano de 1823, o discurso dos deputados constituintes sobre a diversidade da população que compunha o Estado e a necessidade de acomodar a grande diversidade levou a longos debates, ocorridos nas sessões que iniciaram em meados de agosto do mesmo ano, as quais se destinaram à discussão sobre quais indivíduos poderiam ser considerados cidadãos brasileiros. Debatiam, os deputados, a concessão de cidadania aos índios, aos alforriados, além de uma enorme gama de mestiços, portugueses residentes no Brasil e outras categorias sociais. Os debates sobre o tema suscitariam as mesmas tensões apontadas acima. Temas como o da escravidão, liberdade, igualdade e propriedade, civilidade, pautaram a agenda dos parlamentares de 1823, quando trataram da questão da cidadania.

A rápida história da Assembleia Constituinte brasileira iniciou com a votação de uma comissão indicada pelos constituintes eleitos, com a função de elaborar e apresentar, para apreciação e discussão da Assembleia, um projeto constitucional. Na sessão de 16 de agosto de 1823, Antônio Carlos Ribeiro de Andrada, presidente da comissão, comunicou à primeira Assembleia Constituinte do Brasil o término do projeto constitucional elaborado pelos membros eleitos para esse fim. O projeto apresentado continha 272 artigos que foram apresentados individualmente, debatidos e votados pelos deputados constituintes. Os debates da Assembleia sobre o projeto constitucional estenderam-se até 12 de novembro de 1823, quando a Assembleia foi fechada por uma ação autoritária do Imperador D. Pedro I. Em que pese o fechamento da Assembleia, é preciso lembrar que o projeto, apresentado por Antônio Carlos Ribeiro de Andrada, já havia sido debatido e aprovado e que a Constituição outorgada em 1824 foi estruturada com base no projeto elaborado pelos deputados eleitos para esse fim.

Durante os meses de existência da Assembleia Constituinte, os deputados constituintes debateram e votaram os principais artigos que deveriam compor a primeira Constituição brasileira. Podemos ler, nos três volumes que juntos somam

1.155 páginas, as quais compõem o Diário da Assembleia, grandes debates que envolveram a aprovação de artigos que diziam respeito diretamente à estruturação do Estado baseados em conceitos estruturados no conhecimento jurídico moderno. Na dinâmica dos discursos podemos apreender qual o entendimento que esses constituintes demonstraram ter acerca desses conceitos, como, por exemplo: *nação, cidadania, direitos individuais, liberdade, igualdade, diferença*, entre outros, que dizem respeito à formação, assim como à configuração institucional de um Estado moderno. Interessa-nos, particularmente aqui, alguns dos discursos proferidos pelos deputados, na perspectiva de explicitar as premissas que revelaram a compreensão dos mesmos sobre quais categorias sociais seriam incluídas no direito à cidadania. A ideia de cidadania, ligada ao pertencimento de uma entidade política, o Estado, pautou a determinação de quais indivíduos teriam o direito de cidadania brasileira.

A história do pensamento político-jurídico passava por intensas reformulações, perceptíveis no processo de disputas políticas intensas, próprias do período de construção do Estado. Estado esse que aspirava tornar-se uma nação unificada pela construção do cidadão brasileiro. Essa aspiração aparece nos discursos dos constituintes, assim como no discurso proferido pelo Imperador D. Pedro I, por ocasião da abertura dos trabalhos da Assembleia Constituinte. Trata-se aqui de dar ênfase à história do discurso político-jurídico em face da variedade de linguagens em que o debate se desdobrava. A reação dos participantes expõe a diversidade de ideias e de contextos que circunscrevem a história das instituições nacionais. Todas as tendências do debate revelam divergências e convergências dos atores que respondem uns aos outros sobre um contexto comum, embora diverso. Rastrear alguns dos discursos proferidos pelos deputados, quando se discutiam as questões que envolviam o reconhecimento da cidadania a alguns brasileiros, implica estabelecer a busca pela lógica que conduziu os debates, a qual expõe as características do pensamento da época. A consulta aos diários da Assembleia Constituinte permite constatar que a história do pensamento político-jurídico, pelo menos dos deputados com formação superior, organizava-se em grande medida em torno da léxica e da semântica jurídica moderna. Os discursos a favor e contra o Artigo 5º e o § 1º do projeto de constituição foram discutidos por muitos deputados, que explicitaram suas posições acerca do tema, e, por outro lado, houve silêncio e omissões da grande maioria. A categoria cidadão debatida pelos constituintes estava focada em três categorias iniciais: humano, indivíduo e cidadão, mas não havia ainda clareza suficiente sobre quais direitos constituiriam essas categorias.

Os debates sobre o artigo, que deveria reconhecer quais categorias seriam consideradas cidadãos brasileiros, tiveram início no dia 23 de setembro, com vários pronunciamentos sobre o Artigo 5º e o § 1º, apresentado pela comissão que elaborou o projeto. Esse artigo, assim, se referia sobre ser cidadão brasileiro:

"São brasileiros: 1º todos os homens livres, habitantes no Brasil e nelle nascidos".

O que estava sendo defendido por vários deputados, e o que era aceito por muitos deles, tinha como ponto de partida a lógica que estava tatuada na consciência de vários parlamentares: a inferioridade da população negra em relação à população branca. O ponto de partida da argumentação, e que era presumidamente admitida por vários deputados, pode ser verificado pela forma como os mesmos tentam persuadir os demais. Um dos exemplos ilustrativos pode ser lido na argumentação de Ferreira França, quando buscava persuadir a Assembleia para a mudança do Artigo 5º e do §1º, propondo uma emenda, pois, segundo ele[4], "o termo cidadão he característica que torna o indivíduo acondicionado a certos Direitos Políticos que não podem ser comuns a outros quaisquer indivíduos, posto que brasileiros sejão". Afirmava ainda o deputado: "Por exemplo, os crioulos, ou filhos dos escravos que nascem no nosso continente são sem dúvida brasileiros, porque o Brasil he seu país natal; mas são elles por ventura ou podem considerar-se como membros da sociedade brasileira, isto he, acondicionados dos Direitos Políticos do Cidadão Brasileiro? Não certamente"[5].

Na visão de Ferreira França os cidadãos eram regidos por princípios diferentes: os direitos políticos não poderiam ser concedidos aos escravos alforriados, uma vez que o território de nascimento, critério de determinação da cidadania pautado no *jus soli*, princípio natural do território, não se constituía em base suficiente para garantir o direito de cidadania. Importante observar que o discurso do parlamentar não estava distante do proposto na "Declaração dos Direitos do

[4] *Diário da Assembleia Constituinte do Império do Brasil 1823*. Introdução de Pedro Calmon. Senado Federal, volume n. II, p. 105.

[5] *Diário da Assembleia Constituinte do Império do Brasil 1823*. Introdução de Pedro Calmon. Senado Federal, volume n. II, p. 105.

Homem e do Cidadão" adotada pela Assembleia Constituinte da França, em 1789, onde se detecta o triunfo do indivíduo e a primeira a ser adotada como fundamento de uma constituição: note-se que nem todos os homens foram considerados cidadãos, no caso da igualdade francesa moderna, há o respeito à humanidade, mas no caso da cidadania que envolve direitos políticos e civis as diferenças permaneceram. Concordando com Dumont,[6] quando afirma ter a Declaração francesa uma contradição existente no Artigo 2° em relação ao Artigo 1° que diz: "Os homens nascem iguais e permanecem livres e iguais em direitos. As distinções sociais somente podem fundar-se na utilidade comum". No Artigo 2° lemos: "A finalidade de toda a associação política é a conservação dos direitos naturais e imprescritíveis do homem. Esses direitos são a liberdade, a propriedade, a segurança e a resistência à opressão". A contradição, referida por Dumont, contradiz a estipulação central do *Contrato Social* de Rousseau, que citamos: "a alienação total de cada associado com todos os seus direitos a toda a comunidade". A declaração foi concebida como a base de uma constituição escrita, julgada e sentida como necessária do ponto de vista da racionalidade, a humanidade existia, a cidadania implicava direitos de alguns. Tratava-se de fundar a base do consenso dos cidadãos de um novo Estado e de colocá-lo fora do alcance da autoridade política. Se o estado de direito tem por finalidade a garantia da liberdade de cada um, desde que seja compatível com a liberdade de todos os outros, a liberdade política era reconhecida apenas aos que gozavam de independência econômica. Como compatibilizar o apregoado ao liberalismo que é liberal na economia, mas não na política e no jurídico?[7]

Os arranjos defendidos pelos deputados constituintes, sobre o reconhecimento da cidadania, iniciavam com proposta de eliminação de um número significativo de alforriados, nascidos no Brasil ou estrangeiros. A liberdade política era reconhecida apenas aos que gozavam de outras prerrogativas, a exemplo de outros países que à época se defrontaram com as exigências do mundo "objetivo", o qual criava tensões em relação à doutrina dos direitos naturais. A emergência das ideias modernas de cidadania corresponde ao desenvolvimento do Estado moderno

---

[6] DUMONT, Louis. *O individualismo. Uma perspectiva antropológica da ideologia moderna.* Rio de Janeiro: Rocco, 1985, p. 109 e seguintes.

[7] FERRAJOLI, Luigi. *El Garantismo y la Filosofía del Derecho*. Bogotá: Universidad Externado de Colombia, 2000. p. 83 (tradução de Fernando Hinestrosa e Hernando Parra Nieto).

centralizado, e à consolidação do Estado-Nação, tal como definido pelo autor[8]. O exemplo das discriminações ocorridas pela Constituição norte-americana: mulheres, menores, indivíduos classificados como incapazes – como os escravos, e os que não possuíssem um determinado nível de rendimento (propriedade), eram excluídos do estatuto de cidadania. Não se trata de uma exceção apenas norte-americana, na França, a Constituição de 1791, que garantia os principais direitos de liberdade, limitava o direito de voto aos que pagavam um determinado montante de impostos. O autor[9] refere: "A Constituição francesa limitava o direito de voto aos que pagavam certo montante de impostos, excluindo dos mesmos os que se encontravam *num certo estado de domesticidade, ou seja, de trabalho assalariado*". Por meio desses exemplos podemos afirmar que embora no início o liberalismo moderno pautasse o vocabulário dos constituintes – franceses e norte-americanos, assim como o dos brasileiros, entre outros –, os direitos civis e políticos não foram universalizados em um primeiro momento. Há, ainda, que salientar a luta de alguns parlamentares para que ocorressem a inclusão e o acesso mais amplo desses segmentos sociais ao direito à cidadania.

Em 1823, no Brasil, o processo de edificação e consolidação do Estado e do seu poder foi o recurso responsável pelos debates sobre quais critérios deveriam ser utilizados para reconhecer a nacionalidade como critério máximo no acesso à cidadania. Tratava-se de debater os artigos da futura Constituição brasileira, a posição do deputado Ferreira França não era estranha às concepções da época. O convencimento acerca da diferença entre alforriados e demais indivíduos se estendeu por várias sessões, e ao longo dos debates se manifestaram muitos deputados, entre eles Araújo Lima, que questionava: "O que é cidadão brasileiro, quais as qualidades que constituem a qualquer indivíduo brasileiro, ou cidadão brasileiro? Para tratar destas qualidades, he necessário declarar primeiro se todos os Membros da sociedade Brasileira são Cidadãos Brasileiros, ou se qualidade he privativa de uma classe, chamando-se ao resto simplesmente Brasileiros[10]".

---

[8] SOBRAL, José Manuel. Cidadania, nacionalidade, imigração: Um Breve Histórial das Suas Inter-Relações contemporâneas com referência ao caso Português. In: *Cidadania no Pensamento Político Contemporâneo.* Estoril: Princípia Editora, 2007. p. 139.

[9] BOBBIO, Norberto. *Igualdade e Liberdade.* Rio de Janeiro: Ediouro S. A., 1996. p. 64.

[10] *Diário da Assembleia Constituinte do Império do Brasil 1823.* Introdução de Pedro Calmon. Senado Federal, volume n. II, p. 105.

A proposição de Araújo Lima foi questionada por Francisco Carneiro, que se colocou como defensor da proposição de determinar "quais seriam os cidadãos brasileiros, e estando entre elles, os outros poder-se-hão chamar simplesmente Brasileiros, a serem nascidos no paiz, como escravos crioulos, os indígenas etc. mas a constituição não se encarregou desses, porque não estão no pacto social: vivem no meio da sociedade cível, mas rigorosamente não são parte integrante della, os indígenas dos bosques, nem nella vivem, para assim dizer (...) estes não tem direitos se não os de mera proteção, e a geral relação de humanidade. Nós vamos marcar os direitos e as relações dos que entrão no pacto social, e cujo todo compõem o corpo político: isto he o que parece ser da nossa intenção no capitulo. Por tanto tem muito ligar a emenda do Senhor França[11]".

Francisco Carneiro colocou ao lado dos crioulos (libertos nascidos no Brasil) e dos escravos os indígenas, explicitando ainda mais complexidade do tema. A afirmativa de que os escravos, crioulos libertos e os indígenas não faziam parte do pacto social se alicerçava nas premissas de Locke,[12] quando refere: "O fim principal da união dos homens em comunidades, e da sua sujeição a um governo, é a preservação da sua propriedade". Propriedade que deveria ter sido adquirida com seu próprio trabalho, neste caso, os proprietários seriam os que faziam parte do pacto social.

A distinção entre ser brasileiro e ser cidadão brasileiro, que pautou as bases das discussões dos parlamentares, estava ligada à questão do pacto social, entendido como construído pelos considerados cidadãos. Se, por um lado, muitos deputados aprovaram essa diferença, outros defenderam que tal diferença não poderia ser reconhecida. A questão dos indígenas havia sido tratada ao longo da história colonial. Uma das legislações que marcou o período Pombalino foi a política implantada por meio do *Directório* de 1757, o qual foi revogado em 1798. A recuperação da política do *Directório*[13] pombalino, segundo a autora,[14] "tinha

---

[11] *Diário da Assembleia Constituinte do Império do Brasil 1823*. Introdução de Pedro Calmon. Senado Federal, volume n. II, p. 106.

[12] LOCKE, John. Segundo Tratado sobre Governo. In: *Os Pensadores*. São Paulo: Abril Cultural, 1973.

[13] DIRECTÓRIO, o que se deve observar nas povoações dos Índios do Pará, e Maranhão em quanto sua Majestade não mandar o contrário. In: *Colleção da Legislação Portugueza desde a última compilação das Ordenações, redigida pelo desembargador António Delgado da Silva. 1750-1962*. Lisboa, 1830. Artigos: 6º, 7º, 8º, 10º, 17º, 81º, 82º, 83º, 85º, 87º, 88º, 89º.

[14] SILVA, Cristina Nogueira da. *Constitucionalismo e Império. A cidadania no ultramar português*,

sido resolvida pelas Cortes no ano anterior, quando a Comissão do ultramar aconselhara a mais exata observância da legislação a ele associada. (...) foi depois objeto de uma resolução (positiva) das Cortes". A Lei do *Directório*[15] objetivou substituir o papel administrativo dos jesuítas nas aldeias indígenas, que após a sua implantação (política pombalina) as aldeias indígenas passaram a ser consideradas vilas, regidas pela lei geral portuguesa, elegendo, os índios aldeados, seus juízes e vereadores, e transformando os missionários em párocos. Para além desse aspecto, objetivava ainda vulgarizar a língua portuguesa, uma vez que a essa vulgarização garantiria a unidade dos domínios portugueses, tanto que o Artigo 5º, da referida Lei, diz: "Enquanto, porém a civilidade dos índios, a que se reduz a principal obrigação dos Diretores, por ser própria do seu ministério, e, empregarão, estes um especialíssimo cuidado em lhes persuadir todos aqueles meios, que possam ser condizentes a tão útil e interessante fim, quais são os que vou referir". O *Directório* estabelecia ainda outros princípios morais e econômicos, como proibir chamar os africanos de negros; não haver nos empregos honoríficos preferência pelos brancos, permitindo acesso aos índios; garantir aos índios a propriedade de suas terras, mandarem extinguir totalmente a odiosa e abominável distinção entre brancos e índios, e facilitar os matrimônios entre brancos e índios. Para isso, deveriam os diretores persuadir todas as pessoas brancas de que os índios não eram inferiores, tanto que foram habilitados a todas as honras competentes às graduações dos seus postos, "consequentemente ficaram logrados os mesmos privilégios as pessoas que casarem com os ditos índios". Ao se referir ao pacto social, o parlamentar teve como foco o *Contrato social.*[16] Para Rousseau, o pacto fundamental, em lugar de destruir a igualdade natural, pelo contrário, substitui por uma igualdade moral e legitima aquilo que a natureza poderia trazer de desigualdade física entre os homens.

No que se refere à impossibilidade de considerar índios e escravos alforriados, cidadãos, pelo fato de os mesmos não participarem do pacto social, vários

---

op. cit., p. 274.

[15] DIRECTÓRIO, o que se deve observar nas povoações dos Índios do Pará, e Maranhão em quanto sua Majestade não mandar o contrário. In: *Colleção da Legislação Portugueza desde a última compilação das Ordenações, redigida pelo desembargador António Delgado da Silva. 1750-1962.* Lisboa, 1830. V. I, p. 507-530.

[16] ROUSSEAU, Jean-Jacques. Do contrato social, In: *Os Pensadores*. São Paulo: Abril Cultural, 1973.

deputados apoiaram essa proposta, e em oposição a ela o deputado Montezuma[17] assim se manifestou: "Cuido que não tratamos aqui senão dos que fazem a sociedade brasileira, falamos aqui dos *súbditos do Império do Brasil,* únicos que gozam dos cómodos da nossa sociedade, e sofrem seus incómodos, que têm direitos e obrigações no pacto social". O pacto social só poderia ser compreendido pelos indivíduos que pudessem aderir na forma de consenso, no âmbito da sociedade civil, onde o poder político se exprime pela razão.

Se as questões como cidadania, direitos constitucionais, igualdade jurídica, governo representativo, separações dos poderes, eram temas centrais da teoria política liberal desde o século XVIII, no século XIX se constituíram na estrutura que permitiu a construção do Estado constitucional. A questão do pacto social, como lembrava Montezuma, quando se referia aos "súditos do Império", estes seriam os únicos que tinham os direitos e obrigações contidos no pacto social. Com essas afirmativas o deputado pretendia colocar uma homogeneidade jurídica, colocar sob um único marco normativo os súditos do Império. Não houve, nas várias participações de Montezuma, durante o período de funcionamento da Assembleia, a preocupação em determinar valores culturais ou civilizacionais, tidos como fundamentos antropológicos, acerca da inclusão dos alforriados ou dos indígenas. Cumpre, assim, sublinhar como o entendimento do pacto social, enquanto consenso, implicava questões vinculadas aos conteúdos dos princípios liberais democráticos, além das questões que envolviam a propriedade. Como poderemos acompanhar, a referência ao pacto social será recorrente nos debates que selecionamos para esta análise.

As manifestações sobre o tema da cidadania continuaram, e o deputado Araújo Lima solicitou a palavra para argumentar longamente sobre a forma de organização da sociedade. Apresento alguns argumentos enfatizados pelo deputado, que assim se referia: "entrão todos com suas forças, e com o seo grao de inteligência para o fim comum que he o bem de todos; (...) A desigualdade de talentos, e inabilidades natural e mesmo social traz com sigo desigualdade de direitos; porém pergunta-se, porque se dá a todos a mesma denominação, segue

[17] *Diário da Assembleia Constituinte do Império do Brasil 1823.* Introdução de Pedro Calmon. Senado Federal, volume n. II, p. 124.

O pensamento liberal é essencialmente individualista, parte do pressuposto do contrato social e legitima todo o poder para garantir a propriedade e a segurança dos cidadãos. O estado não deve intervir, em princípio, senão para garantir a liberdade individual.

se que todos tem os mesmos direitos? Não (...) a palavra cidadão não induz a igualdade de direitos. (...) no sentido jurídico a palavra cidadão não designa se não a sociedade a que pertence[18]".

O deputado seguiu argumentando sua posição, evocando a origem da palavra cidadão, referindo a designação como morador ou vizinho da cidade, como tradicional no direito feudal, em sua opinião, esse direito acabou, o que se devia considerar a esta denominação "é o direito de todos os indivíduos porque seria odioso conservar diferenças". Após essa manifestação o debate foi adiado pelo presidente da Assembleia.

Do ponto de vista de Araújo Lima, a eliminação das diferenças retrataria o avanço, pois, ao contrário, se estaria configurando a visão tradicional no direito feudal. Por outro lado, defendia que, no sentido jurídico, a palavra cidadão não designava senão a sociedade a que pertence, o que não induzia à igualdade de direitos.

O debate sobre os princípios acerca da cidadania, que alguns dos constituintes se propunham defender, estava baseado nos princípios da Declaração Americana de 1776, da Declaração de 1789, da Constituição Francesa de 1791, e de certas compreensões acerca do termo cidadão. No Brasil, nos léxicos da língua portuguesa que circularam desde o início do século XIX, observa-se a distinção entre os termos cidadão (em português arcaico), cidadão era o fidalgo, o segundo designa o indivíduo detentor dos privilégios da cidade na sociedade de corte. O fidalgo era o detentor dos deveres e obrigações na cidade portuguesa, cidadão era a maneira genérica de designar a origem. Na visão moderna, o triplo Estado-povo-território constituiu o quadro de possibilidades de expressão da cidadania. Tanto que foi a partir de 1822 que ocorreu uma ressignificação; cidadão e cidadania passaram a fazer parte do discurso político, opondo brasílicos e criando a condição de cidadania com base na individualidade moderna, que pressupõe cidadania como condição para o exercício dos direitos políticos regulados pela Constituição. Se cidadania implicava exercício pleno dos direitos políticos, civis e sociais, uma liberdade completa que combinava com a igualdade, a permanência de exceções explicitou, nos textos fundadores do constitucionalismo liberal, as lutas pela cidadania, em um quadro institucional e jurídico nacional,

---

[18] *Diário da Assembleia Constituinte do Império do Brasil 1823*. Introdução de Pedro Calmon. Senado Federal, volume n. II, p. 106.

revelaram a distância entre o cidadão com direitos e o cidadão como o nascido no território da nação. Na etimologia do termo (latim) *civita*, cidade, (ideal), é a cidadania naturalizada, essa premissa conflitava com a visão da época em que se discutia a cidadania brasileira, a centralidade institucional do Estado-Nação foi a referência maior, no plano jurídico político, próprio da modernidade, onde as hierarquias não foram excluídas, em que pese, como veremos, existirem discursos que defenderam a eliminação das mesmas. Todo pensamento moderno sobre cidadania é tributário da matriz ligada a uma comunidade circunscrita por um território, pela consanguinidade e pela ideia de pertencimento. Em escala nacional, as lógicas de reivindicações verteram formalmente nas lutas que visavam à busca pela cidadania, sempre em um quadro institucional e jurídico nacional.

O debate foi retomado pela Assembleia, em sessão do dia 25 setembro, quando Araújo Lima pediu a palavra e retomou os argumentos na defesa da igualdade dos nascidos no Brasil, e para tanto evoca a Lei n. 17 de *statu hominum*. Para o deputado, "após esta lei todas as Nações proscreverão esta injusta distinção[19]". O foco da defesa se deslocou para exemplos praticados na Espanha, na França e para a Constituição portuguesa de 1822. A ênfase foi focada com o seguinte argumento: "A Constituição Portuguesa adoptou inteiramente a opinião que sigo: lembrarão-se seus Authores que este princípio geral de Direito Público estava sancionado pela Legislação sempre seguindo desde o berço da monarquia, e firmada em todos os códigos della; para que, pois, altera-la? (...) he já doloroso o ser necessário que alguns delles não possão gozar dos Direitos Políticos. A dura necessidade de determinar esta distinção he já um mal offensivo da igualdade política; mas não se privem do honorifico título de Cidadão, adquirido pelo seu nascimento, pelas determinações legais, e abraçarão o novo Pacto Social". Insistia o parlamentar em uma atitude política, e mais precisamente se funda a ideia de uma tomada de decisão acerca do reconhecimento do papel dos alforriados na sociedade. A condição social e o pressuposto da fundação da ordem estavam ligados à legislação tradicional.

Na defesa da igualdade se manifestou o deputado Vergueiro, apoiando as premissas apresentadas por Araújo Lima. A eloquência dos pronunciamentos revela um talento de convencer, por meio das palavras, a defesa dos alforriados.

---

[19] *Diário da Assembleia Constituinte do Império do Brasil 1823*. Introdução de Pedro Calmon. Senado Federal, volume n. II, p. 109-110.

Importante salientar que tal eloquência só teve reflexos, pois vinha acompanhada de eficiente conhecimento político.

Os argumentos apresentavam a visão de uma cidadania diferenciada; os cidadãos que possuíam direitos políticos e os cidadãos que não possuíam esses direitos. O direito de voto baseava-se essencialmente na noção, na capacidade de ganho, voto censitário, na propriedade, na capacidade de manter mulheres, crianças, empregados e os escravos. A inferioridade política apontava para o reconhecimento de pelo menos duas categorias de cidadãos. Os cidadãos com direitos civis e políticos e os cidadãos sem direitos políticos.

Embora os argumentos defendidos por Araújo Lima fossem estruturados no direito natural moderno, o debate continuou com votos contrários, entre eles o manifestado por Rocha Franco, que argumentava a existência de diferença entre brasileiro e cidadão brasileiro, com base em diferenças sociais. Da mesma opinião, o deputado Almeida Albuquerque lembrava: "Em um paiz, onde há escravos, onde uma multidão de negros arrancados da costa d'África, e doutros lugares, entrão no numero dos domésticos, e formão parte das famílias, como he possível que não haja essa divisão?[20]". A longa argumentação seguiu apontando exemplos da Grécia antiga, de Roma, entre outros. Passou-se a discutir as emendas propostas pelos deputados. Em meio aos debates, o deputado Arouche Rendon pede a palavra ao presidente e assim se manifesta: "Quem tem algumas luzes de jurisprudência conhece bem a differença que há entre Brasileiro simplesmente, e Cidadão Brasileiro[21]".

Note-se que a argumentação utilizada pelos parlamentares não se diferenciava das tratadas e publicadas na Declaração de 1789, além das contidas na Constituição Francesa de 1791, e das publicadas na Constituição norte-americana da época. Podemos observar que os discursos expõem um dos contrastes existentes em algumas teorias políticas: o todo político está, em primeiro lugar, em detrimento do social. A base do individualismo moderno, no entanto, colocava em primeiro lugar os direitos individuais, os quais determinam a natureza das instituições modernas democráticas. Arouche Rendon evoca a jurisprudência no sentido de

---

[20] *Diário da Assembleia Constituinte do Império do Brasil 1823*. Introdução de Pedro Calmon. Senado Federal, volume n. II, p. 111.

[21] *Diário da Assembleia Constituinte do Império do Brasil 1823*. Introdução de Pedro Calmon. Senado Federal, volume n. II, p. 111.

delimitar os direitos políticos, onde não se trata de seres sociais, mas de indivíduos. A negação ao direito de cidadania a categorias como a dos alforriados, dos escravos, dos crioulos e dos indígenas, entre outros, é sustentada com base na igualdade humana, tal como previa a *Declaração dos Diretos do Homem e do Cidadão*, todos são iguais enquanto humanos, no entanto, podemos deduzir que só alguns são cidadãos. Notem-se as referências sobre quem se incluía no pacto social, segundo o parlamentar estavam excluídos vários segmentos. O contrato, para Rousseau, não é um contrato entre indivíduos (como em Hobbes), também não é um contrato entre os indivíduos e o soberano, com essas exclusões o autor evita qualquer forma de contrato de governo e, assim, cria uma proteção contra o absolutismo. Pelo pacto social cada indivíduo une-se a todos, levando a ideia de que o contrato é feito com a comunidade. Ainda no *Contrato Social*[22] aparece a preocupação com as ideias sociais, procurando corrigir a injustiça e reduzir a distância entre pobres e ricos.

Como já referido, no início do século XIX, nem todos os membros da sociedade estavam qualificados para terem uma atuação política, como a de votarem e serem votados (o voto censitário), embora fossem considerados cidadãos. Os que viviam sob a proteção ou sob as ordens de outrem, empregados, mulheres,

---

[22] ROUSSEAU, Jean-Jacques. Do contrato social. In: *Os Pensadores*. São Paulo: Abril Cultural, 1973. Em sua obra não se encontram indícios do interesse em defender a abolição da propriedade ou em renunciar ao progresso. Preocupou-se com a infelicidade humana e atribuiu a mesma às razões sociais e políticas. Desenvolveu essa hipótese no *Contrato Social.* Muitos autores, a exemplo de Dumont, o identificam como sendo "anti-individualista", mesmo que essa seja apenas uma parte da verdade, nas palavras do autor, o próprio Rousseau, no início de um capítulo inicial do *Contrato Social,* intitulado "Do Direito Natural e da Sociedade Geral", diz: "Essa perfeita independência e essa liberdade sem regra, mesmo que permanecesse junto à antiga inocência, teria sempre tido um vício essencial e nocivo ao progresso das nossas mais excelsas qualidades, a saber, a falta dessa ligação das partes com o todo". Vemos com essa premissa que Rousseau aplica ao homem tal como é observado em sociedade, o homem na natureza. No *Discurso sobre a origem da desigualdade*, ele apresenta o homem segundo a natureza, livre e igual em certo sentido, dotado de piedade e de faculdades ainda não desenvolvidas, não diferenciadas, um homem inculto, por essa razão, nem virtuoso, nem maldoso. No *Contrato Social* temos a percepção sociológica sobre o reconhecimento do homem como ser social em oposição ao homem abstrato e individual. Como pensador do seu tempo Rousseau percebia o indivíduo como ideal moral com reivindicação política irreprimível baseada no direito natural moderno.

menores, no caso brasileiro dos alforriados todos seriam cidadãos *passivos*. Kant[23] tenta resolver essa contradição. No entanto, convém lembrar que a legalidade da lei é legitimada pelos cidadãos e não pelo soberano, como no período absolutista. Como lembra Koselleck,[24] "o que o *judgement* dos cidadãos estabelece em diferentes países como vício ou virtude não é decisivo para a legalidade da moral; conforme a época, o lugar e as circunstâncias dadas, podem declarar a virtude como vício ou o vício como virtude. A legalidade de suas opiniões morais insiste antes, no juízo dos próprios cidadãos". (...) "Por esse motivo Locke também chama a lei da opinião pública de Law of Private Censure (Lei da Censura Privada). Espaço privado e espaço público não são de modo algum excludentes. Ao contrário, o espaço público emana do espaço privado[25]". Na teoria liberal do século XVIII, utilizada por juristas no início do século XIX, todos os cidadãos estão destinados a serem livres e iguais, indivíduos homogêneos. Nesse sentido, a esfera política é caracterizada pelo seu universalismo, pelo fato de que a diferença se restringe apenas à "identidade não pública".

No dia 26 de setembro, a sessão foi aberta e após a leitura do ofício, encaminhado pelo Ministro da Justiça, abriu-se o debate sobre o § 2º do Artigo 5º, onde se discutia a cidadania dos portugueses residentes no Brasil[26]. O debate foi estendido por toda a sessão com o pronunciamento de quatorze deputados. O número de manifestações acerca do tema foi significativo, se considerarmos a participação dos deputados quando se discutiam outros temas, como, por exemplo, a cidadania dos alforriados. No caso da cidadania dos portugueses, podemos observar a recorrência dos discursos. Dos 102 deputados eleitos para a Assembleia, 89 tomaram assento, e nota-se, pela participação nas discussões

---

[23] KANT, E. A liberdade, o indivíduo e a república. In: WEFFOTT, Francisco. (org.). *Os clássicos da política.* São Paulo: Ática, 1991. p. 62-63. Kant tenta resolver essa contradição entre o conceito puro de cidadania e o de cidadania *passiva* pela reafirmação do atributo da igualdade em nova formulação: "por igualdade deve-se entender a igualdade de oportunidades". Segundo Kant, "as leis vigentes não podem ser incompatíveis com as leis naturais da liberdade e da igualdade de oportunidades segundo as quais todos podem elevar-se da situação **de cidadãos passivos ao de cidadãos ativos**".

[24] KOSELLECK, Reinhart. *Crítica e Crise.* Rio de Janeiro: Editora da UERJ, 1999. p. 51 e seguintes.

[25] KOSELLECK, Reinhart. *Crítica e Crise*, op. cit.

[26] *Diário da Assembleia Constituinte do Império do Brasil 1823.* Introdução de Pedro Calmon. Senado Federal, volume n. II, p. 115.

e pela solicitação de licenças médicas que durante os grandes debates aumentavam, a exemplo da questão da cidadania, o número de deputados presentes em plenário dificilmente foi da maioria. No dia 27 setembro, o tema da cidadania foi retomado quando da proposta de aprovação dos § 4º e § 5º do Artigo 5º, que previa o reconhecimento da cidadania aos filhos de pais brasileiros nascido em outro país e dos filhos ilegítimos de mãe brasileira.

O deputado Costa Barros pediu a palavra e assim se manifestou sobre o direito de cidadania: "Eu nunca poderei conformar-me a que se dê o titulo de Cidadão Brasileiro indistinctamente a todo o escravo que alcançou a Carta d'Alforria. Negros buçais, sem officio, nem beneficio, não são, no meo entender, dignos desta honrosa prerrogativa; eu os encaro antes como membros dannosos à sociedade à qual vem servir de peso quando lhe não causem males. Julgo por isso necessário coarctar tão grande generalidade, concedendo este § nos seguintes termos: Os escravos §c. que tem emprego ou oficio"[27]. A posição apresentada foi apoiada por alguns dos deputados. Os debates continuaram durante toda sessão sem serem conclusivos. Os argumentos apresentados pelo deputado revelam a visão sobre os negros, o deputado os via como selvagens transoceânicos, boçais e indignos de se tornarem iguais, e quanto a isso Costa Barros não deixa dúvidas.

Na defesa da concessão do título de cidadão somente aos alforriados que possuíssem emprego ou ofício, pode-se ler a ideia de inclusão civilizacional, o trabalho e o ofício teriam o poder de civilizar os boçais escravos, o fim utilitário asseguraria a mão de obra no País. A emergência de um vocabulário, ligando a ideia de civilização ao trabalho, marcou a proposta do deputado. Em que pesem as referências discriminatórias, "negros buçais, sem officio, nem beneficio", acompanharem os argumentos que apresentava à Assembleia para que o parágrafo proposto, segundo sua expectativa, fosse aprovado.

Na sessão do dia 30 de setembro, a ordem do dia foi o § 6° do Artigo 5°. Como ficaram adiadas, na sessão anterior, as propostas de Costa Barros e do deputado França, o deputado Moniz Tavares se manifestou sobre a possibilidade de o artigo passar sem discussão; argumentou o parlamentar que os deputados deveriam lembrar: "que os Oradores da Assembleia Constituinte de França produziram os desgraçados successos da Ilha de São Domingos, como affirmão alguns escritores

[27] *Diário da Assembleia Constituinte do Império do Brasil 1823*. Introdução de Pedro Calmon. Senado Federal, volume n. II, p. 130.

que imparcialmente falarão da revolução Francesa; e talvez alguns entre nós a favor da humanidade, expozessem ideias (que antes convirá abafar), com o intuito de exercitar a compaixão da Assembleia sobre essa pobre raça de homens, que tão infelizes só porque a natureza os criou tostados. Eu direi somente que no antigo sistema apenas um escravo alcançava a sua Carta de Alforria, podia sobir aos Postos Militares nos seos Corpos, e tinha o ingresso no sagrado Ministério Sacerdotal, sem que se indagasse se era ou não nascido no Brasil"[28].

A defesa, com base em que a diferença de cor não impediria a conquista da cidadania, foi o foco usado pelo parlamentar. A cor não degenerava, as forças da natureza tinham permanecido através das épocas. Note-se que as discussões constitucionais, em torno dos alforriados, colocavam à vista o medo da possibilidade de rebeliões de alforriados e de escravos. O tópico da Revolução do Haiti (1791) não havia sido esquecido. Para Moniz Tavares os deputados deveriam preservar-se dos debates acerca da escravidão, pois o contrário poderia provocar rebeliões aos moldes das ocorridas em São Domingos. Em suas diversas versões estava presente nas ideias e nos discursos dos constituintes, os quais acreditavam que a proteção dada a escravos e alforriados poderia resultar em levantes sangrentos, uma vez que a sociedade brasileira não estaria preparada para essas concessões e porque os escravos não saberiam governar-se. A contradição é explicitada pelo parlamentar, quando lembra que o ingresso no ministério sacerdotal assim como nas carreiras militares dos alforriados explicitavam os silêncios e os incômodos da presença de alforriados em vários setores da sociedade, onde a "igualdade já existia" em termos de "eliminação" de diferenças pela cor, bases do direito natural moderno. Desde a segunda metade do século XVIII, o direito natural teve uma importância notável, mais do que nos é dado conhecer na historiografia recente. Muitas das universidades mais importantes da Europa, principalmente dos países com tradição protestante, tinham, há muito, criado cadeiras de direito natural, e esse fato explica a atuação dos deputados com formação superior, principalmente os com formação jurídica, que ao proferirem seus discursos utilizassem as premissas do direito baseado no direito natural. Para a Europa[29] católica seguiu, após as reformas

---

[28] *Diário da Assembleia Constituinte do Império do Brasil 1823*. Introdução de Pedro Calmon. Senado Federal, volume n. II, p. 134.

[29] BAUMER, Franklin L. *O Pensamento Europeu Moderno,* v. I, v. II, Vila Nova de Gaia, Edições 70, 1990. p. 247.

universitárias, a mesma iniciativa no que se refere ao direito natural moderno. Várias ações contribuíram para o sucesso desta nova visão: novas traduções de Grócio e Pufendorf, manuais e comentários de Chistiam Wolff, de Burlamarqui de Genova, transmitiam os ensinamentos do direito natural à França intelectual, onde se tornou axiomático falar como fez D'Alembert na *Encyclopédie,* de um direito natural que era "anterior a todas as convenções", seria como "a primeira lei dos povos". A grande maioria dos parlamentares, com formação superior, haviam cursado Cânones ou Leis em Coimbra, onde os ensinamentos de Burlamarqui, Bentham e Beccaria, entre outros, constituíam-se em leituras conhecidas, assim como na França no mesmo período.

O direito natural tinha, neste contexto, mais que um sentido, podia significar como uma lei imutável da justiça para todos os homens, uma busca do sonho da universalização, e podia ser descoberto pela razão. Esses ensinamentos chegaram à Universidade de Coimbra e se integraram à disciplina de Direito Natural Moderno. Como os deputados defensores dos alforriados foram formados em Coimbra, na área jurídica, não é de se estranhar que a defesa fosse pautada por essas premissas.

Por outro lado, o direito natural moderno poderia significar uma generalização empírica, a partir de fatos da história e da natureza humana. A maior parte dos pensadores políticos da época confundia ou combinava esses dois significados. No entanto, ambos serviram para determinar normas legais universais, que não poderiam ser mudadas por vontade do soberano. Os dois grandes filósofos da igualdade, Helvétius e Rousseau, influenciaram a legislação acerca da questão da igualdade. Em Hume podemos buscar as bases de um utilitarismo "sentido", como uma tendência da época. As leis eram meras convenções, baseadas na experiência e no hábito, com foco no relativismo à sua conclusão lógica.[30] No entanto, todos procuravam o universal na vida política. O pensamento político inglês era mais complacente do que o francês, e o alemao menos liberal do que os ingleses ou franceses. O exemplo transmitido pelo *Contrato social* de Rousseau – que postulava uma sociedade de iguais, política e moral, através da participação dos indivíduos nas decisões a que tinham de obedecer, e, pela participação, identificados igualmente com a comunidade – foi uma das premissas postuladas

---

[30] BAUMER, Franklin L. *O Pensamento Europeu Moderno,* v. I, v. II, Vila Nova de Gaia, Edições 70, 1990. p. 247.

também pelos ensinamentos transmitidos pela Universidade de Coimbra. No contexto, o cidadão individual constituiu-se no elemento funcional do Estado burocrático moderno, e nesse sentido passou a ser visto como localizado no interior da estrutura formadora da sociedade moderna, administrada pelo Estado. Nos debates realizados na Assembleia Constituinte de 1823, diversos deputados empregaram argumentos identificados com os que foram defendidos pelos constituintes franceses e norte-americanos, outros defendiam as diferenças hierárquicas, mantidas desde o período medieval. Dos discursos proferidos pelos constituintes, os apresentados por Silva Lisboa, na defesa da cidadania dos alforriados, se destacam pelo caráter, pela percepção apresentada pelo constituinte, quando da defesa da cidadania dos alforriados. Tal defesa foi utilizada principalmente pelos constituintes com formação jurídica, no entanto, outros esforçaram-se para negar os argumentos jurídicos, de defesa da igualdade.

Após vários pronunciamentos, os debates continuaram entre os defensores da cidadania aos alforriados e os que não concordavam com essa posição, longos debates foram travados, não havendo uma conclusão plausível. Se, por um lado, a compreensão da igualdade ficava ligada à condição civilizacional, para muitos dos constituintes a condição de igualdade foi defendida por Silva Lisboa com base nas premissas de que o súdito deveria, na condição de humano, ser privatizado. O autor[31] enfatiza a necessidade que teve o Estado moderno de "desintegrar o súdito, e associá-lo – de início, no seio da elite intelectual – na sociedade civil e tenta encontrar uma pátria num domínio apolítico e a-religioso. Ele encontra na moral, que é o produto da religião confinada ao espaço privado. O campo de ação da moral é o mundo uno e sem fronteiras". Não por acaso é possível concordar com Koselleck,[32] quando refere que "A ameaça da guerra civil, cujo fim era imprevisível, já estava moralmente decidida para o burguês". "A certeza da vitória, que residia precisamente na consciência extrapolítica – a princípio, uma resposta ao absolutismo –, exacerbou-se em uma garantia utópica." Condenado a desempenhar um papel apolítico, o cidadão refugiou-se na utopia, que lhe conferiu segurança e poder. Ela era o poder político indireto por excelência, em cujo nome o Estado absolutista foi derrubado.

---

[31] KOSELLECK, Reinhart. *Crítica e Crise*, op. cit., p. 159.

[32] KOSELLECK, Reinhart. *Crítica e Crise*, op. cit., p. 160.

O modelo de cidadania defendido pelos constituintes de 1823, adeptos da igualdade a exemplo de Silva Lisboa, pautou-se na premissa da igualdade natural defendida por meio da integração das populações que habitavam o território brasileiro no período da independência. Podemos constatar que a oratória parlamentar utilizada nos debates acerca do reconhecimento da cidadania foi, em grande medida, uma forma de resolver alguns problemas que a complexidade da população colocava ao projeto de construção de um Estado nacional unitário, no que se refere à população. As influências do liberalismo daquele período levaram muitos dos parlamentares a se defrontarem com as contradições frente à lógica da igualdade formal. Tal contradição se explicitou da mesma forma em questões relacionadas à soberania nacional, à representação política, à unidade do território, do povo e da nação. Todas essas questões envolviam soluções de problemas estruturais que explicitavam diferenças intransponíveis. As decisões apresentadas pelos constituintes, assim como pela Constituição de 1824, evidenciam as desigualdades concretas existentes na sociedade da época. Os postulados cosmopolitas das *Luzes*, que defendiam a humanidade em geral, coexistiam com a exclusão de nativos, escravos, pobres, mestiços, mulheres, alforriados, entre outros. Sendo assim, dificilmente se poderia pensar que os cidadãos do início do Império, no Brasil, poderiam ter sido equiparados. Os problemas enfrentados pelos constituintes com relação à hierarquia foram semelhantes aos enfrentados pelos constituintes da França e dos Estados Unidos no período das revoluções liberais.

Os princípios, retratados pelos discursos, remetiam à ideia de se aplicar gradualmente os direitos de igualdade, e tal ideia apontava para o "bom senso prático" de acomodação dos problemas. Tal prática diferenciava as ações políticas dos constituintes brasileiros das práticas utilizadas pelos franceses do período da Revolução, como apontado inúmeras vezes por Silva Lisboa. A população de libertos e de mestiços, entre outros, deveria ser gradualmente inserida na cidadania de forma hierárquica. A certeza da unidade da espécie humana e a convicção de que todos deveriam caminhar para o progresso, com objetivo de alcançar a civilização, foi a base do pensamento da época. Sendo assim, dificilmente a ação política de então poderia não reconhecer a cidadania, assim como também não poderia deixar de criar categorias diferenciadas para os cidadãos. A nação, tal como foi proposta pelo *Direito das Gentes* na estrutura do direito natural desde o final do século XVIII, teve por premissa a ideia de que a humanidade se constituía com base em uma igualdade natural. O direito natural moderno, com base na absoluta igualdade da natureza humana, não previa a hierarquização dessa natureza, razão pela qual não foi prevista a hipótese de, por meio da explicitação de critérios raciais ou étnicos, se excluírem alguns povos da comunidade nacional. Tal universalismo seria o ponto de chegada, e quando todos alcançassem a civilização seria possível a universalização da cidadania.

A argumentação usada por Silva Lisboa para impedir uma maior hierarquização da cidadania explicita a defesa da igualdade quando refere: "Boas instituições, com recta educação, são as que formão seus homens para terem a dignidade de sua espécie sejão qual sejão as suas côres. O Doutor *Botado* em Lisboa foi Clérigo e Letrado negro, que (me perdoe-se-me dizer) *valia por cem brancos*. Em fim recordemo-nos que corpos Militares de Libertos, em que ao par estão crioulos, e africanos, tem muito contribuído para o estabelecimento do império do Brasil. Em fim o caso já está decidido pelo estilo do Juízo dos Órfãos, que costuma inventariar e arrecadar os bens dos filhos menores dos *Libertos*, e dar-lhes Tutor; o que he virtual reconhecimento de seo direito de cidadão. Só restava a Declarar ação authemtica na Constituição"[33]. O constituinte explicita na sua oratória a crença no projeto civilizador, além disso, é possível verificar que o autor buscou, por meio dos exemplos, anular o vocabulário marcado por assunções racistas usado por alguns constituintes.

A solução encontrada pelos constituintes de 1823 foi pensada para resolver, em primeiro lugar, o problema da cidadania, por ser essa a base estrutural da sociedade e, por conseguinte, do Império. A representação política do parlamento evocado como símbolo da igualdade que unia "todos" os nascidos em território brasileiro permitiu que se criassem, com base na categoria de cidadão, várias formas de cidadania, como se pode ler no "Título 2º *Dos Cidadãos Brasileiros*". Artigo 6º da Constituição de 1824, acima citado. A presença da escravidão impediu que a liberdade de trabalho, assim como a liberdade contratual e a igualdade face ao direito, direito do civilizado, fosse atingida.

Considerações finais

Os enunciados igualitaristas não foram favoráveis à igualdade jurídica na medida em que os constituintes estavam pautados pela crença de que o processo

[33] *Diário da Assembleia Constituinte do Império do Brasil 1823*, volume II, p. 140.

civilizacional levaria à nacionalização dos diferentes, daí a missão civilizadora que incluía a educação ter sido vista como uma espécie de alternativa para os "selvagens africanos e indígenas que habitavam o território brasileiro". O conceito de igualdade aplicado aos alforriados em geral expandiu-se em função do elenco de diferenças da população naquele período. Tal expansão pode ser constatada no reconhecimento da cidadania aos libertos, tanto que na letra da Constituição de 1824 desaparecem as distinções entre libertos crioulos e libertos africanos, uma vez que o artigo primeiro se refere apenas aos libertos. O fato de ter sido omitida a diferença entre liberto crioulo e africano pode ser interpretado como a inexistência de tal diferença. A omissão pode também ter significado uma estratégia destinada a evitar reações aos moldes das que ocorreram no Haiti que se constituíram em um fantasma para autoridades e população branca.

Há ainda uma questão que reputo como importante para pensar sobre os discursos dos constituintes. Trata-se como em seus argumentos explicitam a forma como pensavam o direito: só viam a lei no concreto, daí o problema de ultrapassar as diferenças. A ideia de direito é abstrata, não se concentra no concreto, uma concepção antropológica universalista de direito implica a vontade de abstrair desses critérios concretos (raça, renda, propriedade, profissão, território, grau de civilização, entre outros) em nome de uma cidadania universal.

Para além das questões acima apontadas, pensar cidadania ligada à nacionalidade é pensar coletivos, em diferentes tempos. O conhecimento consiste mais precisamente na construção-de-versões de mundo, a cidadania é um dos elementos que constituem o mundo moderno. Nação e nacionalidade foram construções inseridas em tempos históricos diferentes, o primeiro reconhecido como fruto da subjetividade e o segundo como fruto da racionalidade, e ambos se constituem na fonte que possibilitou uma dada compreensão sobre a nacionalidade brasileira durante o período da construção do Estado. Foram várias as reinvenções da cidadania brasileira desde o início do Império.

Quando dois sistemas ou versões individualizam diferentemente, discordam nas respostas às questões, o que é o mesmo e o diferente, a permanência e a mudança refletem uma mesma origem. Demonstrar com extrema propriedade que as fontes utilizadas tanto por que foram as mesmas, dessa forma as versões sobre a nação e a nacionalidade são entidades distintas ou as mesmas em tempos diferentes. Ambas as versões dão conta da metamorfose do conhecimento. Daí entendermos serem essas versões construtoras de ambiguidades, esta tese não é pacificamente aceita, já foi observado que a noção de construir mundos, na expressão de fazer mundos a exemplo do mundo nacional, é ambígua. Neste particular, as versões criadas e as coisas descritas ou representadas por essas versões são fruto de novas linguagens, introduzidas pelo primeiro liberalismo, com suas especificidades traduzidas pelos deputados constituintes de 1823. Ela é apresentada no momento em que foi construída a interpretação através da aproximação de autores até então vistos como diferentes, assim como na base das argumentações, onde imprimiu as condições para a compreensão de que o universalismo como totalidade seria impossível de ser aplicado.

Importante é salientar que, além da erudição, o estilo do autor é marcado pela faculdade de compreensão que abrange as possibilidades de investigar e inventar, o processo de construção de novos saberes. A compreensão não exige nem a verdade, nem a crença, nem a justificação; dá conta tanto da linguagem literal como metafórica, daí seu estilo se aproximar de uma análise que lembra a filosofia da compreensão. Com esse foco, podemos ler nos discursos que não devemos simplesmente mudar as narrativas sobre a cidadania, mas transformar nossa noção do que significa a nacionalidade e a nação em diferentes tempos. Da mesma forma, não podemos pensar que no início da segunda década do século XIX se pudesse pretender que a cidadania tivesse a mesma forma do período da consolidação das democracias do século XX.

Direito Penal e Direitos Fundamentais na Constituição Brasileira

Álvaro Oxley da Rocha

Professor no Programa de Pós-graduação em
Ciências Criminais da Escola de Direito da PUCRS

1 Introdução

O presente artigo examina, no âmbito do direito brasileiro e à luz dos chamados Direitos Fundamentais, os pontos de contato mais destacados e, portanto, o modo como se relacionam o Direito Penal e a Constituição Federal[1].

É preciso destacar que, no plano geral, o Estado de Direito determina como se dão as relações entre o Direito Penal e a Constituição, expondo assim os seus mecanismos de proteção aos Direitos Fundamentais[2]. Podemos, desse modo, destacar que essas relações ocorrem em dois sentidos: a Constituição pode agir como limitador negativo ao Direito Penal, ou a Constituição pode estabelecer o limite positivo ao Direito Penal. Observe-se, pois, que em termos gerais a categoria constitucional predominante em dado país fornece o fundamento ao poder estatal de punir e também pode ser o mais importante limite ao legislador, quanto aos bens jurídicos penais[3], a partir do mecanismo de tipificação do crime.

Nesse sentido, serão apresentadas e revisadas as gerações do constitucionalismo[4], de modo a classificar a Constituição brasileira hoje vigente e, ao mesmo

---

[1] CARVALHO, Márcia Dometila Lima de. *Fundamentação Constitucional do Direito Penal*. Porto Alegre: Sergio Fabris Editor, 1992.

[2] FELDENS, Luciano. *Direitos Fundamentais e Direito Penal: garantismo, deveres de proteção, princípio da proporcionalidade, jurisprudência constitucional penal, jurisprudência dos tribunais de direitos humanos*. Porto Alegre: Livraria do Advogado, 2008.

[3] D'AVILA, Fábio Roberto. Aproximações à teoria da exclusiva proteção de bens jurídicos no direito penal contemporâneo. In: *Revista Brasileira de Ciências Criminais*, 80, 2009, p. 07-34.

[4] BARROSO, Luís Roberto. *Curso de Direito Constitucional Contemporâneo: os conceitos fundamentais*

tempo, o paradigma teórico que, a partir da mesma, se verifica na produção legislativa penal.

Para tanto, deve ser referida a noção de velocidade no Direito Penal[5], em relação ao sistema constitucional hoje em vigor, uma vez que, ao constatar as maneiras pelas quais são previstas as penas na legislação atual do País, mormente a pena de privação de liberdade, e as penas que restringem direitos, expõem as mesmas às escolhas legislativas e, portanto, à velocidade que assumem com Direito Penal.

Por sua fundamental importância, vamos expor os princípios penais da Constituição brasileira, conforme expressamente previstos em seu texto, fazendo as referências históricas e ao pensamento filosófico e relacionado a cada um deles, desse modo estabelecendo as relações entre Direito Penal e Constituição, em seus principais aspectos.

2 As relações entre Direito Penal e Direitos Fundamentais

Iniciamos referindo a conceituação básica de Direitos Humanos,[6] como uma base mínima de direitos que necessitam ser estabelecidos e protegidos pelo Estado, estes devendo orientar as ações do mesmo para a realização das garantias fundamentais. Historicamente falando, os Direitos Humanos são afirmados como inalienáveis, imprescritíveis e inerentes ao ser humano. Portanto, é necessário que estejam previstos no texto constitucional, para que se considere a existência de um estado democrático de direito.

Uma parte significativa dos Direitos Humanos consta da documentação legislativa internacional, como o Pacto de São José da Costa Rica, que busca estabelecer mecanismos amplos de proteção a eles. A partir dessa influência, os Direitos Humanos previstos internamente no texto da Constituição passam a deter a mesma supremacia da norma constitucional, tornando-se dessa maneira Direitos Fundamentais.

---

e a formulação do novo modelo. São Paulo: Saraiva, 2009.

[5] SILVA SÁNCHEZ, Jesús-Maria. *A expansão do direito penal:* aspectos da política criminal nas sociedades pós-industriais. Trad. Luíz Otávio de Oliveira Rocha. São Paulo: RT, 2002.

[6] WOLKMER, Antonio Carlos. *Novos pressupostos para a temática dos direitos humanos*. In: RÚBIO, David S.; FLORES, Joaquín Herrera; CARVALHO, Salo de (orgs.). *Direitos Humanos e Globalização:* fundamentos e possibilidades desde a teoria crítica. Rio de Janeiro: Lúmen Júris, 2004. p. 3-19.

É de amplo conhecimento a classificação por gerações dos Direitos Humanos, relativos ao modelo de Estado, à titularidade dos mesmos e aos seus modos de exercício. Norberto Bobbio[7] oferece em sua obra essa classificação.

A noção de Direitos Humanos da primeira geração estabelece aqueles ligados às liberdades individuais; nesse sentido mostram-se como direitos negativos, porque podem ser opostos aos interesses e ações do Estado, oferecendo uma característica de direito de resistência e de titularidade individual. Podem-se destacar entre esses direitos os clássicos direitos a liberdade, a propriedade, a vida privada etc., baseados em uma concepção de Estado liberal, uma vez que para o seu exercício basta a não intervenção do Estado.

Os direitos sociais são a segunda geração em Direitos Humanos. Isso porque não há uma titularidade individual, a qual se dilui entre grupos sociais delimitados. Esses direitos estão ligados ao chamado estado de bem-estar social. Tais direitos dependem da ação do Estado, que vai além da simples garantia dos direitos, exigindo muitas vezes intervenções diretas, por meio de políticas públicas.

A terceira geração de Direitos Humanos, de titularidade difusa, dentro da ideia de direitos transindividuais. Portanto, a titularidade desses direitos pertence não mais a grupos delimitados, mas a toda a sociedade. O direito a um meio ambiente saudável, ecologicamente equilibrado, é um dos mais destacados hoje.

Pela falta de uma definição clara, em razão das lutas legislativas a respeito, não se pode estabelecer um padrão para o modelo normativo penal brasileiro. Isso fica claro pela diversidade de medidas sancionadoras, direitos tutelados e garantias adotadas. O modelo liberal-individualista, assim como o social-coletivista, fornecem influências para a busca de proteção às três gerações de direitos antes mencionadas, mas nenhum desses modelos tem supremacia no sistema.

Ao tratar o Direito Penal por esse viés, a Constituição Federal brasileira procura ir além dos direitos de primeira geração, prevendo possíveis formas restritivas de liberdade, ao mesmo tempo em que estabelece a garantia do direito à liberdade, afastando-se de outros modelos constitucionais. Nesse sentido, o constituinte estabeleceu o Estado como produtor normativo e também agente de regulação da atividade penal. Surge no texto constitucional uma forte preocupação em destacar a tutela aos direitos e interesses individuais, mas também com a proteção

---

[7] BOBBIO, Norberto. *A era dos direitos*. Tradução Carlos Nelson Coutinho. Rio de Janeiro: Elsevier, 2004.

da coletividade. O texto constitucional, dessa maneira, afastou-se da ideia de não ação estatal, quanto à tutela de bens jurídicos, buscando ampliar essa tutela para a proteção de bens coletivos, e também os transindividuais. Tal movimento fica claro, por exemplo, ao estabelecer a Constituição a possibilidade de estender responsabilidade penal para além da pessoa física, incluindo a criminalização das condutas de pessoa jurídica, especialmente em crimes envolvendo o meio ambiente.

O sistema penal brasileiro, inspirado pelo modelo constitucional vigente, ultrapassa, portanto, a função de garantir o indivíduo contra o poder de punir do Estado, passando a demonstrar uma função social transformadora da sociedade. Entretanto, as características liberais constantes do texto constitucional, não foram abandonadas.

3 Constituição e Constitucionalismo

As constituições de muitos países, durante o século XIX, apresentaram a característica de agir como um bloqueio ao direito de punir do Estado. Eram modelos estatais prescritivos, relacionados aos Direitos Humanos de primeira geração. Conforme Luigi Ferrajoli[8], ao mesmo tempo em que se desenvolve a demanda por esses direitos, essas constituições os estabelecem também em relação ao Direito Penal, no sentido de que passam a limitar explicitamente o poder do Estado, para evitar abusos e arbitrariedades.

Segundo o mesmo autor, a partir da segunda metade do círculo XIX, destacou-se o interesse na garantia dos Direitos Humanos de primeira geração, relacionados ao Direito Penal. Entretanto, foi utilizada a produção de legislação infraconstitucional para esse efeito. Essa época, portanto, é a da supremacia dos parlamentos, que prefere o mesmo classificar como de segunda geração.

No século XX, entretanto, as novas constituições demonstram a vontade de ir além do estabelecimento de limites ao poder punitivo do Estado. Surge a noção de que é necessário estabelecer obrigações, em âmbito político, para garantir os Direitos Fundamentais aos cidadãos. É nesse momento histórico que os Direitos Fundamentais penais passam a ser considerados necessários e dignos do texto constitucional. As constituições, a partir dessa nova concepção, se estabelecem como mecanismos efetivos de regulação do agir do Estado, caracterizando a terceira

[8] FERRAJOLI, L. *Los fundamentos de los derechos fundamentales*. Edición de Antonio de Cabo y Gerardo Pisarello. Madrid: Editorial Trotta, 2001.

geração de Direitos Humanos. Nesse sentido, o autor considera a Constituição brasileira como integrante dessa última geração.

Nesse sentido, o Artigo 5º da Constituição brasileira estabeleceu um elenco de princípios penais, passando a classificá-los como fundamentais. Partindo do princípio da dignidade humana, em seu Artigo 1º, Inciso III, as penas levam à preocupação de estabelecer esses fundamentos como base.

Uma abordagem sociológica em relação entre a realidade social contemplada no texto legislativo e a referência estabelecida pela Constituição brasileira de 1988 é a produzida pelo já mencionado Silva Sánches[9]. Esse autor destaca o que chama de "obsessão pelo cárcere", com o destaque na aplicação de penas privativas de liberdade, buscando o respeito às garantias individuais, essa seria a primeira velocidade do Direito Penal. Num segundo momento, ou velocidade, os crimes são classificados por sua gravidade, criando-se a possibilidade, para os de menor gravidade, de cambiar eventual pena privativa de liberdade por restrição de direitos. A Lei dos Juizados Especiais Criminais (Lei n. 9.099/95) prevê o tratamento dos crimes de menor potencial ofensivo. Surge o mecanismo da transação penal que permite, desde que atendidas as exigências da lei, imediata aplicação de pena restritiva de direitos, o que resulta na relativização muito clara do princípio de inocência.

O retorno ao regime da aplicação de penas privativas de liberdade caracteriza a terceira velocidade do Direito Penal, que implica redução das garantias individuais fundamentais. O Direito Penal do Inimigo, de Gunther Jakobs, seria o mais característico dessa concepção.

4 Princípios penais constitucionais

Inicialmente, apontamos o princípio da legalidade, o qual estabelece os fundamentos do Direito Penal brasileiro. Esse princípio é um verdadeiro apoio para as liberdades individuais. A lei penal, portanto, precisa ser muito clara em seu texto, muito exata e precisa, de modo que possa ser interpretada em todos os níveis sociais, buscando-se evitar que essa interpretação seja influenciada a partir de peculiaridades sociais ou culturais, de modo que só possa exisitir crime se comprovadamente ocorrer fato lesivo a um bem jurídico.

[9] Ver a nota 6.

Nesse sentido, Hungria[10] estabelece o seguinte: "O princípio da legalidade no Direito Penal é a premissa da teoria dogmático-jurídica da tipicidade, de Ernest Beling: antes de ser antijurídica e imputável a título de culpa 'lato sensu', uma ação reconhecível como punível deve ser típica, isto é, corresponder a um dos 'esquemas' ou 'delitos-tipos' objetivamente descritos pela lei penal".

Esse princípio se estrutura em três postulados. Um primeiro, quanto às fontes das normas penais incriminadoras. O segundo, relativo à enunciação dessas normas. E o terceiro, relativo à validade das disposições penais no tempo. O primeiro desses postulados é a chamada reserva legal. O segundo é denominado o da determinação taxativa. E o último, o da irretroatividade.

Princípio da Reserva Legal encontra-se no Artigo 5º, XXXIX, da Constituição Federal brasileira, *in verbis*: "*não há crime sem lei anterior que o defina, nem pena sem prévia cominação legal*". Desse modo, somente a lei, em sentido estrito, pode definir crimes e a sua respectiva penalização. A norma penal, nesse sentido, deverá ser precisa em sua redação. Somente será aceita a lei que delimitar com clareza a conduta lesiva, capaz de expor a perigo bem jurídico relevante, prescrevendo assim a consequência punitiva, proibindo-se a extensão da mesma a outra conduta, ainda que aproximada ou semelhante.

O postulado da taxatividade expressa a exigência inafastável de que a lei penal, pricipalmente a de natureza incriminadora, seja clara e precisa.

Assim, Lopes[11] destaca que é mister que a lei *defina* o fato criminoso, ou melhor, enuncie com clareza os atributos essenciais da conduta humana de forma a torná-la inconfundível com outra, e lhe comine pena balizada dentro de limites não exagerados. A lei penal que comina pena e descreve conduta punível não deve ser generalista, mas sim precisa, taxativa e determinada, sem qualquer indeterminação com a prefixação a respeito dos dados que permitem a qualificação e a assimilação das figuras típicas. No mesmo sentido, Prado[12] afirma que se procura evitar o *arbitrium judicis* através da certeza da lei, com a proibição da utilização excessiva e incorreta de elementos normativos, de casuísmos, cláusulas gerais e

[10] HUNGRIA, Nelson Hoffbauer. *Comentários ao Código Penal:* Decreto-Lei n. 2.848, de 7 de dezembro de 1940. Rio de Janeiro: Forense, S.D.Bv., 2016.

[11] LOPES, Maurício Antônio Ribeiro. *Princípios Penais Constitucionais:* o Sistema das Constantes Constitucionais. RT, Fascículos Penais, Ano 89, v. 779. RT: São Paulo. 2000.

[12] PRADO, Luiz Regis. *Curso de Direito Penal Brasileiro*. 4. ed. São Paulo: Editora Revista dos Tribunais, 2010.

de conceitos indeterminados ou vagos. O princípio da taxatividade significa que o legislador deve redigir a disposição legal de modo suficientemente *determinado* para uma mais perfeita descrição do fato típico (*lex certa*). Tem ele, assim, uma função garantista, pois o vínculo do juiz a uma lei taxativa o bastante constitui autolimitação do poder punitivo-judiciário.

Sobre o princípio da irretroatividade, o inciso XL do Artigo 5º da Constituição Federal Brasileira diz que a lei penal não retroagirá, salvo para beneficiar o réu. A regra, portanto, é a da irretroatividade da lei penal; embora exista a exceção da retroatividade, desde que seja para beneficiar o agente. Nesse sentido, Toledo[13] afirma que a norma de direito material mais severa só se aplica, *enquanto vigente*, aos fatos ocorridos durante sua vigência, vedada em caráter absoluto a sua retroatividade. Tal princípio aplica-se a todas as normas de direito material, pertençam elas à Parte Geral ou à Especial, sejam normas incriminadoras (tipos legais de crime), sejam normas reguladoras da imputabilidade, da dosimetria da pena, das causas de justificação ou de outros institutos de Direito Penal.

Ainda quanto ao princípio de legalidade, no que tange à execução da pena, deve-se observar que, por essa interpretação, os apenados não devem ser expostos a privações ou restrições que ultrapassem os limites estritamente necessários à execução da pena, de modo que não se perca o caráter de ressocialização da pena. Para Castilho[14], o princípio da legalidade na execução penal importa a reserva legal das regras sobre as modalidades de execução das penas e medidas de segurança, de modo que o poder discricionário seja restrito e se exerça dentro dos limites definidos.

Alguns princípios merecem ser mencionados, por sua relação direta com o Princípio de Legalidade, por suas características de complementariedade na interpretação do referido princípio. O primeiro é o chamado princípio da inafastabilidade do Controle Jurisdicional, normalmente conhecido como "direito de ação", e que está previsto no artigo 5º, XXXV, da Constituição Federal brasileira de 1988: "a lei não excluirá da apreciação do Poder Judiciário lesão ou ameaça a direito".

[13] TOLEDO, Francisco de Assis. *Princípios Básicos de Direito Penal.* 5. ed. São Paulo: Saraiva, 1994.

[14] CASTILHO, Ela Wiecko Volkemer. *Controle de Legalidade na Execução Penal.* 1. ed. Porto Alegre: Sérgio Antônio Fabris Editor, 1988.

O referido princípio busca estabelecer uma segurança, garantida pela Constituição Federal, no sentido de que todos os indivíduos possam acessar os serviços do Poder Judiciário. Conforme José Roberto Bedaque[15], "...representa a possibilidade, conferida a todos, de provocar a atividade jurisdicional do Estado e instaurar o devido processo constitucional, com as garantias a ele inerentes, como contraditório, ampla defesa, juiz natural, motivação das decisões, publicidade dos atos etc.". Trata-se de garantia restrita ao cidadão, de modo que o Estado necessariamente oferecerá a prestação jurisdicional sempre que houver uma lesão ou ameaça a direito, o que na seara penal é de extremo relevo.

O segundo princípio a destacar é o do devido processo legal, observável na maioria das Constituições dos países considerados democráticos. A Constituição Federal brasileira de 1988 o incorporou em seu Artigo 5º, inc. LIV, garantindo assim que "ninguém será privado da liberdade ou de seus bens sem o devido processo legal".

Evidentemente, há que pensar a devida aplicação do referido princípio ao processo penal, especificamente, em suas peculiaridades e demandas próprias, conforme Giacomolli[16]. Para Dinamarco[17], tal princípio "[...] importa ainda reafirmação da garantia de igualdade entre as partes e necessidade de manter a imparcialidade do juiz, inclusive pela preservação do juiz natural. Ela tem também o significado de mandar que a igualdade em oportunidades processuais se projete na participação efetivamente franqueada aos litigantes e praticada pelo juiz (garantia do contraditório, Artigo 5º, inc. LV) [...]". Absorve igualmente a regra de que as decisões judiciárias não motivadas ou insuficientemente imotivadas serão nulas e, portanto, incapazes de prevalecer (a exigência de motivação: C.F., Artigo 93, inc. IX [...]) e a de que, com as naturais ressalvas destinadas à preservação da ordem pública e da intimidade pessoal, os atos processuais deverão ser dotados de publicidade [...]. A garantia de aplicação, entretanto, dependerá

---

[15] BEDAQUE, José Roberto dos Santos. Os elementos objetivos da demanda examinados à luz do contraditório. In: TUCCI, José Rogério Cruz e; BEDAQUE, José Roberto dos Santos (coords.). *Causa de pedir e pedido no processo civil:* questões polêmicas. São Paulo: RT, 2002. p. 37.

[16] GIACOMOLLI, Nereu José. *O Devido Processo Penal. Abordagem conforme a Constituição Federal e o Pacto de São José da Costa Rica. Cases da Corte Interamericana do Tribunal Europeu e do STF.* São Paulo: Editora Atlas S.A., 2015.

[17] DINAMARCO, Cândido Rangel. *A instrumentalidade do processo.* 7. ed. São Paulo: Malheiros, 1999. p. 78.

do respeito aos princípios do contraditório, da ampla defesa, da publicidade e da livre persuasão racional do juiz, e não se limita, pois, à tramitação formalmente legal do processo.

Os princípios do Contraditório e da Ampla Defesa, também conhecido como "audiência bilateral", estão estabelecidos, também no Artigo 5º, no inc. LV da Constituição Federal de 1988, afirmando o texto que: "Aos litigantes em processo judicial ou administrativo, e aos acusados em geral são assegurados o contraditório e a ampla defesa, com os meios e recursos a ela inerentes". Do princípio do contraditório decorrem duas importantes regras: a da igualdade processual e a da liberdade processual. Pela primeira, as partes acusadora e acusada estão num mesmo plano e, por conseguinte, têm os mesmos direitos; pela segunda, o acusado tem a faculdade, entre outras, de nomear o advogado que escolher, de apresentar provas lícitas que julgar mais convenientes, e de formular ou não perguntas às testemunhas. Greco Filho[18] afirma que "a ampla defesa se estrutura a partir dos seguintes fundamentos: a) ter conhecimento claro da imputação; b) poder apresentar alegações contra a acusação; c) poder acompanhar a prova produzida e fazer contraprova; d) ter defesa técnica por advogado, cuja função é essencial à Administração da Justiça (Artigo 133 [CF/88]); e e) poder recorrer da decisão desfavorável".

Esses dois princípios supõem a garantia do devido processo legal aos litigantes, da garantia da imparcialidade do juiz e da igualdade entre as partes, o que se estende, obviamente, ao Processo Penal, em conformidade com a principiologia constitucional[19].

É necessário citar, também, o Princípio da Razoável Duração do Processo, que surge no direito brasileiro com a promulgação da Emenda Constitucional n. 45/2004, a celeridade e duração razoável do processo passaram a ser direitos e garantias constitucionais expressas (Artigo 5º, inciso LXXVIII), *in verbis*: "A todos, no âmbito judicial e administrativo, são assegurados a razoável duração do processo e os meios que garantam a celeridade de sua tramitação" (Inciso acrescentado pela Emenda Constitucional n. 45, de 8/12/2004, DOU 31/12/2004).

---

[18] GRECO FILHO, Vicente, op. cit., Apud PAGLIUCA, José C. G. In: MARQUES DA SILVA, Marco A. (coord.). *Tratado temático de processo penal*. São Paulo: Juarez de Oliveira, 2002. p. 113.

[19] LOPES JÚNIOR, Aury. *Direito Processual Penal e sua Conformidade Constitucional*, vols. I e II. Porto Alegre, Lumen Juris, 2011.

Esta razoabilidade, entretanto, não está materializada na lei. A omissão do legislador acerca do que seria um lapso temporal razoável para manutenção de um processo permite ao aplicador do direito a utilização de interpretações que, unidas ao bom senso, permitem a garantia da realização desse princípio. Delmanto escreve, nesse sentido, que sobreleva ressaltar que o denominado critério da razoabilidade é um método de interpretação, inerente ao devido processo legal, e também ao direito a um julgamento sem dilações indevidas, não se confundindo com a exigência de que a lei deve ser razoável e proporcional.

Sobre o Princípio da Intervenção Mínima, deve-se dizer que se trata de garantia fundamental, constando do *caput* do Artigo 5º da Constituição Federal brasileira, o qual estabelece que a intervenção do Direito Penal, no meio jurídico da sociedade, só faz sentido como imperativo de necessidade, quer dizer, quando a aplicação de pena se apresentar como único e último recurso disponível para a proteção do bem jurídico. Nesse sentido, este princípio traz a noção de que o Direito Penal deve ser encarado como *ultima ratio*. Desse modo, este somente deve ser aplicado quando os outros meios de garantia de paz social porventura disponíveis se revelem ineficazes ou insuficientes.

De acordo com Luisi[20], por meio do princípio da intervenção mínima, a criminalização de um fato somente se justifica quando constitui meio necessário para a proteção de um determinado bem jurídico. Portanto, quando outras formas de sanção se mostram suficientes para a tutela desse bem, a criminalização torna-se inválida, injustificável. Somente se a sanção penal for instrumento indispensável de proteção jurídica é que a mesma se legitima. Do princípio em análise decorre o caráter fragmentário do Direito Penal, bem como sua natureza subsidiária.

Encontramos no Artigo 5º, incs. XLVII e XLIX, da Constituição Federal, o Princípio da Humanidade, que assegura o tratamento humanitário ao apenado em todos os sentidos. O Direito Penal, por essa ótica, atua por um ponto de vista objetivamente humano, sem nunca desconsiderar que a pena possui função ressocializadora, e não se trada de instrumento de castigo, ou de vingança social.

De acordo com Gomes (2006), "o valor normativo do princípio da dignidade humana (CF, Artigo 1º, III) é incontestável. Nenhuma ordem jurídica pode contrariá-lo. A dignidade humana, sem sombra de dúvida, é a base ou o alicerce de todos os demais princípios constitucionais penais. Qualquer violação a outro

---

[20] LUISI, Luiz. *Os princípios constitucionais penais*. Porto Alegre: Sérgio Antônio Fabris, 2003. p. 49.

princípio afeta igualmente o da dignidade da pessoa humana. O Homem não é coisa, é, antes de tudo, pessoa dotada de direitos, sobretudo perante o poder punitivo do Estado".

Este princípio reforça a tese de que o poder punitivo estatal não pode aplicar as penas no sentido de ferir a dignidade da pessoa humana, ou com a intenção de lesionar a condição físico-psíquica dos apenados. Conforme o já citado inciso XLIX do Artigo 5º que dispõe que é "assegurado aos presos o respeito à integridade física e moral"; tal determinação fica ainda mais clara no inciso XLVII do mesmo Artigo 5º, onde está elencada a impossibilidade de aplicação das seguintes modalidades de pena: a) de morte, salvo em caso de guerra declarada nos termos do Artigo 84, XIX; b) de caráter perpétuo; c) de trabalhos forçados; d) de banimento; e e) cruéis.

Destaca-se ainda o princípio da pessoalidade e individualização da pena, estabelecido na Constituição Federal brasileira, em seu Artigo 5°, incisos XLV e XLVI, que proíbem a efetivação de punição por fato alheio, vez que somente o próprio agente do ilícito penal específico é passível de penalização. Em nenhuma circunstância poderá uma pena ser estendida a outro cidadão, seja por condição de parentesco ou afinidade, ou por qualquer outra condição. Nos termos da própria legislação, nenhuma pena passará da pessoa do condenado, e ninguém será responsabilizado criminalmente por ato de outrem.

O princípio da presunção de inocência, decorrente do princípio da individualização da pena, está no Artigo 5º, inciso LVII, da Constituição Federal brasileira, que assim estabelece: "ninguém será considerado culpado até o trânsito em julgado da sentença penal condenatória". Trata-se de um dos princípios de maior relevância para o estado democrático de direito, pois surge como garantia processual penal, para servir à tutela da liberdade pessoal. Pode-se afirmar que existe apenas uma tendência à presunção de inocência, ou, mais precisamente, um estado de inocência, um estado jurídico no qual o acusado é inocente até que seja declarado culpado por uma sentença transitada em julgado. Por isso, a Constituição Federal brasileira não "presume" a inocência, mas declara que "ninguém será considerado culpado até o trânsito em julgado de sentença penal condenatória" (Artigo 5º, LVII), ou seja, que o acusado é inocente durante o desenvolvimento do processo e seu estado só se modifica por uma sentença final que o declare culpado.

Não há, entretanto, que confundir o referido princípio com o princípio do "*in dubio pro reo*", uma vez que este somente ocorre quando da constatação de que, depois de tramitado o devido processo legal e a prova havendo sido colhida durante a instrução criminal, mas se apresentado insuficiente para assegurar a culpabilidade do acusado, deveverá o mesmo ser declarado inocente, por meio de sentença absolutória, pois se estabelece a proeminência do estado de inocência do réu. Desse modo, a presunção legal de inocência possui caráter absoluto, de modo que somente o Estado, por meio do devido processo legal, conduzido por agente autorizado, o magistrado, poderá desconstituí-lo, fazendo-o, se for o caso, por meio do trânsito em julgado de sentença condenatória, dentro do devido processo penal.

5 Bens jurídicos penais e os limites constitucionais ao Direito Penal

Sobre os bens jurídicos penais, queremos referir aqueles bens que, pelos princípios da subsidiariedade e da fragmentariedade, foram escolhidos pelos legisladores para serem protegidos pelo ordenamento jurídico penal. O bem jurídico penal age como limitador ao Direito Penal, uma vez que, se não se constata violação a um bem jurídico penal, não se pode realizar a tipificação de condutas ou ainda a eventual imposição de penas. A Constituição, nesse sentido, deve apontar esses bens jurídicos penais e destacá-los como os valores mais importantes para a sociedade que reflete, uma vez que tais valores deverão justificar a imposição da *ultima ratio* que deve ser o Direito Penal. O legislador constituinte identifica e estabelece esses bens no texto constitucional, e o legislador infraconstituinte, portanto, deverá materializar tais valores a partir da própria Constituição. Portanto, é na interpretação constitucional que se estabelece uma das formas mais importantes das relações entre Direito Penal e a Constituição. Para o já mencionado Ferrajoli [21], o bem jurídico tem função limitadora ao Direito Penal. Desse modo, a lesão ao bem jurídico potencialmente tutelado é condição necessária, mas não suficiente, para estabelecer a proibição e a punição. O autor, relacionando os pressupostos da teoria do garantismo penal e das relações necessárias entre Constituição, Direitos Fundamentais e Direito Penal, aponta duas principais teorias, que consideram capazes de explicar como a Constituição atua como agente limitador ao Direito Penal. A primeira seria a

[21] Ver nota 9, p. 172.

teoria da Constituição como limite negativo ao Direito Penal, assim, admite-se toda a atividade do legislador infraconstitucional, desde que não contrarie abertamente o texto constitucional. Nesse sentido, o legislador infraconstitucional pode tipificar condutas atentatórias aos valores não reconhecidos pelo legislador constituinte, desde que não sejam violados valores constitucionais.

Já a teoria da Constituição como fator de limite positivo ao Direito Penal afirma que o legislador ordinário deve se utilizar da instrumentação tutelar penal apenas para ações de proteção de bens jurídicos reconhecidos pela Constituição e estabelecidos como os valores mais importantes para a sociedade. De acordo com essa teoria, não é suficiente que a lei penal não viole ou contrarie a Constituição. Ela deve tutelar condutas que violem valores de relevo constitucional.

6 Considerações finais

É possível afirmar, finalmente, que as relações entre Direito Penal e Constituição são intensas, pautadas pela referência ao estado democrático de direito e pela força dos Direitos Fundamentais, que estabelecem valores constitucionais centrais ao Direito Penal. A Constituição brasileira, pode-se verificar claramente, adotou o modelo de Constituição de Terceira Geração, pelo qual o Estado não atua apenas em sentido negativo, por abstenção ou *non facere*, mas atua com importantes ações de definição dos bens jurídicos penais mais relevantes.

A Constituição brasileira demonstra sua relação com a segunda velocidade do Direito Penal, ao dar primazia ao conceito de dignidade da pessoa humana, estabelecido como fundamento da República Federativa do Brasil, o que prevê penas privativas de liberdade e também penas restritivas de direitos e outras, conforme uma hierarquia dos crimes, em máximo, médio e menor potencial ofensivo. A análise histórica da adoção dos princípios constitucionais penais, que procuramos fazer da maneira mais explícita possível, verifica uma clara opção pelo garantismo penal, tendo agido o legislador constituinte para criar mecanismo de limitação ao *jus puniendi* estatal, materializando tais limites por meio de garantias oferecidas ao cidadão, considerando, ao mesmo tempo, a tutela dos direitos sociais (segunda geração) e dos direitos transindividuais (terceira geração).

A Constituição Federal brasileira, a nosso ver, optou pela teoria dos limites positivos ao Direito Penal, ao limitar a atuação do Direito Penal como instrumento de tutela dos Direitos Fundamentais, de modo que o legislador infraconstitucional pode apenas tipificar condutas que estejam de acordo com os valores constitucionais, e que estejam ligados aos Direitos Fundamentais. Entretanto, destaque-se que o objetivo mais importante, ao buscarmos estabelecer as relações entre Direito Penal e Constituição, é clarificar os limites do poder punitivo do Estado, de modo a impedir que seja o Direito Penal utilizado para arbítrios e retrocessos. Registre-se a necessidade de evitar, ainda que indiretamente, a adoção de um Direito Penal do Inimigo, pois as justificativas de ação nesse sentido levam a se tornar simbólico o Direito Penal. Os Direitos Fundamentais, desse modo, devem ser destacados como instrumentos de garantia, como referências limitadoras ao poder punitivo do Estado, o que estabelece a Constituição como limite positivo ao Direito Penal.

Dignidade pessoal *versus* (aparente) segurança comunitária: observações sobre o registo português de condenados por crimes sexuais praticados contra menores

António Miguel Veiga

Doutorando em Ciências Jurídico-Criminais pela
Faculdade de Direito da Universidade de Coimbra

(...) *Raskólnikov nem sequer pressentia que a vida nova não lhe seria entregue de mão beijada, que teria de pagar caro por ela, pagar com grandes provas futuras* (...)

Fiódor Dostoiévski, *Crime e Castigo*

1 Introdução. Concretização do tema

1.1 Falar de crimes sexuais que vitimam menores de idade implica chamar a atenção para um domínio de melindre e delicadeza especialmente relevantes, sobretudo em uma era marcada (pelo menos ao nível discursivo) por uma ampla sensibilização para a matéria dos direitos humanos em geral e dos direitos dos mais jovens e indefesos em particular[1]. E, tratando-se precisamente de crianças e

---

[1]A Declaração Universal dos Direitos do Homem (D.U.D.H.), de 1949, e a Convenção dos Direitos da Criança (C.D.C.), de 1989, ambas surgidas sob a égide das Nações Unidas, e ainda a Convenção Europeia para a Protecção dos Direitos do Homem e das Liberdades Fundamentais, dita Convenção Europeia dos Direitos do Homem (C.E.D.H.), de 1954, esta sob os auspícios do Conselho da Europa, são apenas, na contemporaneidade, os expoentes mais evidentes da dimensão normativa – e, por consequência, política, económica, social e cultural – da apontada consciencialização dos direitos humanos em geral e das crianças em particular (entre muita outra bibliografia sobre o tema, *vide*, a propósito da C.E.D.H. e da protecção que esta proclama para as crianças em termos familiares e de representação para efeitos judiciais, VAN DJIK, Pieter; VAN HOOF, Fried; VAN RIJN, Arjen; ZWAAK, Leo (editors). *Theory and Practice of the European Convention on Human Rights*. 4th edition. Antwerpen – Oxford: Intersentia, 2006, p. 80 e 81, e

jovens, natural se torna que o discurso – mesmo o jurídico – possa tender a uma certa "exponenciação" emocional mais ou menos óbvia e frequente.

Cremos, todavia (e avancemo-lo desde já, sem embargo de uma melhor concretização da ideia, daqui a pouco), que a dita "exponenciação" emocional deverá a todo o custo ser evitada. Com efeito, o *argumentum* jurídico – sobretudo o jurídico-penal – não pode nem deve ficar refém da emotividade própria da temática sobre que se debruça. Tal como – aspecto tão ou mais importante quanto o anterior – não pode nem deve, *em caso algum*, aproveitar-se da circunstância de produzir a referida emotividade para assim (tentar) ganhar foros de legitimação – as mais das vezes *moral*[2] – junto da comunidade social a que se destina. Se o Direito e, *maxime*, o Direito Penal, nasce *na* sociedade e *para a* sociedade[3], tem de ser pautado, na sua génese e razão de ser, por algo mais (*muito mais*, diríamos) do que derivas emocionais humanamente compreensíveis mas não compagináveis com uma ordem normativa respeitadora da dignidade da pessoa e das condições essenciais à expressão da sua individualidade ôntica mais autêntica[4].

Por consequência, e sob pena de um evidente *envenenamento* do debate, todas as mexidas legislativas em matéria de criminalidade sexual e, sobretudo, as que envolvem crianças e jovens, devem merecer uma rigorosa ponderação e atenção, não assente em outro *topos* que o da preocupação de fragmentariedade, *ultima*

855, e, detendo-se especificamente na C.D.C., no tocante ao percurso que conduziu à respectiva emergência, HAMMARBERG, Thomas. "Justice for children through the U.N. Convention". *Justice for Children*. Dordrecht/Boston/London: Martinus Nijhoff Publishers, 1994, p. 60 a 62).

[2] Assistindo-se, deste modo, a um fenómeno cunhado por uma matriz eticizante de feições quase kantianas, segundo a qual o que se apresenta como *moralmente* justificado – pelo sensível universo intencional para que remete (*in casu*, a criminalidade sexual contra crianças) –, todos os seres racionais *terão* de querer, independentemente da maior ou menor radicalidade das concretas soluções normativas apresentadas (expondo, em tese, e de forma crítica, a pretensão universalista da legitimação do discurso, HABERMAS, Jürgen. *Aclaraciones a la Ética del Discurso*. Tradução para o castelhano de José Mardomingo. Madrid: Editorial Trotta, 2000, p. 15 a 23).

[3] Falando António Castanheira Neves, a propósito, da *condição mundanal*, convertida em *condição social*, do Direito ("O direito como alternativa humana. Notas de reflexão sobre o problema actual do direito", *Digesta. Escritos Acerca do Direito, do Pensamento Jurídico, da sua Metodologia e Outros*, Volume I. Coimbra: Coimbra Editora, 1995, p. 297).

[4] Para a compreensão do Direito como *ordem de validade ética*, veja-se NEVES, António Castanheira. "O direito como alternativa..." cit., p. 298 a 300.

ratio e subsidiariedade próprias do Direito Penal[5]. O mesmo equivalendo a dizer que o ponto essencial será o da perscrutação da existência ou não da dignidade penal do tema e da eventual carência efectiva de tal tutela de *ultima ratio*[6].

O ora exposto ganha especial acuidade em termos de direito substantivo, domínio no qual os apontados critérios de dignidade penal e necessidade de tutela penal se erigem em algo de óbvia importância e magnitude legitimadoras de uma qualquer criminalização empreendida[7]. Pois que igualmente por esses critérios se afere da (in)congruência constitucional da atitude legiferante, na consagração dos específicos bens jurídicos que elege, e da subsequente tarefa interpretativo-decisória do julgador[8].

---

[5] Em tese, acerca destas marcas da intervenção penal, PUIG, Santiago Mir. *Derecho Penal. Parte General.* 10ª edición, actualizada y revisada (con la colaboración de Victor Gómez Martín y Vicente Valiente Ivañez.). Barcelona: Editorial Reppertor, 2015, p. 127 a 132.

[6] Relativamente a estas duas categorias fundamentais – dignidade penal e necessidade de tutela penal –, com detalhe, cf. ANDRADE, Manuel da Costa. "A 'dignidade penal' e a 'carência de tutela penal' como referências de uma doutrina teleológico-racional do crime", *Revista Portuguesa de Ciência Criminal*, Ano 2 (1992), Fascículo 2, p. 178 a 182.

[7] Para uma visão crítica do Direito Penal sexual de cariz *moralista* – de que o positivado pela versão originária da nossa lei penal de 1982 ainda era parcialmente tributário –, enquanto complexo de crimes consagradores de bens jurídicos ligados aos fundamentos ético-sociais da vida em sociedade e seus costumes, *vide* DIAS, Jorge de Figueiredo. "Crimes contra os costumes". *Polis. Enciclopédia Verbo da Sociedade e do Estado.* Volume I. Lisboa-São Paulo: Editorial Verbo, 1983, p. 1371 a 1377. Especificamente sobre os crimes sexuais envolvendo menores, e questionando algumas das opções legislativas então inerentes à Proposta de Lei n. 149/IX, aprovada em Conselho de Ministros de 28 de outubro de 2004, sobretudo em termos de bens jurídicos protegidos, em certos casos de natureza supra individual e para lá da tutela da liberdade e da autodeterminação sexual, quando não mesmo falhos de bem jurídico, ANTUNES, Maria João. "Crimes contra menores: incriminações para além da liberdade e da autodeterminação sexual". *Boletim da Faculdade de Direito de Coimbra*, Volume LXXXI, 2005, especialmente p. 61 a 67.

[8] Quanto à proeminência daquilo que denomina de princípio constitucional não escrito do *Direito Penal do bem jurídico*, DIAS, Jorge de Figueiredo. "O 'Direito Penal do bem jurídico' como princípio jurídico-constitucional. Da doutrina penal, da jurisprudência constitucional portuguesa e das suas relações". *XXV Anos de Jurisprudência Constitucional Portuguesa.* Coimbra: Coimbra Editora, 2009. p. 33 a 35. Na *praxis* jurisprudencial do Tribunal Constitucional português, cf., sobre o tema, ANTUNES, Maria João. "Problemática penal do Tribunal Constitucional Português". *Revista Brasileira de Ciências Criminais*, Ano 19, Volume 92, 2011, p. 17 a 21.

Mas deverão também os mecanismos processuais penais estar iluminados por estalões que radiquem, antes do mais, na especialíssima característica de constituírem manifestações de (e perdoe-se-nos aquilo que actualmente constitui já um truísmo discursivo, de tantas e tantas vezes repetido...) "direito constitucional aplicado"[9].

Pelo que nos parece particularmente importante e útil, no contexto acabado de traçar, a análise da proposta governamental portuguesa – Proposta de Lei n. 305/XII, aprovada em Conselho de Ministros de 12 de março de 2015 –, e da sua inerente precipitação na Lei n. 103/2015, de 24 de agosto, da criação de um registo de condenados por crimes sexuais praticados contra menores, bem como das suas implicações jurídico-práticas mais evidentes, sobretudo à luz dos referentes valorativos próprios de um estado de direito assente na protecção e promoção da dignidade humana[10]. Longe de constituir matéria pacífica ou apodíctica, traduzirá, a nosso ver, algo de essencial para melhor tentar perceber os caminhos pelos quais pretendeu seguir o nosso legislador penal e processual penal – comprometido, é certo, por algumas obrigações de carácter internacional, sobretudo europeu[11] – em um domínio tão sensível mas, como dissemos há pouco, tão facilmente "contaminável" em termos de seriedade de discussão jurídica.

---

[9] Sugestivamente, refere Maria João Antunes: "*Direito processual penal – 'direito constitucional aplicado'* – frase que é hoje, como na canção, 'uma frase batida', que já dispensa mesmo a aposição de aspas..." ("Direito processual penal – 'direito constitucional aplicado'", *Que Futuro para o Direito Processual Penal? Simpósio em Homenagem a Jorge de Figueiredo Dias, por Ocasião dos 20 Anos do Código de Processo Penal Português*, coordenação de MONTE, Mário Ferreira; CALHEIROS, Maria Clara; MONTEIRO, Fernando Conde; LOUREIRO, Flávia Noversa. Coimbra: Coimbra Editora, 2009, p. 746, com itálicos da autora).

[10] Cf. Artigo 1 da nossa Lei Fundamental.

[11] Constando da Exposição de Motivos da Proposta de Lei acima referida estarem as alterações visadas por tal instrumento legislativo – e que foram bem para além da criação do mencionado registo, pois que preconizaram diversas alterações aos tipos de crimes sexuais perpetrados contra crianças contidos na nossa principal lei penal – sustentadas, desde logo, na Directiva n. 2011/92/EU, do Parlamento Europeu e do Conselho, de 13 de dezembro de 2011, e na Convenção do Conselho da Europa, assinada em Lanzarote, em 25 de outubro de 2007, relativas à luta contra o abuso sexual e a exploração sexual de crianças. Mas, mais concretamente no que se refere à inovação do aludido registo de condenados, surge a mesma filiada, segundo a Proposta, na Resolução 1733 (2010), da Assembleia Parlamentar do Conselho da Europa, de 21 de maio de 2010. No entanto, saber se estas fontes normativas internacionais obrigavam o legislador português a ir tão

1.2 Tentaremos compreender em que consiste, nos seus traços nucleares, a mencionada estrutura normativa do registo de condenados por crimes sexuais praticados contra menores, sobretudo na sua filiação primeira em relação ao aparelho punitivo do Estado. Tratar-se-á tal registo, na essência, de uma pena acessória? De um efeito das penas? De uma medida de segurança? Ou, porventura, de algo distinto, de um *tertium genus* definível segundo moldes muito específicos, não abarcáveis por qualquer uma das realidades categoriais acabadas de referir?

Mas verdadeiramente imperioso se tornará também indagar quais os concretos intuitos político-criminais assacáveis ao mecanismo do registo de condenados em um sistema jurídico-penal como o nosso, que vê a reacção criminal não como um castigo ou um fim em si mesmo mas como algo de prospectivo, ou seja, e para utilizarmos uma formulação clássica, como "(...) um simples meio para atingir um fim"[12]. Fim que, como sabemos, é o da protecção de bens jurídicos e da reintegração do agente na sociedade (n. 1 do Artigo 40 do Código Penal (C.P.)).

O aspecto a que agora aludimos será especialmente importante se tivermos em mente que os efeitos do registo tenderão a perpetuar-se no tempo, muito para além do período conatural ao cumprimento da pena de cujo decretamento dependem (e estando esta, portanto, já extinta[13] [14]). Daí que a pergunta se imponha: a necessária *visibilidade*[15] dos condenados que a existência de um registo

---

longe quanto pareceu disposto, no domínio do registo de condenados, é matéria relativamente à qual daremos conta da nossa opinião através do presente estudo.

[12] Expressão por nós colhida em BETTIOL, Giuseppe. *Direito Penal. Parte Geral.* Tomo IV. Tradução portuguesa de Américo Taipa de Carvalho. Coimbra: Coimbra Editora, 1977, p. 161.

[13] Efectivamente, o Artigo 13, n. 3 do Anexo à Lei n. 103/2015, de 24 de agosto, prevê a inscrição do nome do condenado no registo ao longo de um número de anos – cinco, dez, quinze ou vinte – cuja duração é *sempre* superior à duração das concretas penas – de multa ou de prisão – aplicadas ao agente.

[14] Cf., quanto à extinção – ocorrida pelo cumprimento – da pena de prisão efectiva, mas também da pena relativamente indeterminada e da medida de segurança de internamento, o Artigo 138, n. 4-s) do nosso Código de Execução das Penas e Medidas Privativas da Liberdade (C.E.P.M.P.L.); no tocante à extinção – ocorrida pelo decurso do respectivo prazo – da pena de prisão suspensa na sua execução, *vide*, de modo expresso, o Artigo 57 do C.P..

[15] A *visibilidade* a que fazemos referência pode assumir – e, na nossa opinião, assume de um modo verdadeiramente impressionante – diversas formas, mais ou menos ostensivas, consoante o específico modo de controlo pensado para os condenados por crimes sexuais. Uma característica, no entanto, é quase sempre comum (embora, neste específico ponto, o legislador português pareça

como o ora em causa comporta terá sentido e cabimento jurídico-constitucionais, mesmo (ou sobretudo) que invocando fins de reinserção social[16], por um lado, e de protecção comunitária, por outro, como justificadores de tal visibilidade?

2 O(s) fundamento(s) habitualmente propalado(s) para a criação do registo de condenados por crimes sexuais

2.1 De pouco ou nada valerá, nos tempos contemporâneos, escamotear a força (sobretudo mediática) de uma argumentação jurídico-penal assente na ideia de defesa comunitária. De facto, o ideário do *enforcement* dirigido a metas de protecção da sociedade relativamente aos *outros* – ou seja, àqueles a quem foi aposto o *rótulo*[17] de "ameaça" à comunidade – ganha natural e funda adesão, amiúde (e infelizmente) não rebatível pela sensibilização para determinados valores conaturais a um estado de direito democrático e moderno, assente, como acima dissemos, na promoção da dignidade humana[18]. O fenómeno, fruto de

---

ter – e menos mal – *recuado*): o desrespeito por aspectos que se ligam à intimidade e à reserva da vida privada de tais condenados através, por exemplo, da revelação da morada dos mesmos nas comunidades onde vivem (focando estes aspectos, THOMAS, Terry; THOMPSON, David. "Making offenders visible". *The Howard Journal*. Volume 49, n. 4, 2010, p. 345 e 346).

[16] É exactamente esta a expressão utilizada pelo Artigo 3 do Anexo à Lei n. 103/2015, de 24 de agosto: "o sistema de registo de identificação criminal de condenados por crimes contra a autodeterminação sexual e a liberdade sexual de menor visa o acompanhamento da reinserção do agente na sociedade, obedecendo ao princípio do interesse superior das crianças e jovens, em ordem à concretização do direito destes a um desenvolvimento pleno e harmonioso, bem como auxiliar a investigação criminal".

[17] Como se perceberá, não obstante o termo "rótulo" por nós utilizado no texto, não falamos no pressuposto de uma estrita assunção da perspectiva criminológica vulgarmente designada por *labeling approach*, com um enquadramento dogmático circunscrito na história do pensamento jurídico--penal (sobre este movimento do *labeling approach*, cf. DIAS, Jorge de Figueiredo; ANDRADE, Manuel da Costa. *Criminologia. O Homem Delinquente e a Sociedade Criminógena*. 3ª reimpressão. Coimbra: Coimbra Editora, 2011, p. 159 a 162).

[18] A propósito, é particularmente impressivo o *leitmotiv* contido nesta frase, proferida no discurso de 7 de outubro de 2009 por Dominic Grieve, "Ministro-sombra" da Justiça do Partido Conservador inglês, então na oposição ao Governo Trabalhista: "Protecting the public takes precedence over the privacy of criminals" (*apud* THOMAS, Terry; THOMPSON, David. "Making offenders..." cit., p. 341).

complexas e variadas conexões sociológicas, políticas e culturais[19] (as quais, como se antolha evidente, não cabe dissecar neste trabalho), não pode deixar de ser bem ponderado para melhor encararmos a força das aludidas ideias-mestras.

Não surpreende, concomitantemente, que os anseios defensivos a que acabamos de fazer referência – assentes em sentimentos (amiúde induzidos) de desprotecção e insegurança, amplificados em um mundo comunitário cada vez mais interactivo, actuante e escrutinado – propiciem, no campo da criminalidade sexual vitimadora de menores, as condições de emergência daquilo a que alguma doutrina, atenta ao evidente *expansionismo jurídico-penal* hodierno[20], vem chamando de *direito penal da segurança*[21]. Um Direito Penal orientado por preocupações de combate (impiedoso, diríamos) à *perigosidade* do (e que se supõe endógena ao)

---

[19] Em tais condições propiciadoras do *anseio pela segurança comunitária* não poderemos deixar de notar, "à cabeça", o determinantíssimo contributo do chamado "quarto poder", ou seja, da comunicação social, e do seu papel informativo e formativo (e, em alguns casos, "deformativo") do "grande público" que, ao cabo e ao resto, todos nós constituímos (a propósito, SÁNCHEZ, Jesús-María Silva. *Aproximación al Derecho Penal Contemporáneo.* Barcelona: Bosch, 1992, p. 220 a 223, e MULAS, Nieves Sanz. "Los medios de comunicación y el derecho procesal penal. Juicios paralelos". *II Congresso de Processo Penal.* Coimbra: Livraria Almedina, 2006, especialmente p. 123 a 127; sobre o ênfase sensacionalista na divulgação dos crimes que criam, no domínio sexual, uma ideia de *insegurança comunitária,* cf. THOMAS, Terry. "Sex offenders, the Home Office and the Sunday papers". *Journal of Social Welfare and Family Law.* Volume 23, n. 1, 2001, p. 103 e 104).

[20] Para uma caracterização geral do movimento jurídico-penal *expansionista* dos últimos anos, suas causas (essencialmente radicadas na apontada sensação social de insegurança e em fenómenos de identificação da maioria social com as vítimas), características e marcas mais salientes, *vide* SÁNCHEZ, Jesús-María Silva. *La Expansión del Derecho Penal. Aspectos de la Política Criminal en las Sociedades Postindustriales.* 2ª edición, revisada y ampliada. Madrid: Civitas, 2001, p. 32 a 42, 52 a 60, e 87ss., e MELIÁ, Manuel Cancio. "'Derecho penal' del enemigo?". *In:* JAKOBS, Günther; MELIÁ, Manuel Cancio. *Derecho Penal del Enemigo.* Madrid: Civitas, 2003, p. 65 a 78.

[21] Quanto a este *direito penal da segurança,* Alberto Alonso Rimo aponta como evidente exemplo, no direito espanhol contemporâneo, a recente erupção do instituto da *libertad vigilada* (a que faremos infra, no ponto 3.4, uma menção um pouco mais detida), prevista no Artigo 192, n. 1 do respectivo *Código Penal,* em virtude da qual a aplicação de medidas de segurança na sequência do cometimento de determinados crimes de natureza sexual deixa de estar restringida a inimputáveis e passa a abarcar igualmente os imputáveis, sobretudo como uma forma de acumulação posterior em relação à pena ("La publicidad de los antecedentes penales como estrategia de prevención del delito". *Revista General de Derecho Penal,* n. 17, 2012, p. 5 e 6).

delinquente, antes e para além de razões atinentes à culpabilidade do mesmo[22], às necessidades punitivas assentes no facto e aos limites de intervenção do *ius puniendi* que daí poderiam (e deveriam) advir[23].

No apontado *direito penal da segurança*, assume um relevante papel a necessidade de *exposição pública* ou *visibilidade* do agente e a sua consequente *inocuização* através da inflicção de determinados castigos – por vezes assumidos pelo sistema como deliberadamente infamantes[24] –, dotados de grande e inequívoco valor simbólico (partindo-se até da impostação ético-filosófica de que, quanto mais expressiva, radical e gravosa for a sanção, melhor ficará expresso o juízo de reprovação e censura moral provindo da consciência colectiva[25]). Sendo, em suma, impossível não convocar a propósito determinadas traves teóricas de um verdadeiro *direito penal do inimigo*[26].

---

[22] Para uma análise de alguns aspectos da "diluição" do princípio da culpabilidade na legislação penal francesa mais recente, cf. LAZERGES, Christine; HENRION-STOFFEL, Hervé. "Le déclin du droit pénal: l'émergence d'une politique criminelle de l'ennemi". *Revue de Science Criminelle et de Droit Pénal Comparé*, n. 3, 2016, p. 654 a 656.

[23] Sobre outra manifestação de algo a que, na sua pureza, não pode deixar de ser reconhecida a preocupação com o controlo da eventual perigosidade manifestada (ou não) pelo condenado, refira-se a possibilidade legal, nos Estados Unidos da América, do seguimento dos *sex offenders* através de sistemas de localização por via de G.P.S.. Nas palavras de Brian Payne e Matthew DeMichele, com as leis vigentes na matéria, "(...) there is an assumption that the public has a right to know where sex offenders are. With G.P.S. policies, and increases in technology, the assumption expands to the idea that the public not only has a right to know where sex offenders are, but the public has a right to monitor where sex offenders are" ("Sex offenders policies: considering unanticipated consequences of G.P.S. sex offender monitoring". *Agression and Violent Behavior*, n. 16, 2011, p. 178 e 179; no mesmo sentido, cf. WRIGHT, Richard. "Sex offender post-incarceration sanctions: are there any limits?". *New England Journal on Criminal and Civil Confinement*, Volume 34, 2008, n. 1, p. 36 a 38).

[24] RIMO, Alberto Alonso. "La publicidad de los antecedentes penales..." cit., p. 6.

[25] Escalpelizando este ponto, TRIVIÑO, José Pérez. "Penas y vergüenza". *Anuario de Derecho Penal y Ciencias Penales*, Tomo LIII, 2003, p. 349 e 350; já em termos político-criminalmente apologéticos da inflicção de tal tipo de castigos, KAHAN, Dan. "What do alternative sanctions mean?". *The University of Chicago Law Review*, n. 63, 1996, p. 636.

[26] Pertencem a Günther Jakobs, como se sabe, as bases teórico-analíticas da ideia de *direito penal do inimigo*. Para a sua explanação (e que em muito ultrapassa os modestos propósitos do presente trabalho), *vide*, de tal autor, "Criminalización en el estadio previo a la lesión de un bien jurídico". Tradução para castelhano de Enrique Peñaranda Ramos *Estudios de Derecho Penal*. Madrid: Civitas,

Particularmente no campo temático da criminalidade sexual sobre menores, e do ponto de vista mediático-comunicacional, os "fantasmas"[27] são imensos, permitindo a edificação de um quase dogma – inflamado e apodíctico – sustentador da ideia de inevitabilidade na consagração de todas as características que se pretendem ínsitas aos sistemas de registo de condenados pela prática de crimes de tal jaez[28].

199, p. 293ss.; e cf. igualmente "Derecho penal del ciudadano y derecho penal del enemigo". Tradução para castelhano de Manuel Cancio Meliá. *In*: JAKOBS, Günther; MELIÁ, Manuel Cancio.*Derecho Penal del Enemigo*. Madrid: Civitas, 2003, p. 21ss. Sobre certos rumos da política criminal contemporânea, que parecem tributários de um *direito penal do inimigo*, cf. RODRIGUES, Anabela Miranda. "Política criminal – Novos desafios, velhos rumos". *Liber Discipulorum para Jorge de Figueiredo Dias*, Coimbra: Coimbra Editora, 2003, p. 210 a 216, e LAZERGES, Christine; HENRION-STOFFEL, Hervé. "Le déclin du droit pénal..." cit., p. 649 a 661.

[27] É importante, no entanto, que sejamos justos e reconheçamos que não se trata apenas de "fantasmas", pois o domínio a que nos reportamos lida com sérias e fundíssimas questões – efectivas e reais –, absolutamente dramáticas e de efeitos muitas vezes devastadores junto das vítimas dos factos ilícitos praticados. Os menores abusados na sua autodeterminação sexual constituem sempre a *parte mais fraca* de algo com marcas claramente transversais à nossa sociedade e com inúmeras especificidades próprias (sobre alguns dos deletérios efeitos nas vítimas e particularidades inerentes, sobretudo nos domínios comportamental e cognitivo, a curto e longo prazos, cf. ALBERTO, Isabel Marques. *Maltrato e Trauma na Infância*. Reimpressão. Coimbra: Livraria Almedina, 2006, p. 73 a 77). O ponto é que, em muitos casos, o problema começa no interior da própria família, na conveniência (e conivência?) do manto de reserva e intimidade que lhe está associado, com as dificuldades de conhecimento investigatório e probatório daí decorrentes (a propósito da questão, VEIGA, António Miguel. "Notas sobre o âmbito e a natureza dos depoimentos (ou declarações) para memória futura de menores vítimas de crimes sexuais (ou da razão de ser de uma aparente 'insensibilidade judicial' em sede de audiência de julgamento)". *Revista Portuguesa de Ciência Criminal*, Ano 19 (2009), n. 1, p. 108 e 109). Ora, para a generalidade destas situações – e das "cifras negras" que lhes estarão associadas –, o discurso de segurança comunitária "acoplado" aos sistemas de registo de condenados mostra bem a sua inadequação e, sobretudo, a necessidade, isso sim, do surgimento de políticas de cariz social e educativo tendentes a prevenir e despistar, dentro do possível, os dramas a que começámos por fazer referência na presente nota (*vide*, especificamente quanto à falsa sensação de segurança produzida pelo seguimento dos *sex offenders* através dos sistemas de G.P.S. – mencionados na nota 23 –, pois que em grande parte dos casos os ofensores estão na comunidade e, mais do que isso, nas suas próprias casas, nas quais cometem os crimes, a que se soma o incipiente conhecimento da real fiabilidade técnica dos meios em causa, PAYNE, Brian; DEMICHELE, Matthew. "Sex offenders policies..." cit., p. 181).

[28] A título de exemplo da expansão a que nos reportamos, cf. Brian Payne e Matthew DeMichele,

2.2 Se pretendermos sintetizar o conjunto de fundamentos habitualmente arvorados para o surgimento de medidas como a que nos propomos analisar, teremos sempre de retornar à máxima a que ainda há pouco nos referimos, a saber, a da segurança pública e defesa comunitárias no modo de lidar com um problema sério e relevante do ponto de vista humano e social. Na essência, o primeiro argumento destinado a garantir a adesão geral será este: *ao sabermos quem são e onde se encontram, no presente e no futuro, aqueles que praticaram crimes sexuais contra menores e por isso foram penalmente condenados*[29], *estaremos em condições de defendermos as nossas crianças e nós mesmos de tais condenados, pelo controlo que faremos do modo de vida destes últimos.*

Intimamente relacionado com a asserção acabada de enunciar, e como que em jeito de sua normal consequência, emerge depois o postulado da prevenção da reincidência da prática de novos crimes sexuais pelos condenados sujeitos ao registo: a partir do momento em que sabem estar sob observação policial e social constante, aqueles cujos nomes se encontram no registo sentir-se-ão dissuadidos de cometer novos crimes e colocar assim em causa os valores protegidos pelo sistema penal[30].

---

a propósito das estimativas segundo as quais, no ano de 2005, existiam quase 550.000 condenados por crimes sexuais registados nos Estados Unidos da América ("Sex offenders policies..." cit., p. 178). E *vide* igualmente Cristina Fernández-Pacheco Estrada, que aponta a existência, em 2014, de cerca de 700.000 pessoas inscritas em tais registos ("Registros de delincuentes sexuales y prevención del delito. Análisis de la experiencia estadounidense". *Estudios Penales y Criminologicos*, Volume XXXIV, 2014, p. 390).

[29] Ficando totalmente subalternizado – e passando, assim, a constituir um *pormenor* – o facto de terem as pessoas em questão cumprido já a pena que a sociedade, a seu tempo, e através das chamadas "instâncias formais de controlo do crime", nas vestes de "sistema da justiça penal", entendeu como justo definir... (a propósito da ideia de "instâncias formais de controlo do crime", DIAS, Jorge de Figueiredo; ANDRADE, Manuel da Costa. *Criminologia*... cit., p. 365 a 380).

[30] Elucidativo, quanto a este tipo de raciocínio, foi o programa levado a cabo, no Reino Unido, e durante algum tempo, pela polícia do condado de Essex, de tornar pública a identidade de anteriores condenados por roubos e furtos de automóveis e traficantes de drogas na área de Brentwood desde 2003. Tal prática veio a ser contestada em sede judicial por um dos condenados que viram a sua identidade publicamente revelada, e acabou depois abandonada pela entidade policial. Os objectivos invocados pelas chefias da polícia do aludido condado traduziam-se nos seguintes: consecução de um efeito preventivo em relação a novos crimes; criação da ideia, pelos condenados e quaisquer outros delinquentes, de que os subúrbios não eram melhor opção do que as grandes metrópoles para

E o enquadramento de todos os ditos objectivos está, por seu turno – também já o notámos –, bem definido por uma ideia político-criminal de tornar os condenados visíveis e fazer chegar ao público, o mais rapidamente possível, as condenações criminais respeitantes àqueles e até mesmo ao processo que conduziu à sua obtenção (em uma clara manifestação do adágio segundo o qual *justice should be seen to be done*)[31].

Em tal percepção das coisas, a referida *visibilidade* dos condenados (os quais, aliás, havendo cometido *sex crimes* pelos quais foram sentenciados, experimentarão uma reduzida expectativa de privacidade, precisamente por razões de segurança pública[32]) e os resultados obtidos pelo sistema de administração da justiça penal conduzirão a um generalizado clima de confiança junto da comunidade. Sistema que, portanto, deixará de revelar-se em si mesmo opaco e sem qualquer eco interactivo com a sociedade em geral e as comunidades locais em particular[33].

---

a prática de delitos; lembrança, junto de jovens condenados, de que o cometimento de um crime resultava em uma sentença condenatória e no cumprimento de uma pena de prisão; tranquilização do público em geral através da demonstração de que a polícia local conseguia resultados na captura e na condenação dos criminosos que operavam na área. Conquanto o tribunal não haja declarado ser ilegal o apontado *modus operandi* policial de fornecimento de *criminal conviction information for the public*, chamou a atenção para a necessidade de serem tomados em consideração outros valores e realidades, tais como os riscos para as famílias dos visados, a reabilitação destes últimos, e inclusivamente a possibilidade de ocorrência de novos factos criminosos pelos mesmos ex-condenados, mas advertindo que a entidade própria para determinar uma prática de divulgação do jaez da empreendida pela polícia não poderia ser esta entidade mas sim um tribunal (THOMAS, Terry; THOMPSON, David. "Making offenders…" cit., p. 342 e 343).

[31] THOMAS, Terry; THOMPSON, David. "Making offenders…" cit., p. 341.

[32] Neste sentido, e a partir do *statement* expresso no *website* do estado norte-americano da Louisiana, *vide* FITCH, Kate. *Megan's Law: Does it Protect Children?*. London: National Society for the Prevention of Cruelty to Children, 2006, p. 47.

[33] Como resulta do relato de Terry Thomas e David Thompson, todas as características acima apontadas serviram de *guide lines* à política de informação em matéria de justiça pensada em 2009 pelo governo britânico então em funções, intitulada de *Publicising Criminal Convictions*, e que tinha como pedra de toque a necessidade de divulgar, em um curto espaço de tempo, junto das populações locais, as condenações criminais de adultos (e não juvenis) pelas mais variadas formas, de modo, depois, a acompanhar e tornar também público o posterior percurso dos mesmos condenados (ideia, aliás, não privativa do governo, pois que a oposição conservadora revelava idênticas intenções para quando ascendesse novamente ao poder: uma vez aí, pretendia usar de meios de divulgação que passavam sobretudo pela colocação, em moldes idênticos aos dos anúncios publicitários, de

Intuindo-se, por fim, e na lógica autorreferencial (mesmo *autopoiética*[34]) de semelhante perspectiva, o resultado de relegitimação de um determinado *status quo* institucional, assumido e sentido pelos cidadãos como algo que, de facto, "funciona" e verdadeiramente os protege.

O intuito *simbólico* de toda essa arquitectura político-criminal – a qual mostra um legislador e um sistema formal de controlo atentos e decididos[35] – aparenta-se-nos, pois, como algo de relativamente evidente[36].

Mas não só. Não se trata apenas de uma questão de *simbolismo*, isto é, de definição de um sistema que pretenda somente causar uma impressão tranquilizadora junto da comunidade jurídica, sem intuito de uma real aplicação prática e efectiva de determinadas medidas. Como notaremos já de seguida, a aludida *visibilidade* dos visados é um *objectivo prático* que, em maior ou menor medida (consoante o concreto regime considerado e a aplicação das regras que nesse mesmo regime se propugna em termos de registo), se intende sempre efectivamente obter para, a jusante, se prosseguir na comunidade jurídico-social desideratos político-criminais muito marcados.

3 Alusão à experiência de diversos Estados Norte-Americanos (*Megan's Law*, de 1996, e *Adam Walsh Child Protection and Safety Act*, de 2006), do Reino Unido (*Sex Offenders Act*, de 1997, e *Sex Offenders Act*, de 2001), do Estado Francês (*Fichier Judiciaire National Automatisé des Auteurs d'Infractions Sexuelles ou Violentes*, a partir de 2004), e ainda da lei penal espanhola (*Libertad Vigilada*, desde 2010, e *Registro Central de Delincuentes Sexuales*, de 2015)

3.1 A contemporaneidade conhece concretizações mais ou menos estremes e acabadas do paradigma por nós brevemente enunciado.

---

imagens fotográficas de conhecidos *gangsters* (!) nas paredes dos prédios das cidades e vilas de onde os mesmos eram oriundos ("Making offenders..." cit., p. 341)).

[34] Explicitando jurídico-penalmente o conceito, DIAS, Jorge de Figueiredo. "Sobre o estado actual da doutrina do crime". *Revista Portuguesa de Ciência Criminal*, Ano 1 (1991), Fascículo 1, p. 16 a 19.

[35] SÁNCHEZ, Jesús-María Silva. *La Expansión del Derecho Penal* cit., p. 305.

[36] Sobre as manifestações conaturais ao *direito penal simbólico*, MELIÁ, Manuel Cancio. "Derecho penal del enemigo?" cit., p. 65 a 68.

A mais evidente e esclarecedora experiência (com a particular riqueza de reflexões que permite convocar) é constituída pelo sistema existente nos Estados Unidos da América[37], sobretudo a partir da vigência, em 1996, da denominada *Megan's Law*[38], de projecção federal, assim conhecida devido ao episódio, ocorrido no estado de New Jersey, que chocou então profundamente a sociedade norte-americana, da violação e assassinato de uma menina de sete anos de idade, Megan Kanka, por um seu vizinho já antes condenado por crimes sexuais sobre crianças, gerando-se depois uma onda pública de clamor no sentido do endurecimento de medidas legislativas tendentes ao conhecimento e à identificação, pela generalidade do público, de potenciais agentes recalcitrantes de crimes de cariz sexual contra menores[39].

---

[37] País que, sendo pioneiro em tantas e tantas manifestações de inequívoca consagração e defesa dos direitos e liberdades fundamentais das pessoas (sendo a sua Constituição, ainda hoje, um marco referencial na matéria), não deixa de adoptar visões legislativas mais "musculadas" em alguns domínios, como nos parece ser aquela com que ora lidamos no processo penal e no consequente regime punitivo atinentes à criminalidade sexual sobre crianças e jovens.

[38] Dizemos "sobretudo a partir da vigência", porque já anteriormente à referida *Megan's Law* existiam, em alguns estados norte-americanos, mecanismos legais consagradores do sistema de identificação e controlo de determinado tipo de condenados, embora sem a especial projecção que veio a verificar-se após 1996, com o decretamento federal da obrigação de adopção de meios de notificação pública dos dados pessoais relativos aos delinquentes sexuais (a visão das apontadas leis anteriores a 1996, poderemos encontrá-la em LOGAN, Wayne. "Sex offender registration and community notification: past, present, and future". *New England Journal on Criminal and Civil Confinement,* Volume 34, 2008, n. 1, p. 4 a 6, WRIGHT, Richard. "Sex offender post-incarceration sanctions..." cit., p. 29 e 30, e ESTRADA, Cristina Fernandéz-Pacheco. "Registros de delincuentes sexuales..." cit., p. 387).

[39] Outros pormenores sobre o aludido episódio do assassinato de Megan Kanka e todo o contexto social e político que esteve na origem da opção legislativa de 1996 – que o Congresso norte-americano inclusivamente determinou tivesse alcance federal sob pena da não atribuição do equivalente a cerca de dez por cento dos fundos destinados à justiça penal dos vários estados –, constam de TEIR, Robert; COY, Kevin. "Approaches to sexual predators: community notification and civil commitment". *New England Journal on Criminal and Civil Confinement,* Volume 23, 1997, n. 2, p. 405 e 406, LOGAN, Wayne. "Sex offender registration..." cit., p. 6, ESTRADA, Cristina Fernandéz-Pacheco. "Registros de delincuentes sexuales..." cit., p. 387 e 388, e ainda RIMO, Alberto Alonso. "La publicidad de los antecedentes penales..." cit., p. 8.

No essencial, o programa normativo da *Megan's Law* e de diversos outros instrumentos legais que se lhe seguiram[40] pauta-se por alguns vectores básicos e interpenetrados.

Em um contexto de geral divulgação pública dos antecedentes criminais dos cidadãos[41], merece especial referência a possibilidade de acesso, por qualquer pessoa, ao conjunto de elementos identificativos de todos aqueles que sofreram decisões condenatórias pela prática de crimes sexuais contra crianças e jovens (existindo mesmo listas com a menção de tais condenados, desde logo livremente acessíveis através da *Internet*[42]).

---

[40] Para uma mais detalhada enumeração de tais instrumentos subsequentes à *Megan's Law*, cf. LOGAN, Wayne. "Sex offender registration..." cit., p. 6 a 16, ESTRADA, Cristina Fernandéz-Pacheco. "Registros de delincuentes sexuales..." cit., p. 387 a 390, e FREEMAN, Naomi; SANDLER, Jeffrey. "The Adam Walsh Act. A false sense of security or an effective public policy initiative?". *Criminal Justice Policy Review*, Volume 21, n. 1, 2010, p. 31 a 33.

[41] Se bem que o Supremo Tribunal Federal norte-americano haja já reconhecido que, por razões excepcionalmente ponderosas, possam os tribunais declarar secretos os antecedentes criminais, a prática habitual é a de que tais elementos sejam públicos e, assim, de livre acesso a quem quer que o pretenda; por outro lado, a Primeira Emenda da Constituição dos Estados Unidos da América protege a comunicação – por qualquer via – dos antecedentes penais pelas pessoas privadas ou entidades públicas (focando estes pontos, e o mediático caso Richard Nixon *versus* Warner Communications, no qual a Corte Suprema norte-americana se aproximou de uma formulação consagradora do livre acesso do público aos antecedentes criminais, em comparação com as regras vigentes na matéria em Espanha, JACOBS, James; LARRAURI, Elena. "Son las sentencias públicas? Son los antecedentes penales privados? Una comparación de la cultura jurídica de Estados Unidos y España". *Dret, Revista para el Análisis del Derecho*, n. 4/2010, p. 36).

[42] A propósito, escreve impressivamente Alberto Alonso Rimo: "me permito invitar al lector más escéptico a hacer la prueba en este mismo momento (la experiencia es impactante): encienda su ordenador y entre en cualquiera de los registros oficiales de delincuentes del mencionado país a los que se tiene acceso a través de *Internet*; navegue entre sus fotos, direcciones – que rápidamente pueden identificarse en el plano de la localidad de que se trate a través del servicio de *Google Maps* –, las matrículas de sus coches, los detalles de las condenas y de la clase de víctimas a las que atacaron, o repare su peso, estatura o en talla que calzan, en los apodos por los que son conocidos, los tatuajes que lucen, o en si usan o no gafas etc. en relación con la lista interminable de individuos cuya fotografia y citados datos cualquier persona, desde cualquier parte del planeta, puede consultar libremente" ("La publicidad de los antecedentes penales..." cit., p. 3).

Acresce, depois, e como nota fulcral do sistema, o conjunto das apelidadas *Registration and Community Notification Laws*[43], ou seja, mecanismos legais que obrigam os condenados por crimes sexuais a inscrever-se em um registo e a manter actualizados os respectivos dados pessoais identificativos e condenatórios que hão de estar disponíveis ao público em geral e, para além disso, serão transmitidos a vizinhos e comunidades da área de residência dos visados[44]. Assim, a propósito de uma das formas de dar conhecimento do passado criminal do delinquente à comunidade onde o mesmo se encontra, pode perfeitamente acontecer que "(...) un sujeto, recién salido de prisión, es requerido para que se presente personalmente a sus vecinos en calidad de criminal convicto, especificando su dirección y sus antecedentes penales, o para que envie por correo, a su propia costa, una notificación de carácter similar a todos los residentes en el radio de una milla alredor de sua casa y publique dicha información a través de anúncios en los periódicos locales"[45]...

Outro aspecto bastante relevante é o que se prende com as restrições impostas ao estabelecimento de domicílio das pessoas inscritas no registo, dependendo da existência ou não, nas proximidades, de lugares onde se reúnem crianças e jovens (escolas, parques, cinemas etc.)[46].

---

[43] Sobre algumas *Registration and Community Notification Laws*, cf. WRIGHT, Richard. "Sex offender post-incarceration sanctions..." cit., p. 29 a 31.

[44] ESTRADA, Cristina Fernandéz-Pacheco. "Registros de delincuentes sexuales..." cit., p. 396 e 397, e RIMO, Alberto Alonso. "La publicidad de los antecedentes penales..." cit., p. 3, 4 e 9.

[45] O exemplo foi novamente colhido em RIMO, Alberto Alonso. "La publicidad de los antecedentes penales..." cit., p. 2.

[46] Quanto a este ponto, *vide* ESTRADA, Cristina Fernandéz-Pacheco. "Registros de delincuentes sexuales..." cit., p. 397 a 399. Como forma de controlo das proibições em causa são utilizados, em alguns estados, os sistemas de G.P.S. a que fizemos referência na nota 23. Já sobre os efeitos segregadores de toda a espécie que as apontadas restrições habitacionais habitualmente comportam para os condenados e respectivas famílias, cf. TEWKSBURY, Richard. "Exile at home: the unintended collateral consequenses of sex offender residency restrictions". *Harvard Civil Rights-Civil Liberties Law Review*, Volume 42, 2007, p. 537 e 538, e, para uma análise comparativa das diferenças inerentes à mudança das residências dos condenados, consoante estes se deslocam para áreas habitacionais mais ou menos desorganizadas do ponto de vista social relativamente às que ocupavam aquando da sua prisão, e factores sociológicos e psicológicos que poderão intervir em tais mudanças, *vide* MUSTAINE, Elizabeth; TEWKSBURY, Richard; STENGEL, Kenneth. "Residential location and mobility of registered sex offenders". *American Journal of Criminal*

As medidas em causa endureceram ainda mais com a lei federal *Adam Walsh Child Protection and Safety Act*, em 2006, na qual se integra o *Sex Offender Registration and Notification Act*, que alargou o espectro de assuntos e temas constantes do registo (passando a entender-se por delitos sexuais todos aqueles que contivessem, a propósito da sua prática, um elemento sexual, e mesmo que não relativo a menores) e sua revisão periódica, para além do estabelecimento de três níveis de submissão dos condenados aos efeitos de tal registo, entre quinze anos e a perpetuidade, consoante a concreta pena que lhes tivesse sido aplicada[47].

Deste bosquejo resulta bem, a nosso ver, o carácter de *direito penal da segurança* do complexo normativo em questão, assente em uma total e irrestrita preocupação de *visibilidade* dos agressores sexuais em geral, e não apenas dos que vitimaram crianças e jovens.

3.2 Conquanto revele evidentes pontos de contacto com o norte-americano, o sistema britânico de registo pauta-se por alguns limites não conhecidos pelo primeiro.

Assim, o *Sex Offenders Act*, de 1997, e, mais tarde, o *Sex Offenders Act*, de 2001, constituem o elemento de referência essencial de uma concepção – também ela – primacialmente tributária (ou, pelo menos, proclamatória) das ideias, já atrás focadas, de *visibilidade*, *controlo* e *protecção pública*.

Na sua base, os *Sex Offenders Acts*[48] dirigiram-se à introdução de um registo de ofensores sexuais, tendente a servir, nas palavras do *Home Office*, de medida de protecção da comunidade perante aquela categoria de delinquentes e não a constituir, em si mesmo, uma penalidade adicional[49]. No mais, invocou-se igual-

Justice, Volume 30, n. 2, 2006, p. 181 a 191.

[47] Com pormenor, sobre a *Adam Walsh Act*, cf. WRIGHT, Richard. "Sex offender post-incarceration sanctions..." cit., p. 31 a 36, FREEMAN, Naomi; SANDLER, Jeffrey. "The Adam Walsh Act..." cit., p. 32 e 33, e ESTRADA, Cristina Fernandéz-Pacheco. "Registros de delincuentes sexuales..." cit., p. 388 a 393.

[48] Os aludidos *Sex Offenders Acts* foram sujeitos a diversas revisões, de que se destacam as levadas a cabo em 2003 (através do *Sexual Offences Act*), 2006 (por via do *Violent Crime Reduction Act*) e 2009. Sobre os aspectos específicos destas revisões, *vide* DAVIDSON, Joanna. "Sex offender registration – a review of practice in the United Kingdom, Europe and North America". *Hallam Centre for Community Justice*, London, 2009, p. 4.

[49] A esta posição oficial do *Home Office* se referem DAVIDSON, Joanna. "Sex offender registration..." cit., p. 3 e 4, e THOMAS, Terry. "The sex offender register. A measure of public protection

mente a necessidade de dotar a polícia de elementos informativos actualizados para auxiliar na identificação de suspeitos da prática de novos crimes e, sendo possível, prevenir também a ocorrência de ilícitos similares no futuro, desmotivando eventuais intenções criminais em "potência"[50].

Como notas mais impressivas do esquema legal então preconizado destacam-se a obrigatoriedade da inscrição dos agressores sexuais no registo entre o período mínimo de cinco anos e a perpetuidade (dependendo do *quantum* de pena pela qual foram condenados), a informação obrigatória à polícia no caso de mudança de residência e ainda a possibilidade do acesso de diversas entidades (*maxime*, profissionais, como representantes de escolas – públicas e privadas –, organismos oficiais, serviços de reinserção social), assim como dos particulares, à informação constante do registo, mas em circunstâncias restritas e sempre mediante avaliação policial que se pretendia cuidadosa (designadamente, e no tocante aos particulares, demonstrada que fosse uma razão ponderosa o bastante para o pedido, como, por exemplo, provir de uma vítima do registado ou de alguém àquela ligado)[51].

Como se percebe – e, aqui, em um claro desvio ao(s) modelo(s) vigente(s) nos Estados Unidos da América, de total e livre acesso do público à informação existente –, perfila-se bastante relevante o duplo papel dos órgãos de polícia: quer enquanto entidades em permanente actualização de conhecimento, devido às obrigatórias notificações pelos condenados de que são receptores; quer como garantes da custódia do conteúdo do registo, que divulgam a particulares se e na medida em que entenderem tal divulgação justificada, à luz da aferição que empreenderem dos interesses invocados pelos requerentes.

Cumpre dizer que o facto de o conhecimento da informação constante dos registos pelo público depender da apreciação policial nunca foi algo de pacífico no Reino Unido, quer logo aquando da discussão preparatória do primitivo *Sex Offenders Act*, quer em períodos especialmente conturbados em termos sociais e políticos, nos quais acontecimentos como o assassinato de Sarah Payne, uma menina de oito anos de idade, por um antigo condenado, em 2000, relançaram

or a punishment in its own right?". *Papers from the British Criminology Conference*, Volume VIII, 2008, p. 84 e 85.

[50] THOMAS, Terry. "The sex offender register..." cit., p. 86 e 87.

[51] Quanto a estes e outros aspectos dos *sex offender controls* britânicos, cf. LIEB, Roxanne; KEMSHALL, Hazel; THOMAS, Terry. "Post-release controls for sex offenders in the U.S. and U.K.", *International Journal of Law and Psychiatry*, n. 34, 2011, p. 228 a 231.

o debate público, especialmente acicatado por alguns *media*, no sentido de o acesso ao conteúdo dos registos não deparar com quaisquer restrições[52]. No entanto, mesmo em termos de disposição legislativa por parte do governo, vinha crescendo, nos últimos anos, a partir de uma interpretação autointitulada de mais consentânea com o espírito do *Human Rights Act*, de 1998[53] (e pelo menos até à recente ocorrência do pronunciamento popular pela via do denominado *Brexit*), a sensibilidade contrária, ou seja, a ideia de que deixasse futuramente de existir a possibilidade de acesso à informação pelos particulares, e, por outro lado, que passasse a verificar-se a hipótese legal de, dentro de apertados requisitos e em determinados prazos, desaparecer do corpo dos registos a menção do nome de condenados pela prática de crimes sexuais menos graves[54].

3.3 O actual Artigo 706-47, em conjugação com os Artigos 706-53-1 a 706-53-12, todos do *Code de Procédure Pénale* francês, prevê, desde 2004 (embora com entrada em vigor em 2005)[55], a inscrição das pessoas condenadas (mesmo que por decisão ainda não definitiva[56]) por crimes sexuais sobre menores em um

[52] THOMAS, Terry. "The sex offender register..." cit., p. 86 a 90.

[53] O *Human Rights Act* traduziu a preocupação do legislador britânico de adaptação, em termos normativos internos concretos, de muitos dos princípios programáticos gerais contidos na C.E.D.H. quanto a direitos de feição individual e colectiva (a propósito, cf. FELDMAN, David. "Human dignity as a legal value – Part I". *Public Law*, Winter 1999, p. 683).

[54] Notícias sobre o algo fervilhante contexto político e social que rodeia a matéria podem colher-se em *www.telegraph.co.uk*, e, concretamente sobre a sensibilidade de determinados sectores políticos no sentido da substituição do Human Rights Act por um diploma interno globalmente mais restritivo e, até, da futura desvinculação britânica em relação à C.E.D.H., em *www.theguardian.com/law/european-court-of-human-rights*.

[55] Normas sujeitas a sucessivas alterações desde 2004, sobretudo com efeitos no alargamento do catálogo de infracções violentas a que o registo se destina (o qual passou igualmente a abarcar, por exemplo, *les infractions de meurtre ou d'assassinat d'un mineur précédé ou accompagné d'un viol, de tortures ou d'actes de barbarie*; para algumas dessas alterações, cf. PONCELA, Pierrette. "Finir sa peine: libre ou suivi?". *Revue de Science Criminelle et de Droit Pénal Comparé*, n. 4, 2007, p. 888). Já mais recentemente, no ano de 2015, foi também criado em França o *Fichier Judiciaire National Automatisé des Auteurs d'Infractions Terroristes – F.I.J.A.I.T.*, inspirado no sentido e na finalidade do *F.I.J.A.I.S.*, mas destinado, todavia, à inscrição dos autores de infracções criminais ligadas ao terrorismo (sobre este tema, BRIS, Yann Le. "Le fichier judiciaire national automatisé des auteurs d'infractions terroristes (F.I.J.A.I.T.)". *Le Nouveau Pouvoir Judiciaire*, n. 412, 2015, p. 6).

[56] Embora, tratando-se de decisões não definitivas que não venham a confirmar-se (por exemplo,

registo (*Fichier Judiciaire National Automatisé des Auteurs d'Infractions Sexuelles ou Violentes – F.I.J.A.I.S.*)[57], do qual ficam a constar, consequentemente, e entre outros elementos, a menção à decisão condenatória em pena de prisão igual ou superior a cinco anos, os dados identificativos do condenado e sua(s) morada(s) e respectivas alterações (Artigo 706-53-2).

Toda a pessoa cuja identidade fique registada resta condicionada, a título de (nas palavras da lei – Artigo 706-53-5 do mencionado *Code*) *mesure de sûreté*[58], às obrigações destinadas a, sendo necessário, localizá-la com rapidez e precisão[59]. Assim, deve *justifier son adresse* uma primeira vez após ser informada pelas autoridades (nos termos do Artigo 706-53-6) de que o seu nome consta do registo e, posteriormente, uma vez por ano, a não ser que haja sido definitivamente condenada por crime punido com dez ou mais anos de prisão, caso em que deverá cumprir aquela obrigação presencialmente, em posto policial, cada seis meses ou até, se tal for entendido necessário em face da respectiva perigosidade, todos os meses. Tudo sem prejuízo da obrigação de prestar a informação de eventual mudança de residência no prazo máximo de quinze dias (Artigo 706-53-5).

A duração das obrigações acabadas de aludir parecerá ser a mesma da inscrição no registo, finda a execução da pena, a saber, de trinta anos no caso de crime punido com dez ou mais anos de prisão e de vinte anos nos restantes casos (Artigo 706-53-4). Todavia, merece especial referência a possibilidade de, a pedido do inscrito, e mediante decisão tomada pelo procurador da República (ou, em via de recurso de uma decisão negatória deste magistrado, pelo juiz), vir a ocorrer o cancelamento das informações que ao condenado dizem respeito

devido ao pronunciamento de instância superior em sentido revogatório), sejam as mesmas depois retiradas do registo (Artigos 706-53-2 e 706-53-4).

[57] PONCELA, Pierrette. "Finir sa peine..." cit., p. 888.

[58] Não obstante a expressa qualificação legal – *mesure de sûreté* –, a verdade é que, chamado a pronunciar-se em sede de fiscalização preventiva, o *Conseil Constitutionnel* francês teve o ensejo de afirmar tratar-se este sistema de registo, não de uma sanção penal, mas de uma medida de cariz policial, tendente a prevenir a prática de novas infracções e a facilitar a identificação dos seus autores (Decisão n. 2004-492 D.C., de 2 de março de 2004, disponível em *www.conseil-constitutionnel.fr/conseil-con..c/decision-n-2004-492-dc-du-02-mars-2004.897html*). Diferença de enfoque que, para além de uma mudança de "etiquetagem" jurídica, deveria remeter-nos, no plano dos princípios e igualmente das consequências prático-normativas daí advindas, para realidades distintas.

[59] PONCELA, Pierrette. "Finir sa peine..." cit., p. 888, e BOULOC, Bernard. *Procédure Pénale*. 21e édition. Paris: Dalloz, 2008, p. 122.

se, designadamente, a respectiva manutenção não se afigurar necessária perante as finalidades do registo, em função da natureza concreta da infracção, da idade do requerente e do lapso temporal já transcorrido (Artigo 706-53-10).

De notar, ainda, que o injustificado incumprimento das ditas obrigações impostas ao condenado o fará incorrer na prática de um crime punível até dois anos de prisão e no pagamento (inexorável) de uma multa até ao montante de € 30.000 (Artigo 706-53-5).

Quanto à questão do acesso à informação constante do registo, o legislador gaulês seguiu uma posição relativamente cautelosa, por forma a que apenas pessoas ou entidades públicas com ligações à administração da justiça ou, por outro lado – e, aqui, entidades públicas ou privadas –, com interesse profissional ou afim justificado (pensemos no exercício de *métiers* envolvendo crianças ou jovens), possam aceder à apontada informação, e só, parece-nos, na estrita medida das necessidades impostas pelo seu específico múnus.

Como acabámos de sugerir, o regime francês, se comparado com os anteriores – o(s) norte-americano(s) e o britânico –, pauta-se por critérios de uma contenção e preocupação com determinados valores (como o que decorre da possibilidade, há pouco referida, do *effacement* das informações constantes do registo, prevista pelo Artigo 706-53-10) que não constituem apanágio dos aludidos sistemas de língua inglesa. O que, todavia, e mesmo assim, não impedirá que lhe sejam assestáveis críticas (como veremos melhor a propósito da nossa recente Lei n. 103/2015, de 24 de agosto, e da Proposta Governamental n. 305/XII, de 12 de março de 2015, que a antecedeu), sobretudo se ancoradas em uma perspectiva comprometida com exigências de proporcionalidade.

3.4 Apesar de não privativo dos condenados por crimes sexuais sobre menores[60], o relativamente recente[61] instituto espanhol da *libertad vigilada* justifica,

[60] Como se compreende pela leitura dos Artigos 192, n. 1, e 579, n. 3, da principal lei penal espanhola, a *libertad vigilada* aplica-se não só aos condenados por *delitos contra la libertad e indemnidade sexuales* (*Título VIII, Libro II*), mas também aos sentenciados por *delitos de las organizaciones y grupos terroristas* e *delitos de terrorismo* (*Capítulo VII, Título XXII, Libro II*).

[61] Introduzida pela Reforma de 2010 no *Código Penal* espanhol, a *libertad vigilada* já existia, contudo em moldes não tão marcados, em sede legal de responsabilidade penal dos menores (cf. RIMO, Alberto Alonso. "Medidas de seguridad y proporcionalidad con el hecho cometido (a propósito de la peligrosa expansión del derecho penal de la peligrosidad)". *Estudios Penales y Criminológicos*,

no entanto, uma fugaz menção, pelos pontos de contacto que parece revelar com o nosso tema.

Na sua essência, a *libertad vigilada* consiste, nos termos do Artigo 106, n. 1 do *Código Penal* do país vizinho, na sujeição do condenado – imputável – a um controlo judicial, a efectivar *posteriormente* à expiação da pena privativa de liberdade. Tal cumprimento *posterior* à execução da pena de prisão – e somente após ocorrer esta execução e a respectiva extinção –, quanto aos crimes de natureza sexual, encontra-se claramente previsto no Artigo 192, n. 1 do aludido *Código*, desprendendo-se o respectivo conteúdo da norma geral do Artigo 96, n. 3, e da concretização depois operada pelo Artigo 106, ambos do mesmo diploma legal.

O controlo judicial em questão é qualificado pelo legislador, de forma expressa, como uma *medida de seguridad no privativa de libertad* (Artigo 96, n. 3-3ª)[62].

Os fundamentos da obrigatoriedade de imposição, em sede decisória judicial, da *libertad vigilada* aos sentenciados por crimes sexuais repousam, segundo o Artigo 192, n. 1, acima referido, na circunstância de a condenação em pena privativa de liberdade dizer respeito a um ou mais delitos graves – caso em que a duração da medida será de cinco a dez anos –, ou a dois ou mais delitos menos graves[63] – hipótese em que a medida durará de um a cinco anos –, ou até a um só delito menos grave e o agente contar antecedentes criminais – caso em que a duração da medida oscilará também entre um e cinco anos –; todavia, em homenagem a uma menor perigosidade do condenado, poderá o tribunal

---

Volume XXIX, 2009, p. 131).

[62] Não deixa igualmente o referido *Código* espanhol de prever, nos seus Artigos 101 a 104, todavia, a possibilidade de aplicação da medida de *libertad vigilada* a inimputáveis e a imputáveis diminuídos (*semiimputables*), casos em que se cumprirá como única reacção penal (inimputáveis) ou como de substituição, de acordo com o sistema de vicariato, da pena privativa da liberdade (*semiimputables*) (sobre isto, MOLINÉ, José Cid "La medida de seguridad de libertad vigilada (Artigo 106 C.P. y concordantes)". *El Nuevo Código Penal. Comentarios a la Reforma*. SÁNCHEZ, Jesús-María Silva (director) e MUÑOZ, Nuria Pastor (coordinadora). Madrid: La Ley, 2012, p. 188 a 190).

[63] Sendo delitos "graves" e "menos graves" aqueles a que correspondem, nos termos do Artigo 33 do *Código Penal* espanhol, e respectivamente, as penas denominadas de "graves" e "menos graves", ou seja, e desde logo, a pena de prisão permanente *revisable* e a pena de prisão superior a cinco anos (penas graves), e as penas de prisão de três meses a cinco anos (penas menos graves) (cf., a propósito, n. 1, 2-a) e b) e 3-a) do citado Artigo 33).

não prever a *libertad vigilada* se houver cometido aquele um único delito menos grave e não tiver averbados quaisquer antecedentes criminais[64].

Nota importante do sistema traduz-se na circunstância de, mesmo havendo sido imposta a medida em causa na decisão do tribunal da condenação, dever sempre o juiz determinar, na fase final do cumprimento da pena privativa de liberdade, e em face da avaliação actualizada que fizer do caso, se será de executar a *libertad vigilada* ou, por considerá-la naquele momento desnecessária, de a declarar sem efeito (Artigos 105 e 106)[65].

O mencionado instituto consubstancia-se, basicamente, no cumprimento de uma ou mais medidas tendentes à localização (as mais das vezes mediante aparelhos electrónicos), à apresentação periódica e à não ausência do lugar de residência, do lugar ou posto de trabalho, ou mesmo de um determinado território, por parte do visado, na proibição de aproximação ou contacto deste em relação à vítima, aos seus familiares ou outras pessoas nomeadas pelo tribunal, na proibição de entrada ou residência em determinados lugares ou territórios, de desempenho de actividades vistas judicialmente como facilitadoras ou propiciadoras da ocasião do cometimento de factos delituosos de natureza similar, e ainda na obrigação de participação em programas formativos, laborais, culturais, de educação sexual ou semelhante jaez, ou na sujeição a tratamento médico externo ou controlo médico periódico (Artigo 106, n. 1 acima aludido).

Refere alguma doutrina espanhola, neste específico contexto, aparentar mover-se tal medida de segurança por preocupações de controlo ou incapacitação (*rectius*, de inocuização?) do condenado, por um lado, mas também da sua reabilitação, por outro lado, e ainda, finalmente, de protecção da vítima[66].

Uma primeira aporia se erige, no entanto, relacionada com a constatação de que o fundamento descortinável para a medida, quando aplicada a sujeitos imputáveis condenados pela prática de crimes sexuais, parecerá residir em uma perigosidade suposta *ex vi legis* a partir de um certo tipo de ilícito cometido

[64] MOLINÉ, José Cid. "La medida de seguridad..." cit., p. 188 e 189.

[65] MOLINÉ, José Cid. "La medida de seguridad..." cit., p. 184.

[66] Neste sentido, vejam-se MOLINÉ, José Cid. "La medida de seguridad..." cit., p. 186 a 188, MONTRAVETA, Sergi Cardenal. *Comentarios al Código Penal. Reforma L.O. 5/2010*. BIDASOLO, Mirentxu Corcoy; PUIG, Santiago Mir (directores). Valencia: Tirant lo Blanch, 2011, p. 262, e ainda GONZÁLEZ, Pilar Otero. *La Libertad Vigilada Aplicada a Imputables: Presente y Futuro*. Madrid: Dykinson, 2015, p. 41.

(precisamente o sexual), e não radicada, portanto, em estados psicológicos que hajam determinado uma hipotética inimputabilidade ou imputabilidade diminuída (que, como observámos, nem sequer existem). Se assim é, e apesar do *nomen iuris* legal – *medida de seguridad* –, terá de perguntar-se se não estaremos perante um *tertium genus* entre pena e medida de segurança ou, até, de uma pena acessória de controlo, na realidade afastada dos critérios que verdadeiramente regem as medidas de segurança quando aplicadas a agentes inimputáveis[67].

Tal como, por outro lado, poderá questionar-se se, "(...) desde sus propios planteamientos de partida – controlar después del cumplimiento de la pena privativa de libertad, desaparecido el efecto asegurador de ésta, a determinados imputables peligrosos –, la configuración de la libertad vigilada (...)" não constituirá "(...) un completo absurdo", pois que existe "(...) un error de base en todo el planteamiento: la medida de libertad vigilada se refiere a sujetos de especial peligrosidad, pero se dispone no en función de este dato, sino de la classe de delito cometido. Es evidente que no todos los autores de delitos sexuales graves presentan esa especial peligrosidad y tendencia a la reincidencia"[68].

3.5 Façamos agora uma brevíssima alusão ao ainda mais recente *Registro Central de Delincuentes Sexuales*, introduzido no ordenamento jurídico espanhol em dezembro de 2015.

Trata-se, nas palavras da lei, da constituição de um sistema de "(...) información, de carácter no público y gratuito, relativo a la identidad, perfil genético, penas y medidas de seguridad impuestas a aquellas personas condenadas en sentencia firme por cualquier delito contra la libertad e indemnidad sexuales o por trata de seres humanos con fines de explotación sexual, incluyendo la pornografía, (...) con independencia de la edad de la víctima" (n. 1 do Artigo 3 do *Real Decreto* n. 1110/2015, de 11 de dezembro); por outro lado, assume o legislador do país

---

[67] GONZÁLEZ, Pilar Otero. *La Libertad Vigilada*... cit., p. 40; entendendo-a como uma *pena acessória*, mas ainda no contexto do anúncio da reforma legislativa que conduziria à implementação da *libertad vigilada* no *Código Penal* espanhol, RIMO, Alberto Alonso. "Medidas de seguridad y proporcionalidad..." cit., p. 131 e 132.

[68] A crítica – particularmente acertada e que, como veremos, valerá também para a recente criação portuguesa em matéria de registo – é de MELIÁ, Manuel Cancio. "Una nueva reforma de los delitos contra la libertad sexual", *La Ley Penal. Revista de Derecho Penal, Procesal y Penitenciario*, n. 80, Año VIII (2011), p. 9 e 10.

vizinho que a finalidade precípua do registo "(...) es contribuir a la protección de los menores contra la explotación y el abuso sexual, con independencia de quién sea el autor del delito, mediante el establecimiento de un mecanismo de prevención que permita conocer si quienes pretenden el acceso y ejercicio de profesiones, oficios y actividades que impliquen el contacto habitual con menores, carecen o no de condenas penales por los delitos a los que se refiere el apartado anterior", para além de servir de instrumento útil na investigação policial e na cooperação judiciária com entidades estrangeiras, particularmente dos Estados Membros da União Europeia e do Conselho da Europa (n. 2 do mencionado Artigo 3).

Bastará a mera análise literal do acabado de transcrever para de imediato intuirmos três aspectos essenciais: em primeiro lugar, o de que as condenações por crimes sexuais estão (evidentemente) em foco, mas não só as atinentes à criminalidade sexual sobre menores; depois, o de que lidamos com um sistema registal ao qual não acedem os cidadãos (com excepção do próprio inscrito ou pessoa a seu mando), mas sim as entidades públicas (*maxime*, os *jueces* e os *tribunales* de qualquer ordem jurisdicional, o *Ministerio Fiscal*, a *policia judicial*, os entes públicos de protecção de menores), e sempre no âmbito e por causa das respectivas competências (n. 1-a), b) e c) do Artigo 8 e n. 2 e 4 do Artigo 9, ambos do dito *Real Decreto*); em terceiro lugar, o de que, não obstante as especificidades ora referidas, parece comungar este mecanismo de um certo sentido comum ao "normal" instituto do registo, pois que, para além do auxílio em sede de cooperação policial e judiciária (designadamente a europeia), tenderá a uma circulação de informação sobretudo vocacionada para a despistagem de situações que possam implicar contactos regulares entre condenados por crimes sexuais e menores, a propósito de certas profissões, actividades ou funções.

Assim, cremos que, independentemente de um ou outro aspecto a suscitar uma nota mais crítica (como a da implementação retroactiva do sistema – cf. *disposición adicional primera* do mesmo *Real Decreto*), este *Registro de Delincuentes Sexuales* não aporta, ao nosso tema, elementos problemáticos da dimensão que, como veremos, emana do registo criado na ordem jurídica portuguesa. Aliás – e por isso nos pareceu útil uma análise mais detida de tal realidade –, a *libertad vigilada* concita interrogações bem mais próximas daquilo que especificaremos daqui a pouco, a propósito da nossa Lei n. 103/2015, de 24 de agosto.

3.6 Ainda do ponto de vista internacional, e no espaço europeu em que nos situamos, parece-nos interessante notar agora a sensibilidade que a propósito do mecanismo do registo e da publicidade das condenações por crimes sexuais tem manifestado o Tribunal Europeu dos Direitos do Homem (T.E.D.H.), a partir de alguns arestos relativos à experiência britânica e de outros consagrados ao sistema francês.

Frise-se, antes do mais, o enquadramento que é feito da matéria das *sex offenders laws* no poder estatal da luta contra o crime, ou seja, na assunção de que não criam tais leis medidas punitivas para os visados, antes se inserindo, de um modo geral, na obrigação governamental de protecção das populações contra a violência, mormente através de iniciativas que não só detenham mas previnam a expansão futura da prática de delitos criminais[69]. Afirmando-se também, todavia, que o desempenho de tal encargo dos Estados não pode ser levado a cabo com base no desrespeito pelos direitos humanos, que, assim, lhes impõem restrições a eventuais iniciativas postergadoras dos valores a todos reconhecidos pelo simples facto de se ser pessoa.

Ora, assumindo o T.E.D.H., a propósito do *Sex Offenders Act*, de 1997, que a obrigação de registo é susceptível de conflituar com a reserva da vida privada e familiar e com a liberdade de residência, deslocação e contactos, não deixou de considerar, no entanto, que tal obrigação de prestação de informação pelo visado aos órgãos de polícia não viola os princípios contidos no Artigo 8 da C.E.D.H.[70], pois que é conforme à lei e tendente à prossecução de objectivos

[69] Apesar de não estar então em causa um problema de registo de condenados sexuais, declarou expressamente o Tribunal, no Caso *Stubbings and Others versus The United Kingdom*, que a gravidade do mal que pode ser causado às vítimas de violência sexual coloca aos estados o dever de tomar as medidas tidas por adequadas à protecção das populações (decisão de 22 de outubro de 1996, disponível em *www.worldlii.org/eu/cases/ECHR*).

[70] Artigo 8 da C.E.D.H. que, no seu n. 2, proclama não poder haver qualquer ingerência da autoridade publica no exercício do direito ao respeito pela vida privada e familiar senão quando tal ingerência estiver prevista na lei e constituir uma providência que, em uma sociedade democrática, seja necessária para a segurança nacional, para a segurança pública, para o bem-estar económico do país, a defesa da ordem e a prevenção das infracções penais, a protecção da saúde ou da moral, ou ainda a protecção dos direitos e das liberdades de terceiros (para uma tentativa de descodificação do conteúdo deste normativo, embora estritamente ancorada naquela que tem sido a via interpretativo-decisória do T.E.D.H., *vide* BARRETO, Ireneu Cabral. *A Convenção Europeia dos Direitos do Homem Anotada*. 4ª edição revista e actualizada. Coimbra: Coimbra Editora, 2010, p. 230 a 262).

legítimos, designadamente a já referida necessidade de prevenção criminal e de protecção dos direitos da generalidade dos cidadãos. Assim, admitiu tais medidas como necessárias e proporcionais ao seu fito, em uma sociedade democrática, não vislumbrando a hipótese de poderem incorrer os visados pelo registo, por essa circunstância, em uma situação humilhante aos olhos da comunidade[71].

De idêntico jeito, debruçando-se sobre o *F.I.J.A.I.S.* francês, a Corte de Estrasburgo entendeu que a memorização, por autoridade pública, de dados relativos à vida privada de uma pessoa, e a obrigação de comunicação de elementos identificativos à polícia por parte dos condenados sexuais, relevam para os efeitos do Artigo 8 da C.E.D.H. Mas, de outra banda, tratando-se as sevícias sexuais de um tipo especialmente odioso de fragilização das suas vítimas, as crianças e outras pessoas vulneráveis têm o direito à eficaz protecção e prevenção estatal perante a eventualidade da ocorrência de futuros actos semelhantes, ainda para mais quando tal prevenção se estrutura em um sistema como o *F.I.J.A.I.S.*, que contrabalança a possibilidade de memorização dos dados pessoais por um longo período com a hipótese legal de apresentação de requerimento tendente a antecipar os efeitos do *effacement* daqueles dados, a apreciar por autoridade judiciária competente. Acrescendo, finalmente, que mesmo as entidades administrativas e outras com acesso à informação do registo estão vinculadas por regras restritivas desse mesmo acesso e uma obrigação de confidencialidade predeterminada pela lei[72].

Como se vê (e não deixando de – parece-nos – poder causar alguma estranheza a globalidade da sua interpretação na matéria), a tendência da jurisprudência acabada de mencionar tem sido, no essencial, a de coonestar as intervenções legislativas britânica e francesa a que antes nos referimos.

4 Traços essenciais da Lei n. 103/2015, de 24 de agosto (resultante da Proposta de Lei n. 305/XII, do governo português, aprovada em Conselho de Ministros de 12 de março de 2015), no tocante à criação

---

[71] Caso *Adamson versus The United Kingdom*, decisão de 26 de janeiro de 1999, disponível em *www.worldlii.org/eu/cases/ECHR*.

[72] Casos *Hautin versus France*, decisão de 24 de novembro de 2009, e ainda *Bouchacourt versus France*, *M.B. versus France*, e *Gardel versus France*, decisões (quanto a estes três últimos casos) de 17 de dezembro de 2009, com textos disponíveis em *www.worldlii.org/eu/cases/ECHR*.

do registo de identificação criminal de condenados por crimes contra a autodeterminação sexual e a liberdade sexual de menores

4.1 Crendo-se que o regime que viu a luz no nosso ordenamento jurídico-penal pretende apresentar como que uma síntese (ainda que não inteiramente assumida) dos três primeiros modelos atrás focados, façamos então, de seguida, uma breve análise crítica das respectivas linhas mestras, à luz daquilo que nos parecem ser os referentes essenciais de um processo penal constitucionalmente comprometido com algo mais do que bandeiras e ideários de segurança pública.

4.2 Desde logo, pensamos ser legítima a pergunta quanto à razão mais funda para a criação de um sistema de registo relativo a condenados por crimes sexuais sobre menores, e não por outro tipo de criminalidade tão ou mais deletéria do ponto de vista humano ou social. A sensação que perpassa é a de que, em matéria tão sensível, no contexto (sobretudo comunicacional) contemporâneo que começámos por focar no início do presente estudo[73], especialmente sensibilizado para a ideia amiúde propalada – mas ainda não plenamente demonstrada – de que as taxas de reincidência são sempre enormes[74], o nosso legislador não quis "(...) to look 'soft on crime' – especially when it came to paedophiles (often seen as synonymous with sex ofender). The sex ofender register has often been mistakenly referred to as the paedophile register"[75] [76].

[73] Cf. supra, ponto 2.1.

[74] Apoiado em elementos e estudos estatísticos realizados nos Estados Unidos da América, Richard Wrightconclui não haver uma margem de absoluta segurança para que possa afirmar-se, sem dúvidas, o argumento das maiores taxas de recidivas em crimes sexuais, mesmo nos que envolvem menores, se comparadas com as respeitantes a outros tipos de ilícitos criminais ("Sex offender post-incarceration sanctions..." cit., p. 26 a 28); diversamente, pronunciando-se pela apodíctica verificação da apontada característica reincidente dos *sex offenders* de crianças, TEIR, Robert; COY, Kevin. "Approaches to sexual predators..." cit., p. 407 a 409.

[75] THOMAS, Terry. "The sex offender register..." cit., p. 87.

[76] Como a moderna ciência médica e a prática forense demonstram, a uma parte significativa dos condenados pelo cometimento de crimes sexuais sobre menores não é diagnosticável a patologia psiquiátrica traduzida por perturbação de pedofilia, com o que esta perturbação ou parafilia habitualmente comporta de estrita compulsão para a prática dos actos sexuais em relação a crianças na pré-puberdade (geralmente 13 anos ou menos) (para o conceito médico de pedofilia, cf. edição portuguesa do *Manual de Diagnóstico e Estatística das Perturbações Mentais*, da Associação Americana de Psiquiatria – D.S.M.-IV-TR –, tradução do original norte-americano de 2000, por

4.3 Integrado em um pacote legislativo preconizador de diversas alterações ao regime penal relativo à criminalidade de cariz sexual praticada contra menores de idade (prevista actualmente nos Artigos 171 a 177 do nosso C.P.) e outros aspectos a tal tipo de criminalidade inerentes (como, por exemplo, as questões das penas acessórias e efeitos das penas no tocante à proibição de profissões ou funções que impliquem contacto com menores e a inibição do exercício de responsabilidades parentais[77]), o sistema de registo de identificação de condenados pela prática de ilícitos daquele jaez, contido no Anexo à Lei n. 103/2015, de 24 de agosto, pauta-se, quanto a nós, por diversas características peculiares.

A primeira de tais características prende-se com a delimitação do âmbito ou domínio subjectivo de aplicação do registo, o qual abrange os cidadãos nacionais e não nacionais residentes em Portugal, *com antecedentes criminais relativamente aos crimes contra a autodeterminação sexual e a liberdade sexual de menor* (n. 1 do Artigo 2 do mencionado Anexo).

Depois, e na concretização do respectivo âmbito objectivo, diz-nos o diploma em causa que integrarão o sistema de registo as seguintes decisões: as que apliquem penas e medidas de segurança, as que determinem o seu reexame, substituição, suspensão, prorrogação da suspensão, revogação e as que declarem a sua extinção; os acórdãos de revisão e de confirmação de decisões condenatórias estrangeiras; as decisões de inibição do exercício das responsabilidades parentais, da tutela ou da curatela; as decisões de proibição do exercício de profissão, função ou actividade que impliquem ter menores sob a sua responsabilidade, educação, tratamento ou vigilância (n. 2 do mesmo Artigo 2 do dito Anexo).

José Nunes de Almeida. Lisboa: Climepsi Editores, 2002, p. 571).

[77] Embora aqui, notemo-lo, as normas dos Artigos 69-B e 69-C que a Lei n. 103/2015, de 24 de agosto, aditou ao C.P. constituam uma alteração, com uma nova "roupagem linguística", de importantes aspectos qualitativos e quantitativos das reacções a adoptar em função das condenações penais por crimes sexuais, em parte contidas no Artigo 179 então em vigor do mesmo C.P. (e pelo Artigo 9 de tal Lei revogado). Se assim é – e porque lidamos com específicas consequências a terem lugar por causa de condenações no domínio muito próprio da criminalidade sexual –, poder-se-á perguntar por que razão, do ponto de vista sistemático, não optou a nova Lei por uma também renovada redacção para o dito Artigo 179, nos moldes substanciais por si pretendidos, e pelo aditamento de um Artigo 179-A, em vez da "deslocalização" sistemática da matéria para o Capítulo III do Título III do Livro I do C.P. Mas é evidente que reconhecemos ser esta, na economia do diploma legal em causa, uma questão absolutamente menor.

As proposições acabadas de aludir, conjugadas com o n. 2 do Artigo 8 do Anexo[78], inculcam bem a natureza *retroactiva* de que se pretendeu dotar a inscrição de decisões no registo, por forma a que, a partir do momento do início de vigência do sistema, ficasse o mesmo "apetrechado" com todas as decisões relativas às condenações existentes no domínio da criminalidade sexual contra menores. Isso, segundo referia já a Exposição de Motivos da Proposta de Lei n. 305/XII, de 12 de março de 2015, em prol de objectivos de política de justiça e de prevenção criminal (ponto 2. de tal Exposição de Motivos).

Perante o comando geral de irretroactividade contido no n. 1 do Artigo 2 do C.P.[79], relativo à aplicação da lei penal no tempo[80] (e não se tratando manifestamente de um caso a enquadrar no n. 4 do mesmo Artigo 2), as aporias interpretativas que se erigem são, segundo pensamos, óbvias.

Antes do mais, a que título – *maxime*, jurídico-constitucional (cf. Artigos 18, n. 3 e 29 da Constituição da República Portuguesa (C.R.P.)) – pode ser justificada a apontada natureza retroactiva do registo de decisões? E para que, sem rebuço, haja o legislador pensado em tal retroactividade, em que se traduzirá na verdade o registo de condenações por crimes sexuais praticados contra menores? Em uma sanção de cariz meramente administrativo? Em uma pena acessória? Em uma medida de segurança? Em um efeito da pena condenatória pelo ilícito criminal perpetrado?

Cremos, no entanto, que as questões ora colocadas só lograrão uma resposta minimamente substanciada após a análise dos demais aspectos relevantes do Anexo à acima referida Lei n. 103/2015, de 24 de agosto.

Vejamo-los, então.

---

[78] Preceituando tal n. 2 do Artigo 8: "Cabe à Direcção-Geral da Administração da Justiça a inscrição das *decisões anteriores* à criação deste registo" (itálicos nossos).

[79] Princípio básico, na matéria, de que "as penas e as medidas de segurança são determinadas pela lei vigente no momento da prática do facto ou do preenchimento dos pressupostos de que dependem" (n. 1 do Artigo 2 do C.P.).

[80] Comando geral de irretroactividade que, como refere Manuel Cavaleiro de Ferreira, não pode ser excepcionado pela legislação ordinária, porquanto se trata de uma garantia constitucional prevista no Artigo 29, n. 1 e 3 da nossa Lei Fundamental (*Lições de Direito Penal*. Volume I. 2ª edição, correcta e aumentada. Lisboa: Editorial Verbo, 1987, p. 22; quanto à razão de ser da apontada garantia constitucional, cf. CANOTILHO, Joaquim Gomes; MOREIRA, Vital. *Constituição da República Portuguesa Anotada*. Volume I. 4ª edição revista. Coimbra: Coimbra Editora, 2007, p. 495).

4.4 De acordo com o Artigo 3 do Anexo à dita Lei, as finalidades ínsitas ao sistema de registo em causa têm que ver com "(...) o *acompanhamento da reinserção do agente na sociedade*, obedecendo ao *princípio do interesse superior das crianças e jovens*, em ordem à concretização do direito destes a um desenvolvimento pleno e harmonioso, bem como *auxiliar a investigação criminal*" (itálicos nossos).

Por outro lado, nos termos do n. 1 do Artigo 13 do mesmo Anexo, o agente inscrito no registo tem o dever de comunicar o seu local de residência e domicílio profissional no prazo de quinze dias a contar da data do *cumprimento* da pena ou medida de segurança, ou da *colocação* em liberdade condicional, devendo confirmar tais dados com periodicidade anual, e declarar qualquer alteração de residência no prazo de quinze dias, bem como comunicar, previamente, uma sua ausência do domicílio superior a cinco dias e o respectivo paradeiro[81]. Como refere depois o n. 3 do preceito, tais deveres de comunicação têm a duração de cinco, dez, quinze e vinte anos, consoante a concreta pena (ou medida de segurança) que houver sido aplicada ao agente.

Parece desprender-se desta enunciação um duplo e essencial objectivo: a) um (nas palavras legais) "acompanhamento" da reinserção social do agente anteriormente condenado pela prática de um crime sexual contra menores, cuja pena já cumpriu na totalidade ou se encontra ainda em fase de liberdade condicional, e "acompanhamento" aquele orientado pela promoção do interesse superior das crianças e jovens; b) o auxílio da investigação criminal.

Constituindo desiderratos eminentes – aliás, dos mais eminentes em um qualquer estado de direito democrático ancorado na promoção da dignidade humana[82]

[81] Sob pena de, não efectuando tais comunicações, incorrer na prática de crime punível com pena de prisão até um ano ou com pena de multa até cento e vinte dias (n. 1 do Artigo 14 do dito Anexo). Vislumbram-se aqui, como se percebe, um *modus operandi* e uma cominação legal relativamente similares aos preconizados pelo *Code de Procédure Pénale* francês (cf. supra, ponto 3.3).

[82] Dignidade humana que, como nota David Feldman, e enquanto base ética civilizacional a que a nossa ordem jurídica vai buscar sentido e em função de cuja promoção está orientada, constitui, todavia, um *quid* conceptual de cariz complexo. Desde logo, pela falta de acordo que pode suscitar a perscrutação do conjunto de condições ou elementos dos quais depende, em tese geral ou no concreto, uma existência humana digna, e seja esta analisada segundo uma perspectiva estritamente individual (o ser-se pessoa enquanto entidade *a se*, na sua estrita individualidade) ou colectiva (o fazer-se parte do grupo – familiar, social, nacional etc. – com que se interage) ("Human dignity as a legal value – Part II", *Public Law*, Spring 2000, p. 75). No entanto, cremos, com Carmen Tomás-Valiente Lanuza, que a assunção normativa do valor dignidade imporá sempre a obrigação

–, parece que o primeiro objectivo – o tal "acompanhamento" da reinserção do condenado na sociedade – estará como que funcionalmente orientado para a consecução do interesse superior das crianças[83]. Isto é, "acompanhar-se-á" o "estado" da reinserção social do agente – que já cumpriu (*lato sensu*, isto é, efectivamente ou através do decurso do respectivo prazo de suspensão de execução – Artigos 50 a 57 do C.P.) a sua pena relativa aos factos pelos quais foi condenado, ou está em vias de terminar esse cumprimento – porque a tal "acompanhamento" o interesse superior das crianças obriga...

Mas, sendo assim, uma nova aporia imediatamente se nos depara.

Se "a aplicação de penas e de medidas de segurança visa a protecção de bens jurídicos e a reintegração do agente na sociedade" (Artigo 40, n. 1 do C.P.), não seria suposto que a aplicação da sanção criminal (entendida aqui em termos algo impróprios, enquanto pena ou medida de segurança) traduzisse, ela própria, o *quid* através do qual a apontada reintegração deveria ser levada a cabo[84]? Se o

do reconhecimento de um mínimo invulnerável que se impõe a todos os poderes públicos na hora de configurar o estatuto jurídico da pessoa e da esfera de autonomia que mais intimamente a toca, impedindo, assim, a sua instrumentalização por interesses (públicos ou privados) alheios ("La dignidad humana y sus consequencias normativas en la argumentación jurídica: un concepto útil?". *Revista Española de Derecho Constitucional*, Ano 34, n. 102, 2014, p. 178 a 188). O que, convenhamos, será especialmente importante no âmbito temático com que ora lidamos. Já para interessantes visões diacrónicas acerca do entendimento e consagração da dignidade humana em diversos quadrantes sociopolíticos e culturais, até à sua entronização no direito constitucional, cf. MARQUES, Mário Reis. "A dignidade humana como *prius* axiomático", *Estudos em Homenagem ao Prof. Doutor Jorge de Figueiredo Dias*. Volume IV. Coimbra: Coimbra Editora, 2010, p. 541 a 561, e PARGA, Milagros Otero. "Reconocimiento legal del valor dignidad". *Boletim da Faculdade de Direito de Coimbra*, Volume LXXIX, 2003, p. 445 a 459.

[83] O conceito nuclear do "superior interesse da criança", enunciado, desde logo, no Artigo 3, n. 1 da C.D.C. e absorvido pelo conjunto de ordens jurídicas do denominado "mundo ocidental", reporta-nos para uma realidade multiestrutural e impõe um feixe essencial de deveres e obrigações, quer para os *cuidadores* do menor quer para o Estado: desde o direito à satisfação das necessidades existenciais básicas até ao direito à protecção perante qualquer forma de exploração ou discriminação, passando pelo direito de ir experimentando uma progressiva autonomia na gestão da sua vida, o *ius* à livre expressão da opinião e ao respeito da mesma pelos outros, bem como a ser ouvido, na medida da sua maturidade, em todas as decisões que lhe digam respeito (a propósito, HAMMARBERG, Thomas. "Justice for children..." cit., p. 64 a 68).

[84] Ao perguntar o que perguntamos, temos em mente as paradigmáticas palavras de Jorge de Figueiredo Dias: "(...) finalidade precípua da execução é – ressalvados, porventura, certos casos-limite

aparelho formal de administração da justiça exerce o *ius puniendi*, não em homenagem a um fim "cego" de pura retribuição pelo mal causado pelo agente[85], mas antes orientado por um ideário de prevenção geral de integração e especial de ressocialização, não deveria constituir a aplicação e subsequente execução da pena o processo por excelência para conseguir tal desiderato ressocializador? Assim como, quando ocorre uma hipótese de suspensão de execução da pena, nos termos do Artigo 50 do C.P.[86], decorrido que esteja o período de suspensão de execução da pena e esta é declarada extinta conforme o disposto no Artigo 57 do mesmo diploma legal[87], tudo não deverá confirmar que "(...) a simples

---

concretos em que tal se torne, pela própria natureza das coisas, de todo inútil ou impossível – a prevenção especial positiva ou de socialização. Finalidade esta que, por sua vez, se traduz concretamente em oferecer ao recluso as condições objectivas necessárias não à sua emenda ou reforma moral, sequer à aceitação ou reconhecimento por aquele dos critérios de valor da ordem jurídica, mas à 'prevenção da reincidência' por reforço dos *standards* de comportamento e de interacção na vida comunitária (condução da vida 'de forma *socialmente responsável*')" (*Direito Penal Português. Parte Geral II. As Consequências Jurídicas do Crime*. Lisboa: Aequitas, Editorial Notícias, 1993, p. 110, com itálicos do autor, palavras aquelas reportadas ao Decreto-Lei n. 265/79, de 1 de agosto, mas mantendo, segundo cremos, toda a sua actualidade com o vigente C.E.P.M.P.L.).

[85] Não se conduzindo, portanto – e bem –, o nosso ordenamento jurídico-penal, em matéria sancionatória, e de modo algum, por finalidades de cariz estritamente ético-retributivo, muito marcadas, na época moderna, pelos ensinamentos filosóficos kantianos e hegelianos (sobre tais doutrinas retributivas de cariz mais clássico, CORREIA, Eduardo. *Direito Criminal*. Volume I. Reimpressão. Coimbra: Livraria Almedina, 1971, p. 45 a 47).

[86] Recurso ao instituto da suspensão de execução da pena – desde há muito jurisprudencialmente entendido entre nós não como uma mera faculdade mas sim como um "poderdever" ou um poder funcional do julgador, dependente da verificação dos pressupostos formal e material fixados na lei – que assenta, já de si, em uma análise judicativa da especificidade de cada hipótese por forma a poder concluir-se por um prognóstico favorável relativamente ao comportamento do agente, ou seja, por forma a entender-se que a "(...) censura do facto e a ameaça da pena – acompanhadas ou não da imposição de deveres e (ou) regras de conduta (...) 'bastarão para afastar o delinquente da criminalidade' (...)". E, "(...) na formulação do aludido prognóstico, o Tribunal reporta-se ao momento da decisão, não ao momento da prática do facto" (DIAS, Jorge de Figueiredo. *Direito Penal Português. Parte Geral II*... cit., p. 343; no mesmo sentido, *vide* Acórdão da Relação de Coimbra de 20/11/1997, *Colectânea de Jurisprudência*, Ano XXII, Tomo 5, p. 53, e Acórdão da Relação de Guimarães de 10/5/2010, disponível em *www.dgsi.pt*).

[87] Isto é, sem que tenham ocorrido, durante o período de suspensão, motivos que possam levar à sua revogação, nos termos do Artigo 56 do C.P. (cf. n. 1 do supra referido Artigo 57).

censura do facto e a ameaça da prisão (...)" realizaram "(...) de forma adequada e suficiente as finalidades da punição" (n. 3 do Artigo 50 do C.P.)?

Ora, vemos como muito difícil – para não dizermos que se trata de uma verdadeira *contradição nos seus termos* – assumir o Estado como proposição político-criminal essencial o projecto ressocializador do delinquente por via da aplicação e execução de penas e medidas de segurança e, findas tais aplicação e execução, "acompanhar" a reinserção do mesmo agente na sociedade... A não ser (e, sinceramente, não vislumbramos outra via congruente de colocar o problema) que esteja o legislador dessa forma a admitir que o programa político-criminal por si preconizado dele não obtém o crédito e a confiança proclamados quanto aos seus próprios objectivos (a correcção do delinquente) e aos meios para os atingir[88].

4.5 A mesma questão, devidamente adaptada, terá ainda de ser esgrimida na hipótese da concessão da liberdade condicional.

Com efeito, à liberdade condicional é habitualmente reconhecido o carácter de incidente (o último dos incidentes[89]) de execução da pena de prisão[90]. E um dos pressupostos para a sua concessão, havendo cumprimento de metade ou dois terços da pena, nos termos dos n. 2 e 3 do Artigo 61 do C.P., é o de "(...) fundadamente (...)" se "(...) esperar, atentas as circunstâncias do caso, a vida anterior do agente, a sua personalidade e a evolução desta durante a execução da pena de prisão, que o condenado, uma vez em liberdade, conduzirá a sua

[88] Neste sentido, embora no específico contexto do registo criminal, cf. COSTA, António Manuel de Almeida. "O registo criminal. História. Direito comparado. Análise político-criminal do instituto", *Boletim da Faculdade de Direito de Coimbra* (Separata do Volume XXVII do Suplemento), 1985, p. 258.

[89] Constituindo outros incidentes normalmente típicos de tal execução, vocacionados para a progressiva reaproximação do condenado à liberdade, os que respeitam, por exemplo, à concessão, pelo juiz de execução de penas, das denominadas saídas jurisdicionais precárias ou da adaptação à liberdade condicional (cf. Artigos 76 e 138, n. 4-b) e c) do C.E.P.M.P.L. e 62 do C.P.). São aquilo que Ferrando Mantovani há muito denominou de manifestações de *premialità progressiva*, no sentido de que traduzem uma gradual atenuação da punitividade até ao seu subsequente fenecimento com o termo da execução da pena (*Il Problema della Criminalità*. Padova: C.E.D.A.M., 1984, p. 625 e 626).

[90] RODRIGUES, Anabela Miranda. "A fase de execução das penas e medidas de segurança no direito português". *Boletim do Ministério da Justiça*, n. 380, 1988, p. 30.

vida de modo socialmente responsável, sem cometer crimes" (alínea a) do dito n. 2 do Artigo 61).

Através do instituto da liberdade condicional, prevê, pois, a ordem jurídico-penal um mecanismo de antecipação do retorno à vida em sociedade, mercê do juízo de prognose favorável que em concreto foi possível formar em relação àquele agente quanto (e além do mais) à consecução da específica finalidade de prevenção especial positiva que lhe diz respeito[91]. E será precisamente a mesma ordem jurídico-penal que, à margem do mecanismo da liberdade condicional, o irá agora "acompanhar" mediante a sua inscrição no registo de condenados, devido ao facto de ter sido ele sentenciado por um crime sexual contra menores... e, como tal, existirem "dúvidas" (como que *presumidas* por lei) de que, em liberdade, a sua efectiva socialização constitua mesmo uma realidade...

Neste contexto, não percebemos, uma vez mais, como escapar a uma inarredável sensação de *contradição nos termos*, relativamente à solução apresentada pelo mencionado Anexo à Lei n. 103/2015, de 24 de agosto...

4.6 Se atendermos, no que ora importa, à homologia de razões de cariz preventivo-especial na mobilização das medidas de segurança[92], o que acaba de ser focado quanto à pena de prisão valerá, a nosso ver, e *mutatis mutandis*, para o cumprimento das medidas de segurança aplicadas na sequência do cometimento de crimes sexuais contra menores.

Remetemos, pois, neste domínio, e por óbvias razões expositivas, para os pontos antecedentes. Com uma só nota suplementar: em determinadas situações mais graves (pensemos, por exemplo, no crime de abuso sexual de crianças, previsto no Artigo 171, n. 2 do nosso C.P., a que pode caber pena de prisão até

---

[91] RODRIGUES, Anabela Miranda. "A fase de execução..." cit., p. 32.

[92] Falamos, portanto, e neste estrito sentido, no propósito de prevenção especial ou individual de evitamento da repetição da prática de factos ilícitos típicos pelo inimputável no futuro, e abstraímos propositadamente da questão – menos pacífica do ponto de vista doutrinário, e também não muito relevante para aquilo de que tratamos no presente estudo – da igual existência ou não de um referencial interesse comunitário na segurança e tutela do ordenamento jurídico, subjacente à aplicação das medidas de segurança (cf., para visões distintas nesta matéria controvertida, DIAS, Jorge de Figueiredo. *Direito Penal Português. Parte Geral II*... cit., p. 424 a 429, e ANTUNES, Maria João. "O passado, o presente e o futuro do internamento de inimputável em razão de anomalia psíquica". *Revista Portuguesa de Ciência Criminal*, Ano 13 (2003), n. 3, p. 356).

dez anos, e que tenha determinado a aplicação de uma medida de internamento ao agente), não será impossível depararmos com o protelamento *ad eternum* da suposta "reinserção social" do condenado, primeiro com a sua sujeição à medida de segurança de internamento sucessiva e indefinidamente renovada, nos termos e por efeitos da revisão obrigatória exigida pelos Artigos 92, n. 3, e 93, n. 2, ambos do C.P.[93], e, finda esta (porque se entendeu haver cessado a perigosidade do cometimento de novos ilícitos penais sexuais pelo inimputável – n. 1 do Artigo 92 do C.P.), com o tal "acompanhamento reinseridor" (desta feita por mais cinco anos – n. 3-a) do Artigo 13 do Anexo consagrador do registo de condenados).

4.7 Para além dos apontados engulhos àquilo que poderemos denominar de grandes linhas ou proposições político-criminais de base do nosso edifício jurídico-penal – engulhos que, portanto, e nesse sentido, serão "estruturais", atento o entorse a que conduzem dentro do próprio sistema –, focaremos agora, e de jeito rápido, um outro aspecto que se antolha, quanto a nós, demasiadamente (e preocupantemente) importante para a prática das coisas.

Desde logo, a circunstância, enunciada pelo Artigo 11 do Anexo, de a inscrição no registo ser apenas cancelada (e desde que entretanto não tenha ocorrido nova condenação por crime contra a autodeterminação sexual e a liberdade sexual de menor, ou a morte do agente) decorridos os prazos referidos no n. 3 do Artigo 13 do mesmo Anexo, isto é, cinco, dez, quinze e vinte anos, a contar do momento em que, no lapso de quinze dias após o cumprimento da pena ou medida de segurança, ou a colocação em liberdade condicional, o agente comunicar perante autoridade judiciária ou órgão de polícia criminal o seu local de residência e domicílio profissional (n. 1 e 2 do citado Artigo 13).

A diferença do *quantum* de anos até ocorrer o cancelamento explica-se pelo seguinte: o tipo de pena concretamente aplicada – uma pena de multa ou uma pena de prisão até um ano ou o facto de se tratar de uma medida de segurança, no tocante ao prazo dos cinco anos de inscrição; o número de anos de prisão concretamente aplicados, no que tange aos outros prazos de inscrição (cancelamento ao fim de dez anos, quando tiver sido mobilizada pena de prisão

[93] Quanto a este desvio, dotado de um maior *enforcement*, na matéria da duração máxima do internamento, e seu acolhimento constitucional, cf. VEIGA, António Miguel. "'Concurso' de crimes por inimputáveis em virtude de anomalia psíquica: 'cúmulo' de medidas de segurança?". *Julgar*, n. 23, 2014, p. 254 e 255.

superior a um ano e não superior a cinco anos, ainda que substituída por outra pena; cancelamento ao fim de quinze anos, quando tiver sido aplicada pena de prisão superior a cinco anos e não superior a dez anos; cancelamento ao fim de vinte anos, quando estiver em jogo pena de prisão superior a dez anos) (n. 3 do referido Artigo 13).

À semelhança do que ocorre nos sistemas de registo norte-americano, britânico e francês já acima vistos, impressiona-nos a manifesta *desproporcionalidade* que os apontados prazos de vigência do nosso registo comportam (embora, permita-se-nos a expressão, no caso português, à nossa escala, mercê de uma menor severidade punitiva abstracta da generalidade das figuras penais relativas aos crimes sexuais, comparativamente às dos outros ordenamentos jurídicos abordados).

E falamos de *desproporcionalidade*[94] em uma dupla dimensão: entre a duração da pena de prisão concretamente aplicada e o correspondente período de tempo que, finda a execução de tal pena, se lhe seguirá em termos de inscrição registal, com os evidentes efeitos antirressocializadores[95] daí advindos para o visado; e – agora também com patentes laivos de *desigualdade*[96] – entre a sujeição ao registo, ao longo de diversos anos, de uma determinada condenação por crime sexual contra menor, e a não inserção registal, em tais termos, de uma condenação atinente a outro tipo de ilícito criminal (que não, portanto, de natureza sexual),

---

[94] Sobre o *princípio da proporcionalidade*, jurídico-constitucionalmente cunhado no n. 2 do Artigo 18 da nossa Lei Fundamental, e subprincípios em que se desdobra (*princípio da adequação*, *princípio da exigibilidade* e *princípio da proporcionalidade em sentido restrito*), cf. CANOTILHO, Joaquim Gomes; MOREIRA, Vital. *Constituição da República*... e Volume I cits., p. 392 e 393.

[95] Como atrás vimos, é de *não ressocialização* que deveremos falar nesta matéria, pelo que nos parece ainda mais clara a ideia de *desproporção* agora exposta. Mas, mesmo que todo o mecanismo tendesse a (ou lograsse) uma prevenção especial de ressocialização, por um lado, e geral de integração, por outro – o que infra, no ponto 6.4, teremos oportunidade de contestar –, nem assim deixaríamos de lidar com um óbvio problema de *falta de proporcionalidade* entre a duração e gravidade da inscrição no registo e a duração da concreta pena – entretanto extinta – por via da qual surgiu aquela inscrição (a respeito da imbricação habitualmente reclamada entre a proporcionalidade das sanções e a gravidade dos factos que as motivam, segundo um juízo de prevenção geral de integração, cf. a análise crítica de MANTOVANI, Ferrando. *Il Problema*... cit., p. 615 a 622, e também a de HIRSCH, Andrew Von. "Proportionality in the philosophy of punishment". *Crime and Justice*, Volume 16, 1992, p. 15 e 16).

[96] *Desigualdade* talvez baseada na convicção politicamente impressionante a que se aludiu supra, no ponto 4.2.

porventura até mais grave e lesivo de bens jurídico-penais igualmente muito ponderosos do ponto de vista da consciência axiológica da comunidade[97] [98].

Pelo que, somando ainda à questão (a que, apesar de tudo, e como vimos supra[99], o sistema de registo francês tem meios de obviar, com a hipótese de *effacement* antecipado) do não cancelamento da inscrição do registo antes do decurso dos prazos previstos no Artigo 13, n. 3, do Anexo, não se percebe bem à luz de que desígnio, próprio de uma ponderação de interesses díspares que deveria ser apanágio de um estado de direito democrático (Artigos 13 e 18, n. 2 da C.R.P.), é sustentável aquela extensão temporal manifestamente excessiva e desproporcionada. Pelo menos em termos tais que não ponha em causa – como, a nosso ver, põe – a dignidade humana dos visados pelo aludido registo[100].

4.8 O outro ponto merecedor de especial atenção é o da possibilidade do acesso por terceiros ao registo.

---

[97] Pense-se, a este último propósito, em um agente condenado na pena de dez anos e seis meses de prisão, por um crime de violação perpetrado sobre menor do qual resultou uma gravidez, previsto nos termos da conjugação dos Artigos 164, n. 1-a) e 177, n. 4 do C.P., que, esgotada a respectiva execução, se vê inscrito no registo ora proposto pelo prazo de vinte anos (Artigo 13, n. 3-d) do Anexo). E pense-se, por outro lado, em um agente condenado, pela prática de dois crimes de homicídio qualificado, previstos nos Artigos 131 e 132, n. 1 e 2-c) do C.P., devido à morte de duas jovens (com as quais não manteve qualquer contacto de natureza sexual), na pena cumulatória única de vinte e cinco anos de prisão, relativamente ao qual opera "apenas" a inscrição registal do regime comum, em princípio com cancelamento decorridos dez anos após a extinção da pena (cf. Artigo 11, n. 1-a) da Lei n. 37/2015, de 5 de maio).

[98] Não resistindo nós, neste contexto, a transcrever as ácidas – e lúcidas – palavras de José de Faria Costa: "(...) se se quer tanto criar um Estado securitário, estigmatizador dos 'maus', logo violador do princípio da igualdade, se bem que sempre sustentado solertemente em princípios dignos que ninguém contesta, então, coerentemente, crie-se, para cada tipo de crime, uma lista, consultável por quem mostrar interesse 'legítimo', para 'ladrões', 'gatunos', 'homicidas', 'onzeneiros', 'burlões' e por aí fora" ("Nota introdutória". *Beccaria e o Direito Penal. Três Estudos*. Coimbra: Coimbra Editora, 2015, p. 8).

[99] Cf. supra, ponto 3.3.

[100] Concordando-se com a afirmação de Carmen Tomás-Valiente Lanuza segundo a qual a necessidade de proporcionalidade das penas – e, acrescentaremos nós, da generalidade das reacções punitivas assestadas pelo Estado enquanto aplicador do *ius puniendi* – deriva intrinsecamente da dignidade da pessoa e impede, assim, uma sua inadmissível instrumentalização enquanto arguido ("La dignidad humana y sus consequencias normativas..." cit., p. 187 e 188).

Não se nega que, na economia e lógica de um sistema como aquele de que tratamos (aliás, semelhantemente, neste aspecto, ao que se passa com o registo criminal comum), seja coerente e até mesmo necessário – para a circulação do conhecimento actualizado da informação – que terceiras pessoas e entidades possam aceder ao conteúdo do registo. Assim, pensemos nas hipóteses previstas nas alíneas a) a d) do n. 1 do Artigo 16 do Anexo em causa: os operadores judiciários e órgãos coadjuvantes (para efeitos de investigação criminal, instrução de processos criminais, de regulação do exercício das responsabilidades parentais e outros), os serviços ligados à reinserção social, e ainda as Comissões de Protecção das Crianças e Jovens, no âmbito da prossecução dos respectivos fins.

A questão, a nosso ver, já será bem distinta no que tange à possibilidade de os titulares do exercício das responsabilidades parentais[101] sobre menor até aos dezasseis anos de idade terem igualmente acesso à informação ínsita ao registo.

E, a propósito do específico ponto em análise, parece-nos útil fazer um pequeno cotejo entre aquilo que se encontrava previsto no Anexo à Proposta de

[101] Independentemente das críticas que exporemos no texto acerca da possibilidade do acesso ao registo por parte dos cidadãos que exerçam responsabilidades parentais, cremos que a questão não poderá deixar de ser tida como de "particular importância" para a vida do filho, razão pela qual, nos casos de divórcio, separação judicial de pessoas e bens, declaração de nulidade ou anulação do casamento, separação de facto de marido e mulher, e ainda cessação da convivência dos unidos de facto em condições análogas às dos cônjuges, o regime a seguir, em princípio, deveria ser o do n. 1 do Artigo 1906 do Código Civil (C.C.), a saber, o de um exercício comum por ambos os progenitores nos termos pensados na constância do casamento, salvo verificando-se uma situação de urgência manifesta, em que qualquer dos progenitores pode agir sozinho, prestando informações ao outro logo que possível (cf. ainda, conjugadamente, Artigos 1901, 1909 e 1911, n. 2, todos do C.C.; acerca das "questões de particular importância", *vide* VEIGA, António Miguel. *O Novo Crime de Subtracção de Menor Previsto no Art. 249, n. 1-c) do Código Penal Português (Após a Lei n. 61/2008, de 31/10): a Criminalização dos Afectos?*. Coimbra: Coimbra Editora, 2014, p. 59 a 62). Parecerá, no entanto, que o Anexo em causa se basta com a solicitação da informação por parte de apenas um dos progenitores, mesmo que não se trate de uma situação de urgência manifesta. Sem embargo, afigura-se-nos que, se o que estiver na base da ida de um ou dos dois titulares das responsabilidades parentais à autoridade policial for uma situação de urgência, o meio adequado para proteger e garantir a segurança do menor não será certamente o pedido de informação acerca do conteúdo do registo, mas sim o de uma intervenção policial adequada ou até, existindo suspeita fundada da eventual prática de ilícito penal, do desencadeamento do procedimento criminal correspectivo.

Lei n. 305/XII e o que veio efectivamente a constar dos n. 2, 3 e 4 do Artigo 16 do Anexo à Lei n. 103/2015, de 24 de agosto, hoje em vigor.

Então, segundo os n. 1-e), 3 e 5 do Artigo 16 do Anexo à referida Proposta de Lei n. 305/XII, os titulares do exercício das responsabilidades parentais sobre menor até aos dezasseis anos de idade teriam igualmente acesso ao conteúdo registal desde que "(...) *alegando situação concreta que justifique um fundado receio* de que determinada pessoa conste do registo (...)" (itálicos nossos). Previa-se, nesta hipótese, que o requerente se dirigisse à autoridade policial da área da sua residência solicitando, mediante comprovação a tal autoridade da frequência escolar do menor, assim como do exercício das responsabilidades parentais em relação a este e respectiva residência, que lhe fosse confirmada ou infirmada a inscrição no registo do nome da pessoa sobre a qual recaíam as suspeitas do impetrante e a respectiva residência no concelho do último ou no concelho onde se situasse o estabelecimento de ensino frequentado pelo menor sobre o qual eram exercidas as responsabilidades parentais (valendo para situações similares, por motivo de férias ou outro, ocorridas fora da área da residência do requerente, os n. 6 e 7 do mesmo Artigo 16). Se, na avaliação que empreendesse (e estando verificados os demais requisitos de comprovação inerentes ao requerente: residência, titularidade do exercício das responsabilidades parentais, idade do menor), concluísse pelo aludido *fundado receio*, a autoridade policial confirmaria ou infirmaria a inscrição da pessoa indicada pelo impetrante no registo e a respectiva residência no concelho, devendo ainda desenvolver acções de vigilância adequadas a garantir a segurança do menor (n. 4 e 8 do Artigo 16 em questão)[102].

E quanto ao que dispõe o Anexo ao diploma legal efectivamente vigente?

---

[102] Só em jeito de nota, deixamos também aqui o que, nesta específica matéria, constava do Anexo ao Projecto da Proposta de Lei inicialmente pensado pelo governo português de então: ao (e perdoe-se-nos a expressão) *melhor estilo norte-americano*, previa o Artigo 16, n. 1-d) e 3 do referido Anexo que, para poderem aceder à informação sobre a identificação criminal em causa, os cidadãos que exercessem responsabilidades parentais sobre menor até aos dezasseis anos de idade deviam – e *tão somente* – "(...) dirigir-se à autoridade policial da área da sua residência, solicitando que lhes (...)" fosse "(...) prestada informação sobre a identidade e o domicílio de arguido cuja identificação (...)" constasse "(...) do registo de identificação criminal e que (...)" tivesse "(...) domicílio na área de residência do requerente, ou na área onde se (...)" situasse "(...) o estabelecimento de ensino frequentado pelo menor sobre o qual (...)" exercesse "(...) responsabilidades parentais".

Bom, em termos estritamente literais, os desvios de regime existem e não podem ser escamoteados, mas suscitam-nos algumas dificuldades de compreensão quanto aos respectivos sentido e alcance práticos.

Para o que agora mais interessa (pois que as questões da comprovação do exercício das responsabilidades parentais pelo requerente e da deslocalização temporária do mesmo por motivo de férias ou outro mantiveram-se exactamente nos termos do Anexo à Proposta), nos termos do n. 2 do Artigo 16 do Anexo à Lei n. 103/2015, de 24 de agosto, "os cidadãos que exerçam responsabilidades parentais sobre menor até aos dezasseis anos, *alegando situação concreta que justifique um fundado receio* que na área de residência ou na área em que o menor frequenta actividades paraescolares ou nas imediações do estabelecimento de ensino frequentado pelo menor, *resida, trabalhe ou circule habitualmente pessoa que conste do registo*, podem requerer à autoridade policial da área da sua residência a confirmação e averiguação dos factos que fundamentem esse fundado receio *sem que lhe seja facultado, em caso algum, o acesso à identidade e morada da(s) pessoa(s) inscrita(s) no registo*" (itálicos nossos).

O que dizer de tudo isto?

Que, desde logo, se fizermos uma simples comparação de qualquer uma das versões acabadas de expor com o regime do registo criminal comum, perceberemos o enorme desvio existente.

De facto, tomando em consideração um contexto geral de protecção de dados[103], determina o n. 1 do Artigo 8 da Lei n. 37/2015, de 5 de maio, que, exceptuando as entidades oficiais a isso legitimadas pelo n. 2 de tal Artigo 8 (e apenas para os fins previstos para o bom desempenho do múnus próprio de cada uma delas), o acesso particular ao registo criminal de uma pessoa só poderá ocorrer pela própria ou por alguém em nome e no interesse da mesma. O que se percebe, atentos os especiais interesses que rodeiam o instituto e devem ser jogados em uma equação conciliadora nem sempre simples de efectuar[104], de

---

[103] Sobre o sentido e o contexto da protecção de dados íntimos, que apenas deverá ceder, no caso de pessoas privadas, por motivos de interesse público e não por meras razões de curiosidade alheia, ESTRADA, Cristina Fernández-Pacheco. "Registros de delincuentes sexuales..." cit., p. 419, e FIESTAS, Verónica del Carpio. "Divulgación de antecedentes penales y protección del derecho al honor y a la initimidad". *Aranzadi Civil*. Volumen I, Tomo XIV. Madrid: Thomson Aranzadi, 2005, p. 2213 e 2214.

[104] Quanto a tal equação de interesses, veja-se a desenvolvida análise de COSTA, António Manuel

igual forma tentando também evitar-se que do dito acesso possa resultar uma perturbação do percurso de ressocialização já efectuado pelo visado e uma desnecessária estigmatização[105] e degradação da sua imagem (pessoal e familiar), sobretudo na relevante refracção comunitária que a mesma normalmente assume.

De modo diverso, afigura-se-nos que o Anexo à Proposta de Lei n. 305/XII e a sua subsequente cristalização legal agora em vigor terão ido buscar inspiração, neste particular aspecto, ao modelo britânico (mas já não ao francês[106]) acima visto(s), permitindo o acesso a particulares mediante uma simples *invocação* (e sendo necessário tão-somente isso: uma *invocação* ou *alegação) de algo*.

Especificando, e como referimos, o Anexo à Proposta de Lei exigia a invocação de situação concreta que, na óptica policial, justificasse o tal "fundado receio" de que determinada pessoa constasse do registo (n. 3 do respectivo Artigo 16).

No que toca a este ponto, assumimos sem rodeios a nossa posição de princípio de frontal oposição à solução preconizada pelo Anexo à Proposta, por entendermos que, entre outros efeitos, poderia potenciar algo que não deveria, pura e simplesmente, acontecer em um estado de direito: o mais perigoso dos (e, aqui, parece-nos não haver outra forma de o expressar) *voyeurismos* sociais[107], com enormes e intoleráveis danos na honra, imagem, reserva da intimidade da vida

de Almeida. "O registo criminal..." cit., p. 193 e, principalmente, 257 a 270, e ainda o Parecer da Associação Sindical de Juízes Portugueses a propósito do Projecto de Proposta de Lei – já por nós atrás referido, na nota 102 – que esteve na origem da Proposta de Lei n. 305/XII (Gabinete de Estudos e Observatório dos Tribunais, Lisboa, setembro de 2014, p. 29 e 30).

[105] Assim, expressamente, Silvia Larizza: "(...) la possibilità che il sistema legittima di rendere pubbliche le iscrizioni non fa (...) che perpetuare quel processo di stigmatizzazione sociale (...)" ("*Cave a signatis*: ovvero sulla stigmatizzazione penale", *Estudos em Homenagem ao Prof. Doutor Jorge de Figueiredo Dias*. Volume III. Coimbra: Coimbra Editora, 2010, p. 1306); no mesmo sentido, COSTA, António Manuel de Almeida. "O registo criminal..." cit., p. 193, e FIESTAS, Verónica del Carpio. "Divulgación de antecedentes penales..." cit., p. 2215.

[106] Cf. supra, ponto 3.3 (tão-só e apenas no tocante à possibilidade legal de divulgação do conteúdo do registo a pessoas e entidades públicas ligadas à administração da justiça, ou a pessoas públicas e privadas com interesse profissional ou similar justificado).

[107] COSTA, José de Faria. "Nota introdutória" cit., p. 8.

privada[108] e segurança[109], *bref*, em diversos redutos ônticos daquilo que compõe a essencial possibilidade de uma vida digna e de uma efectiva reintegração social da pessoa cujo nome é invocado e consta do registo. Em uma palavra (e para dizermos o mínimo), cremos que a dignidade humana enquanto valor axial de referência do ordenamento constitucional do Estado saía claramente afectada na sua essência.

Mas, para além da questão de princípio (embora também a ela ligada), a solução consagrada no texto do n. 3 do Artigo 16 do Anexo à aludida Proposta continha, a nosso ver, diversos pontos tecnicamente duvidosos.

Assim, já notámos que o elemento despoletador seria constituído pela alegação de uma situação concreta indiciante do tal "fundado receio" de que determinada pessoa constasse do registo.

Ora, o que traduziria – ou poderia e deveria traduzir – o "fundado receio"? Algo ligado a uma situação de cariz sexual que, segundo a alegação do requerente, envolvesse a pessoa objecto das suas suspeitas e fosse susceptível de configurar a prática de um crime sexual sobre menor? Ou não seria necessário ir tão longe? Chegaria que o impetrante tivesse, de facto, as suas suspeitas de que o nome da pessoa em causa integrasse o dito registo, porque, por exemplo, era esse o rumor de que insistentemente se tinha apercebido, e pretendesse averiguar a veracidade

---

[108] Quanto aos evidentes efeitos nefastos da possibilidade de publicitação (*lato sensu*) dos antecedentes penais na imagem, honra e reserva da intimidade da vida privada, cf., com muito interesse, RIMO, Alberto Alonso. "La publicidad de los antecedentes penales..." cit., p. 15 a 19, e FIESTAS, Verónica del Carpio. Divulgación de antecedentes penales..." cit., p. 2198 a 2204.

[109] Aos possíveis danos na segurança pessoal do visado poderão igualmente somar-se até, e dependendo das condicionantes concretas das situações, *maxime* por via do exacerbamento dos fenómenos por nós mencionados na nota 113, inerentes perturbações de índole ou ordem pública. Tudo isso, já sem falar na hipótese da ocorrência – dotada de todas as potencialidades para ser algo mais do que o resultado de um mero exercício de ficção – de casos de engano em relação à identidade do visado, com eventuais consequências dramáticas (sobretudo em pequenas comunidades locais) para o injustamente apontado como sendo o inscrito no registo (ESTRADA, Cristina Fernández-Pacheco. "Registros de delincuentes sexuales..." cit., p. 421 e 422, e FITCH, Kate. *Megan's Law: Does it Protect Children?* cit., p. 38 e 39 e 48 e 49; a propósito da questão do engano ou suposição errónea quanto ao envolvimento de um ex-condenado em factos graves relativos a um crime sexual, é incontornável a referência ao – quanto a nós, a vários títulos magnífico – filme *Mystic River*, realizado pelo cineasta norte-americano Clint Eastwood em 2003, e baseado no romance homónimo de Dennis Lehane).

ou não de tal rumor? E constituiria isso o bastante para que ao requerente – titular do exercício das responsabilidades parentais em relação ao menor – fosse confirmada ou infirmada a sua dúvida? Mas, por outro lado, se a suspeita fosse atinente a algo de mais sério, e inculcasse ao impetrante a noção de poder estar em causa a prática de um crime sexual sobre menor – de cariz público, portanto (cf. n. 1 do Artigo 178 do C.P.) –, a solicitação à autoridade policial valeria como notícia de crime por via de denúncia, nos termos e para os efeitos dos Artigos 48, 241, 244 e 246, todos do Código de Processo Penal (C.P.P.)?

E muitas mais e variadas dúvidas poderiam ser colocadas...

Só que se lidássemos, pela via que acabámos de expor, com a aquisição da notícia de um crime, não deveria ser essa a questão verdadeiramente importante – nuclear, mesmo – a ter em conta, com a investigação criminal a que houvesse lugar pelos meios competentes, e sem a distribuição aos particulares de informação sobre anteriores condenações?

Bom, todas as considerações que acabamos de expor quanto ao regime de acesso à informação do registo pelos titulares das responsabilidades parentais desenhado pelo Anexo à Proposta serão transponíveis, na sua globalidade, para a solução que na actualidade vigora com a Lei n. 103/2015, de 24 de agosto, dado que, no essencial, não nos parece que ocorra uma diferença de sentido verdadeiramente relevante entre uma e outra das opções normativas em questão.

Todavia, importa ressaltar que, apesar de tudo, o n. 2 do Artigo 16 do Anexo à Lei actualmente vigente denota mostrar melhor o que pretende, e o grau de (pouquíssima) exigência que coloca, na referida possibilidade de acesso à informação registal. Efectivamente, a tal alegação de "situação concreta" prende-se apenas com o "fundado receio", por parte do requerente, de que a pessoa que aquele (requerente) suspeita integrar o registo *resida*, *trabalhe* ou *circule habitualmente* na área de residência ou na área em que o menor frequenta actividades paraescolares ou nas imediações do respectivo estabelecimento de ensino[110].

[110] Note-se a restrição, em termos de *espaço físico*, que o legislador operou da Proposta para a solução actualmente em vigor: na primeira hipótese, previa-se que o requerente pudesse obter a informação da inscrição no registo e da residência do suspeito desde que esta se situasse em toda a área do concelho do impetrante – ou onde este temporariamente se encontrasse por motivos de férias ou outro –, bem como do concelho onde se situasse o estabelecimento de ensino frequentado pelo menor (n. 3, 4 e 6 do Artigo 16 do Anexo a tal Proposta); no regime vigente, a possibilidade de obtenção da informação – e já veremos melhor (supra, no texto) em que termos essa mesma

Porém, sendo invocada ou alegada uma "situação concreta", nos termos referidos, e requerida à autoridade policial a confirmação e averiguação dos factos que fundamentem o "fundado receio" do requerente, a este não é facultado, "(...) em caso algum, o acesso à identidade e morada da(s) pessoa(s) inscrita(s) no registo", devendo a autoridade policial "(...) desenvolver acções de vigilância adequadas para garantir a segurança dos menores" (n. 2 e 6, respectivamente, do Artigo 16 do Anexo à Lei n. 103/2015, de 24 de agosto).

Ou seja, se bem entendemos o alcance destes dois últimos segmentos legais, parecerá que o essencial das perguntas colocadas pelo requerente ficará sem resposta, o mesmo será dizer, o conteúdo útil da norma do vigente n. 2 do Artigo 16 do Anexo arriscar-se-á a ser menor do que poderíamos *ab initio* supor, pois, mesmo que confirme constar o sujeito do registo, não poderá a autoridade policial revelar a sua identidade e a respectiva morada ao impetrante[111]. Quase parecendo, nesta última hipótese, que tudo não servirá senão para o desencadeamento das tais acções policiais de vigilância "adequadas para garantir a segurança dos menores"[112], e, quanto ao requerente, obtida a confirmação pretendida, poder ele porventura desenvolver as suas próprias "acções investigatórias complementares" tendentes à "descoberta" daquilo que ficou por informar policialmente...

Em síntese, experimentamos uma enorme dificuldade em perceber, para além dos evidentes efeitos deletérios na vida privada e social das pessoas visadas, quais as consequências benéficas que de uma medida de acesso por terceiros particulares ao conteúdo do registo poderão advir. A não ser que uma vez mais se erga o argumento da segurança comunitária, mas desta feita através de um modo que,

informação pode (ou não...?) ser prestada pela entidade policial – está circunscrita à hipótese de o suspeito (segundo a alegação do impetrante) residir, trabalhar ou circular habitualmente na área de residência do menor – residência permanente ou na qual se encontra temporariamente por motivo de férias ou outro –, na área em que o menor frequenta actividades paraescolares, ou nas imediações do respectivo estabelecimento de ensino (n. 2 e 4 do Artigo 16 do Anexo à Lei n. 103/2015, de 24 de agosto), e não, portanto, na área de todo o concelho onde se integram tais residência(s) ou estabelecimentos.

[111] Falando, a propósito, de uma norma perniciosamente emblemática, própria de um nefasto *direito penal simbólico*, LEITE, André Lamas. "As alterações de 2015 ao Código Penal em matéria de crimes contra a liberdade e autodeterminação sexuais – nótulas esparsas", *Julgar*, n. 28, 2016, p. 73 e 74.

[112] O que naturalmente suscitará a pergunta formulada – quanto a nós, com inteira pertinência – por André Lamas Leite: "Tal já não deveria ser um cuidado adequado sem necessidade de 'impulso exterior'?" ("As alterações de 2015..." cit., p. 74).

inapelavelmente, nos conduzirá – *pour cause* – à ideia de auto-reconhecimento estatal de que tal segurança, seu óbvio encargo, não pode por si ser garantida, antes depende das medidas que os privados, a partir das informações recolhidas em relação aos condenados sexuais, e porventura em derivas próprias de um certo *vigilantismo*[113], consigam tomar...

Enfim, tudo nos levando a concluir, também aqui, pela *desproporcionalidade* da solução concreta pensada pelo legislador quanto ao acesso de terceiros ao registo e os valores inerentes à dignidade humana que por tal via serão inexoravelmente postergados.

4.9 Importará agora colocar (muito legitimamente, segundo pensamos) uma interrogação adicional: tratar-se-á de saber se os compromissos internacionais que impendem sobre o Estado português por força da denominada Convenção de Lanzarote (Convenção para a Protecção das Crianças contra a Exploração Sexual e os Abusos Sexuais), celebrada sob os auspícios do Conselho da Europa em 25 de outubro de 2007, assim como da Resolução n. 1733 (2010), de 21 de maio de 2010, da Assembleia Parlamentar deste mesmo Conselho, e ainda da necessidade de transposição da Directiva n. 2011/92/EU, do Parlamento Europeu e do Conselho, de 13 de dezembro de 2011, impunham a necessidade de adopção do apontado figurino, designadamente da possibilidade de acesso de terceiros ao conteúdo do registo.

E a resposta, quanto a nós, só poderá ser uma: o legislador português, *maxime* no domínio acabado de mencionar, foi muito para além daquilo a que seria obrigado a ir.

Como se diz no Parecer do Sindicato dos Magistrados do Ministério Público a propósito do Projecto Governamental de Proposta de Lei que esteve na base da Proposta e da subsequente Lei n. 103/2015, de 24 de agosto, que vimos analisando, "(...) o acesso à informação constante do registo por qualquer pessoa que exerça as responsabilidades parentais sobre menor de 16 anos não é imposto nem sequer aconselhado pela Directiva n. 2011/92/EU, de 13 de dezembro de 2011, relativa à luta contra o abuso sexual e a exploração sexual de crianças e a

[113] Sobre a possibilidade – muito perversa, e (algumas vezes) confirmada pelas experiências britânica e norte-americana – do surgimento dos *vigilantes*, *vide*, a título de exemplo, TRIVIÑO, José Pérez. "Penas y vergüenza" cit., p. 354, especialmente nota 34, e FITCH, Kate. *Megan's Law: Does it Protect Children?* cit., p. 38 e 39.

pornografia infantil (...); da análise dos considerandos do referido instrumento legislativo poderemos inclusivamente deduzir que, neste particular, a referida Directiva impõe cautelas acrescidas"[114] [115].

4.10 Todo o exposto não impede, no entanto, a observação seguinte.

De um ponto de vista estritamente humano, percebemos que a preocupação e o intuito de protecção em relação aos filhos ou àqueles que se encontram a seu cargo e de si dependem possam impelir pais a tentar a indagação prevista no n. 2 do Artigo 16 do Anexo acima referido.

Mas, não obstante, será útil ter também em conta que, em diversos segmentos de actuação e vida social, mecanismos já existentes ou introduzidos pela própria Lei n. 103/2015, de 24 de agosto, darão resposta, dentro do possível e de uma forma razoável e proporcionada, a alguns dos apontados anseios. Pensemos, por exemplo, na obrigação que – e bem, a nosso ver – o legislador agora impõe de, a par da condenação pela prática de crime sexual perpetrado sobre menor, ser igualmente proferida, a título de sanção acessória, a proibição do exercício de profissão, emprego, funções ou actividades, públicas ou privadas, que envolvam contacto regular com menores, por um período entre cinco e vinte anos (n. 2 do Artigo 69-B do C.P.). Ou seja, o próprio instituto do registo criminal contém a virtualidade de, *por causa* e *durante o período temporal inerente à condenação*, impedir a colocação do condenado por crime sexual sobre menor em contacto com crianças e jovens.

5 Em que se traduzirá na verdade o registo de condenações por crimes sexuais? Em uma sanção de cariz administrativo? Em uma pena acessória? Em uma medida de segurança? Em um efeito da pena?

---

[114] Parecer em causa, Lisboa, outubro de 2014, p. 62.

[115] Note-se o que consta do considerando 43 da apontada Directiva: "os Estados-Membros podem considerar a adopção de outras medidas administrativas aplicáveis aos infractores, como o registo de pessoas condenadas pelos crimes previstos na presente directiva em registos de autores de crimes sexuais. O acesso a esses registos deverá ser sujeito a uma limitação, de acordo com os princípios constitucionais nacionais e com as normas em vigor aplicáveis em matéria de protecção de dados, por exemplo, *limitando o seu acesso às autoridades judiciais e/ou policiais*" (itálicos nossos).

5.1 Feito o percurso essencial, tentaremos agora responder à questão, já atrás formulada, sobre a natureza jurídica do sistema de registo em vigor entre nós.

E não escondemos, mercê da sua especificidade, a nossa assumida hesitação em qualificar, sem rebuço, o dito sistema, tão pouco atreito parece o mesmo a uma categorização apodíctica.

Todavia, e dadas as violentas restrições de direitos fundamentais que impõe para os visados, repudiaremos uma visão que se quede pelo eventual apodo do registo como medida de cariz estritamente civil (sendo óbvio, nesta parte, o acerto do repúdio) ou administrativo[116].

Quanto ao último aspecto, atentaremos no chamado *direito penal administrativo* como realidade diversa do habitualmente denominado *direito penal de justiça*. Diversidade assente, desde logo (segundo uma visão das coisas de feição algo clássica e que, apesar de hoje em dia contestada[117], nos parece ainda bastante válida e operativa), na distinta configuração substancial dos bens jurídicos protegidos por uma e outra das ordens normativas em causa: valores de criação ou manutenção pragmática de uma certa ordem social, mais ou menos desligada do património axiológico da consciência colectiva, no primeiro caso, e valores ou interesses fundamentais da vida comunitária ou da personalidade ética do homem, no segundo caso[118]. Perante tal essencial perspectiva, cremos que a inscrição no registo e os seus efeitos, com as características que atrás desvelámos, não estando sequer dependentes de um certo tipo de *actuação administrativa*,

---

[116] No mesmo sentido, VAZ, Maria. "O registo de identificação criminal de condenados por crimes contra a autodeterminação e liberdade sexual de menores: um mal desnecessário". *Revista da Faculdade de Direito da Universidade de Lisboa*, Ano LVII (2016), p. 165.

[117] Tal contestação é assumida com destaque, na doutrina nacional, por BRANDÃO, Nuno. *Crimes e Contra-Ordenações: da Cisão à Convergência Material. Ensaio para uma Recompreensão da Relação entre o Direito Penal e o Direito Contra-Ordenacional*. Coimbra: Coimbra Editora, 2016, especialmente p. 161ss., 491ss. e 737ss..

[118] Seguimos aqui de perto as palavras de CORREIA, Eduardo. *Direito Criminal* e Volume I cits., p. 28 e 29; a propósito de algumas das dificuldades ligadas à diferenciação – qualitativa ou tão só quantitativa – entre o direito penal e o direito penal administrativo, cf. também COSTA, José de Faria. "O XIV Congresso Internacional de Direito Penal da A.I.D.P.. Algumas notas sobre os pontos essenciais dos trabalhos, levados a cabo em Viena e Estocolmo e relativos à 1ª Secção: as conclusões". *Revista de Direito e Economia*, Anos XVI a XIX (1990 a 1993), p. 744 a 748.

com uma eventual margem de liberdade na prossecução de um fim público, nos retira, também por esta via, do campo do sancionamento administrativo[119].

5.2 Por outro lado, se pensarmos em *penas acessórias* como as "(...) que só podem ser pronunciadas na sentença condenatória conjuntamente com uma pena principal"[120], depressa se nos inculcará a necessidade de afastar o registo em questão da apontada categoria de penas (acessórias).

Com efeito, independentemente da sua eventual qualificação como uma *medida de segurança* ou um *efeito de pena*, cremos que o modo de edificação e estruturação normativa desenhado pelo Anexo à Lei n. 103/2015, de 24 de agosto, mostra bem que a inscrição da condenação no registo é algo de automático e a abstrair de um particular sentido de culpa traduzido no facto pelo qual ocorre a condenação (principal). Ou seja, verificada que esteja a condenação em um determinado *quantum* punitivo, assim ocorrerá posteriormente a inscrição do condenado em causa no registo para aí permanecer ao longo de um determinado número de anos *ex ante* definidos por lei.

E, no contexto acabado de expor, parece-nos ser de vislumbrar em todo este sistema um *efeito da pena* – embora claramente *automático* (com os problemas daí advindos em face do comando geral expresso no n. 1 do Artigo 65 do C.P.) –, efeito que, ancorado em uma pena como *prius* desencadeador[121], deverá

---

[119] Entendamo-nos: aquilo que, na matéria do registo, poderíamos denominar de "poder de polícia", enquanto "(...) poder que permite à Administração Pública exercer o controle oficial sobre as atividades e interesses individuais, com vista a limitá-los nos termos previstos em lei ou, ainda, restringi-los, considerando o interesse público" (SWENSSON, Walter Cruz; SWENSSON NETO, Renato. "Direito penal administrativo". *Revista Brasileira de Direito Comparado*, n. 46, 1º semestre 2014, p. 161), seria, ao cabo e ao resto, o controlo, pela autoridade policial, do acesso por terceiros que exerçam responsabilidades parentais, nos moldes que já atrás vimos. Mas, em bom rigor, essa (restrita) margem de actuação toca apenas um específico aspecto da vigência do sistema, em nada mexendo com as características, o conteúdo e os efeitos decorrentes *ex vi legis* de uma condenação pela prática de um crime sexual contra menores.

[120] A expressão é de DIAS, Jorge de Figueiredo. *Direito Penal Português. Parte Geral II*... cit., p. 93, o qual adverte ainda, a p. 158, que "condição necessária, mas *nunca* suficiente, de aplicação de uma pena acessória é, assim, a condenação numa pena principal (...)", tornando-se "(...) porém, *sempre* necessário ainda que o juiz comprove, no facto, um particular conteúdo do ilícito, que justifique materialmente a aplicação em espécie da pena acessória" (com itálicos do autor).

[121] Embora, reconheçamo-lo, o elemento verdadeiramente desencadeador, *a montante*, acabe por

perspectivar-se, portanto, dentro do Direito Penal e das suas garantias próprias[122], ou seja, não só da legitimação material do exercício do *ius puniendi*, mas também das regras constitucionais que o exercício deste poder restritivo dos direitos dos cidadãos deverá respeitar.

Claro está, no entanto, que a consideração do registo como uma *medida de segurança*[123] poderia ser confortada pela ideia de assumir o legislador – mais ou menos abertamente – como justificação para a instituição do sistema registal a necessidade de controlar a *perigosidade* suposta pelo ordenamento jurídico como inata a um certo tipo de delinquentes (os condenados sexuais)[124]. Em tal visão das coisas, a dita perigosidade legitimaria, pois, a específica reacção estatal de inscrição do condenado no registo, por forma a prevenir eventuais e futuras recidivas do agente.

Mas afigura-se-nos que, precisamente a ser assim, e nos termos em que o sistema está pensado – sobretudo com a impossibilidade de cancelamento da inscrição antes de decorridos os prazos previstos no Artigo 13, n. 3 do Anexo (diversamente da relativa flexibilidade que, neste domínio, e como já vimos, marca o sistema francês) –, a perigosidade não passa de algo *ficcionado* ou *presumido*. *Ficção* ou *presunção de perigosidade* que nasceu com o facto justificador da condenação[125] e – expiada a pena ou medida de segurança – conduziu à posterior inscrição no registo, mas que a partir daí se manteve e manterá sempre por referência àquele *concreto agente*, de então em diante apodado de *condenado sexual*, e independentemente de, *em concreto*, essa perigosidade continuar a existir ou não ao longo do período de vigência registal. O que mostra também como,

---

ser o cometimento de um certo tipo de crime, a saber, o crime de cariz sexual sobre menor (a propósito dos efeitos das penas e dos "efeitos de crimes", DIAS, Jorge de Figueiredo. *Direito Penal Português. Parte Geral II*... cit., p. 160 a 163).

[122] Em tese geral, *vide* DIAS, Jorge de Figueiredo. *Direito Penal Português. Parte Geral II*... cit., p. 182.

[123] Fá-lo Maria Vaz, que apelida o registo de medida de segurança "pós-sentencial" e "pré-delitual" ("O registo de identificação criminal..." cit., p. 166).

[124] Parecendo-nos que, nesta estrita perspectiva, um pouco ao jeito da *libertad vigilada* em Espanha, a que nos referimos supra, no ponto 3.4.

[125] Falamos aqui, e como se percebe, de "condenação" em sentido amplo, abarcando quer a decisão definidora de uma pena, quer a que determina a aplicação de uma medida de segurança a um inimputável (decisão que, no rigor jurídico-processual, não constituirá uma sentença condenatória, antes absolutória, embora com as especificidades contidas no n. 3 do Artigo 376 do nosso C.P.P.).

pura e simplesmente, o legislador posterga a razão de ser e a lógica jurídica e político-criminal da figura da medida de segurança[126].

Em suma, e – repetimo-lo – conquanto assumamos as nossas dúvidas em toda esta problemática, tendemos a incluir o sistema de registo em causa nos *efeitos da pena*, devendo, por isso, ser aferido pelos ditames – que manifestamente, a nosso ver, e em determinados aspectos, não cumpre – de um Direito Penal próprio de um hodierno estado de direito democrático.

6 Em jeito de síntese (constitucionalmente comprometida)

6.1 Para além de tudo o que acabámos de expor, gostaríamos agora de deixar alinhadas e agrupadas as seguintes ideias.

A primeira é a de que a realidade dos crimes sexuais contra crianças constitui algo de extremamente sério e delicado, devendo ser objecto de uma reflexão aturada por parte do Estado, quando considerado no seu conjunto, isto é, nas diversas faces que lhe são reconhecíveis em uma qualquer democracia moderna, e não apenas nas vestes (cada vez mais apetecíveis e mediáticas) de detentor do *ius puniendi* a que as comunidades devem natural obediência.

Ora, estamos convictos de que uma das tarefas estatais mais lídimas é a que se liga ao aspecto educativo dos seus cidadãos, instrumento nuclear para a prevenção de situações lesivas de alguns dos bens comunitários tidos por verdadeiramente eminentes. Destarte, uma educação sexual responsável, madura e desde cedo instilada e trabalhada de modo adequado será algo de cada vez mais necessário, não só no meio escolar[127], mas ainda na célula familiar, base e primeiro núcleo de educação e aculturação social e ética da generalidade dos cidadãos.

---

[126] Valendo ora, segundo cremos, a mesma acusação de *absurdo* que, como vimos no ponto 3.4 e nota 68, Manuel Cancio Meliá assesta ao instituto da *libertad vigilada* ("Una nueva reforma..." cit., p. 6, 9 e 10).

[127] Data de 1984 a primeira Lei de Educação Sexual portuguesa (Lei n. 3/84, de 24 de março), vigorando na actualidade a Lei n. 60/2009, de 6 de agosto. Não obstante a existência do mencionado quadro normativo, entende Duarte Vilar, a propósito, que uma política consistente de educação sexual nas escolas é algo que verdadeiramente nunca aconteceu em Portugal, inexistindo linhas pedagógicas coerentes assumidas a tal respeito ("Educação sexual nas escolas – É preciso uma política clara". *A Página da Educação*, n. 134, Ano 13 (2004), p. 37).

Todavia, não basta só a feição educativa, sendo a nosso ver irrealista pensar-se em uma comunidade socialmente organizada que prescinda do legítimo exercício do *ius imperium* enquanto necessário meio de garantia da subsistência da própria ideia de organização comunitária. Por isso, a normatividade jurídico-penal e tudo o que em torno dela gira constituem o referente por excelência do aludido *ius imperium*[128].

Mas a face estatal mais repressiva, a que restringe ou afecta de um modo sério e decisivo os direitos fundamentais dos cidadãos deverá ser aquela cuja manifestação – em uma democracia, repita-se – exigirá maiores cautelas e preocupação, quer pela legitimação material da sua intervenção, quer pela constrição que fizer depois aos valores em confronto[129]. Neste sentido, o ditame jurídico-constitucional contido no n. 2 do Artigo 18 da nossa Lei Fundamental[130] não pode deixar de iluminar qualquer intervenção legal que implique a limitação de direitos, liberdades e garantias fundamentais. Dito de outro modo, para que "(...) a restrição seja constitucionalmente legítima, torna-se necessária a verificação *cumulativa* das seguintes condições: a) que a restrição esteja expressamente admitida (ou, eventualmente, imposta) pela Constituição, ela mesma (...); b) que a restrição vise salvaguardar outro direito ou interesse constitucionalmente protegido (...); c) que a restrição seja exigida por essa salvaguarda, seja apta para o efeito e se limite à medida necessária para alcançar esse objectivo; d) que a restrição não aniquile o direito em causa atingindo o conteúdo essencial do respectivo preceito"[131].

No entorno acabado de referir, e recuperadas todas as notas críticas que fomos apresentando, deveremos relevar então o seguinte quanto ao sistema de registo dos condenados por crimes sexuais.

---

[128] Esta noção já a expressou, de forma preclara, Cesare Beccaria em pleno século XVIII, a propósito da origem do direito de punir (*Dos Delitos e das Penas*. 2ª edição. Tradução do italiano para língua portuguesa por José de Faria Costa. Lisboa: Fundação Calouste Gulbenkian, 2007, p. 63 a 67).

[129] Assim, DIAS, Jorge de Figueiredo. "Carrara e o paradigma penal actual. Uma leitura a partir da experiência portuguesa". *Revista de Direito e Economia*, Ano XIV (1988), p. 6 a 9.

[130] Norma que estatui: "a lei só pode restringir os direitos, liberdades e garantias nos casos expressamente previstos na Constituição, devendo as restrições limitar-se ao necessário para salvaguardar outros direitos ou interesses constitucionalmente protegidos".

[131] CANOTILHO, Joaquim Gomes; MOREIRA, Vital. *Constituição da República...* e Volume I cits., p. 388 (com itálico dos autores).

6.2 Que o mencionado registo, aportado à nossa ordem jurídica pelo Anexo à Lei n. 103/2015, de 24 de agosto, traduz uma clara restrição de direitos fundamentais dos visados é algo que, para nós, não suscitará grandes dúvidas.

Com efeito, por tudo o já analisado – *maxime*, com a possibilidade de acesso de particulares à respectiva informação –, cremos que o regime legal em causa posterga, de modo evidente, essenciais valores constitucionalmente protegidos como sejam a intimidade da vida privada, a imagem e a honra – aspectos conaturais ao valor dignidade humana[132] (cf. Artigos 1 e 26, n. 1 da C.R.P.) – daqueles cujos nomes ficam inscritos no registo, do mesmo passo sendo susceptível de originar evidentes danos colaterais aos que mais próximo se encontram dos condenados (desde logo, os seus familiares directos ou que com ele privam de perto)[133] [134]. Nessa medida, não pode deixar de considerar-se o mecanismo do registo português (e mesmo que sem as restrições de residência ou as obrigações de notificação por parte do visado à comunidade, existentes nas leis norte-americanas) como um mais ou menos óbvio obstáculo à efectiva reinserção social dos nele inscritos, ou seja, como um meio de impedir a prossecução de um dos objectivos legalmente invocados... para o surgimento desse mesmo mecanismo... ("o acompanhamento da reinserção do agente na sociedade" – Artigo 3 do Anexo), com todos os efeitos criminógenos que, de forma previsível, daí advirão[135].

---

[132] FELDMAN, David. "Human dignity as a legal value – Part II" cit., p. 72 e 73.

[133] Em tese, cf. TRIVIÑO, José Pérez. "Penas y vergüenza" cit., p. 352. Richard Tewksbury, a propósito das restrições de residência impostas aos *sex offenders* em diversos estados norte-americanos, refere que uma das mais sérias consequências colaterais associadas ao registo tem que ver com a dificuldade em conseguirem aqueles uma residência segura e estável por via do arrendamento, com os problemas daí advenientes para a criação de raízes residenciais, profissionais e estudantis (também) para os restantes membros das respectivas famílias ("Exile at home..." cit., p. 538).

[134] E não mudando esta nossa ideia a circunstância – que *vale o que vale* – de os cidadãos em causa ficarem obrigados a guardar segredo sobre os factos que lhes sejam confirmados quanto à inscrição do suspeito no registo, não podendo tornar os ditos factos públicos, sob pena de punição nos termos previstos na lei de protecção de dados pessoais (Artigos 16, n. 8 e 18, n. 4, ambos do Anexo). Argumentar no sentido de que tal cominação impedirá a violação dos valores pessoais acima aludidos poderá significar algo de aparentado à perspectiva segundo a qual não serão praticados (quaisquer) crimes porque para os mesmos prevê a lei a cominação de penas...

[135] A propósito do sistema britânico, sobre alguns aspectos de tal dimensão criminógena, essencialmente no que toca ao "acantonamento" do agente com aqueles por ele vistos como seus "pares" e tendencial recaída em comportamentos desviantes, MCALINDEN, Anne-Marie. "The use of

Assim, erguem-se-nos dúvidas sérias quanto à observância, pelo regime legal em causa, da metódica jurídico-constitucional que manda atender, neste domínio dos direitos fundamentais, a essenciais princípios de *protecção do conteúdo mínimo essencial* do direito restringido e de *adequação* e *concordância prática* dos valores em confronto: aquele(s) em nome do(s) qual(ais) é efectuada a restrição e aqueloutro(s) que sofre(m) a intervenção restritiva[136].

E se vimos o que nos parece acontecer quanto aos aspectos ligados à (des) protecção da vida privada dos condenados, o que dizer então quanto aos demais valores igualmente invocados como objecto de protecção do sistema de registo?

Temos para nós que o superior interesse das crianças não postula, de modo necessário, para a sua efectiva promoção e protecção, um mecanismo como o que analisamos, antes demanda do Estado e dos cuidadores daquelas, para além dos aspectos educacionais a que há pouco aludimos, um acompanhamento efectivo e próximo a diversos níveis (Artigos 2, n. 2, 3 e 19 da C.D.C. e 69 da C.R.P.), tendente a desde cedo protegê-las o melhor e mais eficazmente possível de perigos que – e já antes o dissemos também – amiúde se encontram dentro da própria família.

Tudo, evidentemente, sem pôr em causa a necessidade de uma correcta, efectiva e decidida intervenção do ordenamento penal e processual penal no combate – na sede e no momento próprios – à criminalidade sexual vitimadora de crianças e jovens.

Tal como, em complemento à condenação por crime sexual sobre menor, a obrigatoriedade, agora prevista no n. 2 do Artigo 69-B do C.P., de imposição da proibição do exercício de profissão, emprego, funções ou actividades, públicas

---

'shame' with sexual offenders", *British Journal of Criminology*, n. 45, 2005, p. 379. Este é, aliás, um ponto reafirmado por parte da doutrina por nós consultada, a saber, o de que, para além do mais, as experiências implementadas não conseguem sequer demonstrar – antes pelo contrário – a consecução dos objectivos reintegradores e de dissuasão criminal habitualmente apregoados para legitimar aquela implementação (neste sentido, *vide*, por exemplo, FITCH, Kate. *Megan's Law: Does it Protect Children?* cit., p. 35 a 37). Ou seja, nem se evitando o que, *in the end*, Alberto Alonso Rimo, lapidarmente, traduz por "ni prevención ni garantías (...)" ("La publicidad de los antecedentes penales..." cit., p. 31).

[136] Acerca destes princípios, de modo desenvolvido, cf. CANOTILHO, Joaquim Gomes. *Direito Constitucional e Teoria da Constituição*. 7ª edição, 4ª reimpressão. Coimbra: Almedina, 2003, p. 457 a 460.

ou privadas, que envolvam contacto regular com menores, por um período fixado entre cinco e vinte anos, nos parece já um meio bastante profícuo de, *sem devassa*, limitar a possibilidade de "aproximações" perigosas entre o condenado e os menores em uma parte significativa do contexto social.

Quanto à proficiência da investigação criminal, se é verdade que a concentração e concatenação de elementos informativos poderão ser úteis, não se percebe, todavia, a razão pela qual aquela proficiência deverá coexistir a par da possibilidade de criação de fenómenos de ingerência alheia na vida privada e de *vigilantismo*, dificilmente compatíveis (sobretudo em meios populacionais mais reduzidos e concentrados) com uma ideia de paz social que ao Direito não deveria ser estranha.

Logo aqui nos parecendo ser de difícil sustentação jurídico-constitucional, pelo menos em todos os seus aspectos, um projecto normativo susceptível de, longe de contribuir para a pacificação social, causar previsível alarme comunitário[137].

6.3 Impressiona-nos também a relação que o sistema em questão mantém com o *tempo*[138] e o que esta realidade (absolutamente fulcral na vida de todos nós) pode representar para o futuro dos condenados.

Quer pela retroactividade decorrente da inscrição das decisões anteriores à criação do registo, quer pela férrea e imutável permanência dessa inscrição ao longo de períodos temporais que podem chegar a vinte anos após o cumprimento e extinção da pena de prisão (cf., respectivamente, Artigos 8, n. 2, e 11 e 13,

---

137 Cf. Joaquim Gomes Canotilho e Vital Moreira a propósito da fórmula da "construção de uma sociedade livre, justa e solidária" proclamada no Artigo 1 da C.R.P., a qual "(...) apela a momentos de solidariedade e de co-responsabilidade de todos os membros da comunidade uns com os outros (libertando as pessoas do medo de existência, garantindo-lhes uma dimensão social-existencial minimamente digna, abrindo-lhes a via para prestações económicas, sociais e culturais), de forma criar-se uma *sociedade justa* (...)" (*Constituição da República*... e Volume I cits., p. 200 e 201, com itálicos dos autores).

138 *Tempo* visto como "(...) o limite absoluto da humana condição de ser-com-os-outros, assumindo-se, assim, como barreira, limitação, constrição, escravatura mas, porque nele e por ele – e não em qualquer outro tempo – o 'eu' que é 'nós' é abertura e possibilidades infinitas, então, esse mesmo tempo, que é já temporalidade, (...) é também simultaneamente a condição primeira da nossa liberdade" (COSTA, José de Faria. "O Direito Penal e o tempo (algumas reflexões dentro do nosso tempo e em redor da prescrição)". *Linhas de Direito Penal e de Filosofia: Alguns Cruzamentos Reflexivos*. Coimbra: Coimbra Editora, 2005, p. 166 e 167).

n. 3, todos do Anexo em causa), o legislador penal luso – diversamente, por exemplo, do francês[139] – mostrou uma perspectiva político-criminal que temos dificuldade em entender fora dos quadros – já referidos – de um puro *direito penal da segurança*, pouco preocupado com a efectiva evolução da "reinserção do agente na sociedade" pelo mesmo legislador alardeada como um dos fundamentos da sua intervenção.

De facto, qual a escora que pode ser invocada para a continuação de uma inscrição no registo quando, atento o decurso de uma vida entretanto (re)encetada na "fidelidade ao Direito", em termos individuais e comunitários, a reintegração do agente for já um dado adquirido[140]?

O que nos remete, uma vez mais, para os laivos de *desproporcionalidade*, sobretudo enquanto desrespeito por específicas exigências de *proibição do excesso*, que em matéria jurídico-penal serão ainda mais preocupantes[141] e passíveis, também por esta via, de pôr em causa a dignidade humana[142].

E, se atentarmos no universo de destinatários que o sistema pretende alcançar – os condenados por crimes sexuais contra menores –, percebemos que a referida desproporcionalidade, sendo multiforme, tem apenas como preocupação a de se repercutir sobre uma determinada categoria de *agente*[143]. Agente que, *em concreto*, poderá até já não guardar com o *facto* uma qualquer espécie de conexão de cariz subjectivo (através, desde logo, de uma suposta inclinação de *perigosidade*). Ou

---

[139] Recordando-se, aliás, que a possibilidade de adequação do sistema francês às condições *actuais* dos visados, permitindo a ocorrência de um eventual *effacement* da respectiva condenação no *F.I.J.A.I.S.* antes do decurso integral do prazo previsto na lei, constituiu um dos argumentos a que o T.E.D.H. foi sensível para considerar aquele mesmo sistema conforme às exigências decorrentes da C.E.D.H. (*vide* supra, ponto 3.6).

[140] Vida de "fidelidade ao Direito" que, reconheçamo-lo, poderá vir na realidade a ser difícil, atento o efeito estigmatizante a vários níveis – e, por conseguinte, criminógeno – que a inscrição no registo de ofensores tenderá a produzir na existência do agente.

[141] BECCARIA, Cesare. *Dos Delitos e das Penas* cit., p. 72 a 75, MELIÁ, Manuel Cancio. "'Derecho penal' del enemigo?" cit., p. 79 a 82, e TRIVIÑO, José Pérez. "Penas y vergüenza" cit., p. 353 a 355.

[142] LANUZA, Carmen Tomás-Valiente. "La dignidad humana y sus consequencias..." cit., p. 188 e 189.

[143] Não podendo, a propósito, deixar de acorrer ao nosso espírito a noção de *direito penal do agente* (que não, portanto, *do facto*) (sobre esta importantíssima diferença, reveladora de pistas sobre a presença de um eventual *direito penal do inimigo*, MELIÁ, Manuel Cancio. "'Derecho penal' del enemigo?" cit., p. 91 e 92).

seja, podendo já não existir sequer *perigo* ou *problema* algum a "tratar"[144] através de uma reacção do sistema, mesmo de um ponto de vista estritamente ancorado na lógica de um *direito penal da segurança* ou de um *direito penal do inimigo*.

Ficando, isso sim, a estrutura normativa e o complexo formal de controlo reduzidos ao seu aspecto eminentemente *simbólico*, inculcador da ideia geral de que o Estado está *sempre* atento na luta contra os criminosos sexuais, e desta forma se autopromovendo aos olhos da comunidade[145].

6.4 Ora, se restamos convictos, pelas razões expostas ao longo deste estudo, de que o mecanismo de registo em causa encarna, em vários pontos, uma manifestação de desrespeito por alguns importantíssimos valores substantivos e adjectivos do nosso ordenamento jurídico-constitucional e, *pour cause*, penal e processual penal, não deveremos, ainda assim (ou talvez por isso), deixar de tentar compreender o verdadeiro desígnio político-criminal que parecerá estar na base do sistema, bem como os instrumentos de que se serve para lograr aquele mesmo desígnio.

E se tentarmos surpreender, na respectiva dimensão "etiológica", a real natureza de diversos aspectos do esquema normativo em questão (natureza essa porventura nem imaginada pelo legislador em todas as suas consequências e plenitude, admite-se), não poderemos escapar à ideia de haver sido a *vergonha*[146] elevada a instrumento político-criminal privilegiado de prevenção – especial e mesmo geral – no evitamento de crimes sexuais envolvendo menores. Prevenção especial de "inocuização" quanto ao condenado (*rectius*, ex-condenado), que sabe estar, longa e inexoravelmente, *visível* e sem privacidade perante toda uma sociedade, e prevenção geral de intimidação junto daqueles que percebem poder vir futuramente tal *visibilidade* – qual estigma indelével – a incidir também

---

[144] Neste sentido, embora em tese, JAKOBS, Günther."Derecho penal del ciudadano..." cit., p. 22 a 25.

[145] Sobre o efeito *promocional* de um Direito Penal vocacionado para uma *máxima intervenção* e sua crítica, *vide* FRANCO, Alberto Silva. "Do princípio da intervenção mínima ao princípio da máxima intervenção". *Revista Portuguesa de Ciência Criminal*, Ano 6 (1996), Fascículo 2º, p. 179 a 181 e 183 a 187.

[146] Ideia semelhante expressam, quanto a diversos aspectos dos sistemas britânico e norte-americano de registo e notificação dos ofensores sexuais, MCALINDEN, Anne-Marie. "The use of 'shame'..." cit., p. 379 e 380, e TRIVIÑO, José Pérez. "Penas y vergüenza" cit., p. 344 a 349 e 355 a 360.

sobre si, isolando-os do resto da comunidade, caso cometam um ilícito sexual contra menor.

Porque – e não valerá de muito obnubilá-lo –, sendo da natureza das coisas a estigmatização social inerente a uma condenação penal[147] e consequente aplicação de uma pena criminal – *maxime*, de uma pena de prisão – *enquanto esta produzir os seus naturais efeitos*, já não se perceberá a necessidade de prolongar tal efeito estigmatizador quando inexistir pena alguma a cumprir[148].

Na fase que acabamos de referir, na qual o "débito penal" do agente se encontra já extinto, o efeito penalizador do registo – sobretudo na interacção social que pode potenciar a respectiva divulgação, mesmo que de modo parcelar e ínvio, a terceiros particulares – assumirá uma *função estranhamente nova*[149].

Não se tratando de uma pena jurídico-penalmente definível como tal, mas sim – e é, como vimos, a nossa opinião – de um seu efeito automático (que começou a vigorar quando a primeira se extinguiu), não valerá como meio de garantia da protecção de bens jurídicos, nem sequer como instrumento de suporte da

---

[147] Embora deva considerar-se neste estrito aspecto, como certeiramente refere Silvia Larizza, que o grau de estigmatização tenderá a variar consoante o maior ou menor nível de coincidência entre o *pre-giudizio legale* expresso no(s) concreto(s) tipo(s) violado(s) e a valoração que do(s) comportamento(s) proibido(s) faz a comunidade ("*Cave a signatis...*" cit., p. 1301 e 1302); em sentido convergente, TRIVIÑO, José Pérez. "Penas y vergüenza" cit., p. 351 e 352.

[148] No mesmo exacto sentido, escreve José de Faria Costa: "(...) o que está aqui em causa não é sequer o efeito estigmatizante da pena, é muito mais, muitíssimo mais do que isso. É coisa diferente. É a estigmatização que está para lá da pena. É uma outra 'pena' que não tem fundamento. Por isso ilegítima" ("Nota introdutória" cit., p. 8).

[149] *Função estranhamente nova* que, além do mais, representa algo de revelador, nos tempos hodiernos, de um *contraciclo punitivista* em relação à tendência humanizadora e de preocupação pela proporcionalidade das reacções criminais que vinha fazendo o seu percurso desde os pós-excessos revolucionários do final do século XVIII, tal como relativamente ao paradigma descriminalizador que marcou o espaço europeu de grande parte da segunda metade do século XX (*vide*, sobre o abandono dos espectáculos degradantes no exercício do poder punitivo e a progressiva brandura das penas e sua razão de ser político-social, FOUCAULT, Michel. *Vigiar e Punir. Nascimento da Prisão*. Tradução para língua portuguesa de Pedro Elói Duarte. Lisboa: Edições 70, 2013, p. 122ss.; já quanto ao movimento de descriminalização, cf. DIAS, Jorge de Figueiredo; ANDRADE, Manuel da Costa. *Criminologia...*, cit., p. 397ss., e ainda MELIÁ, Manuel Cancio. "'Derecho penal' del enemigo?", cit., p. 69 a 75).

vigência de normas[150]. Revelando-se, isso sim, como uma forma de *permanência* ou mesmo de tendencial *perpetuação* – agora, através da latente *visibilidade* e da *vergonha* que lhe vem associada – de um preventivo castigo inocuizador para o ex-condenado (porque pertencente ao conjunto de *agentes* a vigiar[151]), em nome de (duvidosas e quiméricas) ideias de segurança comunitária.

6.5 Dito o essencial, concluamos.

Se a própria existência de um registo de condenados por crimes sexuais praticados contra menores nos parece algo de intrinsecamente desnecessário e mesmo contraditório com o sentido axiológico último do quadro punitivo vigente na nossa ordem jurídico-penal, não deixamos de compreender o peso vinculativo de algumas das obrigações internacionais assumidas por Portugal.

Todavia, determinadas características concretamente desenhadas pela Lei n. 103/2015, de 24 de agosto, para o sistema de registo criado suscitam-nos as maiores reservas jurídicas, éticas e cívicas, e não as cremos sequer um resultado inexorável do aludido quadro internacional de vinculação a que o Estado português se encontra sujeito[152]. Vemo-las, sim, como uma manifestação – inegável e perigosa – de um certo tipo de Direito Penal próprio da contemporaneidade, dotado de uma lógica e de um sentido muito particulares. Um Direito Penal que, parecendo aceitar relativamente bem o alcandorar da *vergonha* a instrumento político-criminal, se nos aparenta nessa medida pouco compatível com um estado de direito democrático.

---

[150] Sobre estes conceitos, *vide*, desenvolvidamente, GUIRAO, Rafael Alcácer. "Protecção de bens jurídicos ou protecção da vigência do ordenamento jurídico?", tradução para língua portuguesa de Augusto Silva Dias. *Revista Portuguesa de Ciência Criminal*, Ano 15 (2005), n. 4, p. 511ss..

[151] MELIÁ, Manuel Cancio. "'Derecho penal' del enemigo?" cit., p. 93 e 94.

[152] Em Espanha, como já dissemos, o *Registro Central de Delincuentes Sexuales* (surgido, pelo menos em termos proclamatórios – cf. o Preâmbulo do *Real Decreto* n. 1110/2015, de 11 de dezembro –, como forma de cumprimento, pelo Estado vizinho, das apontadas obrigações internacionais) fica muitíssimo aquém do espectro lesivo do nosso sistema de registo. Todavia, se pensarmos no instituto da *libertad vigilada*, perceberemos que a política criminal globalmente seguida pelo legislador espanhol, na matéria dos ilícitos sexuais (*também sobre menores*), não estará, na sua essência, assim tão apartada do nosso quadro normativo em sede de registo (cf. supra, pontos 3.4 e 3.5).

Pelo que, quanto aos estritos segmentos normativos a que atrás fizemos referência, acreditamos dever ser pensado um juízo apurado (e aturado) tendente a avaliar a respectiva (des)conformidade constitucional.

Porque, e na essência, uma sociedade decente é a que pune os seus criminosos, mesmo os piores, não os humilhando[153].

---

[153] A ideia expressa na frase – que nos parece uma síntese perfeita para o nosso tema –, retirámo-la de MARGALIT, Avishai. *La Società Decente*. Tradução italiana da edição em língua inglesa de Andrea Villani. Milano: Guerni e Associati, 1998, p. 269.

A presunção de inocência no Brasil: uma análise sobre a recente jurisprudência do Supremo Tribunal Federal

Augusto Jobim do Amaral

Paulo Saint Pastous Caleffi

Introdução

A presunção de inocência no Brasil: uma análise sobre a recente jurisprudência do Supremo Tribunal Federal[1*]

Augusto Jobim do Amaral[2]

Professor do Programa de Pós-Graduação (Mestrado e Doutorado) em Ciências Criminais da PUCRS

Paulo Saint Pastous Caleffi[3]

Mestre e especialista em Ciências Criminais pela PUCRS; advogado.

Introdução

O presente trabalho busca analisar o atual panorama da garantia constitucional da presunção de inocência no Brasil, esculpida no Artigo 5º, LVII, da Carta Magna, tendo em vista as recentes decisões do Supremo Tribunal Federal ao amparar a execução provisória da pena privativa de liberdade. Para tanto, deve-se estudar criticamente a possível violação aos fundamentos do princípio da presunção de inocência especificamente desde os julgamentos do *Habeas Corpus* n. 126.292 e das Ações Declaratórias de Constitucionalidade n. 43 e n. 44.

Ao se verificar a constante flexibilização das garantias constitucionais e dos pressupostos de punição penal, estabelecemos como ponto nodal a ser analisado o princípio político-jurídico da presunção de inocência, garantia fundamental da Carta Constitucional de 1988, segundo a qual o indivíduo somente pode ser considerado culpado com o trânsito em julgado da sentença penal condenatória.

[1*] Publicado antes, com pequena adequação de título, na *Revista Brasileira de Direito Processual Penal*, v. 3, n. 3 (2017), p. 1073-1114 (<http://dx.doi.org/10.22197/rbdpp.v3i3>).

[2] guto_jobim@hotmail.com; http://lattes.cnpq.br/4048832153516187; http://orcid.org/0000-0003-0874-0583

[3] paulo@beckcaleffi.com.br; http://lattes.cnpq.br/4591870522928251; http://orcid.org/0000-0003-2146-4421

Equivocado, portanto, estabelecer que "o núcleo da presunção de inocência, garantia indispensável ao próprio estado democrático de direito, não esbarra na necessidade do trânsito em julgado da decisão condenatória, mas tangencia o imperativo da comprovação da culpabilidade na forma da lei e o duplo grau de jurisdição".[4] Se os últimos movimentos da Suprema Corte demonstram que o tema está longe de qualquer consenso, necessário seu trato de maneira academicamente robusta buscando contribuir com a discussão.

Dessa forma, a análise do tema, a seu modo, passa a configurar um movimento de resistência pela salvaguarda dos direitos do acusado, ambicionando minimizar a incidência de julgamentos precipitados cada vez mais frequentes no Poder Judiciário. Pretende-se, em suma, demonstrar que o clamor social pela punição de eventuais suspeitos não pode ser maior do que a preocupação de não submeter um inocente a uma injusta condenação. Razão pela qual se denota a fragilidade do argumento de que a presunção de inocência "não pode ser interpretada ao pé da letra, literalmente, do contrário os inquéritos e os processos não seriam toleráveis, posto não ser possível inquérito ou processo em relação a uma pessoa inocente".[5]

Sendo assim, ao longo do texto, analisaremos argumentos tópicos esgrimidos por este novo horizonte, quais sejam: (a) a atribuição de efeito suspensivo aos recursos penais com a configuração dos Tribunais Superiores em instância chanceladora das decisões anteriores, passando pela (b) demonstração da oscilante trajetória jurisprudencial do Supremo Tribunal Federal acerca da aplicação da execução provisória da pena; (c) os aspectos comparativos relevantes do duplo grau de jurisdição deturpados pela decisão do STF; ainda (d) as possíveis afrontas legais para além da própria Constituição dispostas pela decisão, desde ao Artigo 283 do Código de Processo Penal e à Lei n. 7.210/84 (Lei de Execução Penal) até aos postulados da Declaração Universal dos Direitos do Homem (1948) e à Convenção Americana de Direitos do Homem (Pacto de San José da Costa Rica); para, por fim, apontar como se deu de forma radical a violação à assunção

[4] SUXBERGER, Antonio Henrique Graciano; AMARAL, Marianne Gomes de. A execução provisória da pena e sua compatibilidade com a presunção de inocência como decorrência do sistema acusatório. *Revista de Direito Brasileira,* São Paulo, vol. 16, n. 7, p. 186-210, jan./abr. 2017. p. 193.

[5] LIMA, Gabriel Pantaroto; BEZERRO, Eduardo Buzetti Eustachio. A execução provisória da pena privativa de liberdade e sua compatibilização com o princípio da presunção da inocência. *Colloquium Socialis,* Presidente Prudente, v. 1, n. Especial, p. 453-458, jan/abr 2017, p. 454.

política envolvida no valor amparado por aquilo que chamamos de "pré-ocupação de inocência".

1 O efeito suspensivo dos recursos penais: os Tribunais Superiores como dimensão homologatória?

Inicialmente, desde logo cabe referir que o Artigo 995, *caput*, do Código de Processo Civil de 2015, assim como o revogado Artigo 27, § 2º, da Lei n. 8.038/90, que previa o recebimento dos recursos especial e extraordinário apenas no efeito devolutivo, deve ser compreendido como um dispositivo inaplicável ao processo penal e, portanto, incapaz de justificar a incidência da execução provisória da pena privativa de liberdade.

Uma vez que os objetos tutelados pelas esferas civil e penal são absolutamente distintos,[6] deve ser pontuado que a insurgência ora estabelecida em nada se relaciona com a presença (ou não) de determinado efeito recursal, mas, sim, ao fundamental direito de liberdade do indivíduo de ser presumido inocente. O raciocínio é idêntico no que concerne ao Artigo 637 do Código de Processo Penal, que estabelece que o recurso extraordinário não possui efeito suspensivo. Dessa maneira, deve ser entendido que a execução provisória da pena torna impossível a reversão de seus efeitos (não há como reaver o tempo de liberdade restringido), muito ao contrário do que acontece no processo civil em relação à garantia real ou fidejussória.[7]

Em razão disso, não se pode impedir que o cidadão exerça a sua garantia de recorrer, bem como o seu direito processual público e subjetivo de ver a prestação jurisdicional se concretizar integralmente, independentemente de efeitos atribuídos aos recursos utilizados. Por conseguinte, o discurso favorável à execução provisória da pena privativa de liberdade a partir da ausência de efeito suspensivo dos recursos especial e extraordinário deve ser absolutamente rechaçado em atenção ao princípio da presunção de inocência, que como regra basilar constitucional supre a falta de previsão legal de suspensividade da eficácia da sentença condenatória combatida por tais recursos.[8]

---

[6] AMARAL, Augusto Jobim do. *Política da prova e cultura punitiva:* a governabilidade inquisitiva do processo penal brasileiro contemporâneo. São Paulo: Almedina, 2014. p. 157ss.

[7] LOPES JR., Aury. *Direito Processual Penal.* 13. ed. São Paulo: Saraiva, 2016. p. 1.094ss.

[8] CHOUKR, Fauzi Hassan. *Código de processo penal:* comentários e crítica jurisprudencial. São

Ademais, não se pode deixar de lado que a sentença, enquanto passível de recurso, caracteriza-se como um ato substancialmente instável e, por consequência, apresentando conteúdo provisório e plenamente reformável, encontra-se sujeita, ao menos em igual probabilidade, da superveniência de pronunciamento distinto em grau superior. Com efeito, impossibilitar o indivíduo de recorrer até o trânsito em julgado da sentença penal condenatória, seja pelo argumento da ausência de efeito suspensivo dos recursos federais, seja pela materialização do duplo grau de jurisdição ou, ainda, pelo fato de a maior parte das irresignações interpostas não serem acolhidas, é atestar que a atividade jurisdicional dos Tribunais Superiores (STJ e STF), para além de não resguardar, viola o direito do condenado de ter o reexame específico da sua situação jurídica. É estabelecer, noutro sentido, que sua via recursal é mero rito de passagem, passivo frente à decisão proferida nas instâncias inferiores.

Sem qualquer dúvida, a partir de uma *interpretação contrária a todo e qualquer limite semântico*[9] *do* Artigo 5º, LVII, da Carta Magna de 1988, *as recentes decisões do Supremo Tribunal Federal em relação* à execução provisória da pena privativa de liberdade, *não só* afrontaram de maneira definitiva garantias fundamentais do acusado, mas frustraram, também, todo um legado de conquistas democráticas da sociedade brasileira.[10] Por força disso, acabou-se por deturpar toda a estrutura do devido processo legal, ao passo que a prisão acaba tornando-se regra em detrimento da liberdade, e a presunção de culpa regra em detrimento da presunção da inocência.

Em síntese, o acesso aos recursos deve ser entendido como garantia processual enraizada na Constituição, como um direito fundamental inegociável.[11] Apenas diante desta compreensão existirá legitimação de um dos imprescindíveis postulados do modelo penal de garantias: o ônus de eventual ausência de punição de um culpado pelo bônus de que nenhum inocente cumpra injustamente pena.

Paulo: Saraiva, 2014. p. 1178-9.

[9] STRECK, Lenio. Os limites semânticos e sua importância na e para a democracia. *Revista da AJURIS*, Porto Alegre, v. 41, n. 135, p. 173-187, set. 2014.

[10] Cf. CASARA, Rubens R. R. *Mitologia processual penal.* São Paulo: Saraiva, 2015. p. 292ss.

[11] WUNDERLICH, Alexandre; CARVALHO, Salo. Crítica à execução antecipada da pena (a revisão da súmula 267 pelo STJ). In: CARVALHO, Salo de (org.). *Crítica à execução penal.* 2. ed. Rio de Janeiro: Lumen Juris, 2007. p. 452.

2 A oscilação jurisprudencial do STF em matéria de execução provisória da pena privativa de liberdade

Ao analisarmos a trajetória jurisprudencial do Supremo Tribunal Federal acerca da execução provisória da pena privativa de liberdade acabamos nos deparando com decisórios oscilantes, contemplativos de ambas as correntes de entendimento. Evidentemente, após as decisões proferidas nos julgamentos do *Habeas Corpus* n. 126.292, bem como das Ações Declaratórias de Constitucionalidade n. 43 e n. 44, a posição favorável à execução provisória da pena privativa de liberdade, como veremos a seguir, restou sedimentada pela maioria dos ministros da Suprema Corte.

A análise da jurisprudência do Supremo Tribunal Federal foi empreendida a partir do ano de 1982, de forma a examinar os impactos da promulgação da Constituição de 1988 nas decisões proferidas pela Corte, até as decisões que passaram a reconhecer como legítimo o instituto da execução provisória da pena privativa de liberdade.

Conforme se denota no julgado abaixo colacionado, verificaremos que a execução provisória era admitida pelo Supremo Tribunal Federal em razão da "ausência de efeito suspensivo" do recurso extraordinário, nos termos do Artigo 637 do Código de Processo Penal "O recurso extraordinário não tem efeito suspensivo, e, uma vez arrazoados pelo recorrido os autos do traslado, os originais baixarão à primeira instância, para a execução da sentença".

> O recurso extraordinário não tem efeito suspensivo relativamente à execução da pena imposta em sentença criminal. A regularização da duração da reprimenda, para ser atendida em habeas corpus', pressupõe comprovada inequivocamente a irregularidade ou ilegalidade, pois, de regra, constitui incidente inerente à execução da competência do respectivo juiz de primeiro grau. 'Habeas corpus' indeferido.[12]

Interessante notar, também, a incidência do então Artigo 594 do Código de Processo Penal ("O réu não poderá apelar sem recolher-se à prisão, ou prestar

---

[12] BRASIL. Supremo Tribunal Federal. HC 59757/MG, Primeira Turma. Relator Ministro Soares Munoz. Brasília/DF, julgamento em 11 de maio de 1982.

fiança, salvo se for primário e de bons antecedentes, assim reconhecido na sentença condenatória, ou condenado por crime de que se livre solto"):

> Habeas corpus. Intimação. Fiança – defeito de intimação que foi sanado com o comparecimento do réu, que apelou. – procedência da alegação de ter ele direito a prestação de fiança para apelar solto. *Habeas corpus* deferido.[13]

Outrossim, denota-se que, mesmo após a vigência da Carta Magna de 1988, a jurisprudência do Supremo Tribunal Federal manteve-se inalterada no que se refere à execução provisória da pena privativa de liberdade.

> 'HABEAS CORPUS'. LIBERDADE PROVISÓRIA. ART. 5º, ITEM LXVI, DA CONSTITUIÇÃO FEDERAL. O dispositivo no item LVII, do art. 5º da Carta Política de 1988, ao declarar que 'ninguém será considerado culpado até o réu o trânsito em julgado de sentença penal condenatória' não significa que o réu condenado não possa ser recolhido à prisão, antes daquela fase, salvo nos casos em que a legislação ordinária expressamente lhe assegura a liberdade provisória, o que decorre do disposto em outros preceitos da Carta Magna, tais como itens LIV, LXI e LXVI, do mesmo artigo 5º.[14]

No ponto, merece transcrição o voto do então ministro relator Aldir Passarinho, com sua interpretação da "nova constituição":

> Entendo que a tese de que a nova Constituição, em face do disposto no item LVII, do seu art. 5º, inadmite a prisão do réu antes de a sentença condenatória transitar em julgado não é de ser acolhida.
>
> É certo que o aludido dispositivo legal dispõe que 'ninguém será considerado culpado até o trânsito em julgado da sentença penal condenatória", mas o preceito não pode ser considerado isoladamente, mas sim em harmonia com outros dispositivos constitucionais, inclusive os diretamente referentes à prisão, como o item LIV do mesmo art. 5º, segundo o qual 'ninguém será privado da liberdade ou de seus bens, sem o devido processo legal', e o item LXI, igualmente do art. 5º, que dispõe:

---

[13] BRASIL. Supremo Tribunal Federal. HC 62423/DF, Segunda Turma. Relator Ministro Moreira Alves. Brasília/DF, julgamento em 7 de dezembro de 1984.

[14] BRASIL. Supremo Tribunal Federal. HC 68037/RJ, Segunda Turma. Relator Ministro Aldir Passarinho. Brasília/DF, julgamento em 10 de maio de 1990.

> 'Ninguém será preso senão em flagrante delito ou por ordem escrita e fundamentada de autoridade judiciária competente, salvo nos casos de transgressão militar ou por crime propriamente militar, definidos em lei'.
>
> Tais dispositivos já de si revelam que pode haver prisão independentemente de sentença transitada em julgado. No caso, houve processo legal que completou na fase de tramitação ordinária, havendo decisão condenatória, e em consequência houve a ordem de prisão, com atenção, portanto, ao disposto nos itens transcritos.

O entendimento da viabilidade da execução provisória da pena privativa de liberdade em decorrência da "ausência de efeito suspensivo" do recurso extraordinário manteve-se por longo período.

> 'HABEAS CORPUS'. Acórdão que confirma sentença condenatória. Mandado de prisão. Relação processual ainda não definida, passível que é de atingir as instâncias extraordinárias. Ordem de captura que afronta decisão do STF. 'Habeas corpus' anterior concedido para assegurar ao paciente aguardar o julgamento em liberdade, até o trânsito em julgado da sentença penal, que somente se operaria após denegação de recursos especial e extraordinário. Artigo 675, CPP, e artigo 5º, inciso LVII, CF. Esgotadas as vias impugnativas ordinárias, o decreto de condenação transita em julgado, eis que os recursos eventualmente cabíveis somente podem ser recebidos, por serem extraordinários, no efeito devolutivo. Anterior ordem de 'habeas corpus', que beneficiara o paciente, fundada em vício formal da prisão em flagrante, não alcança a mandado de captura que decorre de decisão final. Cabe execução provisória de decisão condenatória, ratificada na instância ordinária recursal, ainda que passível de reexame extraordinário. Não obsta a expedição de mandado de prisão o cabimento de recursos sem efeito suspensivo. Precedentes desta Corte. HC 69.039, RHC 64.749, RHC 55.652, HC 55.492, HC 58.032 e HC 68.726. Pedido de 'habeas corpus' conhecido, mas indeferido.[15]

O panorama jurisprudencial da Suprema Corte manteve-se sem modificação até o ano de 2003, quando sobreveio a Reclamação n. 2391/PR, na qual foram

---

[15] BRASIL. Supremo Tribunal Federal. HC 70351/RJ, Segunda Turma. Relator Ministro Paulo Brossard. Brasília/DF, julgamento em 23 de março de 1994.

arguidos os seguintes pontos: a) a inconstitucionalidade do Artigo 9º da Lei n. 9.034/95 (revogada pela Lei n. 12.850/13), que previa a impossibilidade de o réu apelar em liberdade diante da prática de crimes praticados por organizações criminosas; b) a necessidade de interpretação do Artigo 3º da Lei n. 9.613/98 (dispositivo revogado pela Lei n. 12.683/12) de acordo com o texto constitucional; e c) a impossibilidade de se ter execução provisória da pena privativa de liberdade.

Tal situação fez com que os réus que não tivessem sentença condenatória "transitada em julgado" fossem postos em liberdade provisória até o julgamento da Reclamação pelo Tribunal Pleno da Corte.[16]

No entanto, a Reclamação n. 2.391 acabou sendo julgada prejudicada, uma vez que os réus que pleitearam a providência lograram a liberdade a partir de decisão do Superior Tribunal de Justiça. Com isso, as decisões da Suprema Corte voltaram a reconhecer como válida a execução provisória da pena privativa de liberdade.

Os primeiros sinais de que se estava caminhando para a mudança jurisprudencial foram observados ainda no ano de 2007, a partir do entendimento de "que era incompatível com o Artigo 5º, LVII, da Constituição Federal, a segregação cautelar baseada, exclusivamente, na disposição legal que prevê efeitos meramente devolutivos aos recursos excepcionais":

> PENAL. PROCESSUAL PENAL. *HABEAS CORPUS*. SÚMULA 691 DO SUPREMO TRIBUNAL FEDERAL. SUPERAÇÃO. POSSIBILIDADE. SÚMULA 267 DO SUPERIOR TRIBUNAL DE JUSTIÇA. INAPLICABILIDADE. AUSÊNCIA DE FUNDAMENTAÇÃO IDÔNEA PARA A SEGREGAÇÃO. INCOMPATIBILIDADE COM O ART. 5º, LVII, DA CONSTITUIÇÃO FEDERAL. PRESUNÇÃO DE INOCÊNCIA. VALOR PREVALENTE. ORDEM CONCEDIDA. I – Viabiliza-se a superação do teor da Súmula 691 do STF quando o indeferimento liminar fundamenta-se em Verbete do STJ que esteja em confronto com a orientação jurisprudencial desta Corte relativa aos direitos fundamentais. II – É incompatível com o art. 5º, LVII, da Constituição Federal, a segregação cautelar baseada,

[16] BRASIL. Supremo Tribunal Federal. HC 83415/SP, Primeira Turma. Relator Ministro Marco Aurélio. Brasília/DF, julgamento em 3 de fevereiro de 2004.

exclusivamente, na disposição legal que prevê efeitos meramente devolutivos aos recursos excepcionais. III – Ordem concedida.[17]

Finalmente, em 5/2/2009, o julgado do Tribunal Pleno que considerou, por maioria, inconstitucional a execução provisória da pena privativa de liberdade.

> HABEAS CORPUS. INCONSTITUCIONALIDADE DA CHAMADA 'EXECUÇÃO ANTECIPADA DA PENA'. ART. 5º, LVII, DA CONSTITUIÇÃO DO BRASIL. DIGNIDADE DA PESSOA HUMANA. ART. 1º, III, DA CONSTITUIÇÃO DO BRASIL.
>
> [...] A prisão antes do trânsito em julgado da condenação somente pode ser decretada a título cautelar. 4. A ampla defesa, não se pode visualizar de modo restrito. Engloba todas as fases processuais, inclusive as recursais de natureza extraordinária. Por isso a execução da sentença após o julgamento do recurso de apelação significa, também, restrição do direito de defesa, caracterizando desequilíbrio entre a pretensão estatal de aplicar a pena e o direito, do acusado, de elidir essa pretensão. [...] 6. A antecipação da execução penal, ademais de incompatível com o texto da Constituição, apenas poderia ser justificada em nome da conveniência dos magistrados – não do processo penal. A prestigiar-se o princípio constitucional, dizem, os tribunais [leia-se STJ e STF] serão inundados por recursos especiais e extraordinários e subsequentes agravos e embargos, além do que 'ninguém mais será preso'. Eis o que poderia ser apontado como incitação à 'jurisprudência defensiva', que, no extremo, reduz a amplitude ou mesmo amputa garantias constitucionais. [...]
>
> 8. Nas democracias mesmo os criminosos são sujeitos de direitos. Não perdem essa qualidade, para se transformarem em objetos processuais. São pessoas, inseridas entre aquelas beneficiadas pela afirmação constitucional da sua dignidade (art. 1º, III, da Constituição do Brasil). É inadmissível a sua exclusão social, sem que sejam consideradas, em quaisquer circunstâncias, as singularidades de cada infração penal, o que somente se pode apurar plenamente quando transitada em julgado a condenação de cada qual. Ordem concedida.[18]

---

[17] BRASIL. Supremo Tribunal Federal. HC 91183/SP, Primeira Turma. Relator Ministro Ricardo Lewandowski. Brasília/DF, julgamento em 12 de junho de 2007.

[18] BRASIL. Supremo Tribunal Federal. HC 84078/MG, Tribunal Pleno. Relator Ministro Eros Grau. Brasília/DF, julgamento em 5 de fevereiro de 2009.

O último registro verificado na jurisprudência do Supremo Tribunal Federal firmando posição contrária à execução provisória da pena privativa de liberdade data de 9/6/2015 (HC n. 107710/SC – Primeira Turma).

Na sequência, a ementa do *Habeas Corpus* n. 126.292:

> CONSTITUCIONAL. *HABEAS CORPUS*. PRINCÍPIO CONSTITUCIONAL DA PRESUNÇÃO DE INOCÊNCIA (CF, ART. 5º, LVII). SENTENÇA PENAL CONDENATÓRIA CONFIRMADA POR TRIBUNAL DE SEGUNDO GRAU DE JURISDIÇÃO. EXECUÇÃO PROVISÓRIA. POSSIBILIDADE. 1. A execução provisória de acórdão penal condenatório proferido em grau de apelação, ainda que sujeito a recurso especial ou extraordinário, não compromete o princípio constitucional da presunção de inocência afirmado pelo artigo 5º, inciso LVII da Constituição Federal. 2. Habeas corpus denegado.[19]

Em síntese, a conclusão acerca da trajetória jurisprudencial transcrita, ao nosso sentir, é cristalina: ao reconhecer a possibilidade de execução provisória da pena privativa de liberdade e, por consequência, afastando a eficácia da presunção de inocência, a maioria dos ministros do Supremo Tribunal Federal acabou fulminando uma das mais importantes garantias fundamentais que assiste o cidadão brasileiro.

Nessa linha, evidencia-se que a maioria dos ministros da Suprema Corte olvidou de que: "O postulado do estado de inocência repele suposições ou juízos prematuros de culpabilidade até que sobrevenha – como o exige a Constituição do Brasil – o trânsito em julgado da condenação penal. Só então deixará de subsistir, em relação à pessoa condenada, a presunção de que é inocente".[20]

A partir do entendimento favorável ao instituto execução provisória da pena privativa de liberdade, parece pertinente o questionamento: "quantas liberdades garantidas pela Carta Política precisarão ser comprometidas para legitimar o julgamento plenário do Supremo Tribunal Federal que, ao instituir artificial

---

[19] BRASIL. Supremo Tribunal Federal. HC 126292/SP, Tribunal Pleno. Relator Ministro Teori Zavascki. Brasília/DF, julgamento em 17 de fevereiro de 2016.

[20] BRASIL. Supremo Tribunal Federal. HC 126292/SP, Tribunal Pleno. Relator Ministro Teori Zavascki. Brasília/DF, julgamento em 17 de fevereiro de 2016.

antecipação do trânsito em julgado, frustrou, por completo, a presunção constitucional de inocência?".[21] Ao que tudo indica, a resposta tardará.

3 A execução provisória da pena em perspectiva comparada e inadequada

O ministro Teori Zavascki aponta em seu voto alguns países que, de acordo com a sua análise, autorizariam a execução provisória da pena privativa de liberdade, segundo ele, após a ocorrência do duplo grau de jurisdição. Destarte, a comparação não se mostra adequada, pois a questão fundamental não é saber quais países legitimam a execução provisória após ocorrência do duplo grau de jurisdição, mas, sim, verificar se em algum desses ordenamentos estrangeiros existe a garantia constitucional do trânsito em julgado para que se inicie a execução da pena. Ademais, é importante fazer referência ao equivocado rol de países que, de acordo com o ministro Teori, como regra, executam a pena de prisão após o duplo grau de jurisdição. Exemplos disso: Portugal e Alemanha.

No direito português, a presunção da inocência está insculpida na Constituição no Artigo 32, n. 2, da seguinte forma: "todo o arguido se presume inocente até ao trânsito em julgado da sentença de condenação, devendo ser julgado no mais curto prazo compatível com as garantias de defesa".[22] Como destaca Alexandra Vilela, a presunção de inocência "é muito mais que uma simples regra probatória que determina que a prova da culpabilidade deva ser feita pela acusação. Antes possui ainda, e também, uma profunda ligação com a liberdade individual do arguido, o que se começa a revelar desde o momento em que se inicia o processo até ao momento em que é proferida a decisão final irrecorrível".[23]

A seu turno, Jorge de Figueiredo Dias leciona que o "direito a ser presumido inocente é um direito subjetivo público", possuindo dupla missão: o direito, por parte do acusado, em receber um tratamento condigno e fiel à sua condição de presumível inocente até prova contrária e, por outro lado, o direito a ser

---

[21] BRASIL. Supremo Tribunal Federal. ADC 43, Tribunal Pleno. Relator Ministro Marco Aurélio. Brasília/DF, julgamento em 5 de outubro de 2016.

[22] PORTUGAL. Constituição (1976). *Constituição da República Portuguesa.* 25 abr. 1976. Disponível em: <http://www. parlamento.pt/Legislacao/Paginas/ConstituicaoRepublicaPortuguesa.aspx>. Acesso em: 5 mar. 2016.

[23] VILELA, Alexandra. *Considerações acerca da presunção de inocência em direito processual penal.* Coimbra: Coimbra Editora, 2000. p. 291.

condenado após uma exaustiva produção de matéria probatória, que seja igualmente suficiente para uma culpabilização plena, e despida de qualquer dúvida razoável na mente do julgador.[24] Assim sendo, resta claro que a presunção de inocência, para além de um princípio basilar do processo penal português, apresenta-se como um direito subjetivo constitucionalmente protegido do indivíduo contra a utilização do arbitrário poder punitivo, "baseado numa opção política, que resulta da convicção que essa é a melhor forma de garantir o respeito pela dignidade humana, em sede de perseguição penal".[25]

Ainda, para demonstrar a incidência da presunção de inocência em âmbito português, destaca-se o Acórdão n. 273/2016 do Tribunal Constitucional ao deixar claro que "a sujeição do arguido a uma medida que tenha a mesma natureza de uma pena e que se funde num juízo de probabilidade de futura condenação viola intoleravelmente a presunção de inocência que lhe é constitucionalmente garantida até à sentença definitiva [...]".[26]

Desse modo, deve ser frisado que o princípio da presunção de inocência "impõe que qualquer limitação à liberdade do arguido anterior à condenação com trânsito em julgado deva não só ser socialmente necessária, mas também suportável".[27] Portanto, a segregação do acusado no curso do processo estará restringida às hipóteses em que sejam verificados os requisitos da prisão preventiva. Razão pela qual, ao contrário do apontado pelo ministro Teori Zavascki, a execução da pena privativa de liberdade no processo penal português não ocorre após o duplo grau de jurisdição.

Já por terras tedescas, a Constituição alemã (Lei Fundamental de Bonn)[28] de 1949, em que pese não contemplar de maneira expressamente a presunção

---

[24] FIGUEIREDO DIAS, Jorge de. *Direito processual penal.* Coimbra: Coimbra Editora, 2004. p. 198.

[25] BOLINA, Helena Magalhães. Razão de ser, significado e consequências do princípio da presunção de inocência (art. 32, n. 2, da CRP). *Boletim da Faculdade de Direito de Coimbra.* Coimbra, n. 70, p. 456, 1994.

[26] PORTUGAL. Tribunal Constitucional. Acórdão 273/2016, Segunda Secção. Relator Conselheiro Fernando Ventura. Julgamento em 4 de maio de 2016. Disponível em: <http://www.tribunalconstitucional.pt/tc/ acordaos/20160273.html>. Acesso em: 10 out. 2016.

[27] SOUZA, João Castro e. *Os meios de coação no novo código de processo penal* (jornadas de direito processual penal: o novo código de processo penal). Coimbra: Almedina, 1995. p. 150.

[28] "A Lei Fundamental dispõe em seu título primeiro, consagrado aos direitos fundamentais (*die Grundrecht*), diversos princípios relativos ao respeito e à proteção dos direitos do homem. Todos

de inocência, o Tribunal Federal Constitucional considera-a uma garantia ínsita ao princípio do estado de direito.

Nesse sentido, Javier Llobet Rodríguez destaca que "o Tribunal Federal Constitucional (*Bundesverfassungsgericht*) considerou incluída a presunção de inocência no princípio de estado de direito (Artigo 20 da Lei Fundamental), e um setor da doutrina considera que a presunção de inocência se deduz do princípio de respeito à dignidade humana (*Gebot der Achtung der Menschenwürde*) (Artigo 1º da Lei Fundamental)".[29] Da mesma forma, especificamente referindo o caso alemão, Evelyn Haas aduz que a presunção de inocência: "(...) proíbe que um acusado seja tratado como culpado sem uma condenação definitiva. A presunção de inocência exige a comprovação irretocável da culpabilidade antes que esta possa repercutir nas relações jurídicas de forma general".[30]

No que concerne à incidência da coisa julgada formal, pressuposto da execução da pena privativa de liberdade, será o próprio Claus Roxin a lecionar diretamente que "en contraposición con el proceso civil, en lo proceso penal no hay una ejecución 'provisional', esto es, no es posible la ejecución sin cosa juzgada".[31] Com isso, excetuando-se a possibilidade da prisão preventiva (que deve ser devidamente fundamentada e não pode caracterizar antecipação de pena[32]), o ordenamento jurídico alemão, em regra, estabelece que para o início da execução da pena deve existir decisão transitada em julgado do Tribunal Federal de Justiça (BGH), equivalente ao Superior Tribunal de Justiça. Nesse ponto, verificamos

---

eles procedem da inviolabilidade da dignidade da pessoa humana (art. 1º da GG) e visam o respeito da liberdade (art. 2º) e da igualdade entre os homens (art. 3º da GG). Essas liberdades públicas, tal como entendidas pela Declaração Francesa dos Direitos do Homem (1789), são destinadas a proteger o indivíduo contra o Estado e conectam todos os órgãos investidos de alguma parcela de soberania" (JUY-BIRMANN, Rudolphe. O sistema alemão. In: DELMAS-MARTY, Mireille (org.) *Processos penais da Europa.* Trad. Fauzi Hassan Choukr. Rio de Janeiro: Lumen Juris, 2005. p. 9-10).

[29] RODRÍGUEZ, Javier Llobet. *La reforma procesal penal* (un análisis comparativo latinoamericano-alemán). San José: Escuela Judicial, 1993, p. 163-164 (tradução livre).

[30] HAAS, Evelyn. Las garantías constitucionales en el procedimiento penal alemán. In: *Anuario de derecho constitucional latinoamerica,* 2006. p. 1012 (tradução livre).

[31] ROXIN, Claus. *Derecho procesal penal.* Buenos Aires: Editores del Puerto, 2000. p. 435.

[32] RODRÍGUEZ, Javier Llobet. *La reforma procesal penal* (un análisis comparativo latinoamericano-alemán). San José: Escuela Judicial, 1993. p. 200.

uma diferença substancial em relação ao sistema brasileiro: a ausência da Corte Constitucional como instância jurisdicional ordinária.[33]

Assim sendo, conclui-se que a Alemanha segue procedimento similar ao adotado no Brasil, onde após a decisão do juízo *a quo*, o recurso de apelação (*die Berufung*) é analisado por um tribunal regional e, posteriormente, o denominado recurso de cassação (*die Revision),* equivalente ao recurso especial. Vale fazer referência ainda aos meios de impugnação extraordinários previstos pelo ordenamento alemão, quais sejam: o recurso de revisão (*die Viedeaufnahme des Verfahrens*), a desconsideração da intempestividade (*die wiederinsetzung in den vorigen Stand*), o recurso constitucional e os recursos para a Corte Europeia de Direitos do Homem.[34]

Portanto, ainda que possam existir diferenças procedimentais[35], muito pelo contrário, a execução provisória da pena privativa de liberdade após o duplo grau recursal não é a regra no processo penal alemão. Assim, fica evidenciado que a análise comparativa de ordenamentos jurídicos, no mínimo, deve ser considerada inadequada. E mesmo que, por aços, tais apontamentos do voto fossem verdadeiros, eles jamais poderiam servir para a demolição de tão relevante garantia do sistema constitucional brasileiro. Raciocinar dessa forma, sem dúvida, é no mínimo ignorar que a toda nação corresponde uma tradição jurídica e que isso representará desdobramentos singulares, em especial na estruturação de suas respectivas Cartas Constitucionais. Em última análise, para além de estabelecerem os direitos e garantias dos cidadãos, tais pactos políticos asseguram que as especificidades sociais, políticas, econômicas e jurídicas de determinado povo sejam respeitadas.

4 O duplo grau de jurisdição frente a presunção de inocência

O entendimento da maioria dos ministros do Supremo Tribunal Federal reconhecendo a viabilidade da execução provisória da pena privativa de liberdade após

---

[33] Cf. MENDES, Gilmar Ferreira. *Controle de constitucionalidade:* aspectos políticos e jurídicos. São Paulo: Saraiva, 1990. p. 14.

[34] JUY-BIRMANN, Rudolphe. O sistema alemão. In: DELMAS-MARTY, Mireille (org.). *Processos penais da Europa.* Trad: Fauzi Hassan Choukr. Rio de Janeiro: Lumen Juris, 2005. p. 56-57.

[35] Cf. ROXIN, Claus; ARZT, Gunther; TIEDEMANN, Klaus. *Introdução ao direito penal e ao direito processual penal.* Trad: Gersélia Mendes. Belo Horizonte: Del Rey, 2007. p. 220.

ser conferido o *duplo* grau de jurisdição (direito do acusado de ter a sua situação fática-processual reavaliada por um tribunal superior), consubstanciou-se na ideia de que com o encerramento da análise de "mérito" da demanda criminal estaria consumada uma presunção de culpa. Assim, uma vez que os recursos especial e extraordinário não possuem *efeito suspensivo*, plenamente viável a execução antecipada da condenação proferida pelo colegiado.

Não obstante, ressalvando a inegável importância do *duplo* grau de jurisdição, não há dúvida de que a previsão contida no texto constitucional é no sentido de que a execução da pena somente pode ocorrer após a análise de todos os recursos interpostos. Disso resulta a expressão "trânsito em julgado" prevista no Artigo 5º, LVII, da Carta Magna de 1988. Desse modo, ou se prende alguém por cautela (preventivamente), ou se aguarda o encerramento dos julgamentos de todos os recursos interpostos contra a condenação imposta.

Como é sabido, o trânsito em julgado ocorre no momento em que a sentença penal condenatória se torna definitiva e, portanto, sem possibilidade de modificação (coisa julgada material). Nesse sentido, a lição de José Frederico Marques:

> A coisa julgada é qualidade dos efeitos da prestação jurisdicional entregue com o julgamento final da *res in judicium deducta*, tornando-os imutáveis entre as partes. Com a sentença definitiva não mais sujeita a reexames recursais, a *res judicanda* se transforma em *res judicata*, e a vontade concreta da lei, afirmada no julgado, dá ao imperativo jurídico, ali contido, a força e a autoridade de *Lex especialis* entre os sujeitos da lide que a decisão compôs. [...] Na coisa julgada material, o julgamento se faz regra imutável para a situação litigiosa que foi solucionada, a ele vinculando imperativamente os litigantes e também os órgãos jurisdicionais do Estado, de forma a impedir novo pronunciamento sobre a lide e as questões a ela imanentes.[36]

É disso que resulta a presunção de inocência, princípio que não se confunde com o duplo grau de jurisdição. Logo, a confirmação da condenação em segunda instância não importa em considerar o acusado culpado e, por consequência, sucessível de ter sua liberdade restringida sem a existência de pressupostos de cautelaridade (prisão preventiva) ou do trânsito em julgado (coisa julgada material).

---

[36] MARQUES, José Frederico. *Instituições de direito processual civil.* Campinas: Milenium, 1999. p. 343.

Devemos ter claro que o posicionamento da maioria dos ministros da Suprema Corte acerca da execução provisória da pena constituiu-se num equivocado ato de política criminal, no qual, com o objetivo de combater a utilização de recursos federais que apenas buscam a postergação do trânsito em julgado e eventual reconhecimento da prescrição, deixou-se de lado o dever fundante de salvaguardar a efetiva aplicação do texto constitucional.

Em síntese, o que se pretende demonstrar é que a presunção de inocência não está coligada ao duplo grau de jurisdição, mas sim ao "trânsito em julgado" da sentença condenatória. Ambas as garantias são indispensáveis, mas devem ser analisadas e conferidas individualmente ao acusado, sem qualquer limitação, ao contrário do que propôs o entendimento majoritário do Supremo Tribunal Federal.

5 Os imbróglios em matéria infraconstitucional

5.1 O Artigo 283 do CPP

O formato dado ao Artigo. 283 do Código de Processo Penal pelo legislador pátrio por meio da Lei n. 12.403/2011 concretizou na esfera processual penal a garantia explícita na Carta da República de 1988 de que "ninguém poderá ser preso senão em flagrante delito ou por ordem escrita e fundamentada da autoridade judiciária competente, em decorrência de sentença condenatória transitada em julgado ou, no curso da investigação ou do processo, em virtude de prisão temporária ou prisão preventiva". Tal ressalva torna-se importante para apontar que o dispositivo se caracteriza como regra geral. Assim, a segregação do acusado poderá se materializar antes de transitar em julgado o decreto condenatório em situações de fundamentada necessidade, nas quais, decretar-se-á a prisão preventiva. Daí a inconveniência, para não dizer contrassenso, das decisões proferidas pela maioria dos ministros do Supremo Tribunal Federal no *Habeas Corpus* n. 126.292 e, especialmente, nas Ações Declaratórias de Constitucionalidade n. 43 e n. 44 (que trataram objetivamente do conteúdo do dispositivo legal ora destacado).[37]

[37] À época do julgamento do *Habeas Corpus* n. 126.292, Lenio Streck alertava: "O artigo 283 é, por assim dizer, uma questão pré-judicial e prejudicial. Ele é barreira para chegar ao resultado a que chegou a Suprema Corte. [...] o próprio relator, ministro Teori Zavascki, contrariara posição que assumira como ministro do Superior Tribunal de Justiça na Reclamação 2.645, em que ficou assentando – corretamente – que *o Judiciário somente pode deixar de aplicar uma lei se a declarar*

Em razão disso, causou estarrecimento o julgado ter deixado de apreciar o Artigo 97 da Carta Maior de 1988 ("Somente pelo voto da maioria absoluta de seus membros ou dos membros do respectivo órgão especial poderão os tribunais declarar a inconstitucionalidade de lei ou ato normativo do Poder Público"), bem como da Súmula 10 do próprio Supremo Tribunal Federal ("Viola a cláusula de reserva de plenário [CF, Artigo 97] a decisão de órgão fracionário de tribunal que, embora não declare expressamente a inconstitucionalidade de lei ou ato normativo do Poder Público, afasta sua incidência, no todo ou em parte"), o que, mesmo diante da absoluta ausência de limites semânticos, poderia justificar a não apreciação dos destacados dispositivos pelo ministro Teori Zavascki quando da sua decisão.

Diante de tal impasse, Lenio Streck frisava que a Suprema Corte se encontrava numa "*sinuca de bico*" face ao procedimento (não adotado) de declaração formal de inconstitucionalidade do Artigo 283 do Código de Processo Penal. Ou seja, para que o Supremo Tribunal Federal mantivesse a sua decisão, teria, necessariamente, que declarar as razões pelas quais o referido dispositivo processual violaria a Constituição.[38] Essas foram as razões, ademais, por que acabaram sendo ajuizadas as Ações Declaratórias de Constitucionalidade n. 43 e n. 44, buscando fosse assentada a harmonia do Artigo 283 do Código de Processo Penal com a Carta Magna de 1988.

---

formalmente inconstitucional (esse enunciado constitui a primeira das minhas seis hipóteses pelas quais o Judiciário pode deixar de aplicar uma lei). Assim, o STF contrariou a jurisdição constitucional, naquilo que ele próprio vem estabelecendo. Veja-se, nesse sentido, a Súmula Vinculante 10, pela qual 'viola a cláusula de reserva de plenário (CF, artigo 97) a decisão de órgão fracionário de tribunal que, embora não declare expressamente a inconstitucionalidade de lei ou ato normativo do poder público, afasta sua incidência, no todo ou em parte'. [...] Por que existe a SV 10 e o artigo 97 da CF? Simples: *É para evitar que um texto jurídico válido seja ignorado ou contornado para se chegar a um determinado resultado.* No caso, o STF afastou – sem dizer – a incidência do artigo 283. E ao não dizer e fundamentar devida e claramente, fez algo que ele mesmo proíbe aos demais tribunais". STRECK, Lenio Luiz. Uma ADC contra a decisão no HC 126.292 – sinuca de bico para o STF! Disponível em: <http://www.conjur.com.br/2016-fev-29/streck-adc-decisao-hc-126292-sinuca-stf>. Acesso em: 3 de março de 2016.

[38] STRECK, Lenio Luiz. Uma ADC contra a decisão no HC 126.292 – sinuca de bico para o STF! Disponível em: <http://www.conjur.com.br/2016-fev-29/streck-adc-decisao-hc-126292-sinuca-stf>. Acesso em: 3 mar. 2016.

A rigor, os ministros da Suprema Corte tinham duas opções: a) ou decretar que a decisão proferida no *Habeas Corpus* n. 126.292 violou frontalmente o disposto no Artigo 283 do Código de Processo Penal, devendo, por consequência, ser reformada; b) ou declarar expressamente que o destacado dispositivo legal é inconstitucional. Como visto, os ministros da Suprema Corte, em sua maioria, não fizeram nem uma coisa nem outra. Optaram por declarar a constitucionalidade do dispositivo processual penal e não reconhecer como absoluta a regra "em decorrência de sentença condenatória transitada em julgado".

A verdade é que, ao contrário do estabelecido nos julgamentos do Supremo Tribunal Federal, o princípio da presunção de inocência é garantia diretamente vinculada ao trânsito em julgado da sentença penal condenatória, seja por determinação expressa na Constituição Federal de 1988, ou no Artigo 283 do Código de Processo Penal. Dessa forma, ao declarar a constitucionalidade do Artigo. 283 do Código de Processo Penal, mas não legitimar o valor do seu conteúdo, os ministros da Suprema Corte, em sua maioria, sedimentaram uma interpretação semântica da expressão "trânsito em julgado" que acabou por violar frontalmente a Carta Magna e o referido dispositivo processual penal. A denominada *fraudem legis*.[39]Ainda, interessante destacar o apontamento do ministro Gilmar Mendes (favorável ao instituto da execução provisória), de que "a experiência histórica de diferentes países parece confirmar que os eventuais detentores do poder, inclusive o legislador, não são falíveis e sucumbem, não raras vezes, à tentação do abuso de poder e da perversão ideológica".[40] Resta pouca dúvida de que é mais fácil reconhecer as imperfeições alheias do que as suas próprias.

---

[39] Nesse sentido, Francesco Ferrara leciona que "o mecanismo da fraude consiste na observância formal do ditame da lei e na violação substancial do seu espírito: '*tanturn sententiam offendit et verba reservat*'. O fraudante, pela combinação de meios indiretos, procura atingir o mesmo resultado ou pelo menos um resultado equivalente ao proibido; todavia, como a lei deve entender-se não segundo o seu teor literal, mas no seu conteúdo espiritual, porque a disposição quer realizar um fim e não a forma em que ele pode manifestar-se, já se vê que, racionalmente interpretada, a proibição deve negar eficácia também àqueles outros meios que em outra forma tendem a conseguir aquele efeito" (FERRARA, Francesco. *Interpretação e aplicação das leis.* 2. ed. Trad: Manuel A. D. de Andrade. Coimbra: Arménio Amado Editor, 1963. p. 151).

[40] MENDES, Gilmar Ferreira. *Direitos fundamentais e controle de constitucionalidade.* São Paulo: IBDC, 1998. p. 28.

Por força disso, ao atribuir uma nova concepção para a expressão "trânsito em julgado", o entendimento majoritário da Suprema Corte, num impulso de injustificável inquisitorialidade, acabou por arruinar a garantia fundamental do cidadão de ser considerado inocente.[41] Desse modo, não pode causar estranheza que quem não reconheça o valor de uma baliza constitucional (Artigo 5º, LVII, CF/88) tenha desconsiderado um "mero" dispositivo processual penal (Artigo 283 do CPP).[42] Ninguém se torna imune a sucumbir ao abuso de poder e à perversão ideológica.

5.2 A Lei n. 7.210/84

Com o intuito de diminuir violações, limitar a atividade da administração e proporcionar ao apenado a garantia mínima de seus direitos, a Lei n. 7.210/84 normatizou a jurisdicionalização da execução da pena, vindo ao encontro das concepções do processo penal como substrato de garantias do cidadão contra o arbítrio do Estado.[43] Dentro dessa concepção constitucional, os Artigos 105,[44] 147[45] e 160[46] da Lei n. 7.210/1984 que fazem referência ao trânsito em julgado da sentença penal condenatória como indispensável pressuposto de validade para os procedimentos neles previstos novamente foram ignorados. Desse modo, verifica-se que a presunção de inocência, traduzida na ocorrência do trânsito em julgado

[41] AMARAL, Augusto Jobim do. *Política da prova e cultura punitiva*, op. cit., p. 407ss.

[42] Como refere Celso Antônio Bandeira de Melo, "violar um princípio é muito mais grave do que transgredir uma norma. A desatenção ao princípio implica ofensa não apenas a um específico mandamento obrigatório, mas a todo o sistema de comandos. É a mais grave forma de ilegalidade ou inconstitucionalidade, conforme o escalão do princípio atingido, porque representa ingerência contra todo o sistema, subversão de seus valores fundamentais, contumélia irremissível a seu arcabouço e corrosão de sua estrutura mestra" (MELLO, Celso Antônio Bandeira de. *Curso de Direito Administrativo*. 5. ed. São Paulo: Malheiros, 1994. p. 451).

[43] Cf. CARVALHO, Salo de. *Penas e medidas de segurança no Direito Penal brasileiro*. 2. ed. São Paulo: Saraiva, 2015.

[44] "Transitando em julgado a sentença que aplicar pena privativa de liberdade, se o réu estiver ou vier a ser preso, o juiz ordenará a expedição de guia de recolhimento para a execução."

[45] "Transitada em julgado a sentença que aplicou a pena restritiva de direitos, o juiz da execução, de ofício ou a requerimento do Ministério Público, promoverá a execução, podendo, para tanto, requisitar, quando necessário, a colaboração de entidades públicas ou solicitá-la a particulares."

[46] "Transitada em julgado a sentença condenatória, o juiz a lerá ao condenado, em audiência, advertindo-o das consequências de nova infração penal e do descumprimento das condições impostas."

da sentença penal condenatória, apresenta-se como instrumento de garantia do cidadão tanto na fase recursal como na fase executória. Com efeito, de modo a sustentar a alteração jurisprudencial advinda do *Habeas Corpus* n. 126.292, os ministros favoráveis ao novo entendimento, que deveriam ter declarado a inconstitucionalidade do Artigo 283 do Código de Processo Penal, bem como dos Artigos 105, 147 e 160 da Lei de Execução Penal, ficaram silentes. Outrossim, diante da decisão proferida nas Ações Declaratórias de Constitucionalidade n. 43 e n. 44, mantiveram-se impávidos à legislação.

A despeito desse entendimento, é importante frisar que em razão da ausência de apontamento acerca dos dispositivos da Lei n. 7.210/84 nos julgados da Suprema Corte, o novo entendimento acerca da execução provisória diz respeito "apenas" à pena privativa de liberdade. Logo, em não havendo determinação específica acerca das demais espécies de penas, para que ocorra a execução, necessariamente, deverá ser aguardado o trânsito em julgado da sentença.[47]

Tal situação é mais um elemento que solidifica o preciso posicionamento do ministro Celso de Mello, quando refere que "o reconhecimento da tese da 'execução provisória' de uma condenação criminal (antes, portanto, do seu trânsito em julgado) significa admitir-se, com toda a vênia, uma aberração jurídica, porque totalmente inconstitucional e ilegal".

5.3 O Decreto de Prisão Preventiva

Desde a reforma processual promovida pela Lei n. 11.719/2008, na qual restou inserido no Código de Processo Penal o parágrafo único no Artigo 387[48], e revogado o Artigo 393, I[49], a prisão decorrente de sentença penal condenatória recorrível parecia algo superado em nosso sistema processual penal. Ao resgatar a execução provisória da pena privativa de liberdade, porém, o Supremo Tribunal Federal deixa em aberto uma obscura possibilidade de relativização

[47] Neste sentido, BRASIL. Superior Tribunal de Justiça. HC 386872/RS, Quinta Turma. Relator: Ministro Reynaldo Soares da Fonseca. Brasília/DF, julgamento em 14 de março de 2017.

[48] "O juiz decidirá, fundamentadamente, sobre a manutenção ou, se for o caso, imposição de prisão preventiva ou de outra medida cautelar, sem prejuízo do conhecimento da apelação que vier a ser interposta."

[49] "São efeitos da sentença condenatória recorrível: ser o réu preso ou conservado na prisão, assim nas infrações inafiançáveis, como nas afiançáveis, enquanto não prestar fiança."

da fundamentação das decisões que decretem a segregação, em especial na sua modalidade preventiva (Artigo 312 do Código de Processo Penal).[50]

A fundamentação da prisão preventiva, como exigência contida na norma constitucional, deve ser absolutamente clara e concreta, devendo o juiz demonstrar inequivocamente os seus pressupostos e requisitos.[51] Ademais, em consonância com a Lei n. 12.403/11, cediço que "a fundamentação deverá apontar – além do '*fumus commissi delicti*' e o '*periculum libertatis*' – os motivos pelos quais o juiz entendeu inadequadas e insuficientes as medidas cautelares diversas do Artigo 319".[52]

Por conseguinte, a nova posição da Suprema Corte acerca da execução provisória da pena privativa de liberdade acabou por relativizar, também, a garantia prevista no inciso IX do Artigo 93 da Constituição de 1988, de que "todos os julgamentos dos órgãos do Poder Judiciário serão públicos, e fundamentadas todas as decisões, sob pena de nulidade [...]". A motivação serve para o controle da eficácia do contraditório e de que existe prova suficiente para derrubar a presunção de inocência. Somente a fundamentação permite avaliar se a racionalidade da decisão predominou sobre o poder, e, principalmente, se foram observadas as regras do devido processo penal.[53] Trata-se de uma garantia fundamental que legitima o poder contido na decisão.[54] Do destacado dispositivo constitucional, extrai-se, portanto, que todo o ato decisório judicial deve ser devidamente fundamentado, expressando garantia que se avulta à medida que os efeitos da decisão avançam na limitação de direitos fundamentais.[55]

---

[50] "A prisão preventiva poderá ser decretada como garantia da ordem pública, da ordem econômica, por conveniência da instrução criminal, ou para assegurar a aplicação da lei penal, quando houver prova da existência do crime e indício suficiente de autoria."

[51] Cf. desde o arcabouço clássico: TORNAGHI, Hélio. *Compêndio de processo penal*. Rio de Janeiro. José Konfino, 1967, t. 4, p. 85-86.

[52] LOPES JR., Aury. *O novo regime jurídico da prisão processual, liberdade provisória e medidas cautelares diversas*: Lei n. 12.403/2011. Rio de Janeiro: Lumen Juris, 2011. p. 59.

[53] CANOTILHO, J. J. Gomes et al. *Comentários à Constituição do Brasil*. São Paulo: Saraiva/Almedina, 2013. p. 1324-5.

[54] LOPES JR., Aury. *Direito processual penal*. 12. ed. São Paulo: Saraiva, 2015, p. 101-102.

[55] OLIVEIRA, Eugênio Pacelli de; COSTA, Domingos Barroso. *Prisão preventiva e liberdade provisória*. São Paulo: Atlas, 2013. p. 87.

Diante disso, devemos ter claro que a presunção de inocência não pode ter limitada a extensão de seu alcance seja qual for a prática delitiva imputada ao acusado. Razão pela qual inviável o raciocínio da existência de "uma tipificação inicial de crimes para os quais a aplicação provisória da sentença é desejada do ponto de vista do bem-estar social, como forma de ser útil para o aperfeiçoamento da legislação penal brasileira, bem como na implantação de políticas públicas de combate ao crime".[56] Tais questões (legislação penal, políticas públicas de combate ao crime e o princípio da presunção de inocência) não devem (e não podem) ser analisadas numa mesma hierarquia dentro do sistema jurídico, ainda mais com o objetivo de se buscar eventual economia processual.

Em síntese, face às violações perpetradas desde os julgados da Suprema Corte, válido lembrar os escritos de Ferdinand Lassalle, para que num futuro próximo, não nos confrontemos com a lamentável constatação de que, efetivamente, o que "importava e urgia" é que "a constituição escrita não fosse nada mais do que um pedação de papel".[57] Assim, nos termos de mais um nefasto efeito do novo entendimento do Supremo Tribunal Federal: o enfraquecimento da garantia fundamental do cidadão de poder aferir os motivos pelos quais um eventual decreto de prisão se mostra necessário antes do trânsito em julgado da sentença condenatória.

6 Do não atendimento aos postulados previstos na Declaração Universal dos Direitos do Homem (1948) e na Convenção Americana de Direitos do Homem (Pacto de San José da Costa Rica) acerca da presunção de inocência

O princípio da presunção de inocência restou sedimentada no ordenamento jurídico internacional, em 1948, com a Declaração Universal dos Direitos do Homem, elaborada e promulgada pela Organização das Nações Unidas – ONU, que insculpiu em seu Artigo 11.1 que "toda pessoa acusada de delito tem direito a que se presuma sua inocência enquanto não se prove sua culpabilidade,

---

[56] MENEGUIN, Fernando B.; BUGARIN, Maurício S.; BUGARIN, Tomás T. S. A execução provisória da sentença: uma análise econômica do processo penal. *Economic Analysis of Law Review*, Brasília, vol. 2, n. 2, p. 204-229, jul./dez. 2011. p. 227.

[57] LASSALLE, Ferdinand. *A essência da Constituição.* 4. ed. Rio de Janeiro: Lumen Juris, 1998. p. 50.

conforme a lei e em juízo público no qual sejam asseguradas todas as garantias necessárias à defesa".

De igual maneira, a Convenção Americana de Direitos do Homem (Pacto de San José da Costa Rica), realizada em 1969, fez constar no Artigo 8.2: "Toda pessoa acusada de um delito tem direito a que se presuma sua inocência, enquanto não for legalmente comprovada sua culpa". Tanto a Declaração Universal dos Direitos Humanos quanto o Pacto de San José da Costa Rica (assim como outros documentos internacionais)[58], para além de fazerem alusão ao princípio da presunção de inocência, compreendem o ideal do indivíduo livre, e sob condições que lhe possibilite gozar dos seus direitos econômicos, sociais e culturais, bem como dos seus direitos civis e políticos.

Dessa forma, estando o Brasil comprometido com o cumprimento das disposições constantes nos referidos documentos internacionais, evidencia-se que o novo entendimento da Suprema Corte acerca da execução provisória da pena privativa de liberdade e, por consequência, da presunção de inocência, acabou também por violá-los.

Nessa linha, vale referir que a Corte Interamericana de Direitos Humanos, competente para julgar situações relativas à interpretação dos dispositivos da Convenção Americana sobre Direitos Humanos, não raramente declara a violação das garantias previstas no Artigo 8º do regramento, inclusive, especificamente em relação à presunção de inocência.

Exemplo disso foi o caso *Suárez Rosero vs. Ecuador*, no qual restou consignado expressamente: "Esta Corte estima que o princípio de presunção de inocência

---

[58] Acerca da previsão da presunção de inocência no ordenamento internacional, destaca o Ministro Celso de Mello: "O conteúdo de tão fundamental prerrogativa assegurada a toda e qualquer pessoa, mostrou-se presente em outros importantes documentos internacionais, alguns de caráter regional, como a Declaração Americana dos Direitos e Deveres do Homem (Bogotá, 1948, Artigo XXVI), a Convenção Europeia para Salvaguarda dos Direitos do Homem e das Liberdades Fundamentais (Roma, 1950, Artigo 6º, § 2º), a Carta dos Direitos Fundamentais da União Europeia (Nice, 2000, Artigo 48, § 1º), a Carta Africana dos Direitos Humanos e dos Povos/Carta de Banjul (Nairóbi, 1981, Artigo 7º, § 1º, "b") e a Declaração Islâmica sobre Direitos Humanos (Cairo, 1990, Artigo 19, "e"), e outros de caráter global, como o Pacto Internacional sobre Direitos Civis e Políticos (Artigo 14, § 2º), adotado pela Assembleia Geral das Nações Unidas em 1966". BRASIL. Supremo Tribunal Federal. HC 126292/SP, Tribunal Pleno. Relator Ministro Teori Zavascki. Brasília/DF, julgamento em 17 de fevereiro de 2016.

atende o propósito das garantias, ao firmar a ideia de que uma pessoa é inocente até que a sua culpabilidade seja demostrada".[59]

De igual maneira, no caso *Ricardo Canese vs. Paraguay*: "A Corte considera que o direito à presunção de inocência é um elemento essencial para a realização efetiva do direito de defesa, acompanhando o acusado durante toda a tramitação do processo até que uma sentença condenatória que determine a sua culpabilidade se torne imutável".[60]

Em resumo, o entendimento da Corte se direciona no sentido de que a prisão sem a existência de uma sentença definitiva somente pode se caracterizar como uma medida cautelar, mas não punitiva, impondo-se ao Estado uma obrigação de não restringir a liberdade do acusado além dos limites necessários para assegurar o bom andamento do processo e a necessária ação da justiça. Proceder de outro modo equivale a antecipar a pena, o que contraria princípios gerais do direito amplamente reconhecidos, especialmente a presunção de inocência prevista no Artigo 8.2 da Convenção Americana.

Diante disso, denota-se que as decisões da Corte Interamericana de Direitos Humanos não se prestam apenas como precedentes para resolução de futuras demandas, como também ecoam (ou deveriam ecoar, no caso do Brasil) no direito interno dos países subscritores. Como bem aponta Flávia Piovesan, "[...] a experiência brasileira revela que a ação internacional tem também auxiliado a publicidade das violações de direitos humanos, o que oferece o risco do constrangimento político e moral ao Estado violador, e, nesse sentido, surge como significativo fator para a proteção dos direitos humanos. Ademais, ao enfrentar

[59] "No presente caso, o Sr. *Rafael Iván Suárez Rosero* teve decretada em seu desfavor uma prisão cautelar, na qual permaneceu por mais de 1 mês incomunicável e sem que houvesse expedição de mandado judicial. Após a formalização da denúncia e, posteriormente, da condenação, acabou permanecendo no cárcere por aproximadamente 4 anos, ainda que a pena máxima prevista para o crime imputado fosse a metade disso" (tradução livre). CORTE INTERAMERICANA DE DIREITOS HUMANOS. *Caso Suárez Rosero vs. Ecuador*. Fondo. Sentencia de 12 de noviembre de 1997. Serie C, n. 35, disponível em: http://www.corteidh.or.cr/docs/casos/articulos/seriec_35_esp.pdf. Acesso em: 21 mar. 2017.

[60] "Neste caso, o Sr. Ricardo Nicolás Canese Krivoshein foi condenado a uma pena de 2 meses de prisão e multa, além de uma restrição permanente para sair do país, pela prática do delito de difamação, em razão de manifestações realizadas por oportunidade da sua candidatura à Presidência do Paraguai" (tradução livre). CORTE INTERAMERICANA DE DIREITO HUMANOS. *Caso Ricardo Canese vs. Paraguay*. Fondo, Reparaciones y Costas. Sentencia de 31 de agosto de 2004. Serie C, n. 111. Disponível em: <http://www.corteidh.or.cr/docs/casos/articulos/seriec_111_esp.pdf>. Acesso em: 21 mar. 2017.

a publicidade das violações de direitos humanos, bem como as pressões internacionais, o Estado é praticamente "compelido" a apresentar justificativas a respeito de sua prática".[61]

Outrossim, com os últimos movimentos jurisprudenciais do Supremo Tribunal Federal, evidencia-se que casos como *Ximenes Lopes vs. Brasil* e *Trabalhadores da Fazenda Brasil Verde vs. Brasil*, ainda que não tenham tratado acerca da presunção de inocência, não serviram para demonstrar a necessidade de o ordenamento jurídico brasileiro estar de acordo com os preceitos da Corte Interamericana de Direitos Humanos e, por consequência, da Declaração Universal dos Direitos Humanos.

7 A pré-ocupação política pela inocência e a escolha democrática[62]

Ademais de todo dito acerca do desrespeito técnico-jurídico das posturas consolidadas pelo STF, cabe se interrogar em que horizonte se colocam os posicionamentos de uma Suprema Corte que deveriam ser o primeiro anteparo às violações constitucionais? Que sintoma indicam quanto à anemia democrática sinalizada politicamente nos dias que correm? Será exatamente em tempos de urgência de violência punitiva, aparentemente irrefreáveis, que um gesto de resistência se impõe a todos, nem que seja pelo resto de vergonha que ainda nos sobreviva.

Um "não" como germe persistente sobre aquilo que se põe como imponderável deve subsistir. O nada novo ar de "progresso" judicial, hoje inspirado pela ode ao combate à impunidade (ou *slogans* afins), não cessa em deixar, no horizonte, sob escombros, o lastro das conquistas democráticas.

No HC n. 126.292/SP, o STF mais uma vez ratificou as lamentáveis tendências e retrocedeu uma vez mais, mudando seu próprio posicionamento e permitindo a execução provisória da pena após a confirmação da sentença em segundo grau. Assim, passaram aos ouvidos da Suprema Corte os reclamos, porém nada imunes estavam aos influxos da verborragia punitivista, farta em se camuflar das melhores intenções.

---

[61] PIOVESAN, Flávia. *Direitos humanos e o direito constitucional internacional.* 7. ed. São Paulo: Saraiva, 2006. p. 313.

[62] Este item é uma versão revisada de artigo originalmente publicado em: AMARAL, Augusto Jobim do. A pré-ocupação de inocência e o julgamento do HC 126.292/SP pelo STF. *Boletim IBCCRIM*, São Paulo, ano 24, n. 281, p. 3-5, abr. 2016.

Se sequer sobre um olhar técnico remanesce alguma correção ao julgado, podemos exaurir as imprecisões na decisão sem nem ao menos flertar de longe com aquilo que poderá, de fato, questionar o respaldo político-democrático do princípio da presunção de inocência, quer dizer, interrogar a dignidade da razão que ampara radicalmente a racionalidade jurídica ali estampada. Se o movimento de crispação constitucional, que representa um ressecamento das capilaridades dos direitos fundamentais ali respaldados, não é inédito, não será à toa o cenário de notável esgarçamento do tecido democrático, com fissuras que esperamos não sejam irreversíveis. Ademais, quando falamos do exame daquilo que podemos radicalizar e chamar de *pré-ocupação de inocência*[63], o quadro toma tons ainda mais sombrios: naturalização do abuso das prisões provisórias, a ostensividade midiática despudorada no uso de algemas e a exploração das imagens de investigados e processados, prisões como forma de coação para obter confissões em megaprocessos capitaneados por messianismos judiciais, chegando até mesmo ao absurdo da "inversão do ônus probatório em matéria criminal" fragorosamente declarada por um ministro na AP 470 ("Mensalão"). Todo este corolário de violências naturalizadas apenas teve sua pá de cal no HC n. 126.292.

O que daquilo que borbulha merece politicamente ser enfrentado quando esta problemática é exposta e, ao que parece, falar em contenção do poder penal soa desprezível?

Cabe dizer que uma *teoria das presunções* intervém em qualquer *controvérsia*[64]. Com o processo penal não seria diferente. Se, de modo mais simples, o processo penal não representa mero meio para realização do direito penal, mas o dispositivo por excelência de limitação do poder punitivo garantido pela função jurisdicional, em que a prova é a atividade necessária para se verificar se um sujeito cometeu um delito, até que ela se produza mediante um juízo regular, ninguém poderá ser considerado culpado. Assim é que classicamente se aduziu do *princípio da jurisdicionalidade* o postulado da *presunção de inocência*. Trata-se, para além de ser presunção "até que se prove o contrário", de um corolário *lógico-racional do próprio processo penal* e *primeira garantia fundamental assegurada ao cidadão* pelo

---

[63] AMARAL, Augusto Jobim do. A pré-ocupação de inocência no processo penal. *Rev. Fac. Direito UFMG*, Belo Horizonte, n. 62, p. 85-115, jan./jun. 2013.

[64] GIL, Fernando. *Mimésis e negação*. Lisboa: Imprensa Nacional-Casa da Moeda, 1984. p. 484ss.

procedimento.[65] Em que pese o princípio da *presunção de inocência* ter sido afirmado à época sob reflexo de uma concepção positiva e otimista do homem, respaldado por uma valoração probabilística[66], independentemente da aceitação disso, atualmente é *estado* fundamental do cidadão, retrato da *opção política ínsita ao estado democrático de direito.*

O substrato primigênio da *presunção de inocência* alude a uma clássica opção garantista de civilidade "em favor da tutela da imunidade dos inocentes, inclusive ao preço da impunidade de algum culpável"[67]. Razão tão bem explicada por Carrara, em prol do maior interesse que todos os inocentes sejam protegidos, através da contraposição entre o "mal certo e positivo" da condenação de um inocente em oposição ao "mero perigo" (de delitos futuros) representado pela absolvição de um culpável.[68] Na medida em que a seletividade é o traço permanente de qualquer sistema penal[69], ou seja, o poder punitivo, tal como uma epidemia, funciona atingindo os mais vulneráveis ao seu programa criminalizador – assim, não se alcançará a punição de todos os culpados, nem mesmo o resguardo de todos os inocentes –, importará trazer a questão de forma clara. Portanto, máxima a ser interrogada de forma ideal, mas que denota a radical inclinação que deve manter qualquer sistema processual penal de cunho democrático: é preferível termos casos de culpáveis absolvidos com a certeza de que nenhum inocente será condenado ou, pendente ao autoritarismo, aceitar idealmente todos os culpados condenados, todavia ao preço de algum inocente.

Sem subterfúgios: há uma enorme irresponsabilidade político-criminal envolvida na decisão do STF. Apenas como parâmetro, entre 2006 e 2014, uma em cada quatro decisões de HC do STJ modificava algum aspecto das decisões emitidas pelos julgados de segundo instância. E nem falemos daquelas decisões

---

[65] LUCCHINI, Luigi. *Elementi Di Procedura Penale.* Seconda edizione riveduta e ampliata. Firenzi: G. Barbèra, 1899. p. 10 e 15.

[66] CARMIGNANI, Giovanni. *Elementi del Diritto Criminale.* 2ª edizione napolitana sull'ultima Malta. Napoli: Dallo Stabilimento Tipografico di P. Androsio, 1854. p. 145.

[67] FERRAJOLI, Luigi. *Derecho y Razón:* Teoría del Garantismo Penal. Traducción de Perfecto Andrés Ibáñez et. al. Madrid: Trota, 1995. p. 549.

[68] CARRARA, Francesco. *Programma del Corso di Diritto Criminale.* Dettato dal Professore Francesco Carrara. Lucca: Tip. Canovetti, 1863. p. 373.

[69] ZAFFARONI, Eugenio; BATISTA, Nilo. *Direito Penal Brasileiro:* primeiro volume – Teoria Geral do Direito Penal. 4. ed. Rio de Janeiro: Revan, 2011. p. 46-51.

que são mantidas em sede do STJ e modificadas pelo STF, ou quem sabe dos julgamentos que acabam por ser anulados e reformados via recursos especiais e extraordinários pelas Cortes Superiores.[70] O que se dirá dos expressivos equívocos depois do cumprimento da pena erradamente? Trata-se do *preço da democracia.* Ou se opta pela inocência de todos ao preço inclusive da não punição de algum culpável ou declaremos abertamente nossa aversão àquilo que custa de fato viver num ambiente democrático. Por outro lado, não se precisará maiores incursões empíricas para se surpreender com o simulacro do duplo grau de jurisdição a complicar ainda mais a efetivação da presunção de inocência.[71] É sabido que os julgamentos de segundo grau comportam-se não raro como meros ratificadores das decisões monocráticas operados numa lógica de eficientismo repressivo. Num ambiente em que os recursos são vistos como meras peças que retardam a punição dos culpados e geram impunidade, e não como instrumento de cidadania e de efetivação jurisdicional democrática, a normatividade constitucional terá vida frágil. E sempre soubemos bem sobre o lombo de quem, mais ainda, recairão tais vulnerabilidades ao final.

Estamos às voltas da alternativa *política* fundada na linha tênue do complexo nexo entre *liberdade* e *segurança*, neste ponto aqui ao menos não vistas como irreconciliáveis. Se, numa escala maior, o enorme investimento no cerceamento de liberdades presente nas dinâmicas securitárias sob a promessa de enfrentamento ao terrorismo acarreta uma espécie de *pan*-óptico[72] que nada acresce em segurança, mas possui como resultado o avanço a passos largos na direção de regimes autoritários, a extensão disso noutra escala é o ideário persecutório

[70] Pesquisa realizada por Thiago Bottino na FGV (Direito/RJ). Disponível em: <http://www.fgv.br/supremoemnumeros/visualizacoes/cfilter-ipea/index.html>. Acesso em: 30 ago. 2017.

[71] Ver pesquisa feita no âmbito das Câmaras Criminais do TJRJ trazida em CASARA, Rubens. *Mitologia processual penal.* São Paulo: Saraiva, 2015.

[72] Cf. BIGO, Didier. Globalized (in)security: the Field and the banopticon. In: SAKAI, Naoki; SOLOMON, Jon (comps.). *Traces 4: Translation* – Biopolitics, Colonial Difference. Hong Kong: Hong Kong University Press, 2006. p. 5-49. O diagrama estratégico consiste em determinar uma minoria como excluída desde discursos de riscos e inimigos internos, passando pelas instituições como os centros de detenção até as portas de embarque dos aeroportos cruzando-se com leis e medidas administrativas que singularizam o tratamento de certo grupo. Em resumo, três elementos constituem este poder excepcional: a regra do estado de emergência, a seleção que exclui categorias sociais inteiras por seu comportamento social futuro e a normalização de grupos não excluídos mediante a crença na livre circulação de bens, capitais, informação e pessoas.

em matéria penal, agora travestido no discurso de ocasião da "corrupção"[73], que acaba por convocar a todos "por razões de segurança" a abrir mão daquilo que em qualquer outra circunstância não teríamos motivos para aceitar. A crise naturalizada expõe o *populismo punitivo como tecnologia judiciária permanente de governo*.[74] As primárias lições[75] de que alguma *segurança* apenas poderá ser conquistada na medida em que houver mínima confiança na não violação da *liberdade* de quem quer que seja passou a ser peça de museu. Em contrapartida, quando o *medo* pode assolar o inocente, demonstrado estará tão somente o descompasso da função jurisdicional e a inversão ideológica condizentes às nefastas práticas inquisitivas.[76]Em suma, a *presunção de inocência* deve ser não apenas uma garantia de *liberdade pública* como valor fundamental, mas de *segurança* e *confiança* dos cidadãos na prestação jurisdicional.

Não por menos tem sido alvo, desde o século XIX, sistematicamente do ataque do pensamento autoritário. Não seria necessário lembrar a disputa da *presunção de inocência*, imerso no modelo republicano de democracia, com o pessimismo antropológico fascista inspirador do código de processo penal brasileiro CPP/41.[77] Não obstante, rever as odes de Alfredo Rocco[78] à reação de Manzini ao Código italiano de 1930 acerca da presunção de inocência sempre vem a calhar. Fragilidade principiológica que impôs, segundo o ministro de Mussolini, tantos danos à justiça criminal - por isso seu Código centrado na incisiva intervenção

---

[73] Cf. o nó górdio em SOUZA, Jessé. *A tolice da inteligência brasileira.* Rio de Janeiro: Casa da Palavra, 2015.

[74] Cf. AMARAL, Augusto Jobim do. *Política da prova e cultura punitiva*, op. cit., p. 358-388.

[75] MONTESQUIEU. *The Spirit of Laws.* A Compendium of the First Edition – Edited with an Introduction by David Wallace Carrithers. Los Angeles/London: University of California Press, 1977. p. 217. e PAGANO, Francesco Mario. *Considerazioni sul Processo Criminale.* Napoli: Stamperia Raimondiana, 1787. p. 27-8.

[76] PAGANO, Francesco Mario. *Considerazioni sul Processo Criminale*, p. 83-92; CORDERO, Franco. *Riti e sapienza del diritto.* Roma-Bari: Laterza, 1981. p. 625-658 e FERRAJOLI, Luigi. *Derecho y Razón*, p. 550.

[77] MORAES, Maurício Zanoide de. *Presunção de inocência no processo penal brasileiro:* análise de sua estrutura normativa para a elaboração legislativa e para a decisão judicial. Rio de Janeiro: Lumen Juris, 2010. p. 155ss.

[78] ROCCO, Alfredo. Prefazione. In: MANZINI, Vincenzo. *Trattato di Diritto Processuale Penale Italiano.* Secondo Il Nuovo Codice con prefazione di Alfredo Rocco. Volume Primo. Torino: Unione Tipográfico-Editrice Torinese, 1931. p. IX-X.

capital do magistrado e seu protagonismo combinado ao menosprezo a este princípio.[79] Para chegar aos adágios fascistas de Manzini, necessário foi antes montar na Escola Positivista italiana o arsenal para poder munir a autoridade e nutrir golpe decisivo dado pelo Código Rocco de 1930. Estratégia central da toada fascista que se transportou incólume à legislação brasileira juntamente com a centralidade e o controle do magistrado sobre a prova. Ambos os corolários – desprezo pela *presunção de inocência* e *gestão da prova* sobre a égide do juiz – podem ser dispostos como faces do mesmo centavo.[80] Os dois, em paralelismo notável, procuraram atacar a medula que erige um sistema acusatório.

Nessa toada, diante da contraposição das hipóteses trazidas ao processo penal, é sobre a *dúvida* que se fala e, consequentemente, sobre a solução de *política constitucional* a ser escolhida ao final (vê-se, assim, claramente a implicação disso com a *carga da prova*). A *presunção de inocência* funciona como um instrumento pronto para atuar se, ao final do processo, remanescer a falta de comprovação legítima da tese acusatória. Daí se extrai como regra processual (como correlato lógico atinente ao fato de que o processado é inocente) a própria *carga da prova* atribuída à acusação.[81]

Se no direito a *presunção* está a serviço da justeza do processo, que paradoxalmente é a mediação invocada pelo operador da *prova*, ela deve ser acompanhada de uma *"pré-ocupação do terreno"*. Aí o ponto nodal, como escreve Whateley: "de acordo com o mais correto uso do termo, uma 'presunção' em favor de qualquer suposição significa, não (como tem sido erroneamente imaginado) uma preponderância de probabilidade antecedente em favor de algo, mas uma pré-ocupação

---

[79] MANZINI, Vincenzo. Relazione Ministeriale sul Progetto Preliminare del Codice di Procedura Penale. In: *Lavori Preparatori del Codice Penale e del Codice di Procedure Penale.* Vol. VIII. Roma: 1929, p. 22 e MANZINI, Vincenzo. *Trattato di Diritto Processuale Penale Italiano.* Secondo Il Nuovo Codice con prefazione di Alfredo Rocco. Volume Primo. Torino: Unione Tipográfico-Editrice Torinese, 1931. p. 175-184.

[80] GAROFALO, R. *Criminologia:* estudo sobre o delicto e a repressão penal. Seguido de um appendice sobre Os Termos do Problema Penal por L. Careli. Versão portugueza com um prefacio original por Julio de Matos. São Paulo: Teixeira & Irmão, 1893. p. 394-5, e FERRI, Enrico. *Sociologia criminal.* Traduzido por Soneli Maria Melloni Farina. Sorocaba: Minelli, 2006. p. 241-2.

[81] GOLDSCHMIDT, James. *Problemas jurídicos y políticos del proceso penal* – Conferencias dadas en la Universidad de Madrid en los meses de diciembre de 1934 y de enero, febrero y marzo de 1935. Barcelona: Bosch, 1935. p. 46-7 e 52-3.

do terreno, como implica que deve permanecer hígida até que uma razão razoável seja constituída contrariamente; em suma, a carga da prova recai sobre o lado daquele que a contestaria".[82]

Dessa forma, rigorosamente falando, passando da mera retórica para a *política,* nossa visão da *pré-ocupação de inocência* (incluso como *norma de tratamento, norma probatória* ou *norma de juízo*[83]) traz à tona o que há de determinante na gênese da presunção, deixando ultrapassar seu mero escopo jurídico: a natureza de *regra de fechamento,* quer dizer, horizonte de expectativa a ser preenchido com a *decisão político-democrática* auferida na sentença quando persistir a *dúvida* a ser convertida em *certeza jurídica,* estado este apenas abalável pelo trânsito em julgado final de sentença condenatória. Enfim, a *pré-ocupação de inocência,* tal qual um título ao portador dos acusados em geral frente ao poder punitivo, além de ter papel central na arena do convencimento, principalmente em tempos de ativismos judiciais, é a aliada maior para a gestão e a maximização das expectativas democráticas.

Considerações finais

De forma sucinta, poderíamos apontar que (I) o acesso aos recursos até o trânsito em julgado é uma garantia processual enraizada na Constituição, um direito fundamental inegociável de todo o acusado que se vê constantemente afetado por trajetórias jurisprudenciais oscilantes e flexibilizadoras de postulados basilares de nosso ordenamento jurídico. Diante de tal compreensão, evidencia-se a grave insegurança jurídica resultante das decisões da maioria dos ministros da Suprema Corte no *Habeas Corpus* n. 126.292 e nas Ações Declaratórias de Constitucionalidade n. 43 e n. 44, que a partir de uma errônea interpretação acerca do princípio da presunção de inocência, bem como de uma inadequada comparação com ordenamentos jurídicos de outros países, acabaram por fulminar a indispensável presunção de inocência do cidadão no processo penal.

(II) Ao declarar a constitucionalidade do Artigo 283 do Código de Processo Penal, mas não efetivar o seu conteúdo, os ministros da Suprema Corte, em

[82] WHATELY, Richard. *Elements of Retoric.* Third Edition. Oxford: Printed by W. Baxter, for John Murray, London; and J. Parker, Oxford, 1830. p. 98-9.

[83] MORAES, Maurício Zanoide de. *Presunção de inocência no processo penal brasileiro,* op. cit., p. 424 ss.

sua maioria, sedimentaram uma interpretação semântica da expressão "trânsito em julgado" que acabou por violar frontalmente a Carta Magna e o referido dispositivo processual penal. Na mesma linha, o novo entendimento acerca da execução provisória acabou por violar também as determinações constantes nos Artigos 105, 147 e 160 da Lei de Execução Penal. Além disso, em razão da ausência de apontamento acerca dos referidos dispositivos da Lei n. 7.210/84 nos julgados da Suprema Corte, o novo entendimento acerca da execução provisória deve se restringir "apenas" à pena privativa de liberdade, não alcançando as demais espécies, que necessariamente deverão aguardar o trânsito em julgado da sentença para a sua efetivação.

(III) Ao "resgatar" a execução provisória da pena privativa de liberdade, a maioria dos ministros do Supremo Tribunal Federal enfraqueceu a previsão contida no Artigo 312 do Código de Processo Penal, uma vez que se torna desnecessário justificar e fundamentar a necessidade de o acusado ser preso preventivamente antes de transitar em julgado a sentença condenatória. Assim sendo, resta escancarada a possibilidade de a segregação se tornar regra em detrimento da liberdade, e a presunção de culpa regra em detrimento da presunção da inocência. Além disso, a indefinição acerca do marco de contagem da prescrição executória acaba por permitir que o cidadão condenado tenha a desconfortável perspectiva de que sua pena poderá ser executada durante um período de tempo indeterminado.

(IV) Estando o Brasil comprometido com o cumprimento das disposições oriundas da Declaração Universal dos Direitos Humanos, resta claro que o novo entendimento do Supremo Tribunal Federal acerca da execução provisória da pena privativa de liberdade violou os preceitos internacionais acerca da presunção de inocência, bem como a orientação jurisprudencial da Corte Interamericana de Direitos Humanos.

Portanto, numa cultura punitiva elevada à razão de Estado, imperativo resistir e não transigir/relativizar com aquilo ou aqueles sobre os quais não se suporta mais negociar ofertas de acordo com o injustificável. Não se conciliam os valores de uma Constituição democrática, como é o caso da *pré-ocupação de inocência*, a "uma aparência de sabedoria que nos causa horror"[84] senão ao preço da cumplicidade com a sua derrocada.

---

[84] BLANCHOT, Maurice. Le Refus. In: *Le 14 Julillet,* n. 2, Paris, Octobre, 1958.

Referências

AMARAL, Augusto Jobim do. A pré-ocupação de inocência no processo penal. *Rev. Fac. Direito UFMG*, Belo Horizonte, n. 62, p. 85-115, jan./jun. 2013.

______. *Política da prova e cultura punitiva:* a governabilidade inquisitiva do processo penal brasileiro contemporâneo. São Paulo: Almedina, 2014.

BIGO, Didier. Globalized (in)security: the Field and the banopticon. In: SAKAI, Naoki; SOLOMON, Jon (comps.). *Traces 4: Translation* – Biopolitics, Colonial Difference. Hong Kong: Hong Kong University Press, 2006. p. 5-49.

BLANCHOT, Maurice. Le Refus. In: *Le 14 Julillet,* n. 2, Paris, Octobre, 1958.

BOLINA, Helena Magalhães. Razão de ser, significado e consequências do princípio da presunção de inocência (art. 32, n. 2, da CRP). *Boletim da Faculdade de Direito de Coimbra.* Coimbra, n. 70, 1994.

CANOTILHO, J. J. Gomes et al. *Comentários à Constituição do Brasil.* São Paulo: Saraiva/Almedina, 2013.

CARMIGNANI, Giovanni. *Elementi del Diritto Criminale.* 2ª edizione napolitana sull'ultima Malta. Napoli: Dallo Stabilimento Tipografico di P. Androsio, 1854.

CARRARA, Francesco. *Programma del Corso di Diritto Criminale.* Dettato dal Professore Francesco Carrara. Lucca: Tip. Canovetti, 1863.

CARVALHO, Salo de. *Penas e medidas de segurança no Direito Penal brasileiro.* 2. ed. São Paulo: Saraiva, 2015.

CASARA, Rubens R. R. *Mitologia processual penal.* São Paulo: Saraiva, 2015.

CHOUKR, Fauzi Hassan. *Código de processo penal:* comentários e crítica jurisprudencial. São Paulo: Saraiva, 2014.

COMPARATO, Fábio Konder. *A afirmação histórica dos Direitos Humanos.* 7. ed., revista e ampliada. São Paulo: Saraiva, 2010.

CORDERO, Franco. *Riti e sapienza del diritto.* Roma-Bari: Laterza, 1981.

ESPÍNOLA FILHO, Eduardo. *Código de processo penal brasileiro anotado.* 6. ed. Rio de Janeiro: Rio Editora, 1980, v. 6.

FERRAJOLI, Luigi. *Derecho y Razón:* Teoría del Garantismo Penal. Traducción de Perfecto Andrés Ibáñez et. al. Madrid: Trota, 1995.

FERRARA, Francesco. *Interpretação e aplicação das leis*. 2. ed. Trad.: Manuel A. D. de Andrade. Coimbra: Arménio Amado Editor, 1963.

FERRI, Enrico. *Sociologia Criminal*. Traduzido por Soneli Maria Melloni Farina. Sorocaba: Minelli, 2006.

FIGUEIREDO DIAS, Jorge de. *Direito processual penal*. Coimbra: Coimbra Editora, 2004.

GAROFALO, R. *Criminologia*: estudo sobre o delicto e a repressão penal. Seguido de um appendice sobre Os Termos do Problema Penal por L. Careli. Versão portugueza com um prefacio original por Julio de Matos. São Paulo: Teixeira & Irmão, 1893.

GIACOMOLLI, Nereu José. *O Devido Processo Penal:* abordagem conforme a CF e o Pacto de São José da Costa Rica. 3 ed. São Paulo: Atlas, 2016.

GIL, Fernando. *Mimésis e negação*. Lisboa: Imprensa Nacional-Casa da Moeda, 1984.

GOLDSCHMIDT, James. *Problemas jurídicos y políticos del proceso penal* – Conferencias dadas en la Universidad de Madrid en los meses de diciembre de 1934 y de enero, febrero y marzo de 1935. Barcelona: Bosch, 1935.

GOMES, M. G. M. *Direito penal e interpretação jurisprudencial:* do princípio da legalidade às súmulas vinculantes. São Paulo: Atlas, 2008.

HAAS, Evelyn. Las garantías constitucionales en el procedimiento penal alemán. In: *Anuario de derecho constitucional latinoamerica*, 2006.

JUY-BIRMANN, Rudolphe. O sistema alemão. In: DELMAS-MARTY, Mireille (org.). *Processos penais da Europa*. Trad: Fauzi Hassan Choukr. Rio de Janeiro: Lumen Juris, 2005.

KARAN, Maria Lúcia. Garantia do estado de inocência e prisão decorrente de sentença ou acórdão penais condenatórios recorríveis. *Revista de Estudos Criminais*, Porto Alegre, n. 11, p. 166-175, 2005.

LASSALLE, Ferdinand. *A essência da Constituição*. 4. ed. Rio de Janeiro: Lumen Juris, 1998.

LIMA, Gabriel Pantaroto; BEZERRO, Eduardo Buzetti Eustachio. A execução provisória da pena privativa de liberdade e sua compatibilização com o princípio da presunção da inocência. *Colloquium Socialis*, Presidente Prudente, v. 1, n. Especial, p. 453-458, jan/abr 2017. <https://doi.org/10.5747/cs.2017.v01.nesp.s0071>.

LOPES JR., Aury. *Direito processual penal*. 12. ed. São Paulo: Saraiva, 2015.

______. *O novo regime jurídico da prisão processual, liberdade provisória e medidas cautelares diversas*: Lei n. 12.403/2011. Rio de Janeiro: Lumen Juris, 2011.

LUCCHINI, Luigi. *Elementi Di Procedura Penale.* Seconda edizione riveduta e ampliata. Firenzi: G. Barbèra, 1899.

MANZINI, Vincenzo. Relazione Ministeriale sul Progetto Preliminare del Codice di Procedura Penale. In: *Lavori Preparatori del Codice Penale e del Codice di Procedure Penale.* Vol. VIII. Roma: 1929.

______. *Trattato di Diritto Processuale Penale Italiano.* Secondo Il Nuovo Codice con prefazione di Alfredo Rocco. Volume Primo. Torino: Unione Tipográfico-Editrice Torinese, 1931.

MELLO, Celso Antônio Bandeira de. *Curso de Direito Administrativo.* 5. ed. São Paulo: Malheiros, 1994.

MENDES, Gilmar Ferreira. *Controle de constitucionalidade:* aspectos políticos e jurídicos. São Paulo: Saraiva, 1990.

MENEGUIN, Fernando B.; BUGARIN, Maurício S.; BUGARIN, Tomás T. S. A execução provisória da sentença: uma análise econômica do processo penal. *Economic Analysis of Law Review,* Brasília, vol. 2, n. 2, p. 204-229, jul./dez. 2011. <https://doi.org/10.18836/2178-0587/ealr.v2n2p204-229>.

MONTESQUIEU. *The Spirit of Laws.* A Compendium of the First Edition – Edited with an Introduction by David Wallace Carrithers. Los Angeles/London: University of California Press, 1977.

MORAES, Maurício Zanoide de. *Presunção de inocência no processo penal brasileiro:* análise de sua estrutura normativa para a elaboração legislativa e para a decisão judicial. Rio de Janeiro: Lumen Juris, 2010.

OLIVEIRA, Eugênio Pacelli de; COSTA, Domingos Barroso. *Prisão preventiva e liberdade provisória.* São Paulo: Atlas, 2013.

PAGANO, Francesco Mario. *Considerazioni sul Processo Criminale.* Napoli: Stamperia Raimondiana, 1787.

PIOVESAN, Flávia. *Direitos Humanos e Justiça Internacional:* um estudo comparativo dos sistemas regionais europeu, interamericano e africano. São Paulo: Saraiva, 2017.

______. *Direitos Humanos e o direito constitucional internacional.* 7. ed. São Paulo: Saraiva, 2006.

PORTUGAL. Tribunal Constitucional. Acórdão 273/2016, Segunda Secção. Relator Conselheiro Fernando Ventura. Julgamento em 4 de maio de 2016. Disponível em: <http://www.tribunalconstitucional.pt/tc/acordaos/20160273.html>. Acesso em: 10 out. 2016.

RODRÍGUEZ, Javier Llobet. *La reforma procesal penal* (un análisis comparativo latinoamericano-alemán). San José: Escuela Judicial, 1993.

ROXIN, Claus. *Derecho procesal penal.* Buenos Aires: Editores del Puerto, 2000. p. 435.

ROXIN, Claus; ARZT, Gunther; TIEDEMANN, Klaus. *Introdução ao direito penal e ao direito processual penal.* Trad: Gersélia Mendes. Belo Horizonte: Del Rey, 2007.

SOUZA, Jessé. *A tolice da inteligência brasileira.* Rio de Janeiro: Casa da Palavra, 2015.

SOUZA, João Castro e. *Os meios de coação no novo código de processo penal* (jornadas de direito processual penal: o novo código de processo penal). Coimbra: Almedina, 1995.

STRECK, Lenio Luiz. Uma ADC contra a decisão no HC 126.292 – sinuca de bico para o STF! Disponível em: <http://www.conjur.com.br/2016-fev-29/streck-adc-decisao-hc-126292-sinuca-stf>. Acesso em: 3 mar. 2016.

______. Os limites semânticos e sua importância na e para a democracia. *Revista da AJURIS,* Porto Alegre, v. 41, n. 135, p. 173-187, set. 2014.

SUXBERGER, Antonio Henrique Graciano; AMARAL, Marianne Gomes de. A execução provisória da pena e sua compatibilidade com a presunção de inocência como decorrência do sistema acusatório. *Revista de Direito Brasileira*, São Paulo, vol. 16, n. 7, p. 186-210, jan./abr. 2017. <https://doi.org/10.5585/rdb.v16i7.500>.

TORNAGHI, Hélio. *Compêndio de processo penal.* Rio de Janeiro: José Konfino, 1967, t. 4.

VILELA, Alexandra. *Considerações acerca da presunção de inocência em direito processual penal.* Coimbra: Coimbra, 2000.

WHATELY, Richard. *Elements of Retoric.* Third Edition. Oxford: Printed by W. Baxter, for John Murray, London; and J. Parker, Oxford, 1830.

WUNDERLICH, Alexandre; CARVALHO, Salo. Crítica à execução antecipada da pena (a revisão da súmula 267 pelo STJ). In: CARVALHO, Salo de (org.). *Crítica à execução penal.* 2. ed. Rio de Janeiro: Lúmen Juris, 2007.

ZAFFARONI, Eugenio; BATISTA, Nilo. *Direito Penal brasileiro*: primeiro volume – Teoria Geral do Direito Penal. 4. ed. Rio de Janeiro: Revan, 2011.

O registo de condenados pela prática de crimes contra a autodeterminação sexual e a liberdade sexual de menor: análise crítica à luz da política criminal e da Constituição[1*]

Inês Horta Pinto

Mestre em Ciências Jurídico-Criminais pela
Faculdade de Direito da Universidade de Coimbra

O presente artigo analisa o regime do "sistema de registo de identificação criminal de condenados pela prática de crimes contra a autodeterminação sexual e a liberdade sexual de menor", recentemente criado pela Lei n. 103/2015, de 24 de agosto, com vista a apurar, em primeiro lugar, se é político-criminalmente adequado e eficaz e, em segundo lugar, se se afigura constitucionalmente válido.

Adianta-se, desde já, que, sob a perspetiva político-criminal, se considera que o regime criado é, para os objetivos que se propõe alcançar, praticamente inócuo, podendo até produzir efeitos não desejados; do ponto de vista jurídico-constitucional, conclui-se pela sua desconformidade com vários princípios e normas constitucionais. Não deixa de se estranhar, aliás, que nenhuma das entidades com o poder de pedir ao Tribunal Constitucional uma pronúncia

[1*] O presente artigo foi redigido originariamente para integrar os *Estudos em Homenagem ao Prof. Doutor Manuel da Costa Andrade*, em curso de publicação.

quanto à constitucionalidade do diploma o tenha feito, nem preventiva, nem sucessivamente.

I Contexto da iniciativa legislativa

De forma sumária (o regime será analisado em pormenor mais adiante), com o diploma sob escrutínio criou-se uma "base de recolha, tratamento e conservação de elementos de identificação de pessoas condenadas por crimes contra a autodeterminação sexual e a liberdade sexual de menor", visando finalidades combinadas de "acompanhamento da reinserção do agente na sociedade, obedecendo ao princípio do interesse superior das crianças e jovens, em ordem à concretização do direito destes a um desenvolvimento pleno e harmonioso" e de "auxiliar a investigação criminal", implicando para as pessoas nela registadas deveres de comunicação de paradeiro, cujo incumprimento é punido criminalmente, sendo facultado acesso a tal base a autoridades judiciárias e policiais e a entidades públicas, no âmbito da prossecução dos seus fins, e podendo os cidadãos que exerçam responsabilidades parentais sobre menor até aos 16 anos de idade, desde que aleguem uma situação concreta de fundado receio de que a área frequentada pelo menor seja também frequentada por pessoa que conste do registo, requerer à autoridade policial "a confirmação e averiguação dos factos que fundamentem esse fundado receio" (cf. Artigos 1º, 3º, 13, 14 e 16 do Anexo à Lei n. 103/2015).

Vejamos, antes de mais, a justificação da iniciativa legislativa.

De acordo com a Exposição de Motivos da Proposta de Lei n. 305/XII, que deu origem à Lei n. 103/2015, o regime proposto fundamentou-se em razões de cumprimento de obrigações internacionais e de satisfação de exigências de prevenção criminal, com inspiração em exemplos do direito comparado.

1 Uma imposição de direito internacional?

Com a aprovação da Lei em apreciação – que, além da criação do registo mencionado, introduziu também alterações ao Código Penal e a legislação avulsa –, pretendeu-se transpor a Diretiva n. 2011/93/UE, de 13/12/2011, relativa à luta contra o abuso sexual e a exploração sexual de crianças e a pornografia infantil, bem como dar cumprimento às obrigações decorrentes da ratificação da Convenção do Conselho da Europa para a Proteção de Crianças contra a Exploração Sexual e os Abusos Sexuais, de 25/10/2007.

Concretamente quanto à criação de um registo de identificação criminal específico para os condenados por crimes contra a autodeterminação sexual e a liberdade sexual de menores, afirma-se na Exposição de Motivos que aquela "corresponde a objetivos de política de justiça e de prevenção criminal impostos pelo Artigo 37 da referida Convenção de Lanzarote, que prevê a recolha e o armazenamento de dados relativos à identidade e ao perfil genético de pessoas condenadas pelas infrações penais nela previstas". Invoca-se ainda a Resolução 1733(2010) da Assembleia Parlamentar do Conselho da Europa, "apelando a um reforço das medidas contra os criminosos sexuais, entre as quais figura a introdução no ordenamento jurídico de um registo de condenados por crimes sexuais de forma a criar uma base de dados que permita o intercâmbio de informação entre autoridades, em conformidade com o princípio da proporcionalidade e os preceitos da Convenção Europeia dos Direitos do Homem".

Seguidamente, analisam-se os três instrumentos de direito internacional citados, exclusivamente na medida em que prevejam ou façam referência à adoção de medidas como o registo em análise.

a) Quanto à **Diretiva n. 2011/93/UE, do Parlamento Europeu e do Conselho, de 13 de dezembro de 2011, relativa à luta contra o abuso sexual e a exploração sexual de crianças e a pornografia infantil**, é de salientar que apenas nos considerandos se encontra referência a este tipo de medidas. Veja-se o considerando 43:

> "Os Estados-Membros *podem considerar* a adoção de *outras* medidas administrativas aplicáveis aos infratores, *como* o registo de pessoas condenadas pelos crimes previstos na presente diretiva em registos de autores de crimes sexuais. O acesso a esses registos deverá ser sujeito a uma limitação, de acordo com os princípios constitucionais nacionais e com as normas em vigor aplicáveis em matéria de proteção de dados, por exemplo, limitando o seu acesso às autoridades judiciais e/ou policiais" [itálicos nossos].

Interessa também o teor do considerando 41, que se transcreve:

"Tendo em consideração as diferentes tradições jurídicas dos Estados-Membros, a presente diretiva tem em conta o facto de o acesso aos registos criminais ser permitido apenas às autoridades competentes ou à pessoa em causa. A presente diretiva *não estabelece a obrigação de alterar os sistemas nacionais que regem os registos criminais nem os meios de acesso a esses registos*" [itálico nosso].

Verifica-se que não só não há uma imposição da adoção de registos deste tipo mas até se dão orientações no sentido de que, a serem criados, sejam sujeitos a limitações de acesso, restringindo-o, por exemplo, às autoridades judiciais e/ou policiais.

b) Quanto à **Convenção do Conselho da Europa para a Proteção das Crianças contra o Abuso e a Exploração Sexuais** ("Convenção de Lanzarote"), que Portugal assinou em 25/10/2007 e ratificou em 23/8/2012, tendo entrado em vigor na ordem jurídica portuguesa em 1/12/2012, o seu Artigo 37 – que é invocado na Exposição de Motivos da Proposta de Lei – tem a seguinte redação:

Artigo 37

Registo e armazenamento de dados nacionais sobre pessoas condenadas por infrações penais de natureza sexual

1 – Para efeitos de prevenção, investigação e processamento penais das infrações penais estabelecidas em conformidade com a presente Convenção, cada Parte toma as necessárias medidas legislativas ou outras para coligir e armazenar, em conformidade com as disposições legais relevantes sobre proteção de dados de carácter pessoal e com as regras e garantias apropriadas previstas no direito interno, dados relativos à identidade e ao perfil genético (ADN) de pessoas condenadas por infrações penais previstas na presente Convenção.

2 – Aquando da assinatura ou do depósito do seu instrumento de ratificação, aceitação, aprovação ou adesão, cada Parte comunica ao Secretário-Geral do Conselho da Europa o nome e a morada de uma autoridade nacional responsável única, para efeitos do n. 1 do presente artigo.

3 – Cada Parte toma as necessárias medidas legislativas ou outras para garantir que as informações referidas no n. 1 do presente artigo possam ser transmitidas à autoridade competente de outra Parte, em conformidade

com as condições estabelecidas no seu direito interno e com os instrumentos internacionais relevantes.

No relatório explicativo anexo à Convenção, afirma-se que o Artigo 37 não impõe a criação de uma "base de dados", muito menos uma base de dados única ou exclusiva – a informação sobre criminosos sexuais pode constar de bases de dados que não contenham apenas informação sobre estes agentes (cf. ponto 245 do relatório[2]).

c) Quanto à **Resolução 1733(2010) da Assembleia Parlamentar do Conselho da Europa**, relativa ao reforço de medidas contra os criminosos sexuais, a Assembleia exorta os Estados Partes a tomarem medidas eficazes ao nível nacional para prevenir a criminalidade sexual, afirmando porém expressamente que não apoia a introdução de um registo de criminosos sexuais de âmbito europeu. Apela à criação, ao nível nacional, de um registo de pessoas condenadas por crimes sexuais, com respeito pelo disposto na CEDH e, em particular, em cumprimento do princípio da proporcionalidade (ponto 16.2), e de um sistema de controlo dos movimentos dos criminosos sexuais (16.3), com garantia de total respeito pelos direitos individuais, em particular o direito à reserva da vida privada, sendo consequentemente o acesso ao registo restrito a entidades oficiais, excluindo-se acesso pelo público em geral (16.5). Recomenda-se ainda

---

[2] Disponível em: <http://conventions.coe.int/Treaty/EN/Reports/Html/201.htm>. O texto relevante relativo ao Artigo 37 é o seguinte: "243. The negotiators' objective was to ensure that certain data on perpetrators of the offences defined in the Convention are recorded and stored for the purposes of prevention and prosecution of such offences. This obligation applies only to data relating to the identity and the genetic profile (DNA number code) of convicted persons and not to the sample itself, which have been shown to be extremely useful in criminal investigations in the identification of recidivist perpetrators of crimes. Data revealing sexual preference, medical data and data relating to previous convictions are, according to Article 6 of the Council of Europe Convention for the Protection of Individuals with regard to Automatic Processing of Personal Data (ETS 108), considered as sensitive data requiring special protection. 244. The negotiators agreed that the Convention should leave to Parties as much flexibility as possible in deciding the modalities of the implementation of this obligation. 245. Article 37 does not impose the establishment of a 'database', still less a single database. The data in question and the past history of the persons concerned may therefore very well be included in separate databases. This means it is also possible for information about sex offenders to exist in databases that do not necessarily contain only information about such offenders".

que qualquer possibilidade de divulgação de informação constante do registo junto de membros da população, nos casos em que tal seja considerado necessário para proteger uma concreta criança ou um conjunto de crianças, deve ser rigorosamente regulada, com previsão de garantias adequadas à proteção contra acesso ilegítimo ou uso indevido da informação (16.6). Note-se que esta Resolução é um instrumento de *soft law*, não vinculativo, tendo natureza jurídica de recomendação.

d) No que diz respeito às obrigações decorrentes dos referidos instrumentos internacionais, o legislador português havia já adotado providências legislativas com vista ao seu cumprimento[3]. Em particular, as obrigações previstas no Artigo

---

[3] Uma parte significativa das alterações a tipos de crimes e das neocriminalizações introduzidas pela revisão de 2007 do Código Penal português visaram precisamente o cumprimento de instrumentos de direito europeu e internacional: foi o caso, nomeadamente, dos novos crimes de recurso à prostituição de menores (Artigo 174) e de pornografia de menores (Artigo 176), bem como das alterações a outros crimes contra a autodeterminação sexual, em cumprimento da Decisão-Quadro 2004/68/JAI do Conselho, relativa à luta contra a exploração sexual de crianças e a pornografia infantil, e do Protocolo Facultativo à Convenção sobre Direitos da Criança da ONU, relativo à venda de crianças, prostituição infantil e pornografia infantil; também a introdução da pena acessória de proibição do exercício de profissão, função ou atividade que impliquem ter menores sob responsabilidade, educação, tratamento ou vigilância (Artigo 179, b)) deu cumprimento ao disposto no n. 4 do Artigo 5º da Decisão-Quadro 2004/68/JAI do Conselho, que previa a introdução dessa pena para as condutas nela descritas, tendo o legislador português optado por tornar a pena aplicável à generalidade dos crimes contra a liberdade ou a autodeterminação sexuais. Além disso, com vista a conformar o ordenamento jurídico português à referida Convenção de Lanzarote, nomeadamente ao n. 3 do Artigo 5º, segundo o qual os Estados Partes devem assegurar, "em conformidade com o seu direito interno", que as condições de acesso a profissões cujo exercício implique contactos regulares com crianças incluam a não condenação dos candidatos pelos crimes abrangidos pela Convenção, foi aprovada a Lei n. 113/2009, de 17/9. A opção do legislador português foi no sentido de introduzir as necessárias adaptações ao regime do registo criminal, criando um mecanismo de aferição de idoneidade no acesso a funções que envolvam contacto regular com menores, bem como na tomada de decisões sobre adoção ou confiança de menores, sem todavia atribuir à existência de condenações anteriores o efeito automático de exclusão (salvo, evidentemente, quando exista uma pena acessória que o implique); às condenações não foram porém atribuídos efeitos perpétuos ou indefinidos, mantendo-se o regime legal de cancelamento do registo criminal, embora com aumento significativo do prazo de cancelamento quando se trate desta espécie de crimes, aumento que todavia foi compensado pela previsão da possibilidade de reabilitação, que permite uma decisão judicial de não transcrição de determinada

37 da Convenção do Conselho da Europa, acima transcrito, de adoção de medidas para "coligir e armazenar dados relativos à identidade e ao perfil genético (ADN) de pessoas condenadas por infrações penais previstas na Convenção" (n. 1) e "garantir que as informações referidas no n. 1 possam ser transmitidas à autoridade competente de outra Parte" (n. 3), estavam já asseguradas por outros instrumentos legais, como sejam: o registo criminal nacional, atualmente regulado pela Lei n. 37/2015, de 5/5[4]; a base de dados de perfis de ADN para fins de identificação civil e criminal, criada pela Lei n. 5/2008, de 12/2, e alterada pela Lei n. 40/2013, de 25/6[5]; e o regime aplicável ao intercâmbio de dados e informações de natureza criminal entre as autoridades dos Estados-Membros da União Europeia, adotado pela Lei n. 74/2009, de 12/8, transpondo para a ordem

---

informação nos certificados para fins de emprego, decorrido um período mínimo de tempo e quando se conclua fundamentadamente que não é de esperar que o condenado volte a cometer crimes da mesma espécie, estando sensivelmente diminuído o perigo para os menores que poderia decorrer do exercício da atividade.

[4] O registo criminal organiza-se em ficheiro central informatizado, constituído por elementos de identificação dos arguidos e por extratos das decisões judiciais sujeitas a inscrição no registo criminal àqueles respeitantes, incluindo as decisões que apliquem penas e medidas de segurança, ficando o registo vigente até ao decurso do prazo de cancelamento definitivo (v. Artigos 5º a 11 da Lei n. 37/2015). As informações constantes do registo criminal podem ser objeto de intercâmbio de informações com outros Estados-Membros da União Europeia (nos termos do Capítulo V, que dá cumprimento à Decisão-Quadro 2009/315/JAI, de 26/2/2009, relativa à organização e ao conteúdo do intercâmbio de informações extraídas do registo criminal entre os Estados-Membros), bem como com Estados que não sejam membros da União Europeia, em condições de reciprocidade (nos termos regulados no Capítulo VI).

[5] O Artigo 8º, relativo à recolha de amostras com finalidades de investigação criminal, prevê que "a recolha de amostras em processo-crime é realizada a pedido do arguido ou ordenada, oficiosamente ou a requerimento, por despacho do juiz, a partir da constituição de arguido" (n. 1) e que, "quando não se tenha procedido à recolha da amostra nos termos do número anterior, é ordenada, mediante despacho do juiz de julgamento, e após trânsito em julgado, a recolha de amostras em condenado por crime doloso com pena concreta de prisão igual ou superior a 3 anos, ainda que esta tenha sido substituída" (n. 2). O Tribunal da Relação de Lisboa decidiu, em Acórdão de 11/10/2011, que a recolha de amostras de ADN a que se refere o citado n. 2 não é automática face a uma condenação transitada em julgado, pressupondo antes a existência de grave perigo de continuação criminosa ou outros receios relevantes que permitam inferir a necessidade da recolha e conservação; e que a sentença que determine a recolha deve fundamentar em concreto aquele perigo, de modo a convencer da sua necessidade e proporcionalidade.

jurídica interna a Decisão-Quadro n. 2006/960/JAI, de 18/12/2006, relativa à simplificação do intercâmbio de dados e informações entre as autoridades de aplicação da lei dos Estados-Membros da União Europeia.

Conclui-se, de todo o exposto, que nenhum instrumento de direito internacional impõe ao Estado português a criação de um registo autónomo de pessoas condenadas por crimes de natureza sexual contra menores, ainda menos um que implique para as pessoas nele inscritas deveres de comunicação de paradeiro ou que permita algum tipo de acesso por parte de cidadãos em geral[6].

A iniciativa legislativa em apreciação deve, pois, ser assumida não como uma imposição, mas como uma opção política do legislador português.

2 Os exemplos de direito comparado

Refere a Exposição de Motivos da Proposta de Lei que esta iniciativa "não surge (...) isolada no panorama europeu, sendo inspirada nas experiências consolidadas do Reino Unido e da França, que criaram sistemas de registo de condenados com obrigações de comunicação periódica que permitem o controlo e a monitorização de deslocações ao estrangeiro e procuram prevenir o contacto profissional destes agentes com crianças".

Foi, contudo, nos Estados Unidos da América que esses registos tiveram origem. Não mencionando alguns antecedentes temporalmente mais remotos em alguns estados dos EUA (as primeiras leis deste tipo remontam aos anos 40 do século passado, na Califórnia), a criação sistemática de registos estaduais de criminosos sexuais iniciou-se em 1994 com o *Jacob Wetterling*[7] *Crimes Against Children and Sexually Violent Predator Program*, que obrigou os estados a criarem

[6] Sucede, aliás, com alguma frequência, os proponentes de legislação invocarem inelutáveis exigências de cumprimento de obrigações de direito europeu ou internacional como justificação para a imposição de medidas menos consensuais. Fornecendo exemplos retirados da legislação holandesa, VAN DER WILT, "Some critical reflections...", p. 84-85, alerta para casos em que a lei penal interna é endurecida sob pretexto do cumprimento de obrigações internacionais, quando na verdade esses compromissos não o exigem; para dar outro exemplo, a notícia "New Penal Code Brings Life Sentence", publicada no *Slovenia Times* de 6/6/2008, dá conta de que o governo esloveno procurou justificar publicamente a introdução da prisão perpétua no Código Penal de 2008 com uma pretensa obrigação nesse sentido imposta pela ratificação do Estatuto de Roma do Tribunal Penal Internacional.

[7] Os atos legislativos sobre essas matérias levam o nome de crianças vítimas de crimes mediáticos.

um registo de condenados por determinados crimes cometidos contra crianças. Em 1996, com o pacote legislativo conhecido como *Megan's Laws*, determinou-se que todos os estados implementassem *Registration and Community Notification Laws*, devendo revelar informação quando necessário para proteção do público.

Tratando-se de sistemas de registo de nível estadual, verifica-se uma heterogeneidade de regimes[8], diferindo o âmbito pessoal da obrigação de registo (ora abrangendo apenas os condenados, ora também os acusados), a duração da manutenção no registo e as obrigações a que ficam sujeitas as pessoas registadas. O incumprimento do dever de se registar é punido.

Também as formas de informação do público divergem de estado para estado, variando entre um dever de o sujeito registado se identificar na comunidade, identificação pelas autoridades policiais, acesso do público à informação da polícia (inclusivamente através de *websites* pesquisáveis pelo público, da subscrição de um serviço de notificações por e-mail quando haja alteração da informação do registo em determinada zona, ou mesmo, mais recentemente, de aplicações para *smartphone* que indicam a localização da residência ou local de trabalho dos *sex offenders* registados nas proximidades do utilizador do telefone).

Em 1996, o *Pam Lychner Sexual Offender Tracking and Identification Act* criou uma base de dados federal no FBI para assegurar o conhecimento do paradeiro de condenados por crimes sexuais e crimes contra crianças. Em 2006, o *Adam Walsh Child Protection and Safety Act* aprovou o *SORNA – Sexual Offender Registration and Notification Act*, lei que estabelece requisitos nacionais em matéria de registo e notificação. O *Attorney-General* aprovou, em 2008, as *SORNA Guidelines*.

Note-se que os EUA não dispõem de um sistema de registo criminal nacional, único e centralizado, do tipo do português, com registo sistemático de todas as condenações criminais. Existe, ao nível federal, o *National Crime Information Center* (NCIC), sistema que agrega várias bases de dados acessíveis às diversas autoridades da justiça criminal e que contém diversos ficheiros, 14 deles relativos a pessoas, a saber: *Supervised Release*; *National Sex Offender Registry*; *Foreign Fugitive*; *Immigration Violator*; *Missing Person*; *Protection Order*; *Unidentified Person*; *Protective Interest*; *Gang*; *Known or Appropriately Suspected Terrorist*; *Wanted Person*; *Identity Theft*; *Violent Person*; *National Instant Criminal Background Check*

[8] Para uma descrição mais pormenorizada das disposições sobre registo e informação ao público, v. MCALINDEN, *The Shaming of Sexual Offenders*..., p. 101ss.

System Denied Transaction[9]. Depois, existem diversos sistemas de registo, detidos por diversas agências, aos níveis local e estadual. O sistema caracteriza-se, pois, pela dispersão da informação e pela heterogeneidade das informações registadas (sendo frequente, por exemplo, incluir detenções e acusações, para além de condenações). As informações constantes dos registos estaduais são partilhadas através do *Interstate Identification Index*.

Mencionem-se ainda os elevados custos financeiros implicados por este sistema[10].

Alguns países europeus, como o Reino Unido, a Irlanda e a França, seguiram o exemplo norte-americano na criação de registos de delinquentes sexuais.

No Reino Unido, o *Sex Offenders Act (Part I)*, de 1997, estabeleceu pela primeira vez um registo deste tipo, ficando certas categorias de agentes de crimes sexuais obrigados a notificar a polícia da sua identificação e residência. A matéria é regulada hoje pelo *Sexual Offences Act (Part 2)*, de 2003, que aprofundou o sistema, obrigando, nomeadamente, a que a apresentação na polícia seja pessoal e no prazo de três dias após a condenação ou a libertação, podendo a polícia recolher mais dados pessoais, fotografia e impressões digitais. Os registados no *Sex Offenders Registry* devem confirmar os dados anualmente e notificar a polícia se se ausentarem por mais de sete dias. A duração da inscrição no registo pode variar entre dois anos e por toda a vida. As condições a que ficam sujeitos os registados, bem como a permissão de divulgação de informação ao público, dependem da avaliação do risco. Os incumprimentos estão sujeitos a punição com pena de prisão[11].

Em 2000, o *Child Sex Offender Disclosure Scheme (Sarah's Law)*, implementado em Inglaterra e Gales, veio admitir acesso à informação sobre específicos indivíduos por parte do público, permitindo-se, a partir de 2009, que os cidadãos solicitem às autoridades policiais informação sobre se alguém com acesso regular a uma criança tem antecedentes criminais por crimes sexuais contra crianças; a polícia revela os dados confidencialmente à pessoa mais bem posicionada para proteger a criança, se entender que tal se justifica. Em 2005, foi criada uma base de dados

---

[9] Cf. página do FBI, em <https://www.fbi.gov/about-us/cjis/ncic/ncic_files> (21/6/2016).

[10] Cf., por ex., SAMPLE; EVANS, "Sex Offender Registration...", p. 222, dando conta dos custos com recursos humanos, formação profissional, equipamento informático etc.

[11] Para uma descrição mais detalhada, MCALINDEN, *The Shaming...*, p. 102ss.

central interpolicial pesquisável, ao nível nacional – o *ViSOR – Violent and Sex Offender Register* –, que reúne informação sobre criminosos sexuais, violentos e outros avaliados como perigosos.

Em 2010, o Supremo Tribunal do Reino Unido confirmou uma decisão judicial que considerou que a imposição dos ónus de comunicação por duração ilimitada, sem possibilidade de uma revisão individual da medida nos casos em que os cidadãos registados aleguem que já não constituem um perigo para os bens jurídicos em causa, constitui violação do direito ao respeito pela vida privada e familiar garantido pelo artigo 8º da CEDH[12].

Em França, existe, desde 2004, um ficheiro de autores de infrações sexuais, criado pela Lei n. 2004-204, de 9/3, relativa à adaptação da justiça à evolução da criminalidade. A sua aplicação foi regulamentada por um decreto, de 30/5/2005. Em 2005, a nova lei sobre a reincidência (Lei n. 2005-1549, de 12/12) alargou o perímetro do ficheiro às infrações violentas (criminalidade particularmente grave) e rebatizou-o como *Fichier judiciaire national automatisé des auteurs d'infractions sexuelles ou violentes – FIJAIS*. As Leis n. 2009-1436, de 24/11, n. 2010-242, de 10/3, n. 2011-939, de 10/8, e n. 2012-409, de 27/3, introduziram novas modificações. As disposições legislativas relativas ao FIJAIS estão contidas no *Code de procédure pénale*, Artigos 706-53-1 e ss., e aplicam-se a processos penais por determinados crimes sexuais e crimes violentos, elencados no Artigo 706-47.

O objetivo deste ficheiro é, segundo o legislador, o de prevenir a reiteração da prática dos crimes abrangidos e facilitar a identificação dos seus autores.

O ficheiro funciona sob a responsabilidade dos serviços de registo criminal nacional, do Ministério da Justiça, e sob a supervisão de um magistrado. A inscrição no registo é promovida por uma autoridade judiciária – juiz ou, em certos casos, o Ministério Público. São registadas as informações relativas à identidade e à residência de pessoas que, no âmbito de um processo penal por uma das referidas infrações, tenham sido objeto de determinado tipo de decisão, elencado no Artigo 706-53-2. Este elenco inclui condenações ainda não transitadas em julgado e até meras constituições de arguido com aplicação de certas medidas de coação, desde que o juiz de instrução ordene, no caso, a inscrição no registo. Quando os crimes tenham sido punidos com pena inferior a 5 anos de prisão,

---

[12] Acórdão de 21/4/2010, processo *F and Thompson v Secretary of State for the Home Department*. Disponível em: <www.supremecourt.uk/cases/docs/uksc-2009-0144-judgment.pdf> (21/6/2016).

só há lugar à inscrição no registo por decisão de autoridade judiciária. A duração da inscrição é pelo prazo de 20 ou 30 anos (dependendo da pena) a contar da cessação de produção de efeitos das decisões que originaram o registo.

Os agentes inscritos no ficheiro têm a obrigação de informar sobre o seu local de residência, atualizando a informação anualmente, e de notificar qualquer alteração no prazo máximo de 15 dias. Os autores de crimes punidos com pena igual ou superior a 10 anos devem apresentar-se semestralmente às autoridades policiais para confirmar a sua residência. Existe ainda um regime de apresentação mensal para casos de reincidência legal e casos em que a perigosidade o justifique, nesta última hipótese por decisão judicial. O incumprimento das obrigações é punido com prisão até dois anos e multa. O Artigo 706-53-5, que prevê estas obrigações, diz expressamente que estas vigoram a título de medida de segurança (*à titre de mesure de sûreté*).

Quanto ao acesso à informação, este é concedido às autoridades judiciárias, à polícia judiciária (no âmbito de processos penais e para certos efeitos, nomeadamente o controlo do cumprimento das obrigações) e a autoridades administrativas (para efeitos de controlo do exercício de atividades ou profissões que impliquem contacto com menores) – cf. Artigo 706-53-7.

A fiscalização da constitucionalidade da Lei n. 2004-204, incluindo do seu artigo 48, que criou o *FIJAIS*, foi solicitada ao Conselho Constitucional francês, tendo os requerentes alegado que o regime disposto naquele artigo violava, nomeadamente, o princípio da necessidade das penas e o respeito pela vida privada. O Conselho Constitucional, pela sua decisão n. 2004-492 DC, de 2 de março de 2004, considerou-o conforme à Constituição francesa (cf. §§ 72-91 da fundamentação).

Para concluir nesse sentido, o Conselho aceitou que a finalidade do registo é, tal como indicada pelo legislador, a prevenção da repetição da prática de crimes da mesma espécie e a facilitação da identificação dos seus autores e considerou que tanto a inscrição no registo como as obrigações daí advenientes não constituem uma sanção mas uma medida de polícia. Em particular, quanto à inscrição no registo, teve em conta: que o ficheiro é detido pelo serviço de registo judiciário, sob controlo de um magistrado e sob autoridade do ministro da justiça; que a inscrição no registo só é automática para algumas das infrações elencadas, punidas com pena superior a 5 anos de prisão, dependendo, nos restantes casos, de decisão da autoridade judiciária; que crimes sexuais de menor gravidade, como as condutas exibicionistas ou de assédio sexual, não originam inscrição no registo; as regras de duração e cancelamento da inscrição, bem como de reabilitação; as entidades que podem aceder; e os limites à consulta. Assim, ponderando as garantias trazidas pelos condicionamentos à consulta e pela atribuição a uma autoridade judiciária do poder de inscrição de dados nominativos, bem como a gravidade das infrações que justificam a inscrição, entendeu que o regime assegurava uma conciliação entre o respeito pela vida privada e a salvaguarda da ordem pública que não era manifestamente desequilibrada; e que as normas contestadas não afetavam excessivamente nem o respeito pela vida privada nem as exigências de necessidade do Artigo 9º da Declaração de 1789. Quanto às obrigações decorrentes do registo, teve em conta que a gravidade da condenação que origina tais obrigações é um critério objetivo e racional de distinção, em relação direta com a finalidade do ficheiro; e que a obrigação de comunicação regular da morada não constitui uma sanção, mas uma medida de polícia destinada a prevenir a repetição de crimes e a facilitar a identificação dos seus autores, sendo aliás a verificação contínua do domicílio uma necessidade para o próprio objeto do registo; concluiu que o encargo que recai sobre os registados para permitir tal verificação não constitui um rigor desnecessário para efeitos do Artigo 9º da Declaração de 1789.

Além do Reino Unido e da França – ordenamentos que a Exposição de Motivos indica como tendo inspirado a iniciativa portuguesa –, outros ordenamentos jurídicos têm vindo entretanto a adotar sistemas de registo deste tipo, com maiores ou menores semelhanças com os descritos.

Na Irlanda, criou-se um regime de comunicação de residência e paradeiro semelhante ao vigente no Reino Unido, através do *Sex Offenders Act* de 2001, com a particularidade de se prever um mecanismo de cancelamento da sujeição às obrigações, mediante decisão judicial.

Também a Espanha acaba de aprovar, pelo *Real Decreto* 1110/2015, de 11/12, um *Registro Central de Delincuentes Sexuales*, cuja criação tinha sido determinada pela Lei n. 26/2015, de 28/7 (*Modificación del sistema de protección a la infancia y a la adolescencia*). O registo abrange todos os condenados, por sentença transitada em julgado, por crimes de natureza sexual, independentemente da idade da vítima, constando do registo os dados de identificação do condenado, as penas e medidas aplicadas e, mediante decisão judicial, também o perfil de ADN. O registo alimenta-se da informação constante do registo criminal central, não sendo necessária uma inscrição específica. Estabelece-se a incorporação no registo das condenações anteriores à entrada em vigor do diploma. O registo não é de acesso público, sendo a informação acessível, no âmbito das respetivas competências, por juízes, tribunais, Ministério Público, Polícia Judiciária e entidades públicas de proteção de menores. Trata-se, sobretudo, de um mecanismo de prevenção através do qual quem pretenda exercer uma profissão ou atividade que implique contacto habitual com menores deve apresentar à entidade empregadora um certificado negativo de não inscrição no registo, de forma a comprovar que não foi condenado por um crime sexual. Da inscrição no registo não decorrem outros ónus ou restrições para as pessoas dele constantes. De acordo com o preâmbulo do referido Decreto, a inscrição do registo não pretende constituir uma pena, mas sim uma medida para a proteção da infância e da adolescência.

Não basta, todavia, para justificar uma iniciativa legislativa, o mero facto de alguns ordenamentos jurídicos terem adotado medidas semelhantes: mais relevante que haver quem as tenha adotado é saber que resultados obteve, nos respetivos países, tal adoção[13]. Importaria, pois, saber se a criação desses registos tem efetivamente contribuído para o objetivo almejado, ou seja, a prevenção da criminalidade e a proteção das potenciais vítimas – em suma, saber se a medida se tem revelado eficaz; importaria, além disso, conhecer eventuais efeitos colaterais, não pretendidos, da medida.

Os estudos disponíveis sobre a eficácia de medidas como esta são sobretudo norte-americanos, apontando para um défice de comprovação empírica dos benefícios da medida[14]. Quanto a efeitos perversos, são bem conhecidas as

---

[13] A propósito da função de apoio ao legislador que o direito comparado pode desempenhar, ZWEIGERT/KÖTZ, *An Introduction to Comparative Law*, p. 17, recomendam "inteligência e prudência": antes de se adotar uma solução jurídica estrangeira, há que fazer duas perguntas – se teve resultados satisfatórios no país de origem e se irá funcionar no país onde se pretende adotá-la.

[14] Numerosos estudos empíricos, como os de AGAN, "Sex Offender Registries...", de ZGOBA et al., *Megan's Law...*, de TEWKSBURY et al., *Sex Offenders...*, ou os compulsados por SAMPLE;

consequências extremamente gravosas que o regime implementado nos EUA tem implicado para as oportunidades de reintegração na sociedade das pessoas inscritas nos registos estaduais: com efeito, a publicitação do registo gera fenómenos de rejeição e de perseguição na vizinhança, o que, combinado com várias obrigações e proibições normalmente associadas à inscrição no registo (tais como a proibição de residir a determinada distância de escolas, parques ou paragens de transportes públicos), chegou a conduzir à emergência de uma nova categoria de sem-abrigo[15]. Já na Europa, a informação sobre a eficácia dos registos existentes

EVANS, "Sex Offender Registration...", p. 231ss., e por DRAKE;AOS, *Does Sex Offender...*, não consideram comprovada a eficácia do sistema de registo e de notificação, não tendo verificado efeito estatisticamente significativo de redução das taxas de criminalidade sexual em geral, nem das taxas de reincidência dos condenados sujeitos ao registo. Mesmo os estudos que consideram demonstrado algum impacto das medidas (como é o caso do estudo de PRESCOTT; ROCKOFF, "Do Sex Offender...", que verifica, quanto à criação dos registos, um impacto positivo na redução do número de crimes sexuais contra potenciais vítimas "locais", atribuível à maior vigilância e à acrescida probabilidade de punição potenciadas pela informação que fica disponível às autoridades locais; e, quanto à notificação da vizinhança, um impacto na redução da criminalidade, mas diverso do previsto pelo legislador: o estudo sugere que o sistema dissuade os cidadãos não registados, mas que, quanto aos já registados, o efeito pode até ser de aumento da reincidência, dado o peso dos ónus implicados pela divulgação pública, que podem reduzir a atratividade de uma vida conforme ao direito) questionam se o défice de comprovação empírica dos benefícios do sistema para a redução da reincidência não deveria pôr em causa a justificação da imposição de cada vez mais restrições a estes condenados. A doutrina citada por SAMPLE; EVANS, ibidem, critica o facto de a legislação norte-americana de registo dos criminosos sexuais ter sido aprovada num contexto de desinformação e assunções erradas sobre o comportamento desses agentes, sem que a sua eficácia fosse sustentada em estudos e sem que se tomasse em consideração suficiente as consequências a longo prazo para os agentes. No mesmo sentido, TEWKSBURY et al., *Sex Offenders...*, p. 10, salientando que, ao contrário do assumido pelo legislador, as taxas de reincidência na criminalidade sexual são geralmente baixas – e recomendando, portanto, que se substitua a aplicação universal do registo por uma direcionada para os indivíduos avaliados como apresentando risco mais elevado.

[15] Os estudos reunidos por TEWKSBURY et al., *Sex Offenders...*, p. 22-25, e por SAMPLE; EVANS, "Sex Offender Registration...", p. 234-235, relatam este tipo de efeitos colaterais: no que respeita aos ex-condenados registados, reportam-se perseguições, dano à propriedade, estigmatização, isolamento social, humilhação, sentimento de vulnerabilidade, perda de emprego, de habitação e de relações sociais, depressão; da parte da comunidade, verifica-se a criação de alarme social (quando o pretendido era apaziguar os medos). Cf. os artigos "America's unjust sex laws" e "Sex Laws. Unjust and ineffective", in *The Economist*, 8/8/2009, p. 8 e 19-21, onde se dá conta de que, nos EUA, 674.000 pessoas constavam então dos registos de criminosos sexuais, na maioria dos

é escassa[16]. Em qualquer caso, os estudos realizados em Portugal sobre a criminalidade sexual contra crianças verificaram que só uma pequena percentagem dos agentes apresentava antecedentes criminais por tais crimes[17].

II Análise do regime adotado pela lei portuguesa

1 Justificação da criação do registo

Para além da invocação de obrigações internacionais e do direito comparado, a Exposição de Motivos da Proposta de Lei que deu origem à lei em apreciação fundamenta a criação do registo, nomeadamente, nas nefastas consequências

---

casos desde os anos 1990 (sendo o registo vitalício em 17 estados). Os registos não contemplam apenas os crimes graves contra a liberdade ou autodeterminação sexual, mas também condutas como: exibicionismo, recurso a prostitutas, urinar em público, sexo consentido entre adolescentes. A reportagem revela uma análise de uma amostra no estado da Geórgia, que concluiu que 65% das pessoas constantes do registo desse estado apresentavam risco diminuto. Todavia, as pesadas restrições valem para qualquer pessoa registada. No artigo "Teenager's Jailing Brings a Call to Fix Sex Offender Registries", in *The New York Times*, 5/7/2015, p. A1, dá-se nota de que o número de pessoas sujeitas a registo nos EUA ascendia já a 800.000. Aí se relata o caso de um jovem de 19 anos, residente no estado do Indiana, que manteve um encontro sexual com uma jovem que conhecera numa plataforma digital de encontros, que tinha 14 anos de idade apesar de ter dito que tinha 17; o jovem, além de ter cumprido 90 dias de prisão e de ficar sujeito a regime de prova por 5 anos, foi inscrito no registo – que, no Indiana, é vitalício –, o que implica contacto regular com as autoridades, buscas periódicas à sua residência e proibições de residir perto de certo tipo de locais, como escolas ou parques (o que obrigou os seus pais a mudarem de casa, pois a casa da família era próxima de um parque público). Relata-se ainda que muitos condenados por crimes sexuais acabam por ficar sem meios e sem abrigo, rejeitados sucessivamente por potenciais empregadores ou senhorios e impedidos de viver em locais onde haja escolas, parques e outros locais públicos proibidos.

[16] Relativamente ao Reino Unido, pioneiro na criação de um registo deste tipo na Europa, THOMAS, "The Sex Offender Register: A measure...", p. 91, denuncia a carência de estudos e a ausência de comprovação da eficácia do registo. No documento de trabalho da Assembleia Parlamentar do Conselho da Europa intitulado *For a Europe-wide sex offenders register* (Doc. AS/Jur (2008) 51, de 4/11/2008), baseado num questionário enviado aos Estados Partes sobre a existência, nos respetivos sistemas jurídicos, de um registo de criminosos sexuais e, em caso afirmativo, os benefícios concretos por ele trazidos, refere-se que nenhum dos respondentes apontou resultados tangíveis da criação do registo (cf. pontos 83 e 85).

[17] Cf. SOEIRO, "Perfis criminais...", p. 56 (estatísticas citadas infra, n. 18).

da criminalidade contra a autodeterminação sexual e a liberdade sexual para "o desenvolvimento pleno e harmonioso" das vítimas, enquadrando a medida "no plano da prevenção criminal" e considerando que constitui "uma emergência assegurar um combate eficaz a estes fenómenos criminosos", "sendo certo ainda que são elevadas as taxas de reincidência". Invoca ainda a existência de "estudos no sentido de que os abusadores sexuais de menores cometem os seus crimes perto da sua residência e sobretudo em locais privados, com prevalência da sua própria residência, por ser um local onde podem exercer plenamente todo o domínio sobre a vítima, que para aí atraem. Assim, as potenciais vítimas desses abusadores sexuais são precisamente as crianças que residem na sua vizinhança e que aqueles encontram na sua vida diária, nomeadamente em ocasiões ou circunstâncias nas quais as crianças não estão acompanhadas por pais ou outras pessoas que velem pela sua segurança". Argumentos que tornariam, "pois, plenamente justificado o acesso por parte dos pais dos menores residentes num determinado concelho à informação relevante constante do registo".

Nos termos do Artigo 3º do Anexo que estabelece o regime do sistema de registo, com a epígrafe "Finalidades", "o sistema de registo de identificação criminal de condenados por crimes contra a autodeterminação sexual e a liberdade sexual de menor *visa o acompanhamento da reinserção do agente na sociedade*, obedecendo ao princípio do interesse superior das crianças e jovens, em ordem à concretização do direito destes a um desenvolvimento pleno e harmonioso, bem como *auxiliar a investigação criminal*" [itálicos nossos].

Vejamos em que medida a criação de uma base de dados autónoma contendo os dados dos ("ex-")condenados pela prática de crimes sexuais contra menores, ficando estes obrigados a informar da sua localização, pode realizar os objetivos mencionados.

A referência do legislador ao "acompanhamento da reinserção", como primeira finalidade, induz em erro, pois o que se pretende não é tanto propiciar a ressocialização do agente como manter os seus movimentos vigiados[18]: é de um objetivo de prevenção da reincidência que verdadeiramente se trata.

À primeira vista, poderia pensar-se que o novo sistema permite às autoridades policiais disporem de informação sobre quem são os ex-condenados por crimes

---

[18] No mesmo sentido, falando de "confusão manifesta entre *reinserção do agente na sociedade* e *vigilância do agente em sociedade*, tornando-o *visível*", ANTUNES, "Novos desafios...", p. 77.

sexuais contra menores que residem ou trabalham em determinada área, de modo a que possam estar atentos aos seus movimentos e assim prevenir a prática de crimes. Porém, isso não parece ser permitido pelo diploma em análise. De facto, nos termos da alínea b) do n. 1 do Artigo 16, o acesso é permitido às "entidades que, nos termos da lei processual, recebam delegação para a prática de atos de inquérito ou instrução, ou a quem incumba cooperar internacionalmente na prevenção e na repressão da criminalidade e no âmbito destas competências". Ou seja, às autoridades policiais só é autorizado o acesso ao registo *no âmbito das suas competências de inquérito e instrução* (portanto, no âmbito de um processo penal já aberto) *ou de cooperação internacional*. Não se prevê o acesso para efeitos de ações de prevenção na comunidade.

Já quanto ao objetivo de "auxiliar a investigação criminal", embora a lei não o explicite claramente, depreende-se que se pretenderá, havendo notícia de um crime desta natureza, recorrer à pesquisa no ficheiro com vista a identificar os suspeitos, de entre as pessoas constantes do registo que vivam, trabalhem ou se encontrem na área do crime noticiado. Porém, justificar a criação do novo registo com esta finalidade implica uma assunção de que os crimes sexuais são cometidos predominantemente por um grupo circunscrito de pessoas – as que têm antecedentes criminais pelo mesmo tipo de crime e que residem ou trabalham nas proximidades –, o que não é confirmado pelos estudos disponíveis.

Segundo estudos disponíveis, só uma minoria das pessoas que cometem crimes sexuais contra crianças apresenta condenações anteriores pela prática de crimes da mesma natureza[19]; além disso, a maioria dos crimes sexuais contra crianças ocorre no seio da família, estando até os indicadores de maior agressividade associados ao contexto intrafamiliar, envolvendo o abuso no interior da família padrões de controlo e coação mais elevados, bem como duração mais prolongada[20]. Ora, esses familiares próximos ou não têm condenações anteriores pela prática deste

[19] SOEIRO, "Perfis criminais...", p. 56: numa amostra de 117 agentes de crimes sexuais contra crianças investigados pela Polícia Judiciária, na zona centro e sul do país, recolhida entre 2000 e 2007, 75,2% não tinham quaisquer registos anteriores, 21,4% tinham antecedentes criminais por outros tipos de crimes, destacando-se o roubo, e apenas 3,4% apresentavam antecedentes criminais pelo mesmo tipo de crime. Estudos empíricos norte-americanos, como os compulsados em SAMPLE;EVANS, "Sex Offender Registration...", p. 228-229, apontam também para taxas de reincidência substancialmente inferiores ao assumido pelo legislador destas medidas.

[20] SOEIRO, "Perfis criminais...", p. 61; MACHADO, "Abuso sexual...", p. 45.

tipo de crimes ou, se tiverem, a família em princípio saberá. Só num número reduzido de casos são esses crimes cometidos por desconhecidos[21]. Porém, nesses casos, as pessoas constantes do registo, e bem sabendo que dele constam, contornarão facilmente o sistema: se pretenderem cometer novos crimes da mesma espécie, tenderão a fazê-lo fora da área dos domicílios comunicados, para iludir as autoridades, evitando que recaia sobre si a suspeita.

Em qualquer caso, no que respeita às duas finalidades identificadas – investigação criminal e acompanhamento da reinserção social –, o que importa sobretudo notar é que, nos termos da Lei de Identificação Criminal (Lei n. 37/2015, de 5/5, doravante LIC), já existe um "ficheiro central informatizado, constituído por elementos de identificação dos arguidos, comunicados pelos tribunais e pelas demais entidades remetentes da informação ou recolhidos pelos serviços de identificação criminal, e por extratos das decisões criminais sujeitas a inscrição no registo criminal àqueles respeitantes" (Artigo 5º da LIC). A constituição e o âmbito do Registo Criminal (descritos nos Artigos 5º e 6º e 9º da LIC) abrangem já todos os dados – elementos de identificação[22], decisões e informações a inscrever – que se pretende abranger no novo registo (cf. Artigos 2º e 5º do Anexo), distinguindo-se apenas por o âmbito deste último ser mais restrito (apenas os cidadãos com antecedentes criminais relativos a crimes contra a autodeterminação sexual e a liberdade sexual de menor). A entidade responsável será a mesma – o diretor-geral da Administração da Justiça (cf. Artigo 38 da LIC e Artigo 7º do Anexo). Os prazos de cancelamento do novo registo, previstos no Artigo 11, conjugado com o n. 3 do Artigo 13, do Anexo, não são mais

---

[21] SOEIRO, "Perfis criminais...", p. 56: analisando, na amostra já referida, o grau de relacionamento entre vítima e agressor, verificou-se que 51,1% dos agressores tinham relação familiar com a criança; 42% eram conhecidos da vítima; e 6,9% eram desconhecidos. Também nos EUA estudos empíricos (como os citados por SAMPLE; EVANS, "Sex Offender Registration...", p. 230), sugerem que a maioria dos crimes sexuais é praticada por conhecidos da vítima.

[22] Só quanto aos elementos de identificação do arguido se determina a inscrição de dois elementos que não constam do registo criminal: o NIF e o NISS (alíneas h) e i) do Artigo 9º do Anexo). Com efeito, no elenco dos elementos de identificação do arguido constante da al. a) do n. 2 do Artigo 5º da LIC, estes dois dados não constam. Porém, o Artigo 9º do Anexo determina que "são inscritos (...) os seguintes elementos de identificação, *quando existam e constem do registo criminal*: (...)" [itálico nosso], pelo que, não constando estes elementos do registo criminal, também não irão constar do novo registo.

longos que os prazos de cancelamento definitivo do registo criminal atualmente previstos (cf. Artigo 4º, n. 1, da Lei n. 113/2009, de 17/9). Quanto ao acesso, as entidades que podem aceder ao novo registo são as que já podem aceder ao registo criminal. Com efeito, nos termos do n. 1 do Artigo 16 do Anexo, podem aceder à informação:

> "a) Os magistrados judiciais e do Ministério Público para fins de investigação criminal, de instrução de processos criminais, de execução de penas e de decisão sobre adoção, tutela, curatela, acolhimento familiar, apadrinhamento civil, entrega, guarda ou confiança de menores ou regulação do exercício das responsabilidades parentais;
>
> b) As entidades que, nos termos da lei processual, recebam delegação para a prática de atos de inquérito ou instrução, ou a quem incumba cooperar internacionalmente na prevenção e repressão da criminalidade e no âmbito destas competências;
>
> c) A Direção-Geral de Reinserção e Serviços Prisionais, no âmbito da prossecução dos seus fins;
>
> d) As Comissões de Proteção das Crianças e Jovens, no âmbito da prossecução dos seus fins".

Ora, as combinações de entidades/finalidades elencadas nas alíneas a) a c) coincidem integralmente com as enumeradas nas alíneas a) a d) do n. 2 do Artigo 8º da LIC, que estabelece o acesso à informação do registo criminal:

> "a) Os magistrados judiciais e do Ministério Público, para fins de investigação criminal, de instrução de processos criminais e de execução de penas, de decisão sobre adoção, tutela, curatela, acolhimento familiar, apadrinhamento civil, entrega, guarda ou confiança de crianças ou regulação do exercício de responsabilidades parentais (...);
>
> b) As entidades que, nos termos da lei processual penal, recebam delegação para a prática de atos de inquérito ou a quem incumba cooperar internacionalmente na prevenção e repressão da criminalidade, no âmbito dessas competências;
>
> c) As entidades com competência legal para a instrução dos processos individuais dos reclusos, para este fim;

d) Os serviços de reinserção social, no âmbito da prossecução dos seus fins (...).

Só o acesso das Comissões de Proteção das Crianças e Jovens[23] aparenta ser inovador; porém, o acesso destas à informação do registo criminal, no âmbito da prossecução dos seus fins, já é legalmente possível, mediante autorização do ministro da Justiça, no quadro legal vigente (cf. al. f) do n. 2 do Artigo 8º da LIC, que prevê que podem aceder à informação do registo criminal "as entidades oficiais não abrangidas pelas alíneas anteriores, para a prossecução de fins públicos a seu cargo quando os certificados não possam ser obtidos dos titulares, mediante autorização do membro do governo responsável pela área da justiça").

Na versão originária da Proposta de Lei n. 305/XII, previa-se ainda uma alínea e) que permitia o acesso de "quem exerça responsabilidades parentais sobre menor até aos 16 anos de idade".

Os termos do acesso por parte dos titulares de responsabilidades parentais eram regulados nos números 3 a 7 e 10 do Artigo 16, que a seguir se transcrevem:

"3 – Os cidadãos referidos na alínea e) do n. 1 podem, alegando situação concreta que justifique um fundado receio de que determinada pessoa conste do registo, dirigir-se à autoridade policial da área da sua residência requerendo que lhe seja confirmada ou infirmada a respetiva inscrição no registo e a sua residência no concelho do requerente ou no concelho onde se situe o estabelecimento de ensino frequentado pelo menor sobre o qual exerçam responsabilidades parentais.

4 – Em caso algum será facultado o acesso aos cidadãos referidos na alínea e) do n. 1 à integralidade dos dados constantes do registo, mas tão só a confirmação ou infirmação da inscrição e da residência no respetivo concelho.

5 – O requerente deve comprovar, perante a autoridade policial, a sua residência, a frequência da escola pelo menor, o exercício de responsabilidades parentais sobre o menor e a idade deste.

[23] Sobre a natureza destas Comissões, dispõe o Artigo 12 da Lei n. 147/99, de 1/9 (Lei de Proteção de Crianças e Jovens em Perigo), que "as comissões de proteção de crianças e jovens, adiante designadas comissões de proteção, são instituições oficiais não judiciárias com autonomia funcional que visam promover os direitos da criança e do jovem e prevenir ou pôr termo a situações suscetíveis de afetar a sua segurança, saúde, formação, educação ou desenvolvimento integral".

6 - Os cidadãos referidos na alínea e) do n. 1, quando temporariamente deslocados fora da sua área de residência, por motivo de férias ou outro, podem, com idênticos fundamentos, solicitar à autoridade policial do local onde se encontrem as informações previstas no n. 3.

7 – Nos casos previstos no número anterior, o requerente deve comprovar, perante a autoridade policial, que se encontra temporariamente naquele local, que exerce responsabilidades parentais sobre o menor e a idade deste.

10 – Os cidadãos a quem sejam facultadas as informações aludidas no n. 1 ficam obrigados a guardar segredo sobre as mesmas, não podendo torná-las públicas".

Nos casos em que os titulares de responsabilidades parentais solicitassem à autoridade policial a confirmação da inscrição no registo de determinada pessoa, as autoridades policiais competentes deveriam desenvolver "ações de vigilância adequadas para garantir a segurança dos menores" (n. 8 do Artigo 16). Embora se previsse que aqueles titulares ficariam "obrigados a guardar segredo" sobre as informações que lhes fossem facultadas, "não podendo torná-las públicas" (n. 10 do Artigo 16), não eram previstas consequências para a violação destes deveres.

A previsão da possibilidade de acesso ao registo por cidadãos suscitou intenso debate público e críticas generalizadas, vindo a proposta a ser modificada por meio de uma proposta de alteração, apresentada por deputados do PSD e pelo CDS, tendo-se eliminado a proposta de alínea e) e criado um regime diferente, que ficou a constar dos n.os 2 a 6 e 8, nos seguintes termos:

2 – Os cidadãos que exerçam responsabilidades parentais sobre menor até aos 16 anos, alegando *situação concreta* que justifique um *fundado receio* que na área de residência ou na área em que o menor frequenta atividades paraescolares ou nas imediações do estabelecimento de ensino frequentado pelo menor, *resida, trabalhe ou circule habitualmente pessoa que conste do registo*, podem requerer à autoridade policial da área da sua residência a *confirmação e averiguação dos factos* que fundamentem esse fundado receio *sem que lhe seja facultado, em caso algum, o acesso à identidade e morada da(s) pessoa(s) inscrita(s) nos registo.*

> 3 – O requerente deve comprovar, perante a autoridade policial, a sua residência, a frequência da escola pelo menor, o exercício de responsabilidades parentais sobre o menor e a idade deste.
>
> 4 – O disposto no n. 2 aplica-se, com as necessárias adaptações, aos cidadãos que exerçam responsabilidades parentais sobre menor até aos 16 anos que se encontrem temporariamente deslocados da sua área de residência, por motivo de férias ou outro, devendo o requerimento ser apresentado à autoridade policial do local onde se encontrem.
>
> 5 – Nos casos previstos no número anterior, o requerente deve comprovar, perante a autoridade policial, que se encontra temporariamente naquele local, que exerce responsabilidades parentais sobre o menor e a idade deste.
>
> 6 – Nos casos referidos nos n.os 2 e 4, devem as autoridades policiais competentes desenvolver ações de vigilância adequadas para garantir a segurança dos menores.
>
> 8 – Os *cidadãos a quem sejam confirmados os factos* a que se refere o n. 2 ficam obrigados a *guardar segredo* sobre os mesmos, não podendo torná-los públicos. (itálicos nossos)

Não resulta claro qual a informação que pode ser fornecida aos titulares das responsabilidades parentais. Embora se garanta, na parte final do n. 2, que não lhes é facultado, "em caso algum, o acesso à identidade e morada da(s) pessoa(s) inscrita(s) no registo", a verdade é que, tendo aqueles titulares de alegar a "situação concreta" que justifica o seu "fundado receio" de que determinada área seja frequentada por pessoa que conste do registo, e podendo requerer à autoridade policial "a confirmação e averiguação dos factos que fundamentam esse fundado receio", não se vê como pode a confirmação dos factos alegados não implicar a revelação de que a pessoa envolvida na "situação concreta" alegada consta do registo.

Caso, porém, não se vise permitir revelar àqueles titulares informação constante do registo, então estas novas disposições não parecem trazer inovação, porquanto, independentemente da aprovação de uma previsão legal como a acima transcrita, qualquer cidadão, perante uma situação concreta que lhe inspire um fundado receio de que determinada pessoa possa cometer crimes contra um menor, pode dirigir-se às autoridades policiais para denunciar essa suspeita, devendo as autoridades proceder às diligências que, consoante a situação concreta, se justificarem (sem que, aliás, sejam exigidos ao cidadão todos os comprovativos que, através dos n.os 3 e 5, se pretende exigir).

Deste modo, ou os cidadãos não podem conhecer a informação constante do registo – e nesse caso não resulta clara a utilidade do mecanismo criado pelos n.os 2 a 6 e 8 do Artigo 16 – ou os cidadãos têm acesso a informação dele constante (embora não resulte claro qual) e, nesse caso, suscitam-se as mesmas preocupações de constitucionalidade e de política criminal, suscitadas perante a versão originária da Proposta de Lei e que conduziram à eliminação da alínea e) durante o processo legislativo.

Face ao acima exposto, o novo sistema de registo não parece acrescentar, nem quanto à informação recolhida, nem quanto à sua acessibilidade às entidades competentes para o processo penal e para a reinserção social, nem quanto à duração da disponibilidade dessa informação, nada que o sistema de registo criminal já existente não contenha ou permita.

O que o novo sistema parece trazer de realmente inovador é a criação de um conjunto de deveres que obrigam as pessoas que estejam inscritas no novo registo.

Nos termos do Artigo 13, a pessoa condenada por crime contra a autodeterminação sexual ou a liberdade sexual de menor, assim que termina o cumprimento da pena ou medida ou que é colocada em liberdade, fica sujeita ao dever de comunicar, perante autoridade judiciária ou órgão de polícia criminal, o seu local de residência e domicílio profissional, bem como qualquer alteração de residência[24], no prazo de quinze dias; ao dever de confirmar, com periodicidade anual, os dados relativos ao local de residência e domicílio profissional; e ao dever de comunicar previamente ausência do domicílio superior a cinco dias e seu paradeiro.

A pessoa inscrita no registo é pessoalmente notificada dessa inscrição, sendo informada dos seus direitos e deveres, bem como das consequências do incumprimento dos deveres (Artigo 12).

A falta de cumprimento dos referidos deveres é punida com pena de prisão até 1 ano ou com pena de multa até 120 dias (Artigo 14, n. 1).

Quanto ao âmbito temporal da sujeição aos deveres, embora a inscrição no registo seja promovida logo "após o registo dos boletins do registo criminal"

[24] Curiosamente, não fica obrigado a comunicar, senão anualmente, alterações de domicílio profissional.

(Artigo 8º), as obrigações de comunicação estendem-se por uma duração de 5, 10, 15 ou 20 anos – consoante a espécie e a duração da pena ou medida aplicada – a contar da data do cumprimento da pena ou medida de segurança ou da colocação em liberdade (n. 3 do Artigo 13). Assim, o início da sujeição a esses deveres tanto pode ocorrer pouco depois da inscrição no registo (caso seja aplicada, por exemplo, uma pena de multa que seja logo cumprida, ou uma pena curta de prisão) como muitos anos após a inscrição (caso seja cumprida uma pena longa de prisão)[25].

2 Natureza jurídica dos deveres emergentes da inscrição no registo

Não é evidente a natureza jurídica desta obrigação de comunicação de residência/paradeiro, que se assemelha a um "termo de identidade e residência" imposto após o cumprimento da pena aplicada na condenação[26].

[25] O texto legal suscita dúvidas quanto à determinação do momento de início da sujeição aos deveres, em determinados casos. Se o prazo se conta a partir da data indicada na alínea a) do n. 1 do Artigo 13, ou seja, "a data do cumprimento da pena ou medida de segurança, ou da colocação em liberdade", então, no caso de condenação em pena de multa que venha a ser paga em prestações, o início da sujeição aos deveres não teria lugar senão após a última prestação, apesar de o condenado se encontrar em liberdade, o que não parece ser a intenção legislativa; também não é claro, quando seja aplicada uma pena principal e uma pena acessória, se por "cumprimento da pena" se entende apenas o cumprimento da principal ou também o da acessória, embora a intenção do legislador pareça ser a de que os deveres se apliquem após o cumprimento da pena principal. Eventuais incertezas quanto a este âmbito temporal relevam tanto mais quanto as consequências da falta de cumprimento dos deveres de comunicação são de carácter penal e quanto uma divergência na forma de contagem, ainda que por dias, pode conduzir ao acionamento do sistema de controlo (cf. o n. 2 do Artigo 14, que manda comunicar ao Ministério Público ou a órgão de polícia criminal a falta de cumprimento "no prazo de oito dias a contar da data da comunicação devida" – refira-se, lateralmente, que não resulta compreensível a quem caberá fazer tal comunicação).

[26] Também no sentido de não ser claramente discernível a natureza jurídica da inscrição no registo, ANTUNES, "Perigosidade...", p. 205, assinalando que "um dos problemas fundamentais de hoje é o de haver uma intervenção penal à margem de categorias já dogmática e jurisprudencialmente construídas. Seja por puro oportunismo político, seja simplesmente por desconhecimento de tais categorias, a verdade é que sai vulnerado o *direito fundamental à segurança* dos cidadãos que estão na mira destas medidas, enquanto direito que garante todos contra privações da liberdade que não estão claramente enquadradas nos limites e nas garantias constitucionais".

Comece-se por considerar a sua qualificação como *pena acessória*. Penas acessórias são aquelas cuja aplicação pressupõe a fixação na sentença condenatória de uma pena principal[27]. Ainda que, de uma perspetiva formalista, se pudesse dizer que se trata de meros deveres de comunicação, os ónus que impendem sobre o registado – que não pode ausentar-se por alguns dias, em férias ou trabalho, sem que tenha de deslocar-se às autoridades para informar dessa ausência e do seu paradeiro – assumem uma penosidade e uma estigmatização evidentes, limitando a sua liberdade ambulatória e restringindo a reserva da sua vida privada. Tais características militam a favor da sua qualificação como pena.

Não basta, contudo, olhar ao conteúdo material daqueles ónus; há que atentar igualmente nos respectivos pressupostos e finalidades[28]. "As penas acessórias, previstas na parte geral e especial do CP e em legislação extravagante, são verdadeiras penas: ligam-se, necessariamente, à culpa do agente; justificam-se de um ponto preventivo; e são determinadas concretamente em função dos critérios gerais de determinação da medida da pena previstos no artigo 71 do CP, a partir de uma moldura que estabelece o limite mínimo e máximo de duração"[29]. Ora, às vinculações decorrentes da inscrição no registo falta a ligação com a culpa, enquanto seu pressuposto e limite[30], e falta a judicialidade, pois não são determinadas concretamente pelo juiz na sentença, antes se impõem ao agente *ope legis*. Além disso, não se assumem (se tomarmos a sério as finalidades afirmadas pelo legislador) como "censura suplementar"[31] pelo crime praticado.

Seria porventura mais defensável a sua qualificação como *medida de segurança*, pois visam responder a uma especial perigosidade do agente, independentemente da sua imputabilidade. Medida de segurança é "toda a reação criminal, detentiva ou não detentiva, que se liga à prática, pelo agente, de um facto ilícito-típico, tem como pressuposto e princípio de medida a sua perigosidade e visa, ao menos primacialmente, finalidades de defesa social ligadas à prevenção especial, seja

[27] DIAS, *Direito Penal...*, p. 90.

[28] Assim também CAEIRO, "Qualificação da sanção...", p. 554, a propósito da classificação dogmática de uma norma relativa à sanção de inibição de conduzir.

[29] ANTUNES, *Consequências...*, p. 38.

[30] Elas obrigam, aliás, não só quem tenha sido condenado numa pena mas também inimputáveis a quem tenha sido aplicada uma medida de segurança – assim parece decorrer dos Artigos 2º, n. 2 a), e 13, n. 3 a), do Anexo.

[31] Na expressão de CAEIRO, "Qualificação da sanção...", p. 566.

sob a forma de pura segurança, seja sob a forma de (re)socialização", resultando aquela especial perigosidade "das particulares circunstâncias do facto e (ou) da personalidade do agente"[32]. Opõe-se a essa qualificação, contudo, o facto de as imposições não serem determinadas pelo juiz, com base numa aferição concreta e atual da perigosidade do agente, antes se aplicarem automaticamente, com base numa perigosidade presumida pelo legislador.

Entendendo-se que faltam à medida em análise características essenciais das penas e das medidas de segurança, classificar-se-á aquela como um *efeito da pena* ou *efeito penal da condenação*. Efeitos das penas são "consequências, necessárias ou pendentes de apreciação judicial, determinadas pela aplicação de uma pena, principal ou acessória"[33]. A inscrição no registo – e a consequente oneração com os deveres de comunicação – é um efeito automático da condenação por qualquer crime contra a liberdade sexual ou a autodeterminação sexual contra menor, decorrendo mecanicamente daquela, sem margem de ponderação judicial. É para esta última classificação que propendemos, pelas razões expostas.

3 Âmbito pessoal do registo

Nos termos dos Artigos 1º e 2º do Anexo, caem no âmbito do novo sistema de registo os cidadãos nacionais e os não nacionais residentes em Portugal "com antecedentes criminais relativamente aos crimes" "contra a autodeterminação sexual e a liberdade sexual de menor". Ou seja, todos os crimes previstos no Capítulo V do Título I do Livro II do Código Penal, desde que praticados contra vítima menor de idade.

São abrangidos, portanto, os autores de crimes de coação sexual, violação, abuso sexual de pessoa incapaz de resistência, abuso sexual de pessoa internada, fraude sexual, procriação artificial não consentida, importunação sexual, abuso sexual de crianças, abuso sexual de menores dependentes, atos sexuais com

[32] Na definição de DIAS, *Direito Penal...*, p. 414-415.

[33] Na definição de DIAS, *Direito Penal...*, p. 93. Como sublinha o autor, a p. 96-97, a distinção entre penas acessórias e efeitos das penas não é pacífica na doutrina; porém, tal distinção perde alguma relevância considerando a evolução do Direito Penal português no sentido de retirar o carácter necessário/automático aos efeitos das penas (Artigos 30, n. 4, da CRP e 65 do CP), consistindo as chamadas penas acessórias, no fundo, em efeitos não necessários. Contudo, o seu sentido, não apenas de censura mas também de defesa contra a perigosidade individual, acaba por afastá-las da natureza de verdadeiras penas.

adolescentes, recurso à prostituição de menores, lenocínio de menores, pornografia de menores e aliciamento de menores para fins sexuais.

Repare-se que a inscrição no registo se faz automaticamente, sem prévia decisão judicial baseada numa ponderação das circunstâncias do caso. Assim, todos os condenados por crimes dos tipos citados serão inscritos no registo – e consequentemente sujeitos às obrigações daí decorrentes –, independentemente do carácter ocasional ou reiterado da prática de crimes, da gravidade – abstrata e concreta – dos factos praticados[34] ou de um juízo concreto e atual quanto à perigosidade do agente.

4 Aplicação no tempo

No que diz respeito à produção de efeitos no tempo, o n. 2 do Artigo 10 da Lei n. 103/2015 estabelece que "o disposto no Artigo 4º [que determina a criação do sistema de registo] produz efeitos 90 dias após a publicação da presente lei". Contudo, dispõe o Artigo 8º, n. 2, do Anexo que compete à Direção-Geral da Administração da Justiça a inscrição no registo das decisões anteriores à sua criação.

Desta disposição parece decorrer que se pretende inscrever no novo registo as pessoas que tenham sido condenadas antes da entrada em vigor da nova lei – mesmo aquelas que já tenham cumprido a condenação –, desde que as respetivas decisões não tenham sido ainda canceladas do registo criminal[35]. Serão ainda

[34] Com efeito, cairão no âmbito do registo condutas criminais de relativa menor gravidade, tais como aquisição ou detenção de materiais pornográficos com menores; produção, divulgação ou exibição de material pornográfico com representação realista de menor; prática de ato exibicionista perante menor; prática de ato sexual de relevo, por parte de pessoa com 18 anos, com adolescente de 15 anos, abusando da sua inexperiência. Veja-se um exemplo paradigmático de inscrição no registo de agentes de crimes de menor gravidade relatado no artigo "Teenager's Jailing Brings a Call to Fix Sex Offender Registries", publicado no *The New York Times Online* de 4-7-2015, acessível em: <http://www.nytimes.com/2015/07/05/us/teenagers-jailing-brings-a-call-to-fix-sex--offender-registries.html?emc=edit_th_20150705&nl=todaysheadlines&nlid=65016224&_r=1>. (21/6/2016), já descrito na nota 14.

[35] A relação que estabelecemos entre a seleção das pessoas/decisões a inscrever no novo sistema de registo e as decisões que ainda não tenham sido canceladas do registo criminal decorre do sistema de promoção do registo que se pretende adotar: com efeito, de acordo com o Artigo 8º do Anexo, é aos serviços de identificação criminal da DGAJ que compete promover a inscrição no novo registo "após o registo dos boletins do registo criminal". Parece, pois, que a informação a inscrever no novo registo é recolhida a partir da informação do registo criminal.

inscritas as pessoas que, ainda que condenadas após a entrada em vigor da nova lei, tenham praticado os factos anteriormente.

III Apreciação no plano da política criminal

A apreciação político-criminal da medida legislativa em análise está estreitamente ligada à aferição da sua constitucionalidade, pois que os princípios diretores da política criminal são de emanação jurídico-constitucional[36]. Porém, antes de entrarmos nessa aferição, teceremos desde já algumas considerações político-criminais.

Independentemente da posição que se adote quanto à categoria dogmática a que pertence – pena, medida de segurança ou outro tipo de consequência jurídica da condenação –, trata-se de medida que onera, ao longo de vários anos, com deveres repetidos de comunicação de paradeiro, cidadãos que já cumpriram a pena a que foram condenados, independentemente de qualquer aferição individualizada e atualizada quanto à sua perigosidade. Esses cidadãos não poderão ausentar-se, em férias ou em trabalho, por mais de cinco dias, sem que tenham de dirigir-se a autoridade judiciária ou órgão de polícia criminal, identificando-se como autor de crime sexual contra menores constante do registo, que vem informar que estará ausente e onde estará. Trata-se de procedimento suscetível de causar humilhação e estigmatização social, e até de, por essa razão, dissuadir as pessoas visadas do gozo da liberdade ambulatória, pois cada ausência trará consigo o ónus de sujeição àquele procedimento.

Há ainda que ter em conta os riscos decorrentes do eventual conhecimento pela comunidade de que na vizinhança reside ou trabalha pessoa constante do registo. Risco de isolamento social, na menos má das hipóteses; risco da prática de atos de justiça privada, humilhação, insulto, violência e mesmo linchamentos, na pior delas.

Tal poderá suceder, nomeadamente, se a "confirmação" a que se referem os n.os 2 e 8 do Artigo 16 significar uma confirmação de que a pessoa envolvida na "situação concreta" alegada pelos pais consta do registo e o dever de guardar segredo não for respeitado. Se a "confirmação" referida for apenas de que, na área frequentada pelo menor, efetivamente "reside, trabalha ou circula habitualmente pessoa que consta do registo", sem que no entanto seja facultada a sua identificação,

[36] Assim, DIAS, *Direito Penal...*, p. 71.

então a população saberá que na área existe um "agressor sexual", mas não quem é, o que pode originar uma "caça às bruxas" e mesmo conduzir a atos de exclusão ou violência contra as pessoas "erradas" – pessoas sem quaisquer antecedentes criminais mas que por qualquer razão a população considere suspeitas.

Trata-se, pois, de medida potencialmente dessocializadora, frontalmente oposta ao princípio da socialização que norteia o nosso ordenamento jurídico--penal: em lugar de uma abordagem de apoio à reintegração na comunidade, opta-se por uma solução que estigmatiza e exclui, podendo pôr em causa não só a reintegração plena como a própria segurança da pessoa.

Restrições dessa onerosidade na esfera de autonomia dos cidadãos não podem legitimar-se sem uma comprovação da sua estrita necessidade para a realização das finalidades político-criminais. Porém, o que cremos resultar de todo o já exposto é a duvidosa utilidade e eficácia do mecanismo criado, seja para a prevenção criminal, seja para a reinserção social, seja para a investigação criminal.

Estamos perante uma medida de carácter predominantemente simbólico, na linha das atuais tendências securitárias e de populismo penal, suscetível de criar uma ilusória sensação de segurança (com efeito, se uma pessoa responsável por um menor presencia situação concreta que lhe gere suspeitas de que alguém tenciona cometer um crime desta natureza, deve reportar às autoridades e tomar as precauções pertinentes – e não é por lhe ser dito que a pessoa suspeita não consta do registo que deve abandonar a preocupação).

A coberto da aparência de que o Estado está a tomar medidas para efetivamente proteger as crianças, apaziguando assim a população que clama por tal proteção, cria-se um falso sentimento de segurança na sociedade e impõe-se uma punição adicional sobre os infratores que já cumpriram a pena a que foram condenados.

Nas palavras certeiras de Maria João Antunes, "o poder político, do qual são esperadas respostas político-criminais fundadas, passou a oferecer-nos respostas que são apenas politicamente corretas"[37].

IV Questões de constitucionalidade

Diferentes questões de constitucionalidade podem formular-se consoante a natureza jurídica que se atribua à imposição de obrigações de comunicação de residência/paradeiro.

[37] ANTUNES, "Novos desafios...", p. 72.

Tendo propendido para a qualificação da medida como *efeito da condenação* – um efeito automático da condenação por crime de certa espécie –, há que, antes de mais nada, verificar se não está violada a proibição estabelecida pelo n. 4 do Artigo 30 da CRP, segundo o qual *nenhuma pena envolve como efeito necessário a perda de quaisquer direitos civis, profissionais ou políticos.*

Este preceito, introduzido na revisão de 1982, elevando assim à categoria de princípio constitucional o princípio constante do Artigo 65 do Código Penal, tem como fundamento, como explica Figueiredo Dias, "o princípio político-criminal de luta contra o efeito estigmatizante, dessocializador e criminógeno das penas"[38]. A determinação exata do âmbito desta proibição não é, porém, isenta de dificuldade, sendo abundante a jurisprudência do Tribunal Constitucional; socorramo-nos, pois, desta para apurar se o parâmetro constitucional é convocável para a apreciação da medida em apreço.

Primeiro, poder-se-á considerar estarmos perante um *efeito da pena*, se a sujeição ao registo depende da *condenação* pela prática de crime de certa espécie, independentemente da sanção aplicada? Segundo a jurisprudência do TC, o n. 4 do Artigo 30, ao estabelecer que nenhuma pena envolve como efeito necessário a perda de quaisquer direitos civis, profissionais ou políticos, abrange, no âmbito dessa proibição, tanto os efeitos ligados à condenação *em certas penas* como os ligados à condenação *por certos crimes*[39]. "Esse sentido lato de "efeitos das penas" é que será efetivamente o do n. 4 do Artigo 30 da CRP, (...) e considerando a *ratio legis* do novo n. 4 do Artigo 30, *rectius*, a motivação humanística que está na base do programa da norma, se não vê que aí se tenha querido distinguir entra as duas situações normativas para limitar apenas a uma delas a proibição"[40].

Segundo, trata-se de um *efeito necessário*, para efeitos desse princípio constitucional? O que se pretendeu evitar foi que, em resultado de quaisquer condenações penais, e sem atender aos princípios da culpa, da necessidade e da

[38] DIAS, *Direito Penal...*, p. 159. O autor defende, aliás – com interesse para o tema aqui tratado –, que a limitação da estigmatização deve determinar também uma "severa restrição" "no acesso ao (e no conhecimento do) registo criminal" (ibidem, p. 54).

[39] Assim, os Acs. 165/86, 282/86, 255/87, 284/89, 224/90, 249/92, 359/93, 748/93, entre outros.

[40] Citou-se o Ac. 284/89. Assim também CANOTILHO; MOREIRA, *CRP anotada*, anotação ao Artigo 30 (p. 505): "embora o n. 4 se refira apenas à proibição de efeitos necessários das *penas*, a proibição estende-se também, por identidade de razão, aos efeitos automáticos ligados à *condenação* pela prática de certos crimes, pois não se vê razão para distinguir".

jurisdicionalidade, se produzissem, mecanicamente, efeitos que envolvessem a perda de direitos civis, profissionais e políticos[41]. Citando o Ac. 249/92, "se bem que historicamente o conteúdo daquela disposição constitucional tenha sido enformado por uma essencial preocupação em excluir os efeitos infamantes da condenação penal, a sua *ratio essendi* não se esgota nela: também se pretende assegurar a necessidade da pena acessória, a proporcionalidade entre o crime e a pena e a jurisdicionalidade da pena acessória"; ainda que o legislador associe os efeitos a um conjunto restrito de crimes, "o n. 4 do Artigo 30 da Constituição obstaria, contudo, a uma conexão automática entre a condenação pelo cometimento do crime e a privação [do direito]"[42]. Decisivo para o TC é que a medida não seja de aplicação automática, *ope legis*, mas sim de aplicação pelo juiz, que disporá de margem para decidir segundo as circunstâncias concretas do caso submetido à sua apreciação[43]. Como se afirmou no Ac. 249/92, "o princípio da necessidade das penas e das medidas de segurança, precedentemente referido, dirige-se não só ao legislador, mas também ao juiz. Tal como estabelece o n. 1 do Artigo 72 do Código Penal, na determinação da pena concreta devem ser tidas em conta as exigências de prevenção de futuros crimes. Porém, o carácter automático de um efeito da condenação ou de uma pena acessória não permite considerar judicialmente aquelas exigências"; e ainda: "a requerida proporção entre o crime e a pena é posta em causa quando esta constitua decorrência necessária da condenação e seja insuscetível de uma graduação que contemple a gravidade do facto ilícito e a culpabilidade do agente"; "e a jurisdicionalidade da pena é claramente posta em causa pela existência de efeitos da condenação restritivos de direitos fundamentais que não sejam objeto de decisão judicial".

---

[41] Nesse sentido, entre vários outros, os Acs. 282/86, 284/89, 327/99, 562/03, 19/04, 154/04 e 239/08.

[42] Também no Ac. 331/16 se afirma: "mesmo que este [o legislador] resolva consagrar um critério objetivo (partindo da condenação por crimes cuja moldura penal se fixou a partir de determinado limite), que resulte da sua própria ponderação (por via geral e abstrata), esse critério também não pode violar o disposto no n. 4 do Artigo 30 da CRP. Pode suceder que o critério estabelecido, por mais objetivo que seja, se venha a mostrar sobre ou subinclusivo à luz do caso concreto, abrangendo situações que o legislador não terá considerado ou não abrangendo situações que este certamente terá considerado".

[43] Assim, entre numerosos outros, Acs. 667/94, 143/95, 202/00, 440/02, 304/03, 154/04, 331/16.

Refira-se que, nos casos em que aceitou a aplicação obrigatória de uma pena acessória, o Tribunal considerou decisivo o facto de ser um juiz "que, atento o circunstancionalismo rodeador da infracção, a vai, em concreto, dosear de entre um amplo espectro temporal previsto abstratamente na norma previsora" (Ac. 667/94); "terá sempre o juiz do processo que proceder em concreto e face a cada caso, à avaliação das circunstâncias de facto, da justeza da medida e de definir os respectivos limites temporais, segundo os já referidos critérios de tipicidade, proporcionalidade, necessidade e culpa do arguido", e isto "qualquer que seja a sua natureza jurídica: pena acessória ou medida de segurança" (Ac. 362/92)[44].

Resta questionar se se pode considerar estarmos perante uma *perda de direitos civis*. Há, pelo menos, uma limitação da liberdade de deslocação – na medida em que o exercício dessa liberdade passa a estar sujeito ao ónus de comunicação às autoridades –, assim como uma restrição do direito à reserva da intimidade da vida privada e familiar[45].

Encara-se, pois, como de muito duvidosa constitucionalidade, face à proibição contida no n. 4 do Artigo 30 da CRP, a imposição legal de obrigações de comunicação de paradeiro, durante vários anos após o cumprimento da pena, como efeito automático de uma condenação por crime de certa espécie, sem a mediação judicial que garanta a adequação e a necessidade de tal imposição, com base na ponderação da concreta gravidade do crime, da culpa do agente e, sobretudo – considerando as finalidades atribuídas à medida –, da perigosidade do condenado.

Refira-se que é sobretudo após a extinção da pena que a imposição dessas obrigações é problemática. Durante o período de liberdade condicional, é aceitável que se estabeleça a obrigação de comunicar aos serviços de reinserção social

---

[44] Numerosos outros arestos decidem no mesmo sentido, como exemplo os Acs. 291/95, 461/00, 53/11; cf., todavia, o Ac. 748/14, em que o TC não julgou inconstitucional uma norma que previa uma perda de direitos profissionais (indeferimento do pedido de renovação do cartão profissional de segurança privado) como consequência da condenação por crime de certo tipo (no caso concreto, violência doméstica), tendo sido decisiva para o julgamento de não inconstitucionalidade a hipótese de reabilitação judicial.

[45] CANOTILHO; MOREIRA, *CRP anotada*, p. 505, em anotação ao Artigo 30, sustentam que *perda de direitos civis* parece abranger "os direitos que integram a capacidade civil (Artigo 26-1) ou outros direitos de natureza civil (ex.: direito de condução de veículos automóveis)". Entre os direitos elencados no Artigo 26, n. 1, inclui-se a reserva da intimidade da vida privada e familiar.

a residência e as ausências prolongadas; tal pode, aliás, constar das condições da liberdade condicional.

A violação da proibição dos efeitos automáticos das penas bastaria para tornar inválida a opção legislativa, por inconstitucional. Cumpre, porém, confrontar também a medida com outros princípios constitucionais, como o princípio da culpa, o princípio da legalidade e o da jurisdicionalidade da aplicação do Direito Penal, o princípio da socialização e o princípio da proporcionalidade.

Com efeito, mesmo que se exclua – como aqui fizemos – a medida em análise das categorias de pena e de medida de segurança, classificando-a como uma consequência jurídica decorrente da condenação por crime de certa espécie, a Constituição não a retira do âmbito de proteção das garantias próprias das penas e das medidas de segurança. Como salienta Figueiredo Dias, os efeitos das penas devem manter-se "– pressuposto o carácter não automático da sua produção – como providências de conteúdo preventivo ainda ligadas a uma condenação e, por conseguinte, dentro do âmbito do Direito Penal e das suas garantias"[46]. Entre os princípios-garantia das penas e das medidas de segurança a que a jurisprudência do Tribunal Constitucional tem submetido os "efeitos das penas" estão os da legalidade, da proporcionalidade e da jurisdicionalidade[47].

Por outra via, por a medida contender com vários direitos, liberdades e garantias – como sejam o direito à reserva da intimidade da vida privada e familiar e a liberdade de circulação –, sempre teria de ser submetida à verificação dos requisitos a que a Constituição sujeita as leis restritivas de direitos, liberdades e garantias (cf. Artigo 18). Com efeito, a obrigação, durante um longo período de tempo, de informar as autoridades da sua residência e domicílio profissional e, sobretudo, de informar do paradeiro sempre que se ausente por mais de cinco dias constitui uma restrição ao *direito à reserva da intimidade da vida privada e familiar* (Artigo 26, n. 1), direito que inclui uma dimensão de "respeito do anonimato", fazendo parte do "direito ao segredo do ser" justificado pela teleologia intrínseca dos direitos de personalidade[48]. Pode ainda considerar-se que

[46] DIAS, *Direito Penal...*, p. 182.

[47] Assim, Damião da Cunha, em anotação ao Artigo 30, in MIRANDA; MEDEIROS, *Constituição...*, p. 686-687. O TC tem-no afirmado em numerosos acórdãos, dando especial ênfase ao princípio da proporcionalidade – cf., exemplificativamente, os Acs. 127/84, 327/99, 176/00 e 331/16.

[48] Nestes termos, CANOTILHO; MOREIRA, *CRP anotada*, anotação ao Artigo 26, p. 465.

as obrigações de comunicação de paradeiro se traduzem também em restrições à *liberdade de circulação*, ínsita no direito ao desenvolvimento da personalidade consagrado no Artigo 26 da CRP[49] e resultante também do direito de deslocação interna garantido pelo Artigo 44, corolário do direito à liberdade consagrado no Artigo 27: de facto, embora a inscrição no registo não acarrete proibições de deslocação nem de frequência de certos lugares, ao onerar qualquer ausência superior a cinco dias com uma prévia comparência perante autoridade judiciária ou policial para comunicar a deslocação e o local onde pode ser encontrado, é suscetível de limitar o gozo desse direito.

Vejamos, pois, se a medida em apreço respeita os requisitos constitucionais a que estão sujeitos os efeitos das penas e as restrições aos direitos, liberdades e garantias.

O facto de este efeito da pena não ser aplicado pelo juiz, antes se produzir de forma automática, prescindindo de uma concreta ponderação das circunstâncias do caso, da necessidade da medida, das exigências de prevenção e dos limites impostos pela culpa e/ou pela perigosidade, não só viola – como se concluiu – a proibição constante do n. 4 do Artigo 30 da CRP, mas sempre afrontaria o *princípio-garantia da jurisdicionalidade da aplicação do Direito Penal*, decorrente dos seus Artigos 29 e 202. Caso se lhe atribuísse a natureza de pena, estaria violado o *princípio da culpa*, inferido dos Artigos 1º, 25, n. 1, e 27[50], na dimensão de que a medida da pena não pode em caso algum exceder a medida da culpa; caso se entendesse que constitui uma medida de segurança, resultaria violado o *princípio da perigosidade*, segundo o qual "condição *sine qua non* da aplicação de *qualquer* medida de segurança, privativa ou não privativa da liberdade, é que o agente revele o perigo de vir a cometer no futuro novos factos ilícitos-típicos", "princípio tão essencial, este, que (...) se poderia afirmar que, onde ele seja postergado, aí residiria uma inconstitucionalidade por violação do princípio da preservação da dignidade pessoal"[51].

Por outro lado, a persistência de obrigações de comunicação de paradeiro às autoridades depois de extinta a pena, e durante vários anos (até 20), é suscetível

---

[49] Assim, CANOTILHO; MOREIRA, ibidem, e Rui Medeiros/António Cortês, em anotação ao Artigo 26, in MIRANDA; MEDEIROS, *Constituição...*, p. 612.

[50] Cf. Acs. do TC 43/86, 426/91, 441/94, 83/95, 605/07, 336/08 e 80/12.

[51] DIAS, *Direito Penal...*, p. 440.

de criar um forte efeito de estigmatização na pessoa registada, dificilmente compatível com o *princípio da socialidade*, segundo o qual o Estado tem o dever não só de não prejudicar mas de favorecer a socialização dos condenados, propiciando as condições necessárias à sua reintegração na sociedade[52]. Além disso, a ressocialização do ex-condenado, bem como vários dos seus direitos pessoais, são postos em perigo caso haja acesso dos titulares de responsabilidades parentais à informação de que a pessoa objeto de uma suspeita consta do registo: tal acesso pode favorecer a autotutela e a ação direta, a justiça popular, criando perigo para a segurança, ordem e tranquilidade públicas e sobretudo riscos para a pessoa do agente inscrito no registo – não só para a sua reinserção, mas para a própria segurança, integridade física e vida. Perigo que é agravado pelo facto de não se preverem sanções para a violação do dever de guardar segredo e também pelo facto de o registo abranger um conjunto muito heterogéneo de agentes[53]: com efeito, se a polícia se limitar a confirmar ao titular de responsabilidades parentais que a pessoa suspeita consta do registo, o cidadão poderá imaginar que se trata de alguém que cometeu graves crimes contra crianças, quando poderá afinal tratar-se de um delinquente ocasional que, uma vez e há vários anos, cometeu um crime de menor gravidade.

A legitimidade da imposição de obrigações de comunicação de paradeiro, da criminalização do incumprimento dessas obrigações e da duplicação de registos de dados pessoais sensíveis e correspondente acesso deve ser sujeita aos testes da *adequação*, da *necessidade* e da *proporcionalidade*, para aferir do cumprimento do *princípio da proporcionalidade em sentido amplo* ou da *proibição do excesso*, a que a Constituição submete as leis restritivas de direitos, liberdades e garantias (Artigo 18, n. 2).

---

[52] Princípio que a doutrina e a jurisprudência do Tribunal Constitucional fazem decorrer dos Artigos 1º, 2º, 9º d), 26, n. 1, e 30, n. 1, da CRP (cf. Acs. do TC 43/86, 1/01, 336/08 e 427/09).

[53] Tanto figuram no registo, ficando sujeitas às mesmas obrigações, pessoas que tenham cometido crimes de violação de crianças ou que se dedicassem profissionalmente a uma rede organizada de produção de material pornográfico com menores como delinquentes ocasionais que tenham praticado esporadicamente um crime de menor gravidade, tal como: aquisição ou detenção de materiais pornográficos com menores; produção, divulgação ou exibição de material pornográfico com representação realista de menor; prática de ato exibicionista perante menor; prática de ato sexual de relevo, por parte de pessoa com 18 anos, com adolescente de 15 anos, abusando da sua inexperiência.

Note-se que a duplicação do registo criminal (dados pessoais de cariz sensível) – replicação que faz naturalmente aumentar os riscos de inexatidão da informação e de acesso ou difusão indevidos[54] –, assim como a eventual possibilidade de fornecimento ao público da informação constante do registo, suscitam ainda questões de proteção de dados pessoais, sendo necessário aferir do cumprimento das garantias previstas no Artigo 35 da CRP: "a recolha de dados deve servir uma finalidade constitucionalmente legítima, deve ser idónea ao cumprimento dessa finalidade, deve ser necessária, no sentido de que não deve existir medida mais moderada capaz de atingir a mesma finalidade com menor sacrifício, e deve ainda ser proporcional, decorrendo dela mais benefícios e vantagens do que prejuízos para outros bens ou valores em conflito (proporcionalidade em sentido estrito)"[55].

De acordo com a jurisprudência do TC, a Constituição, não proibindo, em absoluto, a possibilidade de restrição legal aos direitos, liberdades e garantias, submete-a, contudo, a múltiplos e apertados pressupostos de validade, só sendo constitucionalmente legítima se: for autorizada pela Constituição; estiver suficientemente sustentada em lei parlamentar ou em decreto-lei autorizado; visar a salvaguarda de outro direito ou interesse constitucionalmente protegido; for *adequada* a essa salvaguarda, *necessária* para a alcançar e *proporcional* a esse objetivo; tiver carácter geral e abstrato, *não tiver efeito retroativo* e não diminuir a extensão e o alcance do conteúdo essencial dos preceitos constitucionais[56].

---

[54] Riscos de inexatidão e contradição de dados para os quais tanto a Comissão Nacional de Proteção de Dados como o Conselho de Fiscalização do Sistema Integrado de Informação Criminal chamaram a atenção durante o processo legislativo (cf. pareceres disponíveis em: <www.parlamento.pt/ActividadeParlamentar/Paginas/DetalheIniciativa.aspx?BID=39169>).

[55] Assim, Paula Ribeiro de Faria, em anotação ao Artigo 35, in MIRANDA; MEDEIROS, *Constituição...*, p. 792.

[56] Cf., entre muitos outros, Acs. 634/93, 187/01, 99/02, 155/07, 632/08 (uns a propósito de medidas penais – princípio da proporcionalidade das sanções penais –, outros apreciando outras restrições a direitos fundamentais); no Ac. 403/07, afirma-se especificamente que "os direitos à integridade moral e à reserva da intimidade da vida privada [no caso concreto, eram os das vítimas que estavam em causa] não são absolutos, sendo constitucionalmente admissível a sua restrição na medida do necessário para assegurar o respeito de outros valores fundamentais, como a defesa (incluindo criminal) do direito à liberdade e autodeterminação sexuais, designadamente de menores (crianças ou jovens), a quem o Estado deve especial proteção".

Não se questionando que a restrição de que nos ocupamos está sustentada em lei parlamentar, tem caráter geral e abstrato e visa a salvaguarda de interesses constitucionalmente protegidos, cumpre sujeitá-la à verificação dos demais requisitos enunciados.

Para a aferição da *adequação* – se a medida serve a realização do fim a que se destina –, suscita-se a questão da *eficácia* do sistema que se pretende criar para alcançar as finalidades que se pretende atingir (e que, nos termos do Artigo 3º, são "o acompanhamento da reinserção do agente na sociedade" e "auxiliar a investigação criminal"). Considerando que a informação que se pretende que conste do novo registo já se encontra no registo criminal – por uma duração até superior – e que as entidades que terão acesso ao novo registo já têm ou podem ter acesso ao registo criminal[57], a única coisa que o novo registo parece acrescentar é o mecanismo tendente à permanente atualização da informação sobre a residência, domicílio profissional e paradeiro. Nos termos do Artigo 10 do Anexo, os novos dados de identificação ou residência são comunicados à DGAJ para inscrição no novo registo de criminosos sexuais. Sempre se questionará se, para uma mera possibilidade de atualização permanente do dado "residência", se justifica toda uma duplicação de registos, não sendo preferível simplesmente atualizar o dado "residência" no registo criminal existente. Já o dado "paradeiro" não existe no registo criminal, mas também não é objeto de inscrição no novo registo de criminosos sexuais (cf. Artigo 9º do Anexo), pelo que não se sabe que destino dá à informação recebida a autoridade judiciária ou o órgão de polícia criminal a quem, nos termos do Artigo 13, n. 1 c) e n. 2, do Anexo, seja comunicada uma ausência por mais de cinco dias e paradeiro. Não estando previsto tal destino, não está sequer garantido que a autoridade policial da área de residência dos cidadãos que exerçam a possibilidade facultada pelo n. 2 do Artigo 16 tenha conhecimento do paradeiro do ex-condenado, ficando assim dificultadas as averiguações que tal autoridade fica obrigada a fazer nos termos dos n.os 2 e 6 do Artigo 16. Questiona-se, pois, qual a utilidade deste sistema. Acresce que, embora os estudos existentes sobre a eficácia de medidas deste tipo

[57] No sentido de este novo registo ser redundante com o Sistema Integrado de Informação Criminal, ao qual têm acesso autoridades judiciárias e órgãos de polícia criminal, não oferecendo portanto mais-valia para a finalidade de auxílio à investigação, pronunciou-se o Conselho de Fiscalização do Sistema Integrado de Informação Criminal (<|www.parlamento.pt/ActividadeParlamentar/Paginas/DetalheIniciativa.aspx?BID=39169>).

sejam sobretudo americanos[58], os estudos realizados em Portugal indiciam que só uma pequena percentagem dos agentes de crimes sexuais contra crianças tinha antecedentes criminais por crimes desse tipo[59].

A adequação da medida à prossecução dos fins visados é, pois, muito duvidosa.

A conclusão pela não adequação dispensaria a verificação dos subsequentes subprincípios da proporcionalidade. Porém, sempre se dirá, quanto à *necessidade* – se uma medida menos onerosa não seria suficiente para a prossecução desses fins —, que haveria sem dúvida soluções alternativas menos lesivas dos direitos fundamentais. Em primeiro lugar, a considerar-se realmente adequado e necessário dispor-se de um registo da morada e localização das pessoas condenadas por estes tipos de crimes, não há qualquer necessidade da criação de um registo separado: bastaria criar as necessárias funcionalidades de atualização de dados e de pesquisa no registo criminal nacional, já existente. Bastaria manter permanentemente atualizado o dado "residência" (o que poderia, aliás, ser feito de forma automática para todas as pessoas constantes do registo criminal, sempre que a pessoa procedesse à alteração do domicílio no documento de identificação civil – tal como já hoje sucede com a comunicação oficiosa da alteração de morada a diversas entidades públicas, como a administração fiscal); criar eventualmente um campo "paradeiro", se se entender necessário, em casos concretos, obrigar à comunicação de certas ausências do domicílio; criar funcionalidades de pesquisa que permitam às autoridades, em caso de necessidade para uma investigação criminal, pesquisar no registo criminal por tipo de crime/zona de residência[60]. Dessa forma, caso algum cidadão presenciasse uma situação suspeita (relacionada com criminalidade deste tipo ou qualquer outra!), poderia reportá-la às autoridades, que adoptariam as providências que se afigurassem justificadas, incluindo, nas condições legalmente previstas, pesquisar no registo criminal. Em segundo lugar, seria claramente menos oneroso e mais eficaz um sistema em que: ao longo da execução da pena, fossem efetivamente disponibilizados ao condenado programas de tratamento penitenciário adequados às suas problemáticas específicas; ao longo da liberdade condicional, fosse feito um

[58] Cf. n. 13 supra.

[59] Cf. n. 18 supra.

[60] No já citado estudo do Conselho da Europa (n. 15), ponto 85, vários Estados referiram ser possível pesquisar por criminosos sexuais no seu registo criminal geral.

acompanhamento efetivo da reintegração do agente na comunidade – sendo nesse período admissível estabelecer obrigações de comunicação de ausências de domicílio e correspondente paradeiro; após a extinção da pena, admitir-se-ia, no máximo, manter obrigações de comunicação da localização em casos excepcionais, sempre com base em decisão individual de juiz, baseada nas circunstâncias do caso e nas características do agente, distinguindo assim os casos de criminalidade ocasional ou situacional daqueles em que se revelasse ainda uma tendência para a repetição de crimes da mesma espécie, fora do círculo familiar próximo. Para o efeito, poderia prever-se legalmente um procedimento pelo qual o tribunal de execução das penas, com base no acompanhamento do recluso ao longo da execução, e apoiado na avaliação realizada pelos serviços responsáveis pela execução, poderia, caso entendesse subsistir perigosidade após o cumprimento da pena, informar as autoridades policiais locais para que tomem conhecimento da situação e adoptem as medidas legalmente previstas consideradas necessárias para a prevenção da reiteração criminosa[61].

Mesmo que se entendesse que as restrições em análise são adequadas e necessárias, sempre haveria que testar a sua *proporcionalidade em sentido estrito* – se não constituem um ónus excessivo sobre os particulares em contraposição aos ganhos de interesse público que se obtêm com a medida. Tenha-se em conta o carácter automático do registo e a sua abrangência: são registados *todos* os condenados por crimes contra a liberdade sexual ou a autodeterminação sexual contra menores, apesar da heterogeneidade dos agentes desses crimes[62], independentemente da gravidade, abstrata ou concreta, das condutas praticadas e

---

[61] À semelhança do procedimento já legalmente previsto que permite a notificação da vítima aquando da libertação do condenado, a decidir caso a caso pelo tribunal de execução quando concluir verificar-se perigo para esta – cf. Artigo 23, n. 3, do Código da Execução das Penas: "Quando considerar que a libertação do recluso pode criar perigo para o ofendido, o tribunal competente informa-o da data da libertação, reportando-o igualmente à entidade policial da área de residência do ofendido".

[62] Como resulta do estudo de SOEIRO, "Perfis criminais...", p. 49ss., e da bibliografia aí sintetizada, estes fenómenos criminais caracterizam-se pela complexidade e por uma heterogeneidade de perfis dos agressores. No mesmo sentido de que os agentes de crimes sexuais não constituem um grupo homogéneo nem apresentam semelhantes riscos de recidiva, e defendendo portanto uma metodologia baseada numa aferição individual do risco em lugar do sistema baseado na condenação, cf. as fontes citadas em SAMPLE; EVANS, "Sex Offender Registration...", p. 223.

independentemente da perigosidade do agente, sem que a inscrição possa ser decidida pelo tribunal consoante a concreta gravidade ou perigosidade – segue-se uma abordagem de inclusão dos condenados por qualquer desses crimes num "grupo de risco", sujeitando-os a uma medida de segurança abstrata e coletiva, fundada numa presunção *iuris et de iure* de perigosidade. Pondere-se ainda o carácter estigmatizante das obrigações impostas e a duração destas (que pode chegar a 20 anos, a acrescer aos anos já decorridos em cumprimento de pena!), a gravosidade das consequências do não cumprimento dos deveres de comunicação (gerador de responsabilidade criminal, punível com pena de prisão!) e os riscos de exclusão social subjacentes. Não resultando claros quais os benefícios trazidos pela medida, mas estando à vista os inconvenientes, resta concluir pela não verificação desse requisito.

É certo que a jurisprudência constitucional[63], ao julgar o cumprimento do princípio da proporcionalidade por parte do legislador, atribui a este uma razoável liberdade de conformação (uma "prerrogativa de avaliação", um "crédito de confiança"), considerando que o Tribunal não pode substituir a sua avaliação de relações social e economicamente complexas à que é efectuada pelo legislador, salvo erro manifesto deste; o juízo de constitucionalidade não pode confundir-se com um juízo sobre o mérito da lei. Assim, para o TC, as normas restritivas só podem ser censuradas em nome daquele princípio quando se esteja em presença de uma opção legislativa manifestamente arbitrária ou excessiva. Parece-nos, contudo, pelos motivos já explicitados, que na legislação em apreço estamos perante uma opção manifestamente errada do legislador, uma medida de caráter manifestamente excessivo, com inconvenientes claramente desproporcionados em relação aos ganhos, pelo que se podem considerar ultrapassados os limites impostos ao legislador pelo princípio da proporcionalidade.

Cumpre submeter a medida legislativa a um último parâmetro constitucional. O facto de deverem ser inscritas no registo, e consequentemente sujeitas às obrigações de comunicação do paradeiro, pessoas que praticaram os factos e/ou que foram condenadas *antes* da entrada em vigor do presente diploma (Artigo 8º, n. 2, do Anexo) viola, sem margem para hesitações, o *princípio da legalidade penal*, na vertente da *proibição da retroatividade*, consagrada no Artigo 29, n.os 3 e 4, da CRP, segundo os quais "não podem ser aplicadas penas ou medidas de segurança

[63] Cf. Acs. do TC 108/99, 187/01 ou 99/02.

que não estejam expressamente cominadas em lei anterior" e "ninguém pode sofrer pena ou medida de segurança mais graves do que as previstas no momento da correspondente conduta ou da verificação dos respectivos pressupostos".

A proibição de aplicação retroativa impor-se-ia ainda que não se considerasse que as obrigações decorrentes do registo, enquanto efeitos da condenação, integram o conceito de pena ou medida de segurança para efeitos de aplicação daquele princípio-garantia constitucional: com efeito, tratando-se de lei restritiva de direitos, liberdades e garantias, sempre a proibição de efeito retroativo decorreria do Artigo 18, n. 3. Na verdade, a lei em análise vem atribuir a atos passados efeitos jurídicos, de gravosidade considerável, com os quais razoavelmente os seus destinatários não podiam contar, contrariando-se assim o princípio da proteção da confiança, ínsito no princípio do estado de direito democrático (Artigo 2º da CRP). Trata-se, neste ponto, de uma inconstitucionalidade flagrante.

Apesar de todas as dúvidas de constitucionalidade (para não dizer certezas de inconstitucionalidade), que aliás não deixaram de ser amplamente suscitadas ao longo do processo legislativo[64], o diploma em causa não foi (ainda) sujeito à fiscalização do Tribunal Constitucional.

---

[64] Tanto pelas entidades ouvidas pelo legislador (cf. pareceres do Conselho Superior da Magistratura, do Conselho Superior do Ministério Público, da Ordem dos Advogados, da Associação Sindical dos Juízes Portugueses, da Comissão Nacional de Proteção de Dados, da Associação Portuguesa de Apoio à Vítima, entre outros, disponíveis em: <www.parlamento.pt/ActividadeParlamentar/Paginas/DetalheIniciativa.aspx?BID=39169>), como no seio da sociedade civil, como pelos próprios deputados aquando da discussão parlamentar da proposta de lei (sendo de destacar a declaração de voto apresentada pelo deputado Paulo Mota Pinto, onde o parlamentar exprime reservas quanto à conformidade constitucional da proposta de lei, por violação dos princípios da proporcionalidade e do Estado Social de Direito, entendendo que a medida equivale a uma pena acessória grave e automática, de duvidosa eficácia protetora, com potenciais efeitos estigmatizantes e dessocializadores e com efeitos previsivelmente negativos para a tranquilidade e paz social; quanto à questão da aplicação retroativa, afirma categoricamente a sua inconstitucionalidade). E não se diga que o facto de, no diploma que veio a ser aprovado, se ter eliminado a alínea e) do n. 1 do Artigo 16, que previa o acesso ao registo por parte de "quem exerça responsabilidades parentais sobre menor até aos 16 anos de idade", resolveu todos os problemas, como cremos que resulta explícito no texto. Na doutrina, considerando as "listas de proscritos" medidas "típicas de pelourinho e infamantes", constituindo uma "estigmatização que está para lá da pena", uma outra pena sem fundamento, por isso "ilegítima" e "marcadamente inconstitucional", COSTA, *Beccaria...*, p. 8; também exprimindo dúvidas de constitucionalidade e de eficácia quanto a uma (então somente anunciada) iniciativa

V A jurisprudência do Tribunal Europeu dos Direitos do Homem

A conformidade dos sistemas de registo criados no Reino Unido e na França com a Convenção Europeia dos Direitos do Homem, em especial com os seus Artigos 3º, 7º e 8º, foi já objeto de diversas decisões da Comissão Europeia dos Direitos do Homem e do Tribunal Europeu dos Direitos do Homem, não tendo sido considerados violadores daquelas disposições convencionais.

No caso *Ibbotson c. Reino Unido* (Queixa n. 40146/98, Decisão de 21/10/1998), o queixoso tinha sido condenado, no Reino Unido, em 1996, a três anos e meio de prisão pela prática de seis crimes de posse de material obsceno e indecente. Em 1997, entrou em vigor o *Sex Offenders Act*, obrigando os condenados a registar-se no *Sex Offender Registry*, o que implicava deveres de informação à polícia relativamente a morada, alterações de morada e deslocações superiores a 14 dias. A obrigação de registo aplicava-se, em princípio, apenas a pessoas condenadas após a vigência da lei, mas estendia-se às pessoas que se encontrassem, à data da entrada em vigor, em cumprimento de uma pena de prisão por alguns dos crimes pertinentes. O queixoso invocou, perante a Comissão Europeia dos Direitos do Homem, uma violação do Artigo 7º da CEDH (na parte em que dispõe que "não pode ser imposta uma pena mais grave do que a aplicável no momento em que a infração foi cometida"). A Comissão concluiu que a medida em causa, apesar de prevista em lei entrada em vigor após a prática dos factos, e mesmo após a condenação e a libertação – embora antes da extinção da pena –, não preenchia a noção autónoma de "pena" para efeitos de aplicabilidade do Artigo 7º. Reconhecendo embora que a aplicação da medida se relaciona com uma condenação criminal e que é de aplicação automática, a Comissão entendeu que, apesar de o queixoso a sentir como punitiva, tal não bastava para estabelecer a natureza ou o propósito punitivo da medida, tendo, antes, esta uma natureza preventiva. A Comissão também não considerou que os casos conhecidos em que a informação constante do registo foi divulgada, gerando assim ações populares contra ex-condenados, dificultando a sua reintegração social, fossem suficientes para classificar a medida como "pena" para efeitos do artigo 7º, pois tais problemas decorreriam da reação do público a certos tipos de crime e não das obrigações do registo. A Comissão valorizou ainda o facto de as medidas não serem aplicadas

---

legislativa inspirada nas Leis de Megan, LEITE, "'Nova Penologia'...", p. 475.

pelo juiz, operando separadamente do processo de condenação e de determinação da pena, como argumento para não considerar esta medida como pena.

No caso *Adamson c. Reino Unido* (Queixa n. 42293/98, Acórdão de 26/1/1999), o queixoso tinha sido condenado, no Reino Unido, a cinco anos de prisão, pela prática de um crime de natureza sexual, em 1995. Em 1997, encontrando-se ainda o queixoso em cumprimento da pena, entrou em vigor o *Sex Offenders Act*, obrigando os condenados a registar-se no *Sex Offender Registry*. O queixoso invocou, perante o TEDH, violação dos Artigos 7º e 8º da CEDH, relativos, respetivamente, ao princípio da legalidade criminal e ao direito ao respeito pela vida privada e familiar. Invocou também o artigo 3º, por considerar que estigmatizá-lo como criminoso sexual para toda a vida seria um tratamento desumano e degradante, e o artigo 5º, §1, por entender que a inclusão no registo poderia pôr em perigo a sua segurança e a da sua família.

A queixa não foi admitida. Quanto à questão da aplicação "retroativa" do *Sex Offenders Act*, também o TEDH entendeu que a medida aplicada ao queixoso ao abrigo da lei posterior não preenchia a noção autónoma de "pena" para efeitos da aplicabilidade da segunda parte do § 1 do artigo 7º da CEDH. Quanto ao Artigo 8º, o TEDH admitiu que a medida constituía uma interferência na vida privada, mas que estava justificada pelos requisitos de legalidade e proporcionalidade do § 2. O TEDH entendeu ainda que a medida não atingia o nível de gravosidade exigido para suscitar a aplicabilidade do Artigo 3º da CEDH. Quanto ao Artigo 5º, considerou não estar provado que o queixoso tivesse sofrido ou estivesse em risco de sofrer privações da liberdade contrárias ao disposto nesse artigo.

No que diz respeito ao sistema francês de registo, o TEDH pronunciou-se no caso *Gardel c. França* (Queixa n. 16428/05, Acórdão de 17/12/2009). O queixoso havia sido acusado, em 1997, da prática de um crime sexual contra menor, tendo sido condenado, em 2003, a pena de prisão por quinze anos. Em 2004, entrou em funcionamento o registo francês de condenados por crimes sexuais, prevendo aquela lei disposições transitórias que determinavam a inscrição no registo de pessoas condenadas anteriormente à sua entrada em vigor, em certos casos. O queixoso invocou violação do Artigo 7º, na medida em que a sua inscrição no registo trazia consigo ónus que não estavam previstos na lei no momento da condenação, o que tinha como consequência uma pena mais pesada que a aplicável no momento da prática dos factos.

Também neste caso o TEDH, embora reconhecendo que a inscrição no registo era resultado da condenação, considerou que a medida tinha carácter preventivo (e como tal era caracterizada pelo legislador e pelo Conselho Constitucional francês), não podendo reconhecer-se-lhe uma natureza punitiva ou de sanção. Quanto às sanções penais previstas para o incumprimento dos deveres decorrentes da inscrição no registo, o TEDH salientou que o incumprimento origina um processo penal próprio, totalmente independente do que levou à condenação pelo crime sexual. O TEDH considerou ainda que a gravosidade da medida – que implicava fazer prova de residência cada seis meses e informar qualquer mudança de morada no prazo de quinze dias, ainda que por um período de trinta anos – não atingia um patamar que justificasse a sua consideração como pena para efeitos do Artigo 7º. Quanto ao Artigo 8º (direito ao respeito pela vida privada e familiar), também invocado, o TEDH, analisando o regime da lei francesa, entendeu que não tinham sido excedidos os limites da margem de livre apreciação dos Estados Partes, pelo que não considerou violado o preceito.

Nos casos *B.B. c. França* (Queixa n. 5335/06) e *M.B. c. França* (Queixa n. 22115/06), o TEDH proferiu decisões semelhantes à do caso *Gardel*, por acórdãos da mesma data.

Entendemos que a Comissão e o Tribunal poderiam ter ido mais longe no alcance a atribuir à proteção conferida pelo Artigo 7º, com base no instrumento das "noções autónomas", independentes dos conceitos nacionais, a que o Tribunal frequentemente tem recorrido na sua jurisprudência – como é o caso, para a matéria de que aqui tratamos, das "noções autónomas" de "matéria penal" e de "pena"[65]. Com efeito, o Tribunal, ao decidir, a propósito de uma situação concreta, se está em causa "matéria penal" – caso em que se aplicarão as garantias de um processo equitativo previstas no Artigo 6º da CEDH –, ou se se está perante uma "pena" – nomeadamente, para efeito da proibição das penas desumanas ou degradantes ou da aplicação do princípio da legalidade das penas –, não se atém à qualificação atribuída pelo Estado, antes desenvolveu os seus próprios critérios de aferição: a ligação com uma infração, a natureza dessa infração, a natureza, gravosidade e finalidade – punitiva ou não – da medida a aplicar e o processo

[65] Sobre as "noções autónomas" adoptadas pelo Tribunal, PRADEL; CORSTENS, *Droit Pénal Européen*, p. 298ss.; especificamente sobre o conceito autónomo de "pena" para efeitos do Artigo 7º da Convenção, *ibidem*, p. 335ss.

de aplicação e execução. Desta forma, o Tribunal tem feito aplicar as garantias convencionais em matéria penal a processos e medidas de carácter disciplinar ou administrativo, assegurando que a "etiqueta" atribuída por cada Estado a uma situação não servirá para a subtrair às garantias previstas na CEDH.

Veja-se, exemplificativamente, o acórdão *Welch c. Reino Unido* (Queixa n. 17440/90, Acórdão de 9/2/1995), onde o Tribunal considerou violado o princípio da legalidade das penas (Artigo 7º) numa situação em que o queixoso, condenado por tráfico de droga numa pena de prisão de 22 anos, viu também decretada a perda dos bens obtidos com o tráfico com base numa lei posterior à prática do crime: independentemente da qualificação jurídica da perda no direito do Reino Unido, para o Tribunal ela devia considerar-se uma verdadeira pena, portanto insusceptível de aplicação retroativa.

Mais recentemente, no caso *M. c. Alemanha* (Queixa n. 19359/04, Acórdão de 17/12/2009), o Tribunal reiterou os citados critérios de aferição do preenchimento do conceito autónomo de pena (§120). Com base neles, considerou violador dos Artigos 5º e 7º da Convenção o regime alemão que permitiu uma alteração retroativa do limite máximo de duração da medida de *Sicherungsverwahrung* (espécie de medida de segurança aplicável, cumulativamente com a pena, a imputáveis em razão da sua perigosidade), apesar de o direito alemão não a qualificar como pena mas como medida de segurança, que não visa punir a culpa mas proteger a sociedade. O TEDH teve em conta a similitude material com uma pena de prisão, seja por também consistir numa privação da liberdade, seja pelas semelhanças na sua execução. Quanto ao argumento de a finalidade da medida ser preventiva, não punitiva, o Tribunal notou que se trata de medidas apenas aplicáveis a pessoas condenadas reiteradamente por condutas criminosas de certa gravidade, concluindo que a *Sicherungsverwahrung* deve ser qualificada como "pena" para efeitos da Convenção (§§ 125-137).

Ainda, no acórdão *Del Río Prada c. Espanha* (Queixa n. 42750/09, Acórdão de 21/10/2013 da *Grande Chambre*), o Tribunal sublinhou que o termo "imposta", no Artigo 7º, não pode ser interpretado como excluindo do âmbito de aplicação da norma as medidas aprovadas após a prolação da sentença condenatória. Não exclui, pois, que medidas legislativas aprovadas após a condenação ou durante a execução da pena possam conduzir a uma redefinição ou modificação do alcance da pena aplicada na sentença; em tais casos, as medidas em questão devem ser abrangidas pela proibição de aplicação retroativa prevista na parte final do § 1 do Artigo 7º da CEDH. De outro modo, os Estados poderiam sempre adotar medidas que retroativamente redefinissem o alcance da pena aplicada, em prejuízo do condenado, o que retiraria efeito útil à norma convencional em causa. O Tribunal reiterou que é crucial que a Convenção seja interpretada e aplicada de um modo tal que torne os seus direitos práticos e efetivos e não teóricos e ilusórios (§§ 88 e 89).

A nosso ver, o TEDH, sem se desviar dos critérios estabelecidos pela jurisprudência acabada de citar, deveria ter concluído de outro modo nos acórdãos que recaíram sobre os registos britânico e francês de criminosos sexuais. Trata-se de medidas relacionadas com a prática de uma infração de natureza criminal e aplicadas automaticamente em consequência da condenação por essa prática. Ainda que qualificada pelos respetivos ordenamentos como medida de finalidade preventiva e não punitiva, não pode haver dúvida de que a penosidade das consequências jurídicas do crime que acabam por ser impostas ao agente se torna significativamente superior à que resultaria da legislação aplicável no momento em que a infração foi cometida.

Anote-se, em qualquer caso, que da jurisprudência adotada pelo TEDH em relação aos registos de criminosos sexuais de outros Estados Partes não se podem extrair conclusões definitivas quanto à validade do regime agora adotado pela lei portuguesa, pois, ainda que este pudesse passar no crivo do TEDH, a Constituição portuguesa sempre constituiria um crivo mais apertado: como é sabido, a proteção de direitos fundamentais oferecida pela Constituição portuguesa é, em quase todos os âmbitos, mais ampla e mais intensa que a do sistema da Convenção.

VI Considerações finais

Trata-se de iniciativa legislativa apresentada como decorrência de obrigações internacionais e de experiências estrangeiras; ora, como cremos ter resultado claro, aquelas obrigações não existem e essas experiências não têm o seu sucesso minimamente comprovado.

No plano da política legislativa, constitui uma má peça de legislação, pois não é de todo clara a utilização a dar à informação implicada no registo – falta de clareza que é tanto mas grave quanto de trata de matéria tão sensível para os direitos fundamentais –, aparentando ser o sistema, tal como delineado no diploma, praticamente inútil para as finalidades para que foi criado, o que torna absurda a duplicação de registos, os recursos humanos e financeiros envolvidos e os ónus impostos aos registados.

O diploma é inconstitucional porque viola a proibição dos efeitos automáticos da condenação (Artigo 30, n. 4, da CRP); viola o princípio da proporcionalidade – logo na vertente da adequação, mas também nas da necessidade e da justa medida; afronta o princípio da socialização; é ainda inconstitucional o seu regime de aplicação no tempo, ao impor as obrigações de comunicação de paradeiro retroativamente às pessoas condenadas antes da entrada em vigor da lei, em violação dos Artigos 29, n. 3 e n. 4, e 18, n. 3, da CRP.

Político-criminalmente, é um sistema de duvidosa eficácia para as finalidades que pretende alcançar, podendo, pelo contrário, gerar efeitos colaterais negativos: dessocializadores e estigmatizantes para os ex-condenados, falsa sensação de segurança para a comunidade.

A criação de um sistema como este – já conhecido popularmente como "o registo dos pedófilos" – é tanto mais preocupante quanto é sabido o risco de alastramento que caracteriza este tipo de medidas: uma vez criadas, ainda que numa configuração inicial de alcance cautelosamente mais restrito – que uma parte da comunidade jurídica pode considerar ainda aceitável –, não só se torna politicamente muito difícil revogá-las, como tendem a ir sempre alastrando, nunca comprimindo. Alastrando a condenados por outros tipos de crimes – consoante os fenómenos criminais em voga em cada momento –, gerando uma proliferação de "listas de proscritos"; e ampliando, no âmbito de cada lista, o leque de pessoas com acesso, criando novas formas de divulgação da informação e novas obrigações e restrições para as pessoas registadas. As experiências dos outros países, aqui relatadas, são bem ilustrativas desse percurso.

Admite-se que seja premente uma reflexão sobre as soluções a dar ao problema da perigosidade que subsista após o cumprimento da pena, num sistema em que não há penas perpétuas e em que toda a pena tem como limite a culpa. Tema que não pode caber neste trabalho e que é talvez um dos grandes desafios do Direito Penal. Mas seguramente não podem adotar-se soluções que ofendam os princípios constitucionais, que imponham ónus e estigmas consideráveis sem que a eficácia ou utilidade o justifique e que prescindam de uma decisão individual por parte de um juiz, rotulando todos os agentes de crimes sexuais contra menores como perigosos predadores.

São configuráveis múltiplas alternativas menos gravosas, mais consentâneas com o nosso sistema político-criminal e potencialmente mais eficazes. Advoga-se a revogação urgente desse sistema de registo, encontrando-se uma solução no seio do registo criminal nacional, se necessário desenvolvendo as necessárias funcionalidades de pesquisa e redefinindo quem pode aceder e em que casos. A haver deveres de comunicação ou outro tipo de acompanhamento ou vigilância após a extinção da pena, sempre teria de se prever decisão caso a caso por juiz com base em juízo de perigosidade concreto, atual e periodicamente revisto; tratar-se-ia aí de uma medida de segurança, cujo regime teria de ser definido em estrito respeito pelos pressupostos e garantias próprios das medidas de segurança. Porém, sobretudo, a montante, há que levar a sério a tarefa do Estado de, durante a execução da pena, propiciar a preparação do condenado para conduzir a sua vida de modo socialmente responsável, sem cometer crimes, através da disponibilização dos programas de tratamento penitenciário adequados às suas problemáticas específicas.

Rejeita-se em absoluto o presente sistema de aposição de uma "letra escarlate" que o ex-condenado tem de envergar permanentemente, por longos anos – oculta dos demais cidadãos (diferentemente da personagem de N. Hawthorne, condenada a ostentar perpetuamente ao peito a letra A bordada a encarnado, lembrando a si e a todos o adultério cometido), mas queimando-lhe igualmente o peito, e tornando-se visível nas ocasiões em que tenha de dirigir-se às autoridades para informar das suas deslocações, ou nos casos em que a inscrição no registo venha a ser ilicitamente revelada na comunidade.

Referências

AGAN, Amanda Y. Sex Offender Registries: Fear without Function? *Journal of Law and Economics*, vol. 54, n. 1, fev. 2011, p. 207-239, <www.jstor.org/stable/10.1086/658483> (11/8/2016).

ANTUNES, Maria João. "Direito Penal, Direito Processual Penal e Direito da execução das sanções privativas da liberdade e jurisprudência constitucional". *Julgar* 21, set.-dez. 2013, p. 89-117.

———. *Consequências jurídicas do crime*. 2. ed. Coimbra: Coimbra Editora, 2015.

———. "Novos desafios da jurisdição constitucional em matéria penal". In: D'AVILA, Fabio Roberto; SANTOS, Daniel Leonhardt dos (org.). *Direito Penal e Política Criminal.* Porto Alegre: EDIPUCRS, 2015. p. 61-80.

———. "Perigosidade – intervenção estatal em expansão?" *Revista Brasileira de Ciências Criminais* 121, jul. 2016, p. 191-206.

BRITO, José de Sousa e. "A lei penal na Constituição". In: MIRANDA, Jorge (coord.). *Estudos sobre a Constituição.* 2º vol. Lisboa: Petrony, 1978. p. 197-254.

CAEIRO, Pedro. "Qualificação da sanção de inibição da faculdade de conduzir prevista no Artigo 61, n. 2, al. d), do Código da Estrada". *Revista Portuguesa de Ciência Criminal* 3, fasc. 2-4, abr.-dez. 1993, p. 543-572.

CANOTILHO, J. J. Gomes; MOREIRA, Vital. *Constituição da República Portuguesa anotada.* Vol. I. 4. ed. Coimbra: Coimbra Editora, 2007.

COELHO, Carla; FIGUEIREDO, Olívia. "A publicitação das sentenças de condenação pela prática de crimes contra a liberdade e autodeterminação sexuais – estudo sobre a sua compatibilidade com o ordenamento jurídico português". *O Direito Online.* <www.odireitoonline.com/a-publicitacao-das-sentencas-de-condenacao-pela-pratica-de-crimes--contra-a-liberdade-e-autodeterminacao-sexuais-estudo-sobre-a-sua-compatibilidade--com-o-ordenamento-juridico-portugues.html>. (15/9/2016).

COSTA, José de Faria. *Beccaria e o Direito Penal – Três estudos.* Coimbra: Coimbra Editora, 2015.

DIAS, Jorge de Figueiredo. *Direito Penal português. As consequências jurídicas do crime.* Lisboa: Editorial Notícias, 1993.

DRAKE, E. K.;AOS, S. *Does Sex Offender Registration and Notification Reduce Crime? A Systematic Review of the Research Literature.* Olympia: Washington State Institute for Public Policy, Document n. 9/6/1101, 2009.

LEITE, André Lamas. "'Nova Penologia', *punitive turn* e direito criminal: *quo vadimus*? Pelos caminhos da incerteza (pós-)moderna". In: AA.VV. *Direito Penal. Fundamentos dogmáticos e político-criminais. Homenagem ao Prof. Peter Hünerfeld.* Coimbra: Coimbra Editora, 2013. p. 395-476.

MACHADO, Carla. "Abuso sexual de crianças". In: MACHADO, Carla; GONÇALVES, Rui Abrunhosa (coords.). *Violência e vítimas de crimes:* crianças. 3. ed. Coimbra: Quarteto, 2008. p. 41-93.

MCALINDEN, Anne-Marie. *The Shaming of Sexual Offenders. Risk, Retribution and Reintegration*. Oxford – Portland Oregon: Hart Publishing, 2007.

MIRANDA, Jorge; MEDEIROS, Rui. *Constituição portuguesa anotada*. Tomo I. 2. ed. Coimbra: Coimbra Editora, 2010.

PRADEL, Jean ; CORSTENS, Geert. *Droit pénal européen*. 2. ed. Paris: Dalloz, 2002.

PRESCOTT, J. J.; ROCKOFF, J. E. "Do Sex Offender Registration and Notification Laws Affect Criminal Behavior?". *Journal of Law and Economics*, vol. 54, fev. 2011, p. 161-206, <http://repository.law.umich.edu/law econ archive/art85> (22/8/2016).

SAMPLE, L. L.; EVANS, M. K. "Sex Offender Registration and Community Notification". In: WRIGHT, Richard G. (ed.). *Sex Offender Laws:* Failed Policies, New Directions. New York: Springer, 2009. p. 211-242.

SOEIRO, Cristina. "Perfis criminais e crime de abuso sexual de crianças. Caracterização de uma tipologia para a realidade portuguesa". *Ousar Integrar. Revista de Reinserção Social e Prova*, ano 2, n. 4, set. 2009, p. 49ss.

TEWKSBURY, R.; JENNINGS, W.; ZGOBA, K. *Sex Offenders:* Recidivism and Collateral Consequences. Washington, D.C.: National Institute of Justice, Document n. 238060, 2012, <www.ncjrs.gov/pdffiles1/nij/grants/238060.pdf> (20/9/2016).

THOMAS, Terry. "The Sex Offender Register: A measure of public protection or a punishment in its own right?". *Papers from the British Criminology Conference*, vol. 8, 2008, p. 85-96.

———. "The Sex Offender Register: Some Observations on the Time Periods for Registration". *The Howard Journal of Criminal Justice*, vol. 48, n. 3, jul. 2009, p. 257-266.

VAN DER WILT, Harmen. "Some critical reflections on the process of harmonisation of criminal law within the European Union". In: KLIP, André; VAN DER WILT, Harmen (org.). *Harmonisation and Harmonising Measures in Criminal Law. Proceedings of the colloquium, Amsterdam, 13-14 December 2001*. Amsterdam: Koninklijke Nederlandse Akademie van Wetenschappen, 2002, p. 77-86.

VAZ, Maria João. "O registo de identificação criminal de condenados por crimes contra a autodeterminação e liberdade sexual de menores: um mal desnecessário". *Lisbon Law Review* LVII, abr. 2016, p. 145-167.

ZGOBA, K.; WITT, P.; DALESSANDRO, M.; VEYSEY, B. *Megan's Law:* Assessing the Practical and Monetary Efficacy. Washington, D.C.: National Institute of Justice.

Document n. 225370, 2008 <www.ncjrs.gov/pdffiles1/nij/grants/225370.pdf> (19/8/2016).

ZWEIGERT, K.; KÖTZ, H. *An Introduction to Comparative Law*. Trad. Tony Weir, 3. ed. Oxford: Oxford University Press, 1998.

Todos os acórdãos do Tribunal Constitucional de Portugal citados no texto estão disponíveis em www.tribunalconstitucional.pt/tc/acordaos/.

A liberdade de expressão no Brasil do século XXI: limites e possibilidades ante o discurso do ódio

Luciano Feldens

Professor do Programa de Pós-Graduação em Ciências Criminais da PUCRS

Claudia Maria Dadico

Doutoranda em Ciências Criminais pela PUCRS. Juíza federal

Introdução

O Brasil, nas últimas cinco décadas, tem demonstrado uma posição ambivalente no que tange à liberdade de expressão e à liberdade de imprensa. Durante os anos da mais recente ditadura, notadamente após 1967, essas liberdades sofreram severas restrições pelo governo militar que, por intermédio do departamento de censura federal, previamente avaliava o conteúdo das publicações e, com muita frequência, com base em critérios ideológicos e subjetivos, proibia arbitrariamente a divulgação de matérias jornalísticas, peças de teatro, filmes, músicas e muitas outras manifestações artísticas e populares, como passeatas e comícios.

Com a redemocratização e a promulgação da Constituição de 1988, o Brasil passou a experimentar época de intensa efervescência política e cultural. Com o fim da censura, os órgãos de imprensa e a sociedade em geral voltaram a exercer suas liberdades sem maiores interferências por parte do Estado, a despeito da grande concentração de poder econômico em poucos grupos empresariais de telecomunicações e de imprensa.

No mundo jurídico, recentes julgamentos do Supremo Tribunal Federal têm reconhecido amplos contornos à liberdade de expressão e de imprensa, sendo significativos, nesse sentido, os debates sobre a não recepção da Lei de Imprensa editada durante o período ditatorial, a inconstitucionalidade de decisões judiciais proibitivas de manifestações em favor da descriminalização das drogas e a incompatibilidade de norma que condiciona a publicação de biografias à concordância do biografado com o texto constitucional.

Outro marco importante para o desenvolvimento da liberdade de expressão e de manifestação do pensamento no Brasil foi o avassalador crescimento do uso da internet e, particularmente, das redes sociais.

Todavia, em que pese a mais ampla e plena liberdade de expressão de que gozam os brasileiros na atualidade, são preocupantes a polarização e a intensificação do discurso de ódio nos debates públicos. Segundo dados levantados pela organização não governamental SaferNet Brasil, a partir das eleições de 2014 multiplicaram-se as mensagens nas redes sociais com conteúdo político, das quais 97,4% abordavam aspectos negativos. Do universo analisado, o segundo tema com maior número de mensagens foi o ódio às mulheres, seguido pelo ódio aos portadores de deficiência[1], além do ódio aos homossexuais, transexuais, refugiados, moradores de rua, sem falar no discurso de extermínio das pessoas encarceradas e do ódio à classe política, amplificado pela espetacularização de processos de "combate" à corrupção (KHALED JR., 2016, p. 113-119; CASARA, 2015). Os números analisados talvez sejam ainda maiores, dadas a subnotificação e a possível assimilação e banalização de expressões de ódio diluídas no discurso cotidiano, segundo Tiago Tavares, diretor presidente da SaferNet Brasil[2].

Tal fenômeno, apesar de recente, tem sido fator relevante para o incremento dos níveis de violência. A despeito da ausência de uma base de dados estatísticos oficial, de caráter nacional, para a aferição e o monitoramento da prática dos crimes de ódio, é possível afirmar que a passagem do discurso para a prática de ações violentas, motivadas pelo ódio, não tem se mostrado incomum[3]. A polêmica conexão entre o amplo exercício da liberdade de expressão e as possíveis reações violentas de quem se sentiu ofendido também constitui tema sensível na ordem mundial, como demonstrou o atentado à sede do *Charlie Hebdo*, em Paris.

---

[1] <http://oglobo.globo.com/sociedade/brasil-cultiva-discurso-de-odio-nas-redes-sociais-mostra--pesquisa-19841017>. Acesso em: 8/2/2017.

[2] <http://epoca.globo.com/tecnologia/experiencias-digitais/noticia/2017/02/ha-um-aumento--sistematico-de-discurso-de-odio-na-rede-diz-diretor-do-safernet.html>. Acesso em: 8/2/2017.

[3] <http://agenciabrasil.ebc.com.br/direitos-humanos/noticia/2016-05/policia-do-rio-investiga--video-de-possivel-estupro-coletivo>. Acesso em: 8/2/2017.

Essa avassaladora onda de ódio, dentro e fora das redes sociais, tem tornado urgente a necessidade de se traçar um marco normativo seguro, que bem defina os limites e possibilidades do exercício do direito fundamental à liberdade de expressão no Brasil, sob pena de sucumbir ao paradoxo: se a democracia exige e se constitui na ideia de plena liberdade de expressão, ao mesmo tempo, o exercício abusivo e ilimitado dessa mesma liberdade pode conduzir à violência, à supressão de indivíduos e de grupos inteiros e, no limite, à erradicação da própria democracia.

Várias são as questões a responder: o que é, exatamente, o direito fundamental à liberdade de expressão? Qual sua função na ordem constitucional? Há relação de hierarquia entre o direito fundamental à liberdade de expressão e outros direitos fundamentais, tais como a dignidade humana ou os direitos de personalidade (honra, privacidade, intimidade, reputação)? Qual o melhor modelo para o Brasil: o modelo norte-americano da ampla liberdade de expressão ou o modelo alemão, de prévio controle de manifestações de ódio, antes de sua divulgação? Ou é possível pensar em outro modelo?

Para contribuir nesse candente e atual debate da cena jurídica brasileira e mundial e, assim, colaborar para a difícil resposta a tais questões, o presente artigo, em um primeiro momento, buscará formular algumas respostas possíveis às questões suscitadas, com base em aportes teóricos da dogmática dos direitos fundamentais.

Em um segundo momento, fará breve apanhado acerca da contraposição entre liberdade de expressão e discurso de ódio na jurisprudência norte-americana e na jurisprudência do Tribunal Constitucional alemão e, finalmente, na jurisprudência do Supremo Tribunal Federal.

1 A liberdade e a evolução de suas linhas conceituais

Como refere Alexy, liberdade é desses conceitos passíveis de definições persuasivas. Ou seja, facilmente adquirem uma conotação emotiva positiva que na maior parte dos casos conduz a uma adesão acrítica, independentemente de argumentos (ALEXY, 2001, p. 210). Seus significados diversos refletem o legado de vários séculos de história da filosofia e da política. Noções relacionadas a autodomínio, ausência de coação, vontade livre, autodeterminação e livre-arbítrio, dentre outras (MENDES, 2006, p. 534), são algumas das várias potencialidades semânticas do vocábulo *liberdade*.

No período clássico da civilização grega, a ideia de liberdade era associada ao uso da palavra na ordem da *polis*, cenário no qual eram tomadas as decisões que afetavam a esfera pública. Entretanto, como nem todos os habitantes da *polis* tinham autorização para acessar o espaço público deliberativo, o conceito de liberdade conviveu sem maiores dilemas com expressivos contingentes de escravos e com a exclusão das mulheres (MENDES, 2006, p. 534).

Se, durante a Idade Média, a influência da Igreja Católica colaborou para enfatizar a noção de *livre-arbítrio,* o humanismo renascentista assistiu à recuperação do sentido de liberdade política. Maquiavel, em suas reflexões acerca das relações entre súditos e governantes, defendeu que *liberdade* é atributo daqueles que não desejam ser oprimidos (MENDES, 2006, p. 535).

No século XVII, as doutrinas contratualistas forjaram as distinções entre *liberdade natural* (anterior ao pacto social) e *liberdade civil* (que nasce concomitantemente com o Estado). Assim, sob a proteção do Estado, ente incumbido de evitar a luta de todos contra todos, seria viável a auto-organização da sociedade e assim possibilitar o exercício legítimo da liberdade individual, assimilado, à época, ao direito de propriedade. São representativas, nesse sentido, as obras de Hobbes e Locke.

O século XVIII foi palco de inúmeras transformações sociais cujo pano de fundo foi o movimento iluminista, do qual Kant e Montesquieu são representativos. Para Kant, o ordenamento jurídico representa condição para a coexistência entre *liberdades externas*, ou seja, o Direito como mecanismo de proteção do indivíduo contra o arbítrio externo dos demais indivíduos, e o âmbito da *liberdade interna*, aquele inerente à liberdade de agir ou não conforme os postulados da lei universal da razão. Montesquieu, em "*Sur l'esprit des lois*" (1721), define a liberdade como o "*direito de fazer o que a lei permite*", conceito que reverbera até os dias de hoje.

Nos albores do século XX, o liberalismo econômico, de matriz individualista, foi questionado por Karl Marx, para quem a liberdade pressupõe a consciência histórica da necessidade e a busca da transformação dessa realidade. A liberdade burguesa, para Marx, tinha um registro negativo, na medida em que era associada à ideia do "homem egoísta, fechado em si mesmo e separado da comunidade, gozando da liberdade de usufruir a própria fortuna, sem atentar para os outros homens" (MENDES, 2006, p. 537).

A teoria política clássica tem em John Rawls importante referencial teórico acerca da concepção de liberdade. Para estabelecer as matrizes teóricas de sua teoria da justiça, Rawls defende o primado da liberdade, sem, no entanto, aderir aos excessos individualistas do liberalismo econômico (MENDES, 2006, p. 537). Adotando um conceito estrutural de liberdade, a partir de uma relação "triádica", Rawls introduz a ideia de que a liberdade deve submeter-se a restrições derivadas do bem comum, desde que justificadas (RAWLS, 2002, p. 231). Os três itens referidos por Rawls para definir qualquer liberdade são (1) agentes livres, (2) a ausência de restrições ou limitações ao exercício da liberdade e (3) aquilo que estão livres para fazer ou não fazer (RAWLS, 2002, p. 219).

Amartya Sen, a seu turno, a partir do referencial teórico de Rawls, analisa o conceito de liberdade a partir da capacidade dos indivíduos no alcance de seus objetivos (SEN, 2016, p. 104). Dessa forma, sustenta que o desenvolvimento econômico tem conexão direta com a liberdade, ou seja, "*a capacidade é um tipo de liberdade: a liberdade substantiva de realizar combinações alternativas de funcionamentos (ou, menos formalmente expresso, a liberdade para ter estilos de vida diversos*" (SEN, 2016, p. 105). A exclusão social retira do indivíduo a possibilidade de escolha de seu projeto de vida, na exata medida em que lhe restringe a liberdade substantiva de eleger seu estilo de vida. A pessoa abastada que decide fazer jejum pode, em algum momento, parecer-se com a pessoa necessitada forçada a passar fome. Entretanto, o "conjunto capacitário" nas duas situações é bastante distinto: no primeiro caso, há liberdade de escolha; no caso da pessoa necessitada, a fome não é uma decisão, mas uma contingência, uma restrição de sua liberdade substantiva (SEN, 2016, p. 105).

A evolução das várias acepções possíveis do conceito de liberdade revela dois eixos comuns: a importância da liberdade para a emancipação do indivíduo em seu esforço de construção da própria subjetividade e, ao mesmo tempo, uma dimensão relacional, no sentido de permitir a convivência pacífica das várias liberdades. Nesse sentido é eloquente a síntese de Russell (2008, p. 168):

> ...a liberdade que devemos buscar não implica o direito de oprimir outros, mas o direito de viver e de pensar da maneira que escolhemos desde que nossas atitudes não impeçam outros de agir da mesma forma.

Das várias manifestações da liberdade, este trabalho ocupa-se da liberdade de expressão, de opinião e de manifestação do pensamento.

2 Liberdade de expressão, de opinião e de pensamento

Há juristas que diferenciam a liberdade de expressão e suas múltiplas manifestações do direito à liberdade de expressão. Nesse sentido, Alessi (1976, p. 587) define a liberdade individual como

> a posição do indivíduo singular na qual se contém a possibilidade de desenvolver naturalmente suas atividades, determinando-se segundo sua própria vontade, para o atendimento dos fins e a satisfação de seus interesses enquanto homem, vale dizer, independentemente de sua qualidade de pertencente ao Estado, e que não sejam positivamente vedadas pelo direito.

Alessi prossegue afirmando que esse conceito metajurídico de liberdade penetra no campo jurídico como direito de liberdade, sob o perfil da tutela que o ordenamento jurídico presta ao indivíduo no desenvolvimento de suas atividades (ALESSI, 1976, p. 587).

No campo dos direitos fundamentais, entretanto, encontra-se consagrado o uso do termo *liberdade* para designar não apenas o conceito metajurídico, mas para referenciar dois de seus traços característicos: (1) *liberdades* como direitos de defesa, ou seja, direitos que são garantidos quando o Estado não intervém (BOBBIO, 2004, p. 42; FELDENS, 2012, p. 46), e (2) *liberdades* como posições subjetivas diversas dos *direitos*, por comportarem *alternativa de comportamentos* (CANOTILHO, 1993, p. 539; ALEXY, 2001, p. 214). Nessa última acepção, se o bem jurídico jusfundamental não enseja opções quanto à forma de exercício (exemplo: direito à vida, cujo titular, em tese, não pode escolher entre morrer e viver), não se está diante de uma *liberdade,* mas de um direito fundamental.

Assim, com essas configurações próprias à sua inserção no campo das *liberdades*, o feixe de ações protegidas sob o manto da liberdade de expressão é definido por Canotilho (2014, p. 132):

> A liberdade de expressão em sentido amplo é um <u>direito multifuncional</u>, que se desdobra num <u>cluster</u> de direitos comunicativos fundamentais (Kommunikationsgrudrechte) que dele decorrem naturalmente, como seja, por exemplo, a

> liberdade de expressão *stricto sensu*, de informação, de investigação acadêmica, de criação artística, de edição de jornalismo, de imprensa, de radiodifusão, de programação, de comunicação individual, de telecomunicação e comunicação em rede. As liberdades comunicativas encontram-se ainda associadas a outras liberdades, como a liberdade de profissão, a livre iniciativa econômica, de prestação de serviços e o direito de propriedade. (grifos nossos)

Dentre todas as potencialidades do tema vinculado à liberdade de expressão, acima referidas por Canotilho, este trabalho se ocupará, especificamente, da liberdade de expressão, de opinião e de imprensa no espaço público do debate democrático.

Assim, dada sua inserção no catálogo de direitos fundamentais pela Constituição brasileira de 1988, no Artigo 5º, incisos IV e IX, bem como no Artigo 220, é necessário tomar posição quanto à sua natureza jurídica no campo da teoria jusfundamental para definir se a liberdade de expressão materializa uma regra ou um princípio, ponto fulcral para a solução de possíveis conflitos com outros direitos e princípios.

3 O caráter pluridimensional da liberdade de expressão

A liberdade de expressão, de pensamento e de opinião envolve múltiplos aspectos. Do ponto de vista do emissor da mensagem, é possível identificar a necessidade de expressar livremente sentimentos, ideias, reflexões, convicções e sensações como necessidade ínsita a qualquer ser humano, enquanto subjetividade que se constrói também a partir da atividade intelectual, científica, artística e comunicativa.

Ainda na esfera do indivíduo, é possível extrair do direito à liberdade de expressão o direito fundamental de acesso à informação de qualidade, conforme critérios previamente estabelecidos (BINENBOJM, 2006, p. 492) que permitam o contato com as mais diversas correntes de opinião e pensamento, como concretização do princípio fundamental ao pluralismo.

Para além do direito individual, é possível afirmar que a liberdade de expressão, de opinião e de pensamento ainda possui um aspecto objetivo, no sentido de fomentar o debate público, essencial para o regular funcionamento do regime democrático.

Essas reflexões serão desenvolvidas nos tópicos a seguir.

3.1 A liberdade de expressão e o princípio da dignidade humana

É firme a tendência em reconhecer que os direitos fundamentais constituem explicitações da dignidade da pessoa, de sorte que em cada direito se faz presente alguma projeção da dignidade da pessoa (SARLET, 2001, p. 87). Na eloquente expressão de Habermas (2012, p. 17),

> a dignidade humana é um sismógrafo que mostra o que é constitutivo para uma ordem jurídica democrática – a saber, precisamente os direitos que os cidadãos de uma comunidade política devem se dar para poderem se respeitar reciprocamente como membros de uma associação voluntária de livres e iguais. Somente a garantia desses direitos humanos cria o *status* de cidadãos que, como sujeitos de direitos iguais, pretendem ser respeitados em sua dignidade humana.

Tais premissas têm total aplicabilidade no que tange à liberdade de expressão, enquanto condição para o livre desenvolvimento da personalidade, direito fundamental reconhecido, ainda que implicitamente, pela Constituição brasileira (SARLET, 2001, p. 88/89). O livre fluxo de ideias, sentimentos e opiniões do sujeito permite a reflexão, a formação das convicções, a aquisição da cultura e a vazão de emoções, condições essenciais para a construção da identidade pessoal e emancipação de si, enquanto subjetividade. É também pelo exercício da liberdade e, em especial da liberdade de expressão, que o sujeito exercita "*o direito que tem todo sujeito de ser ele mesmo*" (LUDWIG, 2002, p. 300).

Todavia, a construção do discurso pressupõe a existência de um interlocutor, ainda que fictício. Não é possível, ainda, que a pessoa esteja a monologar, que o discurso solitário seja articulado atomisticamente, na medida em que seu próprio suporte, a linguagem, ostenta, entre outras, a função da integração social ou da coordenação dos planos de diferentes atores na interação social, lastreada em pretensões de validade obtidas a partir do consenso racionalmente motivado (HABERMAS, 2013, p. 41).

Não é por outra razão que Althusius, para respaldar sua afirmação de que só há pessoa se houver ser humano e sociedade, distinguiu "homem" e "pessoa", ilustrando sua distinção com a passagem da obra de Daniel Defoe alusiva à chegada do nativo – Sexta-feira – ao pequeno mundo de Robinson Crusoé (LUDWIG, 2002, p. 270).

Dessa forma, o direito à liberdade de expressão não pode desprender-se completamente de seu substrato, que é a linguagem, seja a linguagem verbal, pictórica, musical etc. Por sua vez, a linguagem é intrinsecamente relacional, pressupõe o outro.

Assim, transportando tais ilações à natureza jurídica do direito à liberdade de expressão, podemos afirmar tratar-se de um direito intrinsecamente relacional, ou seja, um direito que não pode ser definido e compreendido de forma apartada do elemento constitutivo-funcional consistente em propiciar a comunicação e a relação dos sujeitos entre si.

O direito à liberdade de expressão é o veículo dos mais variados tipos de relações entre os sujeitos – de relações amistosas e agradáveis às relações indesejadas ou constrangedoras. Vale dizer, o conteúdo do discurso protegido pelo direito fundamental à liberdade de expressão não abrange tão somente elogios e bons sentimentos, mas também deve permitir a crítica, a contraposição de ideias, a discordância e a denúncia. A liberdade de expressão é o terreno no qual se erige o edifício do "mercado das ideias" a que aludiu o juiz Holmes, em célebre precedente.

Daí se infere que a expressão cujo conteúdo se direcione à aniquilação do outro ou de outro grupo de sujeitos não pode ser admitida como exercício legítimo de uma liberdade. Um direito radicado na dignidade humana não pode ser utilizado para suprimir a dignidade humana de outrem. Eis aqui um limite *a priori*. Uma zona situada fora do *protective perimeter* que rodeia uma liberdade (ALEXY, 2001, p. 225).

Assim, é possível afirmar que a expressão de ódio voltada à destruição do outro não apenas se descola de sua função de estabelecer relações entre sujeitos, mas faz perecer sua própria razão de ser, à medida que a aniquilação dos interlocutores ou das pessoas referidas na mensagem faz cessar a própria comunicação.

Em síntese: não há dignidade humana plena sem o exercício da liberdade de expressão, e seu exercício deve ater-se a este elemento estrutural.

Mas, assim como é possível afirmar que a liberdade de expressão é condição para o livre desenvolvimento da personalidade, aspecto nuclear da dignidade da pessoa humana, também é possível afirmar que a dignidade humana, em seu aspecto do *mínimo existencial cultural* (LEIVAS, 2006, p. 135), também é condição para o exercício do direito à livre expressão.

Como lembra Häberle, a realização da liberdade somente é possível a partir da *cultura*. Neste aspecto, não há como sustentar o exercício da livre manifestação do pensamento em países, como o Brasil, com imensos contingentes de analfabetos e condições precárias de acesso ao ensino fundamental. Ainda que se tenha em mente que a cultura popular em suas múltiplas manifestações também pode desenvolver-se independentemente do acesso à linguagem escrita, o domínio da leitura e da escrita é condição essencial para o desenvolvimento das mais diversas competências do ser humano. Como sustentar a existência de um verdadeiro debate democrático num ambiente em que parcelas inteiras da população estão excluídas do acesso ao jornalismo escrito, à literatura ou até mesmo à propaganda eleitoral na forma escrita?

Cabe, neste ponto, no contexto dos países latino-americanos, trazer ao debate o conceito de *cultura do silêncio* de Paulo Freire (1976), para quem *a sociedade dependente é por definição uma sociedade silenciosa. Sua voz não é autêntica, mas apenas um eco da voz da metrópole.*

A partir do conceito de *cultura do silêncio* de Freire, o professor da Universidade de Brasília Venício de Lima destaca que

> A *cultura do silêncio* (...) caracteriza a sociedade a que se nega a comunicação e o diálogo e, em seu lugar, se lhe oferecem "comunicados", vale dizer, é o ambiente do tolhimento da voz e da ausência de comunicação, da incomunicabilidade.

A omissão do Estado no cumprimento de seu dever de proporcionar o acesso universal ao ensino público de qualidade reproduz a *cultura do silêncio* à medida que restringe o acesso ao debate democrático a parcelas privilegiadas da população, relegando imensos contingentes à condição de mera massa, sem condições de formar sua opinião em um ambiente minimamente esclarecido e, assim, formar um pensamento original e crítico.

Novamente, Häberle (2007, p. 76) manifesta-se sobre o tema com total precisão

> A democracia comprometida com a liberdade funciona somente, o direito à eleição somente se transformará de mera forma em conteúdo, em liberdade pública, em direito à participação na configuração política da sociedade, se as condições mínimas da existência material estiverem asseguradas para o cidadão.

Depreende-se, assim, que as interações entre liberdade de expressão e dignidade humana colocam em xeque a tradicional concepção de que as *liberdades* atuam tão somente numa dimensão negativa, ou seja, apenas impõem ao Estado obrigações de abstenção.

Em verdade, a garantia do pleno exercício da liberdade de expressão envolve muitas obrigações positivas para o Estado. Dentre elas, a concretização do acesso universal ao ensino fundamental de qualidade e o desenvolvimento de ações pedagógicas ancoradas no aprendizado da democracia e no exercício respeitoso das liberdades.

3.2 A liberdade de expressão como elemento conceitual da democracia

Em sua análise acerca da Alemanha nazista e da União Soviética sob o governo de Stalin, Hannah Arendt descreve como os movimentos totalitários (antecedentes aos governos totalitários) usaram e abusaram das liberdades democráticas com o objetivo de suprimi-las (2012, p. 440). De fato, a propaganda estatal antissemita foi decisiva para a instalação do governo nazista.

Um governo totalitário, por definição, busca não apenas o controle da burocracia e dos aparatos partidários e estatais, mas, sobretudo, o controle total das mentes dos governados. Tal estratégia de governo somente se faz possível com o controle total da produção jornalística, artística e intelectual. Neste aspecto, Hannah Arendt (2012, p. 473) é precisa e contundente ao concluir:

> A iniciativa intelectual, espiritual e artística é tão perigosa para o totalitarismo como a iniciativa de banditismo da ralé, e ambos são mais perigosos que a simples oposição política. A uniforme perseguição movida contra qualquer forma de atividade intelectual pelos novos líderes da massa deve-se a algo mais que o seu natural ressentimento contra tudo o que não podem compreender. O domínio total não permite a livre iniciativa em qualquer campo de ação, nem qualquer atividade que não seja inteiramente previsível. O totalitarismo no poder invariavelmente substitui todo talento, quaisquer que sejam as suas simpatias, pelos loucos e insensatos cuja falta de inteligência e criatividade é ainda a melhor garantia da lealdade.

Contrario sensu, em se tratando de um regime democrático, a liberdade de expressão é pressuposta. Segundo Hesse (1998, p. 302-303), a liberdade de opinião e de informação possui caráter duplo – a um só tempo é direito subjetivo e elemento constitutivo da ordem objetiva democrática e estatal jurídica.

Em suas palavras:

> Sem a liberdade de manifestação de opinião e liberdade de informação (...) o desenvolvimento de iniciativas e alternativas pluralistas, assim como "formação preliminar da vontade política" não são possíveis, publicidade da vida política não pode haver, a oportunidade igual das minorias não está assegurada com eficácia e vida política em um processo livre e aberto não se pode desenvolver. Liberdade de opinião é, por causa disso, para a ordem democrática da Lei Fundamental "simplesmente constitutiva".

No contexto do Brasil do século XXI, a conexão entre liberdade de expressão e de imprensa passa, necessariamente, pelas complexas temáticas das concessões de telecomunicações e do poderio econômico dos conglomerados empresariais que atuam no setor.

De fato, o poder de influência que os grandes grupos exercem para a formação da opinião pública é avassaladora e, não raro, sua cobertura dos fatos é pautada de acordo com interesses próprios, ou mesmo para interferir diretamente nos mecanismos de poder, como se verifica, por exemplo, na Itália de Berlusconi.

Como alerta Andrade (1996, p. 62):

> Resumidamente, as empresas de comunicação social integram, hoje, não raro, grupos econômicos de grande escala, assentes numa dinâmica de concentração e apostados no domínio vertical e horizontal de mercados cada vez mais alargados. Mesmo quando tal não acontece, o exercício da atividade jornalística está invariavelmente associado à mobilização de recursos e investimentos de peso considerável. O que, se por um lado resulta em ganhos indisfarçáveis de poder, redunda ao mesmo tempo na submissão a uma lógica orientada para valores de racionalidade econômica. Tudo com reflexos decisivos em três direções: na direção do poder político, da atividade jornalística e das pessoas concretas atingidas (na honra, privacidade/intimidade, palavra ou imagem).

Exemplo claro das complexas relações entre a liberdade de imprensa, poder dos grupos empresarias de comunicação e democracia é o fenômeno do *coronelismo eletrônico*, tema da ADPF n. 246, na qual o PSOL – Partido Socialismo e Liberdade questiona a outorga e a renovação de concessões de radiodifusão a pessoas jurídicas que possuam políticos com mandato como sócios ou associados. A legenda questiona, também, a diplomação e a posse de políticos que sejam, direta ou indiretamente, sócios de pessoas jurídicas concessionárias de radiodifusão[4].

Dentre os vários argumentos que sustentam a pretensão, encontra-se a defesa à liberdade de imprensa. Se um dos papéis mais relevantes da imprensa no contexto atual é atuar como agente fiscalizador do exercício do poder, não seria razoável nem ajustado a esta finalidade outorgar concessões a pessoas que exercem o poder político, pois seria inimaginável conceder poder a alguém para fiscalizar a si mesmo.

3.3 A liberdade de expressão enquanto concretização do pluralismo

Häberle (2007, p. 18) não poderia ser mais claro: a constituição pluralista dos meios de comunicação é uma peça central da democracia liberal.

Aqui também surgem obrigações positivas para o Estado, materializadas, entre outros, nos deveres de regular a atividade da imprensa[5], subsidiar e fomentar a concorrência entre grupos de orientação ideológica divergentes daquelas já estabelecidas em caráter majoritário e proibir a formação de monopólios.

No contexto brasileiro, umas das questões sensíveis quanto ao tema diz respeito à radiodifusão comunitária, disciplinada pela Lei n. 9.612, de 19 de fevereiro de 1998.

Em que pese a existência de lei, o funcionamento dessas rádios tem sido indiretamente obstado por intensas polêmicas acerca do caráter restritivo de sua regulamentação, pelo enorme acervo de pedidos administrativos de autorização pendentes de análise pelos órgãos administrativos competentes e pela intensa repressão da Agência Nacional de Telecomunicações – Anatel e da Polícia Federal às rádios comunitárias não autorizadas.

Em tal contexto, o caráter meramente defensivo da liberdade de expressão converte-se em obrigação positiva para o Estado, no sentido de regulamentar

---

[4] A ADPF n. 246, sob a Relatoria do ministro Gilmar Mendes, foi distribuída no Supremo Tribunal Federal em 15 de dezembro de 2011 e ainda aguarda julgamento.

[5] Conforme se verá adiante, o Supremo Tribunal Federal na ADPF n. 130 não reconheceu a existência de vedação à regulação da imprensa por intermédio de lei, mas tão somente a impossibilidade da edição de uma lei cuja finalidade seja a de restringir esta atividade.

a atividade com vistas à adequação aos critérios impostos pelo princípio do pluralismo, bem como estimular, proteger ou fomentar a criação de grupos que representem o pensamento divergente e as manifestações comunicativas populares.

Como visto, a democracia somente é viável num contexto em que a dignidade humana na perspectiva da relação de convívio com o outro estiver assegurada. Em outras palavras, o regime democrático verdadeiramente comprometido com a dignidade humana deve valorizar o convívio plural, a diversidade e a proteção às minorias. Nesse sentido, afirma Häberle (2007, p. 20):

> O estado cultural pressuposto e ao mesmo tempo criado pelos direitos humanos é a condição da possibilidade e realidade da democracia. Mencionemos aqui especialmente a proteção dos direitos humanos das minorias: compreendida como possibilidade real para a mudança de poder, a democracia exige garantias múltiplas da tutela das minorias, de proteção da oposição (e. g., graças à legislação que dispõe sobre as Comissões Parlamentares de Inquérito) até as garantias de minorias religiosas e outras (e.g., étnicas como também as linguísticas). A minoria de hoje deve ter condições *reais* para tornar-se a maioria amanhã, eis o teorema central da democracia.

A "*peça de conexão ou transmissão, sem a qual o nexo entre a dignidade humana e a democracia nem poderia tornar-se realidade*" (HÄBERLE, 2007, p. 24) é a liberdade de expressão.

3.4 A liberdade de expressão e o respeito à diversidade

A expressão do ódio às minorias, mediante a veiculação de mensagens de depreciação, desprezo, reforço de estigmas negativos e, no limite, de extermínio e aniquilação dos grupos minoritários não se encontra, igualmente, nos limites imanentes (ANDRADE, 2012, p. 267) do direito fundamental à liberdade de expressão (REY MARTÍNEZ, 2015, p. 11). Não se trata do exercício da liberdade como propiciador do debate democrático. Ao contrário, não há democracia num contexto em que conteúdos veiculadores da ideia de extermínio de grupos minoritários sejam tolerados ou naturalizados.

No debate norte-americano acerca do papel do Estado na regulamentação dos meios de comunicação, a questão do discurso de ódio contra minorias como limite à liberdade de expressão tem sido intensamente debatida, sendo digna de destaque a posição de Owen Fiss, para quem os excessos das teorias libertárias podem acarretar o chamado "efeito silenciador do discurso" numa nuance um pouco distinta daquela defendida por Freire, citada anteriormente.

Para Fiss, assim como é possível afirmar que "o debate aberto e livre é uma precondição para alcançar uma igualdade verdadeira e substantiva", é também correta a afirmação de que "uma política verdadeiramente democrática não será alcançada até que condições de igualdade tenham sido inteiramente satisfeitas" (FISS, 2005, p. 42). Essa discrepância entre a potência do discurso de ódio veiculado por grupos economicamente mais poderosos e a impotência dos grupos vitimizados gera o que Fiss denomina de "efeito silenciador".

Nesse caso, Owen Fiss defende a ação estatal a fim de impedir que o "discurso dos poderosos não soterre ou comprometa o discurso dos menos poderosos". A respeito dos discursos racistas, afirma:

> Se nada mais estivesse envolvido além dos interesses expressivos de cada grupo, vale dizer, o desejo do racista e o interesse da potencial vítima de cada qual expressar seu pensamento, então haveria de fato algo arbitrário na escolha do Estado de um grupo em detrimento do outro. Eu acredito que algo mais está envolvido, todavia. O Estado não está tentando estabelecer precondições essenciais para a autogovernança global, assegurando que todos os lados sejam apresentados ao público. Se isso pudesse ser realizado simplesmente pelo fortalecimento dos grupos desfavorecidos, o objetivo do Estado seria alcançado. Mas nossa experiência com programas de ação afirmativa e outros similares nos ensinou que a questão não é tão simples. Algumas vezes nós devemos reduzir as vozes de alguns para podermos ouvir as vozes de outros. (FISS, 2005, p. 49, grifo nosso)

4 Análise da jurisprudência acerca do tema da liberdade de expressão nos Estados Unidos, na Alemanha e no Brasil

Feitas as considerações dogmáticas e doutrinárias acerca do conteúdo do direito à liberdade de expressão, nesta segunda parte do trabalho buscaremos expor as principais contribuições da jurisprudência norte-americana, alemã e brasileira sobre o tema.

É comum a afirmação, sobretudo quando a liberdade de expressão é contraposta ao denominado *hate speech*, de que o Brasil precisa decidir-se entre o modelo norte-americano, assimilado à ampla liberdade e ao enfrentamento do discurso de ódio com "mais discurso", e o modelo alemão, de pré-exclusões pela legislação de expressões classificadas pelo legislador como portadoras de mensagens de ódio. Passamos a esboçar, brevemente, as linhas mestras desses dois modelos para, posteriormente, discutir alguns casos marcantes da jurisprudência brasileira.

4.1 A liberdade de expressão em julgados da Suprema Corte dos Estados Unidos

Tem-se afirmado que a jurisprudência norte-americana possui forte tendência de proteção ao *free speech*, admitindo como constitucionais expressões tidas mesmo por inaceitáveis por muitos outros países (BARROS, 2015, p. 127).

Ilustrativas, neste sentido, são as decisões da Suprema Corte nos casos *RAV v St. Paul* e *National Socialist Party v Skokie*. No primeiro caso, a Corte entendeu que o ato da "queima da cruz" – símbolo associado ao grupo racista Ku Klux Klan – estava protegido pela liberdade de expressão, nos termos da 1ª Emenda. Mas talvez a mais dramática e clara demonstração do largo espectro de proteção que a Corte reconheceu à livre expressão (BAMFORTH, 2008, p. 507) seja o denominado *Skokie case*, no qual um grupo declaradamente nazista (US National Socialisty Party) teve reconhecido o direito de organizar uma parada de integrantes vestidos em uniformes que exibiam "swastikas" nas áreas judaicas da cidade de Skokie[6].

Entretanto, no percurso de tendência majoritariamente libertária, muitos precedentes da Suprema Corte mostraram-se restritivos à liberdade de expressão.

Emblemático, nesse sentido, o precedente *Abrams vs. United States*, no qual, em novembro de 1919, a Corte, por maioria, confirmou a condenação de imigrantes russos que haviam distribuído aproximadamente cinco mil panfletos em que censuravam o envio de tropas norte-americanas para a Rússia, por ocasião da revolução bolchevique, e conclamavam à realização de uma greve das indústrias de armamentos.

O precedente se notabilizou não pelos votos majoritários, mas pelas opiniões dissidentes. O destaque foi a manifestação do juiz Holmes, que, ao defender a impossibilidade de se determinar, *a priori*, a existência de ideias verdadeiras ou

[6] National Socialist Party v Skokie, 432 U.S. 43 (1977).

falsas antes de sua discussão pública, proferiu voto que se tornaria uma das mais célebres passagens da jurisprudência norte-americana. Em sua visão, no *mercado das ideias*, apenas as verdadeiras prevaleceriam na concorrência com outras ideias e o discurso de ódio deveria ser neutralizado com ainda mais discurso.

A opinião de Holmes é, em certa medida, tributária da visão filosófica de John Stuart Mill, para quem o conhecimento humano é falível e necessita ser permanentemente questionado para progredir (RIVERA, 2009, p. 18). Para Holmes, o mercado das ideias é o mecanismo definidor da verdade.

Todavia, a despeito dos vários precedentes e dos critérios interpretativos forjados pela atividade hermenêutica da Suprema Corte, nem sempre a tendência liberal, favorável à plena liberdade de expressão, foi a tônica de seus julgamentos.

O mesmo juiz Holmes, responsável pela célebre opinião da Corte no caso *Abrams*, externou opinião em sentido diverso no caso *Schenk vs. United States*, relativo à distribuição de panfletos a recrutas, denunciando a guerra e incitando a oposição ao recrutamento, ao decidir que o conteúdo dos panfletos não estaria baseado na 1ª Emenda, diante da presença de um perigo "claro e presente", já que "*com o país em guerra, o Congresso tinha um interesse legítimo e de fato urgente em evitar que o recrutamento de soldados fosse obstruído e a conduta dos réus ao mesmo tempo pretendia obstruir esse recrutamento*" (BARROS, 2015, p. 133).

Durante a Guerra Fria, ocasião em que se instalou um período de "histeria vermelha", cuja figura mais representativa foi o senador Joseph McCarhty (RIVERA, 2009, p. 24), a Suprema Corte, contrariando precedentes anteriores em que absolveu militantes comunistas[7], confirmou a condenação de altos funcionários do partido comunista por conspiração e por ensinar e pregar a destruição do governo dos Estados Unidos, no caso *Dennis v. United States*[8]. Nesse precedente, alterando critérios adotados em seus precedentes anteriores, a Corte, a despeito de não verificar no discurso examinado um perigo iminente, acrescentou novo critério, relacionado à gravidade do perigo, para concluir que o discurso dos funcionários do partido não estava sob a proteção da 1ª Emenda (RIVERA, 2009, p. 25).

As oscilações no tratamento da questão demonstram que, a despeito da tentativa de manutenção de uma linha coerente de defesa e ampla proteção da

[7] Gitlow v. New York, 268 US 652 (1925).

[8] Dennis v. United States, 41 US 494 (1951).

liberdade de expressão e de uma tendência mais "liberal" no trato da matéria, a Suprema Corte também é sensível às conjunturas políticas do momento histórico em que se insere e, mesmo sob o influxo dos ideais filosóficos de Mill, Milton e Tocqueville, é permeável aos clamores sociais de seu tempo. O caráter predominantemente casuístico de seus julgados demonstra a veracidade da afirmação.

4.2 A liberdade de expressão e a jurisprudência do Tribunal Constitucional Alemão

No sistema jurídico alemão, a proibição do discurso de ódio encontra-se incorporada expressamente ao direito posto. A Lei Fundamental da República Federal da Alemanha, de 1949, ao mesmo tempo em que estabelece a liberdade de opinião[9], já prevê a possibilidade de limitações "nas normas das leis gerais, nos princípios da proteção aos jovens e do direito da dignidade pessoal" (Artigo 5.2).

Por sua vez, o Código Penal da Alemanha, em seu Artigo 130 criminaliza o discurso de ódio e as teorias revisionistas. Também é relevante o Artigo 185 do Código Penal alemão, que proíbe ofensas tanto contra grupos quanto contra indivíduos (BARROS, 2015, p. 146-147).

A experiência alemã é particularmente rica quanto ao tema, em razão dos terríveis fatos envolvendo o holocausto e demais crimes praticados pelos seguidores do regime nazista, sendo pertinente destacar que a jurisprudência alemã da década de 1950 foi caracterizada pelo fenômeno da "militância democrática", assim descrito por Sarmento (2006):

> A ideia de democracia militante envolve a noção de que o Estado deve defender a democracia dos seus "inimigos", que não aceitam as regras do jogo democrático e pretendem subvertê-las. Neste sentido, a Lei Fundamental alemã vedou a criação de associações "dirigidas contra a ordem constitucional ou contra a ideia de entendimento entre os povos" (artigo 9º), previu a possibilidade de decretação de privação dos direitos fundamentais, pela Corte Constitucional, para aquele que abusar das liberdades constitucionais

[9] Dieter Grimm anota que liberdade de opinião consiste já de antemão em conceito mais restrito que liberdade de expressão, uma vez que protege apenas algumas formas de discurso, ou seja, aqueles em que há formulação de opiniões e não meras afirmações de fatos (GRIMM, Dieter. The Holocaust Denial Decision of the Federal Constitutional Court of Germany. In: *Extreme Speech and Democracy*. [coords.: HARE, Ivan; WEINSTEIN, James]. Oxford: Oxford University Press, 2010, p. 557-561).

visando a "combater a ordem constitucional liberal e democrática" (artigo 18), e proibiu os partidos políticos que, pelos seus objetivos declarados, ou pelo comportamento dos seus filiados, proponham-se a atingir ou eliminar "a ordem constitucional liberal e democrática ou pôr em risco a existência da República Federal da Alemanha" (artigo 21). Na década de 50, a Corte Constitucional alemã chegou a declarar a inconstitucionalidade do Partido Socialista do Reich (SRP), pelas suas tendências neonazistas, e – em decisão muito mais polêmica e controversa, adotada no auge da Guerra Fria –, também a do Partido Comunista Alemão (KPD), porque entendeu que este tinha como "fixo propósito combater constante e resolutamente a ordem constitucional livre e democrática", e que manifestava concretamente esta sua intenção através da sua "ação política, dirigida por um plano predefinido".

A partir de 1994, após modificação da redação do Artigo 130 do Código Penal alemão, a negação do Holocausto passou a ser criminalizada. Dez anos antes, a tentativa de reforma da legislação penal não obteve êxito.

O professor da Yale Law School e juiz da Corte Federal alemã Dieter Grimm, em ensaio sobre o tema, analisa precedente[10] em que o Tribunal Constitucional alemão foi chamado a manifestar-se sobre a constitucionalidade da vedação ao discurso revisionista. O primeiro caso relatado, em que inclusive atuou como magistrado relator, diz respeito não a um caso criminal, mas a um caso administrativo anterior à emenda do Artigo 130 do Código Penal alemão. O Partido Nacional Democrata da Alemanha, pequena agremiação sem representação no Parlamento, iria realizar uma assembleia em cuja programação estava incluída uma fala de David Irving acerca de suposta chantagem que políticos alemães teriam sofrido por parte de judeus com o intuito de explorar os fatos do Holocausto. Ao serem notificadas acerca do evento para emitir as competentes autorizações, na forma dos regulamentos administrativos, as autoridades municipais da cidade de Munique expediram uma ordem proibindo que as falas acerca da suposta negativa de perseguição aos judeus durante a guerra fossem abordadas em palestras. Após recurso administrativo, o Partido ingressou com uma queixa à Corte

[10] BVerfGE 90, 241 (1994), citada em GRIMM, Dieter. The Holocaust Denial Decision of the Federal Constitutional Court of Germany. In: *Extreme Speech and Democracy*. [coords.: HARE, Ivan; WEINSTEIN, James]. Oxford: Oxford University Press, 2010, p. 557-561).

Constitucional, alegando ofensa à liberdade de opinião e à liberdade de reunião (GRIMM, 2010, p. 558).

A Corte declarou que a negativa de fatos comprovados por um sem-número de testemunhas, documentos históricos e outros elementos comprobatórios mereceria menor proteção constitucional. Entretanto, não se furtando a um exame mais aprofundado da questão, entendeu, ainda assim, ser relevante proceder à análise sob o enfoque da liberdade de opinião, uma vez que, mesmo em se tratando de mera negativa de fatos, tais fatos pertenciam ao patrimônio identitário dos judeus falecidos e dos judeus sobreviventes ao Holocausto, sendo que a difusão de sua versão distorcida poderia, igualmente, influenciar negativamente a juventude e, diante dessas conclusões, o evento não poderia receber proteção do Estado alemão (GRIMM, 2010, p. 559). O autor lembra que, apesar de não terem vivenciado os fatos do Holocausto com a mesma intensidade do passado alemão, as legislações proibitivas dos discursos revisionistas em outros países têm sido chanceladas pela Corte Europeia dos Direitos Humanos[11].

É possível afirmar que, mesmo que de forma mais atenuada do que ocorreu na década de 1950, sob os auspícios da "militância democrática", a atual experiência alemã indica um caminho no sentido de uma atuação preventiva da gênese de discursos de ódio, mediante a edição de normas proibitivas, cujo efeito de prevenção geral ainda é objeto de intensos debates.[12]

---

[11] Ver, exemplificativamente, *Garaudy v. France*, Case n. 65831/01 de 24 de junho de 2003.

[12] Neste sentido, a crítica de Claus Roxin (2006, p. 50): "Por mais abjeta e reprovável que seja a mentirosa negação da ocorrência ou do caráter lesivo dos assassinatos praticados pelos nazistas, permanece problemática a legitimidade da cominação penal. Quem faz apologia desses assassinatos, ou afirma terem eles sido inventados pelos judeus para difamar os alemães, pode ser punido já segundo a primeiro alínea do tipo que estamos examinando. Mas a 'mera negação de um fato histórico sem caráter de agitação' ou a negação de seu caráter lesivo realizada da mesma maneira não prejudicam a convivência pacífica das pessoas. Afinal, a verdade do contrário de tais afirmações mentirosas está historicamente comprovada e é reconhecida pela generalidade, de modo que quem negue tais fatos ou seu caráter lesivo não encontra ressonância, mas se expõe ao desprezo público, como idiota ou fanático de má-fé. A punição pode até mesmo servir para que os autores se elevem à categoria de mártires, declarando que se está a utilizar o direito penal para oprimir a verdade. A discussão pública de tais afirmações mentirosas as tornará inócuas com mais rapidez e segurança que a sua punição. O tipo da mentira de Auschwitz é, portanto, uma lei preponderantemente simbólica. Ele é desnecessário para a proteção de bens jurídicos, mas manifesta que a Alemanha é um país historicamente marcado, que não esconde e nem se cala a respeito dos crimes

4.3 A liberdade de expressão em julgados do Supremo Tribunal Federal

A leitura dos mais expressivos precedentes do Supremo Tribunal Federal acerca da temática da liberdade de expressão revela que, efetivamente, não se pode afirmar que a Corte tenha uma tendência nitidamente mais liberal, nos moldes dos atuais julgados da Suprema Corte, ou mais restritiva, nos moldes da jurisprudência do Tribunal Constitucional da Alemanha.

Se no caso *Ellwanger* a Corte inclinou-se pela restrição à liberdade de expressão, em outros casos a Corte seguiu uma tendência amplamente liberal, chegando alguns ministros a afirmar uma precedência absoluta do direito fundamental à livre expressão em face de quaisquer outros direitos[13].

A seguir serão analisados alguns dos precedentes de maior relevância na jurisprudência da Suprema Corte brasileira.

4.3.1 HC n. 82.424-2/RS – Caso Ellwanger

Na jurisprudência do Supremo Tribunal Federal do Brasil, um dos mais célebres precedentes envolvendo a temática da liberdade de expressão e liberdade de imprensa é o HC n. 82.424-2/RS, o denominado "Caso Siegried Ellwanger".

Imputou-se ao acusado a prática de apologia a ideias preconceituosas e discriminatórias contra judeus, com base no artigo 20 da Lei n. 7.716/89, com a redação dada pela Lei n. 8.081/1990, pelo fato de haver editado, distribuído e vendido obras literárias de conteúdo antissemita, de sua autoria ("Holocausto, judeu ou alemão os bastidores da mentira do século"), bem como de autoria de outros autores ("O judeu internacional", de Henry Ford; "Hitler – Culpado ou inocente?", de Sérgio Oliveira; e "Brasil Colônia de Banqueiros", de Gustavo Barroso).

O réu foi absolvido em primeiro grau e, em grau de recurso, foi condenado à pena de dois anos de reclusão. Impetrou-se *Habeas Corpus* no Superior Tribunal de Justiça e, em face do indeferimento da ordem naquele Tribunal Superior, o caso chegou ao Supremo Tribunal Federal.

do nazismo, e que hoje representa uma sociedade pacífica e respeitadora das minorias. Trata-se de uma louvável disposição de ânimo. Mas sem a imprescindibilidade da intervenção para proteger bens jurídicos, o direito penal não é instrumento idôneo para a manifestação e consolidação de tal atitude. A verdade histórica enquanto tal deve conseguir se impor, sem ajuda do direito penal".

[13] Veja-se, por exemplo, a posição do ministro Carlos Ayres Britto em seu voto na ADPF n. 130.

Por maioria, o Plenário decidiu por denegar a ordem de *Habeas Corpus* e manter a condenação do réu por crime de racismo.

Muitas questões foram abordadas nesse julgamento, desde o conceito de raça, sobretudo após as descobertas do genoma, a extensão do racismo em relação aos judeus no Brasil, a aplicação do princípio da proporcionalidade e, como não poderia deixar de ser, o conteúdo, funções e amplitude do direito à liberdade de expressão, em face do discurso de ódio[14].

Para os fins deste trabalho, entretanto, é relevante a manifestação acerca da natureza, da função e do conteúdo da liberdade de expressão e de imprensa, na visão dos integrantes da Corte Suprema do País.

O primeiro dos ministros votantes a enfrentar a temática da liberdade de expressão foi o ministro Celso de Mello. Em seu voto, após reforçar os compromissos assumidos pelo Brasil ao ratificar tratados internacionais, o ministro salientou que, por mais relevante que seja a "*prerrogativa da livre manifestação do pensamento, por mais abrangente que deva ser o seu campo de incidência, não constitui meio que possa legitimar a exteriorização de propósitos criminosos*". Não há, na fundamentação adotada pelo ministro, maiores desenvolvimentos acerca da compreensão do conteúdo do direito fundamental à liberdade de expressão, mas tão somente referências à dignidade da pessoa humana e à igualdade como limites externos a seu exercício, relembrando a assertiva de que não há no ordenamento constitucional nenhum direito fundamental de caráter absoluto, o que legitimou a invocação ao postulado da proporcionalidade para a solução do conflito para concluir pela denegação da ordem.

O ministro Gilmar Mendes, em seu voto, salientou que a liberdade de expressão, contemplada no caso como a própria liberdade de imprensa, consiste num "*dos mais efetivos instrumentos de controle do próprio governo. Para não falar que se constitui, igualmente, em elemento essencial da própria formação da consciência e de vontade popular*". Em seu voto, o ministro Gilmar Mendes, tal como o ministro Celso de Mello, também fez uso da técnica da proporcionalidade como método para a solução do conflito, lembrando que o próprio texto constitucional, ao

[14] O caso Ellwanger tem sido objeto de excelentes estudos acerca das técnicas de decisão judicial e dogmática dos direitos fundamentais, dentre os quais: OMMATI, José Emílio Medauar. *Liberdade de expressão e discurso de ódio na Constituição de 1988*. 3. ed. Rio de Janeiro: Ed. Lumen Juris, 2016; SILVA, Virgílio Afonso da. *A Constitucionalização do direito. Os direitos fundamentais nas relações entre particulares*. 1ª ed., 4ª tiragem. São Paulo: Malheiros, 2014, p. 167-172.

disciplinar a liberdade de imprensa, determinou que seu exercício se desse com respeito à imagem, à honra e à vida privada. Assim, concluiu da mesma forma que Celso de Mello, pela denegação da ordem de *Habeas Corpus.*

As várias funções da liberdade de expressão foram o foco da fundamentação utilizada pelo ministro Marco Aurélio para conceder a ordem de *Habeas Corpus.*

A partir da premissa de que as liberdades de expressão e de imprensa são elementos imprescindíveis de um estado democrático de direito, o ministro Marco Aurélio proferiu o voto em que o tema de liberdade de expressão teve mais amplo tratamento. Citou a lição de Ernst-Wolfgang Böckenförde, para quem os direitos de comunicação, incluída a liberdade de opinião, são "*constitutivos do princípio democrático por antonomásia*". Teceu considerações sobre a importância de se proteger a liberdade de qualquer pessoa para manifestar a própria opinião, sob uma perspectiva do indivíduo, e, nas páginas seguintes, passou a discorrer sobre a dimensão objetiva da liberdade de expressão e suas várias funções: 1) controle do exercício do poder; 2) concretização do princípio democrático; 3) instrumento de amadurecimento político e social de um país; 4) garantia de diversidade de opiniões; 5) acomodação de interesses por meio de um debate público de temas controversos; 6) viabilidade de transformações sociais e políticas de forma pacífica; 7) criação do "livre mercado das ideias"; 8) exercício da tolerância que educa a sociedade para ouvir e ser ouvida; 9) divulgação de ideias minoritárias.

Repetindo a máxima – sujeita a um escrutínio conceitual de maior densidade – de que a liberdade de expressão "não é um direito absoluto", o ministro Marco Aurélio também lançou mão do postulado da proporcionalidade e da distinção entre princípios e regras de Alexy para concluir em sentido diametralmente oposto aos votos dos ministros Gilmar Mendes e Celso de Mello que a publicação e comercialização dos livros pelo réu não constituiu crime de racismo[15].

---

[15] Cabe referir, neste ponto, a crítica de Virgílio Afonso da Silva (2014, p. 167-172), para quem não havia a menor necessidade de que o Supremo Tribunal Federal se utilizasse do postulado da proporcionalidade, uma vez que a matéria exigia, tão somente, a constatação, ou não, da existência de crime de racismo, o que se resolveria pelo método da subsunção, pura e simplesmente. Segundo Silva, somente haveria necessidade do emprego do postulado da proporcionalidade caso houvesse um questionamento acerca da constitucionalidade da lei que tipificou o crime de racismo em face do princípio da liberdade de expressão, alegação que não integrou a matéria debatida. Na existência de lei, a ponderação já foi realizada previamente pelo legislador, não cabendo nova ponderação pela Suprema Corte se ausente a alegação de inconstitucionalidade.

O voto proferido pelo ministro Nelson Jobim faz o cotejo entre liberdade de expressão e o discurso de ódio, sendo, em verdade, o primeiro dos ministros a empregar o termo "*discurso de ódio*" para fundamentar sua decisão. Eis seus argumentos:

> ...a liberdade de expressão é abstrata ou deve ser contextualizada? Não estará ela vinculada à produção robusta do debate público? Enfim, por que a liberdade de expressão é fundamental no Estado democrático? – Já ouvimos várias vezes isto aqui. Creio que as respostas, Sr. Presidente, estão no próprio processo democrático.
>
> Sabe-se, evidentemente, que a democracia se expressa pelo princípio da maioria, com necessário respeito às minorias.
>
> Na democracia, a formação da vontade da maioria passa pelo debate livre e transparente. Tenho, por isso – por causa do debate, o fundamento do processo democrático –, como certo, que a liberdade de expressão é pressuposto e instrumento para a produção do debate democrático; o seu exercício veicula as opiniões sobre os temas que aguçam a sociedade democrática. Ao lado também, como instrumento, aparece a liberdade de associação. Visa assegurar a realização dessas opiniões expressadas. Surgem, por isso, as associações, as ONGs, os partidos políticos etc.
>
> O debate ou a discussão no processo democrático leva ao compromisso no qual se dá rendição de vontades antagônicas. Essa é a grande característica do processo democrático. Não é imposição de uma determinada vontade político-partidária, mas a produção no seio, como consequência do debate – exatamente do compromisso –, característica pragmática da democracia, onde há, seguramente, a rendição dessas vontades antagônicas.
>
> A questão, portanto, é esta: as opiniões que pretendem produzir o ódio racial contra judeus, contra negros, contra homossexuais, devem ou não ser tratadas de formas diferente daquelas opiniões que causam ordinariamente a ofensa ou a raiva? Por óbvio, o ódio racial causa lesão ao objetivo de uma política de igualdade, que é uma política democrática. A igualdade, portanto, é pré-condição para a democracia e o objetivo da liberdade de opinião. <u>As opiniões consubstanciadas no preconceito e no ódio racial não visam contribuir para nenhum debate inerente às deliberações democráticas para o qual surge a</u>

liberdade de opinião. Não visam contribuir para nenhuma deliberação, não comunicam ideias que possam instruir o compromisso que preside a deliberação democrática. Os crimes de ódio não têm a intenção de transmitir ou receber comunicação alguma para qualquer tipo de deliberação. O objetivo seguramente é outro. Não está na base do compromisso do deliberar democrático. Quer, isto sim, impor condutas anti-igualitárias de extermínio, de ódio e de linchamento; desconhecer o lócus da liberdade de expressão, e seu objetivo no processo democrático leva ao desastre; a miopia do fundamentalismo histórico conduz ao absurdo. A liberdade de opinião na democracia é instrumental ao debate e à formação da vontade da maioria com respeito à minoria. A Constituição não legitima a tolerância com aqueles que querem a produção de condutas contrárias ao princípio da igualdade. (grifo nosso)

Vê-se da fundamentação utilizada pelo ministro Nelson Jobim, assim como já o fizera o ministro Celso de Mello, que as expressões tidas como "discurso de ódio" foram situadas fora do âmbito protegido pelo direito fundamental à liberdade de expressão. O raciocínio desenvolvido consistiu em qualificar as expressões odiosas como estranhas à função da liberdade de expressão e, portanto, atribuir-lhes a natureza de atos ilícitos, desconformes com o direito. Nesse sentido, não faria sentido o uso da ponderação, uma vez que não haveria princípios ou bens jusfundamentais em conflito, já que, de qualquer forma, o discurso de ódio estaria fora da equação.

Com esse argumento de índole funcional, os votos dos ministros Jobim e Celso de Mello buscaram solucionar o caso por uma "depuração conceitual" da liberdade de expressão e, assim, obter a solução constitucionalmente mais justa.

4.3.2 Arguição de Descumprimento de Preceito Fundamental n. 130 (ADPF n. 130) – Não recepção da Lei de Imprensa

Na Arguição de Descumprimento de Preceito Fundamental n. 130 (ADPF n. 130), o Supremo Tribunal Federal, por sua composição plenária, concluiu pela procedência da ação, ao entendimento de que a Lei n. 5.250, de 9 de fevereiro de 1967, editada durante o período da ditadura militar, a denominada "Lei de Imprensa", não foi recepcionada pela Constituição Federal de 1988.

Em que pese tratar-se de decisão acerca de tema relevante, a técnica decisória utilizada pela Suprema Corte brasileira impede considerar tal julgamento como uma opinião verdadeiramente coletiva quanto a pontos fundamentais, tais como a possibilidade jurídica de intervenção estatal no conteúdo da liberdade de imprensa, seja por atividade legislativa, seja por atividade jurisdicional (COSTA, 2014). Os ministros apresentaram seus votos individuais, divergindo acerca de vários pontos da discussão, o que levou o ministro Cezar Peluso a afirmar posteriormente

> Não se extraem do acórdão da ADPF n. 130 motivos determinantes, cuja unidade, harmonia e força sejam capazes de transcender as fronteiras de meras opiniões pessoais isoladas, para, convertendo-se em *rationes decidendi* determinantes atribuíveis ao pensamento da Corte, obrigar, desde logo, de maneira perene e peremptória, toda e qualquer decisão judicial acerca dos casos recorrentes de conflito entre direitos da personalidade e liberdade de expressão ou de informação[16].

Ainda assim, trata-se de importante precedente da Suprema Corte brasileira e, ainda que sem consenso sobre pontos importantes, vale a análise da fundamentação jurídica utilizada pelos ministros votantes.

O ministro relator, Carlos Ayres Britto, após expor sua concepção acerca da liberdade de imprensa como fundamental para o desenvolvimento da "*potencialidade emancipatória de mentes e espíritos*", concluiu que o capítulo da Constituição Federal acerca da comunicação social, dada sua importância, constitui um "prolongamento melhorado" do direito fundamental à liberdade de expressão. Por essa razão, sustenta que os artigos 220 e 221 da Constituição Federal estabelecem todo o regramento necessário para a matéria, sendo vedada, segundo seu entendimento, a intervenção estatal por intermédio de lei, para regulamentar qualquer aspecto relativo à liberdade de imprensa. Ainda nessa linha de "radicalidade" do direito fundamental à liberdade de imprensa, sustentou que não se afigura constitucional, em seu entendimento, nenhuma intervenção prévia no conteúdo das publicações, mas tão somente controles ou reparações posteriores.

Em suas palavras:

---

[16] Rcl 9428, p. 186-187.

Não há como garantir a livre manifestação do pensamento, tanto quanto o direito de expressão *lato sensu* (abrangendo, então, por efeito do *caput* do artigo 220 da CF, a criação e a informação), senão em plenitude. Senão colocando em estado de momentânea paralisia a inviolabilidade de certas categorias de direitos subjetivos fundamentais, como, por exemplo, a intimidade, a vida privada, a imagem e a honra de terceiros. (grifo nosso)

Outro ponto relevante na fundamentação do voto do relator diz respeito à afirmação de que a liberdade de imprensa não pode ser considerada como princípio, mas sim como regra. Dessa forma, por este raciocínio, a liberdade de imprensa adquiriria um caráter preferencial em relação a qualquer outro direito de personalidade ou direito fundamental.

Esses posicionamentos do ministro relator, entretanto, não foram acolhidos em sua totalidade pelos demais ministros, prevalecendo a tese de que, apesar de a Lei de Imprensa não ter sido recepcionada pela Constituição Federal de 1988, há espaço para a edição de uma nova lei regulamentadora da atividade, bem como a possibilidade de que, em eventual conflito com outros direitos fundamentais, a liberdade de imprensa seja alvo de restrições justificadas, não sendo possível afirmar-se uma preferência hierárquica *prima facie*.

4.3.3 ADPF n. 4.815 – Biografias não autorizadas

Outro julgamento relevante acerca do tema dos limites e possibilidades do direito fundamental à liberdade de expressão envolveu o exame da constitucionalidade dos artigos 20 e 21 do Código Civil, que condicionavam a publicação de biografias à prévia autorização da pessoa biografada ou de seus herdeiros.

Por unanimidade, o Plenário do Supremo Tribunal Federal julgou procedente a ação para dar interpretação conforme à Constituição aos artigos 20 e 21 do Código Civil, sem redução de texto, para declarar inexigível a prévia autorização do biografado para a divulgação de biografias.

Para os objetivos deste estudo, destaca-se o voto do ministro Luís Barroso, para quem a liberdade de expressão deve assumir, na ordem constitucional brasileira, uma posição de preferência em relação aos demais direitos. Para amparar sua afirmação, fundamenta-se em três razões: (1) o acidentado percurso da liberdade de expressão na história do Brasil; (2) a liberdade de expressão é um pressuposto para o exercício de outros direitos fundamentais; e (3) a liberdade de expressão é essencial para o conhecimento da história.

Sustenta o ministro que o caráter preferencial *prima facie* da liberdade de expressão não quer dizer que detenha posição hierárquica superior em relação aos demais direitos fundamentais, mas impõe um dever de autocontenção a todo o Poder Judiciário a fim de que, nas ações em que o tema seja debatido, não determine restrições ao direito sem realizar previamente um escrutínio vigoroso acerca da justificação para decisão eventualmente restritiva.

4.3.4 ADPF n. 187-DF – Marcha da Maconha

Neste caso, discutiu-se o conflito entre o Artigo 287 do Código Penal brasileiro (apologia ao crime) e os princípios constitucionais de liberdade de reunião e de expressão, uma vez que, no ano de 2008, foram proferidas decisões judiciais proibindo atos públicos em favor da descriminalização das drogas em nove cidades brasileiras de diferentes regiões do País, considerando-os "apologia ao crime".

Em sua peça inaugural, o Ministério Público Federal, representado pela procuradora da República Débora Duprat, afirmou o caráter contramajoritário da liberdade de expressão, firmado na ideia de que "*o Estado não pode decidir o que cada indivíduo pode ouvir ou não ouvir*". Em suma: o direito à liberdade de expressão ou de reunião não pode ser restringido a partir de concepções pessoais da autoridade pública de plantão e sua eventual concordância ou discordância com o conteúdo da mensagem veiculada ou do tema debatido.

O caso foi relatado pelo ministro Celso de Mello, que proferiu voto que, após traçar panorama normativo das liberdades de reunião e de expressão em tratados internacionais, rememorou importantes julgamentos da história do Supremo Tribunal Federal brasileiro, no qual a liberdade de reunião foi protegida em face de intervenções indevidas do Poder Público. Ressaltou que a liberdade de reunião se caracteriza como <u>liberdade-meio</u> a fim de possibilitar o exercício da liberdade de expressão, tida como <u>liberdade-fim</u>, vinculadas de forma relacional, formando um núcleo complexo e indissociável.

Especificamente no que tange à liberdade de expressão, o ministro Celso de Mello analisou a questão sob o pano de fundo de uma concepção substancialista de democracia, comprometida com a proteção das minorias e sua legítima aspiração de um dia tornar-se maioria. Nesse contexto, afirmou que a restrição ou vedação de manifestação das ideias das minorias poderia acarretar aquilo que a jurisprudência norte-americana designa como *chilling effect*, ou seja, efeito silenciador das vozes dessas minorias, retirando a robustez do debate público e comprometendo os pilares de sustentação da convivência democrática[17].

Em seu voto o ministro também ressalvou que a liberdade de expressão pode receber restrições de natureza ética e caráter jurídico e, como exemplo, citou a incitação ao ódio público contra qualquer pessoa ou grupo social, discurso não amparado pela garantia constitucional.

O voto foi acompanhado pela unanimidade dos ministros para emprestar ao Artigo 287 do Código Penal, com efeito vinculante, interpretação conforme à Constituição, "*de forma a excluir qualquer exegese que possa ensejar a criminalização da defesa da legalização das drogas, ou de qualquer substância entorpecente específica, inclusive através de manifestações e eventos públicos*".

O que se percebe na argumentação desenvolvida pelo ministro Celso de Mello é que a liberdade de expressão foi analisada, ainda que de modo implícito, também sob o influxo do princípio da igualdade, introduzindo o conceito de *chilling effect* como um aspecto nuclear de sua argumentação. Ao referir-se ao papel do Supremo Tribunal Federal de atuar como órgão de defesa do direito de assegurar que a voz das minorias também seja ouvida no debate público, reconheceu que o Poder Judiciário também pode exercer o papel não de censor ou repressor do

---

[17] Acerca do *chilling effect* ou efeito silenciador do discurso, Owen Fiss, salienta a ineficácia da máxima liberal clássica de "mais discurso" para a finalidade se neutralizar o discurso de incitação ao ódio. Segundo Fiss, em casos como esse: "O argumento não é o de que o discurso convencerá os outros a agir de uma certa forma – por exemplo, criando uma nova forma de ditadura ou subjugando vários grupos desfavorecidos na sociedade. Ao revés, o medo é de que o discurso tornará impossível para esses grupos desfavorecidos até mesmo participar da discussão. Nesse contexto, o remédio clássico de mais discurso soa vazio" (FISS, 2005, p. 47). Na ADPF em referência, o Instituto Brasileiro de Ciências Criminais, funcionando como *amicus curiae*, salientou que a imposição de um comportamento obsequioso produz, na sociedade, um pernicioso efeito dissuasório (*chilling efect*), culminando, progressivamente com a aniquilação do próprio ato individual de reflexão, desejo bem retratado no libelo acusatório que, em 1926, levou Gramsci à prisão. À ocasião, o promotor fascista proclamou perante o Tribunal Especial para a Defesa do Estado: "Devemos impedir que esse cérebro funcione durante vinte anos". Repressão e tolerância à repressão possuem, neste sentido, o mesmo efeito devastador, aniquilador do vigor do "mercado das ideias" a que referia o juiz Holmes.

uso das liberdades, mas de mediador no sentido de equilibrar as diversas vozes pertencentes aos diversos grupos sociais (FISS, 2005, p. 55-56).

Considerações finais: o Estado entre a proibição de intervenção e o dever de proteção dos direitos fundamentais

De tudo o que se expôs até aqui, conclui-se, sem maiores dilemas, que a ordem constitucional democrática impõe ao Estado o dever de proteger, ao máximo, o direito fundamental à liberdade de expressão não apenas em razão de sua condição constitutiva da noção mesma de democracia, mas, igualmente, em razão de suas projeções e interações com outros direitos fundamentais, dos quais se sobreleva a dignidade da pessoa humana.

No entanto, os contornos que demarcam o âmbito protegido do direito fundamental à liberdade de expressão perdem a nitidez quando o conteúdo do discurso traz em si potencial de agressão a grupos sociais. Na jurisprudência do Supremo Tribunal Federal do Brasil esta preocupação é constantemente registrada como um limite externo ao âmbito da liberdade de expressão.

Diante disso, além das questões relacionadas à problemática definição do conteúdo do discurso de ódio a grupos[18], torna-se necessário, em um primeiro momento, refletir sobre o papel do Estado em decorrência de deveres de proteção a direitos fundamentais dos grupos sociais atingidos e sua participação no debate público.

A disseminação ilimitada de discursos que visem ofender, estigmatizar ou, por qualquer outra forma de expressão, reforçar estereótipos negativos acerca de grupos sociais marginalizados, acaba por produzir o já mencionado *chilling effect* ou efeito silenciador[19]. Parte significativa da doutrina "*tem alertado para o*

[18] Ilustram a problemática as discussões acerca da criminalização da negação do holocausto nos países que adotaram tal diretiva. Neste sentido: BILBAO UBILLOS, Juán Maria. La negación de un genocidio no es una conducta punible (comentario de la STC 235/2007). In: *Revista Española de Derecho Constitucional.* Madrid: Centro de Estudios Constitucionales, n. 85, ano 29, enero-abril 2009, p. 299-352, e FELDENS, op. cit., p. 76.

[19] A Corte Europeia também já teve a oportunidade de se manifestar sobre o denominado *chilling effect* no caso *Otto-Preminger v Austria.* No caso, a pedido de um grupo religioso católico, as autoridades austríacas condenaram os responsáveis pela realização e a divulgação de filme tido por ofensivo aos cristãos, além de autorizar a busca e apreensão de todos os exemplares. Neste caso, a C.E.D.H. entendeu que as cortes austríacas não desrespeitaram o direito à livre expressão, antes,

caráter irracional e coercivo que o discurso público pode assumir quando o preconceito é omnipresente e sistêmico, frustrando por essa via a sua razão de ser, ao mesmo tempo em que alerta para a necessidade de atender empaticamente para a experiência real dos grupos vitimizados" (MACHADO, 2002, p. 845).

O efeito silenciador é explicitado por Owen Fiss (2005, p. 47), para quem "*o discurso de incitação ao ódio tende a diminuir a autoestima das vítimas, impedindo assim a sua integral participação em várias atividades da sociedade, incluindo o debate público. Mesmo quando essas vítimas falam, falta autoridade às suas palavras; é como se nada dissessem*". A dinâmica silenciadora "*compromete a sua credibilidade e as faz sentir como se não tivessem nada com que contribuir à discussão pública*". Uma vez estabelecida tal dinâmica, a clássica fórmula liberal de "*mais discurso*" soa vazia, diante de sua inefetividade.

Nesse contexto, a adoção de uma postura omissiva do Estado, a pretexto de dar cumprimento ao princípio da neutralidade que propugna a não interferência no conteúdo dos discursos, em casos extremos, como o discurso de ódio, pode resultar na exclusão de grandes parcelas da população, integrante de grupos vulneráveis, impossibilitando o exercício do direito à liberdade de expressão em iguais condições com os demais cidadãos.

A "neutralidade" estatal neste cenário importará, em verdade, em continuar dando vez às vozes de sempre, deixando à margem as vozes dos grupos vitimados pelas expressões de ódio. É o que Jónatas Machado refere como a "*nova liberdade de expressão*" (2002, p. 839).

Isso não significa que o Estado esteja optando entre o direito à livre expressão dos produtores do discurso de ódio e os direitos discursivos das minorias vitimizadas, mas, em verdade, numa perspectiva mais ampliada e relevante, tentando "*estabelecer precondições essenciais para a autogovernança global, assegurando que todos os lados sejam apresentados ao público*" (FISS, 2005, p. 49).

Esta visão do Estado não como mero espectador do debate público, mas como verdadeiro mediador, encontra-se afinada com a concepção de igualdade sob a perspectiva antissubordinação, assim definida por Rios (2008, p. 36):

---

agiram dentro da margem de apreciação lícita para o fim de garantir a paz religiosa na comunidade. Neste sentido, o julgado ressaltou que "em casos extremos, o efeito de métodos particulares de oposição e negação de crenças religiosas pode acabar por inibir aquele que possui tais crenças no exercício de sua liberdade de sustentá-las e expressá-las".

> A perspectiva da antissubordinação (...) reprova tratamentos que criem ou perpetuem situações de subordinação. Ela admite tratamentos diferenciados, desde que estes objetivem superar situações de discriminação, assim como considera discriminatórios tratamentos neutros que reforcem a subordinação de quem quer que seja. Neste sentido, ela adota a perspectiva do discriminado. Primordialmente, ela se preocupa com os efeitos sofridos por grupos subordinados em virtude das práticas recorrentes, ainda que não intencionais.

Assim, os direitos fundamentais à livre expressão dos grupos atingidos por discurso de ódio somente poderão ser exercitados em sua plenitude numa ordem constitucional informada pela igualdade, na perspectiva antissubordinação, o que exige um Estado cumpridor de seus deveres fundamentais de proteção.

Como ressalta Machado (2002, p. 840)

> ...se a identidade de um indivíduo é, numa parte substancial, definida por seu sexo, pela sua raça, pela sua orientação sexual ou pela sua religião, o modo como são tratados os grupos a que ele pertence terá uma forte influência no seu próprio estatuto social de igual dignidade e liberdade. (...) A esta luz, o princípio básico da igual dignidade e liberdade de todos os cidadãos, situado nos antípodas de qualquer organização social com base em estamentos e castas, encontra-se intimamente ligado com a questão da dignidade social dos grupos a que os mesmos pertencem e que definem, em boa medida, a sua identidade.

Com isso, abre-se o campo constitucionalmente legítimo para a atuação estatal no cumprimento de seus deveres de proteção dos direitos fundamentais, a partir da perspectiva dos excluídos do debate no "mercado das ideias", não apenas por meio da tutela não penal, mas também pela tutela penal (MACHADO, 2002, p. 841).

Nesse sentido, não é novo o debate acerca do incremento do uso da legislação criminal como instrumento do direito antidiscriminação (BAMFORTH, 2008, p. 516; RIOS, 2008, p. 37), em especial no que tange à criminalização do *hate speech* e ao aprofundamento do tratamento sistemático dos *hate crimes*.

O fundamento constitucional para tal assertiva advém da existência de mandados expressos de criminalização. Veja-se, neste sentido, no Artigo 5º, nos incisos XLII ("*a prática do racismo constitui crime*") e XLI ("*a lei punirá qualquer discriminação atentatória dos direitos e liberdades fundamentais*").

Acerca do mandado de criminalização explícito das práticas racistas, um dos autores deste artigo já teve a oportunidade de destacar:

> A determinação constitucional de criminalização da prática do racismo veicula, assim, um nítido propósito protetivo daquele direito que, haja vista sua transcendência, mereceu incorporação constitucional: o direito fundamental de não ser discriminado em razão de raça. Sob tal perspectiva, revelam-se odiosas todas as formas de discriminação pautadas nas características conformadoras da condição humana, sejam históricas ou biológicas. Essa garantia foi implementada pela Lei n. 7.716/89, que define os crimes resultantes de preconceito de raça ou de cor. Posteriormente, a Lei n. 9.459/97, ampliou o objeto da tutela, fazendo inserir no âmbito de proteção da lei discriminações atentatórias à etnia, religião ou procedência nacional, com similares implicações sobre o artigo 140, § 3º do CP. (FELDENS, 2012, p. 74)

No entanto, a interpretação conjunta dos incisos XLI e XLII do Artigo 5º da Constituição Federal do Brasil, em contraste com a legislação infraconstitucional, revela que o mandado de criminalização de práticas discriminatórias, dentre as quais o racismo foi citado exemplificativamente, foi cumprido de forma apenas parcial.

No panorama normativo infraconstitucional atual, o efeito silenciador do discurso de ódio em relação a grupos discriminados ainda se verifica em relação a todos os grupos não incluídos expressamente nas Leis n. 7.716/89 e n. 9.459/97. A propósito, recentemente, a Primeira Turma do Supremo Tribunal Federal rejeitou a denúncia oferecida no Inquérito n. 3.590/DF, relatado pelo ministro Marco Aurélio, em razão de expressões de ódio a homossexuais veiculadas pelo deputado Marco Feliciano em seu Twitter.

Na oportunidade, o ministro Luís Roberto Barroso, em seu voto, considerou que as expressões utilizadas, embora pudessem ser consideradas "*extremamente problemáticas do ponto de vista do seu conteúdo, ... comentário preconceituoso, ...de mau gosto e extremamente infeliz*", numa operação de subsunção concluiu que não constituíam fato típico, uma vez que o Artigo 20 da Lei n. 7.716/89, com a redação dada pela Lei n. 8.081/1990, criminaliza, apenas, expressões de ódio por critério de raça, cor, etnia, religião ou procedência nacional, mas não as relacionadas à orientação sexual.

Este julgado demonstra eventual déficit de proteção ao direito de liberdade de expressão de grupos vulneráveis vitimizados pelo discurso de ódio e o longo trajeto que o Direito brasileiro ainda tem por percorrer na concretização da garantia da liberdade de expressão de forma igualitária.

O exemplo coloca em foco, outra vez, o papel do Estado no âmbito dos direitos fundamentais, sabido que, para além da clássica dimensão de direitos subjetivos, oponíveis em face do próprio Estado, os direitos fundamentais ostentam uma função jurídico-objetiva. Investidos dessa configuração (princípios objetivos da ordem constitucional), os direitos fundamentais têm amplificada sua potencialidade normativa, irradiando-se sobre a totalidade do ordenamento jurídico. Assim, em sua interação com a atividade estatal, os direitos fundamentais passam a projetar-se em dois sentidos (uma espécie de viagem de ida e volta): (a) como direitos de defesa, indicando, essencialmente, o dever do Estado de respeitá-los (perspectiva negativa), e (b) como imperativos de tutela, função da qual se pode deduzir o dever do Estado de protegê-los ativamente diante de ataques provenientes de terceiros (perspectiva positiva).

O delicado ponto de equilíbrio reside em definir o conteúdo do discurso proibido e a preservação da liberdade de expressão para tratar de temas que, ainda que sensíveis, não se convertam em "tabus", numa expansão indevida da restrição ao discurso do ódio que acabe por reintroduzir no Brasil pós-redemocratização a velha censura, sob nova roupagem.

Referências

ALLESSI, Renato. *Principi di diritto amministrativo*, v. II. Milano: Dott. A. Giuffrè Editore, 1976.

ALEXY, Robert. *Teoria de los derechos fundamentales*. Madrid: Centro de Estudios Políticos y Constitucionales, 2001.

ANDRADE, José Carlos Vieira de. *Os direitos fundamentais na Constituição Portuguesa de 1976*, 5ª edição. Coimbra: Edições Almedina, 2012.

ANDRADE, Manuel da Costa. *Liberdade de imprensa e inviolabilidade pessoal:* uma perspectiva jurídico-criminal. Coimbra: Coimbra Editora, 1996.

ARENDT, Hannah. *Origens do totalitarismo – antissemitismo, imperialismo, totalitarismo.* São Paulo: Companhia das Letras, 2012.

BAMFORTH, Nicholas; MALIK, Maleiha; O'CINNEIDE, Colm. *Discrimination law:* theory and context. Text and materials. London: Swett & Maxwell, 2008.

BARROS, Caroline Maria Costa. *A moral como instrumento limitador da liberdade de expressão:* apontamentos sobre o exercício (i)legítimo do discurso do ódio. Rio de Janeiro: Ed. Lumen juris, 2015.

BILBAO UBILLOS, Juán Maria. La negación de un genocidio no es una conducta punible (comentario de la STC 235/2007). In: *Revista Española de Derecho Constitucional.* Madrid: Centro de Estudios Constitucionales, n. 85, ano 29, enero-abril 2009, p. 299-352.

BINENBOJM, Gustavo. Meios de comunicação de massa, pluralismo e democracia deliberativa. As liberdades de expressão e de imprensa nos Estados Unidos e no Brasil. In: SARMENTO, Daniel; GALDINO, Flávio. *Direitos fundamentais:* estudos em homenagem ao professor Ricardo Lobo Torres. Rio de Janeiro: Renovar, 2006.

BOBBIO, Norberto. *A era dos direitos.* Rio de Janeiro: Elsevier, 2004.

CANOTILHO, José Joaquim Gomes. *Direito Constitucional.* 6. ed. Coimbra: Almedina, 1993.

CANOTILHO, José Joaquim Gomes; MACHADO, Jónatas E. M. Constituição e código civil brasileiro: âmbito de proteção de biografias não autorizadas. In: GAIO JUNIOR, Antonio Pereira; SANTOS, Márcio Gil Tostes. *Constituição brasileira de 1988.* Reflexões em comemoração ao seu 25º aniversário. Curitiba: Juruá, 2014.

CASARA, Rubens R. R. *Processo penal do espetáculo:* ensaios sobre o poder penal, a dogmática e o autoritarismo na sociedade brasileira. Florianópolis: Empório do Direito, 2015.

COSTA, Thales Morais da. Conteúdo e alcance da decisão do STF sobre a lei de imprensa na ADPF 130. São Paulo, *Revista de Direito GV*, vol. 10, n. 1, jan/junho 2014. Disponível em: <http://www.scielo.br/scielo.php?script=sci_arttext&pid=S1808-24322014000100006#nt03>. Acesso em: 8/2/2017.

FELDENS, Luciano. *Direitos fundamentais e direito penal – A Constituição Penal.* Porto Alegre: Livraria do Advogado, 2012.

FISS, Owen. *A ironia da liberdade de expressão. Estado, regulação e diversidade na esfera pública.* Rio de Janeiro: Renovar, 2005.

FREIRE, Paulo. *Ação cultural para liberdade e outros escritos.* Rio de Janeiro: Paz e Terra, 1976.

GRIMM, Dieter. The Holocaust Denial Decision of the Federal Constitutional Court of Germany. In: *Extreme Speech and Democracy.* [coords.: HARE, Ivan; WEINSTEIN, James]. Oxford: Oxford University Press, 2010, p. 557-561.

HÄBERLE, Peter. A dignidade humana e a democracia pluralista – Seu nexo interno. In: SARLET, Ingo (coord.). *Direitos fundamentais, informática e comunicação.* Porto Alegre: Livraria do Advogado, 2007, p. 11-28.

HABERMAS, Jürgen. *Consciência moral e agir comunicativo.* Rio de Janeiro: Tempo Brasileiro, 2013.

______. *Sobre a constituição da Europa. Um ensaio.* São Paulo: Editora da Unesp, 2012.

HESSE, Konrad. *Elementos de direito constitucional da República Federal da Alemanha.* Porto Alegre: Sergio Antonio Fabris Editor, 1998.

KHALED JR., Salah H. *Discurso de ódio e sistema penal.* Belo Horizonte: Casa do Direito/Letramento, 2016.

LEIVAS, Paulo Gilberto Cogo. *Teoria dos Direitos Fundamentais Sociais.* Porto Alegre: Livraria do Advogado, 2006.

LIMA, Venício A. de. *Cultura do silêncio e democracia no Brasil. Ensaios em defesa da liberdade de expressão (1980-2015).* Brasília: Editora da UnB, 2015.

LUDWIG, Marcos de Campos. O direito ao livre desenvolvimento da personalidade na Alemanha e possibilidades de sua aplicação no direito privado brasileiro. In: MARTINS-COSTA, Judith. *A reconstrução do Direito Privado.* São Paulo: Ed. Revista dos Tribunais, 2002.

MACHADO, Jónatas E. M. Liberdade de expressão. Dimensões constitucionais da esfera pública no sistema social. In: Boletim da Faculdade de Direito de Coimbra, *Stvdia juridica*, n. 65. Coimbra: Coimbra Editora, 2002.

MENDES, Alexandre Fabiano. Liberdade (verbete). In: BARRETO, Vicente de Paulo (coord.). *Dicionário de Filosofia do Direito.* São Leopoldo: Ed. Unisinos, 2006, p. 534-538.

RAWLS, John. *Uma teoria da justiça.* São Paulo: Ed. Martins Fontes, 2002.

REY MARTÍNEZ, Fernando. Discurso del odio y racismo líquido. In*:* SÁNCHEZ, Miguel Revenga (Coord). *Libertad de expresión y discursos del odio.* Madrid: Universitá de Alcalá, Defensor del pueblo, 2015, p. 51-88.

RIOS, Roger Raupp. *Direito da antidiscriminação. Discriminação direta, indireta e ações afirmativas.* Porto Alegre: Livraria do Advogado, 2008.

RIVERA, Julio Cesar. *La libertad de expresión y las expresiones de odio.* Buenos Aires: Abeledo Perrot, 2009.

ROXIN, Claus. *Estudos de direito penal.* Rio de Janeiro: Renovar, 2006.

RUSSELL, Bertrand. *Ensaios céticos.* Porto Alegre: Editora L&PM, 2008.

SARLET, Ingo. *Dignidade da pessoa humana e direitos fundamentais na Constituição Federal de 1988.* Porto Alegre: Livraria do Advogado, 2001.

SARMENTO, Daniel. *A liberdade de expressão e o problema do hate speech.* In: <http://www.dsarmento.adv.br/content/3-publicacoes/18-a-liberdade-de-expressao-e-o-problema-do-hate-speech/a-liberdade-de-expressao-e-o-problema-do-hate-speech-daniel-sarmento.pdf>. Acesso em: 15/11/2016.

______. O crucifixo nos tribunais e a laicidade do Estado. In: *Revista Eletrônica PRPE,* maio 2007. Disponível em: <http://www.prpe.mpf.mp.br/internet/index.php/internet/content/download/1631/14570/file/RE_%20DanielSarmento2.pdf>. Acesso em: 31/10/2016.

SEN, Amartya. *Desenvolvimento como liberdade,* 5ª reimpressão. São Paulo: Companhia das Letras, 2016.

SILVA, Alexandre Assunção e. *Liberdade de expressão e crimes de opinião.* São Paulo: Ed. Atlas, 2012.

SILVA, Virgílio Afonso da. *A constitucionalização do direito. Os direitos fundamentais nas relações entre particulares.* 1ª edição, 4ª tiragem. São Paulo: Malheiros, 2014.

Análise sobre a constitucionalidade do Artigo 28 da Lei n. 11.343/06 à luz da teoria do bem jurídico

Luíza Nívea Dias Pessoa

Doutoranda em Ciências Jurídico-Criminais pela Faculdade de Direito da Universidade de Coimbra

1 Introdução

O consumo de substâncias estupefacientes sempre despertou o interesse dos diversos setores da sociedade, não sendo de se admirar que coubesse ao direito também intervir. Há muito que os ordenamentos jurídicos ocidentais discutem essa questão, ora influenciados por argumentos morais, éticos e religiosos; ora argumentando com base nos princípios jurídicos que regem um estado democrático de direito.

No Brasil, o tema ganhou maior destaque com o aumento do tráfico, fato semelhante ao que ocorreu nos demais países ocidentais, levando-o a adotar uma dura política de repressão ao tráfico que alcançou também o uso, razão pela qual realizamos um breve histórico da legislação nacional sobre drogas.

Com o evidente fracasso do modelo repressivo adotado pelo Brasil ao longo de décadas, novos rumos para o controle do uso de substâncias estupefacientes passaram a ser levantados, o que desencadeou na edição da Lei n. 11.343/06, cujo Artigo 28 é o cerne deste trabalho. Mesmo reconhecendo que o Artigo 28 da Lei n. 11.343/06 representou um avanço, ao impedir que penas privativas de liberdade sejam aplicadas aos consumidores de substâncias estupefacientes, defendemos neste trabalho que a interferência do Direito Penal nessa seara é descabida.

Com o fim de justificar o afastamento do tratamento penal para o tema, argumentamos se de fato existe um bem jurídico penal validamente tutelável na norma objeto de estudo, e, para tanto, fazemos uma breve contextualização da teoria do bem jurídico, destacando sua função de crítica legislativa.

Seguindo ainda o caminho de procura por bem jurídico-penal validamente tutelável, analisamos se a saúde pública poderia ser esse bem ou se na verdade estamos diante da proteção à saúde individual. Nesse sentindo, discorremos se caberia ao Estado proteger o indivíduo contra suas próprias escolhas conscientes, destacando o conflito entre o paternalismo penal direto e a autonomia individual.

Por derradeiro, destacamos o início do julgamento do Recurso Extraordinário n. 63569/RG interposto pela Defensoria Pública de São Paulo, que discute a constitucionalidade da norma em exame, sob argumentos semelhantes aos aqui destacados. Acrescentamos que até o encerramento da edição deste artigo, o julgamento do citado Recurso Extraordinário não foi finalizado.

Cumpre advertir, por oportuno, que o presente trabalho se circunscreve apenas à questão do consumidor, não assumindo o encargo de tratar do tráfico, tampouco do dependente.

2 Pequeno percurso histórico da legislação sobre drogas no Brasil

O consumo de substâncias estupefacientes sempre foi conhecido nas mais diversas culturas. Como nos diz Carl Hart[1], *nunca houve uma sociedade sem drogas, e provavelmente nunca haverá*. Ao longo dos séculos, contudo, a forma como o Estado se comportou frente a esse fato sofreu significativas mudanças, que no caso brasileiro podem ser compreendidas por uma breve análise da legislação sobre o tema.

Foram as Ordenações Filipinas que primeiro trataram do tema das drogas no então Brasil Colonial, e o quinto livro das citadas ordenações já referia uma preocupação com a posse, venda e importação de algumas substâncias tidas como *venenosas*[2], penalizando com perda de bens e o degredo para a África quem incidisse em um desses tipos penais.[3]

A vigência das Ordenações Filipinas deu-se até a promulgação do Código Criminal de 1830, o qual não tratou da matéria relativa às drogas, sendo tal

---

[1] HART, Carl. *Um preço muito alto: a jornada de um neurocientista que desafia nossa visão sobre as drogas.* Trad. Clóvis Marques. Rio de Janeiro: Zahar, 2014. p. 205.

[2] A expressão está presente no Artigo 159 do Código Penal Republicano.

[3] BOITEUX, Luciana. Drogas e cárcere: a repressão às drogas e o aumento da população penitenciária brasileira. *LEYES DE DROGAS Y CÁRCELES EN AMÉRICA LATINA.* Maio, 2010. p. 2. Disponível no sítio www.wola.org. Acesso em: 20/11/2015.

assunto abordado nesse período pelo regulamento de 29 de setembro de 1851, que dispunha sobre a política sanitária e, por conseguinte, tratava da venda de medicamentos e substâncias com efeitos estupefacientes, cuja permissão era concedida tão somente aos boticários, enquanto o uso próprio não foi mencionado.[4]

Com a proclamação da República em 1889, uma nova codificação penal entrou em vigor, desta feita o Código Penal de 1890, no qual, em seu Artigo 159, previa pena de multa para aqueles que vendessem ou ministrassem, sem autorização legítima, *substâncias venenosas*[5], e até aquele momento o uso próprio de substâncias entorpecentes não era criminalizado.

Com a Convenção de Haia sobre o Ópio de 1912, subscrita pelo Brasil em 1915, o discurso jurídico repressivo ganhou força e passou a ser construído a partir da concepção de que cabia ao Estado controlar aqueles que abusavam das substâncias estupefacientes e, em razão disso, ocasionavam danos à sociedade. Inicialmente, esse controle ocorreu por meio do *modelo sanitarista*[6], como afirma Nilo Batista (1998, p. 79), mas com o aumento do número de usuários o consumo tornou-se ilícito. [7]Nesse contexto, eram aplicadas aos viciados técnicas semelhantes àquelas reservadas aos portadores de enfermidades contagiosas, cabendo ao traficante a criminalização, o que pode ser verificado pela leitura do Decreto n. 20.930/32.[8]

Em seguimento ao modelo internacional de controle de drogas, com o Brasil plenamente orientado pelas diretrizes da Convenção de Genebra[9], há a promul-

---

[4] Ibidem, p. 1-2.

[5] CARVALHO, Salo Carvalho. *A política criminal de drogas no Brasil.* 5. ed. Rio de Janeiro: Lumen Juris, 2010. p. 12. Refere o *Artigo 159. Expor à venda, ou ministrar substâncias venenosas, sem legítima autorização e sem formalidades prescriptas nos regulamentos sanitários: Pena- de multa de 200$ a 500$00*

[6] BATISTA, Nilo. *Política criminal com derramamento de sangue. Discursos sediciosos.* Ano 3. ns. 5-6, 1-2. sem. 1998, p. 79, apud BOITEUX, Luciana. *Drogas e cárcere:* repressão às drogas, aumento da população penitenciária brasileira e alternativas. p. 85. Org. Schecaira. Sergio Salomão. *Drogas uma nova perspectiva.* Revista Brasileira de Ciências Criminais, São Paulo, 2014.

[7] Ibidem,p.80.

[8] BATISTA, Nilo. Política criminal com derramamento de Sangue. *Revista Brasileira de Ciências Criminais.* São Paulo. Ed. Revista dos Tribunais, ano 5, n. 20, p. 129, outubro-dezembro de 1997.

[9] RIBEIRO, Maurides de Melo. *Política de drogas e redução de danos.* p. 166-167. Org. Schecaira. SALOMÃO, Sergio. Drogas: uma nova perspectiva. *Revista Brasileira de Ciências Criminais,* São Paulo, 2014. Esclarece o autor que, na década de 1920, encontros realizados no âmbito da Liga

gação do Decreto-Lei n. 891 de 1938. Esse diploma legal apresentou uma nítida distinção entre toxicômano, traficante e consumidor, prevendo prisão celular para o consumidor de substâncias estupefacientes.[10]

Já na década de 1940, o Brasil retomou o modelo codificado para tratar do tema de tóxicos, mas o novo Código Penal (Decreto-Lei n. 2.848/40) não trouxe em sua redação original a criminalização da posse para consumo próprio, reservando ainda a ele o modelo sanitarista.

As mudanças na política de combate às drogas ocorreram com o início do regime de exceção instaurado pelos militares, que, visando a um maior controle social sobre a população que contestava o regime, na sua maioria estudantes e intelectuais, aumentou a repressão ao consumo de drogas.[11] Essa repressão ocorreu com a edição do Decreto n. 385/68, que modificou o Código Penal, passando a criminalizar a posse de drogas para consumo próprio e, inclusive, equiparando as penas para consumo e tráfico.

Influenciado pelo discurso norte-americano de *War on drugs*[12], o Brasil editou a Lei n. 6.368/1976, que estabeleceu uma distinção entre dependente, usuário e traficante, aderindo também a um maior rigor punitivo em torno das drogas. Referida lei alargou a abrangência do tipo penal de tráfico, aumentou suas penas e previu pena de detenção para o tipo penal de posse para uso próprio. A opção

---

das Nações determinaram a repressão do comércio de ópio e cocaína e, a partir dos anos 1930, um aparelho de repressão ao comércio e ao consumo de drogas começou a se estruturar.

[10] Artigo 33 do Dec-Lei n. 891/1938. *Facilitar, instigar por atos ou por palavras, a aquisição, uso, emprego ou aplicação de qualquer substância entorpecente, ou, sem as formalidades prescritas nesta lei, vender, ministrar, dar, deter, guardar, transportar, enviar, trocar, sonegar, consumir substâncias compreendidas no art. 1º ou plantar, cultivar, colher as plantas mencionadas no art. 2º, ou de qualquer modo proporcionar a aquisição, uso ou aplicação dessas substâncias – penas: um a cinco anos de prisão celular e multa de 1:000$000 a 5:000$000.* Legislação consultada no sítio www.2camara.leg.br.

[11] Pensamento também defendido por MEDEIROS FILHO, Delano Benevides de. *Do usuário de estupefacientes e o punitivismo estatal – uma análise da inscontitucionalidade do Art. 28 da Lei 11.343/06 à luz de critérios criminológicos e dos princípios penais luso-brasileiros.* Dissertação de Mestrado. Faculdade de Direito da Universidade de Coimbra. Coimbra-2015. Disponível em: <https://estudogeral.sib.uc.pt/jspui/bitstream/10316/34687/1/Do%20usuario%20de%20estupefacientes%20e%20o%20punitivismo%20estatal.pdf>. Acesso em: 20/1/2016.

[12] LEMOS, Clécio. *Internações forçadas:* entre o cachimbo e a grade. p. 16. Org. Schecaira. SALOMÃO, Sergio. Drogas: uma nova perspectiva. *Revista Brasileira de Ciências Criminais*, São Paulo, 2014.

de criminalização da conduta do usuário foi reforçada pela ideia da perigosidade do usuário, de quem a sociedade deveria ser defendida.[13]

Perseguindo o ideal de endurecimento do tratamento da temática das drogas, o tráfico de drogas foi equiparado aos chamados crimes hediondos na Constituição Federal de 1988, prevendo ainda a inafiançabilidade, a proibição de graça ou anistia a esse tipo penal.[14]

No ano de 1990, foi editada a Lei n. 8.072/90, que regulamentou as restrições constitucionais impostas ao tráfico de drogas pelo inciso XLIII do Artigo 5º da Constituição Federal e ainda acrescentou outras, tais como a proibição de progressão de regime, liberdade provisória e indulto, além de aumentar prazos da prisão temporária e para o livramento condicional para esse tipo penal.

Ao longo das décadas, a Lei n. 6.368/76 sofreu uma série de mudanças, chegando a ficar restrita ao tratamento material da questão das drogas, ou seja, disciplinava tão somente os crimes e penas, ao passo que o aspecto processual passou a ser tratado pela Lei n. 10.409/02.[15]

Ante o caos legislativo, foi publicada a Lei n. 11.343/06 que unificou novamente o tratamento reservado à matéria de drogas no Brasil. A nova lei chegou causando divergências na doutrina brasileira quanto à natureza jurídica de seu Artigo 28, que trata do crime de posse de substâncias estupefacientes para consumo próprio. Houve quem defendesse que o legislador havia descriminalizado a conduta em questão, já que há uma vedação à aplicação de penas privativas de liberdade para o tipo penal, devendo ser aplicadas apenas penas restritivas de direitos – admoestação verbal, prestação de serviços e medida educativa.

---

[13] MOREIRA, Antonio Fernando. *Histórico das drogas na legislação brasileira e nas convenções internacionais*. Disponível em: <http://www.ibccrim.org.br>. Esclarece-nos o autor que nesse momento histórico desenvolveu-se a teoria de países-vítimas e países-agressores. De acordo com essa teoria, de um lado, os países como Colômbia, Bolívia e China eram agressores por produzirem substâncias estupefacientes. Do outro lado, estavam os países vítimas, como Estados Unidos e os países da Europa Ocidental, que consumiam as drogas vindas dos países agressores. Foi por meio dessa ideia que política global de repressão às drogas ganhou força, aliando ainda elementos religiosos e morais.

[14] Para a maioria da doutrina brasileira, o inciso XLIII, do Artigo 5º da Constituição Federal contém um mandado expresso de criminalização para o tráfico de entorpecentes, a exemplo do defendido por FELDENS, Luciano. *Direito Penal e Direitos Fundamentais,* 2012, p.74.

[15] MEDEIROS FILHO, Delano Benevides de, op. cit.

Resolvendo a questão, decidiu o STF[16] que não houve *abolitio criminis* do delito de posse de drogas para consumo pessoal, afirmando ainda que o legislador optou tão somente por uma despenalização.[17] O *caput* do Artigo 28[18] da Lei n. 11.343/06 define como crime:

> Adquirir, guardar, tiver em depósito, transportar ou trouxer consigo para consumo pessoal, drogas sem autorização ou em desacordo com determinação legal ou regulamentar

Pela leitura do artigo, resta claro que não há referência a quais substâncias são consideradas drogas. Na verdade, o legislador optou por atribuir tal função ao Poder Executivo da União, pois compete ao Ministério da Saúde publicar as

---

16 STF, 1ª Turma, RE 430105 QO/RJ, de 13/2/2007.

17 Embora a decisão proferida pelo o STF, 1ª Turma, no RE 430105 QO/RJ, de 13/2/2007, utilize o termo *despenalização* para referir-se à escolha legislativa em excluir a aplicação de penas privativas de liberdade como sanção principal ou substitutiva ao delito de posse de substância entorpecente, entendo ser mais adequado falar em uma intenção de desencarceramento do legislador, pois penas de natureza diversa das privativas de liberdade continuaram sendo aplicadas, assim como os demais efeitos do crime.

18 A totalidade do Artigo 28: *Art. 28. Quem adquirir, guardar, tiver em depósito, transportar ou trouxer consigo, para consumo pessoal, drogas sem autorização ou em desacordo com determinação legal ou regulamentar será submetido às seguintes penas: I – advertência sobre os efeitos das drogas; II – prestação de serviços à comunidade; III – medida educativa de comparecimento a programa ou curso educativo. § 1o Às mesmas medidas submete-se quem, para seu consumo pessoal, semeia, cultiva ou colhe plantas destinadas à preparação de pequena quantidade de substância ou produto capaz de causar dependência física ou psíquica. § 2o Para determinar se a droga destinava-se a consumo pessoal, o juiz atenderá à natureza e à quantidade da substância apreendida, ao local e às condições em que se desenvolveu a ação, às circunstâncias sociais e pessoais, bem como à conduta e aos antecedentes do agente. § 3o As penas previstas nos incisos II e III do caput deste artigo serão aplicadas pelo prazo máximo de 5 (cinco) meses. § 4o Em caso de reincidência, as penas previstas nos incisos II e III do caput deste artigo serão aplicadas pelo prazo máximo de 10 (dez) meses. § 5o A prestação de serviços à comunidade será cumprida em programas comunitários, entidades educacionais ou assistenciais, hospitais, estabelecimentos congêneres, públicos ou privados sem fins lucrativos, que se ocupem, preferencialmente, da prevenção do consumo ou da recuperação de usuários e dependentes de drogas. § 6o Para garantia do cumprimento das medidas educativas a que se refere o caput, nos incisos I, II e III, a que injustificadamente se recuse o agente, poderá o juiz submetê-lo, sucessivamente a: I – admoestação verbal; II – multa. § 7o O juiz determinará ao Poder Público que coloque à disposição do infrator, gratuitamente, estabelecimento de saúde, preferencialmente ambulatorial, para tratamento especializado.*

listas atualizadas periodicamente elegendo quais substâncias são consideradas drogas. Trata-se, portanto, de norma penal em branco.

Fazendo uma leitura pouco reflexiva do Artigo 28 da Lei n. 11.343/06, poderemos pensar que a vedação à aplicação de penas privativas de liberdade àqueles que incidem nesse tipo penal tratar-se-ia de um grande avanço da legislação brasileira, porém nos parece que a escolha do legislador em manter a criminalização não foi das mais acertadas, o que procuraremos demonstrar ao tratar da constitucionalidade da referida norma à luz da teoria do bem jurídico.[19] Questionamo-nos se o legislador penal brasileiro ao optar por punir o consumo de substâncias estupefacientes estará exorbitando suas funções.

Cumpre destacar que o tratamento dado ao usuário de substâncias estupefacientes vem sendo discutido em muitos países há vários anos, como o caso do Uruguai, onde a descriminalização foi realizada por escolha legislativa, tendo a Argentina também acolhido a descriminalização, mas por via judicial.[20]

3 O bem jurídico e o Artigo 28 da Lei n. 11.343/06

3.1 A função de crítica legislativa do bem jurídico

Advertimos que não é o objetivo deste trabalho apresentar um conceito de bem jurídico, até mesmo porque são inúmeras as controvérsias que o cercam, porém entendemos ser essencial para uma melhor compreensão do tema destacarmos algumas considerações acerca da evolução desta categoria jurídica, apresentando as principais construções teóricas desenvolvidas na tentativa de estabelecer seu conteúdo material.

Tendo o sistema jurídico brasileiro se desenvolvido sob forte influência do direito europeu continental, em especial da Alemanha, país onde o conceito de bem jurídico foi melhor explorado, é de se compreender que no Brasil esta

[19] Advertimos que existem posições em contrário, não conferindo à proteção do bem jurídico a função de eixo central do Direito Penal. Destacamos a posição de Güter Jakobs, que defende ser a proteção da vigência da norma a função do Direito Penal.

[20] Destacamos que o Artigo 28, da Lei n. 11.343/06, está tendo sua constitucionalidade discutida no Supremo Tribunal Federal por meio do Recurso Extraordinário n. 635.659. Já a Suprema Corte de Justicia de la Nación (México) autorizou alguns membros da Sociedade Mexicana de Autoconsumo Responsável e Tolerante, relacionada à ONG México Unido contra o Crime a cultivar e consumir marijuana para fins recreativos.

categoria jurídica esteja no centro do Direito Penal, levando a doutrina majoritária a proclamar a proteção de bens jurídicos como o cerne do Direito Penal.

Assim, no intuito de percorrer o caminho evolutivo do bem jurídico, temos inicialmente que fazer referência ao momento anterior à sua noção. Trata-se da teoria desenvolvida por Feuerbach[21], jusfilósofo iluminista alemão, que alinhado ao pensamento contratualista, em especial de Jonh Locke, defendia que se estava diante de uma conduta delituosa somente quando a mesma fosse capaz de causar uma lesão aos direitos subjetivos de terceiros, não se contentando com uma lesão a meros conceitos éticos ou morais.[22]

Para Feuerbach, haveria delito quando a liberdade de um cidadão fosse restringida por outro. Seu pensamento representou uma clara evolução ao controle do arbítrio estatal na criminalização de condutas, na medida em que reconheceu um conteúdo material ao conceito de crime, afastando as concepções de delito atreladas ao pecado e procurando sua justificação na violação do contrato social.

Em seguimento à teoria do delito estruturada por Feuerbach[23], Birnbaum[24], apontado pela doutrina como o primeiro autor que utilizou a ideia de *bem jurídico*, embora não tenha cunhado este termo, utilizou expressões tais como *conceito de um bem a ser definido por lei*, como refere Costa Andrade[25], o que permitiu compreender a noção de um bem jurídico penalmente tutelado. Birnbaum *rechaza la tesis ilustrada que ve en el delito la lesión de um derecho subjetivo, para pasar a*

---

[21] Referimo-nos ao período iniciado no século XVIII, no qual uma abordagem liberal do Direito Penal baseada nas teorias jusnaturalistas do contrato social começou a ser desenvolvida. Em momentos históricos anteriores ao iluminismo, o lícito penal era considerado um pecado, um atentado aos deuses. Mais sobre o tema em PRADO, Luiz Regis. *Bien jurídico-penal y constitución.* Perú: Ara Editores, 2010. p. 34.

[22] FEUERBACH, Paul Johann A. R. Von. *Tratado de Derecho Penal común vigente en Alemania.* Buenos Aires: Hammurabi, 1989. p.71 e 72.

[23] ZAFFARONI. Eugenio Raul; ALAGIA, Alejandro; SLOKAR, Alejando. *Derecho Penal Parte General.* 2. ed. Buenos Aires: Ediar, 2002. p. 488.

[24] BIRNBAUM, Johann Michael. Bemerkungen über den Begriff des natürlichen Verbrechens. Archiv des Criminalrechts. Neue Folge Band 17, 1984, citado por DA LUZ, Yuri Corrêa. *Entre bens jurídicos e deveres normativos:* um estudo sobre os fundamentos do Direito Penal contemporâneo. São Paulo: IBCCRIM, 2013. p. 42.

[25] ANDRADE, Manuel da Costa. *Consentimento e Acordo em Direito Penal.* Coimbra: Coimbra Editora, 2004. p. 51.

conceptuarlo como lesión de un "bien" (Sanz Moran)[26]. Embora concordasse com Feuerbach sobre a necessidade de um conteúdo material para o delito, rompendo com a ideia de crime atrelada ao pecado, Birnbaum alarga esse conceito ao estabelecer que o delito é uma lesão a bens e não somente a direitos subjetivos.

Para Birnbaum a teoria defendida por Feuerbach devia ser rechaçada por não explicar a razão de várias condutas que não ofendiam direitos subjetivos serem criminalizadas, tais como as que tratavam dos crimes religiosos, como também pelo fato de um direito subjetivo não poder ser subtraído, podendo ocorrer tão somente uma subtração ou diminuição em relação ao que é objeto desse direito[27]. Ainda vai afirmar Birnbaum que os bens teriam um caráter pré-jurídico, de um lado emergiriam da própria natureza e, de outro, decorreriam da evolução social [28], ou seja, existiriam bens inatos e bens que decorreriam do desenvolvimento da sociedade, que poderiam ser modificados de acordo como o momento histórico, o que demonstra um comprometimento com as teorias naturalistas.

Por fim, a teoria de Birnbaum de fato representou um significativo avanço, na medida em que procura um *fundamento jurídico e do fim do próprio Estado*, como aponta Costa Andrade,[29] além de dotar a noção de bem jurídico de um certo conteúdo crítico.

Embora relevantes os argumentos desenvolvimentos por Birnbaum, a teoria do bem jurídico somente ganhou força com a publicação da obra *Die Normen*, de Karl Binding, passando a ocupar um lugar de destaque no Direito Penal alemão.

Representante do positivismo, esse autor desenvolveu um conceito de bem jurídico distinto daquele defendido por Birnbaum, pois enquanto para este o bem jurídico era prévio ao direito, para Binding era dele decorrente. Para referido autor era a lei que criava os bens jurídicos, pois *tudo que aos olhos do legislador*

[26] SANZ MORÁN, Ángel Jose. Relexiones sobre el bien jurídico. In: *Constitución, derechos fundamentales y sistema penal (semplanzas y estúdios com motivo del setenta aniversario del profesor Tomás Salvador Vives Antón)*. Tomo II. Org. M. L Cuerda Arnau. Tirant lo blanch, Valencia, 2009, p. 1753.

[27] DA LUZ, Yuri Corrêa. *Entre bens jurídicos e deveres normativos:* um estudo sobre os fundamentos do Direito Penal contemporâneo. São Paulo: IBCCRIM, 2013. p. 43-46.

[28] COSTA ANDRADE, *Consentimento e Acordo em Direito Penal.* (...), p. 53.

[29] ANDRADE, Manuel da Costa. *Consentimento e Acordo em Direito Penal.* Coimbra: Coimbra Editora, 2004. p. 53.

tem valor como condição para uma vida sã da comunidade jurídica,[30] seria considerado bem jurídico.

Segundo Mir Puig, Binding excluiu do bem jurídico qualquer juízo de valor, limitando seu objeto ao direito positivo, sem qualquer preocupação com a realidade social, o que caracterizaria seu positivismo[31] como *normativista*[32].

A construção teórica desenvolvida por Binding esvaziou completamente o bem jurídico de seu conteúdo crítico, perdendo esta categoria jurídica qualquer função limitadora à atuação do legislador.[33] Para Binding em toda norma haveria necessariamente um bem jurídico, e não é de se admirar que essa teoria tenha despertado vozes contrárias, como foi o caso Franz Von Liszt, outro representante do positivismo, embora de viés naturalista. Esse autor apresenta uma alternativa ao modelo de bem jurídico desenvolvido por Binding. *O discurso de Liszt confronta o Direito Penal com a complexidade da vida e das coisas*[34].

Afasta-se Liszt completamente da ideia da constituição de bem jurídico pelo legislador, ao contrário, assevera que o legislador apenas destaca o bem jurídico contido na realidade social. Coube a Liszt o desenvolvimento de um conceito de bem jurídico limitador do poder punitivo estatal, função que se tornaria cada mais relevante no decorrer da história.

---

[30] BINDING, Karl apud ANDRADE, Manuel da Costa. *Consentimento e Acordo em Direito Penal.* Coimbra: Coimbra Editora, 2004. p. 66.

[31] O projeto do positivismo neokantista de Hans Kelsen, que intentou construir um método puro para a ciência do Direito, isto é, um método que "pretende livrar a ciência do Direito de todos os elementos a eles externos". Para Kelsen, "este princípio metodológico pode parecer uma obviedade, mas não o é, pois, quando se observa a tradicional ciência do Direito das últimas décadas, torna-se claro que estamos muito longe disso. De forma absolutamente equivocada, a Teoria do Direito tem cotejado com a Psicologia, com a Biologia, com a Ética e com a Teologia (...). Deste modo, a verdadeira ciência do Direito obviamente se perde". Cf. KELSEN, Hans. Reine Rechtslehre – Einleitung in die rechtwissenschaftliche Problematik. Tübinger: Mohr Siebeck Verlag, 1934. p. 2-3, apud. DA LUZ, Yuri Corrêa. *Entre bens jurídicos e deveres normativos:* um estudo sobre os fundamentos do Direito Penal contemporâneo. São Paulo: IBCCRIM, 2013. p. 43ss.

[32] PUIG, Santiago Mir. *Introducción a las bases del derecho penal.* 2. ed. Buenos Aires: Editora B de F Ltda. 2003. p. 113

[33] ANDRADE, Manuel da Costa. *Consentimento e Acordo em Direito Penal.* Coimbra: Coimbra Editora. 2004. p. 67.

[34] ANDRADE, Manuel da Costa. *Consentimento e acordo em Direito Penal*, p. 69.

Com as atrocidades praticadas pelo nazismo e pelos demais regimes ditatoriais houve um reforço na preocupação com os limites das escolhas das condutas a serem criminalizas pelo legislador, tornando cada vez mais importante o desenvolvimento de categorias jurídicas que permitissem um uso crítico do Direito Penal. A restrição às liberdades individuais cometidas pelos regimes totalitários levaram os juristas a um retorno aos preceitos do direito natural, como pode ser observado em Welzel[35], além da procura de modelos de legitimidade das escolhas dos bens a serem tutelados pelo Direito Penal.

Pelo pequeno percurso apresentado acerca da teoria do bem jurídico, resta claro que ele guarda ainda um caráter de indefinição quanto ao seu conceito, como se observa pelas suas diferentes definições, como *interesses da vida da comunidade a que o Direito Penal concede protecção*[36]; ou mesmo como *circunstâncias dadas ou finalidades que são úteis para o indivíduo e para o seu livre desenvolvimento no âmbito de um sistema social global estruturado ou para o funcionamento do próprio sistema*[37], mas o fato é que mesmo sem ser um conceito fechado podemos afirmar que estamos diante de uma categoria jurídica que desempenha funções de extrema importância no Direito Penal[38], das quais podemos destacar: a) função

[35] Expoente máximo do finalismo, doutrina amplamente aceita no Brasil e acolhida por autores como Luiz Regis Prado, Claúdio Brandão e Damásio de Jesus. Para Hans Welzel o bem jurídico é um bem vital da comunidade ou do indivíduo, que por sua significação social é protegido juridicamente. Concebe uma concepção sistêmica dotando o bem jurídico de um cariz pré-jurídico. WELZEL, Hans. *Derecho penal parte general.* Trad. Carlos Fontan Palestra. Roque Depalma Editor. Buenos Aires: Jurídica de Chile, 1956. p. 5-8.

[36] JESCHECK, Hans-Heinrich. Tratado de Derecho Penal, Barcelona: Bosch, 1981, p. 350, apud AIRES DE SOUSA, Susana. *Sobre o bem jurídico-penal protegido nos crimes contra a humanidade,* 2007, p. 6.

[37] ROXIN, Claus. *Derecho penal.* Madrid: Civitas, reimp. 2000. p. 56, apud AIRES DE SOUSA, Susana. *Sobre o bem jurídico-penal protegido nos crimes contra a humanidade,* 2007, p. 6.

[38] ROXIN, Claus. *O conceito de bem crítico ao legislador em xeque,* trad. Alaor Leite, do original *Der gesentzgebungskritische Rechtsgutsbegriff auf dem Prüfstand,* Revista dos Tribunais, vol. 922(2012), p. 293. Observa o autor que o conceito de bem jurídico não desempenha qualquer função em alguns ordenamentos jurídicos como o francês e o norte-americano. Todavia o penalista norte-americano Dubber sublinha que seria positivo que a doutrina, jurisprudência e legislação dos Estados Unidos tivessem por referência um conceito de bem jurídico.

de garantia ou de limitação do poder de punir do Estado; b) função interpretativa ou teleológica; c) função individualizadora; d) função sistemática.[39]

Sobre a função limitadora do poder punitivo estatal, afirma Luiz Regis Prado[40]:

> El adagio *nullum crimen sine injuria* resume el compromisso del legislador, mayormente em um Estado Democrático y Social de Derecho, en no tipificar sino aquellas conductas graves que lesionen o pongan em peligro auténticos bienes jurídicos. Esa función, de caráter político criminal, limita al legislador en sua actvividad en el momento de producir normas penales.

O legislador está, desde logo, preso a tipificar tão somente aquelas condutas mais graves que lesionem ou coloquem em perigo os bens jurídicos considerados mais relevantes. Diz ainda o autor que, em se acolhendo o conceito de delito como uma lesão ou um perigo de lesão a um bem jurídico, a função interpretativa tem lugar ao conceber o bem jurídico como eixo central do tipo, gravitando em seu entorno os demais elementos, condicionando sentido e alcance da norma à finalidade de proteção de determinado bem jurídico.[41]

Já a função individualizadora atua como critério de medição da pena, no momento de sua fixação, considerando a importância da lesão ao bem jurídico lesionado ou posto em perigo.[42] Por fim, a função sistemática que possibilita que o legislador agrupe as várias infrações penais tomando em conta o bem jurídico tutelado.

Embora se reconheça que a função dogmática já dota o bem jurídico de grande importância ao utilizar o princípio da ofensividade para estabelecer que a lesão ou o perigo de lesão são indispensáveis para a configuração de um delito, a função de garantia desempenha um papel ainda mais relevante, já que é um meio de controle às escolhas de criminalização do legislador.

Lembramos que a função de garantia do bem jurídico possui ainda uma dupla dimensão, uma no plano legislativo e outra no plano judicial. De um lado, o legislador precisa verificar se é necessário proteger determinado bem jurídico e,

---

[39] PRADO, Luiz Regis. *Bien jurídico-penal y constitución.* Perú: Ara Editores, 2010. p. 56-57.

[40] Ibidem, p. 57.

[41] PRADO, Luiz Regis. *Bien jurídico-penal y constitución.* Perú: Ara Editores, 2010. p. 56/57. p. 57.

[42] Ibidem, p. 57.

em caso positivo, edita a norma; por outro lado, o juiz deve verificar se houve lesão ou perigo de lesão ao bem jurídico contido na norma.

Dentre as funções do bem jurídico, destacamos como de maior importância a de crítica legislativa, pois procuramos identificar se de fato há um bem jurídico penal validamente tutelável na conduta de posse para consumo próprio de estupefacientes. É de se considerar que o Direito Penal *no es más que un instrumiento puesto al servicio de los fines de la comunidad*[43], ao qual compete a proteção subsidiária de bens jurídicos fundamentais ao indivíduo e à sociedade que tais bens encontram-se relacionados na Constituição Federal, como adverte Susana Aires de Sousa[44]:

> A determinação do bem jurídico tutelado através da criminalização de determinadas condutas constitui um *prius*, um critério legitimador da intervenção punitiva que se projecta na restrição de direitos fundamentais. Daí que se reconheça ao conceito de bem jurídico-penal, enquanto padrão da incriminação, uma função crítica, mas se assinale igualmente uma função dogmática, enquanto substrato material necessário à espessura da ofensa, de forma a graduá-la como de lesão ou de perigo, e ainda uma função interpretativa e sistemática, cumprida na ordenação das normas incriminadoras contidas na Parte Especial de uma codificação penal. Do cumprimento destas funções decorre a mais-valia do conceito de bem jurídico na construção de um Direito Penal legitimado, reconhecido como valioso e fundamental à realização humana em sociedade.

Vale lembrar que a função de crítica do bem jurídico não é livre de discordâncias pela doutrina penal, ao contrário, há quem considere que o caráter impreciso do bem jurídico valeria como instrumento adequado para uma criminalização desenfreada pelo legislador, que poderia escolher qualquer bem para ser alvo da tutela penal.[45]

---

[43] ROXIN, Claus. *Polytica criminal y sistema del derecho penal.* 2. ed., reimpr. Buenos Aires: Hammurabi, 2002, Traducción de Francisco Muñoz Conde, p. 23.

[44] DE SOUSA, Susana Aires. *Sobre o bem jurídico-penal protegido nos crimes contra a humanidade,* 2007, p. 6.

[45] GOMES, Luiz Flávio; MOLINA, Antonio García- Pablos de; BIANCHINI, Alice. *Direito Penal.* Vol. I. São Paulo: Editora Revista dos Tribunais, 2007. p. 400.

Günther Jakobs vai mais além ao declarar que a função de crítica ao bem jurídico não seria revestida de um caráter científico e seria simplesmente uma questão política, não guardando, portanto, nenhuma ligação com a categoria dogmática penal do bem jurídico.[46]

Embora relevantes, as críticas à função de garantia do bem jurídico não são suficientes para desacreditar seu mérito, pois, ao contrário do que a doutrina que diverge de tal função acredita, o bem jurídico não irá fornecer ao legislador um quadro pronto e acabado de bens jurídicos que possam ser objeto da tutela penal, mas sempre fornecerá balizas confiáveis para a escolha desses objetos, como esclarece Susana Aires de Sousa[47]:

> o conceito de bem jurídico tem de estar referido, na sua materialidade, ao exterior das normas penais, àquilo que a comunidade considera valioso; por outras palavras, o bem jurídico-penal há de ser expressão das condições essenciais da realização humana em sociedade, reflectidas nos valores do Estado social de direito.

Ainda acrescenta Susana Aires de Sousa sobre o tema[48]:

> Não sendo possível encontrar uma definição exaustiva de bem jurídico, cabe acentuar a sua função negativa de legitimação: pese embora o bem jurídico não forneça a conduta que tem de ser incriminada, indica, juntamente com os princípios do Direito Penal da fragmentaridade, da subsidiariedade e de *ultima ratio*, a montante, e com as finalidades das penas, a jusante, o que pode ser legitimamente tutelado através deste ramo do direito.

Destacamos que a Constituição ganha grande importância na concretização da tarefa de escolha de bens jurídicos penalmente relevantes. Não é difícil perceber a relação entre Constituição e a teoria do bem jurídico em um estado democrático

---

[46] JAKOBS, Günther. Qué protege el derecho penal: bienes jurídicos o la vigência de la norma? In: MONTEALEGRE LYNETT, Eduardo (coord.). *El funcionalismo en Derecho Penal*. Tomo I. Bogotá: Universidad Externado de Colombia, 2003. p. 53.

[47] AIRES DE SOUSA, Susana. *Sobre o bem jurídico-penal protegido nos crimes contra a humanidade*, 2007, p. 9.

[48] AIRES DE SOUSA, Susana. *Sobre o bem jurídico-penal protegido nos crimes contra a humanidade*, 2007, p. 9. Cf. ROXIN, Claus. Frägwürdige Tendenzen der Strafrechtreform, apud MOCCIA, Sérgio, Il *Diritto Penale tra Essere e Valore*. Napoli: Edizioni Scientifiche Italiane, 1992. p. 174.

de direito, já que ela compreende as escolhas políticas do poder constituinte e alberga os novos valores que nascem com o regular desenvolvimento da sociedade. Assim, não é de admirar o surgimento de teorias procurando referenciar a escolha de bens jurídicos na Constituição.

Admitindo essa íntima ligação entre Constituição e bem jurídico penal e respondendo ao questionamento de como a Constituição serve como referencial para a tutela de um bem jurídico, a doutrina penal assume duas posições distintas, denominadas de teoria flexível ou aberta e de teoria rígida ou estrita.

Os defensores de uma teoria flexível, embora reconheçam a Constituição como catálogo para obtenção de bens jurídicos penalmente tuteláveis, não a consideram a única fonte de tais bens. Obviamente, os bens retirados do catálogo constitucional teriam uma presumida importância para serem objetivo de tutela penal, contudo, o legislador infraconstitucional poderia escapar a esse catálogo, funcionado a Constituição tão somente como um limite negativo, não permitindo que sejam eleitos pelo legislador bens jurídicos expressamente incompatíveis com o quadro axiológico constitucional.[49]

Em contrapartida, os defensores de uma teoria rígida, além de verem na Constituição um limite negativo à atuação do legislador, também a dotam de um limite positivo, para tal teoria um bem somente seria digno de tutela penal se puder ser extraído de valores presentes na Constituição.[50] Resta claro que pela teoria rígida o legislador ficará adstrito a um catálogo menor de bens jurídicos que podem merecer tutela penal e, sendo a liberdade um bem constitucional, sua restrição somente poderia ocorrer para tutelar bens jurídicos de igual ordem, como esclarece Figueiredo Dias: o controle de constitucionalidade das normas criminalizadoras de condutas deve tratar de *princípio jurídico-constitucional do bem jurídico.*[51]

---

[49] Defendendo essa posição encontramos DOLCINI, Emilio; MARINUCCI, Giorgio. Constituição e escolha de bens jurídicos. *Revista Portuguesa de Ciência Criminal.* Lisboa, ano 4, fasc.2, abr-jun 1994, p. 179-174.

[50] Partidário dessa teoria DIAS, Jorge de Figueiredo. O papel do Direito Penal na proteção das gerações futuras. *Boletim da Faculdade de Boletim da Faculdade de Direito.* Volume Comemorativo, 2003, p. 1123-1138.

[51] DIAS, Jorge de Figueiredo. *O Direito Penal do bem jurídico como princípio jurídico constitucional. Da doutrina penal, da jurisprudência constitucional portuguesa e das suas relações.* XXV anos de Jurisprudência constitucional portuguesa. Coimbra: Coimbra Editora, 2009, p. 31ss, apud

A adoção de uma ou outra teoria no caso da Constituição brasileira não se mostra de grande relevância, ante o extenso rol de bens assegurados pela Carta Magna, o que vai nos interessar, sobretudo, é que a Constituição fornecerá os valores relevantes de onde decorreram os bens que poderão ser dotados de tutela penal.

Tais valores constitucionais, reconhecidos por meio dos direitos fundamentais e necessários ao desenvolvimento de um estado democrático de direito, podem ou não ser dotados de tutela penal, pois não basta que tais valores estejam presentes na Constituição, ainda é preciso que o legislador avalie a necessidade da intervenção penal para a preservação desse bem.

Dessa feita, além de guardar consonância com os valores reconhecidos constitucionalmente, ainda é preciso respeitar o princípio da subsidiariedade para que uma norma criminalizadora seja válida. Como nos adverte Figueredo Dias[52], "*tal orden de protección solo debe entrar en funcionamiento como 'ultima ratio' de la política social, razón por la qual la descriminnalización debe llevarjes tan lejos como sea compatible com la tarea jurídico-penal de tutelar del orden social*".

Resta claro o quão prudente deve ser o legislador ao dotar de tutela penal um bem jurídico, ou seja, além da presença de um bem jurídico ainda resta saber se a tutela penal é a menos gravosa para sua salvaguarda. Passaremos agora a responder a questão da existência de um bem jurídico digno de tutela penal no Artigo 28 da Lei n. 11.343/06.

3.2 Há um bem jurídico tutelado no Artigo 28 da Lei n. 11.343/06?

O grande problema da criminalização da conduta do porte de drogas para consumo próprio é a identificação de um bem jurídico-penal validamente tutelável. Declara o legislador brasileiro que se trata de um crime de perigo abstrato[53],

---

ANTUNES, Maria João. *Dos atos homossexuais com adolescentes aos atos sexuais com adolescentes. Estudos em memória ao Conselheiro Artur Maurício.* Coimbra: Coimbra Editora, 2014. p. 1016.

[52] DIAS, Jorge de Figueiredo. Una propuesta alternativa al discurso de la criminalizacion/descriminalizacion de las drogas. *Revista Chilena del Derecho*, Vol. 22, n. 2, 1995, p. 216. Também esclarecendo sobre os requisitos para que um bem jurídico mereça a tutela penal, MIR PUIG, Santiago. *Bien Jurídico y Bien Jurídico-Penal como Límites del Ius Puniendi.* In: *Estudios penales y criminológicos*, XIV, 1991, Universidad de Santiago de Compostela, p. 205/215.

[53] Nos delitos de perigo abstrato o legislador escolheu e tipificou determinadas condutas, as quais

cujo bem jurídico tutelado pela norma penal é a saúde pública[54], o que de pronto contestamos. Para argumentar sobre esse ponto de vista, lembramos a pertinente advertência de Roxin sobre a existência de *bens falsamente coletivos*[55], como é o caso da saúde coletiva nos delitos de posse para consumo próprio de substâncias estupefacientes, já que na verdade não se tem nada mais que a *soma de bens jurídicos individuais*[56], pois é difícil perceber como pode ocorrer um atentado à saúde fisiopsíquica coletiva por meio de uma ação que acarreta prejuízo unicamente ao próprio titular do bem jurídico.

Maria João Antunes nos diz que *a partir dos critérios da dignidade penal do bem jurídico e da necessidade da intervenção penal (da carência de tutela penal), com fundamento na exigência de que as restrições legais aos direitos liberdades e garantias, nos casos expressamente previstos na Constituição, têm de limitar-se ao necessário para a salvaguarda de outros direitos ou interesses constitucionalmente protegidos.*[57] Embora tal observação tenha sido feita em relação ao Direito Português, é perfeitamente aplicável ao caso brasileiro.

---

dispensam a afetação em concreto do bem jurídico. Trata-se de presunção de periculosidade *iure et de iure*. Trata-se de uma presunção. COSTA, José Francisco Faria. *O perigo em Direito Penal*. Coimbra: Coimbra Ed., 1992. p. 559/605.

[54] GRECO, Luis. Existem critérios para a postulação de bens jurídicos coletivos? *Revista de Concorrência e Regulação*. Ano II, n.7/8. Jul/Dez 2012. Núcleo Especial Luso-brasileiro. Almedina, p.354. Para o autor um critério válido para a caracterização de um bem jurídico coletivo é o da não distributividade ou indivisibilidade. Já sobre a classificação inadequada da saúde pública como bem jurídico protegido no delito de posse de drogas para consumo, ver HEFENDEHL, Roland.¿DEBE OCUPARSE EL DERECHO PENAL DE RIESGOS FUTUROS?Bienes jurídicos colectivos y delitos de peligro abstracto. *Revista Electrónica de Ciencia Penal y Criminología*. Trad. de Eduardo Salazar Ortuño. RECPC 04-14 (2002), p. 1-13. Afirma o autor ser a saúde individual o bem jurídico violado.

[55] ROXIN, Claus. *Nova versão do 2nm.10. Em favor da proteção de bens jurídicos.* (atualização em 28/8/2003), *apud* GRECO, Luis. *Modernização do Direito Penal, bens jurídicos coletivos e crimes de perigo abstrato. Com um adendo*: princípio da ofensividade e crimes de perigo abstrato. Rio de Janeiro: Ed. Lumen Juris, 2011. p. 36.

[56] GRECO, Luis. *Modernização do Direito Penal, bens jurídicos coletivos e crimes de perigo abstrato*, p. 36ss.

[57] ANTUNES, Maria João. *Dos atos homossexuais com adolescentes aos atos sexuais com adolescentes. Estudos em memória ao Conselheiro Artur Maurício.* Coimbra: Coimbra Editora, 2014. p. 1017.

Citando ainda as lições de Roxin[58], uma mera *descrição da finalidade da lei não basta para fundamentar um bem jurídico que legitime um tipo*, pois nesse caso afirma o mesmo autor que estamos diante tão somente da descrição da finalidade da lei. Do mesmo modo, *leis que tratam de simples atentados morais*, albergando comportamentos que se desenrolam na esfera privada, com consentimento dos envolvidos e sem consequências sociais, não podem ser objeto de proibições penais válidas.[59]

Reforçando esse entendimento, Greco[60] assevera:

> A soma de vários bens jurídicos individuais não é suficiente, porém, para constituir um bem jurídico coletivo, porque este é caracterizado pela elementar da não distributividade, isto é, ele é indivisível entre diversas pessoas. Assim, cada qual tem a sua vida, a sua propriedade, independente das dos demais, mas o meio ambiente ou a probidade da Administração Pública são gozados por todos em sua totalidade, não havendo uma parte do meio ambiente ou da probidade da Administração Pública que assista exclusivamente a A ou a B. Já o bem jurídico saúde pública, por exemplo, nada mais é do que a soma das várias integridades físicas individuais, de maneira que não passa de um pseudobem coletivo.

Esclarece Karam[61] ser *evidente que na conduta de uma pessoa, que, destinando-a a seu próprio uso, adquire ou tem a posse de uma substância, que causa ou pode causar mal à saúde, não há como identificar ofensa à saúde pública, dada a ausência daquela expansibilidade do perigo.*

De fato, a saúde pública é um objeto de proteção jurídica adequada para o Estado, porém necessário reconhecer uma afetação concreta a esse bem para que

---

[58] ROXIN, Claus. Es la protección de bienes jurídicos una finalidade del Derecho Penal? In: HEFENDEHL, Roland (coord.*). La teoria del bien jurídico. Fundamento de legitimación del Derecho penal o juego de abalorios dogmático?* Madrid: Marcial Pons, 2007. p.449-452.

[59] ROXIN, Claus. Es la protección de bienes jurídicos una finalidade del Derecho Penal? In: HEFENDEHL, Roland. (coord.). *La teoria del bien jurídico. Fundamento de legitimación del Derecho penal o juego de abalorios dogmático?* Madrid: Marcial Pons, 2007. p.449-452.

[60] GRECO, Luís. Princípio da ofensividade e crimes de perigo abstrato – Uma introdução ao debate sobre o bem jurídico e as estruturas do delito. Revista do IBCCRIM n. 49, São Paulo, 2004, p. 115.

[61] KARAM, Maria Lúcia. *De crimes, penas e fantasias.* Rio de Janeiro: Luam, 1993. p. 126.

a interferência estatal seja legítima[62]. Declaram os defensores da tese de incriminação do porte para consumo de substância estupefaciente que essa afetação ocorreria no fato do usuário auxiliar a propagação do vício na sociedade, o que acarretaria um colapso no sistema de saúde pública, contudo referida suposição nunca foi comprovada e mesmo mostra-se difícil imaginar o sistema de saúde sucumbindo ao caos por um uso individual.

No mesmo sentido as palavras de Scünemann[63]:

> (..) Estratégia foi usada pelo legislativo e pelo judiciário para justificar os tipos penais paternalistas da lei de tóxicos, nos quais se trata em grande parte de proteger o cidadão contra ele mesmo, ou seja, de paternalismo duro e direto, o que se tenta ocultar por trás do suposto bem coletivo saúde pública, na verdade, inexiste a saúde de um povo, o que existe é apenas a saúde de cada cidadão individual, e a suposta saúde pública não passa de uma reunião dessas diversas saúdes individuais numa classe – sendo, portanto, inegável que a proibição penal de entorpecentes persegue interesses paternalistas.

Parece-nos que utiliza o legislador o *suposto* bem jurídico saúde pública apenas para justificar sua opção criminalizadora, pois ao reconhecer que o bem jurídico afetado seria o da saúde individual teria que admitir estar criminalizando uma autolesão, revelando uma atitude francamente paternalista, no sentido empregado por Andrew v. Hirsch[64]: *entenderei por paternalismo direto no Direito Penal o uso de sanções penais para criminalizar alguém que lesiona unicamente a sua própria pessoa ou que comete uma tentativa de autolesionar-se.* Acrescenta ainda o autor, ao se referir ao paternalismo jurídico penal, que o mesmo também possui uma forma indireta, que se dá quando as medidas de Direito Penal são dirigidas a

---

[62] PRADO, Luiz Regis. *Bien jurídico-penal y constitución.* Perú: Ara Editores, 2010, p. 57-60

[63] SHUNEMANN, Bernd. A crítica ao paternalismo jurídico penal – um trabalho de Sísifo? Trad. Luis Greco. *Revista Justiça e Sistema Criminal,* v. 1, n. 1, jul./dez. 2009, Curitiba: FAE Centro Universitário, p. 59ss.

[64] v. HIRSCH, Andrew v. In: ANDERHEIN, Michael et al. (coord.). Paternalismus und Recht. Mohr Siebeck, 2006, p. 235ss. (235); v. HIRSCH; NEUMANN, GA, 2007, 671ss. (671), Apud SHUNEMANN, Bernd. A crítica ao paternalismo jurídico penal-um trabalho de Sísifo? Trad. Luis Greco. *Revista Justiça e Sistema Criminal,* v. 1, n. 1, jul./dez. 2009, Curitiba: FAE Centro Universitário, p. 47.

terceiros que participaram em sua realização de lesões consentidas em outrem, e que não são, portanto, autolesões.

O debate sobre o paternalismo ganhou importância com o desenvolvimento do *harm principle*[65] por John Stuart Mill, que criticava seu uso em matéria penal. Desde então inúmeras classificações[66] foram desenvolvidas, já tendo referido aquela citada por Hirsch. Outra classificação bastante corrente é a fornecida por Feinberg[67], para quem o paternalismo duro ou rígido caracteriza-se pela intervenção do Estado com o intuito de evitar autolesões em indivíduos completamente capazes de autodeterminarem-se, enquanto o paternalismo suave ou moderado tem lugar quando o Estado interfere procurando evitar autolesões de indivíduos não adultos ou que tenham doença mental.

Advertimos de logo que não estamos nos opondo às intervenções estatais de cunho paternalista em caso de dependentes de drogas, pois, ao contrário do usuário, o dependente não conserva sua autonomia, legitimando as intervenções paternalistas em sua modalidade suave.

As intervenções paternalistas caracterizam-se por dizer respeito ao bem do próprio atingido e por conterem uma coerção, sendo esta o traço distintivo das demais intervenções estatais.[68] No que se refere ao mero consumidor de drogas, se o legislador optou por não punir a autolesão, não há motivo para puni-lo. Diz-nos Shunemann[69] que os tipos penais que tentam prevenir autolesões só se justificam caso os titulares do bem jurídico sejam vulneráveis (paternalismo suave ou moderado). Uma vez que apenas são afetados os interesses do próprio

[65] MILL, Stuart (1859), Cap. 4. " Harm Principle é a expressão técnica na língua inglesa que caracteriza o princípio de Mill, no sentido de que o dano a outrem deveria ser o principal fundamento(ou, segundo a visão de Mill, a única base) para a criminalização. Apud HIRSCH, Andrew v. Paternalismo direito: autolesões devem ser punidas penalmente? Trad. Helena Lobo da Costa. *Revista Brasileira de Ciências Criminais*, n. 67, 2007, São Paulo, p. 12.

[66] Mais sobre paternalismo jurídico-penal em: MARTINELLI, João Paulo Orsini. Paternalismo jurídico-penal. Tese de Doutorado. USP. São Paulo. 2010. Disponível em: *<www.teses.usp.br/teses/disponiveis/2/2136/tde-27012011.../TESE_versao_final.pdf>. Acesso em: 10/1/2016.*

[67] SHUNEMANN, Bernd. A crítica ao paternalismo jurídico penal-um trabalho de Sísifo? Trad. Luis Greco. *Revista Justiça e Sistema Criminal*, v. 1, n. 1, jul./dez. 2009, Curitiba: FAE Centro Universitário, p. 47.

[68] HIRSCH, Andrew v. Paternalismo direito: autolesões devem ser punidas penalmente? Trad. Helena Lobo da Costa. *Revista Brasileira de Ciências Criminais*, n. 67, 2007, São Paulo, p. 12.

[69] SHUNEMANN, Bernd, op. cit, p. 49.

titular do bem jurídico, não há afetação a nenhum bem jurídico de terceiro no sentido de um dano social.

Desde o iluminismo jurídico-penal que o paternalismo penal é alvo de críticas. Já proclamava o marquês de Beccaria que o Direito Penal só pode ser utilizado para prevenir danos sociais, não devendo se prestar a punir o pecado, o que na verdade é a essência de uma autolesão.[70].

Ademais, a imposição de uma pena, mesmo que não seja restritiva da liberdade, representa um dano maior para a pessoa afetada que a própria prática da conduta regulada penalmente.

Todos sabemos quão nocivos podem ser os efeitos de figurar como acusado em um processo criminal, mesmo quando deste processo não possa resultar pena de prisão, como é o caso do Artigo 28. Nas palavras de Figueiredo Dias: Estos comportamientos, por otro lado, por la estigmatización legal y social que comportan, originan conductas marginales e ilícitas conexas (criminalid secundaria) con particular incidencia en el terreno de la violencia contra las personas, de la criminalid patrimonial y de la corrupción[71].

Desta feita, acaba o usuário, por conta da criminalização desarrazoada, incidindo em condutas ilícitas, adverte Schur:

> La inmersión gradual de muchos adictos en un mundo própio está ( ) ligada ao proceso general que los ha apartado de la sociedad respetable. La definición social del adicto como delincuente no sólo influye decisivamente sobre su comportmiento, sino que altera su autoimagem (...) Llevado hacia un mundo de relaciones subterráneas y havia del delito conel fin de satiafacer su hábito, empieza a sentirse enemigo de la sociedad, o, por lo menos, a sentir que la sociedad el la enemiga suya.[72]

Disso conclui-se que o referido dispositivo carece de bem jurídico penal validamente tutelável e possui apenas conteúdo de Direito Penal simbólico[73],

[70] Ibidem, p. 47.

[71] DIAS, Jorge de Figueiredo. Una propuesta alternativa al discurso de la criminalización/descriminalización de las drogas. *Revista Chilena del Derecho*, vol. 22, n. 2, 1995, p. 213.

[72] SCHUR apud DIAS, Jorge de Figueiredo. *Una propuesta alternativa(...)*, p. 214.

[73] Mais sobre o tema Direito Penal Simbólico em HASSEMER, Winfried. Derecho Penal Simbólico y protección de Bienes Jurídicos. In: VÁRIOS AUTORES. *Pena y Estado*. Santiago: Editorial Jurídica Conosur, 1995.

o que certamente o levou ao descrédito e à análise de sua constitucionalidade, como ocorre neste momento.

A problemática em torno da criminalização contida no Artigo 28 da Lei n. 11.343/06 ainda envolve a ofensa a alguns princípios constitucionais, como o da ofensividade, posto que ausente um bem jurídico a ser protegido pela norma, revela um terrorismo estatal, nas palavras de Hassemer[74].

Em seu Artigo 3º, a Constituição Federal declara ser objetivo fundamental da República Federativa do Brasil a construção de uma sociedade livre, justa e solidária, demonstrando claramente a consagração constitucional do direito fundamental à liberdade. Compreendemos que tal direito não é absoluto, podendo ser restringido desde que fundado no princípio da ofensividade.

O princípio da *ofensividade ou lesividade, decorrência do princípio da legalidade, previsto no Artigo 5º, XXXV, da Constituição Federal, é pressuposto para que* uma conduta seja tipificada como crime em uma sociedade livre, portanto, imprescindível, algum perigo concreto, real, ao bem jurídico penalmente protegido.[75]

Vale atentar para as lições de Costa Andrade, que adverte ser imprescindível, mesmo após o reconhecimento da dignidade penal a um bem, fazer duas indagações: a primeira delas *se o Direito Penal é um instrumento idôneo para prevenir as manifestações indesejáveis de danosidade social*, dito de outro modo, se o recurso ao Direito Penal faz cessar a prática da conduta indesejada; a segunda, em sendo o Direito Penal um instrumento idôneo, deve ainda ser *necessário*, ou seja, não deve restar um instrumento menos gravoso à liberdade das pessoas. [76]

Como já mencionado nas páginas anteriores, a saúde pública, bem jurídico descrito pelo legislador como presente no tipo penal, não é ofendido. Quanto à saúde individual, não compete ao Direito Penal coibir as condutas que não excedam ao âmbito do próprio autor ou mesmo incriminar comportamentos desviados que não lesionem direitos de outras pessoas.

---

[74] HASSEMER, Winfried apud GRECO, Luís. Princípio da ofensividade e crimes de perigo abstrato – Uma introdução ao debate sobre o bem jurídico e as estruturas do delito. *Revista do IBCCRIM* n. 49, São Paulo, 2004, p. 107.

[75] GOMES, Luiz Flávio. *Norma e bem jurídico no Direito Penal.* São Paulo: Revista dos Tribunais, 2002. p. 144.

[76] COSTA ANDRADE, Manuel da. Constituição e legitimação do Direito Penal. In: MIRANDA COUTINHO, Jacinto Nelson de et al. (org.). *Diálogos constitucionais Brasil/Portugal.* Rio de Janeiro, São Paulo, Recife: Renovar, 2004. p. 58.

Assim, conforme percebemos, patente a violação ao princípio da lesividade e ainda feridos os princípios da liberdade individual, da vida privada e, por conseguinte, do estado democrático de direito, no qual a autonomia do indivíduo deve ser valorizada, não cabendo ao Estado intervir nas escolhas conscientes dos indivíduos, somente cabendo proibições quando necessárias à garantia do livre exercício de direitos de terceiros.

Com a desvinculação do crime ao conceito de pecado, deixando de ser um atentado aos deuses, as condutas para serem criminalizadas tiveram que revelar ao menos um perigo de lesão a bens jurídicos de outros, como aponta Salo de Carvalho: "*a secularização do direito e do processo penal, fruto da recepção constitucional dos valores do pluralismo, da tolerância e do respeito à diversidade, blinda o indivíduo de intervenções indevidas na esfera da interioridade*"[77].

Como nos diz Prado:[78]

> En un Estado Democrático y Social de Derecho, la tutela penal no puede vir dissociada del presupuesto del bien juídico, siendo considerada legítima, bajo la óptica constitucional, quando sea socialmente necessária. Eso vale decir: quando sea imprescndible para assegurar las condiciones de vida, el desarrollo y la paz social, leviendo en cuenta el postulado mayor de la libertad-verdadeira presunción de libertad(freiheitsvemutung)-y la dignidade de la persona humana.

Seria possível argumentar que a criminalização em comento restaria necessária para preservar a dignidade do indivíduo consumidor de substâncias estupefacientes, mas, seguindo os ensinamentos de Roxin[79], *a violação da própria dignidade não é razão suficiente para a punição*, isso porque o Direito Penal só tem por finalidade evitar lesões em terceiros, não protegendo o indivíduo maior e capaz de suas próprias escolhas. *Impedir que pessoas se despojem da própria dignidade não é problema do Direito Penal*[80].

[77] CARVALHO, Salo de. *A política criminal de drogas no Brasil.* São Paulo: Saraiva, 2013. p. 410.

[78] PRADO, Luiz Regis. *Bien jurídico-penal y constitución.* Perú: Ara Editores, 2010. p. 67.

[79] ROXIN, Claus. O conceito de bem crítico ao legislador em xeque. Trad. Alaor Leite, do original Der gesentzgebungskritische Rechtsgutsbegriff auf dem Prüfstand. *Revista dos Tribunais*, vol. 922 (2012), p. 291-322.

[80] ROXIN, Claus. *Que comportamentos pode o Estado proibir sob ameaça de pena? Sobre a legitimação das proibições penais.* Texto distribuído aos inscritos no seminário ocorrido em Porto Alegre,

Seguindo ainda o exposto por Roxin, o recurso à dignidade humana para criminalização de uma conduta é legítimo, enquanto se trate de lesão à dignidade humana de terceiros, como assinala o conceito kantiano[81] de dignidade, do qual decorre a proibição de instrumentalização do homem, ou seja, *o homem nunca deva ser tratado por outro homem como simples meio, mas sempre como fim.* [82] De modo diverso, é quando o socorro à dignidade vem atender a uma autolesão, pois nesse caso assume uma feição de reprovação moral.[83]

Segundo as precisas lições de Pontes de Miranda, decorre do princípio da dignidade da pessoa humana a concepção de que é a pessoa humana o fim e o fundamento do Estado[84]. Certo é que, em uma ordem constitucional baseada no princípio da dignidade humana, o Estado deve restringir-se, como pontua Silvestroni, *a imponerle deberes, en principio, en función de los otros sujetos morales con quienes está avocado a convivir*[85], não lhe competindo, por meio do Direito Penal, regular condutas adstritas à esfera individual.

Admitir a criminalização de uma conduta sem qualquer lesividade e por pressupor uma lesão futura ao acreditar que em cada consumidor haveria um potencial traficante, revela uma incriminação baseada numa provável perigosidade do agente, portanto, atentatório à dignidade humana. Como chama atenção Silvestroni:

> En definitiva se trata de que la tarea de la determinación del merecimiento de protección se haga libremente en la base social superando el discurso ideológico para ver la realidad del objeto a ser protegido y su conpatibilidad con el

---

no dias 18 a 20 de março de 2004, em homenagem ao professor Claus Roxin, organizado pelo professor Cesar Roberto Bitencourt.

[81] KANT, Immanuel. *Metaphysik der Sitten*, Tugendlehe, § 38 Apud ROXIN, Claus. *Que comportamentos pode o Estado proibir sob ameaça de pena? Sobre a legitimação das proibições penais.* Texto distribuído aos inscritos no seminário ocorrido em Porto Alegre, no dias 18 a 20 de março de 2004, em homenagem ao professor Claus Roxin, organizado pelo professor Cesar Roberto Bitencourt.

[82] ROXIN, Claus. *O conceito de bem crítico ao legislador em xeque*, p. 292.

[83] Ibidem.

[84] MIRANDA, Ponte Jorge. Apud SARLET, Ingo Wolfang. Dignidade da pessoa humana e novos direitos-algumas aproximações à luz da experiência constitucional brasileira. In: *Portugal, Brasil e o Mundo do Direito.* SARLET, Ingo Wolfang et al. Almedida, Coimbra, 2009. p. 52.

[85] SILVESTRONI, Mariano H. *Teoría constitucional del delito.* Argentina: Editores Del Puerto, 2004, p. 291.

Estado social y democrático de derecho. Se trata de que el objeto protegido se corresponda con la satisfacción de una necesidad humana."[86].

Na Constituição da República Federativa do Brasil, a proteção à dignidade humana vem insculpida no Artigo 1º, III[87], estando elencada como um dos fundamentos do Estado Brasileiro. Vem também consagrada na Constituição de Portugal, em seu Artigo 1º[88], no rol dos Princípios Fundamentais.

O princípio em enfoque surge como um consectário necessário do Princípio da Intervenção Mínima. Se por um lado o Direito Penal somente deve ser chamado a interferir nas relações sociais quando os demais ramos do direito se mostrarem ineficazes, bem como quando bens jurídicos relevantes forem identificados, por outro lado, essa ofensa deverá ser deveras contundente. Esses princípios conjugados servem como uma limitação ainda maior à produção legislativa penal.

No caso dos estupefacientes, necessário elucidar quando se está diante de um verdadeiro bem jurídico e, por conseguinte, constatar da legitimidade de um tipo penal. Aceitar o argumento da proteção à saúde pública para justificar a sanção penal da posse de estupefacientes para consumo próprio, quando o que está se procurando proteger é a saúde individual, nada mais é que sancionar penalmente àqueles que pretendem um modo de vida apartado da moral corrente, mas em plena consonância com sua liberdade de escolha.[89]

Em outras palavras, é necessária a ofensa a um bem jurídico de terceiro na sua estrutura nuclear ou na sua estrutura jurídico-normativa. É o Princípio do *nullum crime sine iniuria*[90].

Finalmente, ao Estado não é conferida a prerrogativa de fazer uso do *ius puniendi* para segregar pessoas que fizeram uma opção de vida distinta da maioria, mesmo que tal opção lhe cause prejuízos. Ao contrário, deve o Estado garantir

---

[86] Ibidem, p. 161.

[87] *Art. 1º A República Federativa do Brasil, formada pela união indissolúvel dos Estados e Municípios e do Distrito Federal, constitui-se em estado democrático de direito e tem como fundamentos:(...) III – a dignidade da pessoa humana;*

[88] *Art. 1º Portugal é uma República soberana, baseada na dignidade da pessoa humana e na vontade popular e empenhada na construção de uma sociedade livre, justa e solidária.*

[89] ARANA, Raúl Pariona. El Derecho Penal moderno. *Revista Penal*, n. 20, julho, 2007, p. 164.

[90] COSTA, José de Faria. *Noções Fundamentais de Direito Penal.* Coimbra: Coimbra Editora, 2012. p. 161-162.

meios do integral e completo desenvolvimento do indivíduo, permitindo que ele tenha plena consciência das consequências de suas escolhas.

Compreensível é que, em uma sociedade estruturada com base no Princípio Democrático, a liberdade dos cidadãos e seu modo de vida devam ser respeitados e protegidos. Nas precisas lições de Frégier, "*allí donde no hay ofensa ni daño, la acción penal no tiene nada que hacer: esta es la línea que separa el dominio de la ley civil del de la ley moral. Sin embargo, no es menos cierto que es la falta de moral la fuente de los delitos, por lo que un buen gobernante debe ocuparse de ella.*"[91]

Consagrando a opção por proteger o livre desenvolvimento da personalidade dos indivíduos, o Artigo 5º, inciso X, da Constituição da República Federativa do Brasil[92] assegura a proteção da vida privada e a intimidade, e em razão desse princípio conclui-se que a todos é dado o direito de escolher o modo de vida que mais lhe satisfaça.

A Constituição portuguesa contém dispositivo semelhante ao brasileiro em seu Artigo 26, n. 1, onde consta que a *todos são reconhecidos os direitos à identidade pessoal, ao desenvolvimento da personalidade, à capacidade civil, à cidadania, ao bom nome e reputação, à imagem, à palavra, à reserva da intimidade da vida privada e familiar e à protecção legal contra quaisquer formas de discriminação.*

Extrai-se pela leitura dos dispositivos constitucionais brasileiro e português o direito ao livre desenvolvimento da personalidade e à autodeterminação, direitos feridos com a criminalização de drogas para consumo. Na verdade, o alargamento da criminalização de condutas que dizem respeito tão somente ao âmbito da vida privada dos indivíduos tem levado a uma maior preocupação com a intimidade, valor diretamente relacionado com a própria dignidade humana.[93]

Fazer uso ou não de substâncias entorpecentes é uma escolha do indivíduo, como também o são o consumo de álcool, de tabaco, de embutidos e de demais

---

[91] Apud ZAFARRONI, Eugenio Raul. *En torno de la question penal.* Editorial IB de F, Montevideo-Buenos Aires: Julio Cesar Faria Editor, 2005. p. 43.

[92] Art. 5º Todos são iguais perante a lei, sem distinção de qualquer natureza, garantindo-se aos brasileiros e aos estrangeiros residentes no País a inviolabilidade do direito à vida, à liberdade, à igualdade, à segurança e à propriedade, nos termos seguintes:(...) X – são invioláveis a intimidade, a vida privada, a honra e a imagem das pessoas, assegurado o direito a indenização pelo dano material ou moral decorrente de sua violação.

[93] CUNHA, Maria da Conceição da. *Constituição e Crime. Uma perspectiva da criminalização e da descriminalização.* Porto: Universidade Católica Portuguesa, 1995. p.324.

condutas lesivas à própria saúde. Criminalizar o consumo de substâncias estupefacientes utilizando o argumento de que o Estado deve proteger os indivíduos de suas próprias escolhas em um Estado como o brasileiro em que as políticas públicas são sempre deficitárias é ao menos contraditório[94].

Países como Portugal, Bélgica Bolívia, Chile, Finlândia, Espanha, Equador, Paraguai, Honduras, Jamaica, Colômbia, Costa Rica, Peru, Uruguai e Argentina[95] já descriminalizaram o porte para consumo próprio de substâncias estupefacientes por meio de argumentos semelhantes aos aqui defendidos, como se verifica pela decisão da Corte Suprema de Justiça da Colômbia.

> Es indudable que tengo un interés juridicamente merecedor de protección en que mi salud no sea menoscabada por acciones de terceiro. Pero, tengo una pretencción semejante hacia mí mesmo? La idea de la amenaza de un bien proprio resulta forzada. Si se quiere sostener la legimimación de los tipos penales del derecho penal de las drogas en un bien jurídico vinculado a la salud, debería configuarse éste de modo que sólo quedarían abarcados danõs a la salud causados por terceras personas lo que sim embargo vendría a restringir de modo considerable el âmbito de aplicación de dichos tipos legales, los cuales, no obstante, sólo a través de esa vía serían susceptibles de legitimacíon. Em todo caso, desde esa perspectiva no puede justificarse la reacción penal frente al consumo voluntario de drogas. [96]

No caso português o consumo de todas as drogas foi descriminalizado pela Lei n. 30/2000, de 29 de novembro, que entrou em vigor em 1/7/2001. Nesse país, os delitos de consumo estão sob alçada de um regime contraordenacional, que representa uma alternativa à aplicação de sanções penais.

O modelo português de combate às drogas tem-se mostrado bastante eficiente, apoiando-se na filosofia de Redução de Danos, como uma clara escolha pela prevençao, além da implementação de tratamento para dependentes. Importante advertir, que não se defende neste trabalho o incentivo ao uso de

---

[94] CARVALHO, Salo de. *A política criminal de drogas no Brasil.* São Paulo: Saraiva, 2013. p. 264.

[95] Retirado do voto do ministro Gilmar Mendes no RE 635.659. <www.stf.jus.br>.

[96] Trecho retirado da decisão proferida no processo n. 31531, publicada em 8/7/2009. *Boletim IBCCRIM* ano 20 – Edição Especial. Out.2012.

drogas, pretende-se tão somente justificar as razões para o afastamento do Direito Penal da seara do consumo pessoal consciente.

No Brasil, como já mencionado, a discussão ganhou fôlego com o julgamento pelo Supremo Tribunal Federal do Recurso Extraordinário (RE n. 635.659/RG), de autoria da Defensoria Pública do Estado de São Paulo, onde se discute a constitucionalidade do malsinado Artigo 28 da Lei n. 11.343/06, sob fundamentos semelhantes aos defendidos no presente trabalho, como demostra o trecho da decisão proferida pelo ministro Gilmar Mendes:

> A proteção do indivíduo contra interferências que se estimem indevidas por parte do Estado pode ser atalhada, dessa forma, com a invocação do princípio da liberdade geral, que não tolera restrições à autonomia da vontade que não sejam necessárias para alguma finalidade de raiz constitucional, e mesmo pelo apelo ao princípio da proteção da dignidade da pessoa humana, que pressupõe o reconhecimento de uma margem de autonomia do indivíduo, tão larga quanto possível, no quadro dos diversos valores constitucionais.
>
> É sabido que as drogas causam prejuízos físicos e sociais ao seu consumidor. Ainda assim, dar tratamento criminal ao uso de drogas é medida que ofende, de forma desproporcional, o direito à vida privada e à autodeterminação.[97]

Conforme os argumentos expostos, concluímos não haver bem jurídico penal validamente tutelável no Artigo 28 da Lei n. 11.343/06, com o que esperamos acarretar a declaração de inconstitucionalidade dessa norma no julgamento do Recurso Extraordinário n. 63569/SP, com repercussão geral, pelo Supremo Tribunal Federal.[98]

---

[97] RE 63569/RG e publicada em 20/8/2015. ministro Gilmar Mendes. <www.stf.jus.br>.

[98] Uma nota importante é que o Conselho Institucional do Ministério Público Federal decidiu em 19 de outubro de 2016, por 11 votos a 8, que importar sementes de maconha em pequena quantidade não é crime. Parece-nos que a decisão no órgão do Ministério Público Federal, que tem por função revisar as decisões da câmaras criminais da instituição, bem como estabelecer suas directrizes institucionais, é mais um passo rumo à descriminalização do uso, se não de todos os estupefacientes, ao menos da *cannabis* sativa. Fonte: <http://cimpf.pgr.mpf.mp.br/atas/2016/8aOrdi-2016.pdf>. Acesso em: 11/1/2017.

4 Dos limites ao controle de constitucionalidade no caso do Recurso Extraordinário n. 63569/RG

Em razão do julgamento do Recurso Extraordinário n. 63569/RG, passamos ao questionamento dos limites encontrados pelo julgador ao realizar o controle de constitucionalidade de uma norma. Essa questão ganhou importância ao percebermos os caminhos percorridos pelos ministros do Supremo Tribunal Federal no referido recurso, que já conta com três votos – ministro relator Gilmar Mendes, ministros Edson Fachin e Roberto Barroso –, atualmente suspenso em razão do pedido de vista formulado pelo ministro Teori Zavascki[99]. Além de reconhecerem a inconstitucionalidade da norma,[100] os citados ministros avançaram em questões como o estabelecimento de critérios para distinção de usuário e traficante, questões não tratadas objetivamente pela lei, bem como determinaram ao legislativo a obrigação de legislar no sentido de suprir as referidas omissões.

Não se contesta a importância de um órgão que tem por função a guarda da Constituição em uma democracia constitucional, como é o caso do Brasil. Contudo, surge um problema ao tentar-se estabelecer os limites da atuação desse órgão, ou seja, até onde o Supremo Tribunal Federal pode ir no cumprimento de sua função de guarda dos direitos fundamentais sem que enseje um desrespeito aos próprios preceitos constitucionais.

O estado democrático de direito descrito no Artigo 1º da Constituição Federal tem como fundamento a soberania popular, atuando esta nas escolhas das instâncias representativas. Contudo, o estado democrático de direito não se circunscreve a essa perspectiva, pois conforme previsão do Artigo 2º da Constituição Federal de 1988[101], o Estado Brasileiro consagra ainda a separação dos poderes, imprescindível para dividir as várias funções decorrentes do poder político.

A referida independência acarreta uma atuação de cada Poder livre das interferências dos demais, respeitadas, porém, as disposições constitucionais. Desse modo, compete, no exercício de suas funções típicas, ao Executivo administrar e executar; ao Legislativo, editar normas gerais e abstratas; ao Judiciário, controlar

---

[99] O ministro Teori Zavascki faleceu em 19 de janeiro de 2017 sem ter proferido seu voto.

[100] Os votos dos ministros Edson Fachin e Roberto Barroso Barroso trataram tão somente da cannabis, não mencionando as demais substâncias entorpecentes.

[101] Art. 2º São Poderes da União, independentes e harmônicos entre si, o Legislativo, o Executivo e o Judiciário.

os atos emanados dos outros poderes sob o crivo da constitucionalidade à medida que lhe são apresentados. Nada obstante, Legislativo, Executivo e Judiciário exercem um controle recíproco sobre as atividades de cada um, de modo a impedir o surgimento de instâncias hegemônicas, capazes de oferecer riscos para a democracia e para os direitos fundamentais.

No Brasil, o controle de constitucionalidade pela via concentrada apenas ganhou feição significativa após a Constituição de 1988, que acolheu o modelo tradicional incidental ou difuso, mas também agregou outros instrumentos como o mandado de injunção, a ação direta de inconstitucionalidade por omissão, o mandado de segurança coletivo e ainda, a ação direta de inconstitucionalidade, conferindo um novo perfil ao atual sistema de controle de constitucionalidade.

Pelo controle difuso compete a qualquer juiz ou tribunal declarar a inconstitucionalidade de leis ou atos normativos, não havendo restrição quanto ao tipo de processo. Já no modelo de controle abstrato ou concentrado confere exclusivamente a uma corte constitucional ou equivalente a competência para processar e julgar as ações autônomas nas quais se apresenta controvérsia constitucional. Assim, no Brasil temos um modelo misto, adotando tanto o controle difuso quanto o concentrado[102].

Concentrado ou difuso, a questão é que competirá aos tribunais a última análise sobre a constitucionalidade das leis, o que ocasiona uma grande relevância do Judiciário frente aos demais poderes. Some-se a isso o fato de no Brasil os membros de referidos tribunais não serem democraticamente eleitos, o que ganha maior importância no caso da atuação da Corte Constitucional. Assim, quais os limites da atuação da Corte Constitucional ou de órgãos que detenham essa função, como é o caso do Supremo Tribunal Federal?

No caso em tela, trata-se de um Recurso Extraordinário no qual foi admitida a repercussão geral. Embora instrumento de controle difuso de constitucionalidade, tem sido empregado também em controle abstrato, ou seja, embora a questão constitucional tenha sido levantada pela via difusa, reveste-se de efeitos vinculantes em relação aos demais órgãos do Poder Judiciário e da Administração Pública.[103]

[102] OMMATI, José Emílio Medauar. *Paradigmas constitucionais e a inconstitucionalidade das leis.* Porto Alegre: Sergio Antonio Fabris Editor, 2013. p. 47ss.

[103] MONNERAT, Fávio Victor da Fonte. Efeitos objetivos do julgamento do recurso extraordinário. *Revista da Faculdade de Direito São Judas Tadeu*, n. 01. Primeiro semestre de 2014. <www.ustj.br/revistadireito/>. Acesso em: 1/12/2015.

No Brasil, é inquestionável a crescente importância do Poder Judiciário na mediação de questões de todas as aéreas de interesse da sociedade, usando como argumento a garantia dos direitos fundamentais, da Constituição e do estado democrático de direito, como se verifica no julgamento ora mencionado.

Não se discute que a Constituição de 1988 materializou inúmeros direitos, além de, assumindo a classificação do professor Canotilho[104], revelar seu caráter dirigente ao traçar parâmetros para a atuação estatal bem como possuir força normativa vinculante em relação aos Poderes do Estado. Tais fatores, somados à expansão do sistema de controle de constitucionalidade, fizeram surgir o fenômeno do ativismo judicial[105].

O debate entre Judiciário e Legislativo sobre a proteção ao estado de direito aponta para diferentes visões. De um lado há quem defenda uma atitude de maior contenção do Judiciário; de outro, vozes acusam de inércia o Legislativo. É certo que a jurisdição constitucional guarda grande importância, na medida em que garante o próprio processo democrático ao defender os direitos fundamentais.

---

[104] Mais sobre o tema em CANOTILHO, José Joaquim Gomes. *Constituição Dirigente e Vinculação do Legislador – Contributo para a Compreensão das Normas Constitucionais Programáticas.* Coimbra: Coimbra Editora, 2001.

[105] Importante a distinção feita entre ativismo judicial e judicialização. BARROSO, Luis Roberto. Judicialização, ativismo judicial e legitimidade democrática. *Revista Atualidades Jurídicas.* n. 4, jan--fev/2009, OAB. Disponível em: <http://www.oab.org.br/oabeditora/>. Acesso em: 30/11/2015. *Judicialização significa que algumas questões de larga repercussão política ou social estão sendo decididas por órgãos do Poder Judiciário, e não pelas instâncias políticas tradicionais: o Congresso Nacional e o Poder Executivo – em cujo âmbito se encontram o Presidente da República, seus ministérios e a administração pública em geral. Como intuitivo, a judicialização envolve uma transferência de poder para juízes e tribunais, com alterações significativas na linguagem, na argumentação e no modo de participação da sociedade. O fenômeno tem causas múltiplas. Algumas delas expressam uma tendência mundial; outras estão diretamente relacionadas ao modelo institucional brasileiro.* No que se refere ao ativismo judicial na mesma ocasião enunciou: *A ideia de ativismo judicial está associada a uma participação mais ampla e intensa do Judiciário na concretização dos valores e fins constitucionais, com maior interferência no espaço de atuação dos outros dois Poderes. A postura ativista se manifesta por meio de diferentes condutas, que incluem: (i) a aplicação direta da Constituição a situações não expressamente contempladas em seu texto e independentemente de manifestação do legislador ordinário; (ii) a declaração de inconstitucionalidade de atos normativos emanados do legislador, com base em critérios menos rígidos que os de patente e ostensiva violação da Constituição; (iii) a imposição de condutas ou de abstenções ao Poder Público, notadamente em matéria de políticas públicas.*

Porém, como Cappelletti[106] há muito falou, é necessário fixar limites à liberdade do juiz na interpretação judicial, a fim de não invadir a competência privativa do legislador.

Esclarece Marina Gascón Abellán[107] que a Justiça Constitucional somente será legítima se atuar dentro de determinados limites. Tais limites são evidenciados na distinção entre juízos de legalidade e juízos de constitucionalidade, bem como entre juízos de constitucionalidade e decisões políticas.

Segundo ainda Marina Gascón Abellán:

> Levando em conta que o parâmetro de controle que há de usar a jurisdição constitucional é uma constituição carregada de cláusulas abertas e princípios materiais de justiça de significado altamente conflituoso, parece que o único que caberia fazer é desenhar os mecanismos para conjurar os riscos de governo do juiz constitucional e em todo caso pedir da jurisdição constitucional um exercício de autocontenção, um *self restraint* que permita manter as saudáveis fronteiras entre o juízo de constitucionalidade, por um lado, e o juízo político e de legalidade, por outro. [108]

A função do tribunal constitucional não deve ser de análise da melhor interpretação da lei, mas sim a de cumprimento das normas constitucionais. Muito embora a Constituição seja o instrumento supremo ao qual todo o ordenamento jurídico deve guardar concordância, ainda resta um espaço de liberdade ao legislador, não cabendo ao Tribunal Constitucional invalidar uma lei se o legislador respeitou esse espaço de liberdade e agiu em consonância com a Constituição.[109]

---

[106] CAPPELLETTI, Mauro. *Juízes Legisladores?* Trad. de Carlos Alberto Álvaro de Oliveira. Porto Alegre: Fabris, 1993, p. 13.

[107] ABELLÁN, Marina Gascón. *Os Limites da Justiça Constitucional:* a Invasão do Âmbito Político. São Paulo: Editora Ícone, 2012. p. 643, apud ROSSI, Luis Antonio. Justiça constitucional: o problema do poder no controle de constitucionalidade. *Revista Eletrônica Sapere Aude*. Ano 03, vol. 04. Nov. 2014, p. 1-9.

[108] ABELLÁN, Marina Gascón. *Os Limites da Justiça Constitucional:* a Invasão do Âmbito Político. São Paulo: Editora Ícone, 2012. p. 643ss., apud ROSSI, Luis Antonio. Justiça constitucional: o problema do poder no controle de constitucionalidade. *Revista Eletrônica Sapere Aude*. Ano 03, vol. 04. Nov. 2014, p. 1-9.

[109] Ibidem, p. 2.

No caso em comento, podemos argumentar, utilizando a classificação de Wessel[110], que temos omissões legislativas constitucionais parciais, ou seja, o legislador não se desobrigou por completo de sua obrigação de legislar, na medida em que permaneceram algumas situações sem tratamento legislativo. Mas, na verdade, acreditamos tratar-se de meras lacunas, contudo a atuação do judiciário foi além da interpretação dessas lacunas.

Nesses casos, pertinente o entendimento de Canotilho e Vital Moreira[111], que esclarecem ser a função de controle do Tribunal Constitucional essencialmente negativa, não devendo definir aquilo que é conforme a Constituição, mas sim o que não é conforme com ela.

Neste caso, advogamos que o legislador agiu em desconformidade com a Constituição ao criminalizar conduta que não possui um bem jurídico digno de tutela penal, o que conduziria à invalidade da norma, mas ir além disso e declarar a obrigação do legislador em fixar parâmetros de distinção entre usuário e traficante ou ele próprio fixá-los, vai além da própria função legislativa reconhecida ao Tribunal Constitucional, bem como da função de intérprete.

Sobre a função legislativa atribuída aos tribunais constitucionais, nos diz Souza[112] que *as decisões legislativas do Tribunal Constitucional devem decorrer expressamente da divisão constitucional de competências e dependem de norma constitucional prevendo o exercício dessa função, só assim a função legislativa da Justiça Constitucional estará dentro de um âmbito de legitimidade.*

Diz-nos Ingeborg Maus,[113] em crítica ao modelo de jurisdição constitucional realizado pelo Tribunal Constitucional Alemão, entendimento que pode abarcar os demais órgãos encarregados do controle de constitucionalidade, que estes têm retirado suas competências não mais da Constituição, colocando-se em primeiro plano em relação a ela. Segundo a autora, referidas competências

---

[110] WESSEL Apud VÁZQUEZ, Sonia García. *Pires Rosa, André Vicente. Las omisiones legislativas y su control constitucional* AFDUDC, 2007, p. 1097-1103.

[111] CANOTILHO, J. J. Gomes; MOREIRA, Vital. *Constituição da República Portuguesa anotada,* Coimbra, 1993. p. 1047ss.

[112] SOUZA, Léa Émile Maciel de. *Os limites da atuação da Justiça Constitucional no Constitucionalismo Contemporâneo.* Dissertação de Mestrado. PUC São Paulo, São Paulo, 2013. p. 128.

[113] MAUS, Ingeborg. Judiciário como superego da sociedade: o papel da atividade jurisprudencial na "sociedade órfã". Trad. Martonio Lima e Paulo Albuquerque. *Novos Estudos* n 58. Nov. 2000, p. 183-202.

derivam diretamente de princípios de direito suprapositivos que o próprio TFC desenvolveu em sua atividade constitucional de controle normativo, o que levaria ao rompimento de qualquer competência constitucional. Acrescenta a autora que o TFC submete todas as outras instâncias políticas à Constituiçao por ele interpretada e aos princípios suprapositivos por ela afirmados, porém se libera ele mesmo de qualquer vinculação às regras constitucionais.

Embora a crítica acima tenha sido direcionada ao Tribunal Constitucional alemão, como já mencionado, é plenamente adequada sua aplicação ao Supremo Tribunal Federal brasileiro. Parece-nos ser necessária tal postura de contenção das cortes constitucionais, sob pena de não termos uma convivência adequada entre os próprios direitos constitucionalmente previstos e a democracia política.

5 Conclusão

Em apertada síntese, o objetivo deste trabalho foi a análise do Artigo 28 da Lei n. 11.343/06 com o fim de perquirir acerca da existência de um bem jurídico penal validamente tutelável e a partir desse ponto verificar sua constitucionalidade.

Referida lei, que completou dez anos de existência em 2016, a despeito de ser classificada por alguns como um avanço no tratamento do tema no Brasil, não é isenta de críticas. Aliás, após sua vigência as prisões por tráfico alcançaram cifras nunca antes vistas, em seu maior número compostas por micro ou pequenos traficantes; por outro lado, o consumo não arrefeceu.[114] Em razão do caótico cenário, rediscutir o tema faz-se necessário, e, para tanto, deve-se tocar no ponto da legitimidade da punição penal da posse para consumo de estupefacientes a partir da teoria do bem jurídico.

Destacando a função de garantia do bem jurídico, verificamos que não há na norma do Artigo 28 da Lei n. 11.343/06 um bem *jurídico* penal validamente tutelável. À primeira vista, pode-se acreditar que referido bem é a saúde pública, tal como declarado pelo legislador. Contudo, observamos que neste caso a saúde pública trata-se de um falso bem coletivo. A afirmação de que se trata de um *falso bem coletivo* segue o posicionamento de Claus Roxin, que esclarece que se tem tão somente uma soma de bens individuais, na medida em que a coletividade não é afetada pela conduta do uso individual consentido de substâncias estupefacientes.

[114] RIBEIRO, Maurides de Melo. A evolução histórica da política criminal e da legislação brasileira sobre drogas. *Boletim IBCCRIM*, 286, setembro/2016.

Ao não afetar a saúde pública, o citado artigo poderia visar a proteção da saúde individual, porém, conforme defendemos, não cabe ao Estado proteger o indivíduo capaz contra si mesmo, infringindo sua liberdade e autonomia, valores constitucionalmente consagrados. Ante tais argumentos, flagrante a inconstitucionalidade da norma. Não compete ao Direito Penal regular condutas em que não haja bens jurídicos ofendidos.

A opção de criminalizar o consumo pessoal realizada pelo legislador demonstra um franco conteúdo de Direito Penal simbólico, pois, como diz Queiroz,[115] *parece claro que o legislador, ao submeter determinados comportamentos à normatização penal, não pretende, propriamente, preveni-los ou mesmo reprimi-los, mas tão só infundir e difundir, na comunidade, uma só impressão – e uma falsa impressão – de segurança jurídica. Quer-se, enfim, por meio de uma repressão puramente retórica, produzir, na opinião pública uma só impressão tranquilizadora de um legislador atento decidido.*

Por fim, o julgamento do Recurso Extraordinário n. 63569/RG aponta para os caminhos traçados pela jurisdição constitucional, no qual o poder de interpretar as leis pelos tribunais constitucionais tem saído de um âmbito mais restrito para abarcar juízos políticos, em substituição à função a ser desempenhada pelo legislador, o que nos parece um caminho arriscado e carente de legitimidade.

---

[115] QUEIROZ, Paulo. Sobre a função do juiz criminal na vigência de um Direito Penal simbólico. *Boletim IBCCRIM*, São Paulo, n. 74, p. 9, jan. 1999.

Proteção multinível do princípio da legalidade criminal – o caso *Inés del Río Prada* no Tribunal Europeu dos Direitos do Homem*

Maria João Antunes

Professora da Faculdade de Direito da Universidade de Coimbra

Deixou de fazer sentido pensar as relações entre o Direito Penal e a Constituição exclusivamente por referência à Constituição nacional. A vinculação do legislador penal e do intérprete da lei penal passou a ser mesmo num duplo sentido, já que resulta quer de disposições de direito europeu e de direito internacional quer da jurisprudência de tribunais supranacionais[1], podendo até ocorrer a este nível um fenómeno de *violência de "choques" entre juízes do nível máximo* – os juízes dos tribunais constitucionais ou dos supremos tribunais, os juízes do Tribunal Europeu dos Direitos do Homem ou da Corte Interamericana dos Direitos Humanos e os juízes do Tribunal de Justiça da União Europeia[2].

Podemos colher no caso espanhol *Inés del Río Prada* um exemplo da evolução que se foi verificando. Este caso mostra a proteção multinível de um dos princípios mais significativos do Direito Penal – o princípio da legalidade. Por outras palavras,

---

1* Este texto coincide, com pequenas diferenças, ao que foi entregue para publicação nos *Estudos em Homenagem ao Prof. Manuel da Costa Andrade*, I volume.
Sobre esta realidade, entre outros, DONINI, Massimo. *Poder Judicial y ética pública. La crisis del legislador y de la ciência penal en Europa*. Montevideo-Buenos Aires: B de F Ltda., 2015, p. 32 e 79, e ESPADALER, Fossas. "Límites materiales al legislador penal: su interpretación por el tribunal constitucional y el tribunal europeo de derechos humanos". In: *La tutela multinivel del principio de legalidad penal* (direção de Mercedes Pérez Manzano/Juan Antonio Lascuraín Sánchez), Marcial Pons, 2016, p. 30ss.

2 Cf. NIETO, Adán. "Derecho penal y constitución en la era del *global law*". In: *Garantías constitucionales y Derecho penal europeo* (direção de Santiago Mir Puig/Mirentxu Corcoy Bidasolo; coordenação de Vítor Gómez Martín), Marcial Pons, 2012, p. 87.

mostra que há vários níveis de proteção do direito fundamental à legalidade criminal. O que já havia sucedido no caso *M. c. Germany*, decidido pelo Tribunal Europeu dos Direitos do Homem em 17 de dezembro de 2009[3]. À proteção constitucional do princípio da legalidade, consagrando o direito fundamental à legalidade penal no texto da Constituição e garantindo-o jurisdicionalmente por via do controlo de constitucionalidade[4], acresce a proteção jurisdicional a um nível diferente do nacional, por via da consagração convencional do princípio[5].

1. Henri Parot foi condenado pela prática de vários crimes graves, enquadráveis em ações do grupo terrorista ETA (*Euskadi Ta Askatasuna – Pátria Basca e Liberdade)*, cujo cumprimento sucessivo das penas impostas ascenderia a mais de 4.000 anos de privação da liberdade[6]. De acordo com a 1ª regra do Artigo 70 do Código Penal espanhol de 1973, vigente no momento da prática dos

---

[3] Sobre o caso e do seu relevo para a proteção multinível do princípio da legalidade criminal, ANTUNES, Maria João. "Perigosidade – intervenção estatal em expansão?", *Revista Brasileira de Ciências Criminais*, vol. 121, Ano 24, 2016, p. 191ss., e "Beleza dos Santos e Eduardo Correia: obra única e original". In: *Cadernos do Centenário: Conferências: Direito Penal*. Coimbra: Instituto Jurídico, 2016, p. 33ss.

[4] No Acórdão do Tribunal Constitucional n. 183/2008 é enfatizado que o princípio tem a natureza de "garantia dos cidadãos", incluída no catálogo constitucional dos direitos, liberdades e garantias. E nesta mesma decisão, invertendo a jurisprudência, o Tribunal acordou que pode ser objeto de controlo de constitucionalidade norma relativamente à qual se invoque a violação da proibição constitucional de recurso à analogia, constante do Artigo 29, n. 1, da Constituição. Sobre isto, com indicações jurisprudenciais e doutrinais, ANTUNES, Maria João. "A problemática penal e o Tribunal Constitucional". *Estudos em Homenagem ao Prof. Doutor José Joaquim Gomes Canotilho*, volume I, Boletim da Faculdade de Direito da Universidade de Coimbra, Coimbra Editora, 2012, p. 110ss. Sobre questão equivalente no ordenamento jurídico alemão, KUHLEN, Lothar. *La interpretación conforme a la Constitución de las leyes penales*, Marcial Pons, 2012, p. 80ss., 137ss. e 149.

[5] Sobre a proteção multinível dos direitos fundamentais – vários catálogos e diversos tribunais – tendo em vista o ordenamento jurídico português, MARTINS, Ana Maria Guerra; ROQUE, Miguel Prata. "A tutela multinível dos direitos fundamentais. A posição do Tribunal Constitucional Português", disponível em www.tribunalconstitucional.pt, ponto 1 a 7.

[6] Sobre o caso, MONTAÑÉS, Tereza Rodríguez. "Doctrina Parot: Claves para entender las sentencias del TEDH en el caso Río Prada c. España". *Eunomia. Revista en Cultura de la Legalidade*, n. 6, 2014, p. 137ss., e "Ascenso y caída de la doctrina Parot: tutela multinível de los derechos a la legalidade y a la liberdad". In: *La tutela multinivel del principio de legalidad penal* (direção de Mercedes Pérez Manzano/Juan Antonio Lascuraín Sánchez), Marcial Pons, 2016, p. 291ss.

factos pelos quais veio a ser condenado, quando as penas não possam cumprir-se simultaneamente cumprem-se sucessivamente, segundo a respetiva gravidade.

Ao abrigo das disposições conjugadas dos Artigos 70, 2ª regra, parte final, e 100 daquele Código, vigentes no momento da prática dos factos pelos quais veio a ser condenado, Henri Parot requereu que os 30 anos de privação da liberdade que tinha que cumprir fossem remidos por trabalho. De acordo com aquela regra, o tempo máximo de cumprimento da *condenação*, em caso de cumprimento sucessivo de penas, não pode exceder o triplo da pena mais grave que tenha sido imposta, com o limite máximo de 30 anos, ainda que as penas tenham sido impostas em processos distintos, desde que os factos, pela sua conexão, tivessem podido ser objeto de um só processo[7]. Por seu turno, o Artigo 100 estabelece a remição da *pena* por trabalho, à razão de 1 dia de pena por 2 dias de trabalho[8].

Em 26 de abril de 2005, por decisão de uma das secções da Audiência Nacional espanhola, as diversas condenações foram cumuladas em dois grupos distintos – as que se reportavam a crimes praticados entre 1979 e 1982 e as que se referiam a crimes praticados entre 1984 e o momento da detenção do condenado em 1990 –, com a consequência de aquele limite de 30 anos de cumprimento de pena não valer para todas as condenações, por falta de conexão temporal entre os factos praticados no primeiro período e no segundo, mas apenas relativamente a cada um dos grupos[9].

Interposto recurso de cassação da decisão da Audiência Nacional para o Supremo Tribunal, foi decidido por uma das suas secções, em 28 de fevereiro de 2006, por maioria, através da Sentença 197/2006[10], que as diversas penas

[7] Uma norma deste tipo encontra justificação, desde logo, na norma constitucional que prescreve que as penas privativas da liberdade estão orientadas para a reeducação e a reinserção social do condenado e na que proíbe penas desumanas ou degradantes (Artigos 25, n. 2, e 15 da Constituição espanhola). Especificamente sobre a remição da pena por trabalho, um benefício penitenciário legalmente previsto entre 1944 e 1995, cf. a declaração de voto de Adela Asua Batarrita aposta na Sentença 39/2012, de 29 de março, do Tribunal Constitucional espanhol, disponível em www.tribunalconstitutcional.es.

[8] No plano do Direito Comparado, note-se que o Artigo 126 da Lei de Execução Penal brasileira prevê que "o condenado que cumpre a pena em regime fechado ou semiaberto poderá remir, por trabalho ou por estudo, parte do tempo de execução da pena".

[9] Disponível em www.poderjudicial.es.

[10] Disponível em www.poderjudicial.es.

aplicadas aos crimes em concurso guardavam a sua autonomia, para o efeito de concessão de benefícios penitenciários, não obstante o limite máximo de duração da privação da liberdade estabelecido na 2ª regra, parte final, do Artigo 70 do Código Penal de 1973. O limite máximo de 30 anos legalmente previsto não se converte numa nova pena, distinta das sucessivamente impostas ao condenado, nem, por conseguinte, em outra pena resultante das anteriores, representando tal limite apenas o tempo máximo que o condenado tem de cumprir em uma instituição penitenciária.

Divergindo da decisão recorrida, por a mesma se ter baseado numa desconexão temporal sem qualquer fundamento, sem qualquer base na lei ou na jurisprudência que vinha interpretando a 2ª regra do Artigo 70 daquele Código Penal, o Supremo Tribunal concluiu que havia conexão entre todos os factos (todos tinham que ver com a atividade do condenado no grupo terrorista ETA). Devia, por isso, operar-se uma acumulação única das penas correspondentes, com o limite legal de 30 anos de cumprimento sucessivo, valendo, porém, relativamente *a cada uma das penas* dos crimes em concurso os benefícios penitenciários decorrentes da prestação de trabalho (Artigo 100 do Código Penal de 1973). No caso concreto, atendendo a que o condenado foi privado da liberdade em 1990, o cumprimento sucessivo das penas impostas nos diversos processos, computando-se os benefícios penitenciários em relação a cada um das penas individualmente consideradas, tinha como consequência que o condenado fosse libertado apenas em 2020. Nesse ano estaria perfeito o tempo máximo de privação da liberdade em instituição penitenciária – 30 anos.

A interpretação inovadora dos Artigos 70, 2ª regra, e 100 do Código Penal de 1973 baseou-se, fundamentalmente, na letra dessas disposições legais, por dela decorrer a distinção entre "pena" (cada uma das penas) que é remida por trabalho e "condenação" que tem como limite máximo de cumprimento 30 anos; e no argumento teleológico de que não faria qualquer sentido que um extenso historial de prática de crimes levasse por via da acumulação à conversão numa nova pena de 30 anos, a mesma que pode ser imposta ao autor de um só crime. Além de que o Supremo Tribunal reiterou o entendimento de que não é aplicável à jurisprudência a proibição de retroatividade desfavorável, uma vez que o texto constitucional a reserva para a lei.

2. Este entendimento do Supremo Tribunal, conhecido por "doutrina Parot" – os benefícios penitenciários decorrentes da prestação de trabalho computam-se em cada uma das penas dos crimes em concurso e não por referência ao limite máximo de 30 anos de cumprimento sucessivo de penas[11] –, correspondeu a uma alteração da interpretação que vinha sendo feita pelos tribunais espanhóis das normas dos Artigos 70, 2ª regra, e 100 do Código Penal de 1973[12]. Entendia-se até então que a remição da pena por trabalho incidia sobre o limite máximo de 30 anos de cumprimento sucessivo e não sobre cada uma das penas a cumprir sucessivamente. Interpretava-se a 2ª regra, parte final, do Artigo 70 do Código Penal no sentido de o limite de 30 anos corresponder a uma nova pena, a uma pena autónoma, por referência à qual eram computados os benefícios penitenciários e o requisito temporal de concessão da liberdade condicional.

A interpretação inovadora do Supremo Tribunal significou a introdução de um critério de cômputo da remição da pena por trabalho *desfavorável* ao condenado, com a consequência prática de relativamente a penas de cumprimento sucessivo superior a 45 anos haver afinal o cumprimento efetivo do tempo máximo de 30 anos. A interpretação inovadora deste Tribunal teve o sentido de defraudar as expetativas dos condenados, por crimes praticados quando vigorava o Código Penal de 1973, quanto ao momento da sua libertação. As "regras do jogo" – o critério do cômputo da remição da pena por trabalho, incluído o que até já tinham prestado – foram alteradas já durante a execução das penas correspondentes a esses crimes. Sem possibilidade de recurso à lei vigente, enquanto lei mais favorável, uma vez que o Código Penal espanhol de 1995 havia derrogado a remição da

---

[11] Sobre a decisão, criticamente, entre outros, FERNÁNDEZ, José Nuñez. "La 'doctrina parot' y el fallo del TEDH en el asunto del Río Prada c. España: el principio del fin de un conflicto sobre el castigo de hechos acaecidos hace más de veinte años", *Revista de Derecho Penal y Criminologia*, 3ª Época, n. 9 (enero de 2013), p. 109ss., MONTAÑÉS, Tereza Rodríguez. "Doctrina Parot: Claves para entender las sentencias del TEDH en el caso Río Prada c. España", p. 139ss., e FERNÁNDEZ, Molina. "Las cicatrices jurídicas del terrorismo: la doutrina Parot y outras interpretaciones irrazonables de la ley". In: *La tutela multinivel del principio de legalidad penal* (direção de Mercedes Pérez Manzano/Juan Antonio Lascuraín Sánchez), Marcial Pons, 2016, p. 241ss.

[12] Para uma síntese da jurisprudência anterior de onde decorre uma interpretação diferente dos artigos em causa, cf. a Sentença do Tribunal Europeu dos Direitos do Homem no *Case of del Río Prada v. Spain* (42750/09), de 21 de outubro de 2013, Nm. 35ss., disponível em http://hudoc.echr.coe.int.

pena por trabalho. Na prática, o entendimento do Supremo Tribunal significou a aplicação retroativa da lei penal então vigente, a qual havia deixado de prever a remição da pena por trabalho. A lei penal que, em geral, foi evoluindo no sentido da regra do cumprimento efetivo das penas em caso de concurso de crimes. Os benefícios penitenciários e o requisito temporal da concessão da liberdade condicional passaram a ter como referência a soma das várias penas impostas e não o limite máximo de cumprimento sucessivo de penas[13].

3. Interposto recurso de amparo da Sentença de 28 de fevereiro de 2006, com fundamento na violação dos direitos fundamentais à tutela judicial efetiva (Artigo 24, n. 1, da Constituição espanhola), a um processo com todas as garantias (Artigo 24, n. 2, da Constituição espanhola), à legalidade (Artigo 25, n. 1 e n. 2, da Constituição espanhola), à liberdade (Artigo 17 da Constituição espanhola) e à igualdade na aplicação da lei (Artigo 14 da Constituição espanhola), o Tribunal Constitucional decidiu que o recurso de Henri Parot era inadmissível, por não ter esgotado todos os recursos perante a jurisdição ordinária[14]. O que obstou depois à apresentação de queixa junto do Tribunal Europeu dos Direitos do Homem, já que uma das condições de admissibilidade prevista no Artigo 35 da Convenção Europeia dos Direitos do Homem é a exaustão das vias de recurso internas.

Houve, porém, outros casos onde foi feita aplicação da interpretação inovadora do Supremo Tribunal, de cujas decisões foi interposto com êxito recurso de amparo. Em vários recursos de amparo que o Tribunal Constitucional espanhol conheceu foi invocada a violação daqueles direitos fundamentais (tutela judicial efetiva, processo com todas as garantias, legalidade, liberdade e igualdade na aplicação da lei). O Tribunal acordou sempre, ainda que por maioria, pela não violação do direito fundamental à legalidade penal[15].

---

[13] Cf. Artigo 78 do Código Penal de 1995, na versão primitiva e na de 2003, introduzida pela Lei Orgânica 7/2003, de 30 de junho (*Medidas de Reforma para el Cumplimiento Íntegro y Efectivo de las Penas*). Sobre a evolução do sistema sancionatório espanhol, por referência ao Código Penal de 1995, CONDE, Muñoz; ARÁN, Mercedes García. *Derecho Penal. Parte General*, Tirant lo blanch, 2004, p. 544ss., e RIPOLLÉS, Diéz. "La evolución del sistema de penas en España; 1975-2003". *Revista Electrónica de Ciencia Penal y Criminologia*, 08-07 (2006), p. 1ss.

[14] Cf. Auto 179/2010, de 29 de novembro, disponível em www.tribunalconstitucional.es.

[15] Cf., entre muitas outras, as Sentenças 39/2012 e 40/2012, ambas de 29 de março, disponíveis em www.tribunalconstitucional.es.

Concretamente em relação a este direito fundamental, o Tribunal entendeu, por um lado, que a questão posta extravasava o âmbito de proteção do Artigo 25, n. 1, da Constituição espanhola (*ninguém pode ser condenado ou sancionado por ações ou omissões que no momento da conduta não constituíam crime, contravenção ou infração administrativa segundo a lei vigente neste momento*), o qual abarca a interpretação e a aplicação dos tipos penais, a subsunção dos factos provados nos tipos penais e a imposição da pena prevista em tais tipos; e, por outro, que não tinha havido aplicação retroativa do Artigo 78 do Código Penal de 1995 quer na sua redação original quer na dada pela Lei Orgânica 7/2003.

O Tribunal concluiu que a interpretação inovadora do Supremo Tribunal – a interpretação dos Artigos 70, 2ª regra, e 100 do Código Penal de 1973, já que entendeu que não tinha havido aplicação (retroativa) de disposições penais posteriores do Código de 1995 – não violava o direito fundamental à legalidade penal. Acordou que estava em causa a *execução de uma pena privativa da liberdade*, pois o que se questionava era o cômputo da remição da pena por trabalho, sem que da interpretação submetida a apreciação resultasse quer o cumprimento de uma pena maior do que a prevista nos tipos penais que foram preenchidos quer a ultrapassagem do tempo de cumprimento de pena legalmente previsto (30 anos). A forma de computar o benefício da remição do trabalho na pena não afeta a pena em si, mas sim a sua execução, o que está fora do âmbito do direito fundamental à legalidade penal constitucionalmente consagrado. Por outro lado, a conformidade constitucional de uma alteração jurisprudencial deve ser apreciada não à luz do direito fundamental à legalidade penal, mas antes a partir de outros parâmetros, nomeadamente o princípio da igualdade na aplicação da lei (Artigo 14 da Constituição espanhola)[16].

Sobre esta jurisprudência constitucional, incluindo os votos divergentes, TOCILDO, Susana Huerta. "La anulación de la doctrine Parot por STEDH de 21 de octubro de 2013: mucho ruido para un fallo jurídicamente cantando". In: *La tutela multinivel del principio de legalidad penal* (direção de Mercedes Pérez Manzano/Juan Antonio Lascuraín Sánchez), Marcial Pons, 2016, p. 268ss., e MONTAÑÉS, Tereza Rodríguez. "Doctrina Parot: Claves para entender las sentencias del TEDH en el caso Río Prada c. España", p. 143ss., e "Ascenso y caída de la doctrina Parot: tutela multinível de los derechos a la legalidade y a la liberdad", p. 297ss.

[16] Cf. Fundamento jurídico 3. da sentença.

4. A doutrina Parot chegou ao Tribunal Europeu dos Direitos do Homem pela queixa de Inés del Río Prada, a qual deu origem à decisão de 10 de julho de 2012, tirada em secção, e à de 21 de outubro de 2013, prolatada pelo tribunal pleno, a solicitação do governo espanhol, ao abrigo do Artigo 43 da Convenção Europeia dos Direitos do Homem. Ambas as sentenças foram no sentido da violação dos Artigos 7º e 5º, § 1, desta Convenção[17].

Inés del Río Prada, a quem também foi imputada a prática de vários crimes graves enquadráveis em ações do grupo terrorista ETA, foi condenada a penas de prisão cujo cumprimento sucessivo ascenderia a cerca de três mil anos de prisão, tendo sido sujeita ao cumprimento de 30 anos de privação da liberdade, ao abrigo do disposto no Artigo 70, 2ª regra, parte final, do Código Penal de 1973. De acordo com o entendimento jurisprudencial anterior ao caso Parot quanto ao critério do cômputo da remição da pena por trabalho, seria libertada em julho de 2008. Em face da interpretação normativa feita em 2006, Inés del Río passaria a poder ser libertada apenas em junho de 2017[18].

Estatuindo o Artigo 7º, n. 1, da Convenção Europeia dos Direitos do Homem que "ninguém pode ser condenado por uma ação ou uma omissão que, no momento em que foi cometida, não constituía infração, segundo o direito nacional ou internacional" e que "igualmente não pode ser imposta uma pena mais grave do que a aplicável no momento em que a infração foi cometida"[19], a queixosa

---

[17] Cf. *Case of del Río Prada v. Spain* (42750/09), de 10 de julho de 2012, e *Case of del Río Prada v. Spain* (42750/09), de 21 de outubro de 2013, disponíveis em http://hudoc.echr.coe.int.

[18] Sobre o caso e as decisões do Tribunal de Estrasburgo, FERNÁNDEZ, José Núñez. "la 'doctrina parot' y el fallo del TEDH en el asunto del Río Prada c. España: el principio del fin de un conflicto sobre el castigo de hechos acaecidos hace más de veinte años", p. 395ss., TOCILDO, Susana Huerta. "La anulación de la doctrine Parot por STEDH de 21 de octubro de 2013: mucho ruido para un fallo jurídicamente cantando", p. 278ss., MONTAÑÉS, Tereza Rodríguez. "Ascenso y caída de la doctrina Parot: tutela multinível de los derechos a la legalidade y a la liberdad", p. 305 e ss., e SANTA MARIA, Paz Andrés Sáenz de. "Acerca del papel del tribunal europeo de derechos humanos Y de la tentación de desacreditar al mensajero (a propósito de la STEDH (Gran Sala) en el assunto *del Río Prada c. España*)". *Teoría y Realidad Constitucional*, núm. 33, 2014, p. 200ss.

[19] No mesmo sentido, o Artigo 9º da Convenção Americana sobre Direitos Humanos dispõe que "ninguém pode ser condenado por ações ou omissões que, no momento em que forem cometidas, não sejam delituosas, de acordo com o direito aplicável. Tampouco se pode impor pena mais grave que a aplicável no momento da perpetração do delito. Se depois da perpetração do delito a lei dispuser a imposição de pena mais leve, o delinquente será por isso beneficiado".

alegou a violação dessa disposição. Invocou que lhe foi aplicada retroativamente, já depois de ter sido condenada, a interpretação inovadora que o Supremo Tribunal fez dos Artigos 70, 2ª regra, e 100 do Código Penal de 1973, o diploma que estava em vigor no momento da prática dos factos, no momento da condenação e no momento em que se iniciou o cumprimento sucessivo das penas que lhe haviam sido impostas. A queixosa alegou também a violação do Artigo 5º, n. 1, alínea a), daquela Convenção, por dispor que "toda a pessoa tem direito à liberdade e segurança" e que "ninguém pode ser privado da sua liberdade", salvo "se for preso em consequência de condenação por tribunal competente", sempre "de acordo com o procedimento legal". Segundo Inés del Río, a manutenção da privação da sua liberdade a partir de julho de 2008 desconheceu as exigências de "legalidade" e de "respeito pelo procedimento legalmente previsto" [20].

O Tribunal acordou, por unanimidade, que "a partir de 3 de julho de 2008 a privação da liberdade da queixosa não foi "legal", havendo violação do Artigo 5º, n. 1, da Convenção. A aplicação da nova interpretação jurisprudencial atrasou de forma efetiva, em quase nove anos, a data da libertação de Inés del Río. A queixosa cumpriu a partir daquela data um período de prisão superior ao que devia ter cumprido de acordo com a legislação em vigor no momento da sua condenação, considerando o tempo de remição da pena por trabalho que já lhe havia sido reconhecido de acordo com a lei.

Especificamente quanto à violação do princípio da legalidade, o Tribunal Europeu dos Direitos do Homem acordou, por maioria, em decisão tomada em tribunal pleno, pela violação do Artigo 7º da Convenção[21]. Por referência a jurisprudência anterior, o Tribunal reiterou que este artigo incorpora o princípio de que só a lei pode definir um crime e prescrever a imposição de uma pena (*nullum crimen, nulla poena sine lege*), impondo, consequentemente, a proibição do recurso à analogia e a exigência de determinabilidade quer quanto ao crime quer quanto à pena; explicitou o conceito de "pena" e o sentido deste conceito, contrapondo às medidas que constituem "penas" as que se referem à "execução" ou "aplicação" das mesmas; e assinalou, a propósito da previsibilidade da lei penal, que a noção de "direito" ("law") utilizada no Artigo 7º corresponde à de "direito" que figura em outros artigos da Convenção, o que inclui tanto o direito

[20] Cf. § 119ss. da Sentença do tribunal pleno.

[21] Cf. § 56ss. da Sentença de 21 de outubro de 2013.

de fonte legislativa como o direito de fonte jurisprudencial. Segundo o Tribunal, em qualquer ordenamento jurídico, por mais clara que seja a redação de uma disposição legal, incluindo as disposições legais em matéria penal, existe inevitavelmente um momento de interpretação judicial, pelo que a jurisprudência, como fonte de direito, contribui necessariamente para a evolução progressiva do Direito Penal.

Aplicando o exposto ao caso, o Tribunal entendeu que havia violação do Artigo 7º, n. 1, da Convenção, considerando especificamente o sentido da pena imposta a Inés del Río; se a aplicação da "doutrina Parot" modificou somente a modalidade de execução da pena ou antes o sentido da mesma; e se a "doutrina Parot" adotada pelo Supremo Tribunal era razoavelmente previsível.

Não obstante as ambiguidades das disposições pertinentes do Código Penal de 1973 – da 2ª regra do Artigo 70 decorria que a duração máxima de 30 anos de prisão correspondia à duração máxima da *condenação* em caso de crimes conexos e do Artigo 100 resultava que a remição da pena por trabalho tinha que ver com a *pena* imposta –, ficou claro para a queixosa, em face do entendimento jurisprudencial e da prática interpretativa que se foram firmando, que a pena que lhe havia sido imposta e cuja execução havia começado era a resultante da duração máxima de 30 anos, à qual seria deduzida, de forma automática, a remição da pena por trabalho na prisão. No momento em que Inés del Río cometeu os crimes pelos quais veio a ser condenada e quando foi tomada a decisão sobre o concurso de crimes e o estabelecimento do limite máximo de 30 anos (em 30 de novembro de 2000), o *direito* espanhol aplicável, tomado no seu conjunto, incluída a jurisprudência, estava formulado com a precisão suficiente para a queixosa concluir que a sua *condenação* equivalia a uma privação da liberdade de duração máxima de 30 anos, na qual seria computada a remição da pena por trabalho na prisão. Estavam em causa três mil duzentos e oitenta e dois dias.

As modalidades de concessão de benefícios penitenciários não são abrangidas pelo Artigo 7º da Convenção. Porém, no caso em apreciação, não estava em causa apenas uma modalidade da *execução da pena*. A decisão que aplicou a "doutrina Parot" modificou, de facto, o sentido da *pena* em si mesma, uma vez que não incidiu sobre a questão de saber se relativamente à queixosa devia haver ou não remição da pena por trabalho, considerando o comportamento desta durante a execução da sanção e circunstâncias atinentes a esta execução. O objeto da decisão que aplicou tal doutrina foi antes o de determinar se a remição da pena por trabalho era computada no limite máximo de 30 anos de privação da liberdade ou em cada uma das penas em que Inés del Río havia sido condenada. Com a consequência, no caso, de este último entendimento significar, na prática, o cumprimento efetivo de 30 anos de prisão. A aplicação da "doutrina Parot" levou a uma redefinição do sentido da *pena* que havia sido imposta à queixosa – a pena máxima de 30 anos de privação da liberdade perdeu a natureza de pena autónoma, na qual era computável a remição da pena por trabalho, tendo-se sido convertida numa pena de 30 anos de prisão, sem qualquer possibilidade de nela ser computada tal remição.

A modificação do critério do cômputo da remição da pena por trabalho resultou de uma alteração jurisprudencial operada pelo Supremo Tribunal e não de uma modificação da autoria do legislador, o que não dispensa, porém, a questão de saber se a "doutrina Parot" era razoavelmente previsível para Inés del Río, se a interpretação inovadora dos Artigos 70, 2ª regra, e 100 do Código Penal de 1973 se integrava já numa evolução jurisprudencial percetível para a queixosa, no momento em que foi condenada ou quando foi notificada da decisão sobre o concurso de crimes e a duração máxima da condenação. No caso, atendendo ao *direito* aplicável nestes dois momentos, o que inclui também o direito não escrito ou jurisprudencial, é de concluir que nada indicava a existência de uma tendência da jurisprudência no sentido de a remição da pena por trabalho incidir sobre cada uma das penas dos diversos crimes. Pelo contrário, durante numerosos anos as autoridades judiciais e penitenciárias foram aplicando de forma constante o critério da remição da pena por trabalho por referência ao limite máximo de 30 anos de privação da liberdade, havendo mesmo uma sentença do Supremo Tribunal, de 8 de março de 1994, que via este limite máximo como uma "pena nova e autónoma". Para Inés del Río não era, de todo, previsível a interpretação que o Supremo Tribunal veio a fazer em 2006, uma interpretação inovadora daqueles dois artigos do Código Penal de 1973 que teve como efeito uma modificação desfavorável do sentido da pena que lhe havia sido imposta[22].

[22] Segundo Marina Mínguez Rosique, a Corte Interamericana dos Direitos Humanos ainda não teve oportunidade de se pronunciar sobre a admissibilidade da aplicação retroativa de interpretações jurisprudenciais desfavoráveis. De acordo com a autora, decorre porém das suas decisões que aplica retroativamente jurisprudência desfavorável por si mesma criada na sentença de 14 de março de 2001, no caso *Barrios Altos Vs.Perú*. Cf. "El principio de legalidade penal en el sistema

5. Uma parte significativa da doutrina espanhola censurou a sentença do Supremo Tribunal de 2006 – a que fez a "doutrina Parot" –, bem como a jurisprudência constitucional que se lhe seguiu. Consequentemente, a decisão do Tribunal Europeu de 2013 foi saudada e celebrada. Nem sempre pelo significado que teve para a delimitação do conteúdo do princípio da legalidade criminal, mas antes porque teve como consequência prática afastar a interpretação inovadora que aquele Supremo Tribunal fez dos Artigos 70, 2ª regra, e 100 do Código Penal de 1973. Uma interpretação que legitimou a crítica de que estava em causa uma *interpretação não permitida* pela letra da lei ou que se tratava mesmo de uma lei que não cumpria a exigência de *determinabilidade*[23]. Ao acentuar essas exigências do princípio da legalidade criminal, uma tal crítica não precisou de responder à questão de saber se este princípio também proíbe a aplicação retroativa das interpretações jurisprudenciais desfavoráveis[24]. O que é um contributo relevante para a discussão sobre se o princípio da legalidade criminal deixa espaço para a

interamericano de proteccíon de los derechos humanos". In: *La tutela multinivel del principio de legalidad penal* (direção de Mercedes Pérez Manzano/Juan Antonio Lascuraín Sánchez), Marcial Pons, 2016, p. 218 e 232.

[23] No sentido desta crítica, cf. a declaração de voto de Adela Asua Batarrita, aposto à Sentença do Tribunal Constitucional espanhol 39/2012, já mencionada. Em geral, para a crítica da doutrina espanhola, cf. supra nota 11.

[24] Entre nós, sobre isto, NEVES, Castanheira. "O princípio da legalidade criminal. O seu problema jurídico e o seu critério dogmático". In: *Estudos em Homenagem ao Prof. Doutor Eduardo Correia* I, Boletim da Faculdade de Direito da Universidade de Coimbra, 1984, p. 325 e ss., DIAS, Figueiredo. *Direito Penal. Parte Geral. Questões Fundamentais. A Doutrina Geral do Crime*, tomo I, Coimbra Editora, 2007, p. 197ss., PALMA, Fernanda. "A aplicação da lei no tempo: a proibição da retroatividade *in pejus*". In: *Jornadas sobre a revisão do Código Penal*, Associação Académica da Faculdade de Direito de Lisboa, 1998, p. 414ss., e BRANDÃO, Nuno. "Contrastes jurisprudenciais: problemas e respostas processuais penais", *Liber Discipulorum para Jorge de Figueiredo Dias*, Coimbra Editora, 2003, p. 1302ss. No sentido de não ser lei, para o efeito de aplicação da lei penal mais favorável, a jurisprudência fixada pelo Supremo Tribunal de Justiça, cf. Ac. do TC n. 839/2013, disponível em www.tribunalconstitucional.pt.

Para uma visão geral da problemática, com referências à doutrina e à jurisprudência germânicas, LEITE, Alaor. "Proibição de retroatividade e alteração jurisprudencial. A irretroatividade da jurisprudência constitutiva do injusto penal". *Atas do Colóquio o Direito Penal e o Tempo*, Instituto Jurídico da Faculdade de Direito da Universidade de Coimbra, 2016, p. 43ss. E, ainda, referindo jurisprudência de diversos países, GOMES, Mariângela Magalhães. *Direito Penal e Interpretação Jurisprudencial. Do princípio da legalidade às súmulas vinculantes*. São Paulo: Atlas, 2008, p. 139ss.

autonomização de alterações jurisprudenciais desfavoráveis cuja aplicação retroativa deva ser proibida ou se tudo se esgota na exigência de *lei prévia e determinada.*

Sem prejuízo de também ser importante que o Tribunal Europeu dos Direitos do Homem tenha acentuado que a exigência de não haver pena sem lei supõe um conceito material de "pena", o que mais se evidencia no caso *Inés del Río* é a extensão do princípio da legalidade criminal, enquanto dele decorre a proibição de retroatividade *contra reum* ou *in malam partem*, a alterações jurisprudenciais desfavoráveis que não sejam razoavelmente previsíveis para o agente da prática do crime. Contrariando o anteriormente decidido por tribunais superiores nacionais – o Tribunal Constitucional e o Supremo Tribunal espanhóis – um tribunal supranacional – o Tribunal Europeu dos Direitos do Homem –, concluiu pela violação, no caso, do princípio da legalidade criminal. Entendeu que um dos corolários desse princípio é a proibição da retroatividade de alterações jurisprudenciais desfavoráveis que não sejam razoavelmente previsíveis para o agente da prática do crime, sustentando-se no Artigo 7º da Convenção Europeia, na medida em que a noção de "direito" aqui utilizada inclui quer o direito de fonte legislativa quer o direito de fonte jurisprudencial[25].

O caso *Inés del Río* e de tantos outros a quem foi aplicada a "doutrina Parot", começando precisamente por Henri Parot, mostra também que a proteção jurisdicional a um nível diferente do nacional pode ter vantagens irrecusáveis ante a possibilidade de os tribunais nacionais interpretarem o direito do caso centrados naquele a quem o aplicam e naqueles que, no exterior, clamam por determinada decisão judicial. É crescente o fenómeno de uma produção legislativa motivada por clamações públicas bem determinadas, centrada no *autor* da prática do crime, ainda que sob o disfarce das especificidades do comportamento criminoso e da proteção das vítimas[26]. Casos como o dos visados pela "doutrina Parot" alertam-nos para um fenómeno idêntico no âmbito de um outro poder, ao ponto de se chamar a atenção para a forma como *o terrorismo corrompeu a*

[25] Enfatizam este aspeto, FERNÁNDEZ, José Núñez. "La 'doctrina parot' y el fallo del TEDH en el asunto del Río Prada c. España: el principio del fin de un conflicto sobre el castigo de hechos acaecidos hace más de veinte años", p. 407ss., e MENÉNDEZ, Ignacio Villaverde. "Principio de taxatividad. Una reflexión jurisprudencial". In: *La tutela multinivel del principio de legalidad penal* (direção de Mercedes Pérez Manzano/Juan Antonio Lascuraín Sánchez), Marcial Pons, 2016, p. 91.

[26] Sobre este fenómeno, com exemplos e indicações bibliográficas, ANTUNES, Maria João. "Perigosidade – intervenção estatal em expansão?", p. 197ss.

justiça[27]. Tais casos alertam-nos para o fenómeno da prolação de decisões judiciais que não se alheiam da *autoria* do crime (no caso, *terroristas* do grupo ETA) e de clamações públicas em determinado sentido (no caso, no sentido da *não libertação imediata* dos terroristas, pugnando-se pelo endurecimento da punição)[28]. Ainda que se disfarce o fenómeno por apelo a opções político-criminais vigentes, o que também é censurável. Pois, como muito bem disse o Tribunal Europeu dos Direitos do Homem, *os governos têm liberdade de alterar a sua política criminal, nomeadamente através do reforço da repressão dos crimes, mas deverão fazê-lo respeitando as regras estabelecidas no Artigo 7º da Convenção, que proíbe de forma absoluta a aplicação retroativa do Direito Penal quando resulte desfavorável para o interessado*. Dito de outra forma, *as jurisdições internas não podem aplicar retroativamente, em detrimento do interessado, o espírito das alterações legislativas ocorridas depois da prática da infração*[29].

Em face da "doutrina Parot" e do caso *Inés del Río Prada*, não podemos deixar de observar, com palavras de Manuel da Costa Andrade, que o perigo dos dias de hoje não é só *legislar à flor da pele*. É também *decidir à flor da pele*.

---

[27] Assim, FERNÁNDEZ, Molina. "Las cicatrices jurídicas del terrorismo: la doctrina Parot y outras interpretaciones irrazonables de la ley", p. 242 e s. e 256 e s. No mesmo sentido, TOCILDO, Susana Huerta. "La anulación de la doctrine Parot por STEDH de 21 de octubro de 2013: mucho ruido para un fallo jurídicamente cantando", p. 266ss.

[28] No caso Henri Parot cumpre destacar que também a decisão da Audiência Nacional no sentido de o condenado não poder ser ainda libertado foi censurada por se ter baseado numa desconexão temporal sem qualquer fundamento na lei ou na jurisprudência que vinha interpretando a 2.ª regra do Artigo 70 daquele Código Penal. Cf. supra, ponto 1.

[29] Destaca essas passagens das duas decisões do Tribunal Europeu dos Direitos do Homem, já mencionadas, SANTA MARIA, Paz Andrés Sáenz de. "Acerca del papel del tribunal europeo de derechos humanos y de la tentación de desacreditar al mensajero" (a propósito de la STEDH (Gran Sala) en el assunto *del Río Prada c. España*), p. 208.

Respostas jurisprudenciais desencontradas em matéria de crimes tributários e a crise de fundamentação constitucional

Nereu Giacomolli

Professor no Mestrado e no Doutorado no Programa de Pós-Graduação em Ciências Criminais (PPGCCrim)

Henrique Saibro

Mestre em Ciências Criminais pelo Programa de Pós-Graduação em Ciências Criminais (PPGCCrim)

1 Considerações iniciais

O caso concreto penal poderá ser interpretado de variadas formas, na medida em que a mesma situação fática poderá ser compreendida de maneira diversa pelos atores jurídicos. O grau de incidência da normatividade ordinária também se submete a diferentes fatores hermenêuticos. A Constituição da República determina que todas as decisões judiciais deverão ser fundamentadas. Contudo, a normatividade constitucional avança para além do ôntico, de forma a integrar-se com uma fundamentação adequada, alinhada ao plano constitucional e à estabilidade das decisões. A simplicidade e a superficialidade, iniciadas desde a sustentação de teses jurídicas aptas a modificar a repetição do *status quo*, também atingem a racionalização do substrato fático com o jurídico, de molde a oferecer uma resposta coerente e aplicável a um gama considerável de *cases* semelhantes. A problemática da fundamentação, em sua dimensão substancial-material, também vem afetando os crimes tributários, delimitação do tema objeto deste capítulo.

A limitação da responsabilidade criminal ao(s) sócio(s)-gerente(s) de pessoas jurídicas e a tese de inexigibilidade de conduta diversa – quando, documentalmente, é comprovado que a empresa e o(s) sócio(s), dadas as dificuldades financeiras, não possuíam outra alternativa senão inadimplir perante o fisco para resguardar o pagamento dos funcionários e possibilitar um último suspiro às atividades empresariais – são apenas alguns pontos para servir de base ao exame crítico da aparente carência de possibilidades defensivas. Possuem, tais teses, além da adequação à base fática, pertinência com a espécie de crimes analisados? A fundamentação das decisões criminais, em matéria de delitos tributários, possui entidade suficiente à satisfação da garantia constitucional de fundamentar as decisões, nela integrada a estabilidade das decisões?

A complexidade dos *cases*, em matéria criminal tributária, há de considerar a fonte primeira de seu regramento, ou seja, o Código Tributário Nacional (CTN), o qual não pode ser olvidado e posto em um segundo plano, na interpretação dos *cases* em matéria penal tributária. Questão de relevante importe, no sistema brasileiro doméstico, diz respeito aos pontos de contato e afastamento do pagamento do tributo, do acordo com garantias, da suspensão da exigibilidade total do tributo, com a imputação criminal, o exercício da ação processual penal e paralisação, vedação, suspensão e extinção do processo criminal.

O presente capítulo, num primeiro momento, abordará o conteúdo e a funcionalidade da exigência constitucional de que todas as decisões judiciais devem ser fundamentadas. Num segundo momento, será posta na tela de discussão a instabilidade jurídica na interpretação das normas criminais tributárias, com especial referência ao depósito integral do montante devido e da fiança bancária.

2 A exigência constitucional de fundamentação adequada, efetiva e estabilizadora

Nos precisos termos do Artigo 93, IX, da Constituição Federal, todas as decisões dos órgãos do Poder Judiciário serão fundamentadas, sob pena de nulidade. O Artigo 93, X, da Constituição Federal acentua que as decisões administrativas dos tribunais deverão ser motivadas. Do Artigo 155 do Código de Processo Penal infere-se que o juiz formará sua convicção de forma livre, mas deverá fundamentar sua decisão. Portanto, a liberdade de decidir é relativa, submetendo-se à necessidade de fundamentação. Segundo o Artigo 381, III, do Código de Processo Penal, a sentença conterá: "a indicação dos motivos de fato e de direito em que se fundar a decisão". O mesmo aplica-se aos acórdãos dos tribunais.

2.1 Conteúdo da exigência constitucional de fundamentação

O conteúdo da fundamentação vincula-se, também, ao modelo de Estado. No Estado absolutista, as motivações relacionavam-se com o poder do rei, ministro de Deus na Terra. Com a passagem ao Estado liberal, ademais de generalizar-se o dever de motivar as decisões judiciais, em face dos postulados da ilustração, do positivismo jurídico, da racionalização e da secularização, repetir a vontade da lei significava fundamentar uma decisão (*bouche qui prononce les paroles de la loi*). Tratava-se de uma contraposição às práticas arbitrárias do *ancien régime.* A Declaração de Direitos do Homem e do Cidadão, de 1789, na perspectiva política e ideológica e não doutrinária (Taruffo), passou a exigir a normatização da fundamentação das decisões judiciais. Contudo, somente a Constituição Francesa de 1795, em seu Artigo 208, disciplinou: *Les jugements sont motives et on y* énonce *les termes de la loi appliquée.*[1] Da preocupação coletiva no Estado social, onde a fundamentação transcendia os meros interesses individuais, chegou-se ao Estado democrático e constitucional de direito, em que a fundamentação passou a integrar o devido processo constitucional, outorgando legitimidade à decisão, na perspectiva da tutela judicial efetiva.

Por motivo há que ser entendida a causa ou a condição de uma escolha, a qual direciona a atividade para um fim específico, orientando a conduta humana, sem, no entanto, fornecer uma explicação ou uma justificação (motivos de fato e de direito). O fundamento, por outro lado, é a explicação ou a justificação racional da coisa da qual é causa; a razão de ser. Fundamentar uma decisão é explicar e justificar, racionalmente, a motivação fática e jurídica do convencimento, de modo que possa ser compreendida. Assim, uma decisão processual penal está fundamentada quando dela se pode inferir uma justificativa racional, inclusive acerca do direcionamento de seus efeitos (condenação, recolhimento ao cárcere, duração e espécies de sanção, *v. g.*). A motivação se constitui na ação determinante da razão de ser da decisão, na instrumentalidade orientativa da explicação da decisão. É o motivo que direciona a ação (decidir) num sentido ou no outro (condenar, absolver, decretar a prisão, manter a liberdade, receber ou rejeitar a denúncia).

---

[1] Em MAGALHÃES GOMES FILHO, Antônio. *A motivação das decisões penais.* São Paulo: Saraiva, 2001. p. 63.

A fundamentação pode estar baseada somente em motivos de direito, em motivos de fato, ou em ambos os suportes. Motivar é dizer quais as bases fáticas e/ou de direito que permitem a fundamentação, ou seja, a explicação racional da decisão. Somente a motivação, sem uma fundamentação, uma explicação racional que possibilite o entendimento, que permita a sua compreensão, não satisfaz o conteúdo do Artigo 93, IX, da Constituição Federal.

As mesmas circunstâncias fáticas motivacionais podem fornecer elementos fundantes de decisões diferenciadas, dependendo da compreensão e da justificação racional do decisor. Da mesma forma, a mesma matéria de direito poderá levar a decisões diferentes. Por isso, a motivação orienta o raciocínio, mas a fundamentação submete-se à exteriorização racional, à explicação racional. A racionalização de um órgão julgador poderá ser diferente da emitida de outro, embora utilizem os mesmos substratos fáticos e jurídicos. Mas, então, poderá haver mais de uma decisão adequada para o mesmo caso penal? O que se entende por decisão adequada? Uma decisão correta é a que encontra amparo no devido processo, embora na convenção jurídica processual, a última decisão, a que transitou em julgado, a que fez coisa julgada, seja tida por adequada a determinado caso. Essa nem sempre coincidirá com a melhor racionalização fática e jurídica constitucional ao devido processo. O que, racionalizado no processo, se convencionou juridicamente como "verdade", a que o magistrado racionaliza com o que os autos contêm, ou seja, uma "verdade" textual, o que foi escrito pelo julgador ou, como afirma Salah[2], uma verdade analógica. Isso significa que poderia ter sido emitida uma solução oposta à que foi exteriorizada nos autos do processo, também justificável, fundamentada, inclusive, sobre o mesmo substrato (plano abstrato), mas no plano da concretude, do Estado constitucional do direito e do devido processo, há uma resposta adequada (a que encontra suporte na objetividade fática e jurídica no processo e na Constituição Federal, já devidamente compreendida, ou seja, exposta e manifestada positivamente, em suma, ao devido processo).

Reproduzir os termos da lei, reproduzir o informe acusatório ou as razões defensivas, não é motivar e nem fundamentar a decisão, na medida em que nessas situações não ocorre uma justificação própria, mas mero impulso *per relationem*. As sentenças e os acórdãos assim assentados são viciados, defeituosos, conducentes

---

[2] V. KHALED Jr. Salah H. *A busca da verdade no processo penal.* São Paulos: Atlas, 2013. p. 331ss.

à nulidade. O substrato fático concretizado nos autos e não o abstrato, posto na tela do ordenamento jurídico, fornecerá ao magistrado, no momento de fundamentar, de justificar a sua decisão, a qual circunscreve a norma ao caso concreto (a norma é a resultante do processo hermenêutico dos fatos e das possibilidades existentes no ordenamento jurídico), a motivação adequada e válida, do ponto de vista constitucional. Por isso, há que ser superado, tanto o positivismo exegético, onde o fato não se vinculava substancialmente ao direito, confundindo lei com direito, quanto o positivismo normativista, o qual relegava o processo de interpretação a um segundo plano, mais precisamente o vinculava às "condições lógico-deônticas de validade das normas"[3].

Não só a exteriorização escritural e pública do convencimento possui relevância, mas também o seu grau, a sua potencialidade de convencer os agentes envolvidos no processo e a comunidade jurídica. Isso possibilita às partes a compreensão da decisão, possibilitando uma impugnação adequada. A possibilidade de afastar a contaminação guarda relação com o grau de autenticidade da compreensão. Ao fundamentar a sua decisão, o julgador demonstra que não está decidindo arbitrariamente, discricionariamente, ou seja, conforme a sua consciência, mas com base na realidade, ou seja, racionalmente, com argumentos fáticos e jurídicos; que parte da realidade careada ao processo, aos autos, e não da realidade já posta, predeterminada. Portanto, não é suficiente uma mera declaração de conhecimento do constante nos autos, e nem uma simples manifestação volitiva, mas uma demonstração racional argumentativa (*ratio dicendi*) da situação jurídico-criminal proposta. Isso legitima o exercício de uma parcela da soberania estatal, da função jurisdicional, na perspectiva da tutela jurisdicional criminal efetiva, do devido processo. Não exigir a fundamentação da decisão judicial é admitir uma decisão já posta no início do processo, "já dada", e não o que é dado pela realidade fática e jurídica; é aceitar a decisão conforme a consciência, um retrocesso jurídico.

Uma decisão está bem fundamentada quando arrazoada de forma motivada de tal maneira a permitir a sua impugnação (contraditório recursal) e o exercício da ampla defesa. Essa fundamentação poderia ser chamada de objetivação lógica. Contudo, a fundamentação transcende a situação fática, as normas jurídicas,

---

[3] Em STRECK, Lênio Luiz. *O que é isso – Decisão conforme minha consciência?* Porto Alegre: Livraria do Advogado, 2010. p. 8.

os autores dos delitos. Há outras dimensões, como a condição de possibilidade de objetivar, o perceber a universalidade complexa e como foi construído e está disposto o ser que fundamenta a decisão (magistrado). A fundamentação passa pelo conjunto de informações dos diversos ramos do saber, as quais permitem concluir em determinado sentido, através de um pensar em todas as dimensões, não só para dar sentido técnico, instrumentalizado de forma automática, mas para dar sentido ao ser humano (sentir o intransponível e o incontornável, referidos por Heidegger).

A fundamentação adequada, do ponto de vista jurídico, há de passar pela dupla filtragem: constitucional e convencional, em uma compreensão inserida na complexidade dos fatos, regras e princípios. Uma decisão não encontra fundamentação adequada quando há uma simples escolha, uma eleição de sentido que convém ao órgão julgador, mas sim quando emerge o convencionado como adequado, ou seja, o pertencente à realidade da vida, ao mundo jurídico, a partir da CF e dos diplomas internacionais. As escolhas feitas antes do exame da situação fática e jurídica e a reprodução do mero sentido, contido no fato e na norma, são pré-compreensões inautênticas, pois através da fundamentação é que o juiz dará, de forma argumentativa, sentido ao texto e à norma, dando a resposta adequada ao fato. Por isso é que a fundamentação demonstra como o caso foi interpretado, como está sendo dada a explicação do compreendido, que está produzindo sentido e não simplesmente reproduzindo-o.

Em todo processo criminal aflora, ademais da miséria humana, uma situação vital (realidade da vida, segundo Kaufmann), a qual será atingida pelos efeitos da decisão, motivo por que há de ser confrontada com a complexidade jurídica, permitindo-se a inter-relação teórica com a prática (caso), em uma relação inseparável entre a compreensão e a aplicação. Contudo, para que o juiz possa compreender e interpretar, há que compreender-se, ou seja, se faz necessário que se compreenda para que compreenda, interprete, fundamente e julgue adequadamente.

As perspectivas do inconsciente, as concepções pessoais, o ser do juiz, ou seja, as suas perspectivas históricas, culturais, ideológicas e psicológicas, hão de receber uma blindagem para dar autenticidade às pré-compreensões inautênticas; não podem ser determinantes do resultado de uma decisão adequada ao devido processo constitucional. A decisão há de refletir o processo e não o ser do juiz.

O grau de possibilidade de afastamento dessas manipulações ofertará o grau de autenticidade, do ponto de vista jurídico, das pré-compreensões.

2.2 Funcionalidade

A fundamentação da decisão judicial é que permite o seu controle endoprocessual, interno, o qual se consubstancia nas possibilidades impugnativas através de recursos, de ações autônomas de impugnação (*habeas corpus*, mandado de segurança e revisão criminal) e das medidas correicionais (correição parcial e reclamação). Ademais desse controle interno, é a fundamentação da decisão que permite o seu controle externo, ou seja, o da comunidade jurídica, destinado aos entes públicos e à cidadania (função política).

O fundamento permite compreender por que determinada decisão foi ditada num sentido e não em outro; por que foi construída em certa perspectiva e não em outra, qual foi a argumentação e a fundamentação que "realmente guiou o juiz" (Garapon), ou seja, o que do debate contraditório influiu na admissibilidade de uma tese e no afastamento de outra, quais os argumentos e fundamentos aceitos e quais os que foram afastados, bem como por que assim procedeu o julgador. Dessa forma, pode-se verificar se uma fundamentação insere-se no devido processo ou não, se está correta ou não. Em suma, a fundamentação possibilita o entendimento ou a justificação racional da coisa da qual é causa. O fundamento ou razão suficiente explica por que a coisa pode ser ou comportar-se de determinada maneira. Wolff distinguia o princípio *essendi* (razão da possibilidade da coisa), o *fiendi* ou da causalidade (do acontecer – razão da realidade) e o *cognoscendi* ou de demonstração (proposição que leva ao conhecimento da verdade de outra proposição).

Uma decisão está fundamentada quando pode ser explicada, quando comunica o resultado às partes, ao mundo jurídico e à cidadania. Para que isso ocorra, a argumentação contida no *decisum* há de ser, além de clara e objetiva, convincente (argumentação convincente, segundo Perelman). E, no juízo condenatório, todas as teses e os argumentos de prova aduzidos pela defesa comportam análise e valoração na justificativa. É a fundamentação que permite à acusação e à defesa saber o porquê da conclusão num sentido ou em outro (razão de ser); permite desvendar o aspecto positivo (o explicitado) e o negativo (o porquê da conclusão diferente). A acusação e a defesa impugnam a decisão porque a dualidade e o oposto são possíveis de argumentação, e, para que isso seja factível, o conteúdo da decisão há de ser comunicável, compreensível e inteligível às partes. Portanto, a fundamentação das decisões permite o pleno exercício do direito ao acesso aos recursos e às impugnações através dos demais remédios jurídicos.

A relevância da exigência da motivação das decisões criminais se justifica na previsão expressa da Constituição Federal, em seu Artigo 93, IX, combinado com a adoção do Estado Democrático de Direito (Artigo 1º, CF), tendo na proteção da dignidade da pessoa humana um dos pilares básicos (Artigo 1º, III, CF). Canotilho enuncia três razões à motivação: controle da administração da justiça; exclusão do caráter voluntário e subjetivo do exercício jurisdicional e abertura do conhecimento da racionalidade e coerência argumentativa dos juízes; e a melhor estruturação dos recursos[4]. O paradigma protetivo das garantias, segundo Ferrajoli[5], forja-se pela maximização do saber e pela limitação do poder, constituindo-se na "principal garantia processual", "pressuposto das demais". Portanto, a motivação racional da decisão permite aos envolvidos no processo e ao cidadão (*quisque de popolo*) a sua fiscalização ou controle interno e externo, excluindo o caráter arbitrário (*intuitu personae*), meramente subjetivo da tutela jurisdicional criminal, legitimando constitucionalmente o saber-poder do magistrado, submetendo-o à via impugnativa predeterminada.

A fundamentação fornece as bases sustentáveis de um processo penal democrático, constitucionalmente comprometido, livre de argumentos de consciência, de argumentos de autoridade, bem como de juízos precipitados, ou seja, dos influxos momentâneos, indutores de erro e de pré-compreensões inautênticas (Gadamer). Efetivamente, a fundamentação permite a construção de uma resposta adequada ao mundo jurídico (resposta correta é a resposta advinda do devido processo), nem sempre satisfazendo os anseios da maioria e nem os de obtenção de um grande auditório de escuta ou de dividendos políticos e econômicos (midiáticos). Também se faz mister referir que a fundamentação das decisões judiciais exerce uma importante missão de autocontrole e proteção ao próprio julgador (Garraud). Com isso, evitam-se as motivações desvinculadas da realidade fática constante nos autos, a imersão jurídica e a construção do *decisum* em

---

[4] V. CANOTILHO, J. J. *Direito Constitucional e Teoria da Constituição.* Coimbra: Almedina, 1998. p. 621.

[5] Em FERRAJOLI, L. *Derecho y Razón. Teoría del Garantismo Penal.* Madri: Trotta, 1997. p. 22 e 558.

presunções e motivações indemonstráveis e sem objetividade. São a exigência de fundamentação das decisões judiciais e o seu grau de profundidade qualitativa que impulsionam a construção científica do direito em um Estado democrático (Garraud), fornecendo importantes subsídios à dialética impugnativa.

Assim, a fundamentação das decisões judiciais, essencialmente, situa-se em sua dupla funcionalidade: endo e extraprocessual. A função endoprocessual permite que as partes tomem ciência da motivação fática e jurídica do *decisum* e possam impugná-lo, exercer o direito ao duplo pronunciamento, ou seja, ao recurso. A função extraprocessual situa-se na estruturação do estado de direito, permitindo ciência à cidadania da informação acerca de como os juízes e tribunais estão exercendo o poder jurisdicional, político e administrativo. Por isso, a motivação e a fundamentação deverão engendrar um conteúdo explicitamente objetivo (alegações, fatos, prova e normas jurídicas aplicáveis) e suficiente, ou seja, permissível da impugnação, que racionalize todas as hipóteses e teses vertidas aos autos.

Em suma, verifico revelar a funcionalidade da fundamentação das decisões a própria compreensão, na perspectiva da razão, motivação e *iter procedimental*, evidenciando-se o controle interno (partes) e externo (cidadania) e a limitação do poder, com o escopo de evitar o arbítrio.

3 Instabilidade jurídica na interpretação das normas penais tributárias

Com o intuito de demonstrar as ("perigosas") dificuldades de compreensão em matéria criminal tributária, se faz importante colacionar alguns *cases*, os quais confirmarão a problemática enunciada nas considerações prefaciais. Ao serem invocados argumentos demonstrativos de que a exigibilidade do crédito tributário – o qual originou o montante tido como devido no processo penal – está suspensa (Artigo 151 e seus incisos, do CTN[6]), ou que o crédito está garantido (Artigo 9º e seus incisos, da Lei n. 6.830/80[7]), o desalinhamento e instabilidades

[6] Artigo 151 do CTN. Suspendem a exigibilidade do crédito tributário: I – moratória; II – o depósito do seu montante integral; III – as reclamações e os recursos, nos termos das leis reguladoras do processo tributário administrativo; IV – a concessão de medida liminar em mandado de segurança; V – a concessão de medida liminar ou de tutela antecipada, em outras espécies de ação judicial (Incluído pela LCP n. 104, de 2001); VI – o parcelamento.

[7] Artigo 9º da Lei n. 6.830/80. Em garantia da execução, pelo valor da dívida, juros e multa de

são preocupantes, deparamo-nos com precedentes com efeitos para lá de sortidos. É o que pode ser inferido do que abaixo segue.

3.1 O depósito do montante integral

Quando o sujeito passivo da relação jurídica tributária deposita, de forma voluntária e integral, o valor devido, cuida-se de uma hipótese de suspensão da exigibilidade do crédito tributário. É o que se infere do Artigo 15, II, do Código Tributário Nacional. Esse depósito é realizado judicialmente. É o que ocorre, por exemplo, em processos de execução fiscal, ação declaratória de inexistência de relação tributária, ação anulatória de lançamento tributário ou mesmo em mandados de segurança[8].

Em um primeiro *case*, parte-se da situação em quem o Ministério Público tenha oferecido denúncia contra o administrador de certa pessoa jurídica pelo cometimento de crime contra a ordem tributária. Teria, dolosamente, suprimido tributo mediante a omissão de informação às autoridades fazendárias (Artigo 1º, I, da Lei n. 8.137/90). Na esfera cível, paralelamente à acusação, o imputado ajuíza uma ação ordinária com o fito de obter uma declaração da inexistência da relação tributária. Para tanto, efetua o depósito integral do valor do crédito tributário, de modo a suspender a exigibilidade do crédito tributário.

Os tribunais brasileiros, ao enfrentarem esse *case*, produziram respostas desencontradas, gerando um verdadeiro labirinto jurídico. Selecionamos as respostas mais enunciativas da divergência, com o intuito de examinar as premissas da fundamentação e a compreensão dos julgadores. Na decisão prolatada pelo Tribunal Regional Federal da 2ª Região (TRF-2) quando do julgamento da apelação criminal (ACR) n. 2009.50.01.004344-4, constou:

> [...] infere-se dos autos que houve decisão judicial proferida em 2/10/2008 (fl. 100), que determinou a suspensão da exigibilidade do crédito tributário em

---

mora e encargos indicados na Certidão de Dívida Ativa, o executado poderá: I – efetuar depósito em dinheiro, à ordem do Juízo em estabelecimento oficial de crédito, que assegure atualização monetária; II – oferecer fiança bancária; III – oferecer fiança bancária ou seguro garantia; IV – nomear bens à penhora, observada a ordem do artigo 11; ou V – indicar à penhora bens oferecidos por terceiros e aceitos pela Fazenda Pública.

[8] MACHADO, Hugo de Brito. *Curso de Direito Tributário*. São Paulo: Malheiros Editores Ltda., 2009. p. 187.

questão, nos termos do art. 151, II, do CTN, em razão do depósito judicial do montante integral do tributo (fls. 94-99), razão pela qual o oferecimento da denúncia, em março de 2009, se torna inviável ante a suspensão da pretensão punitiva estatal[9].

A fundamentação prossegue, nos seguintes termos:

> [...] pela análise do sistema eletrônico deste Tribunal, verifica-se que a Ação Declaratória de Inexistência de Relação Jurídico-Tributária encontra-se conclusa ao MM. Juízo da 1ª Vara Federal de Vitória/ES, sendo que, caso se julgue improcedente, reconhecendo-se a legalidade e constitucionalidade da cobrança da exação, os valores depositados converter-se-ão em renda do INSS. **O depósito do valor questionado garante o pagamento do débito, retroagindo, como se pagamento fosse, à data em que efetivado, extinguindo, por consequência** [sic]**, a punibilidade.**
>
> Em caso de julgamento favorável ao Réu, **estará desconstituído o crédito e, consequentemente** [sic]**, a própria justa causa para o eventual oferecimento e recebimento da denúncia.** De todo modo, impende ressaltar que **tais possibilidades perduram enquanto pendente o depósito, razão pela qual a melhor solução ao caso concreto é a aplicação do entendimento da Súmula Vinculante n. 24 do STF** [...][10].

Vale dizer, decidiu o relator, o juiz federal convocado Aluísio Gonçalves de Castro Mendes, que, em razão da incidência do Artigo 151, II, do Código Tributário Nacional, o processo penal deveria ser extinto sem a resolução do mérito, por ausência de condições ao exercício da ação penal[11], mantendo, pois, os efeitos da sentença de primeiro grau. É que, caso a ação ordinária ajuizada pelo réu, no Juízo cível – o qual é o sujeito passivo da obrigação tributária –, venha a ser julgada improcedente, os valores depositados serão convertidos em renda ao

[9] ACR 200950010043444, Primeira Turma Especializada, Rel. Juiz Federal Convocado Aluísio Gonçalves de Castro Mendes, *DJF* 11/2/2011.

[10] ACR 200950010043444, Primeira Turma Especializada, Rel. Juiz Federal Convocado Aluísio Gonçalves de Castro Mendes, *DJF* 11/2/2011.

[11] Filiamo-nos à acepção de que a "ausência de justa causa" prevista no inciso III do Artigo 395 do CPP é abrangido pelo inciso II do mesmo artigo. Nesse sentido LOPES JR., Aury. *Direito Processual Penal.* São Paulo: Saraiva, 2012. p. 431.

sujeito ativo, equiparando-se ao pagamento do tributo – que, consequentemente, levará à extinção da punibilidade no processo penal[12].

Tanta é a garantia de que o crédito será honrado, que o Superior Tribunal de Justiça (STJ) é uníssono na concepção de que é vedado o levantamento do valor depositado "enquanto não definitivamente julgada a lide"[13]. Caso contrário, sendo julgada procedente a demanda, estará desconstituído o crédito tributário, passando a inexistir o delito fiscal.

Dessa forma, tendo em vista que em nenhuma das hipóteses do caso acima levará o réu à condenação – no pior cenário possível acarretará a extinção da punibilidade pelo pagamento do crédito tributário –, não haveria justificativa para "o imenso custo do processo e as diversas penas processuais que ele contém"[14], de modo a prevalecer o controle processual do caráter fragmentário da intervenção penal (evitar a banalização do Direito Penal). Afinal, "se o sentido do processo não fosse a redução de danos, sequer necessitaria existir"[15].

Entretanto, outro *case* recebeu resposta totalmente diversa, embora tenha havido identidade entre as duas bases fáticas. Trata-se do *habeas corpus* (HC) n. 0023953-42.2013.8.26.000, julgado pelo Tribunal de Justiça de São Paulo (TJ/SP), na lavra do relator desembargador Alberto Matriz de Oliveira. Este percorreu um caminho argumentativo bastante diferente e, sobretudo, desalinhado, comportando contraponto ao anteriormente citado, justificando-se a sua análise.

Nesse caso específico, o paciente, administrador de determinada pessoa jurídica, teria indicado, como destino de certa mercadoria, a Zona Franca de Manaus, onde não haveria incidência do imposto sobre circulação de mercadorias (ICMS), sem comprovação de seu ingresso no local. Esse enredo acabou ensejando a instauração de um inquérito policial, com o fito de ser apurado eventual crime contra a ordem tributária.

Exauridas as alternativas recursais da via administrativa, o paciente procedeu ao depósito judicial da integralidade do valor discutido na investigação criminal. Requereu, então, a concessão da ordem para fins de trancamento do inquérito

[12] LOVATTO, Alecio Adão. *Crimes tributários:* aspectos criminais e processuais. Porto Alegre: Livraria do Advogado, 2008. p. 169.

[13] REsp 151.440, Segunda Turma, Rel. Ministro Hélio Mosimann, *DJ* 25/2/1998.

[14] LOPES JR., Aury. *Direito Processual Penal.* São Paulo: Saraiva, 2012. p. 380.

[15] ROSA, Alexandre Morais da; KHALED JR., Salah H. *In dubio pro hell I:* profanando o sistema penal. Florianópolis: Empório do Direito, 2015. p. 35.

policial, pois o depósito afastaria "totalmente o risco de lesão ao erário paulista, de maneira que o fato se torna atípico"[16].

Dadas tais circunstâncias, o julgador foi na seguinte perspectiva:

> Nesse quadro não se observa justa causa para o prosseguimento do procedimento policial.
>
> Isso porque a disponibilização do montante reivindicado pelo fisco elide completamente a possibilidade de configuração de crime.
>
> De um lado, porque afasta o dolo na conduta.
>
> Ora, quem deposita o valor litigioso deixando a cargo do judiciário o destino final do numerário demonstra inequivocamente que não pretende se furtar às suas obrigações.
>
> De outro porque afasta a própria tipicidade das infrações tributárias.
>
> Com efeito, os delitos que envolvem supressão ou ausência de recolhimento de tributo são pacificamente reconhecidos como crimes materiais, em outras palavras, exigem para a sua configuração a efetiva ocorrência de prejuízo ao erário.
>
> Garantido o juízo, não há como se falar sequer em possibilidade de prejuízo. Isso porque, o Artigo 1º, § 3º, II, da Lei n. 9.703/98 autoriza, no caso de sentença favorável à Fazenda, que o juiz desde logo determine a conversão do depósito em pagamento definitivo.
>
> Assim, caso a Fazenda esteja com a razão, certamente ela receberá o valor devido[17].

Percebe-se que as premissas levantadas pelo relator deste segundo *case* – o depósito do montante integral do débito (i) elide completamente a possibilidade de configuração de crime, (ii) impossibilita a existência de prejuízo ao fisco e (iii) demonstra a inexistência de dolo em fraudar o fisco – levam à atipicidade da conduta, sendo caso de absolvição com resolução de mérito, de modo a fazer

[16] Relatório do inteiro teor do HC n. 0023953-42.2013.8.26.0000 do TJ/SP, da 16ª Câmara Criminal, Rel. Desembargador Alberto Mariz de Oliveira, julgado em 18/6/2013.

[17] Relatório do inteiro teor do HC n. 0023953-42.2013.8.26.0000 do TJ/SP, da 16ª Câmara Criminal, Rel. Desembargador Alberto Mariz de Oliveira, julgado em 18/6/2013.

coisa julgada material. Contudo, surpreendentemente, ao ultimar sua perspectiva, o julgador apresenta uma virada linguística e argumentativa:

> Nesse particular, necessário anotar que o débito ainda está sendo discutido, pois ainda se encontra em curso a exceção de pré-executividade, na qual, mais uma vez ressalta-se, encontra-se garantido o crédito do fisco através do depósito judicial.
>
> Neste cenário, tendo-se em conta o disposto no artigo 34 da Lei n. 9.249/95, que determina seja extinta a punibilidade dos crimes definidos na Lei n. 8.137/90 e na Lei n. 4.729/65 quando o agente promover o pagamento do tributo ou contribuição social, inclusive acessórios, antes do recebimento da denúncia, indiscutivelmente o depósito levado a efeito pelo paciente deve ser interpretado como providência apta a garantir o pagamento e afastar de plano a caracterização de qualquer crime contra a ordem tributária[18].

Visivelmente, a fundamentação do *decisum* derivou a linha argumentativa, na medida em que, seguindo as premissas iniciais, se o depósito do montante integral do débito "elide completamente a possibilidade de configuração de crime", resulta claro que não estamos lidando com uma causa de extinção da punibilidade, senão com uma absolvição – conforme entendimento já exposto anteriormente.

As variáveis se multiplicam. Em outro *case*, no Recurso em Sentido Estrito (RSE) n. 0008332-08.2009.404.7108 interposto pelo Ministério Público Federal (MPF), o juízo *a quo* havia suspendido o processo penal, com base no Artigo 93, *caput*, do Código de Processo Penal[19], em razão, justamente, do depósito do montante integral do *quantum* devido. Requeria o *parquet* a reforma de tal decisão para prosseguir a tramitação do feito, "tendo em vista a independência das esferas cível e criminal"[20].

---

[18] Relatório do inteiro teor do HC n. 0023953-42.2013.8.26.0000 do TJ/SP, da 16ª Câmara Criminal, Rel. Desembargador Alberto Mariz de Oliveira, julgado em 18/6/2013.

[19] Artigo 93 do CPP. Se o reconhecimento da existência da infração penal depender de decisão sobre questão diversa da prevista no artigo anterior, da competência do juízo cível, e se neste houver sido proposta ação para resolvê-la, o juiz criminal poderá, desde que essa questão seja de difícil solução e não verse sobre direito cuja prova a lei civil limite, suspender o curso do processo, após a inquirição das testemunhas e realização das outras provas de natureza urgente.

[20] Relatório do inteiro teor do RSE n. 0008332-08.2009.404.7108, Tribunal Regional Federal da

Entretanto, o relator desembargador federal Victor Luiz dos Santos Laus desproveu o recurso, mediante os seguintes fundamentos:

> Como se vê, conquanto os denunciados tenham depositado judicialmente o total do montante devido, tal fato gera apenas uma expectativa de conversão em renda em favor da União em caso de improcedência da ação cível.
>
> Saliento que, embora a jurisprudência do STJ seja no sentido de que o depósito judicial, após sentença definitiva em desfavor do contribuinte, deve ser convertido em renda (RESP 1140956, 1ª Seção, Rel. Ministro Luiz Fux, DJe 24-11-2010; e AGRG no RESP 1212885, 2ª Turma, Rel. Ministro Humberto Martins, DJe 24-5-2011), não descarto, por exemplo, a possibilidade de ocorrer a penhora no rosto dos autos de credores que gozam de privilégio (artigo 83 da Lei de Falências e artigo 186 do Código Tributário Nacional).
>
> [...] Sendo assim, não havendo dúvida quanto à materialidade delitiva (fl. 146 do apenso) e ausente o efetivo pagamento da dívida, não há falar em extinção da punibilidade pelo mero depósito judicial do quantum devido.

Constata-se, portanto, que, seguindo tal entendimento, não há que confundir o depósito do montante integral do crédito tributário com o seu pagamento, pois apenas este converte, de fato, rendimentos em favor da União. Até porque não se descartaria a possibilidade de algum credor com preferência na satisfação do crédito, como o decorrente da legislação trabalhista[21], venha a realizar uma penhora no rosto dos autos – frustrando, pois, o pagamento à União.

Quanto à suspensão do processo penal em virtude do depósito integral do crédito tributário, prosseguiu o relator:

> Sem a pretensão de adentrar no mérito da questão tributária, verifica-se, dos elementos trazidos ao presente feito, que há, ao menos, plausibilidade na tese debatida. Com efeito, embora o juízo da 2ª Vara Federal de Novo Hamburgo tenha denegado a segurança pleiteada (fls. 178/183), decisão mantida pela 2ª Turma deste Tribunal (fls. 215/220), sob o fundamento de que "não há vício

---

4ª Região, Oitava Turma, Rel. Desembargador Federal Victor Luiz dos Santos Laus, *DE* 30/8/2011.

[21] Artigo 186, *caput*, do CTN. O crédito tributário prefere a qualquer outro, seja qual for sua natureza ou o tempo de sua constituição, ressalvados os créditos decorrentes da legislação do trabalho ou do acidente de trabalho.

de constitucionalidade na espécie, por não ter sido criada nova contribuição, tendo sido tão somente ampliada a base de cálculo de tributo", a exação em tela é objeto da Ação Direta de Inconstitucionalidade 2594, proposta pela Confederação Nacional de Indústria – CNI, que, embora pendente de julgamento, já contém duas manifestações da Procuradoria Geral da República opinando pela procedência do pedido.

Sendo assim, estando pendente na esfera cível decisão definitiva em processo que diz respeito à própria existência do crime, com plausibilidade na discussão, entendo que deve ser mantida a decisão que suspendeu o curso do processo e do prazo prescricional, com fulcro nos artigos 93 do Código de Processo Penal e 116, I, do Estatuto Repressivo, até o trânsito em julgado do Mandado de Segurança 2008.71.08.007079-9[22].

Observa-se que o depósito integral do *quantum,* supostamente sonegado, na esfera cível não fez diferença alguma para a resolução do *case*. O que foi decisivo para suspender o processo penal foi a relevância da matéria discutida noutro juízo – cujo debate já havia sido reconhecido, inclusive como de repercussão geral, no RE n. 595838[23].

O referido julgamento confronta totalmente com o entendimento de Tangerino, o qual sustenta que se o pagamento do tributo há de extinguir a punibilidade: "nada mais razoável que ao depositante do valor integral se lhe configure o mesmo *status*"[24]. Isso porque, segundo o autor, o depósito integral do débito é, na verdade, um pagamento sob condição resolutiva, pois "a única diferença do depósito em relação ao pagamento é que o contribuinte ainda pretende exercer seu direito constitucional de petição, buscando reverter situação que reputa injusta pela via judicial"[25].

---

[22] Relatório do inteiro teor do RSE n. 0008332-08.2009.404.7108, Tribunal Regional Federal da 4ª Região, Oitava Turma, Rel. Desembargador Federal Victor Luiz dos Santos Laus, *D*. 30/8/2011.

[23] "DIREITO TRIBUTÁRIO. CONTRIBUIÇÕES PREVIDENCIÁRIAS. EXIGIBILIDADE. SERVIÇOS PRESTADOS POR COOPERATIVAS. ARTIGO 22, INCISO IV, DA LEI N. 8.212/91. REDAÇÃO CONFERIDA PELA LEI N. 9.876/99. EXISTÊNCIA DE REPERCUSSÃO GERAL" [Relatoria para Acórdão Ministro Ricardo Lewandowski, *DJe* 12/2/2010].

[24] TANGERINO, Davi de Paiva Costa. "Efeitos Penais do Depósito do Montante Integral do Crédito Tributário' em *Boletim IBCCRIM*, n. 265, dez. 2014.

[25] TANGERINO, Davi de Paiva Costa. "Efeitos Penais do Depósito do Montante Integral do

3.2 A fiança bancária

Aqui também se faz mister partir de um *case*. Para manter a coerência metodológica na eleição dos estudos de caso, foram escolhidos os aproximados, embora não idênticos. Neste *case*, parte-se do fato de que o sujeito passivo de uma relação tributária não tenha depositado integralmente o valor do crédito tributário, mas oferecido uma fiança bancária, objetivando garantir o pagamento de sua dívida, com aceitação da Fazenda Pública. O problema, nesta especificidade, reside no seguinte questionamento: como os tribunais manifestam-se sobre essa hipótese defensiva? Quais os eventuais reflexos no processo penal tributário?

Conquanto o STJ já tenha se manifestado no sentido de que somente o depósito em dinheiro viabiliza a suspensão da exigibilidade do crédito tributário, de modo a não reconhecer "a similaridade da fiança bancária com o depósito integral"[26], esta mesma corte já decidiu que, estando garantido o débito exequendo, permite-se "a expedição de Certidão Positiva com Efeitos de Negativa [CPEN]" (AgRg na MC n. 19.128, Primeira Turma, Rel. Ministro Francisco Falcão, *DJe* 24/8/2012). Assim, aceitando a Fazenda Pública a fiança bancária como garantia do pagamento do crédito tributário, essa obrigação tributária passa a ser inexigível – pragmaticamente, é como se o crédito estivesse suspenso.

Observa-se, então, uma fundamentação similar à do depósito integral do débito. É que, uma vez aceita pela Fazenda Pública a fiança bancária (Artigo 9º, II, da Lei n. 6.830/80[27]), os efeitos serão: (i) a procedência da demanda, com a devida desconstituição do crédito tributário (absolvição por atipicidade da conduta); (ii) a improcedência do pedido, convertendo-se o valor garantido em renda em favor da Fazenda, resultando na quitação do débito e, consequentemente, na extinção da punibilidade pelo pagamento; (iii) um credor do mesmo sujeito passivo da relação tributária, com preferência na satisfação de seu crédito, realiza uma penhora no rosto dos autos do processo cível, frustrando, pois, a conversão de bens em favor da Fazenda.

Crédito Tributário' em *Boletim IBCCRIM*, n. 265, dez. 2014.

[26] AgRg na MC n. 19.128, Primeira Turma, Rel. Ministro Francisco Falcão, *DJe* 24/8/2012.

[27] Artigo 9º da Lei n. 6.830/80. Em garantia da execução, pelo valor da dívida, juros e multa de mora e encargos indicados na Certidão de Dívida Ativa, o executado poderá: [...] . II – oferecer fiança bancária ou seguro garantia.

Sem embargo, o julgamento do *Habeas Corpus* n. 0059406-64.2014.8.26.0000, cujo pedido do impetrante consistia no trancamento de processo penal que apurava crimes contra a ordem tributária, por ter sido aceita, pela Fazenda, uma fiança bancária como garantia do pagamento do débito, desalinho à perspectiva dos *cases* anteriores, *verbis:*

> [...] Não se desconhece posicionamento em contrário no qual o oferecimento de garantia em embargos à execução fiscal, ainda que capaz de saldar a dívida fiscal questionada, não é causa extintiva de punibilidade penal, porquanto não houve a quitação integral do débito, entendendo descabida a equiparação a que se refere o artigo 9º, § 2º, da Lei n. 10.684/2003.
>
> Embora respeitando aludido entendimento, a garantia de pagamento prestada pela fiança bancária acima mencionada, de qualquer forma, independentemente do resultado dos embargos à execução, será resolvida, quer pelo pagamento em caso de rejeição dos embargos, quer pela decisão de inexistência do débito, **de forma a afastar a lesividade ao bem jurídico tutelado** e a **consequente tipificação da conduta ilícita imputada aos pacientes** [grifou-se][28].

Nesse mesmo toar foi a decisão prolatada quando do julgamento do HC n. 9032859-38.2008.8.26.0000, sob a relatoria do desembargador Celso Limongi, entendendo que a garantia do pagamento prestada pela fiança bancária, independentemente do resultado da ação anulatória, será resolvida, quer pelo pagamento em caso de improcedência da ação, quer pela decisão de inexistência do débito, "de forma a afastar a lesividade ao bem jurídico e a consequente tipificação da conduta do paciente"[29]. E prossegue:

> [...] Além disso, o tipo penal em apreço requer o dolo dirigido ao fim específico de suprimir ilicitamente o pagamento do débito tributário e lesar o patrimônio público. Esse aspecto também não é encontrado no caso em questão, na medida em que os demais débitos foram pagos, tendo restado

---

[28] HC 0059406-64.2014.8.26.0000, 12ª Câmara de Direito Criminal, Rel. Desembargador Paulo Rossi, *DR* 18/11/2014

[29] Inteiro teor do HC n. 9032859-38.2008.8.26.0000, 12ª Câmara de Direito Criminal, Rel. Desembargador Celso Limongi, *DR* de 2/8/2008.

somente o crédito analisado nestes autos, cuja exigibilidade foi questionada em sede própria, dentro dos padrões de legalidade[30].

Os aludidos *cases* partem do pressuposto de que, nas conjunturas de ambos, não haveria lesão nem ameaça ao bem jurídico tutelado, de modo a demonstrar a atipicidade da conduta – apesar de ambos os acórdãos silenciarem acerca da possibilidade de penhora no rosto dos autos do processo. A compreensão dos julgadores filia-se à concepção de que "a proteção de bens jurídicos governa a tarefa político-criminal do Direito Penal"[31], de modo que "somente se justifica a intervenção estatal em termos de *repressão penal* se houver efetivo e concreto ataque a um interesse socialmente relevante"[32] e que represente, minimamente, uma ameaça concreta ao bem jurídico tutelado. Logo, partiu-se da premissa de que não há crime sem ofensa a um bem jurídico-penal.

Sobre essa temática, Feldens, ao comentar que se se pretende atribuir à ofensividade, além de diretriz político-criminal, a capacidade de afastar ou reduzir a seara de incidência da norma penal, essa categoria pode ser conceituada pelo próprio princípio da proporcionalidade, "enquanto dever de proscrição de ingerências inadequadas, desnecessárias ou concretamente excessivas no âmbito das liberdades individuais"[33].

Em síntese: diferentemente de todos os *cases* aqui apresentados, os *cases* representados pelos HCs n. 0059406-64.2014.8.26.0000 e 9032859-38.2008.8.26.0000, ambos do Tribunal de Justiça de São Paulo, são os únicos que entendem pela absolvição por atipicidade da conduta. É, certamente, a resposta mais benéfica ao réu, pois impossibilita uma ulterior reativação do feito, já que a decisão fez coisa julgada material.

Todavia, já decidiu o Superior Tribunal de Justiça que a aceitação de carta de fiança levará à extinção do processo por ausência de justa causa. Conforme os

---

[30] Inteiro teor do HC n. 9032859-38.2008.8.26.0000, 12ª Câmara de Direito Criminal, Rel. Desembargador Celso Limongi, *DR* de 2/8/2008.

[31] ROXIN, Claus. *A proteção de bens jurídicos como função do Direito Penal*. Porto Alegre: Livraria do Advogado, 2013. p. 61.

[32] BITENCOURT, Cezar Roberto. *Tratado de Direito Penal:* Parte Geral, v, i. São Paulo: Saraiva, 2009. p. 22.

[33] FELDENS, Luciano. *Direitos Fundamentais e Direito Penal:* a Constituição Penal. Porto Alegre: Livraria do Advogado, 2012. p. 67.

argumentos do Rel. Des. Convocado do Tribunal de Justiça do Ceará Haroldo Rodrigues, não há "razões que justifiquem a manutenção do processo criminal, pois em qualquer das soluções a que se chegue no juízo cível ocorrerá a extinção da ação penal, motivo pelo qual se mostra razoável o seu trancamento"[34]. Importante frisar que há determinados julgados do TJ/SP determinando inclusive a suspensão de inquérito policial em caso de oferta de carta de fiança bancária[35].

4 Considerações finais

Este cenário de respostas variadas e diversas para o mesmo grupo de *cases*, envolvendo crimes tributários, representa uma afronta à estabilidade jurídica, decorrência da fundamentação adequada. Neste quadro de incógnitas e pré-compreensões inautênticas, o devedor tributário se vê envolto em um círculo hermenêutico mágico, cuja resposta vincula-se à sorte, ou seja, de quem será o órgão julgador eleito pelo reparto. O rompido do vínculo entre estabilidade jurídica e desenvolvimento econômico, gerado, também, pelo pagamento de tributos, dificulta a confiança no sistema. A extinção de punibilidade não guarda a proximidade apregoada, com o veredicto absolutório por atipicidade da conduta, mesmo que em ambas as situações não haverá condenação do réu.

Com as alterações promovidas pela Lei n. 12.683/12, o legislador brasileiro incluiu todas as infrações penais como delitos antecedentes do crime de lavagem de dinheiro, superando a perspectiva da lista fechada de delitos precedentes. Ainda, a novel lei acrescentou à antiga redação do § 1º do Artigo 2º da Lei n. 9.613/98 a previsão de punição ao crime de branqueamento de capitais, inclusive quando extinta a punibilidade da infração penal antecedente. Assim, ter a punibilidade extinta em processo penal voltado à apuração de crime contra a ordem tributária não garante ao réu que não seja processado pela lavagem. Por outro lado, a absolvição por atipicidade desconstitui o crédito tributário, afastando a caracterização do crime de lavagem de dinheiro.

---

[34] HC 155117, Sexta Turma, Rel. Ministro Haroldo Rodrigues (Des. Convocado do TJ/CE), DJe 3/5/2010.

[35] AI 9000031-91.2012.8.26.0050, 1ª Câmara de Direito Criminal, Rel. Desembargador Péricles Piza, *DR* 14/11/2013.

Há necessidade de uma correta compreensão e interpretação dos delitos tributários em perspectiva vinculativa à complexidade dos dois ramos do conhecimento jurídico. A fundamentação e a resposta adequadas aos *cases*, com estabelecimento de padrões decisórios, permitem uma estabilidade e uma previsibilidade das decisões, bem como o cumprimento do preceito constitucional da fundamentação das decisões.

Dignidade humana, pesquisa com células-tronco e proteção jurídico-penal do embrião *in vitro*

Paulo Vinicius Sporleder de Souza

Professor Titular de Direito Penal nos cursos de graduação em Direito e de pós-graduação e Ciências Criminais da Pontifícia Universidade Católica do Rio Grande do Sul (PUCRS)

Guilherme Ceolin

Doutorando em Ciências Criminais pela Pontifícia Universidade Católica do Rio Grande do Sul (PUCRS)

Diego Albrecht

Doutorando em Ciências Criminais pela Pontifícia Universidade Católica do Rio Grande do Sul (PUCRS)

1 Introdução

O estado atual das ciências biomédicas, especialmente no que diz respeito à capacidade de criar e alterar a vida na sua estrutura fundamental – para usar a expressão de Eser –, rasgou novos horizontes ao discurso ético-jurídico.[1] Sabemos que a relação entre o direito, a ética e a ciência não foi sempre pacífica, mas poucas vezes, como no fim do século XX e início do XXI, um tema suscitou tantos debates envolvendo estes três campos do conhecimento,[2] novamente às

[1] ESER, Albin. Genética humana: aspectos jurídicos e sociopolíticos. Tradução de Pedro Caeiro. *Revista Portuguesa de Ciência Criminal.* Lisboa, ano 2, n. 1, p. 45-72, 1992, p. 45.

[2] Ao que Cunha denominou "guerra fria entre juristas e médicos". CUNHA, Maria Conceição Ferreira da. Algumas considerações sobre a responsabilidade penal médica por omissão. In: ANDRADE, Manuel da Costa; COSTA, José de Faria; RODRIGUES, Anabela Miranda; ANTUNES, Maria João (orgs.). *Liber discipulorum para Jorge de Figueiredo Dias.* Coimbra: Coimbra Editora, 2003. p. 809-854, p. 809.

voltas com um antigo problema normativo: "saber se aquilo que é cientificamente possível deve ser ética e juridicamente permitido".[3] Contudo, se levarmos em conta o caráter recente de tais debates, não nos surpreenderão as atuais lacunas legislativas e dogmáticas correspondentes.[4]

Na raiz desta problemática está o embrião humano, enquanto objeto central desta nova preocupação do direito, eis que é principalmente através dele que todo esse processo se inicia.[5] Nesse âmbito, mostrou-se especialmente preocupante a situação ética e jurídica do embrião produzido *in vitro*, uma vez que o direito pretérito à época das descobertas científicas médicas – e não poderia ser de outro modo, uma vez que o direito sempre regula e reconhece questões já previamente estabelecidas na sociedade – não assegurava qualquer tutela ao embrião criado fora do corpo humano e não implantado.[6] [7]

Em âmbito da tutela penal, mesmo se considerássemos o embrião enquanto *res*, não seria adequado ver na destruição deste ou em outras utilizações do mesmo um crime contra a propriedade, pela ausência de valor econômico. Por outro lado, os tipos penais destinados a proteger a vida e a integridade física igualmente não abrangem estes casos, nem mesmo o tipo penal de aborto, que protege exclusivamente a vida intrauterina.[8]

Consequentemente, em caso de ausência de uma regulamentação específica, os embriões poderiam não só ser criados arbitrariamente para qualquer fim, como

---

[3] ESER, Albin. Genética humana: aspectos jurídicos e sociopolíticos. Tradução de Pedro Caeiro. *Revista Portuguesa de Ciência Criminal.* Lisboa, ano 2, n. 1, p. 45-72, 1992, p. 62.

[4] ESER, Albin. Genética humana: aspectos jurídicos e sociopolíticos. Tradução de Pedro Caeiro. *Revista Portuguesa de Ciência Criminal.* Lisboa, ano 2, n. 1, p. 45-72, 1992, p. 46.

[5] SANTOS, Emerson Martins dos. O estatuto jurídico-constitucional do embrião humano, com especial atenção para o concebido "in vitro". *Revista Brasileira de Direito Constitucional,* n. 12, 2008, p. 57.

[6] ESER, Albin. Genética humana: aspectos jurídicos e sociopolíticos. Tradução de Pedro Caeiro. *Revista Portuguesa de Ciência Criminal.* Lisboa, ano 2, n. 1, p. 45-72, 1992, p. 62.

[7] Também nesse sentido, SANTOS, Emerson Martins dos. O estatuto jurídico-constitucional do embrião humano, com especial atenção para o concebido "in vitro". *Revista Brasileira de Direito Constitucional,* n. 12, 2008, p. 57 e 58.

[8] Como bem argumenta Cuerda Riezu, "*la propia etimogia indica – ab orto, es decir, extraer de un lugar –, no encaja en esta figura delictiva la destrucciondе un embrion no implantado*". CUERDA RIEZU, Antonio. Limites juridicopenales de las nuevas técnicas genéticas. *Anuario de derecho penal y ciências penales.* Madrid, vol. 41, p. 413-430, 1988, p. 426.

também, após sua criação, destruídos, abandonados, armazenados indefinidamente ou utilizados nas mais variadas espécies de pesquisas.[9] Essa questão ganha um tom ainda mais grave quando se nota que a partir da fecundação surge uma forma de vida humana que já contém, enquanto construção genética acabada, a completa potencialidade da pessoa, de modo que não se poderia negar a este "sujeito potencial"[10] um estatuto moral, no sentido de uma dignidade de tutela básica, ainda que não necessariamente penal – mesmo que de forma independente à discussão sobre a sua "individualidade" ou "personalidade",[11] ou mesmo à proteção da identidade genética humana. Desse modo, frente às novas técnicas científicas, a ausência de disposições que protegessem embriões humanos não implantados tornou-se político-juridicamente insustentável,[12] o que levou o legislador brasileiro a elaborar a Lei de Biossegurança (Leis n. 8.974 de 1995 e n. 11.105 de 2005).

Lançou-se, então, a questão da tutela penal do embrião *in vitro*. Contudo, como sabemos, uma verdadeira compreensão do problema da tutela penal deve partir de um estudo sobre a criminalização, no sentido do merecimento e da

---

[9] Sobre a incapacidade do direito penal clássico tratar as questões envolvendo a engenharia genética: CUERDA RIEZU, Antonio. Limites juridicopenales de las nuevas tecnicas genéticas. *Anuario de derecho penal y ciências penales*, Madrid, vol. 41, p. 413-430, 1988, p. 426; ESER, Albin. Genética humana, aspectos jurídicos e sociopolíticos. Trad. de Pedro Caeiro. RPCC 2 (1992), p. 62-63; e Mantovani: "*La prima considerazione è che i codici penali tradizionali, che fra l'altro limitano i delitti contro la persona ai delitti contro la vita, incolumità, libertà, onore, si rivelano inadeguati a tutelare l'uomo nato, il concepito, l'ambiente e la stessa comunità umana contro i possibili pericoli della biomedicina e dell'ingegneria genetica*". MANTOVANI, Ferrando. Le Nuove Frontiere Della Bioetica. *Revista Electrónica de Ciencia Penal y Criminología*. Granada, n. 1, 1999. Disponível em: <http://bdjur.stj.jus.br/dspace/handle/2011/44730>. Acesso em: 2 jan. 2016.

[10] Segundo ESER, nesse contexto, o termo "potencial" "*no debe ser entendido naturalmente en el sentido del lenguaje cotidiano como simplemente 'posible', sino en el sentido del latino antiguo 'potentia', tal como ya Aristóteles ha descrito 'dinámicamente' en su 'Metafísica': 'Todo aquello que en sí mismo dispone del principio del surgimiento, es según la capacidad, aquello que puede llegar a ser por sí mismo, sin que intervenga un impedimento desde afuera'*". ESER, Albin. *Estudios de Derecho Penal Médico*. Trad. de Manuel A. Abanto Vásquez. Lima: Idemsa, 2001. p. 243, nota 15.

[11] ESER, Albin. Genética humana: aspectos jurídicos e sociopolíticos. Tradução de Pedro Caeiro. *Revista Portuguesa de Ciência Criminal*. Lisboa, ano 2, n. 1, p. 45-72, 1992, p. 63.

[12] ESER, Albin. Genética humana: aspectos jurídicos e sociopolíticos. Tradução de Pedro Caeiro. *Revista Portuguesa de Ciência Criminal*. Lisboa, ano 2, n. 1, p. 45-72, 1992, p. 52.

necessidade de pena. Ora, mesmo que haja razões para a proteção e se queira prevenir o perigo de abusos, não se segue, de forma necessária, que o emprego de sanções penais seja imprescindível.[13] Efetivamente, é possível conceber outras formas de regulamentação consoante o fim da proteção e a espécie do perigo, desde medidas administrativas a cíveis.[14]

Certamente, um estudo dessa magnitude – *i.e.*, um estudo completo da criminalização e das técnicas de tutela embrião *in vitro* – não pode e nem pretende ser feito nestas poucas páginas, portanto, nos delimitaremos ao estudo de como o ordenamento jurídico brasileiro trata essas questões. Este estudo, portanto, no que toca às suas raias mais profundas e para uma verdadeira compreensão das opções tomadas pelo legislador e pela jurisprudência pátrias, metodologicamente tem de passar, antes de tudo, por uma série de questões de direito constitucional que envolvem o estatuto jurídico concedido ao embrião *in vitro*.

Para isso, num primeiro momento, analisaremos o alcance do conceito de dignidade da pessoa humana no ordenamento jurídico brasileiro, na tentativa de compreender se a opção legislativa e jurisprudencial dada ao embrião *in vitro* é adequada ao quadro constitucional. Isto é, buscaremos subsídios no quadro constitucional para responder qual o estatuto jurídico concedido ao embrião *in vitro*, que pode ser resumida na seguinte questão: o embrião *in vitro* trata-se de um objeto ou de um sujeito de direitos?[15]

Analisaremos, portanto, em uma metodologia dedutiva, qual a melhor leitura constitucional e qual o tratamento conferido ao embrião, que, na esteira do pensamento de Mantovani, se dão, tradicionalmente, em três possíveis direções: (*i*) a

---

[13] Contrário à criminalização da destruição de embriões *in vitro*, por exemplo, Antonio Cuerda Riezu, para quem "*el desvalor de la destrucción de un embrión no implantado es tan minimo, que no merece un castigo penal*". CUERDA RIEZU, Antonio. Limites juridicopenales de las nuevas tecnicas genéticas. *Anuario de derecho penal y ciências penales*, Madrid, vol. 41, p. 413-430, 1988, p. 427.

[14] Nesse sentido, ESER, Albin. Genética humana: aspectos jurídicos e sociopolíticos. Tradução de Pedro Caeiro. *Revista Portuguesa de Ciência Criminal.* Lisboa, ano 2, n. 1, p. 45-72, 1992, p. 52-53.

[15] Segundo Santos, "Definir um estatuto jurídico para o embrião humano significa apontar quais serão os direitos atribuídos a este: se for considerado sujeito de direitos e de obrigações, poderá gozar das prerrogativas atribuídas às pessoas. Se, ao contrário, for considerado como um objeto, destituído da qualidade inerente a toda pessoa humana, receberá o tratamento de coisa". SANTOS, Emerson Martins dos. O estatuto jurídico-constitucional do embrião humano, com especial atenção para o concebido "in vitro". *Revista Brasileira de Direito Constitucional*, n. 12, 2008, p. 58.

compreensão do embrião *in vitro* como mera *res*, submetido ao regime jurídico das coisas; (*ii*) a compreensão do embrião *in vitro* como pessoa plena, protegida integralmente em sua dignidade de pessoa humana, i.e., compreendido como pessoa sujeito de direito, em igualdade de direitos ao já nascido e, deste modo, de subjetividade absolutamente indisponível; e, como tese intermediária (*iii*) a compreensão do embrião *in vitro* como *ser humano*, mas não como pessoa,[16] de modo que a tutela do mesmo teria um alcance e uma qualidade inferiores àquelas do já nascido e do nascituro intrauterino – mais limitada em relação ao aborto e mais extensa com relação à experimentação e à produção de embriões.[17] Nesse sentido, nosso intuito será o de, neste primeiro momento e a partir desta sistematização, demostrar qual dessas três teses é a mais condizente ao quadro normativo da Constituição Federal brasileira.

Num segundo momento, analisaremos a jurisprudência da suprema corte brasileira, através do estudo da decisão da ADI n. 3.510, julgada no ano de 2008, que tratou sobre a permissão de utilização de células-troncos embrionárias obtidas de embriões humanos produzidos por fertilização *in vitro* para a realização de pesquisas e terapias.

No momento final, analisaremos as técnicas de tutela trazidas pela Lei de Biossegurança (Lei n. 11.105 de 2005), mais notadamente no âmbito da proteção jurídico-penal do embrião *in vitro*, em seu Artigo 24, que trata da utilização abusiva de embriões.

---

[16] Este vem sendo o entendimento internacionalmente majoritário, a exemplo da decisão 212 de 1996 do Tribunal Constitucional espanhol e dos Acórdãos do Tribunal Constitucional português n. 25/84, 84/85 e 288/98. Entendimento seguido na jurisprudência brasileira no julgamento da ADI 3.150, como será visto *infra*. Sanchez-Ostis, de forma crítica, denomina tal entendimento de "*concepto jurídico de persona de carácter débil*". SÁNCHEZ-OSTIZ. Pablo. Tienen todos derecho a la vida. Base para um concepto constitucional de persona. *Revista Electrónica de Ciencia Penal y Criminología*, n. 11, p. 1-23, 2009, p. 5 e p. 7. Disponível em: <http://criminet.ugr.es/recpc/11/recpc11-11.pdf>. Acesso em: 3 jan. 2017.

[17] MANTOVANI, Ferrando. Le Nuove Frontiere Della Bioetica. *Revista Electrónica de Ciencia Penal y Criminología*. Granada, n. 1, 1999. Disponível em: <http://bdjur.stj.jus.br/dspace/handle/2011/44730>. Acesso em: 2 jan. 2016.

2 Dignidade humana: evolução histórica, conceito, natureza e conteúdo jurídico-constitucional

A Constituição brasileira elenca a dignidade da pessoa humana enquanto fundamento da República (Artigo 1º, inc. III), demonstra assim a prioridade do indivíduo humano e filia-se à tradição jurídica ocidental que tem seus primeiros marcos positivos no parágrafo primeiro da Declaração da Virgínia, de 1776, e no preâmbulo e Artigo 2 da Declaração dos Direitos do Homem e do Cidadão de 1789.[18]

Contudo, as distintas doutrinas e correntes filosóficas não se põem em acordo no que se refere a uma definição da dignidade da pessoa humana,[19] de modo que o termo "dignidade da pessoa humana" não afasta a controvérsia em torno do seu conteúdo.[20]

Uma das principais dificuldades dessa controvérsia, desde um ponto de partida contemporâneo – *i.e.*, não metafísico –, na esteira dos pensamentos de Sarlet e Sachs, reside no fato de que a dignidade da pessoa humana, de modo diverso do que ocorre com as demais normas fundamentais, não trata de temas específicos da existência humana, como a integridade física, a intimidade, a propriedade etc., mas de uma qualidade tida como inerente a todo e qualquer ser humano, do valor próprio que identifica o ser humano enquanto tal. [21]

Dessarte, a definição de "dignidade da pessoa humana" não contribui muito para sua adequada compreensão, ao menos na sua condição jurídico-normativa.[22] Como a dignidade da pessoa humana trata-se de um conceito de pretensão

[18] Com o mesmo apontamento, discorrendo sobre a Constituição alemã, STARCK, Christian. Introducción a la dignidade humana en el derecho alemán. Tradução de Alberto Oehling de los Reyes. *Anuario Iberoamericano de Justicia Constitucional*, n. 9, Madrid, p. 489-497, 2005, p. 489-490.

[19] STARCK, Christian. Introducción a la dignidade humana en el derecho alemán. Tradução de Alberto Oehling de los Reyes. *Anuario Iberoamericano de Justicia Constitucional*, n. 9, Madrid, p. 489-497, 2005, p. 490.

[20] Nesse sentido também leciona SARLET, Ingo Wolfgang. As dimensões da dignidade da pessoa humana: construindo uma compreensão jurídico-constitucional necessária e possível. *Revista Brasileira de Direito Constitucional*, n. 9, 2007.

[21] SARLET, Ingo Wolfgang. As dimensões da dignidade da pessoa humana: construindo uma compreensão jurídico-constitucional necessária e possível. *Revista Brasileira de Direito Constitucional*, n. 9, p. 361-388, 2007, p. 364.

[22] SARLET, Ingo Wolfgang. As dimensões da dignidade da pessoa humana: construindo uma

universal, justamente por isso recai em um problema já há muito conhecido na filosofia: quanto mais universal é o conceito, mais é vazio.[23]

Desse modo, definir o conceito de dignidade da pessoa humana ultrapassa em muito o objetivo do presente escrito,[24] contudo, consoante a lição de Sarlet, "qualquer conceito (inclusive jurídico) possui uma história, que necessita ser retomada e reconstruída, para que se possa rastrear a evolução da simples palavra para o conceito e assim apreender o seu sentido".[25] Cientes de que o conceito de dignidade humana implica uma longa memória na história das ideias,[26] buscaremos ao menos identificar alguns pontos relevantes no processo de evolução do pensamento humano a respeito do que significa ser humano, ser pessoa e quais são os valores inerentes a esses conceitos, o que acaba por influenciar ou mesmo determinar o modo como o direito reconhece e protege esta dignidade.[27] Portanto, para uma melhor aproximação à temática, realizaremos um breve, objetivo e pontual retrospecto histórico, assumindo os riscos inerentes a tal recorte.

---

compreensão jurídico-constitucional necessária e possível. *Revista Brasileira de Direito Constitucional*, n. 9, p.361-388, 2007, p. 364.

[23] Questão variadamente discutida na ontologia medieval, mais notadamente nas escolas tomistas e escotista. Na filosofia contemporânea, por todos, HEIDEGGER, Martin. *Ser e tempo*. Trad. Márcia Sá Cavalcante Schuback. 2. ed. Petrópolis: Vozes, 2006.

[24] Ainda sobre as dificuldades de se definir o conceito "dignidade da pessoa humana", Sarlet disserta que "não é inteiramente destituída de qualquer fundamento racional e razoável a posição dos que refutam a possibilidade de uma definição, ou, pelo menos, de uma definição jurídica da dignidade", bem como "não há como negar – a despeito da evolução ocorrida especialmente no âmbito da Filosofia – que uma conceituação clara do que efetivamente é a dignidade da pessoa humana, inclusive para efeitos de definição do seu âmbito de proteção como norma jurídica fundamental, se revela no mínimo difícil de ser obtida". SARLET, Ingo Wolfgang. As dimensões da dignidade da pessoa humana: construindo uma compreensão jurídico-constitucional necessária e possível. *Revista Brasileira de Direito Constitucional*, n. 9, p.361-388, 2007, p. 361 e 363.

[25] SARLET, Ingo Wolfgang. *Dignidade da pessoa humana e Direitos Fundamentais na Constituição de 1988*. 9. ed. Porto Alegre: Livraria do Advogado Editora, 2011. p. 37.

[26] LOUREIRO, João Carlos. Dignidad humana, (bio)medicina y revolución GNR (Genética, nanotecnologia y robótica): entre la ciencia y el derecho. *Ius et Scientia*, 2016, vol. 2, n. 1, p.163-178, p. 167.

[27] SARLET, Ingo Wolfgang. As dimensões da dignidade da pessoa humana: construindo uma compreensão jurídico-constitucional necessária e possível. *Revista Brasileira de Direito Constitucional*, n. 9, p. 361-388, 2007, p. 362.

O conceito de dignidade da pessoa humana tem raízes no ideário clássico[28] e cristão.[29] Nesse sentido, embora não seja absolutamente correto reivindicar ao cristianismo a exclusividade ou mesmo a originalidade quanto à elaboração da concepção de dignidade da pessoa humana,[30] nos textos bíblicos se encontram referências no sentido de que o ser humano foi criado à imagem e semelhança de Deus, de modo a ser dotado de valor próprio e intrínseco.[31] Esse pensamento – que podemos nomear de *jusnaturalismo cristão* – chega a seu ápice de sistematização e elaboração no pensamento de São Tomás de Aquino. Contudo, para o *Doctor Angelicus*, além da dignidade humana provir da condição do homem enquanto *Imago Dei*, também ela radica na capacidade de autodeterminação inerente à natureza humana, dada pelo criador. De tal sorte, o ser humano, livre por natureza, existe em função de sua própria vontade[32] e, desse modo, pode perder sua dignidade, eis que ao pecar decai da ordem racional e da dignidade humana, precipitando-se ao reino dos animais. Outrossim, a lei humana e as instituições políticas são subordinadas ao direito divino, de forma que não só a concepção da dignidade, mas também sua proteção, seriam uma dádiva de Deus expressa nas ações do soberano.[33] Concepção essa que vigeu fortemente até os fins da Idade Média.

---

[28] SARLET, Ingo Wolfgang. *Dignidade da pessoa humana e Direitos Fundamentais na Constituição de 1988*. 9. ed. Porto Alegre: Livraria do Advogado Editora, 2011.

[29] Na Antiguidade, o questionamento sobre o "valor humano" era respondido por diferentes princípios e, de modo geral, através de concepções ético-religiosas não necessariamente sistematizadas. Frente a isso, retirar alguma concretude sobre o conceito de dignidade da pessoa humana na Antiguidade exigiria um trabalho por demais aprofundado para o presente escrito, de forma que delimitaremos o estudo a partir da Idade Média europeia, em que a linha de pensamento ocidental sobre o homem ganha contornos mais nítidos.

[30] Nesse mesmo sentido está Ferreira: "É iniciada pela teologia cristã, mas outras teologias podem ser analisadas numa mesma perspectiva". FERREIRA, Ana Elisabete. A vulnerabilidade humana e a pessoa para o Direito – Breves notas. *Revista do Instituto Brasileiro de Direito*, ano 3, n. 2, p. 1023-1053, 2014, p. 1045.

[31] SARLET, Ingo Wolfgang. *Dignidade da pessoa humana e Direitos Fundamentais na Constituição de 1988*. 9. ed. Porto Alegre: Livraria do Advogado Editora, 2011. p. 37-38.

[32] SARLET, Ingo Wolfgang. *Dignidade da pessoa humana e Direitos Fundamentais na Constituição de 1988*. 9. ed. Porto Alegre: Livraria do Advogado Editora, 2011. p. 40.

[33] DORNELES, João Ricardo W. Sobre os Direitos Humanos, a cidadania e as práticas democráticas no contexto dos movimentos contra-hegemônicos. *Revista da Faculdade de Direito de Campos*.

No fim da Baixa Idade Média iniciou-se um processo de transformações estruturais na sociedade que atravessou as esferas econômica, social, política, científica e religiosa. No âmbito das condições econômicas objetivas podemos indicar a crise do feudalismo e a substituição da economia agrícola de servidão pela atividade mercantil. Por outro lado, somam-se a isso as contribuições culturais da Reforma Protestante[34] e do humanismo renascentista.[35]

Como bem lembra Wolkmer, em tal cenário instauram-se o enfraquecimento da Igreja Romana, o surgimento das monarquias nacionais, a emergência do reformismo filosófico, o aparecimento cultural do humanismo renascentista e a secularização da política,[36] fatores que acabaram por criar as condições históricas para a instauração de "um novo *ethos* cultural na direção da modernidade".[37]

Sobre o período, argumenta Hofmann que em meio ao alvorecer do renascimento e de seu novo *ethos* cultural a questão sobre o "valor do homem" na história europeia e de sua tradição jurídica teve contato com um magno projeto, a obra *De iure belli ac pacis* de Grócio, que, escrita em 1625 no exílio francês, influenciou profundamente o pensamento europeu.[38] Contudo, embora na obra de Grócio e também nos escritos de Hobbes a dignidade tenha sido objeto de referência, foi apenas com Pufendorf que se deu um passo efetivo em termos de ruptura com a tradição medieval e a efetiva elaboração de um conceito secular e racional da pessoa humana, que teve por fundamento a liberdade moral do ser humano.[39]

Ano VI, n. 6, p. 121-154, 2005, p. 124.

[34] Por todos, WEBER, Max. *A ética protestante e o "espírito do capitalismo"*. Tradução de José Marcos Mariani de Macedo. São Paulo: Companhia das Letras, 2004.

[35] WOLKMER, Antonio Carlos. Cultura jurídica moderna, humanismo renascentista e reforma protestante. *Revista Seqüência*, n. 50, p. 9-27, 2005, p. 10.

[36] WOLKMER, Antonio Carlos. Cultura jurídica moderna, humanismo renascentista e reforma protestante. *Revista Seqüência*, n. 50, p. 9-27, 2005, p. 10-11.

[37] WOLKMER, Antonio Carlos. Cultura jurídica moderna, humanismo renascentista e reforma protestante. *Revista Seqüência*, n. 50, p. 9-27, 2005.

[38] HOFMANN, Hasso. La fundamentación del Derecho a partir de principios y mediante procedimentos. Tradução de Jorge Alguacil González-Aurioles. *Anuario de derechos humanos*, n. 1, Madrid, p. 61-17, 2000, p. 66.

[39] SARLET, Ingo Wolfgang. *Dignidade da pessoa humana e Direitos Fundamentais na Constituição de 1988*. 9. ed. Porto Alegre: Livraria do Advogado Editora, 2011. p. 42.

Este processo de secularização, no que tange à concepção da dignidade, teve seu acabamento na obra de Kant e na concepção de que a dignidade parte da autonomia ética do ser humano, que – para usar a expressão de Sarlet – "vez por todas, abandonou as vestes sacrais".[40] Para o filósofo de Königsberg, a "Autonomia é pois o fundamento da dignidade da natureza humana e de toda a natureza racional",[41] *i.e.*, a dignidade se funda a partir da natureza racional do ser humano e da autonomia da vontade a ela inerente, eis que a faculdade de autodeterminação de modo a agir contrariamente a seus impulsos em prol da conformidade com certas leis é um atributo apenas encontrado nos seres racionais.[42]

Em contraponto à tese kantiana encontramos a noção de dignidade humana desenvolvida por Hegel, para quem essa constitui-se não somente a partir de uma qualidade inerente ao homem pela sua racionalidade, mas a partir de uma qualidade a ser conquistada e reconhecida socialmente. A partir da ideia da eticidade e da constituição social do indivíduo em Hegel, o ser humano não nasce digno, pois a dignidade não seria passível de ser reduzida à ontologia, eis que vige no campo da normatividade, de modo que o ser humano conquista sua dignidade a partir do momento em que é reconhecido como cidadão,[43] noção que se cristaliza na máxima de que cada um deve ser pessoa e respeitar os outros como pessoa.[44]

Hodiernamente, há uma profícua discussão em torno das leituras e releituras de Kant e Hegel, bem como há contributos de outros grandes estudiosos. Contudo, em síntese – correndo os riscos imanentes a toda simplificação –, pode-se concluir que a discussão contemporânea, ao menos majoritariamente, costuma ter como ponto de consenso a perspectiva do *linguistic turn*, *i.e.*, não procura mais encontrar a dignidade humana em um plano ontológico ou essencial, mas na relação comunicacional construída pelo homem.

---

[40] SARLET, Ingo Wolfgang. *Dignidade da pessoa humana e Direitos Fundamentais na Constituição de 1988*. 9. ed. Porto Alegre: Livraria do Advogado Editora, 2011. p. 42.

[41] KANT, Immanuel. *A Fundamentação da Metafísica dos Costumes*. Tradução de Paulo Quintela. Lisboa: Edições 70, 2007. p. 79.

[42] SARLET, Ingo Wolfgang. *Dignidade da pessoa humana e Direitos Fundamentais na Constituição de 1988*. 9. ed. Porto Alegre: Livraria do Advogado Editora, 2011. p.42.

[43] SARLET, Ingo Wolfgang. *Dignidade da pessoa humana e Direitos Fundamentais na Constituição de 1988*. 9. ed. Porto Alegre: Livraria do Advogado Editora, 2011. p. 46-47.

[44] SARLET, Ingo Wolfgang. *Dignidade da pessoa humana e Direitos Fundamentais na Constituição de 1988*. 9. ed. Porto Alegre: Livraria do Advogado Editora, 2011. p. 46-47.

Dentre tais teorias podem-se destacar, somente para citar as mais influentes, as chamadas teorias do discurso e teorias do reconhecimento, cujos principais expoentes são, respectivamente, os filósofos Habermas e Honneth, aos quais se pode atribuir o intento de justificar, cada qual a seu modo, a vinculatoriedade de conceitos e normas prescindindo do pressuposto de verdades imanentes, de modo a evitar "a falácia intelectualista de querer deduzir da observância de certas regras da racionalidade a validade de determinadas normas morais absolutas".[45] Para a discussão contemporânea, portanto, mesmo que fosse possível ancorar a dignidade da pessoa humana à condição humana de cada indivíduo, reconhece-se que não há como desconsiderar a dimensão comunitária e intersubjetiva desta mesma dignidade.[46]

De tudo que foi dito nesta necessariamente breve exposição do curso da história das ideias europeias, seguindo o influente pensamento de Hofmann, com a contribuição, na língua de Camões, de Loureiro e Sarlet,[47] podemos sistematizar, levando em conta seu conteúdo e fundamentação, três concepções do conceito de dignidade humana: (*i*) a dignidade humana enquanto dádiva; (*ii*) a dignidade humana enquanto prestação; e (*iii*) a dignidade humana enquanto reconhecimento.

---

[45] HOFMANN, Hasso. La fundamentación del Derecho a partir de principios y mediante procedimentos. Tradução de Jorge Alguacil González-Aurioles. *Anuario de derechos humanos*, n. 1, Madrid, p. 61-17, 2000, p. 72. Tradução livre.

[46] SARLET, Ingo Wolfgang. As dimensões da dignidade da pessoa humana: construindo uma compreensão jurídico-constitucional necessária e possível. *Revista Brasileira de Direito Constitucional*, n. 9, p. 361-388, 2007, p. 369.

[47] Por mais que Hofmann conceba somente as concepções de dádiva e de prestação, é possível extrair de sua obra a proposta de uma terceira concepção, a do reconhecimento. Nesse sentido argumenta LOUREIRO, João Carlos. Dignidad humana, (bio)medicina y revolución GNR (Genética, nanotecnologia y robótica): entre la ciencia y el derecho. *Ius et Scientia*, vol. 2, n. 1, p. 163-178, 2016, e LOUREIRO, João Carlos. O Direito à Identidade Genética do Ser Humano. In: Portugal-Brasil Ano 2000, *Boletim da Faculdade de Direito de Coimbra*. Coimbra: Coimbra Editora, 1999, acompanhado por SARLET, Ingo Wolfgang. As dimensões da dignidade da pessoa humana: construindo uma compreensão jurídico-constitucional necessária e possível. *Revista Brasileira de Direito Constitucional*, n. 9, p. 361-388, 2007, p. 375, nota 48, onde acrescenta que tal classificação "não se encontra imune à controvérsia", eis que, "não se verifica uma oposição fundamental entre ambas as teorias (dádiva e prestação), já que ambas repousam, em última análise, no postulado da subjetividade e autonomia do indivíduo".

(*i*) A dignidade humana concebida como dádiva parte da ideia de que as características ou qualidades relevantes para a dignidade são um dom. Destacam-se, nesse grupo de teorias, a visão da pessoa como *imago Dei* e as teorias idealistas alemãs, principalmente a de Kant.[48] Em suma, a dignidade constitui uma qualidade ou propriedade inerente e distintiva da pessoa humana, seja inata, fundada na razão ou mesmo na dádiva divina.[49]

(*ii*) Por sua vez, a dignidade humana concebida pelas teorias assim denominadas de prestacionais veem na dignidade o produto (a prestação) da subjetividade humana,[50] eis que a entende como o resultado das ações e conquistas do indivíduo no processo de formação de sua identidade.[51]

(*iii*) Já a dignidade humana enquanto reconhecimento se dá pela compreensão de que a dignidade humana é um conceito proveniente de uma relação comunicacional construída historicamente através das relações de recíproco reconhecimento de valor entre pessoas, da qual a ética e o direito reconhecem o valor de dignidade e o conceito de pessoa estabelecido.

Por fim, pode-se concluir que a noção de dignidade humana se trata de uma categoria axiológica aberta, de modo que a concepção de dignidade que alimenta o Direito não é inata nem imune à discussão filosófica e, se isto é assim, para fundar-se como axioma a dignidade tem de passar a dura prova do relativismo cultural.[52] De tal sorte, é importante ressaltar, juntamente a Ferreira, que o conceito da dignidade da pessoa humana não pode se esgotar no campo da discussão filosófica e da moral, "sob pena de o Direito, enquanto fundação cultural, sequer

[48] LOUREIRO, João Carlos. Dignidad humana, (bio)medicina y revolución GNR (Genética, nanotecnologia y robótica): Entre la ciencia y el derecho. *Ius et Scientia*, vol. 2, n. 1, p. 163-178, 2016, p. 167.

[49] SARLET, Ingo Wolfgang. As dimensões da dignidade da pessoa humana: construindo uma compreensão jurídico-constitucional necessária e possível. *Revista Brasileira de Direito Constitucional*, n. 9, p. 361-388, 2007, p. 375, nota 48.

[50] SARLET, Ingo Wolfgang. As dimensões da dignidade da pessoa humana: construindo uma compreensão jurídico-constitucional necessária e possível. *Revista Brasileira de Direito Constitucional*, n. 9, p. 361-388, 2007, p. 375, nota 48.

[51] LOUREIRO, João Carlos. Dignidad humana, (bio)medicina y revolución GNR (Genética, nanotecnologia y robótica): entre la ciencia y el derecho. *Ius et Scientia*, vol. 2, n. 1, p. 163-178, 2016, p. 167.

[52] FERREIRA, Ana Elisabete. A vulnerabilidade humana e a pessoa para o Direito – Breves notas. *Revista do Instituto Brasileiro de Direito*, ano 3, n. 2, p. 1023-1053, 2014, p. 1024.

justificar a sua autonomia, sequer ser algo mais que uma moralidade instituída e autoritária".[53] Assim, impera reconhecer que o conteúdo da noção de dignidade da pessoa humana enquanto conceito jurídico, por tratar-se de um conceito aberto, reclama um constante esforço de concretização e delimitação em especial pela práxis constitucional.[54]

Após a breve exposição e as considerações feitas sobre a definição do conceito de dignidade da pessoa humana na história do pensamento ocidental, importa um estudo sobre seu conteúdo jurídico em nosso ordenamento constitucional para, após esse percurso, enfrentarmos as questões relativas ao embrião *in vitro*.

No âmbito da autonomia do direito, da incorporação de tal conceito pela ordem normativa e de sua aplicação concreta, a doutrina tem procurado evitar um conceito – para usar a expressão de Canotilho – "fixista" ou "filosoficamente sobrecarregado".[55] Portanto, para uma correta compreensão da dignidade da pessoa humana no âmbito constitucional analisaremos a previsão positiva da dignidade no texto constitucional, o seu conceito possível e a sua natureza jurídica, respectivamente.

No que tange ao marco positivo, a Constituição brasileira consagra em seu Artigo 1º, inc. III, sob título de princípios fundamentais, a dignidade da pessoa humana enquanto fundamento da República e do estado democrático de direito. Reconhece, dessa forma, o primado da pessoa humana como finalidade e razão de ser do Estado, demostrando a indispensabilidade de uma base antropológica estruturante do estado democrático de direito.[56]

A dignidade da pessoa humana é expressa no texto constitucional também em outros momentos, como é o caso do Artigo 170, *caput*, que define que a ordem econômica tem por finalidade assegurar a todos uma existência digna; do Artigo 226, § 6º, ao fundar o planejamento familiar nos princípios da dignidade da pessoa humana e da paternidade responsável; do Artigo 227, *caput*, ao assegurar

---

[53] FERREIRA, Ana Elisabete. A vulnerabilidade humana e a pessoa para o Direito – Breves notas. *Revista do Instituto Brasileiro de Direito*, ano 3, n. 2, p. 1023-1053, 2014, p. 1024.

[54] FERREIRA, Ana Elisabete. A vulnerabilidade humana e a pessoa para o Direito – Breves notas. *Revista do Instituto Brasileiro de Direito*, ano 3, n. 2, p. 1023-1053, 2014, p. 1036.

[55] CANOTILHO, José Joaquim Gomes. *Direito Constitucional*. 6. ed. Coimbra: Almedina, 1993. p. 363.

[56] CANOTILHO, José Joaquim Gomes. *Direito Constitucional*. 6. ed. Coimbra: Almedina, 1993. p. 362.

à criança e ao adolescente o direito à dignidade; e, por fim, do Artigo 230, *caput*, onde se determina que a família, a sociedade e o Estado têm o dever de amparar as pessoas idosas, assegurando sua participação na comunidade, defendendo sua dignidade e bem-estar e garantindo-lhes o direito à vida.[57]

Nota-se, ainda, que os direitos e garantias fundamentais elencados no Artigo 5º da Constituição são concretizações do conteúdo valorativo da dignidade da pessoa humana, no sentido de que proteção do direito à vida, à liberdade, à igualdade, à segurança e à propriedade são expressões da dignidade. Contudo, como bem observa Barroso, "a dignidade da pessoa humana é parte do conteúdo dos direitos materialmente fundamentais, mas não se confunde com qualquer deles".[58] Tal diferenciação se dá, pois os direitos fundamentais são por demais latos e numerosos a ponto de serem concretizações e especificações diretas da dignidade da pessoa.[59]

Seguindo essa linha de raciocínio e ainda sobre o lugar de tal conceito no texto constitucional brasileiro, se observado o Artigo 60, § 4º, inc. IV, é concedido *status* de cláusula pétrea aos direitos fundamentais. Percebe-se que a dignidade, portanto, além de já tratar-se de princípio fundamental, na sua dimensão de concretização nos direitos e garantias fundamentais está igualmente protegida, por um limite material de revisão, de qualquer modificação constitucional intentada pelo legislador. Tudo isso significa que o ordenamento constitucional brasileiro concede à dignidade da pessoa humana a mais alta patente possível em seu texto constitucional. Em poucas palavras, a dignidade da pessoa humana é a pedra angular de todo o ordenamento jurídico brasileiro.

Ainda assim, o tratamento positivo-normativo não nos permite conceitualizar juridicamente a dignidade de modo a satisfazer a avidez por definições abrangentes e detalhadas comum entre os atores jurídicos, de sobremaneira na tradição romano-germânica[60], eis que a dignidade se trata de um "conceito aberto, plástico,

---

[57] SARLET, Ingo Wolfgang. *Dignidade da pessoa humana e Direitos Fundamentais na Constituição de 1988*. 9. ed. Porto Alegre: Livraria do Advogado Editora, 2011. p. 83-84.

[58] BARROSO, Luís Roberto. *A dignidade da pessoa humana no Direito Constitucional Contemporâneo:* natureza jurídica, conteúdos mínimos e critérios de aplicação. Versão provisória para debate público. Mimeografado, dezembro de 2010. p. 14.

[59] Nesse sentido, MIRANDA, Jorge. Os Direitos Fundamentais na ordem constitucional portuguesa. *Revista española de derecho constitucional*, ano 6, n. 18, p. 107-140, 1986, p. 109.

[60] BARROSO, Luís Roberto. *A dignidade da pessoa humana no Direito Constitucional Contemporâneo:*

plural".[61] Porém, na medida em que se torna uma categoria jurídica, é preciso dotá-la de conteúdos mínimos, capazes de dar unidade e objetividade à sua interpretação e aplicação prática.[62] Seguindo a linha argumentativa e adotando o conceito e a argumentação propostos por Sarlet, há uma dupla conceptualização da dignidade, uma negativa e outra positiva.

A conceptualização negativa, em última análise, frente à abstração do conceito, define a dignidade pela sua falta: onde não houver respeito à vida e à integridade física e moral do ser humano, e não forem asseguradas as condições mínimas para uma existência digna – em suma, a liberdade, a autonomia e a igualdade –, não haverá espaço para a dignidade da pessoa humana.[63]

A conceptualização positiva, por sua vez, define contornos mínimos à dignidade. Propõe o autor que a mesma seja compreendida como: "*a qualidade intrínseca e distintiva reconhecida em cada ser humano que o faz merecedor do mesmo respeito e consideração por parte do Estado e da comunidade, implicando, neste sentido, um complexo de direitos e deveres fundamentais que assegurem a pessoa tanto contra todo e qualquer ato de cunho degradante e desumano como venham a lhe garantir as condições existenciais mínimas para uma vida saudável, além de propiciar e promover sua participação ativa e corresponsável nos destinos da própria existência e da vida em comunhão com os demais seres humanos, mediante o devido respeito aos demais seres que integram a rede da vida.*"[64]

Frente ao já exposto e partindo de tais considerações, conclui-se que a dignidade – nas expressões de Mendes – trata-se de um "valor pré-constituinte" e detém "hierarquia supraconstitucional"[65] enquanto valor antropológico base da

natureza jurídica, conteúdos mínimos e critérios de aplicação. Versão provisória para debate público. Mimeografado, dezembro de 2010. p. 18.

[61] BARROSO, Luís Roberto. *A dignidade da pessoa humana no Direito Constitucional Contemporâneo:* natureza jurídica, conteúdos mínimos e critérios de aplicação. Versão provisória para debate público. Mimeografado, dezembro de 2010. p. 18.

[62] BARROSO, Luís Roberto. *A dignidade da pessoa humana no Direito Constitucional Contemporâneo:* natureza jurídica, conteúdos mínimos e critérios de aplicação. Versão provisória para debate público. Mimeografado, dezembro de 2010. p. 19.

[63] SARLET, Ingo Wolfgang. *Dignidade da pessoa humana e Direitos Fundamentais na Constituição de 1988*. 9. ed. Porto Alegre: Livraria do Advogado Editora, 2011. p. 62.

[64] SARLET, Ingo Wolfgang. *Dignidade da pessoa humana e Direitos Fundamentais na Constituição de 1988*. 9. ed. Porto Alegre: Livraria do Advogado Editora, 2011. p. 62-63, grifo do autor.

[65] MENDES, Gilmar Ferreira; COELHO, Inocêncio Mártires; BRANCO, Paulo Gustavo Gonet.

ordem jurídica, e, além disso, se concretiza enquanto direitos e garantais fundamentais concretos e em mandamentos e proibições concretas. Se isso é assim, é igualmente forçoso concluir que a dignidade se trata de norma cujo conteúdo é, ao mesmo passo, de valor,[66] princípio e regra.[67] *Valor* porque representa o valor base e pré-constitucional sobre o qual se constrói o estado democrático de direito. *Princípio* porque se trata de um valor fundamental convertido constitucionalmente em mandado de optimização e fundamento normativo para os direitos fundamentais. *Regra* porque se apresenta como norma estrita, definida e descritiva e com pretensão de decidibilidade no decorrer do ordenamento jurídico.

3 Dignidade humana, direito à vida e o embrião *in vitro*

A natureza da dignidade humana assim compreendida, por dizer, como valor, princípio e regra, ainda não é capaz de dar subsídios sólidos para esclarecer a questão da tutela penal do embrião *in vitro*, e, em verdade, no sentido desse esclarecimento, deve-se lançar ainda duas questões: (*i*) sendo a dignidade um princípio fundamental, poderá ela ser ponderada ou se tratará de valor absoluto? Se a dignidade se tratar de valor relativo, não se verão grandes problemas de coerência quanto à ausência de proteção ou mesmo uma proteção inferior ao embrião in *vitro,* contudo, caso a dignidade trate-se de valor absoluto, mais uma questão deveria ser feita: (*ii*) sendo a dignidade um princípio fundamental de valor absoluto – se cabível –, qual a devida proteção jurídico-penal do embrião *in vitro*? O que está em questão é, portanto, esclarecer se a vida humana desde a concepção goza do direito à inviolabilidade ou se possui mais ou menos dignidade do que a vida já nascida.[68]

A doutrina costuma apontar duas grandes alternativas possíveis à primeira pergunta: (*i.i*) a concepção relativa e (*i.ii*) a concepção absoluta da dignidade, esta última subdividida em duas correntes.

Curso de Direito Constitucional. São Paulo: Saraiva, 2009. p. 172.

[66] Veja-se FREITAS, Juarez. *A interpretação sistemática do Direito*. 5. ed. São Paulo: Malheiros, 2010.

[67] Também nesse sentido, SARLET, Ingo Wolfgang. *Dignidade da pessoa humana e Direitos Fundamentais na Constituição de 1988*. 9. ed. Porto Alegre: Livraria do Advogado Editora, 2011.

[68] SANTOS, Emerson Martins dos. O estatuto jurídico-constitucional do embrião humano, com especial atenção para o concebido "in vitro". *Revista Brasileira de Direito Constitucional*, n. 12, p. 55-101, 2008, p. 82.

(*i.i*) A concepção relativa[69] compreende que a dignidade se trata de princípio de feições relativas, assim como qualquer outro, sujeitando-se, por isso, à ponderação em face de outras normas da mesma natureza, no âmbito das restrições e complementações recíprocas em cada situação hermenêutica.[70] Ou seja, embora com elevado grau de certeza a dignidade prevaleça sobre todos os demais princípios, isso não lhe confere caráter absoluto, significando apenas que *quase não existem razões* jurídico-constitucionais contrárias à sua preferência.[71]

Nesse sentido, argumenta Sarlet que, sendo todas as pessoas iguais em dignidade e existindo um dever de respeito recíproco da dignidade alheia, na hipótese de um conflito entre as dignidades de pessoas diversas, impõe-se o estabelecimento de uma concordância prática, que necessariamente implica a hierarquização – como sustenta Freitas – ou a ponderação – conforme Alexy – da dignidade atribuída aos titulares.[72] Isto é, a dignidade da pessoa humana, uma vez que se sobrepõe a todos os bens, princípios e valores, em nenhuma hipótese será ponderável com estes, contudo, será ponderável consigo mesma, "naqueles casos-limite em que dois ou mais indivíduos – ontologicamente dotados de igual dignidade – entrem em conflitos capazes de causar lesões mútuas a esse valor supremo".[73]

Se partirmos da premissa de que a dignidade se constitui em princípio de feições relativas, as consequências dessa assunção, na sua fronteira e levada ao direito fundamental à vida – primeira e mais evidente decorrência do reconhecimento da dignidade humana – nos guiam à possível conclusão de que o direito à vida comportaria graus de realização e que poderia ser ponderado em situações específicas quando em rota conflitiva com um bem de igual hierarquia

[69] Nesse sentido, claramente, Barroso: "embora seja qualificada como um valor ou princípio fundamental, a dignidade da pessoa humana não tem caráter absoluto". BARROSO, Luís Roberto. *A dignidade da pessoa humana no Direito Constitucional Contemporâneo:* natureza jurídica, conteúdos mínimos e critérios de aplicação. Versão provisória para debate público. Mimeografado, dezembro de 2010. p. 14.

[70] MENDES, Gilmar Ferreira; COELHO, Inocêncio Mártires; BRANCO, Paulo Gustavo Gonet. *Curso de Direito Constitucional.* São Paulo: Saraiva, 2009. p. 173.

[71] MENDES, Gilmar Ferreira; COELHO, Inocêncio Mártires; BRANCO, Paulo Gustavo Gonet. *Curso de Direito Constitucional.* São Paulo: Saraiva, 2009. p. 172.

[72] SARLET, Ingo Wolfgang. *Dignidade da pessoa humana e Direitos Fundamentais na Constituição de 1988.* 9. ed. Porto Alegre: Livraria do Advogado Editora, 2011. p. 162.

[73] SARLET, Ingo Wolfgang. *Dignidade da pessoa humana e Direitos Fundamentais na Constituição de 1988.* 9. ed. Porto Alegre: Livraria do Advogado Editora, 2011. p. 174.

ou valor, de modo que o direito à vida do embrião *in vitro* poderia ser ponderado ou hierarquizado. Contudo, daí se resulta uma controvérsia em cuja raiz se encontrariam dissensos sobre os critérios a serem utilizados dentre os pontos de vista valorativos diversos sobre o peso e a legitimidade dos distintos interesses em ponderação.[74]

(*i.ii*) A concepção absoluta compreende que a dignidade se trata de princípio de feições absolutas e tem preferência sobre todas as demais normas. Nesse sentido, não é compatível com a análise de proporcionalidade, de tal sorte que qualquer tipo de intervenção sobre a mesma consubstancia uma violação.

Se partirmos da premissa de que a dignidade, sendo qualidade inerente à essência do ser humano, se constitui em princípio de feições absolutas, e, portanto, é inalienável, irrenunciável e intangível – como parece sugerir a expressiva maioria da doutrina[75] e da jurisprudência internacional[76] –, as consequências da adoção dessa concepção, na sua fronteira e levada ao direito fundamental à vida – novamente, primeira e mais evidente decorrência do reconhecimento da dignidade humana –, determinam também a sua imponderabilidade, que pode ser descrita mediante o seguinte enunciado: uma vida não pode ser valorada juridicamente como superior a outra porque possa considerar-se individualmente que se trata de uma vida melhor ou porque desde o ponto de vista da sociedade possa ser vista como mais útil.[77] Essa proibição tem três dimensões: a *proibição de caracterização*, que se trata da vedação de valoração das características do sujeito em questão, por exemplo, é vedado considerar relevante se a vida em questão trata-se da de um criminoso ou de um cidadão comum; a *proibição de valoração*

[74] PEÑARADA RAMOS, Enrique. Bioética y derecho penal en el comienzo de la vida: algunas implicaciones jurídico-penales de las nuevas biotecnologias. *Anuario de la Faculdade de Derecho de la Universidad Autonoma de Madrid*, n. 1, p. 75-106, 2006, p. 76.

[75] Vide SARLET, Ingo Wolfgang. *Dignidade da pessoa humana e Direitos Fundamentais na Constituição de 1988*. 9. ed. Porto Alegre: Livraria do Advogado Editora, 2011. p. 162.

[76] Sobre a imponderabilidade da vida humana, importante é a decisão do Tribunal Constitucional Federal de Alemanha (BVerfG), na sentença de 15 de fevereiro de 2006, BVerfGE 1 BvR 357/05, que declarou inconstitucional a permissão legal de abater aviões sequestrados por terroristas com pessoas inocentes a bordo.

[77] Sistematização elaborada por Javier Wilenmann von Bernath, tendo por objeto restrito a imponderabilidade da vida humana já nascida nos casos de estado de necessidade e colisão de deveres em direito penal. Vide BERNATH, Javier Wilenmann von. Imponderabilidad de la vida humana y situaciones trágicas de necesidad. *InDret. Revista para el Análisis del Derecho*, Barcelona, n. 1, 2016.

temporal, que se trata da vedação de considerar relevante o tempo da vida em questão, *i.e.*, mesmo que o sujeito em questão seguramente morrerá em pouco tempo, tal fato não poderá ser juízo de valoração;[78] e a *proibição de soma*, para a qual o número de vidas que podem ser salvas com o sacrifício de outras não pode ser considerado relevante para constituir um interesse preponderante.[79]

Outra ramificação doutrinária dentro da concepção absoluta é a assunção da imponderabilidade da vida humana, porém mitigada em seus efeitos. Essa corrente compreende a impossibilidade de diferenciação qualitativa entre vidas humanas, contudo admite que vida humana possa gozar de uma proteção quantitativamente distinta em cada fase de seu desenvolvimento[80] em decorrência de outros fatores, como as diferenças no contexto do desvalor da ação, ou mesmo em decorrência de questões relativas à idoneidade da pena – no sentido não de seu merecimento, mas de sua necessidade para a proteção efetiva desta vida.[81] Isto é, a vida detém o mesmo valor em todas as fases de desenvolvimento, contudo uma menor proteção à vida do embrião *in vitro* frente à do já nascido seria justificada por outros fatores agregados.

Em uma análise muito mais descritiva do que especulativa, podemos dizer que, qualquer que seja a verdadeira opção fundamental do ordenamento jurídico brasileiro, ela parece se dar entre a versão mitigada da concepção absoluta e abraçar a concepção relativa, eis que a legislação infraconstitucional parece indicar, mormente o Código Penal, que, quanto mais jovem o ser humano, menor é a proteção a ele conferida.[82] [83] No que tange à proteção jurídico-penal da vida

[78] BERNATH, Javier Wilenmann von. Imponderabilidad de la vida humana y situaciones trágicas de necesidad. *InDret. Revista para el Análisis del Derecho*, Barcelona, n. 1, 2016.

[79] BERNATH, Javier Wilenmann von. Imponderabilidad de la vida humana y situaciones trágicas de necesidad. *InDret. Revista para el Análisis del Derecho*, Barcelona, n. 1, 2016, p. 8-9.

[80] PEÑARADA RAMOS, Enrique. Bioética y derecho penal en el comienzo de la vida: algunas implicaciones jurídico-penales de las nuevas biotecnologias. *Anuario de la Faculdade de Derecho de la Universidad Autonoma de Madrid*, n. 1, p. 75-106, 2006, p. 99.

[81] No mesmo sentido, tendo por objeto a legislação espanhola, PEÑARADA RAMOS, Enrique. La protección de la vida y la salud humanas entre sus fases prenatal y postnatal de desarrolho. *Revista de Derecho Penal y Criminologia*, n. 11, p. 165-247, 2003, p. 209.

[82] SANTOS, Emerson Martins dos. O estatuto jurídico-constitucional do embrião humano, com especial atenção para o concebido "in vitro". *Revista Brasileira de Direito Constitucional*, n. 12, p. 55-101, 2008, p. 82.

[83] Em sentido contrário, Santos: "não será o valor quantitativo da pena que irá determinar o valor

pós-natal, ela é ampla nos casos do delito de homicídio, Artigo 121, e proíbe tanto condutas dolosas quanto culposas. Por sua vez, o crime de infanticídio, Artigo 122, por razões político-criminais que levam em consideração o estado puerperal e por força desta fragilidade psíquica o levam a patamares de privilegiamento,[84] só é punível a título doloso e detém pena menor que o homicídio e maior que duas das três modalidades de aborto. No que tange à vida pré-natal, as regulamentações do aborto, Artigos 124, 125, 126 e 127, punem as condutas cometidas somente a título doloso e, o Artigo 128 contempla justificantes nos casos de estado de necessidade e de gravidez resultante de estupro.

Podemos concluir, então, que a proteção à vida tem maior amplitude e intensidade em sua fase pós-natal e, consequentemente, menor no que tange à sua fase pré-natal.[85] Se limitássemos o debate até aqui, seria-nos forçoso concluir entre duas opções: ou a vida é considerada de diverso valor de acordo com sua fase de desenvolvimento; ou a vida detém o mesmo valor em todas as fases, e a menor proteção da vida antes do nascimento deveria ser explicada por outros fatores relativos não às fases de seu desenvolvimento, mas às diferenças no contexto da ação ou de necessidade de pena.

Contudo, é possível ainda outra abordagem, aquela que versa sobre a titularidade da dignidade humana e do direito à vida. Trata-se da distinção entre ser humano e pessoa humana. Ainda que se adote a concepção absoluta, poder-se-ia reconhecer que é titular da dignidade absoluta somente o ser humano que já tenha

---

que a vida humana representa, visto que a pena pode ser inclusive majorada, quando se verifica a sua ineficácia. Por outras palavras, a vida humana não pode ser dosada de acordo com proposições infraconstitucionais, antes deve ser protegida por meio da tutela constitucional. Além disso, não se afigura acertado imaginar que a vida humana possua diversos graus de respeitabilidade: a tutela constitucional não está condicionada ao nível de desenvolvimento do embrião e suas formas seguintes de desenvolvimento, pois a vida desde a concepção recebe a tutela conferida pela Constituição". SANTOS, Emerson Martins dos. O estatuto jurídico-constitucional do embrião humano, com especial atenção para o concebido "in vitro". *Revista Brasileira de Direito Constitucional*, n. 12, p. 55-101, 2008, p. 82-83.

[84] COSTA, José de Faria. O Direito Penal e a Ciência: as metáforas possíveis no seio de relações "perigosas". *Anuario de la Faculdade de Derecho de la Universidad Autonoma de Madrid*, n. 1, p. 107-119, 2006, p. 110.

[85] No mesmo sentido, tendo por objeto a legislação espanhola, PEÑARADA RAMOS, Enrique. La protección de la vida y la salud humanas entre sus fases prenatal y postnatal de desarrolho. *Revista de Derecho Penal y Criminologia*, n. 11, p. 165-247, 2003.

sido implantado, ou mesmo aquele já nascido, de modo que a censura a qualquer atividade anterior ao *status* de pessoa ou de titular de direitos fundamentais seria somente uma "proteção reflexa", menor e distinta, objetivamente derivada.[86]

Destarte, por mais que a luta pelo conceito de pessoa e seu reconhecimento seja algo normativo e histórico, de modo que o decisivo não se trata dos dados biológicos de forma bruta, mas seu significado intersubjetivo num determinado contexto social, nada impede que se utilizem conhecimentos empíricos para justificar ou mesmo minimamente fortalecer alguma tomada de decisão nessa área.[87] Nesse sentido, em primeiro lugar, para um embrião poder ser considerado titular da dignidade da pessoa humana e, com isso, de direitos fundamentais como o direito à vida, ele deve ser considerado como um ser humano vivo. Portanto, cabe a exposição das teorias a respeito do início da vida humana – e, com isso, possivelmente do início da "humanidade" do embrião – e seu reconhecimento pelo ordenamento jurídico. Na atualidade, as principais doutrinas que disputam lugar no ordenamento jurídico nos países ocidentais são (*i*) a teoria da fecundação ou da formação do genótipo; (*ii*) a teoria da nidação; e (*iii*) a teoria da formação dos rudimentos do sistema nervoso central.[88]

(*i*) A teoria da fecundação ou da formação do genótipo reclama pleno *status* de ser humano e de pessoa ao embrião desde a concepção. Tal teoria parte da justificativa biológica de que o embrião já contém, como construção genética acabada, um patrimônio genético único, funda-se, ainda, no argumento aristotélico

---

[86] PEÑARADA RAMOS, Enrique. Bioética y derecho penal en el comienzo de la vida: algunas implicaciones jurídico-penales de las nuevas biotecnologias. *Anuario de la Facultade de Derecho de la Universidad Autonoma de Madrid*, n. 1, p. 75-106, 2006, p. 100.

[87] Nesse sentido disserta Costa: "Com efeito, a clara e distinta separação dos universos dos saberes faz com que as relações, precisamente por isso, se operem dentro da linha sólida da argumentação político-legislativa que se legitima. Nesta óptica, o direito penal afirmará tanto mais a sua vigência e a sua eficácia – e com isso a legitimidade – quanto mais intensamente acolher, em toda a sua autonomia metodológica, teleológica e dogmática, os dados que a ciência lhe fornece". COSTA, José de Faria. O Direito Penal e a Ciência: as metáforas possíveis no seio de relações "perigosas". *Anuario de la Faculdade de Derecho de la Universidad Autonoma de Madrid*, n. 1, p. 107-119, 2006, p. 109.

[88] Sistematização adotada por MARTÍNEZ, Stella Maris. *Manipulación Genética y Derecho Penal.* Buenos Aires: Editorial Universidad, 1994, que opta pela exclusão das teorias natalistas.

da *potência*[89] ou numa espécie de "racionalidade biológica"[90], eis que o embrião se trataria de um projeto acabado, autogovernado, diretor e construtor de um novo ser, do qual os progenitores somente fornecem os materiais de construção e o ambiente de trabalho.[91] De tal sorte que o seu desenvolvimento como ser completo seria somente uma questão de tempo e, assim, não haveria necessidade de demais saltos qualitativos em seu desenvolvimento para capacitá-lo à atribuição de ser humano[92] e pessoa.

Contra tal forma de ver as coisas costuma-se levantar duas objeções: *de um ponto de vista biológico*, tal teoria acaba por reduzir a um instante o que na realidade é um processo, pois confunde unidade genética com unidade de desenvolvimento. As formações patológicas, *v.g.*, igualmente têm unidade genética e são portadoras de um código genético próprio, ainda que não sejam capazes de gerar vida humana e, assim, não possam ser caracterizadas como uma.[93] Já *de um ponto de vista semântico*, a questão centra-se em elucidar se o zigoto é ou não um ser humano e, para isso, seria preciso fixar o conceito de ser humano,[94] levando à questão normativa para além dos dados biológicos e, por mais que o zigoto seja material celular humano vivo que merece reconhecimento e proteção jurídica tanto pelo que é quanto pelo que se tornará, esse reconhecimento não poderia considerá-lo como uma espécie de homem em miniatura.[95]

---

89 Nesse sentido, ESER, Albin. *Estudios de Derecho Penal Médico*. Trad. de Manuel A. Abanto Vásquez. Lima: Idemsa, 2001. p. 243, nota 15.

90 MANTOVANI, Ferrando. Le Nuove Frontiere Della Bioetica. *Revista Electrónica de Ciencia Penal y Criminología*. Granada, n. 1, 1999. Disponível em: <http://bdjur.stj.jus.br/dspace/handle/2011/44730>. Acesso em: 2 jan. 2016.

91 MANTOVANI, Ferrando. Le Nuove Frontiere Della Bioetica. *Revista Electrónica de Ciencia Penal y Criminología*. Granada, n. 1, 1999. Disponível em: <http://bdjur.stj.jus.br/dspace/handle/2011/44730>. Acesso em: 2 jan. 2016.

92 MARTÍNEZ, Stella Maris. *Manipulación Genética y Derecho Penal*. Buenos Aires: Editorial Universidad, 1994. p. 77.

93 MARTÍNEZ, Stella Maris. *Manipulación Genética y Derecho Penal*. Buenos Aires: Editorial Universidad, 1994. p. 77.

94 MARTÍNEZ, Stella Maris. *Manipulación Genética y Derecho Penal*. Buenos Aires: Editorial Universidad, 1994. p. 77.

95 MARTÍNEZ, Stella Maris. *Manipulación Genética y Derecho Penal*. Buenos Aires: Editorial Universidad, 1994. p. 78.

(*ii*) A teoria da nidação reclama pleno *status* de ser humano e de pessoa ao embrião a partir da nidação – que se trata da implantação do embrião na parede do útero, período este que se dá duas semanas após a fecundação. Tal teoria se nutre de diferentes argumentos, por dizer, os argumentos (*ii.i*) da segmentação ou da individualização; (*ii.ii*) da relação gestante-produto da concepção; (*ii.iii*) da seleção natural; e (*ii.iv*) da relação com a mãe.[96]

(*ii.i*) O argumento da segmentação ou da individualização afirma que antes da nidação não há uma individualização confirmada do ser humano. Isso pode ser afirmado por vários fatores: a existência de *gêmeos monozigóticos*, que compartilham um mesmo genótipo e cuja separação habitualmente acontece até o momento da nidação;[97] a possibilidade de, antes da nidação, duplicar em laboratório os óvulos fecundados e, nas etapas mais precoces, tornar as células isoladamente capazes de gerar um indivíduo, bem como, num período posterior, dividir a massa celular em porções igualmente capazes de, isoladamente, repararem-se e formarem um indivíduo; e o fato de a massa celular primitiva estar integrada tanto ao material que formará o embrião quanto as membranas extraembriônicas, a placenta e o cordão umbilical.[98] De todo modo, todos esses dados são utilizados em favor do argumento de que anteriormente à nidação o aglomerado de células que formará o embrião não detém características de unicidade – qualidade de ser único – ou mesmo de unidade – ser um só –, o que impossibilitaria seu reconhecimento como pessoa.[99]

(*ii.ii*) Outro argumento em prol da teoria da nidação é o da *relação gestante--produto da concepção*, que leva em consideração o fato de que até esse momento não é possível encontrar sinais irrefutáveis de gravidez no organismo da mulher, do que se conclui que a gravidez inicia somente com a fixação do embrião no

---

[96] Todos estes organizados em MARTÍNEZ, Stella Maris. *Manipulación Genética y Derecho Penal.* Buenos Aires: Editorial Universidad, 1994. p. 78.

[97] MARTÍNEZ, Stella Maris. *Manipulación Genética y Derecho Penal.* Buenos Aires: Editorial Universidad, 1994. p. 80.

[98] MARTÍNEZ, Stella Maris. *Manipulación Genética y Derecho Penal.* Buenos Aires: Editorial Universidad, 1994. p. 82.

[99] MARTÍNEZ, Stella Maris. *Manipulación Genética y Derecho Penal.* Buenos Aires: Editorial Universidad, 1994. p. 80.

útero, ideia esta adotada em termos de contracepção, vez que os métodos contraceptivos como a "pílula do dia seguinte" podem impedir a nidação do óvulo já fecundado.

(*ii.iii*) O argumento da *seleção natural* afirma que existe "uma espécie de seleção natural no período compreendido entre a fecundação e a nidação, da qual resulta que apenas cinquenta por cento dos zigotos se fixam ao útero materno, perdendo-se o resto",[100] hipótese que coincide com as últimas descobertas da ciência de que uma alta porcentagem dos embriões abortados nesse período apresenta anomalias genéticas.[101]

(*ii.iv*) Por sua vez, o argumento da *relação com a mãe* afirma que apenas a partir da nidação a nova formação adquire transcendência, porque tem contato com outro indivíduo de sua espécie, "estabelecendo com ele – sua mãe – uma relação de alteridade".[102]

Uma objeção que se costuma elencar à teoria da nidação é que determinar o início da vida humana por este critério deixaria o embrião *in vitro* não implantado juridicamente desprotegido, uma vez que, seja qual for o estágio de seu desenvolvimento o mesmo não passou por qualquer processo de nidação, visto que gerado fora do útero.

(*iii*) a teoria da formação dos rudimentos do sistema nervoso central leva em consideração o momento em que são formados os rudimentos básicos do sistema nervoso central e daquilo que se tornará o córtex cerebral. Tal concepção funda-se no raciocínio filosófico de que a dignidade da vida humana nasce com o surgimento da capacidade de autonomia e consciência, marca distintiva do ser humano. Portanto, apenas com a aparição da chamada linha primitiva ou sulco neural estar-se-ia diante de um ser humano vivo, o que ocorre entre o 15º e o 40º dia da evolução embrionária.[103] Outrossim, um dado empírico é trazido como reforço argumentativo: "os fracassos importantes na formação do córtex

---

[100] MARTÍNEZ, Stella Maris. *Manipulación Genética y Derecho Penal.* Buenos Aires: Editorial Universidad, 1994. p. 80.

[101] MARTÍNEZ, Stella Maris. *Manipulación Genética y Derecho Penal.* Buenos Aires: Editorial Universidad, 1994. p. 80.

[102] MARTÍNEZ, Stella Maris. *Manipulación Genética y Derecho Penal.* Buenos Aires: Editorial Universidad, 1994. p. 84.

[103] MARTÍNEZ, Stella Maris. *Manipulación Genética y Derecho Penal.* Buenos Aires: Editorial Universidad, 1994. p. 85.

cerebral costumam ser acompanhados de abortos espontâneos, nos quais o corpo da mãe atua como se não reconhecesse o embrião".[104] Em termos normativos, costuma-se também invocar um paralelo com a determinação legal do fim da vida humana na Lei de Transplantes (Lei n. 9.434 de 1997), que possibilita a retirada de órgãos após a morte encefálica, de modo que alguns passaram a sustentar que, se a vida termina com o cessar da atividade elétrica cerebral, igualmente a vida deveria começar quando do início dessa atividade. Contudo, com razão observa Martinez, são situações diversas, na morte cerebral "se detecta um cessar irreversível da função", já no caso do embrião "essa emissão elétrica é a culminação do processo de formação do sistema nervoso central".[105]

Uma forte objeção levantada a essa teoria é o fato de a dignidade, particularmente, não estar vinculada à capacidade de experimentar valores mentais e espirituais e que sua garantia não estaria limitada à pessoa capaz de gerá-las, pois se reconhece igualmente a dignidade a todo ser com mero potencial para isso, de modo que tanto nascituros como enfermos mentais detêm dignidade.[106]

Do ponto de vista positivo, se na Constituição Federal existe um conceito de pessoa, ele é ancorado no Artigo 5º, que consagra que todos são iguais perante a lei, sem distinção de qualquer natureza, garantida a inviolabilidade do direito à vida. Contudo, o termo "todos" não nos ajuda a esclarecer nossa questão[107] e,

---

[104] MARTÍNEZ, Stella Maris. *Manipulación Genética y Derecho Penal.* Buenos Aires: Editorial Universidad, 1994. p. 86.

[105] MARTÍNEZ, Stella Maris. *Manipulación Genética y Derecho Penal.* Buenos Aires: Editorial Universidad, 1994. p. 86.

[106] STARCK, Christian. Introducción a la dignidade humana en el derecho alemán. Tradução de Alberto Oehling de los Reyes. *Anuario Iberoamericano de Justicia Constitucional*, n. 9, Madrid, p. 489-497, 2005, p. 489-490.

[107] Sanchez-Ostiz chega a afirmar que, frente à questão no nascituro, o enunciado constitucional recai em uma petição de princípio: "*afirmar que el derecho a la vida corresponde a todos no es concluyente, pues desconocemos a quién se incluye en el 'todos' del precepto. Si en él se incluye también a los no nacidos, no sabemos por qué han de gozar de tal derecho, quod erat demostrandum. Y si en él se incluye sólo a quienes ya han nacido, no aporta nada y sería tautológico, pues para tal derecho se precisa ser alguien (pues los derechos sólo lo son de alguien y para algo)[23]; pero alguien es tal porque es, porque vive, es decir, porque se le atribuye el derecho a la vida.*" SÁNCHEZ-OSTIZ. Pablo. Tienen todos derecho a la vida. Base para un concepto constitucional de persona. *Revista Electrónica de Ciencia Penal y Criminología*, n. 11, p. 1-23, 2009, p. 5 e p. 7. Disponível em: <http://criminet.ugr.es/recpc/11/recpc11-11.pdf>. Acesso em: 3 jan. 2017, p. 7.

na esteira da lição de Häberle,[108] é indispensável o recurso à ordem infraconstitucional para obter uma aproximação com o conceito de dignidade da pessoa humana e seus efeitos aplicáveis ao caso concreto em questão.

Os direitos de personalidade são expressamente elencados no Código Civil em seu Artigo 2º, o qual dispõe que "a personalidade civil da pessoa começa do nascimento com vida, mas a lei põe a salvo, desde a concepção, os direitos do nascituro". Até aqui, aparentemente o ordenamento jurídico brasileiro adota a teoria natalista da personalidade, contudo, ao mesmo passo, recai numa contradição normativa, eis que ao garantir os direitos do nascituro deveria considerá-lo sujeito de direitos.[109] Outro fator que subsidia tal interpretação é o fato de que ordenamento infraconstitucional concede ao nascituro, em âmbito do Código Civil, direitos concretos, como é o caso dos Artigos 542, 1779 e 1789, que dispõem, respectivamente, sobre a possiblidade de o nascituro receber doações, ter designada curatela e ser parte legítima a ser chamada a suceder.

O Código de Processo Civil, por sua parte, em seu Artigo 650, regulamenta a reserva de quinhão em interesse do nascituro e, em seu Artigo 730, no intento de resguardar seus direitos, veda a possibilidade de divórcio, separação e extinção da união estável, de forma consensual entre as partes, quando da existência do mesmo. Por sua vez, o Estatuto da Criança e do Adolescente (Lei n. 8.069 de 1990), em seu Artigo 7º, determina a implementação de políticas sociais públicas que permitam o nascimento e o desenvolvimento sadio e harmonioso, em condições dignas de existência. Certamente, poder-se-ia alegar, não despido de razão, que o embrião *in vitro* não se confunde com o nascituro, eis que o mesmo pode não ser implantado e, nesse ponto, não vir a nascer. Contudo, tal controvérsia encontra uma possível resolução positiva em tratados ratificados pelo Brasil. Com efeito, a Convenção Americana de Direitos Humanos – Pacto de São Jose da Costa Rica – estabelece em seu Artigo 2º que "pessoa é todo ser humano". Até aqui, estaríamos novamente às voltas com a questão da delimitação

[108] HÄBERLE, Peter. *Hermenêutica Constitucional.* A sociedade aberta dos intérpretes da constituição: contribuição para a interpretação pluralista e "procedimental" da constituição. Tradução de Gilmar Ferreira Mendes. Porto Alegre: Sergio Antonio Fabris, 2002.

[109] Nesse mesmo sentido disserta SÁNCHEZ-OSTIZ. Pablo. Tienen todos derecho a la vida. Base para un concepto constitucional de persona. *Revista Electrónica de Ciencia Penal y Criminología,* n. 11, p. 1-23, 2009, p. 5 e p. 7. Disponível em: <http://criminet.ugr.es/recpc/11/recpc11-11.pdf>. Acesso em: 3 jan. 2017.

do início da vida humana, contudo, a convenção especifica a questão em seu Artigo 4º, inc. 1, onde define que "Toda pessoa tem o direito de que se respeite sua vida. Esse direito deve ser protegido pela lei e, em geral, *desde o momento da concepção*". Aparentemente, poder-se-ia dizer que a convenção adota a teoria da fecundação ou da formação do genótipo, reconhecendo o embrião já como pessoa no momento da concepção.

No entanto, em 2012 a Corte Interamericana de Direitos Humanos, por maioria de votos, decidiu que o embrião não pode ser entendido como pessoa para efeitos do Artigo 4º, inc. I, da Convenção Americana, concluindo, a partir dos argumentos científicos disponíveis, que a "concepção" no sentido do aludido artigo ocorre a partir do momento em que o embrião é implantado no útero. Dito isto, dado que a implantação ocorre entre o 2º e o 6º dia de desenvolvimento, parece que a Corte se posicionou de forma intermediária entre a teoria da fecundação ou da formação do genótipo e a teoria da nidação, que geralmente ocorre no 14º dia de desenvolvimento.[110]

Uma vez observados a previsão positiva da dignidade da pessoa humana, seu conteúdo constitucional e suas possíveis extensões bem como sua titularidade, ainda restam lacunas interpretativas que serão buscadas, para que se exponha qual o tratamento do ordenamento jurídico brasileiro à questão do estatuto jurídico do embrião *in vitro,* no entendimento jurisprudencial da Suprema Corte brasileira e de sua proteção penal. Para isso, passemos à análise do caminho argumentativo tomado pelo Supremo Tribunal Federal no julgamento da ADI n. 3.150, que versou sobre a permissão de utilização de células-troncos embrionárias obtidas de embriões humanos produzidos por fertilização *in vitro* para a realização de pesquisas e terapias.

4 Pesquisa com células-tronco embrionárias e o julgamento da Ação Direta de Inconstitucionalidade n. 3.510 pelo Supremo Tribunal Federal

Em 28 de março de 2005, entrou em vigor a Lei n. 11.105/2005, alcunhada de Lei de Biossegurança, a qual, entre outros aspectos, autorizou a utilização de

[110] CORTE INTERAMERICANA DE DERECHOS HUMANOS. Caso Artavia Murillo y otros (Fecundación in vitro) Vs. Costa Rica, § 264. Sentença de 28 de novembro de 2012. Disponível em http://www.corteidh.or.cr/docs/casos/articulos/seriec_257_por.pdf, acesso em 12 março de 2018.

células-tronco embrionárias para fins de pesquisa e terapia, desde que respeitados determinados condicionantes. Pouco tempo depois, o então procurador-geral da República, Cláudio Lemos Fonteles, ajuizou, no Supremo Tribunal Federal brasileiro, a ação direta de inconstitucionalidade autuada sob o número 3.510, visando ao reconhecimento da incompatibilidade integral do Artigo 5º da Lei de Biossegurança[111] com a Constituição Federal brasileira de 1988.

Em síntese, o chefe do Ministério Público Federal sustentou que os dispositivos impugnados violariam a inviolabilidade do direito à vida, uma vez que o embrião já seria vida humana, ofendendo, por consequência, a dignidade da pessoa humana. Afirmou que a vida humana surge com a fecundação; que o zigoto é um *ser humano embrionário*; que é no momento da fecundação que a mulher engravida; e que a pesquisa com células-tronco adultas é mais promissora do que a pesquisa com células-tronco embrionárias.[112]

A nova legislação e a sua parcial impugnação geraram intensa polêmica nos mais diversos âmbitos da sociedade, provocando debates e fazendo emergir uma quantidade significativa de questionamentos, tanto por parte de seus defensores quanto de seus opositores. A título ilustrativo, basta mencionar que 4 (quatro)

---

[111] Artigo 5º da Lei n. 11.105/2005: "É permitida, para fins de pesquisa e terapia, a utilização de células-tronco embrionárias obtidas de embriões humanos produzidos por fertilização *in vitro* e não utilizados no respectivo procedimento, atendidas as seguintes condições: I – sejam embriões inviáveis; ou II – sejam embriões congelados há 3 (três) anos ou mais, na data da publicação desta lei, ou que, já congelados na data da publicação desta lei, depois de completarem 3 (três) anos, contados a partir da data de congelamento. § 1º Em qualquer caso, é necessário o consentimento dos genitores. § 2º Instituições de pesquisa e serviços de saúde que realizem pesquisa ou terapia com células-tronco embrionárias humanas deverão submeter seus projetos a apreciação e aprovação dos respectivos comitês de ética em pesquisa. § 3º É vedada a comercialização do material biológico a que se refere este artigo, e sua prática implica o crime tipificado no Art. 15 da Lei n. 9.434, de 4 de fevereiro de 1997". Verifica-se, pela leitura dos dispositivos transcritos, que a lei autorizou, exclusivamente para fins de pesquisa e terapia, o uso de células-tronco embrionárias obtidas de embriões humanos produzidos por fertilização *in vitro* e não utilizados para o fim originário, desde que se trate de embriões inviáveis ou congelados há 3 (três) anos ou mais, na data da publicação da lei, ou que, já congelados, depois de completados 3 (três) anos desde o congelamento. Em qualquer hipótese, faz-se necessário o consentimento dos *genitores* (§ 1º), sendo necessário, na hipótese de pesquisa, a submissão do projeto ao respectivo comitê de ética (§ 2º).

[112] SUPREMO TRIBUNAL FEDERAL. Ação Direta de Inconstitucionalidade 3.510. Rel. Min. Carlos Ayres Britto. Julgado em 29/5/2008, Plenário, *DJE* de 28/5/2010.

entidades da sociedade civil brasileira apresentaram-se e foram admitidas como *amici curiae* no processo: *Conectas Direitos Humanos*, *Centro de Direitos Humanos* (*CDH*), *Movimento em prol da vida* (*MOVITAE*), *Instituto de Bioética, Direitos Humanos e Gênero* (*ANIS*) e *Confederação Nacional dos Bispos do Brasil* (*CNBB*).

Ao final, o pedido restou julgado integralmente improcedente, reconhecendo-se, por maioria (ministros Ayres Britto, Ellen Gracie, Cármen Lúcia, Joaquim Barbosa, Marco Aurélio Mello e Celso de Mello), a constitucionalidade do dispositivo impugnado, nos termos do voto do relator, vencidos, parcialmente, em diferentes extensões, os ministros Menezes Direito, Ricardo Lewandowski, Eros Grau, Cezar Peluso e Gilmar Mendes.[113] Nos tópicos seguintes, exporemos

---

[113] O julgado restou assim ementado: CONSTITUCIONAL. AÇÃO DIRETA DE INCONSTITUCIONALIDADE. LEI DE BIOSSEGURANÇA. IMPUGNAÇÃO EM BLOCO DO ART. 5º DA LEI N. 11.105, DE 24 DE MARÇO DE 2005 (LEI DE BIOSSEGURANÇA). PESQUISAS COM CÉLULAS-TRONCO EMBRIONÁRIAS. INEXISTÊNCIA DE VIOLAÇÃO DO DIREITO À VIDA. CONSTITUCIONALIDADE DO USO DE CÉLULAS-TRONCO EMBRIONÁRIAS EM PESQUISAS CIENTÍFICAS PARA FINS TERAPÊUTICOS. DESCARACTERIZAÇÃO DO ABORTO. NORMAS CONSTITUCIONAIS CONFORMADORAS DO DIREITO FUNDAMENTAL A UMA VIDA DIGNA, QUE PASSA PELO DIREITO À SAÚDE E AO PLANEJAMENTO FAMILIAR. DESCABIMENTO DE UTILIZAÇÃO DA TÉCNICA DE INTERPRETAÇÃO CONFORME PARA ADITAR À LEI DE BIOSSEGURANÇA CONTROLES DESNECESSÁRIOS QUE IMPLICAM RESTRIÇÕES ÀS PESQUISAS E TERAPIAS POR ELA VISADAS. IMPROCEDÊNCIA TOTAL DA AÇÃO. I – O CONHECIMENTO CIENTÍFICO, A CONCEITUAÇÃO JURÍDICA DE CÉLULAS-TRONCO EMBRIONÁRIAS E SEUS REFLEXOS NO CONTROLE DE CONSTITUCIONALIDADE DA LEI DE BIOSSEGURANÇA. As "células-tronco embrionárias" são células contidas num agrupamento de outras, encontradiças em cada embrião humano de até 14 dias (outros cientistas reduzem esse tempo para a fase de blastocisto, ocorrente em torno de 5 dias depois da fecundação de um óvulo feminino por um espermatozoide masculino). Embriões a que se chega por efeito de manipulação humana em ambiente extracorpóreo, porquanto produzidos laboratorialmente ou "in vitro", e não espontaneamente ou "in vida". Não cabe ao Supremo Tribunal Federal decidir sobre qual das duas formas de pesquisa básica é a mais promissora: a pesquisa com células-tronco adultas e aquela incidente sobre células-tronco embrionárias. A certeza científico-tecnológica está em que um tipo de pesquisa não invalida o outro, pois ambos são mutuamente complementares.

II – LEGITIMIDADE DAS PESQUISAS COM CÉLULAS-TRONCO EMBRIONÁRIAS PARA FINS TERAPÊUTICOS E O CONSTITUCIONALISMO FRATERNAL. A pesquisa científica com células-tronco embrionárias, autorizada pela Lei n. 11.105/2005, objetiva o enfrentamento e cura de patologias e traumatismos que severamente limitam, atormentam, infelicitam, desesperam e não raras vezes degradam a vida de expressivo contingente populacional (ilustrativamente, atrofias espinhais progressivas, distrofias musculares, a esclerose múltipla e a lateral amiotrófica, as neuropatías e as doenças do neurônio motor). A escolha feita pela Lei de Biossegurança não significou um desprezo ou desapreço pelo embrião "in vitro", porém a mais firme disposição para encurtar caminhos que possam levar à superação do infortúnio alheio. Isto no âmbito de um ordenamento constitucional que desde o seu preâmbulo qualifica "a liberdade, a segurança, o bem-estar, o desenvolvimento, a igualdade e a justiça" como valores supremos de uma sociedade mais que tudo "fraterna". O que já significa incorporar o advento do constitucionalismo fraternal às relações humanas, a traduzir verdadeira comunhão de vida ou vida social em clima de transbordante solidariedade em benefício da saúde e contra eventuais tramas do acaso e até dos golpes da própria natureza. Contexto de solidária, compassiva ou fraternal legalidade que, longe de traduzir desprezo ou desrespeito aos congelados embriões "in vitro", significa apreço e reverência a criaturas humanas que sofrem e se desesperam. Inexistência de ofensas ao direito à vida e da dignidade da pessoa humana, pois a pesquisa com células-tronco embrionárias (inviáveis biologicamente ou para os fins a que se destinam) significa a celebração solidária da vida e alento aos que se acham à margem do exercício concreto e inalienável dos direitos à felicidade e do viver com dignidade (Ministro Celso de Mello).

III – A PROTEÇÃO CONSTITUCIONAL DO DIREITO À VIDA E OS DIREITOS INFRACONSTITUCIONAIS DO EMBRIÃO PRÉ-IMPLANTO. O Magno Texto Federal não dispõe sobre o início da vida humana ou o preciso instante em que ela começa. Não faz de todo e qualquer estádio da vida humana um autonomizado bem jurídico, mas da vida que já é própria de uma concreta pessoa, porque nativiva (teoria "natalista", em contraposição às teorias "concepcionista" ou da "personalidade condicional"). E quando se reporta a "direitos da pessoa humana" e até dos "direitos e garantias individuais" como cláusula pétrea está falando de direitos e garantias do indivíduo-pessoa, que se faz destinatário dos direitos fundamentais "à vida, à liberdade, à igualdade, à segurança e à propriedade", entre outros direitos e garantias igualmente distinguidos com o timbre da fundamentalidade (como direito à saúde e ao planejamento familiar). Mutismo constitucional hermeneuticamente significante de transpasse de poder normativo para a legislação ordinária. A potencialidade de algo para se tornar pessoa humana já é meritória o bastante para acobertá-la, infraconstitucionalmente, contra tentativas levianas ou frívolas de obstar sua natural continuidade fisiológica. Mas as três realidades não se confundem: o embrião é o embrião, o feto é o feto e a pessoa humana é a pessoa humana. Donde não existir pessoa humana embrionária, mas embrião de pessoa humana. O embrião referido na Lei de Biossegurança ("in vitro" apenas) não é uma vida a caminho de outra vida virginalmente nova, porquanto lhe faltam possibilidades de ganhar as primeiras terminações nervosas, sem as quais o ser humano não tem factibilidade como projeto de vida autônoma e irrepetível. O Direito infraconstitucional protege por modo variado cada etapa do desenvolvimento biológico do ser humano. Os momentos da vida humana anteriores

ao nascimento devem ser objeto de proteção pelo direito comum. O embrião pré-implanto é um bem a ser protegido, mas não uma pessoa no sentido biográfico a que se refere a Constituição. IV – AS PESQUISAS COM CÉLULAS-TRONCO NÃO CARACTERIZAM ABORTO. MATÉRIA ESTRANHA À PRESENTE AÇÃO DIRETA DE INCONSTITUCIONALIDADE. É constitucional a proposição de que toda gestação humana principia com um embrião igualmente humano, claro, mas nem todo embrião humano desencadeia uma gestação igualmente humana, em se tratando de experimento "in vitro". Situação em que deixam de coincidir concepção e nascituro, pelo menos enquanto o ovócito (óvulo já fecundado) não for introduzido no colo do útero feminino. O modo de irromper em laboratório e permanecer confinado "in vitro" é, para o embrião, insuscetível de progressão reprodutiva. Isto sem prejuízo do reconhecimento de que o zigoto assim extracorporalmente produzido e também extracorporalmente cultivado e armazenado é entidade embrionária do ser humano. Não, porém, ser humano em estado de embrião. A Lei de Biossegurança não veicula autorização para extirpar do corpo feminino esse ou aquele embrião. Eliminar ou desentranhar esse ou aquele zigoto a caminho do endométrio, ou nele já fixado. Não se cuida de interromper gravidez humana, pois dela aqui não se pode cogitar. A "controvérsia constitucional em exame não guarda qualquer vinculação com o problema do aborto". (Ministro Celso de Mello).
V – OS DIREITOS FUNDAMENTAIS À AUTONOMIA DA VONTADE, AO PLANEJAMENTO FAMILIAR E À MATERNIDADE. A decisão por uma descendência ou filiação exprime um tipo de autonomia de vontade individual que a própria Constituição rotula como "direito ao planejamento familiar", fundamentado este nos princípios igualmente constitucionais da "dignidade da pessoa humana" e da "paternidade responsável". A conjugação constitucional da laicidade do Estado e do primado da autonomia da vontade privada, nas palavras do ministro Joaquim Barbosa. A opção do casal por um processo "in vitro" de fecundação artificial de óvulos é implícito direito de idêntica matriz constitucional, sem acarretar para esse casal o dever jurídico do aproveitamento reprodutivo de todos os embriões eventualmente formados e que se revelem geneticamente viáveis. O princípio fundamental da dignidade da pessoa humana opera por modo binário, o que propicia a base constitucional para um casal de adultos recorrer a técnicas de reprodução assistida que incluam a fertilização artificial ou "in vitro". De uma parte, para aquinhoar o casal com o direito público subjetivo à "liberdade" (preâmbulo da Constituição e seu Art. 5º), aqui entendida como autonomia de vontade. De outra banda, para contemplar os porvindouros componentes da unidade familiar, se por eles optar o casal, com planejadas condições de bem-estar e assistência físico-afetiva (Art. 226 da CF). Mais exatamente, planejamento familiar que, "fruto da livre decisão do casal", é "fundado nos princípios da dignidade da pessoa humana e da paternidade responsável" (§ 7º desse emblemático artigo constitucional de n. 226). O recurso a processos de fertilização artificial não implica o dever da tentativa de nidação no corpo da mulher de todos os óvulos afinal fecundados. Não existe tal dever (inciso II do Art. 5º da CF), porque incompatível com o próprio instituto do "planejamento familiar" na citada perspectiva da "paternidade responsável". Imposição, além do

mais, que implicaria tratar o gênero feminino por modo desumano ou degradante, em contrapasso ao direito fundamental que se lê no inciso II do Art. 5º da Constituição. Para que ao embrião "in vitro" fosse reconhecido o pleno direito à vida, necessário seria reconhecer a ele o direito a um útero. Proposição não autorizada pela Constituição.

VI – DIREITO À SAÚDE COMO COROLÁRIO DO DIREITO FUNDAMENTAL À VIDA DIGNA. O § 4º do Art. 199 da Constituição, versante sobre pesquisas com substâncias humanas para fins terapêuticos, faz parte da seção normativa dedicada à "SAÚDE" (Seção II do Capítulo II do Título VIII). Direito à saúde, positivado como um dos primeiros dos direitos sociais de natureza fundamental (Art. 6º da CF) e também como o primeiro dos direitos constitutivos da seguridade social (cabeça do artigo constitucional de n. 194). Saúde que é "direito de todos e dever do Estado" (*caput* do Art. 196 da Constituição), garantida mediante ações e serviços de pronto qualificados como "de relevância pública" (parte inicial do Art. 197). A Lei de Biossegurança como instrumento de encontro do direito à saúde com a própria Ciência. No caso, ciências médicas, biológicas e correlatas, diretamente postas pela Constituição a serviço desse bem inestimável do indivíduo que é a sua própria higidez físico-mental.

VII – O DIREITO CONSTITUCIONAL À LIBERDADE DE EXPRESSÃO CIENTÍFICA E A LEI DE BIOSSEGURANÇA COMO DENSIFICARÃO DESSA LIBERDADE. O termo "ciência", enquanto atividade individual, faz parte do catálogo dos direitos fundamentais da pessoa humana (inciso IX do Art. 5º da CF). Liberdade de expressão que se afigura como clássico direito constitucional-civil ou genuíno direito de personalidade. Por isso que exigente do máximo de proteção jurídica, até como signo de vida coletiva civilizada. Tão qualificadora do indivíduo e da sociedade é essa vocação para os misteres da Ciência que o Magno Texto Federal abre todo um autonomizado capítulo para prestigiá-la por modo superlativo (capítulo de n. IV do título VIII). A regra de que "O Estado promoverá e incentivará o desenvolvimento científico, a pesquisa e a capacitação tecnológicas" (Art. 218, *caput*) é de logo complementada com o preceito (§ 1º do mesmo Art. 218) que autoriza a edição de normas como a constante do Art. 5º da Lei de Biossegurança. A compatibilização da liberdade de expressão científica com os deveres estatais de propulsão das ciências que sirvam à melhoria das condições de vida para todos os indivíduos. Assegurada, sempre, a dignidade da pessoa humana, a Constituição Federal dota o bloco normativo posto no Art. 5º da Lei n. 11.105/2005 do necessário fundamento para dele afastar qualquer invalidade jurídica (Ministra Cármen Lúcia).

VIII – SUFICIÊNCIA DAS CAUTELAS E RESTRIÇÕES IMPOSTAS PELA LEI DE BIOSSEGURANÇA NA CONDUÇÃO DAS PESQUISAS COM CÉLULAS-TRONCO EMBRIONÁRIAS. A Lei de Biossegurança caracteriza-se como regração legal a salvo da mácula do açodamento, da insuficiência protetiva ou do vício da arbitrariedade em matéria tão religiosa, filosófica e eticamente sensível como a da biotecnologia na área da medicina e da genética humana. Trata-se de um conjunto normativo que parte do pressuposto da intrínseca dignidade de toda forma de vida humana, ou que tenha potencialidade para tanto. A Lei de Biossegurança não

resumidamente os argumentos apresentados nos votos favoráveis e contrários ao julgamento de procedência, com ênfase no voto condutor, do ministro relator Ayres Britto, e no que inaugurou a divergência, do ministro Menezes Direito.

4.1 O voto condutor: os argumentos para a improcedência do pedido

Ao ministro Carlos Ayres Britto coube a relatoria da Ação Direta de Constitucionalidade n. 3.510. Durante o processo, o relator, de forma inédita no âmbito do Supremo Tribunal Federal (STF), determinou a realização de audiência pública para a oitiva de especialistas nas temáticas discutidas na ação, ante o permissivo contido no Artigo 9º, § 1º, da Lei n. 9.868/99[114], que teve duração de mais de 8 (oito) horas.[115] Com base nos depoimentos prestados durante a audiência pública foi possível identificar dois grupos de opinião:

O *primeiro* compreende que as células-tronco embrionárias não são necessariamente mais promissoras, em termos de terapia, do que as células-tronco adultas, e que a retirada de células-tronco de um embrião *in vitro* destrói a unidade, configurando um *mal disfarçado de aborto*. Entende também que o embrião tem uma função de autoconstitutividade, atuando como protagonista central do seu processo de hominização, quando comparado ao coadjuvante útero. Defende também que pessoa humana já existe no momento da fecundação, independentemente do método utilizado, o que igualaria concepção e personalidade.

conceitua as categorias mentais ou entidades biomédicas a que se refere, mas nem por isso impede a facilitada exegese dos seus textos, pois é de se presumir que recepcionou tais categorias e as que lhe são correlatas com o significado que elas portam no âmbito das ciências médicas e biológicas. IX – IMPROCEDÊNCIA DA AÇÃO. Afasta-se o uso da técnica de "interpretação conforme" para a feitura de sentença de caráter aditivo que tencione conferir à Lei de Biossegurança exuberância regratória, ou restrições tendentes a inviabilizar as pesquisas com células-tronco embrionárias. Inexistência dos pressupostos para a aplicação da técnica da "interpretação conforme a Constituição", porquanto a norma impugnada não padece de polissemia ou de plurissignificatividade. Ação direta de inconstitucionalidade julgada totalmente improcedente.

[114] Artigo 9º, § 1º, da Lei n. 9.868/99: "Em caso de necessidade de esclarecimento de matéria ou circunstância de fato ou de notória insuficiência das informações existentes nos autos, poderá o relator requisitar informações adicionais, designar perito ou comissão de peritos para que emita parecer sobre a questão, ou fixar data para, em audiência pública, ouvir depoimentos de pessoas com experiência e autoridade na matéria".

[115] SUPREMO TRIBUNAL FEDERAL. Ação Direta de Inconstitucionalidade 3510. Rel. Min. Carlos Ayres Britto. Julgado em 29/5/2008, Plenário, *DJE* de 28/5/2010, p. 146.

Em resumo, "a ideia do zigoto ou óvulo feminino já fecundado como simples embrião de uma pessoa humana é reducionista, porque o certo mesmo é vê-lo como um *ser humano embrionário*".[116]

O *segundo* grupo, ao contrário, vê de maneira promissora a pesquisa com células-tronco embrionárias, por apresentarem maior plasticidade que as células-tronco adultas, demonstrando, por conseguinte, maior potencial para se transformarem em todos ou quase todos os tecidos humanos. Não deixa de reconhecer o embrião como uma realidade do mundo do ser, algo vivo, que demarca o início da vida humana, mas algo diferente do embrião que se forma e se desenvolve no ventre feminino, sustentando que "mesmo a evolução deste último tipo de embrião ou zigoto para o estado de feto somente alcança a dimensão das incipientes características físicas e neurais da pessoa humana com a meticulosa colaboração do útero e do tempo".[117]

Ciente da mencionada divergência, o ministro relator passa à apresentação dos fundamentos da sua decisão, não sem antes adiantar, de certo modo, a sua conclusão, ao sustentar que o que se tem nos dispositivos questionados "é todo um bem concatenado bloco normativo que, debaixo, de explícitas, cumulativas e razoáveis condições de incidência, favorece a propulsão de linhas de pesquisa científica das supostas propriedades terapêuticas de células extraídas dessa heterodoxa realidade que é o embrião humano *in vitro*".[118]

Inicialmente, enfrenta o que se poderia denominar de *status jurídico do embrião*. Embora reconheça que o início da vida coincide com o momento da fecundação de um óvulo feminino por um espermatozoide masculino, sustenta que "a Constituição Federal não faz de todo e qualquer estágio da vida humana um autonomizado bem jurídico, *mas da vida que já é própria de uma concreta pessoa, porque nativiva e, nessa condição, dotada de compostura física ou natural*".[119]

---

[116] SUPREMO TRIBUNAL FEDERAL. Ação Direta de Inconstitucionalidade 3.510. Rel. Min. Carlos Ayres Britto. Julgado em 29/5/2008, Plenário, *DJE* de 28/5/2010, p. 148. Grifamos.

[117] SUPREMO TRIBUNAL FEDERAL. Ação Direta de Inconstitucionalidade 3.510. Rel. Min. Carlos Ayres Britto. Julgado em 29/5/2008, Plenário, *DJE* de 28/5/2010, p. 149.

[118] SUPREMO TRIBUNAL FEDERAL. Ação Direta de Inconstitucionalidade 3.510. Rel. Min. Carlos Ayres Britto. Julgado em 29/5/2008, Plenário, *DJE* de 28/5/2010, p. 159.

[119] SUPREMO TRIBUNAL FEDERAL. Ação Direta de Inconstitucionalidade 3.510. Rel. Min. Carlos Ayres Britto. Julgado em 29/5/2008, Plenário, *DJE* de 28/5/2010, p. 165.

Nesse sentido, sustenta que a personalidade, atributo que vislumbra pertencer apenas às pessoas físicas ou naturais, assim consideradas aquelas que sobrevivem ao parto feminino, consiste num "predicado ou apanágio de quem é pessoa *numa dimensão biográfica*, mais que simplesmente biológica", ou seja, do "*sujeito que não precisa mais do que de sua facticidade como nativivo para instantaneamente se tornar um rematado centro de imputação jurídica*".[120] Daí por que ser possível pensar em diferentes graus de proteção à luz das distintas etapas do desenvolvimento da criatura humana, o que, longe de contrariar o texto constitucional, com ele está de acordo, uma vez que a Constituição Federal de 1988, ao se referir a *direitos da pessoa humana, livre exercício dos direitos individuais* e *direitos e garantias individuais*, fá-lo em relação a direitos e garantias de alguém, de uma pessoa já nascida e *residente no País* (CF/88, Artigo 5º).

Diante do *silêncio de morte* da Constituição quanto ao início da vida humana, aduz que a questão central residiria em identificar quais os aspectos e momentos dessa vida estão validamente protegidos pela legislação *infraconstitucional*. Nesse passo, refere que a dignidade da pessoa humana, dada a sua relevância, admite *transbordamento*, de modo a abarcar, no âmbito da legislação infraconstitucional, a proteção daquilo que se manifesta como início e desenvolvimento de processo que culmine no indivíduo-pessoa,[121] caso do embrião e do feto.

Daí a conclusão de que "a potencialidade de algo para se tornar pessoa humana já é meritória o bastante para acobertá-lo, infraconstitucionalmente, contra tentativas esdrúxulas, levianas ou frívolas de obstar sua natural continuidade

[120] SUPREMO TRIBUNAL FEDERAL. Ação Direta de Inconstitucionalidade 3.510. Rel. Min. Carlos Ayres Britto. Julgado em 29/5/2008, Plenário, *DJE* de 28/5/2010, p. 162. De modo que "a vida humana já revestida do atributo da personalidade civil é o fenômeno que transcorre entre o nascimento com vida e a morte (Idem, Ibidem).

[121] SUPREMO TRIBUNAL FEDERAL. Ação Direta de Inconstitucionalidade 3.510. Rel. Min. Carlos Ayres Britto. Julgado em 29/5/2008, Plenário, *DJE* de 28/5/2010, p. 169. Falando especificamente do aborto, afirma que "essa vedação do aborto não é outra coisa senão o Direito Penal brasileiro a reconhecer que, *apesar de nenhuma realidade ou forma de via pré-natal ser uma pessoa física ou natural*, ainda assim faz-se portadora de uma dignidade que importa reconhecer e proteger. Reconhecer e proteger, aclare-se, nas condições e limites da legislação ordinária mesma, devido ao mutismo da Constituição quanto ao início da vida humana. Mas um mutismo hermeneuticamente significante de transpasse de poder normativo para a legislação ordinária ou usual" (SUPREMO TRIBUNAL FEDERAL. Ação Direta de Inconstitucionalidade 3.510. Rel. Min. Carlos Ayres Britto. Julgado em 29/5/2008, Plenário, *DJE* de 28/5/2010, p. 171).

fisiológica", o que não significa que embrião, feto e pessoa humana possam ser confundidos, já que esta "não se antecipa à metamorfose dos outros dois organismos", pelo que não existe "pessoa humana embrionária, mas embrião de pessoa humana".[122]

Além disso, propõe uma compreensão diferente quanto aos embriões fruto de relação sexual e aqueles decorrentes de fertilização *in vitro*. É que, "se toda gestação humana principia com um embrião igualmente humano, nem todo embrião humano desencadeia uma gestão igualmente humana",[123] de modo que deixam de coincidir a concepção e o nascituro, enquanto o óvulo já fecundado não for introduzido no útero. Donde a intervenção sobre o embrião *in vitro* não constitui a interrupção de uma trajetória em direção à produção de uma pessoa, porquanto a sua manutenção *in vitro*, à míngua de outras condições externas, notadamente a inserção em um útero, impede a progressão reprodutiva.[124]

O ministro relator realiza um paralelo entre as Leis n. 9.434/97 e n. 11.105/2005, que reputa provenientes da mesma fonte constitucional: o fraternal e solidário Artigo 199 da Constituição Federal de 1988, segundo qual "a lei disporá sobre as condições e os requisitos que facilitem a remoção de órgãos, tecidos e substâncias para fins de transplante, pesquisa e tratamento, bem como a coleta, processamento e transfusão de sangue e seus derivados, vedado todo tipo de comercialização".

A partir disso, busca na Lei n. 9.434/1997 o dispositivo que estipula a morte encefálica como o momento do término da vida da pessoa física ou natural,[125]

[122] SUPREMO TRIBUNAL FEDERAL. Ação Direta de Inconstitucionalidade 3.510. Rel. Min. Carlos Ayres Britto. Julgado em 29/5/2008, Plenário, *DJE* de 28/5/2010, p. 172.

[123] SUPREMO TRIBUNAL FEDERAL. Ação Direta de Inconstitucionalidade 3.510. Rel. Min. Carlos Ayres Britto. Julgado em 29/5/2008, Plenário, *DJE* de 28/5/2010, p. 177.

[124] Complementarmente, menciona que "à falta do *húmus* ou da constitutiva ambiência orgânica do corpo feminino, o óvulo já fecundado, mas em estado de congelamento, estaca na sua própria *linha de partida genética*. Não tem como alcançar a fase que, na mulher grávida, corresponde àquela 'nidação' que já é a *ante-sala* do feto. Mas é embrião que conserva, pelo menos durante algum tempo, a totipotência para se diferenciar em outro tecido (inclusive neurônios) que nenhuma célula-tronco adulta parece deter" (SUPREMO TRIBUNAL FEDERAL. Ação Direta de Inconstitucionalidade 3.510. Rel. Min. Carlos Ayres Britto. Julgado em 29/5/2008, Plenário, *DJE* de 28/5/2010, p. 179).

[125] Artigo 3º, *caput*: A retirada *post mortem* de tecidos, órgãos ou partes do corpo humano destinados a transplante ou tratamento deverá ser precedida de diagnóstico de morte encefálica,

compreensão que entende poder auxiliar na resolução da questão posta, a partir da ideia de atividade cerebral, sendo que o embrião tratado na Lei de Biossegurança não pode ser considerado uma vida a caminho de outra, uma vez que lhe falam as possibilidades de adquirir as primeiras terminações nervosas que insinuam um cérebro humano em gestação. Por outras palavras, o embrião *in vitro*, embora valioso por si mesmo, caso assim permaneça, é algo que jamais será alguém.

Em razão disso, conclui que "a escolha feira pela Lei de Biossegurança não significou um desprezo ou desapreço pelo embrião *in vitro*, menos ainda um frio assassinato, *porém uma mais firme disposição para encurtar caminhos que possam levar à superação do infortúnio alheio*".[126]

Noutra perspectiva, o ministro relator indaga sobre a existência de base constitucional para um casal de adultos recorrer a técnicas de reprodução assistida, base que identifica nos Artigos 226 e seguintes da Constituição Federal de 1988. Com efeito, vislumbra-se, no ponto, a figura do *planejamento familiar*, regulada no § 7º do citado dispositivo legal, segundo o qual "fundado nos *princípios da dignidade da pessoa humana* e da *paternidade responsável*, o planejamento familiar é *livre decisão do casal*, competindo ao *Estado* propiciar recursos educacionais e *científicos* para o exercício desse direito, *vedada qualquer forma coercitiva* por parte de instituições oficiais ou privadas".[127]

Uma segunda questão aparece ligada à primeira resposta: "o recurso a processos de fertilização artificial implica o dever da tentativa de nidação no corpo da mulher produtora dos óvulos afinal fecundados?".[128] O relator responde negativamente, seja porque a lei não o impõe, seja em razão da nítida incompatibilidade com o instituto do *planejamento familiar*, seja porque "tal nidação compulsória corresponderia a impor às mulheres a tirania patriarcal de ter que gerar filhos para os seus maridos ou companheiros, na contramão do notável avanço cultural que se

constatada e registrada por dois médicos não participantes das equipes de remição e transplante, mediante a utilização de critérios clínicos e tecnológicos definidos por resolução do Conselho Federal de Medicina.

[126] SUPREMO TRIBUNAL FEDERAL. Ação Direta de Inconstitucionalidade 3.510. Rel. Min. Carlos Ayres Britto. Julgado em 29/5/2008, Plenário, *DJE* de 28/5/2010, 199.

[127] Sem destaques no original.

[128] SUPREMO TRIBUNAL FEDERAL. Ação Direta de Inconstitucionalidade 3510. Rel. Min. Carlos Ayres Britto. Julgado em 29/5/2008, Plenário, *DJE* de 28/5/2010, p. 185.

contém na máxima de que 'o grau de civilização de um povo se mede pelo grau de liberdade da mulher' (Charles Fourier)".[129]

Por fim, o relator aborda a questão à luz da garantia fundamental da liberdade de expressão da atividade científica (CF/1988, Artigo 5º, inc. IX), que vislumbra como um direito civil-constitucional ou direito de personalidade, passível de oposição ao próprio Estado, e que compreende, por um lado, a liberdade de elaboração do conhecimento científico, e, por outro, a liberdade de promover a respectiva divulgação,[130] pelo que se justificaria a pesquisa com células-tronco embrionárias, desde que respeitados os condicionantes impostos pela Lei de Biossegurança.

À luz dos fundamentos até aqui brevemente expostos, o ministro relator conclui pela improcedência dos pedidos veiculados na ADI n. 3.510, reputando o Artigo 5º da Lei n. 11.105/2005 compatível com a Constituição Federal de 1988.

4.2 O voto divergente: os argumentos para a procedência do pedido

Os principais argumentos de oposição ao entendimento do relator encontram-se no denso voto proferido pelo ministro Menezes Direito. Na sequência, tentaremos expô-los, ainda que resumidamente.

O ministro inicia pela delimitação do objeto da discussão: segundo ele, o que se julga é o alcance constitucional da proteção à vida e à dignidade da pessoa humana, uma vez que, a se admitir que a vida humana tem início na fecundação, "a utilização do embrião para retirada de células-tronco, com sua consequente destruição, importaria na violação do direito à vida".[131]

---

[129] SUPREMO TRIBUNAL FEDERAL. Ação Direta de Inconstitucionalidade 3.510. Rel. Min. Carlos Ayres Britto. Julgado em 29/5/2008, Plenário, *DJE* de 28/5/2010, p. 188.

[130] SUPREMO TRIBUNAL FEDERAL. Ação Direta de Inconstitucionalidade 3.510. Rel. Min. Carlos Ayres Britto. Julgado em 29/5/2008, Plenário, *DJE* de 28/5/2010, p. 204.

[131] SUPREMO TRIBUNAL FEDERAL. Voto do ministro Menezes Direito na Ação Direta de Inconstitucionalidade 3510. Rel. Min. Carlos Ayres Britto. Julgado em 29/5/2008, Plenário, *DJE* de 28/5/2010, p. 222. De forma complementar, refere que "o que há de se determinar é se a Lei que autoriza a utilização de células-tronco extraídas de embriões humanos destinados à geração da vida, intenção primeira dos genitores, é ou não compatível com a proteção dispensada ao direito à vida e à dignidade da pessoa humana pelas normas constitucionais. E tudo porque se alega, de um lado, que a simples manipulação de embriões humanos para a pesquisa atentaria contra essa dignidade e, de outro, que, para serem obtidas, as células-tronco embrionárias dependeriam da

Antes dessa análise, define as células-tronco, na esteira do National Institute of Health, órgão governamental norte-americano responsável pelas políticas federais de saúde, como sendo "células não especializadas, que têm a faculdade de se renovar mediante um processo autônomo de divisão e se caracterizam pela possibilidade de, sob certas condições fisiológicas ou experimentais, transformarem-se em células de função especializada".[132] Dois seriam os tipos de células-tronco: as adultas (oriundas de tecidos já desenvolvidos) e as embrionárias (extraídas de embriões decorrentes de fertilização assistida).

A obtenção das células-tronco embrionárias se dá por meio da extração de parte da massa central celular (ICM – *inner cell mass*) do blastocisto, removendo-se o trofectoderma, com o que o embrião é *destruído.*[133] Daí a necessidade de se analisar a admissibilidade do procedimento em face das normas constitucionais, notadamente as que tutelam a vida e a dignidade da pessoa humana.

Contudo, adverte que o enfrentamento da constitucionalidade do Artigo 5º da Lei n. 11.105/2005 pressupõe a valoração do embrião e, mais especificamente, a adoção de uma posição clara acerca do início da vida. É que, a se concluir que o embrião não possui qualquer valor especial, igualando-se a um mero conjunto de células em cultura, sua destruição pouco significaria. A questão se torna mais complexa quando se lhe concede valor idêntico ao de um ser humano nascido.[134]

Nesse passo, o ministro refuta a ideia de metamorfose entre embrião, feto e pessoa humana trazida pelo relator, reputando arbitrária a fixação de um marco

---

destruição o embrião" (SUPREMO TRIBUNAL FEDERAL. Voto do Ministro Menezes Direito na Ação Direta de Inconstitucionalidade 3510. Rel. Min. Carlos Ayres Britto. Julgado em 29/5/2008, Plenário, *DJE* de 28/5/2010, p. 238).

[132] SUPREMO TRIBUNAL FEDERAL. Voto do Ministro Menezes Direito na Ação Direta de Inconstitucionalidade 3510. Rel. Min. Carlos Ayres Britto. Julgado em 29/5/2008, Plenário, *DJE* de 28/5/2010, p. 247.

[133] O Ministro afirma que essa situação, aliada aos riscos inerentes à manipulação genética e, ao limite, da eugenia, demonstram que a experimentação científica não se contém em limites autoimpostos, razão por que se faz necessária a regulamentação e a imposição de rígidos limites externos à ciência (SUPREMO TRIBUNAL FEDERAL. Voto do Ministro Menezes Direito na Ação Direta de Inconstitucionalidade 3510. Rel. Min. Carlos Ayres Britto. Julgado em 29/5/2008, Plenário, *DJE* de 28/5/2010, p. 246 e 249).

[134] SUPREMO TRIBUNAL FEDERAL. Voto do ministro Menezes Direito na Ação Direta de Inconstitucionalidade 3510. Rel. Min. Carlos Ayres Britto. Julgado em 29/5/2008, Plenário, *DJE* de 28/5/2010, p. 255.

por convenção. Isso porque existiriam estudos negando a possibilidade de isolamento de etapas, em virtude da existência de continuidade entre os estágios do processo de desenvolvimento do embrião e do feto[135].

Ademais, questiona a aproximação feita pelo relator entre as ideias de metamorfose e de potencialidade, baseada em Aristóteles. Isso porque entende descabida,

> na perspectiva aristotélica, a afirmação de que a atualização é promovida por outrem de fora. A atualização, na verdade, está no próprio ente. É ato próprio, independente. Isso quer dizer que o embrião, mesmo *in vitro*, não se reduz a algo que depende de uma interferência externa para a sua transformação, como a madeira, ou o mármore, caso em que, de fato, nada obrigaria a essa atualização. O embrião não é um objeto de transformação, mas o sujeito de sua própria atualização. A fertilização *in vitro* não lhe retira a potência, mas apenas o meio em que no atual estado da ciência pode se atualizar.[136]

Em suma, entende que não devem ser confundidas as ideias de potência e possibilidade. Esta traz consigo o seu oposto (impossibilidade), o que não ocorre com aquela, que não carrega a sua negação e somente não resultará em ato se algum impedimento externo intervier. Lembra, nesse ponto, que a criação de embriões por meio da fertilização *in vitro* só pode ter como objetivo a reprodução, admitido, nos limites da lei, o seu aproveitamento para fins de pesquisa e terapia[137].

Diante disso, o ministro conclui que "o embrião é, desde a fecundação, mais precisamente desde a união dos núcleos do óvulo e do espermatozoide,

---

[135] SUPREMO TRIBUNAL FEDERAL. Voto do Ministro Menezes Direito na Ação Direta de Inconstitucionalidade 3510. Rel. Min. Carlos Ayres Britto. Julgado em 29/5/2008, Plenário, *DJE* de 28/5/2010, p. 257.

[136] SUPREMO TRIBUNAL FEDERAL. Voto do Ministro Menezes Direito na Ação Direta de Inconstitucionalidade 3510. Rel. Min. Carlos Ayres Britto. Julgado em 29/5/2008, Plenário, *DJE* de 28/5/2010, p. 270. De forma emblemática: "É possível dizer o contrário, ou seja, quando há a fecundação ele já é, e se há interrupção do que é, aí sim, ele não será. Ele já é ser porque foi gerado para ser, não para não ser" (SUPREMO TRIBUNAL FEDERAL. Voto do Ministro Menezes Direito na Ação Direta de Inconstitucionalidade 3510. Rel. Min. Carlos Ayres Britto. Julgado em 29/5/2008, Plenário, *DJE* de 28/5/2010, p. 271).

[137] SUPREMO TRIBUNAL FEDERAL. Voto do Ministro Menezes Direito na Ação Direta de Inconstitucionalidade 3510. Rel. Min. Carlos Ayres Britto. Julgado em 29/5/2008, Plenário, *DJE* de 28/5/2010, p. 274.

um indivíduo, um representante da espécie humana, com toda a carga genética (DNA) que será a mesma do feto, do recém-nascido, da criança, do adolescente, do adulto, do velho", não havendo qualquer diferença ontológica entre as etapas de desenvolvimento, a justificar diferentes índices de proteção.[138] Por outras palavras, não é defensável a existência, em relação ao embrião, de um estatuto ou uma dignidade intermediários, lastreados na ausência de capacidade moral ou racional.[139] Ou bem se reconhece que o embrião é já vida humana e, por isso, dotado de dignidade ou, ao contrário, não há vida nem dignidade a ser reconhecida, uma vez que "sem vida não há dignidade, e a dignidade é uma exigência da vida humana".[140]

Em função disso, sustenta que é a vida (e não a dignidade) que regulará a proteção a ser conferida ao embrião, o que não significa, todavia, que o reconhecimento de que ele a possui levará ao julgamento imediato de procedência ou improcedência dos pedidos veiculados na ADIn. Isso porque se afigura necessário determinar o alcance da garantia do direito à vida, do que decorre a necessidade de se averiguar se todas as formas de obtenção de células-tronco embrionárias afetam negativamente a vida do embrião.[141]

---

[138] SUPREMO TRIBUNAL FEDERAL. Voto do Ministro Menezes Direito na Ação Direta de Inconstitucionalidade 3510. Rel. Min. Carlos Ayres Britto. Julgado em 29/5/2008, Plenário, *DJE* de 28/5/2010, p. 277.

[139] SUPREMO TRIBUNAL FEDERAL. Voto do Ministro Menezes Direito na Ação Direta de Inconstitucionalidade 3510. Rel. Min. Carlos Ayres Britto. Julgado em 29/5/2008, Plenário, *DJE* de 28/5/2010, p. 278. Complementarmente, afirma haver "uma dificuldade lógica a desafiar o raciocínio que coloca marcos temporais no desenvolvimento do embrião para fixar o início da vida após a fecundação. É que se de um lado reconhece haver vida no embrião, mas uma vida ainda não humana, para a qual não caberia a proteção do direito constitucional à vida, de outro, entende não haver pessoa (personalidade) no embrião, mas lhe reconhece a proteção da dignidade da pessoa humana" (SUPREMO TRIBUNAL FEDERAL. Voto do Ministro Menezes Direito na Ação Direta de Inconstitucionalidade 3510. Rel. Min. Carlos Ayres Britto. Julgado em 29/5/2008, Plenário, *DJE* de 28/5/2010, p. 278).

[140] SUPREMO TRIBUNAL FEDERAL. Voto do Ministro Menezes Direito na Ação Direta de Inconstitucionalidade 3510. Rel. Min. Carlos Ayres Britto. Julgado em 29/5/2008, Plenário, *DJE* de 28/5/2010, p. 280.

[141] SUPREMO TRIBUNAL FEDERAL. Voto do Ministro Menezes Direito na Ação Direta de Inconstitucionalidade 3510. Rel. Min. Carlos Ayres Britto. Julgado em 29/5/2008, Plenário, *DJE* de 28/5/2010, p. 283.

Nesse aspecto, reconhece que o embrião é vida, vida humana, que "se caracteriza pelo movimento de seu próprio e autônomo desenvolvimento, representado nas suas seguidas divisões, nas suas clivagens".[142] Logo, os métodos de extração de células-tronco que provocarem a morte do embrião violarão, em regra, o direito à vida previsto constitucionalmente, ressalvada a hipótese do Artigo 3º, inc. XIII, do Decreto n. 5.591/2005 ("que tiverem seu desenvolvimento interrompido por ausência espontânea de clivagem após período superior a vinte e quatro horas a partir da fertilização *in vitro*"), única que o ministro reconhece como de verdadeira inviabilidade de subsistência.[143]

Assim, conclui pela necessidade de estabelecimento de um nível de segurança adequado para as futuras gerações e um grau mais elevado de respeito ao ser humano, o que seria alcançado, no tocante ao procedimento de fertilização *in vitro*, mesmo sem a obrigação de transferência de todos os embriões produzidos, caso observadas as seguintes regras:

> (i) emprego apenas para fins reprodutivos; (ii) emprego somente na ausência de outras técnicas aptas para solucionar o problema da infertilidade; (iii) proibição de seleção de sexo; (iv) emprego de ICSI apenas quando ineficaz a fertilização através da aproximação dos gametas; (v) limitação do número de óvulos a serem fertilizados; (vi) limitação do uso do diagnóstico pré-implantação, restringindo-o para investigação de determinadas anomalias com vistas à cura; (vii) limitação do número de embriões a serem transferidos; (viii) proibição de redução embrionária; (ix) proibição de descarte de embriões, independentemente de sua viabilidade, morfologia ou qualquer outro critério de classificação; (x) proibição de comercialização de embriões; e (xi) proibição

[142] SUPREMO TRIBUNAL FEDERAL. Voto do Ministro Menezes Direito na Ação Direta de Inconstitucionalidade 3510. Rel. Min. Carlos Ayres Britto. Julgado em 29/5/2008, Plenário, *DJE* de 28/5/2010, p. 280.

[143] O ministro refere existir método alternativo para a extração de células-tronco de embriões com vida que não provoca a sua destruição e, consequentemente, não violam o direito à vida: "trata-se da extração de uma única ou no máximo duas células (blastômeros) de um embrião com oito células através de uma punção celular. Essa extração é realizada rotineiramente no processo de fertilização *in vitro* para possibilitar o diagnóstico pré-implantação que investiga, através de uma única célula do embrião, se ele é portador de alguma anomalia genética" (SUPREMO TRIBUNAL FEDERAL. Voto do Ministro Menezes Direito na Ação Direta de Inconstitucionalidade 3510. Rel. Min. Carlos Ayres Britto. Julgado em 29/5/2008, Plenário, *DJE* de 28/5/2010, p. 287).

de doação de embriões, salvo daqueles estagnados e registrado em registro único constituído para esse fim, com abrangência nacional, e somente para pesquisa básica voltada para o estudo dos processos de diferenciação celular e pesquisa com fins terapêuticos que tenham sido aprovadas por órgão com abrangência nacional, sempre com o consentimento livre e informado dos genitores, de acordo com as normas de deontologia médica adotadas mundialmente, e a supervisão de médico especializado.

Nesse sentido, conclui, nos pontos que interessam mais diretamente ao presente escrito, pela procedência parcial dos pedidos formulados na ADI n. 3.510, a fim de que: (i) seja entendido que as células-tronco embrionárias somente possam ser obtidas sem a destruição do embrião, com a exceção do previsto no item iii; (ii) seja vedado o descarte de embriões, independentemente da sua viabilidade, morfologia ou qualquer outro critério de classificação; (iii) sejam considerados *inviáveis* apenas os embriões insubsistentes por si mesmos, ou seja, aqueles que tiveram seu desenvolvimento interrompido por falta espontânea de clivagem após período mínimo superior a vinte e quatro horas, em relação aos quais não haveria qualquer restrição de método para obtenção das células-tronco.

5 Proteção jurídico-penal do embrião *in vitro*

No contexto jurídico-penal que envolve a pesquisa com células-tronco, deve-se discutir as consequências e os efeitos resultantes dos procedimentos biomédicos adotados em relação ao embrião humano, que, hodiernamente, constitui um "material de trabalho" de acesso relativamente fácil aos cientistas para utilização em certas pesquisas, sejam quais forem os seus fins (terapêuticos ou não terapêuticos).

O embrião humano está suscetível a diversos tipos de intervenções biomédicas (investigações, experimentações e manipulações) que, apesar de muitas vezes reverterem em seu benefício, podem, todavia, seguir outro rumo, dando origem assim a novas indagações ao direito, em especial ao direito penal, pois essas biotécnicas abrem portas para que também ocorram ofensas a novos bens jurídicos individuais e supraindividuais dignos de proteção penal e/ou novas ofensas a bens jurídico-penais tradicionais.

Como se sabe, a tutela jurídico-penal (da vida) do nascituro intrauterino (embrião ou feto) se dá através do crime de aborto desde a concepção ou nidação[144] até o início do processo de nascimento, quando começam os trabalhos de parto (*labores parturientium*), seja ele normal ou artificial (*v.g.*, operação cesariana).[145] Se houver destruição da vida após o início do nascimento, incidirá o crime de homicídio ou infanticídio.

No entanto, embora possa ser qualificado como um "ser detentor de vida humana", o embrião produzido e mantido *ex utero* (*in vitro*) não se origina no organismo materno e/ou muitas vezes nele não é implantado, condições estas tradicionalmente consideradas indispensáveis para o reconhecimento da sua proteção pelo direito penal.

Com efeito, as reflexões e os problemas que hoje são apontados se referem à insuficiência das legislações penais em proteger o embrião extrauterino diante das novas experimentações biomédicas, particularmente se ele for utilizado com fins experimentais não terapêuticos, pois podem ocorrer intervenções científicas que não visem ao seu tratamento curativo ou à sua implantação no ventre feminino para finalidades procriativas, mas sim a interesses puramente científicos, comerciais ou industriais, p.ex., utilizando-se embriões para a fabricação de cosméticos, de materiais bélicos, e para servirem como "material de reserva" destinado a terceiros, como "material biológico de reserva" destinado a terceiros,[146] a partir da extração de suas células, tecidos e órgãos. Aliás, este "material biológico de reserva" pode

[144] O Código penal alemão positivou, no § 219d, o critério da nidação para efeitos de interrupção da gravidez, fenômeno que geralmente ocorre no 14º dia posterior à fecundação (fusão do espermatozoide com o óvulo). Entretanto, no Brasil, boa parte da doutrina adota o critério da fecundação (ou concepção) como marco do início da gravidez nos crimes de aborto (v., por todos, BITENCOURT, Cezar. *Tratado de direito penal:* parte especial (vol. 2). São Paulo: Saraiva, 2006. p. 158-159).

[145] LÜTTGER, H. *Medicina y derecho penal. Inseminación artificial human. Anticonceptivos y aborto. Embrión, feto y persona. Concepto de muerte en el derecho penal. Trasplante de órganos.* Trad. E. Bacigalupo. Madrid: Editoriales de Derecho Reunidas, 1984. p. 52ss.

[146] O PARLAMENTO EUROPEU sugere a proibição penal da manutenção da vida por métodos artificiais de embriões humanos com o fim de efetuar oportunamente extrações de tecidos ou órgãos (PARLAMENTO EUROPEU, *Resolução sobre os problemas éticos e jurídicos da manipulação genética*, de 16/3/1989, n. 36). Manifestando-se contrário a uma instrumentalização dos embriões ao serviço de outras vidas, OTERO, Paulo. *Personalidade e identidade pessoal e genética do ser humano:* um perfil constitucional da bioética. Coimbra: Almedina, 1999. p.52.

constituir-se em fonte de células-tronco, consideradas úteis na terapia celular e medicina regenerativa para o tratamento e a cura de certas enfermidades degenerativas (mal de Parkinson, mal de Alzheimer, câncer etc.).

O vazio legislativo de medidas protetoras do embrião *in vitro* diante de tais intervenções torna-se preocupante na medida em que o ser humano pode ser rebaixado a mero objeto desvalioso, degradando-se por completo a sua condição humana como tal, atentando-se contra a sua dignidade. Neste sentido, concordamos com Eser que não podemos negar um "*status* moral" ao embrião *ex utero*, visto que o óvulo feminino fecundado com o sêmen de um homem trata-se de vida especificamente humana[147], sendo oportuna neste sentido a introdução de normas penais para devidamente protegê-lo.

Como se viu acima, considera-se constitucional e lícita a utilização de embriões humanos para fins de pesquisa e terapia, desde que sejam observados alguns requisitos legais. No Brasil, a atual Lei de Biossegurança permite utilizar embriões humanos como meros instrumentos para atingir determinados fins (possíveis benefícios a terceiros) a eles alheios,[148] a partir da extração das suas

[147] ESER, Albin. *Direito penal, medicina y genética*. Trad. vários autores. Lima: Idemsa, 1998. p. 265. Eser observa, com razão, que a experimentação com embriões só seria em tese admissível no caso de "experimentação terapêutica" (quando o resultado que se espera da experiência possa concorrer para o próprio bem do embrião) ou de "experimentação humana", quando o resultado puder beneficiar outros embriões, com a obtenção de novos conhecimentos científicos, mas desde que a morte do embrião seja absolutamente inevitável e "a sua degradação em objeto possa ser compensada pela prossecução de importantes objetivos médico-científicos, aos quais ainda falta dar uma definição suficientemente clara" (ESER. Albin. Genética humana: aspectos jurídicos e sociopolíticos. Tradução de Pedro Caeiro. *Revista Portuguesa de Ciência Criminal*. Lisboa, ano 2, n. 1, p. 62-63, 1992). Neste sentido, FRANCO, Alberto. Genética humana e direito, *Bioética*, vol. 4, 1996, p. 19. Vale reproduzir ainda a interpretação da AIDP: "o fundamento e o alcance da proteção jurídica dos embriões humanos não implantados depende em grande medida da 'condição moral' que se lhes atribua. Ainda que não exista um consenso universal sobre esta questão de sua condição moral e que esteja se desenvolvendo um debate internacional a este respeito, existe unanimidade, em princípio, quaisquer que possam ser as possíveis restrições, de que a vida humana é digna de proteção desde o momento da união dos gametos, independentemente de se o embrião precoce deve ser considerado 'pessoa' ou um ser que possui seus próprios direitos fundamentais" (AIDP, *Resoluções do Colóquio de Direito penal e modernas técnicas biomédicas*, 1988, n. 5.2). Mais desenvolvidamente sobre o estatuto moral do embrião, mas sob um enfoque constitucional, STARCK, Christian. *Revista de Derecho y Genoma Humano*, vol. 15, 2001, p. 139ss.

[148] Sobre isso v. CARVALHO, Gisele. La protección penal del patrimonio genético em Brasil

células-tronco (*stem cells*), células estas que teriam possibilidades consideradas terapêuticas. A esperança da comunidade científica é que as células-tronco sejam capazes de regenerar e curar tecidos e órgãos doentes, além de, futuramente, desenvolver órgãos para a realização de transplantes.

As células-tronco são células progenitoras capazes de se autorrenovar (*self renewing*) e de se autodividir (*self replicate*) ilimitadamente, diferenciando-se em células e tecidos especializados.[149] Quanto à sua natureza, há duas espécies de células-tronco: as células-tronco adultas (*adult stem cells*) e as células-tronco embrionárias (*embryonic stem cells*).[150] As células-tronco adultas podem ser extraídas de diversos tecidos humanos (medula óssea, sangue, fígado, cordão umbilical, placenta, fígado, músculos etc.), enquanto as células embrionárias só podem ser encontradas em embriões humanos.

Acredita-se, todavia, que as células-tronco embrionárias possuem uma maior capacidade de diferenciação e especialização em células desejadas (*plasticidade*) do que as células-tronco adultas, motivo pelo qual aquelas são classificadas como "totipotentes" e/ou "pluripotentes".[151] Dessa forma, as células-tronco embrionárias seriam teoricamente mais promissoras porquanto teriam maior plasticidade do que as células-tronco adultas. No entanto, os benefícios esperados ainda não

---

(comentarios a la nueva "lei de bioseguridad" de 24 de marzo de 2005. *Revista de Derecho y Genoma humano*, vol. 25, p. 93ss., 2005.

[149] BARTH, Wilmar. *Células-tronco e bioética:* o progresso bioético e os desafios éticos. Porto Alegre: Edipucrs. p. 26.

[150] Sobre o que são as células-tronco (adultas e embrionárias), bem como sobre as suas pesquisas e suas fontes, mais desenvolvidamente, BARTH, Wilmar. *Células-tronco e bioética:* o progresso bioético e os desafios éticos. Porto Alegre: Edipucrs. p. 18ss.

[151] Células totipotentes são aquelas capazes de se diferenciar em todos os tipos de tecidos e células que formam o corpo humano, incluindo a placenta e anexos embrionários; "são células, embrionárias ou não, com qualquer grau de ploidia, apresentando a capacidade de formar células germinais ou diferenciar-se um indivíduo" (CTNBio, *Instrução Normativa* 8/1997, Artigo 1º, III). Células pluripotentes ou multipotentes são aquelas capazes de se diferenciar em quase todos os tipos de tecidos e células humanos, excluindo a placenta e anexos embrionários. Segundo Prado, "a célula totipotente contribui a todos os tipos celulares de um organismo adulto; tem a capacidade de dar lugar a um indivíduo completo", enquanto a "célula pluripotente não é capaz de desenvolver-se em um organismo completo, mas tem a capacidade funcional de dar lugar a várias linhagens celulares ou tecidos diferentes" (PRADO, Luiz Régis. *Direito penal do ambiente*. São Paulo: São Paulo: Revista dos Tribunais, 2005. p. 579).

passam de promessas teóricas, inexistindo no momento evidências científicas que comprovem as reais possibilidades curativas e terapêuticas das células-tronco embrionárias. Ademais, não se sabe bem quais são as consequências negativas que podem advir ao ser humano com a sua utilização.[152] Por outro lado, já há algumas pesquisas indicando que as células-tronco adultas também possuem uma certa pluripotência equivalente às células-tronco embrionárias.[153] Se tais descobertas se confirmarem, antes de recorrer-se às células-tronco embrionárias seria interessante as pesquisas se dirigirem às células-tronco adultas para verificar se a sua potencialidade terapêutica é efetivamente limitada, e, além disso, esgotar as experimentações com células-tronco de animais.[154] Tal medida de caráter moratório poderia ser uma alternativa mais sensata, prudente e condizente com a dignidade humana.

[152] Segundo Barth, descobriu-se que as células-tronco embrionárias, quando diretamente injetadas em animais, também podem dar origem a tumores, mais conhecidos como teratomas ou terato-carcinomas (BARTH, Wilmar. *Células-tronco e bioética:* o progresso bioético e os desafios éticos. Porto Alegre: Edipucrs. p. 33-34).

[153] VOGEL, G. Harnessing the power of stem cells. *Science*, vol. 283, p. 1432-1434, 1999; VOGEL, G. Studies cast doubt on plasticity of adult cells. *Science*, vol. 295, p. 1989-1991, 2002; JEFESON. Adult stem cells may be redefinable, *British Medical Journal*, vol. 318, p. 282, 1999; PAGÁN. Ultimate stem cell discovered, *New Scientist*, vol. 23, 2002. Aliás, a PONTIFÍCIA ACADEMIA PARA A VIDA (*Declaração sobre a produção e o uso científico e terapêutico das células-tronco embrionárias humanas*, de 25 de agosto de 2000), prefere explicitamente a pesquisa com células-tronco adultas: "todos estes progressos e os resultados já alcançados no campo das células-tronco adultas deixam entrever não só a sua grande plasticidade, mas também uma ampla possibilidade de prestações, presumivelmente não distinta das utilizações das células-tronco embrionárias, visto que a plasticidade depende em grande parte de uma informação genética, que pode ser reprogramada". Para Barth, "ao que tudo indica, as células-tronco pluripotentes adultas têm o mesmo potencial de desenvolvimento que as células-tronco pluripotentes embrionárias, mas é imprescindível um conhecimento maior, especialmente o domínio da capacidade de diferenciação e especialização das mesmas na linha celular desejada. Em pesquisas feitas sobre o tratamento do mal de Parkinson, as experiências em macacos têm demonstrado que elas oferecem até melhores resultados que as células-tronco embrionárias" (BARTH, Wilmar. *Células-tronco e bioética:* o progresso bioético e os desafios éticos. Porto Alegre: Edipucrs. p. 49). Aliás, em recente pesquisa realizada no líquido amniótico descobriu-se a presença de células-tronco com grande potencial de diferenciação (pluripotência), similar ao das células-tronco embrionárias (<www.nature.com/nbt/journal/v25/n1/abs/nbt1274.html>. Acesso em: 13/1/2006).

[154] A propósito disso, v. HOLDEN, C. Stem cell research: primate parthenotes yield stem cells, *Science*, vol. 295, p. 779-780, 2002.

Há basicamente quatro fontes de obtenção de células-tronco embrionárias, que por sua vez podem ser utilizadas na terapia celular diretamente ou como produtoras de cultivos de tecidos (ou órgãos) *in vitro* para substituir *in situ* os tecidos e órgãos danificados. As fontes são as seguintes: 1) embriões produzidos por fertilização *in vitro* que foram exclusivamente criados para este fim; 2) embriões produzidos por fertilização *in vitro* que foram descartados em processos de reprodução assistida ou que foram congelados e não mais utilizados para fins reprodutivos (embriões excedentes); 3) embriões produzidos por clonagem (mediante transferência de núcleo ou divisão embrionária); e 4) embriões provenientes de abortos.

A utilização abusiva ou ilegal de embriões humanos está tipificada como crime no Artigo 24 da Lei n. 11.105/2005, com pena de detenção de um a três anos e multa, permitindo-se apenas a utilização de células-tronco embrionárias obtidas de embriões produzidos por fertilização *in vitro*, observados alguns requisitos. De acordo com o Artigo 5º da Lei n. 11.105/2005 é permitida, "para fins de pesquisa e terapia, a utilização de células-tronco embrionárias obtidas de embriões humanos produzidos por fertilização *in vitro* e não utilizados no respectivo procedimento, desde que atendidas as seguintes condições: I – sejam embriões inviáveis; ou II – sejam embriões congelados há três anos ou mais, na data de publicação desta Lei, ou que, já congelados na data de publicação desta Lei, depois de completarem 3 (três) anos, contados a partir da data de congelamento", sendo que em qualquer caso é necessário o consentimento dos genitores (§ 1º) e a aprovação dos respectivos comitês de ética em pesquisa (§ 2º).

Contudo, essa permissão legislativa traz sérias consequências negativas em relação à dignidade humana (embrionária) com a ofensa à *vida humana embrionária* – que seria instrumentalizada tanto pela ciência, ao ser sacrificada em prol de salvar outras vidas carentes, como pelo mercado, através da eventual comercialização dos embriões produzidos por fertilização *in vitro* mas não destinados à procriação. Na realidade, isso ofende mais precisamente a *dignidade reprodutiva humana*, pois o próprio "estatuto da reprodução humana" pode vir a ser totalmente degradado pelo desrespeito em relação à destinação do seu produto, representado pelo embrião. De qualquer forma, e a fim de evitar uma total "coisificação" dessas entidades biológicas humanas tratando-as como meras "mercadorias", resta proibida a comercialização de embriões (§ 3º), nos termos da Lei n. 9.434/1997, que estabelece como crime, com pena de reclusão de três a oito anos, a conduta de "comprar ou vender tecidos, órgãos ou partes do corpo humano" (Artigo 15), incorrendo na mesma pena quem "promove, intermedeia, facilita ou aufere qualquer vantagem com a transação" (parágrafo único). Aliás, a Constituição brasileira veda expressamente a comercialização de "substâncias humanas para fins de transplante, pesquisa e tratamento" (CF, Artigo 199, § 4º).

Enfim, vale referir que, além da utilização abusiva/ilegal de embriões em pesquisas com células-tronco (Artigo 24), a Lei de Biossegurança ainda incrimina a engenharia genética germinal (Artigo 25), com pena de reclusão de um a quatro anos e multa; e a clonagem humana (Artigo 26), com reclusão de dois a cinco anos e multa. Portanto, embora também possam envolver o embrião *in vitro*, "pesquisas" com células-tronco embrionárias obtidas de embriões produzidos por engenharia genética ou clonagem (reprodutiva ou terapêutica) são penalmente proibidas e não se enquadram nas condições permissivas previstas no aludido Artigo 5º em comento, motivo pelo qual não serão aqui analisadas.[155]

6 Considerações finais

A título de conclusão, segue a síntese dos argumentos e entendimentos expostos no decorrer desta pesquisa.

A partir do estudo histórico foram encontradas três concepções de dignidade da pessoa humana vigentes no pensamento ocidental: a dignidade como (*i*) dádiva, (*ii*) prestação e (*iii*) reconhecimento. Contudo, tais concepções, por sua multiplicidade e abrangência, não são claras o suficiente para ampararem a prática judicativa em situações concretas. Desse modo, tal questão não pode se esgotar no campo da discussão filosófica e da moral, mas ser tomada no âmbito da autonomia do direito, o que reclama uma análise de sua previsão no texto e na práxis constitucional.

No texto constitucional, a dignidade da pessoa humana ocupa (*i*) o referencial axiológico pré-constituinte e basilar que ilumina e fundamenta o ordenamento jurídico brasileiro, (*ii*) é convertida em mandado de otimização e fundamento

---

[155] Sobre os aspectos jurídico-penais da engenharia genética germinal e da clonagem humana, v. SOUZA, Paulo Vinicius Sporleder de. *Direito penal genético e a lei de biossegurança:* Lei n. 11.105/2005. Comentários sobre crimes envolvendo engenharia genética, clonagem, reprodução assistida, análise genômica e outras questões. Porto Alegre: Livraria do Advogado, 2007. p. 23-36.

normativo de direitos concretos, (*iii*) bem como em norma estrita, definida e descritiva com pretensão de decidibilidade, de modo que a dignidade se trata de norma cujo conteúdo é simultaneamente de valor, princípio e regra.

Porém, a simples constatação de sua natureza jurídica não é capaz de resolver a questão da tutela penal do embrião *in vitro*, que deve perpassar a possibilidade da ponderação deste princípio. Há três sortes de respostas. A primeira compreende que a dignidade se trata de princípio sujeito à ponderação em face de outras normas da mesma natureza, de tal sorte que o direito à vida do embrião *in vitro* poderia ser ponderado ou hierarquizado. A segunda compreende que a dignidade se trata de princípio com preferência sobre todas as demais normas, de tal sorte que não é compatível com a análise de proporcionalidade, o que se expressa nas formas de proibição de caracterização, proibição de valoração temporal e proibição de soma, de forma que a vida do embrião *in vitro* detém absoluta prevalência. Parcialmente em concordância com a segunda, a terceira procura conciliar a imponderabilidade da dignidade com a possibilidade de uma proteção quantitativamente distinta da vida humana em cada fase de seu desenvolvimento, tendo por peso distintivo outros fatores que não a dignidade, como diferenças no contexto do desvalor da ação e questões relativas à idoneidade da pena. Todavia, a abordagem não é capaz de esgotar a questão proposta. Independente da concepção adotada, resta aberta a questão da titularidade da dignidade.

Para um embrião ser considerado titular da dignidade da pessoa humana ele deve ser considerado antes um ser humano vivo. Sobre isso, hodiernamente disputam lugar nos ordenamentos jurídicos dos países ocidentais (*i*) a teoria da fecundação ou da formação do genótipo, (*ii*) a teoria da nidação e (*iii*) a teoria da formação dos rudimentos do sistema nervoso central. A ordem infraconstitucional revela que o Código Civil brasileiro aparentemente adotaria a teoria natalista da personalidade, contudo, tal fato poderia ser interpretado como uma contradição normativa, já que o Código Civil, o Código de Processo Civil e o Estatuto da Criança e do Adolescente garantem direitos concretos ao nascituro, abrindo margem para a consideração do nascituro como um sujeito de direitos. Por sua vez , o Pacto de São José da Costa Rica, ao qual o Brasil é signatário, de acordo com a recente interpretação dada a ele pela Corte Interamericana de Direitos Humanos, concede o direito à vida desde o momento da implantação do embrião. Tendo em vista que o tratado detém *status* de emenda constitucional ou minimamente de norma supralegal, conclui-se que a legislação brasileira, a par do conflito aparente de normas sobre o caso em análise, encontra-se em uma posição intermediária entre a teoria da fecundação ou da formação do genótipo e teoria da nidação, em consonância ao tratado internacional ratificado e sua mais recente interpretação.

Uma vez analisado o texto constitucional, passou-se à práxis constitucional, mais precisamente ao entendimento jurisprudencial do Supremo Tribunal Federal brasileiro na ADI n. 3.150, julgada em 2008, que versou sobre a permissão de utilização de células-troncos embrionárias obtidas de embriões humanos produzidos por fertilização *in vitro* para a realização de pesquisas e terapias. O julgamento concluiu pela improcedência do pedido, reputando constitucional o Artigo 5º da Lei n. 11.105/2005 e, consequentemente, a realização de pesquisas com células-tronco embrionárias nos limites delineados pela lei, fora dos quais restaria possível a responsabilização pelo crime previsto no Artigo 24 do mesmo diploma normativo.

De tudo isso se conclui que a legislação brasileira adota uma posição intermediária entre a teoria da fecundação ou formação do genótipo e a teoria da nidação, se isso é assim, o entendimento do Supremo Tribunal Federal, ao permitir a utilização de embriões humanos em pesquisas, consagrou a concepção relativa da dignidade da pessoa humana ou, minimamente, assumiu a concepção absoluta temperada à possibilidade de níveis diversos de proteção e valoração da vida humana conforme sua fase de desenvolvimento. Essa permissão legislativa e jurisprudencial, contudo, pode trazer sérias consequências negativas em relação à dignidade humana, mormente pela possibilidade de sua instrumentalização pela ciência, ao ser sacrificada em prol de salvar outras vidas, principalmente tendo em vista que tal permissão é temerária, vez que inexistem evidências científicas que comprovem as reais possibilidades curativas e terapêuticas das células-tronco embrionárias. Ademais, há pesquisas indicando que as células-tronco adultas possuem pluripotência equivalente à das células-tronco embrionárias. De modo que, antes de recorrer-se às embrionárias, seria prudente a utilização das adultas, ou mesmo esgotar as experimentações com células-tronco de animais, medida que poderia ser uma alternativa mais sensata e condizente com a dignidade humana.

Dos limites à política criminal no contexto jurídico-penal português: algumas questões fundamentais

Pedro Sá Machado

Mestre e Doutorando em Ciências Jurídico-Criminais na
Faculdade de Direito da Universidade de Coimbra

1 Considerações introdutórias

A complexa relação entre a ideia de um estado de direito depurado de elemento político ("impolítico") e o princípio democrático que legitima o exercício do poder político terá de ser cuidadosamente interpretada pelo legislador penal1. O instrumentalismo político conduzirá a identificar o estado de direito com a omnipotência política, sugerindo um legislador sem limites constitucionais à criminalização e um Direito Penal de conteúdo variável, consoante as trocas eleitorais[2]. E não apenas com um âmbito estrito, em virtude do princípio da legalidade da intervenção penal: o "ministério público político" e o "juiz político" são a *longa manus* das intenções político-criminais. Portanto, um caminho que terá como destino o exasperado alargamento quantitativo das normas penais, o ideologicamente difuso, o simbólico ou, no extremo, o intoleravelmente autoritário para autonomia e liberdade do indivíduo[3].

---

[1] Veja-se CANOTILHO, J. J. Gomes. *Direito Constitucional e Teoria da Constituição*. 7. ed. (reimpressão). Coimbra: Edições Almedina, 2003. p. 100.

[2] Cf. MASSIMO DONINI, Massimo. *Il volto attuale dell'illecito penale. La democrazia penale tra differenziazione e sussidarietà.* Quaderni di diritto penale comparato, Internazionale ed europeo. Milano: Giuffrè Editore, 2004. p. 70: "dall'avere, perduta la capacità attrattiva di un modello forte, ma anche chiuso, di vinculo costituzionale, smarrito anche un método sicuro de costruzione del diritto che fosse legitimo senza dover dipendere da 'scambi elettorali'".

[3] Convergente com PALAZZO, Francesco. "Direito Penal e Constituição na experiência italiana". *Revista Portuguesa de Ciência Criminal (RPCC)*, n. 9, 1999, p. 44.

Uma outra visão das coisas conduzirá a identificar o estado de direito com um "Estado-de-Constituição", confundindo-se juridicidade com constitucionalidade4. No quadro desta corrente, o problema está em saber se é a Constituição que "decide", explicita ou implicitamente, o conteúdo do estado de direito ou se é o inverso que se verifica. Um constitucionalista tenderá a defender a primeira orientação a partir das normas constitucionais, mas o *princípio de estado de direito*, que inclui as ideias (polissémicas) de direito e de justiça, poderá ser anterior a um princípio constitucionalista, já que assim adveio historicamente[5]. A contenda passa então por reconhecer um fundamento estreitamente constitucional ou, pelo menos, intencionalmente constitucional, *quanto ao conteúdo da juridicidade que preenche o próprio Direito Penal* – falamos da eventual coincidência de valores protegidos entre a ordem jurídico-constitucional e a ordem jurídico-penal. Assim reconhecido, significa que o Direito Penal transfere a sua *autonomia constitutiva* provinda do estado de direito material[6] para a intencionalidade ético-jurídica da Constituição.

O problema deste ponto de vista está, porém, na definição do conteúdo da "intencionalidade constitucional". O que se procura é um conteúdo que está para além do "ser constitucional", num qualquer "dever-ser constitucional", ou seja, com uma postura não positivista ou metapositivista de interpretação.

Noutro sentido, admitindo-se a prioridade da intenção axiológico-material do estado de direito, por natureza "impolítico", ainda que dependente do poder político para a sua efectivação, o Direito Penal como direito (acima de tudo)

---

[4] Cf. NEVES, A. Castanheira. "Entre o 'legislador', a 'sociedade' e o 'juiz' ou entre 'sistema', 'função' e 'problema' – os modelos actualmente alternativos da realização jurisdicional do direito". *Boletim da Faculdade de Direito (BFD)*, vol. LXXIV, Coimbra: Universidade de Coimbra, 1998, p. 290.

[5] Lembra COSTA, José Faria. "O princípio da igualdade, o Direito Penal e a constituição". *Revista de Legislação e Jurisprudência* (RLJ), ano 141, n. 3974, 2012, p. 283-284: "o Direito Penal foi, de um ponto de vista histórico, um *prius* face à ordem constitucional"; e, mais adiante, "Nunca se deve esquecer que os textos positivos constitucionais são, na história do direito e na história da humanidade, quase nossos contemporâneos, ou seja, são textos da modernidade".

[6] Caracterizado por Jorge de Figueiredo Dias como inclusivo de "*considerações axiológicas de justiça na promoção e realização de todas as condições (sociais, culturais e económicas) de livre desenvolvimento da personalidade de cada homem*". Citação em DIAS, Jorge de Figueiredo. "Os novos rumos da política criminal e o Direito Penal português do futuro". *Revista da Ordem dos Advogados*, ano 43, janeiro-abril, 1983, p. 10.

passa a ter um *fundamento transconstitucional*[7]. Porquanto, mesmo que as finalidades interpretáveis da Constituição coincidam com as finalidades de um estado de direito material, em contextos sociais e culturais *dinâmicos*, não se impõe à política criminal uma "verdade pré-construída de modelo de sociedade" ou um "vínculo teleológico de dependência" ao texto constitucional que, seguramente, estabelece limites à criminalização – p. ex., por via dos direitos fundamentais –, mas que se afigura *estático* quanto às questões mais complexas relacionadas com as ponderações de direito e de justiça naqueles mesmos contextos[8]. Pensemos nas próprias decisões políticas de criminalizar (ou não) relacionadas com o incesto, a morte assistida, o aborto, o lenocínio, o consumo de estupefacientes ou com os maus-tratos aos animais.

Os caminhos que desta forma se procuram não podem deixar de merecer uma reflexão. Analisando melhor as coisas, e não obstante o exercício teórico, *o Direito Penal é indissociável de um elemento político e o estado de direito é indissociável da Constituição.* É assim, pelo menos, em Portugal. Acresce depois o grande desafio de articular as políticas criminais portuguesa, da União Europeia e do Conselho da Europa. Basta considerar as Convenções e Recomendações do Conselho da Europa em matéria penal, o Tratado de Lisboa e as directivas de harmonização que procuram garantir um Espaço de Liberdade, Segurança e Justiça (ELSJ), ao lado da própria legislação penal interna. Com efeito, a lei penal portuguesa, em qualquer um dos caminhos, poderá reduzir-se a um *instrumento* da política criminal, com estratégias nacionais, comunitárias e europeias não necessariamente coincidentes. Aparentemente, haverá sempre um desígnio de instrumentalizar o Direito Penal para fins políticos, num *funcionalismo político*, cujo programa poderá ser orientado – digamo-lo com A. Castanheira Neves – "por uma intenção expressa de *politicização* da juridicidade"[9]. E, na verdade, o Código Penal português

---

[7] Nas palavras de NEVES, A. Castanheira. "Entre o 'legislador', a 'sociedade' e o 'juiz' ", *BFD*, 1998, p. 11: "...questão de saber se esse 'princípio de justiça' ou a normatividade jurídica material em que ele se traduz tem o seu fundamento normativo na constituição política – e nesse caso a juridicidade identificar-se-ia com a constitucionalidade – ou se a constituição é dele simplesmente declarativa, a implicar então que o fundamento será transconstitucional, numa intenção de autonomia constitutivo-fundamentante ao direito como direito. Só acrescentarei que tenho tentado justificar a opção por esta segunda hipótese".

[8] A partir de DONINI, Massimo. *Il volto attuale dell'illecito penale...*, 2004, p. 70.

[9] Cf. NEVES, A. Castanheira. "Entre o 'legislador', a 'sociedade' e o 'juiz'...", *BFD*, 1998, p. 26.

de 1995, em duas décadas, foi alterado mais de *quarenta vezes*[10]. O que parece definitivamente contribuir para o ideologicamente difuso. E o mesmo poderá

[10] A quadragésima alteração por via da Lei n. 110/2015, de 26 de agosto, curiosamente associada a uma opção legislativa "neocriminalizadora", inteiramente da responsabilidade da política criminal nacional: os crimes contra os "animais de companhia" – aditados no Título VI, do Livro II, do Código Penal. A discussão, quanto a nós, tem início à luz da distinção entre Direito Penal clássico, ligado (directa ou indirectamente) aos direitos, liberdades e garantias, e Direito Penal secundário, associado (directa ou indirectamente) aos direitos económicos, sociais e culturais (cf., a propósito, DIAS, Jorge de Figueiredo. "Os novos rumos da política criminal..., *ROA*, ano 43, janeiro-abril, 1983, p. 17-18). Temos sérias dúvidas de que a protecção dos animais de companhia, autonomizada no próprio Código Penal (!), se possa relacionar directa ou indirectamente com direitos fundamentais que não os relacionados com o direito de propriedade. Nesse caso, pergunta-se: está em causa a criminalização da renúncia ao direito de propriedade? Ou, também, um crime de dano de coisa própria? Porventura denega-se a ideia de que os animais de companhia são, na verdade, "coisas de companhia". Toda a questão diz respeito ao *Direito Penal do bem jurídico* e poderá passar, justamente, pela identificação de um bem jurídico legítimo de protecção. E se o bem jurídico protegido que justifica a intervenção penal, numa perspectiva exclusivamente antropocêntrica, é o "sentimento da moralidade pública" (referência que consta no Parecer n. 2010-18/D do Conselho Superior da Magistratura, pelo nome de Francisco Mota Ribeiro, relativamente ao que na altura era projecto de lei sobre a matéria) ou o "sentimento de mal-estar público" – para depurarmos o Direito Penal da moral –, então, perguntamos: abrem-se as portas à tutela penal de qualquer "sentimento público legítimo" de reprovação de condutas?
Pendendo para legitimar os tipos legais de crime relacionados com a "crueldade" contra os animais, ROXIN, Claus. "O conceito de bem jurídico como padrão crítico da norma penal posto à prova", *RPCC*, n. 23, 2013, p. 30-31.

ser pensado em relação à expansão da legislação penal extravagante[11,12]. Nestes termos, a decisiva questão que nos ocupa passa por problematizar *os limites à produção das normas penais.*

2 Política criminal europeia, democracia e jurisprudencialismo

Comecemos por reconhecer que há uma convergência de objectivos político-criminais na europa em relação a determinadas matérias, sobretudo quando se considera a *macrocriminalidade* enquanto principal problema[13]. Falamos da luta

---

[11] Veja-se, em vigor desde o ano de 2004, o "Código Mundial Antidopagem" com um "Programa Mundial Antidopagem" que visa *harmonizar* os programas nacionais e internacionais no âmbito das boas práticas no desporto. O legislador português, em 2012, aprovou então a lei antidopagem no desporto (cf. Lei n. 38/2012, de 28 de agosto) adoptando as regras estabelecidas naquele código e, para além dos ilícitos de mera ordenação social e disciplinares, *criminalizou*, entre outras condutas típicas, a detenção de substâncias dopantes e métodos proibidos, a administração das substâncias e métodos proibidos, a tentativa da prática desses crimes, a associação criminosa e a responsabilidade das pessoas colectivas e equiparadas. Tudo em nome dos valores associados à prática desportiva. Questiona-se, desde logo, qual o bem jurídico protegido? Será um bem jurídico-constitucional (p. ex., o direito à cultura física e desporto (79, CRP)? Porventura, à luz do "Código Mundial Antidopagem" de 2015, estamos perante uma série de bens jurídicos protegidos: os "valores intrínsecos característicos do desporto", o "espírito desportivo", a "saúde", a "ética, *fair play* e honestidade" etc. Aqui discute-se a juridificação penal dos valores do desporto e procura-se saber se o consumo de *doping*, de facto, põe em causa bens jurídicos (de outrem) identificáveis e, nesse sentido, com dignidade penal.

[12] Outro exemplo, mas de grau axiológico distinto, parte da alteração à "Lei de combate ao terrorismo" (cf. Lei n. 60/2015, de 24 de junho), com vista à salvaguarda do bem jurídico "segurança", criminalizando a apologia pública ao terrorismo, que incluiu o "louvor", e criminalizando a deslocação ou a *tentativa* de deslocação para a prática do crime de terrorismo, que inclui o "com vista à adesão a uma organização terrorista". Uma intencionalidade legislativa e um estado-de-tensão que resultam de conjunturas transnacionais. Parece-nos, contudo, que estas (e outras futuras) alterações relacionadas com o terrorismo têm um significativo potencial para restringir os direitos, liberdades e garantias ao nível de um autêntico estado de sítio ou estado emergência, no sentido de preencher um *Direito Penal de excepção* – com repercussões, ademais, no processo penal.

[13] A "*Makrokriminalität*"(em alemão), aqui em sentido estrito, pode ser interpretada num sentido mais amplo e, assim, sustentada na concepção dos crimes internacionais previstos no 5º do Estatuto de Roma do Tribunal Penal Internacional – crime de genocídio, crimes contra a Humanidade, crimes de guerra e crime de agressão. De acordo com AMBOS, Kai. *A Parte Geral do Direito Penal Internacional. Bases para uma elaboração dogmática*. Edição brasileira reformulada e actualizada.

contra determinados domínios de criminalidade de dimensão transfronteiriça: terrorismo, tráfico de drogas e de armas, branqueamento de capitais, corrupção, contrafacção de meios de pagamento, criminalidade informática e organizada, tráfico de seres humanos e exploração sexual de mulheres e crianças[14,15].

Ora, é precisamente *a identificação taxativa dos crimes transfronteiriços a combater que legitima um modelo racional de actuação legislativa europeia*[16]. Ou seja, um mandato político-criminal europeu devidamente definido não só contribui para as ideias nacionais de previsibilidade e controlabilidade, como mantém incólume discussões "não transfronteiriças" tradicionalmente reservadas à justiça política interna e ao património penal histórico de cada país – como já fizemos referência, em jeito de exemplo, às decisões de criminalizar o incesto, a morte assistida, o aborto, o lenocínio, os maus-tratos aos animais ou o consumo de estupefacientes e substâncias psicotrópicas. O que nos remete para o cotejo das competências atribuídas à União Europeia e ao Conselho da Europa, em áreas do escopo dos Tratados e das Convenções, com as competências dos Estados-Membros em todas as áreas jurídico-penais excluídas desse mesmo escopo[17].

São Paulo: Editora Revista dos Tribunais, 2008. p. 54-59.

[14] Cf. o disposto nos Artigos 82, 83 e 86 do Tratado sobre o Funcionamento da União Europeia (TFUE), considerando o *princípio da atribuição,* de acordo com o previsto no Artigo 5º, n. 2, do Tratado da União Europeia (TUE): "*... a União actua unicamente dentro dos limites das competências que os Estados-Membros lhe tenham atribuído nos Tratados para alcançar os objetivos fixados por estes últimos. As competências que não sejam atribuídas à União nos Tratados pertencem aos Estados-Membros*". Não se ignora, contudo, a posição particular do Reino Unido, Irlanda e Dinamarca no "Espaço de Liberdade, Segurança e Justiça" (ELSJ), prevista nos Protocolos n. 21 e n. 22, anexos ao TFUE e ao TUE.

[15] Por outro lado, os vários Conselhos da Europa ao longo dos anos têm sido igualmente decisivos para identificar a direcção político-criminal europeia. Muito resumidamente, no programa de Tampere (1999) dispusemos de referências ao reconhecimento mútuo das decisões judiciais e ao combate ao tráfico de droga e de seres humanos; no programa de Haia (2005) a menção à cooperação judiciária, ao terrorismo e à criminalidade organizada; e no programa de Estocolmo (2010) alusões ao combate contra crimes contra a liberdade e autodeterminação sexual das crianças, criminalidade económica e contrafacção

[16] Actuação essa por via do direito derivado, mormente, Convenções e directivas. No contexto do Direito Penal nacional, com semelhante conclusão, referindo-se à identificação dos bens jurídicos a proteger, TIEDEMANN, Klaus. "Constitución y derecho penal", *Revista Española de Derecho Constitucional,* año 11, n. 33, 1991, p. 168.

[17] A propósito, no espaço da União Europeia, cf. KLIP, André. *European Criminal Law. An Integrative*

Há efectivamente uma política criminal europeia transversal aos interesses da pluralidade de ordens jurídico-penais coexistentes, plasmada nos objectivos convergentes do Conselho da Europa e da União Europeia. Pelo que, com a atribuição no direito primário de finalidades político-criminais bem delimitadas, nada aponta no sentido de um modelo "irracional" ou ilegítimo de actuação europeia através do direito derivado, com a pretensão de imperar e vigorar por si mesma, extravasando o programa político-criminal prescrito.

Porém, o mandato político-criminal europeu, mesmo hetero-condicionado por atribuição, pode sofrer alterações "consoante a evolução da criminalidade"[18]. E daí a legítima questão dos limites à intervenção legislativa europeia como forma de salvaguardar o Direito Penal nacional e os interesses fundamentais dos Estados[19]. Nesse sentido, esta é uma discussão intensamente circular entre a soberania efectivamente transferida para o cumprimento do programa político-criminal europeu e a forma como as instituições europeias interpretam um mandato, por vezes, forjado de uma forma vaga na lei – falamos, assim, da *vaguidade do mandato político-criminal europeu*[20].

De facto, o modelo da realização do Direito Penal europeu, não obstante orientado pela estratégia político-criminal prescrita pelos Estados, *depende amplamente da solução ou concretização normativo-jurídica do legislador europeu através do direito derivado.* Nessa ordem de ideias, dir-se-á com alguma certeza que o

---

Approach, Antwep-Oxford-Portland: Intersentia, 2009. p. 151-156.

[18] Tal como previsto no Artigo 83 do TFUE.

[19] Também podemos falar nos "interesses fundamentais dos Estados" e num "príncipe du dépassement par les États des precriptions européennes" por via de PRADEL, Jean. "Droit penal européen et droits pénaux nationaux", *Revue Pénitentiaire et de Droit Pénal*, n. 1, janvier-mars 2015, p. 20-24. Teremos oportunidade de volver a estes limites. Cf., ainda, KOSTORIS, Roberto E. "Processo Penale, Diritto Europeo e nuovi paradigmi del pluralismo giuridico postmoderno", *Revista Italiana di Diritto e Procedura Penale*, Fasc. 3, Luglio-Settembre, 2015, p. 1184.

[20] Na definição de "vaguidade", num contexto analítico-linguístico, NEVES, A. Castanheira. *Metodologia Jurídica. Problemas Fundamentais*, Reimpressão, Stvdia Ivridica, BFD, Universidade de Coimbra: Coimbra Editora, 2013, p. 110-111, "têm a ver já com a 'extensão' e verificam-se por não poderem quase nunca identificar-se os objectos concretos de referência de um modo absolutamente seguro ou rigorosamente certo, em virtude da assimetria ou incomensurabilidade entre a linguagem e a realidade – sempre mais específica, rica e complexa – e implicar isso que a intencionalidade significativa nunca deixe de revelar-se incompleta (quanto ao conteúdo) e aberta (quanto ao âmbito objeto ou aos seus limites) relativamente à realidade referida".

legislador europeu tem *margem discricionária para a fixação dos meios* a partir dos quais procura alcançar todos os fins político-criminais atribuídos, mesmo que se nos afigurem vagos[21]. Mas não procuramos uma legitimação democrática do direito derivado equivalente àquela que geralmente reclamamos para os procedimentos de direito nacional. Repita-se: existe um *mandato político-criminal* atribuído pelos Estados-Membros ao legislador europeu e, particularmente no espaço da União Europeia, os Estados-Membros definiram e consentiram o programa ao subscrever o Tratado de Lisboa, cabendo agora ao legislador europeu densificar essas mesmas bases.

Assim, por exemplo, as normas penais substantivas resultantes da transposição de uma directiva de harmonização penal exprimem a vontade inicial das democracias (ou das maiorias parlamentares) dos Estado-Membros; caso contrário, estaria em crise a legitimidade democrática do Tratado de Lisboa e o correspondente projecto penal europeu na luta contra a criminalidade transfronteiriça.

Por outro lado, parece-nos que o fortalecimento do papel da intervenção legislativa europeia através do direito derivado poderá ser resultado da *passividade dos parlamentos nacionais que não vigiam o cumprimento dos princípios da subsidiariedade e da proporcionalidade, enfraquecendo, desse modo, as democracias dos respectivos Estados-Membros em domínios que não são da exclusiva competência da União Europeia ou do Conselho da Europa*[22]. Ao mesmo tempo, e não só da responsabilidade dos parlamentos nacionais, concorre a *passividade na aposição de reservas e no acionamento dos "freios de emergência" previstos*. E isso considerando

[21] Cf. ALEXY, Robert. "Epílogo a la teoría de los derechos fundamentales". *Revista Española de Derecho Constitucional* (REDC), āno 22, n. 66, Madrid: Centro de Estudios Políticos y Constitucionales, 2002, p. 24-25, segundo o qual há uma "margem para a eleição dos meios" no âmbito da "margem de acção estrutural" do legislador.

[22] Princípio da subsidiariedade definido no Artigo 5º do Tratado da União Europeia: "*Em virtude do princípio da subsidiariedade, nos domínios que não sejam da sua competência exclusiva, a União intervém apenas se e na medida em que os objetivos da ação considerada não possam ser suficientemente alcançados pelos Estados-Membros, tanto ao nível central como ao nível regional e local, podendo contudo, devido às dimensões ou aos efeitos da ação considerada, ser mais bem alcançados ao nível da União. As instituições da União aplicam o princípio da subsidiariedade em conformidade com o Protocolo relativo à aplicação dos princípios da subsidiariedade e da proporcionalidade. Os Parlamentos nacionais velam pela observância do princípio da subsidiariedade de acordo com o processo previsto no referido Protocolo*". Está aqui em causa o Protocolo n. 2 relativo à aplicação dos princípio da subsidiariedade e da proporcionalidade.

que cada Estado-Membro tem a sua própria interpretação do binómio integração-contenção do Direito Penal europeu.

No fundo, a densificação do Direito Penal europeu fica dependente da solução normativo-jurídica apresentada pelo legislador europeu. E se é verdade que essa solução se encontra hetero-limitada e fiscalizada pelos Estados-Membros, também não é menos certo que aproveita a vaguidade do próprio mandato político-criminal. Pois trata-se de um *modelo de integração penal* cada vez mais complexo. Um modelo que varia consoante os diferentes níveis de integração pretendidos e atribuídos ao direito primário[23]: será um primeiro nível aquele que parte de uma interacção horizontal, sem hierarquia e não vinculativo, a *cooperação*; um segundo nível, igualmente numa lógica horizontal, mas baseado numa (relativa) confiança recíproca, o *reconhecimento mútuo*; um terceiro nível, envolvendo já uma verticalidade, com a imposição de "regras mínimas", a *harmonização*; e num último nível, com a autonomização do Direito Penal numa esfera exclusivamente europeia, a *unificação*[24].

Nesta conjuntura, rapidamente se conclui que *o modelo metódico europeu de integração penal se afigura complexamente reticular e multinível.* Não será difícil percebê-lo: no plano nacional as disposições penais são harmonizadas, no plano transnacional há cooperação multilateral e reconhecimento mútuo, e no plano propriamente europeu procura-se unificar e autonomizar o Direito Penal (*lato sensu*)[25].

---

[23] Doravante acompanhamos a macroperspectiva de DELMAS-MARTY, Mireille. "Cours: Un Pluralisme Ordonné". Études Juridiques Comparatives et Internationalisation du Droit, 2005, p. 476-479.

[24] A Unificação, enquanto ambição exclusiva da União Europeia, tem sérios indícios de efectivação a partir do já referido Artigo 86 do TFUE.

[25] O que chamamos de "metodologia" deverá restringir-se à "metodologia da integração", embora saibamos que podem ser várias as perspectivas ou interpretações da "metodologia" e do processo de "integração" do Direito Penal europeu. Por exemplo, vislumbramos uma metodologia e uma interpretação, em sentido estrito, de "integração", em FLORE, Daniel; BIOLLEY, Serge de. "Des Organes juridictionnels en matière pénale pour l´union européene", *Cahiers de droit europeen*, vol. 39, n. 5-6, 2003, p. 597-637: um primeiro nível, o nível interno ou nacional, harmonizado com normas comuns através de um "modèle de l'exemplarité" que acaba por conformar garantias processuais e vários tipos de crime em geral; um segundo nível é transnacional, baseado num "modele de l'opérationnalité", no combate à criminalidade transfronteiriça e com mecanismos de cooperação multilateral e reconhecimento mútuo; um terceiro nível, propriamente europeu,

E se tivéssemos que apontar eventuais problemas de legitimidade democrática, na perspectiva de um Estado-Membro como Portugal, daríamos conta da *inelidível intensificação dos mecanismos de harmonização das legislações penais nacionais*[26]. Poderá ser aqui, no âmbito das "regras mínimas" de conformação típica, que vislumbramos o condicionamento dos princípios da ofensividade e da *ultima ratio*, porventura na tal *margem discricionária para a fixação dos meios* conferida ao legislador europeu. Um programa político-criminal europeu, no limite, funcionalmente executado com pretensões *securitárias* em relação ao combate à macrocriminalidade, concretamente, ao antecipar a tutela penal com o aditamento de crimes de perigo abstrato, crimes que punem actos preparatórios

parte do "modèle de l'intégration", implicando já uma autonomia no plano da União, com "crimes europeus", um procurador europeu e, eventualmente, no futuro, um Tribunal Penal Europeu.

[26] Um processo de harmonização estendido ao Direito Penal substantivo de forma a executar o programa político-criminal, como já vimos, previsto nas Convenções e no Artigo 83 do TFUE, por exemplo: a luta contra o tráfico de seres humanos (Diretiva 2011/36/UE do Parlamento Europeu e do Conselho, de 5 de abril de 2011); a luta contra os ataques a sistemas de informação (Diretiva 2013/40/UE do Parlamento Europeu e do Conselho, de 12 de agosto de 2013); a luta contra o abuso de informação privilegiada e abuso de mercado (Diretiva 2014/57/UE do Parlamento Europeu e do Conselho, de 16 de abril de 2014); a luta contra contrafação do euro e de outras moedas (Diretiva 2014/62/UE do Parlamento Europeu e do Conselho, de 15 de maio de 2014); e as medidas penais de protecção do ambiente (Diretiva 2008/99/CE do Parlamento Europeu e do Conselho, de 19 de novembro de 2008).

ou crimes que punem a tentativa[27]. E não apenas uma harmonização no âmbito do universo substantivo[28].

É evidente que este fenómeno europeu de harmonização dos códigos penais só devia acontecer quando há provas evidentes da sua necessidade[29]. Afinal, é

---

[27] Podemos dar exemplos. Transpondo a Directiva 2011/92/UE do Parlamento Europeu e do Conselho, de 13 de dezembro de 2011, o legislador português aditou ao Código Penal o crime de "aliciamento de menores para fins sexuais" por meio de tecnologias de informação e de comunicação, sob a forma de acto preparatório e de *crime de perigo abstracto* para o bem jurídico protegido (Por via da Lei n. 103/2015, de 24 de agosto, cf. 176-A, CP). Essa mesma directiva também impulsou os Estados-Membros a tomarem as medidas necessárias para garantir que a *tentativa* da prática de vários outros crimes de natureza sexual se traduzisse punível. Assim assentiu o legislador português para os tipos de "abuso sexual de crianças", "abuso sexual de menores dependentes" e "atos sexuais com adolescentes" (cf. 171, n. 5, 172, n. 4, e 173, n. 3, todos do CP).

Já por influência da Decisão Quadro 2008/919/JAI do Conselho, de 28 de novembro de 2008 – e indo para além –, são também conhecidas as mais recentes alterações à "Lei de combate ao terrorismo". Cf., supra, nota 12.

Num outro contexto, em cumprimento do disposto na Convenção de Istambul, o legislador português aditou ao Código Penal crimes como a "mutilação genital feminina" e o "casamento forçado", em concurso aparente com normas incriminadoras que já abarcavam tais comportamentos, pese embora *punindo agora os actos preparatórios* e particularizando as molduras penais. O crime de "perseguição" e a punibilidade pela *tentativa* do mesmo passaram também a previstos na lei penal. Portugal assinou a Convenção de Istambul a 11 de maio de 2011, ratificou em 13 de janeiro de 2013 e seguiu-se a Lei n. 83/2015, de 5 de agosto, que fez as referidas alterações. Cf. 144-A, 154-A, 154-B e 154-C, todos do Código Penal português.

[28] Vejam-se também as matérias harmonizadas no âmbito do processo penal, até há pouco tempo descurado: a interpretação e tradução, o direito à informação, o apoio e protecção das vítimas da criminalidade, o direito de acesso a um advogado, o direito de informar um terceiro aquando da privação de liberdade, o congelamento e a perda dos instrumentos e produtos do crime, o reforço de certos aspectos da presunção de inocência e o direito de comparecer em julgamento, entre outros, traduzem um recente enfoque na lógica *harmonizar para melhor cooperar judicialmente* no Espaço Liberdade Segurança e Justiça (ELSJ). Cf. Directiva 2010/64/UE do Parlamento Europeu e do Conselho de 20 de outubro de 2010, Directiva 2012/13/UE do Parlamento Europeu e do Conselho de 22 de maio de 2012, Directiva 2012/29/UE do Parlamento Europeu e do Conselho, Directiva 2013/48/UE do Parlamento Europeu e do Conselho de 22 de outubro de 2013, Directiva 2014/42/UE do Parlamento Europeu e do Conselho de 3 de abril de 2014 e Directiva 2016/343/UE do Parlamento Europeu e do Conselho de 9 de março de 2016.

[29] No espaço da UE, cf. 67, n. 3 do TFUE, parte final, "*...e, se necessário, através da aproximação das legislações penais*". Veja-se também o discurso de TIMMERMANS, Frans. "Special Issue: The

precisamente essa a natureza do *princípio da subsidiariedade*. Para além do mais, seríamos tentados a considerar as directivas da União Europeia como sendo democraticamente abusivas em comparação às Convenções do Conselho da Europa, visto que estas são directamente aprovadas e ratificadas pelos parlamentos nacionais, ao passo que aquelas acabam transpostas obrigatoriamente para o ordenamento jurídico interno. Aliás, desde o dia 1 de dezembro de 2014, a Comissão pôde dar início a um processo por incumprimento de transposição por parte de um Estado-Membro e intentar uma acção junto do Tribunal de Justiça da União Europeia contra o país em causa, resultando, eventualmente, na aplicação de sanções pecuniárias[30]. E estas mesmas conclusões levar-nos-iam a pensar que a esfera pública portuguesa está excluída da discussão no âmbito do processo legislativo europeu e que a juridificação penal por via europeia está numa "relação fortemente assimétrica" com a democratização no plano nacional[31]. Mas as coisas não se passam bem assim. Pelo menos em virtude do papel das intervenções do Parlamento Europeu e dos Parlamentos Nacionais na formação das fontes de harmonização penal.

Com efeito, o Parlamento Europeu tem poder de *emenda* das escolhas de fundo da Comissão (órgão de iniciativa legislativa) e as modificações propostas coincidem efectivamente com as versões finais das directivas penais. O que é notório quando pomos mão nos trabalhos preparatórios da legislação. Assegura-se, deste modo, *o cumprimento de princípios fundamentais do Direito Penal e o respeito pelos direitos fundamentais*[32]. E para além do efetivo poder de emenda, o Parlamento Europeu goza de um significativo *poder de veto*, bem como de um

---

competence of the Court of Justice of the European Union in the Area of Freedom, Security and Justice". *New Journal of European Criminal Law*, vol. 6, n. 4, 2015.

[30] Isso porque as disposições transitórias previstas no Artigo 10 do Protocolo n. 36 do Tratado de Lisboa deixaram de produzir efeitos precisamente nos termos do n. 3 do mesmo preceito.

[31] Cf. palavras e raciocínio de NEVES, Marcelo. *Transconstitucionalismo*. 3ª tiragem. São Paulo: Martins Fontes, 2013. p. 104 e 107.

[32] Seguimos GRANDI, Ciro. "Il ruolo del parlamento europeo nell'approvazione dele direttive di armonizzazione penale". *Revista Italiana di Diritto e Procedura Penale,* Fasc. 2, Aprile-Giugno, 2015, p. 714-715. A importância do processo de negociação está igualmente presente no Regimento da 8ª legislatura (2014-2019) que dá conta de um "Código de conduta para a negociação do processo legislativo ordinário" (Anexo XX).

mecanismo legal que permite, por maioria dos membros que o compõem, *solicitar uma iniciativa legislativa* sobre questão que se afigure adequada[33].

Assim – e como estamos somente a falar da discricionariedade para a fixação de conteúdos de harmonização penal, pois o fim político-criminal está predeterminado e democraticamente legitimado pelos Estados-Membros –, *o Parlamento Europeu tem poder para conferir uma outra legitimidade ao direito derivado.* Faz sentido, nesse caso, afirmar que a juridificação penal por via europeia está numa "relação fortemente assimétrica" com a democratização no plano nacional?

A atribuição de competências específicas à Comissão pelos Estados-Membros através do Tratado de Lisboa e a significativa intervenção do Parlamento Europeu no processo legislativo respondem negativamente à questão.

Coisa diversa seria afirmar que o Parlamento Europeu não preenche os contornos da democraticidade em virtude de não ter os seus membros dos agrupamentos partidários eleitos por sufrágio directo dos cidadãos nacionais dos Estados-Membros. E daí, concluir-se-ia, a fiscalização do direito derivado não é democraticamente legitimada ou em nada contribuiu para o fortalecimento das democracias nacionais. Uma justificada tensão entre a "democracia europeia" e a "democracia nacional"?

Temos sérias dúvidas de que se possa colocar o eixo referencial do problema na legitimidade democrática do Parlamento Europeu. As suas atribuições integram-se no quadro institucional da União, actuando dentro dos limites conferidos pelo Tratado de Lisboa, *competindo-lhe salvaguardar e fiscalizar a integridade do Direito Penal europeu*, no âmbito das suas funções legislativa e de controlo político, *e não salvaguardar a integridade do conteúdo dos* vários direitos penais nacionais. Significa isso, de facto, que *são os próprios parlamentos nacionais que têm o dever de sindicar o Direito Penal europeu de acordo com o Direito Penal nacional*, de modo a fortalecer as respectivas democracias. Eis os mecanismos jurídicos de protecção do direito nacional.

Em primeiro lugar, e desde logo, com a aposição de reservas ao direito primário, concretamente nas Convenções do Conselho da Europa (quando admissíveis) e no Tratado de Lisboa. Por exemplo, em particular no Espaço de Liberdade, Segurança e Justiça, nenhuma disposição do TFUE ou decisão do Tribunal de Justiça da União Europeia vinculará o Reino Unido, a Irlanda ou a Dinamarca,

---

[33] Cf. o disposto nos Artigos 294 e 225 do TFUE.

justamente porque asseguraram um estatuto especial, previsto nos protocolos n. 21 e n. 22, aquando da subscrição do Tratado de Lisboa em 2007. E isso não significa que não tenham a faculdade de, a todo o tempo, notificar o Conselho e a Comissão da sua intenção de aceitar as medidas que conformam o Direito Penal europeu[34].

A aposição de reservas pode, então, nessa sua indissociável relação com a soberania, fortalecer a democracia nacional por previsibilidade e controlabilidade.

Em segundo lugar, face à relativa discricionariedade na determinação do conteúdo do direito derivado, nenhum parlamento nacional deve prescindir de fiscalizar a fundamentação dada aos princípios da subsidiariedade e da proporcionalidade, obrigatória em todos os projectos legislativos europeus: dirigindo um parecer fundamentado às instituições da União Europeia ou, até, interpondo recurso para o Tribunal de Justiça da União Europeia com fundamento em violação do Tratado[35]. Por exemplo, a proposta de Regulamento do Conselho que pretendia instituir a Procuradoria Europeia foi objecto de catorze pareceres fundamentados sobre a inobservância do princípio da subsidiariedade, o que levou a acionar o mecanismo de controlo nos termos do qual o projecto foi reanalisado. É de notar que a Assembleia da República portuguesa esteve entre os quatro pareceres que consideraram a proposta compatível com o princípio da subsidiariedade[36].

Em terceiro lugar, os freios de emergência podem ser accionados por um membro do Conselho quando se entenda prejudicar aspectos fundamentais do correspondente sistema de justiça penal[37].

E, por último, a salvaguarda do Direito Penal nacional pode traduzir-se na liberdade de conformar o ordenamento nacional para além das "regras mínimas" europeias[38]. É aquilo que Jean Pradel denomina *princípio da superação das prescrições europeias.* Pelo que os parlamentos nacionais podem favorecer a realização

---

[34] Mais recentemente, como é de conhecimento público, a intenção do Reino Unido é a de accionar o mecanismo previsto no Artigo 50 do TUE de forma a retirar-se da União.

[35] Cf. protocolos 1º e 2º do TL e 263 do TFUE.

[36] Cf. Parecer da Comissão de Assuntos Europeus da Assembleia da República, da autoria de João Lobo, que conclui: "A presente iniciativa não viola o princípio da subsidiariedade, na medida em que o objectivo a alcançar será mais eficazmente atingido através de um acção da União".

[37] Previstos nas disposições dos Artigos 82, n. 3, e 83, n.3, do TFUE.

[38] PRADEL, Jean. "Droit penal européen et droits pénaux nationaux", cit., 2015, p. 24.

dos objectivos da União por deliberação própria, num processo de *autointegração europeia*. Tudo poderá depender, como já defendemos, da interpretação que os Estados façam do binómio *integração-contenção.*

Mais além, existem ainda importantes garantias legais no processo de conformação ou harmonização legislativa europeia que asseguram uma espécie de *direito constitucional europeu-penal*[39]. É um projecto ambicioso que procura delimitar o que formal e materialmente faz parte do *bloco penal europeu*, cuja valoração é feita pelo legislador europeu ou conjunta e consensualmente pelos legisladores nacionais. Na verdade, são disposições legais adequadas ao "espírito" – se quisermos, ao "*direito natural*" – da pluralidade de ordens jurídico-penais envolvidas: materializadas na Carta dos Direitos Fundamentais da União Europeia (CDFUE) e na Convenção Europeia dos Direitos do Homem (CEDH).

É a abertura normativa das ordens jurídicas nacionais a tais disposições europeias que traduz os suportes axiológicos comuns e a *racionalidade transversal* a todos os envolvidos. O que se encontra é um relacionamento mais estreito – ou menos fragmentado – entre a pluralidade de ordens jurídico-penais quanto aos valores mínimos, essenciais, para a ideia de um *Direito Penal comum europeu*[40]. Temos, portanto, limites intransponíveis de natureza europeia impostos ao Direito Penal interno dos Estados que estão comprometidos com o respectivo projecto penal europeu comum. Ou seja, da CDFUE e da CEDH, diplomas que conformam o dever-ser atribuído ao direito europeu, deduzem-se importantes

---

[39] Como é sabido, num passado recente procurou-se construir uma "Torre de Babel" através do "Tratado que estabelece uma Constituição para a Europa" (2004), com um preâmbulo que decerto ambicionava chegar bem longe nas referências a "valores universais", "actuar em prol da paz, da justiça e da solidariedade no mundo", "forjar o seu destino comum", "Unida na diversidade" e a um "espaço privilegiado de esperança humana". O desfecho não teve os contornos bíblicos porque a unidade, digamos, foi restaurada com o Tratado de Lisboa que, com efeito, acabou por aproveitar parte da grandeza daquele projecto europeu de uma forma mais moderada e consensual.

[40] Inevitavelmente associa-se esta ideia tanto ao velho projecto de um *Corpus Juris* penal europeu, com uma parte geral e especial, como à obra de, DELMAS-MARTY, Mireille, que intensificou muitas dessas ideias, em *Por un Droit Commun* (1994), incitando à ordem e às condições favoráveis para um direito comum a todos, no limite a um "direito dos direitos" que não signifique o domínio de um sistema sobre o outro, mas o esforço na integração e compatibilização de cada família jurídica. Cf., em português, DELMAS-MARTY, Mireille. *Por um direito comum*. São Paulo: Martins Fontes, 2004, p. 3 e 306. Sobre a discussão do *Corpus Juris*, cf. BACIGALUPO, Enrique. "Existem condições para um Direito Penal europeu?", *Revista Julgar*, n. 6, 2008.

limites e referências teleológico-materiais para as diversas políticas criminais dos Estados europeus[41].

Não estamos isentos, porém, de dificuldades interpretativas. Prevê a CDFUE, por exemplo, "é garantido a todo o arguido o respeito dos direitos de defesa" e "as penas não devem ser desproporcionadas em relação à infracção". Por seu turno, no espaço da CEDH, há referências ao "prazo razoável" e ao "dispor do tempo e dos meios necessários para a preparação da sua defesa". É inevitável questionar o verdadeiro significado e alcance de tais disposições para o "pensamento jurídico europeu" – na transição da racionalidade abstracta para a racionalidade prática. Com o que, mesmo perante importantes referentes axiológico-fundamentais de natureza europeia, não podemos deixar de verificar necessário um *trabalho jurisprudencial concretizador da intencionalidade jurídico-penal-europeia*. Pois só assim logramos saber o alcance dos "direitos de defesa", da "pena proporcional" e do "prazo razovável".

A actividade dos juízes europeus, para oferecer critérios de solução consensuais à pluralidade de ordens jurídico-penais envolvidas, tem necessariamente de passar por práticas interpretativas e argumentativas susceptíveis de ponderar todos os interesses em conflito – do cidadão, dos Estados e da própria "Europa". Essa intervenção jurisprudencial parece implicar, repita-se, uma transição da racionalidade abstracta – bem patente nos programas político-criminais e na normatividade da CDFUE ou da CEDH – para uma racionalidade prática, teleológica, a partir da qual o juiz passa a ter um papel activo na concretização do Direito Penal europeu[42]. E essa concretização só será decisivamente possível se considerarmos duas premissas aparentemente contraditórias: o *primado* das decisões jurisprudenciais europeias e o princípio da *subsidiariedade* que as rege. Podemos partir do exemplo português.

Com efeito, uma vez esgotadas todas as vias de recurso nacionais, e invocada a violação dos direitos reconhecidos na CEDH, o cidadão português pode accionar um *amparo europeu* através do recurso ou do mecanismo das "petições individuais" dirigidas ao TEDH, sendo certo que a decisão final desta jurisdição

---

[41] Sendo assim, parece que o "direito europeu penal", plasmado na CDFUE e na CEDH, conforma o "Direito Penal europeu".

[42] Cf., com mais detalhe, KOSTORIS, Roberto E. "Processo Penale, Diritto Europeo e nuovi paradigmi del pluralismo giuridico postmoderno", cit., 2015, p. 1191ss.

europeia tem força vinculativa na ordem jurídica portuguesa[43]. Logo, o TEDH actua em última instância, preenche a vaguidade da CEDH, enquanto diploma legislativo infra-constitucional[44], e vincula o Estado português[45]. Quase se pode dizer que é o *primado do subsidiário infraconstitucional*. Por essa razão, seríamos tentados a pensar que esta fórmula poderá redundar em algo intoleravelmente autoritário.

O que encontramos, por um lado, são decisões do TEDH que amiúde sublinham a importância da "*margem de apreciação dos Estados Contratantes que estão melhor colocados do que o Tribunal para escolher os meios adequados para permitir aos seus sistemas de justiça garantir os direitos de defesa*"[46]. Um argumento suficiente para se afirmar uma postura de contenção perante o Direito Penal nacional, fortalecendo-o.

Por outro lado, encontramos decisões que parecem enfraquecer o *poder judicial* – por exemplo, quando se considera ultrapassado o prazo razoável da causa e condena-se o respectivo Estado por esse facto[47]. E também decisões que parecem enfraquecer o *poder legislativo* – por exemplo, quando se reconhecem direitos ao recluso que não estão legislados[48]. Ou seja, por omissão do legislador nacional,

---

[43] O TEDH tem competência para resolver todas as questões relativas à interpretação e à aplicação da respectiva Convenção e dos respectivos protocolos. Cf. Protocolo n. 11 à Convenção, particularmente Artigos 32, 34 e 35. Cf., ainda, Artigo 46 da CEDH.

[44] Assim deverá ser entendida a CEDH por via do Artigo 8º, n.2, da CRP. Cf. CANOTILHO, J. J. Gomes; MOREIRA, Vital. *Constituição da República Portuguesa Anotada*. Vol. I , 4. ed. Revista. Coimbra: Coimbra Editora, 2007. p. 258.

[45] Inclusivamente, o próprio Código de Processo Penal, no Artigo 449, prevê como fundamento para a revisão *de sentença transitada em julgado* "uma sentença vinculativa do Estado Português, proferida por uma instância internacional, for inconciliável com a condenação ou suscitar graves dúvidas sobre a sua justiça".

[46] Veja-se, por exemplo, Queixa 48188/99, Carlos Correia de Matos contra Portugal, Terceira Secção reunida em 15 de novembro de 2001. Semelhante observação em PRADEL, Jean. "Droit penal européen et droits pénaux nationaux", cit., 2015, p. 21.

[47] Por exemplo, o caso Valada Matos das Neves c. Portugal, queixa n. 73798, definitivo em 29 de janeiro de 2016.

[48] E aqui não podemos deixar de referir o caso *Stegarescu e Bahrin c. Portuga* decidido pelo TEDH: queixa n. 46194/06, Acórdão de 6 de abril de 2010. Aqui decidiu-se e reconheceu-se a violação do Artigo 6º da CEDH, "tomando nota" da legislação portuguesa que *não prevê nenhum direito de recurso "pessoal" do recluso contra a decisão de o colocar em regime especial de segurança*. Mais

efectivamente, o TEDH tem *o poder de expandir o Direito Penal europeu*: é através da *fundamentação* da jurisprudência, sustentada no programa político-criminal europeu (p. ex., nas Recomendações) ou na legislação penal europeia (CEDH), que lhe é atribuída plenitude e racionalidade prática. Do Direito Penal europeu comprimido e não concretizado na ordem jurídica nacional, para o *panjurismo europeu* declarado com uma soberania muito própria[49].

O que fica dito esclarece, de igual forma, os significativos poderes do Tribunal de Justiça da União Europeia. É clarividente a forma como Nicholas Barber resume a questão, relembrando as três, interligadas, reivindicações de soberania desse Tribunal[50]: está intitulado a decidir definitivamente todas as questões de

---

concretamente, o Código de Execução de Penas e das Medidas Privativas da Liberdade permite aos serviços prisionais, em determinadas situações de perigosidade, imporem um "regime de segurança" ao recluso, cuja fiscalização da legalidade compete exclusivamente ao Ministério Público, redundando no arquivamento ou na impugnação da decisão administrativa. Tudo nos termos do disposto nos Artigos 15 e 197 a 199 da Lei n. 115/2009, de 12 de outubro. Porém, não está, de facto, previsto o direito do recluso recorrer da decisão administrativa. Ora, neste caso, lembrando a Recomendação Rec(2006)2 do Comité dos Ministros do Conselho da Europa, o TEDH claramente enaltece os direitos do recluso e simultaneamente enfraquece a legislação e o legislador português. Vemos, pois, uma forma de pressionar a política criminal portuguesa e de relembrar as "Recomendações" a favor, neste caso, dos direitos do recluso.

De acordo com aquela Recomendação: "*Pedidos e queixas 70.1 Os detidos devem ter a possibilidade de apresentar, individual ou colectivamente, pedidos e queixas dirigidos ao director da prisão ou a qualquer outra autoridade competente. 70.2 Se for adequado, deve em primeiro lugar procurar-se uma solução de mediação. 70.3 Em caso de indeferimento do pedido ou da queixa, os motivos devem ser comunicados ao detido e este deve ter o direito de recorrer da decisão para uma autoridade independente. 70.4 Os detidos não devem ser punidos por apresentarem pedidos ou queixas. 70.5 A autoridade competente deve ter em conta qualquer queixa escrita apresentada por familiares do detido, sempre que a queixa assente em violação dos direitos dos direitos deste. 70.6 Não pode ser apresentada queixa em nome do detido, pelo seu representante legal ou por qualquer organização que defenda os interesses da população reclusa, se o detido se opuser. 70.7 Os detidos devem ter o direito de solicitar aconselhamento jurídico sobre os procedimentos internos de queixa e de recurso, bem como de solicitar os serviços de advogado sempre que o interesse da justiça o exija*".

[49] A ideia de uma "Pan-Europa" já vem do conhecido plano de Coudenhove-Kalergi. A expressão "panjurismo" encontramo-la em NEVES, A. Castanheira. *Metodologia Jurídica. Problemas Fundamentais*, cit, 2013, p. 210.

[50] N. W. BARBER, "Legal Pluralism and the European Union", *European Law Journal*, vol. 12, n. 3, May, 2006, p. 323.

direito da união europeia[51]; está intitulado a determinar o que constituiu uma questão de direito da união europeia[52]; e o direito da união europeia tem supremacia sobre todo o direito nacional conflituante[53].

Se bem virmos, só a primeira "reivindicação" afigura-se autêntica e *legítima por atribuição*. É a partir desta que se possibilita toda a articulação entre o sistema de justiça dos Estados-Membros, interno, e o sistema de justiça externo da União Europeia, a título prejudicial[54]. As duas restantes abrem toda uma outra discussão, no mais das vezes relacionada com a legitimidade das reivindicações do Tribunal de Justiça face ao direito constitucional dos Estados-Membros[55]. De qualquer modo, fica patente a importância *do primado do direito da União Europeia* não só para a interpretação e o cumprimento do programa penal europeu plasmado no Tratado de Lisboa e no direito derivado, mas também para superar o nódulo problemático das fontes de Direito Penal. O que, aliás, se deve iniciar com o juiz nacional num autêntico *controlo difuso* do direito da União Europeia em matéria penal – basta pensar nas directivas que acabam transpostas para o direito nacional, mas ainda assim interpretadas em vínculo convergente com o parecer jurisprudencial do TJUE[56].

Para concluir esta parte, reitera-se a ideia de um *panjurismo penal* por via do jurisprudencialismo, colocando o juiz no epicentro da concretização do Direito Penal europeu e remetendo para as margens de ponderação próprias das concepções não positivistas ou jusnaturalistas do direito[57]. Significa que o pensamento jurídico-penal na europa, sujeito a uma jurisprudencial realização, não se enforma exclusivamente na legalidade do tipo estático (Tratado de Lisboa, CDFUE

[51] Cf. o disposto no Artigo 267 TFUE.

[52] Cf. Processo n. 314/85 TJUE.

[53] Cf. Processo n. 6/64 TJUE.

[54] Cf. KOSTORIS, Roberto E. "Processo Penale, Diritto Europeo e nuovi paradigmi del pluralismo giuridico postmoderno", cit., 2015, p. 1185ss.

[55] Veja-se o tratamento do problema em QUADROS, Fausto de. *Direito da União Europeia*. 3. ed. Coimbra: Edições Almedina, 2013, p. 515ss.

[56] Tem sucedido com bastante frequência, por exemplo, na interpretação das disposições do Mandado de Detenção Europeu.

[57] É aquilo que, no contexto constitucional, FERRAJOLI, Luigi. "Constitucionalismo principialista y constitucionalismo garantista". *Doxa Cuadernos de Filosofía de Derecho*, n. 34, Madrid: Marcial Pons Ediciones Jurídicas y Sociales, 2011, p. 23, denomina, criticamente, "constitucionalismo principalista ou não positivista".

e directivas penais) emanada do legislador europeu. O que poderá fazer todo o sentido: como estamos a falar de bens jurídicos em conflito, quer no Direito Penal substantivo quer no adjectivo, são necessárias práticas interpretativas e argumentativas susceptíveis de ponderar todos os interesses em conflito – repita-se, do indivíduo, do Estado e da "Europa" –, desde logo e decisivamente porque esses mesmos interesses não estão todos ao mesmo nível de *ponderação axiológica* – por exemplo, liberdade *versus* segurança. Assim, *introduz-se um princípio de razoabilidade por via da fundamentação jurisprudencial europeia.*

3 Política criminal, Constituição e bens jurídicos

É corrente afirmar-se que a política criminal portuguesa está subordinada ao *princípio da constitucionalidade*[58]. Os "princípios fundamentais" expressos, os "direitos e deveres fundamentais" previstos e os mais diversos preceitos de "direito constitucional penal"[59] são reflexo directo dessa mesma verdade. Porém, as divergências interpretativas surgem quando se procura delimitar o que materialmente faz parte desse "bloco da constitucionalidade", dando sustento às intencionalidades constitucionais, nomeadamente demarcando determinados princípios constitucionais não escritos susceptíveis de condicionar a margem de discricionariedade do legislador[60]. Revelam especialmente para o efeito, no âmbito do Direito Penal, o princípio jurídico-constitucional do "Direito Penal do bem jurídico", o princípio jurídico-constitucional da culpa e o princípio jurídico-constitucional da proporcionalidade das sanções penais, admitidos e adoptados pelo Tribunal Constitucional português como parâmetros fundamentais de controlo da constitucionalidade de normas penais[61]. Parâmetros

[58] Cf. o disposto no Artigo 3º, n. 3, da CRP.

[59] Cf., p. ex., o conteúdo dos Artigos 24, n. 2, 25, n. 2, 29, n.s 1 a 4, 30 e 164, n. 1, c), CRP.

[60] Cf. CANOTILHO, J. J. Gomes. *Direito Constitucional...*, 2003, p. 920ss. É conhecida a crítica ao "constitucionalismo principialista e argumentativo" do italiano FERRAJOLI, Luigi. "Constitucionalismo principialista y constitucionalismo garantista", cit., 2011, p. 23, crítica focada, muito resumidamente, nos direitos constitucionais que não são vistos como regras mas como princípios em constante "virtual conflito" e, por isso mesmo, objecto de ponderação (e não de subsunção), promovendo-se a actividade dos juízes e a "fenomenologia do Direito", em prejuízo do legislador e do "Direito" enquanto norma jurídica.

[61] Nesse sentido, com jurisprudência constitucional para fundamentar cada princípio, ANTUNES, Maria João. "Direito Penal, direito processual penal e direito da execução das sanções privativas

esses que limitam a margem de acção político-criminal e denegam as intenções de despotismo legislativo em várias frentes.

Dados esses limites explícitos e implícitos de ordem constitucional à criminalização, podemos conjeturar um legislador português mais ou menos comprometido com a sua discricionariedade, antevendo uma postura puramente procedimental, uma postura puramente material ou, digamos, uma postura mais moderada face ao ordenamento jurídico-constitucional.

Uma postura *puramente procedimental*, a partir da qual o legislador interpreta a Constituição para unicamente assegurar as suas competências formais decorrentes do princípio da reserva de lei, oferece uma extensa margem de discricionariedade político-criminal[62]. Nesse caso, a Constituição, e em particular os direitos fundamentais, não vinculam de forma alguma a decisão de configurar o ordenamento jurídico-penal e, assim, teremos uma autonomia quase ilimitada para definir tipos de crime e respectivos pressupostos. A propósito, poder-se-á falar num *dualismo* entre a ordem jurídico-constitucional e a ordem jurídico-penal, com as exigências de política criminal "quotidiana" a predominarem devido às vicissitudes políticas, institucionais, conjunturais, sociais ou culturais[63]. Portanto, o legislador ordinário não vislumbra qualquer proibição de criminalização na Constituição, precisamente devido ao seu mandato democrático e político que comporta um dinamismo face à vontade estática e histórica, forjada nas palavras do texto constitucional, do legislador constituinte. No fundo, *da constituição não se deduz nenhum conteúdo predeterminado de Direito Penal.*

Com essa postura legislativa, no mais das vezes, restará uma apertada fiscalização preventiva e sucessiva da constitucionalidade, com um laborioso trabalho para quem de legitimidade processual activa – presidente da República, provedor de Justiça, Ministério Público, juiz, etc.

---

da liberdade e jurisprudência constitucional". *Revista Julgar*, n. 21, Coimbra: Coimbra Editora, 2014, p. 90-98. Cf., ainda, DIAS, Jorge de Figueiredo. "O 'Direito Penal do bem jurídico' como princípio jurídico-constitucional. Da doutrina penal, da jurisprudência constitucional e das suas relações". *XXV Anos de Jurisprudência Constitucional Portuguesa*, Colóquio comemorativo do XXV aniversário do Tribunal Constitucional. Coimbra: Coimbra Editora, 2009. p. 36ss.

[62] Raciocínio a partir do "modelo puramente procedimental" de Constituição pensado por ALEXY, Robert. "Epílogo a la teoría de los derechos fundamentales", *REDC*, cit., 2002, p. 19ss.

[63] Cf. PALAZZO, Francesco. "Direito Penal e Constituição..." *RPCC*, n. 9, 1999, p. 31, 32 e 34, quando menciona a experiência Italiana e as "exigências contingentes da política criminal quotidiana".

Uma postura *puramente material*, no extremo oposto, não dará qualquer margem de discricionariedade ao legislador[64]. Perante a Constituição e os direitos fundamentais, são interpretáveis proibições de criminalização, obrigações constitucionais expressas de tutela penal (mandatos de criminalização) e obrigações constitucionais implícitas de tutela penal. Por outras palavras, a margem de acção político-criminal está expressa ou implicitamente mandatada na Constituição. Sendo assim, a discricionariedade penal do legislador está prevista nas disposições constitucionais, com um conteúdo, expresso ou não, expansivo e variável consoante a dimensão axiológica dos bens jurídico-constitucionais em causa, susceptíveis ou não de reclamar tutela penal. A partir daqui a ordem jurídico-penal carece de autonomia e verifica-se uma unidade substancial ou um "monismo" com a Constituição[65]. Por ser assim, *da constituição deduz-se todo o conteúdo do Direito Penal*.

Com o que estamos perante dois extremos.

Argumento a favor de um "dualismo" entre ordem jurídico-penal e ordem jurídico-constitucional é o de que o legislador ordinário tem uma determinada autonomia para a *valoração dos bens jurídicos protegidos e para a determinação das consequências jurídicas do crime*, com critérios de configuração próprios ao Direito Penal, cuja natureza é relativamente estranha às directivas constitucionais. Vejam-se, pois, as possibilidades do legislador no momento de tutelar o bem jurídico, interrogando-se, perante o facto que pretende juridificar, crime de dano ou crime perigo, crime de execução vinculada ou crime execução livre, crime de mera actividade ou crime de resultado, crime doloso ou crime negligente, e assim por diante. E vejam-se também as possibilidades do legislador no momento em que determina as consequências jurídicas do crime, prevendo o tipo de pena e a moldura penal, com valorações em razão do seu próprio juízo acerca dos bens jurídicos a proteger.

Posto isso, dir-se-á com alguma certeza que (igualmente) o legislador português tem *margem discricionária para a fixação dos meios* a partir dos quais pretende tutelar determinado bem jurídico[66].

[64] Raciocínio a partir do "modelo puramente material" explanado por ALEXY, Robert. "Epílogo a la teoría de los derechos fundamentales", *REDC*, 2002, p. 20 e s.

[65] Cf. PALAZZO, Francesco. "Direito Penal e Constituição...", *RPCC*, n. 9, 1999, p. 31.

[66] Aquilo que ALEXY, Robert. "Epílogo a la teoría de los derechos fundamentales", *REDC*, 2002, p. 24-25, denomina "margem para a eleição dos meios" no âmbito da "margem de acção

Um outro sinal que nos aproxima de um "dualismo" decorre do dinamismo legislativo. A "estabilidade" da Constituição da República Portuguesa é visível nas sete revisões realizadas desde o ano de 1976, ao passo que actualmente vigora a 41ª versão do Código Penal de 1995 – uma "*realidade criminológica em constante mutação*"[67]. Com ritmos diferentes, o quadro de valores tenderá naturalmente a afastar-se. Porquanto, os direitos fundamentais mantiveram-se relativamente "rígidos" e só uma nova dimensão polissémica ou um espírito constituinte desdobrado acompanha a proliferação dos bens jurídico-penais.

Acresce ainda a visível expansão do Direito Penal secundário, tradicionalmente associado (directa ou indirectamente) aos direitos económicos, sociais e culturais, cujas pretensões parecem, de igual forma, extravasar o positivismo constitucional[68].

Com isso pretendemos convergir, num primeiro desfecho, com as palavras de Klaus Tiedmann: "*a ordem de valores jurídico-constitucional e a ordem legal jurídico-penal são espaços relativamente autónomos, que têm seus pressupostos respectivos em diferentes objectivos e finalidades do actuar humano, que mostram regulações diferenciadas e, em todo o caso, que a Constituição concede ao legislador ordinário uma ampla margem de liberdade para a configuração do ordenamento penal...*"[69].

Por outro lado, para uma aproximação ao "monismo", a política criminal tem na Constituição uma importante base *iuspositivista* que incontestavelmente a limita. Ao lado de princípios expressamente previstos, como a não retroactividade da norma penal incriminadora ou a legalidade da intervenção penal, temos princípios ético-jurídicos como a igualdade e a proporcionalidade que se afiguram imprescindíveis para o cidadão no momento de se restringir o conteúdo de determinados direitos fundamentais[70]. Daí, também, a doutrina comummente referir-se a *proibições de incriminação constitucionais* ou a limites intransponíveis de natureza constitucional a partir dos princípios e direitos fundamentais.

estrutural" do legislador.

[67] Como consta no próprio preâmbulo do Código Penal.

[68] Cf., supra, nota 11. Veja-se também, p. ex., só no Código de Propriedade Industrial (aprovado pelo DL n. 36/2003, de 5 de março) oito tipos de crime diferentes (cf. 321 a 328) com mais de vinte condutas típicas diferentes puníveis.

[69] (Tradução nossa) TIEDEMANN, Klaus. "Constitución y derecho penal", 1991, p. 148.

[70] Cf. o princípio da igualdade como limite à criminalização em COSTA, José de Faria. "O princípio da igualdade, o Direito Penal e a constituição", *RLJ*, 2012, p. 290ss.

Parece ter razão Massimo Donini quando assevera que o principal objectivo da aproximação constitucionalista é a redução do penalmente relevante, com vista à efectivação do *princípio da última ratio ou da subsidariedade*[71]. E a partir desse raciocínio podemos retirar uma muito simples ilação: quanto mais nos aproximarmos das garantias constitucionais dos cidadãos menos espaço discricionário adjudicaremos à política criminal.

A fronteira *iuspositivista*, contudo, poderá terminar nas denominadas obrigações constitucionais *implícitas* de criminalização[72]. Entre a doutrina portuguesa não são raras as posições *metapositivas* à luz do ordenamento constitucionalista[73]. Isso porque, de facto, poder-se-á entender que o texto constitucional é mínimo e não resolve os problemas de ponderação mais controversos relacionados com a criminalização de determinadas condutas[74]. A questão passa por determinar o conteúdo variável da "Constituição material" e perceber se contribui ou não para uma "relação de estabilidade" com o Direito Penal – cujos contornos, de todo

[71] Cf. DONINI, Massimo. *Il volto attuale dell'illecito penale...*, 2004, p. 72-73.

[72] No que diz respeito às obrigações constitucionais *expressas* de tutela penal (ou mandatos de criminalização), não se traduziram em técnica legislativa comum à vontade do legislador constituinte português, quer dizer, ao nível constitucional não se procuraram antecipar valorações político-criminais de modo a mandatar, expressamente, o legislador ordinário à criminalização. O disposto no n. 3 do Artigo 117 da CRP é visto como uma excepção. Sobre as mesmas, DOLCINI, Emilio; MARINUCCI, Giorgio. "Constituição e escolha dos bens jurídicos" (tradução de José de Faria Costa), *RPCC*, n. 4, 1994, p. 170-178.

[73] Representativo, de forma expressiva, CUNHA, Paulo Ferreira. A Constituição do Crime. Da substancial constitucionalidade do Direito Penal. *Argumentum*, n. 10, Coimbra: Coimbra Editora, 1999, p. 95 e 103, com vista a uma "relação de estabilidade" entre direito constitucional e Direito Penal: "*Tal significa que apenas uma consideração jusconstitucional baseada numa ordem de valores, acima do simples texto constitucional, isto é, uma consideração da Constituição material e não apenas da Constituição formal, pode legitimar as opções valorativas do Direito Penal*"; mais adiante, o autor elabora a ideia: "*De facto, não nos custaria a aceitar que a necessidade e a subsidiariedade da intervenção penal ganharam foros de princípios jurídicos fundamentais, constituindo direito natural secundário, adquirido, mas irreversível. E, por isso, insusceptível de negociação ou pressão ao sabor da ditadura mediática ou da disposição de política-criminal do concreto legislador*".

[74] No sentido de que o texto constitucional é mínimo por "...insuficiência normativo-reguladora crónica para a solução de problemas jurídico-penais", pronuncia-se PALMA, Maria Fernanda. *Direito Constitucional Penal*, Coimbra: Edições Almedina, 2011, p. 26, resultando numa actividade interpretativa intensificada, dado que "...as condições materiais de validade do Direito numa perspectiva não positivista são conteúdo necessário da Constituição" (p. 61).

modo, não podem significar a "segurança jurídica" reservada ao positivismo da "Constituição formal". Com aquela postura *metapositiva*, o âmbito do constitucionalmente possível está antes e acima do texto constitucional, moldando o pensamento jurídico para uma ordenação axiológica que condiciona, aparentemente, a validade jurídica das escolhas político-criminais.

Na prática, porém, tanto quanto interpretamos, não é fácil fundamentar a intencionalidade axiológico-constitucional. Pendemos para defender a ideia de que a Constituição não permite deduzir um conteúdo predeterminado de Direito Penal, mas apenas permite deduzir *limites* formais e materiais ao conteúdo do Direito Penal. Numa fronteira por vezes tão difícil de determinar, fica sobretudo a "orientação" ou o "horizonte" constitucional mapeado com importantes *referentes teleológicos-materiais* para a política criminal[75]. A proporcionalidade, a igualdade e os direitos fundamentais fazem certamente parte desses referentes. Aliás, no caso de entrarmos na zona cinzenta do criminalizável, colocando em prejuízo a autonomia, a liberdade ou o livre desenvolvimento da personalidade do indivíduo, o essencial seria reclamar uma *especial fundamentação social do desvalor penal atribuído*[76]. E se o legislador não tem o dever de fundamentar o juízo de proporcionalidade que o levou a criminalizar no caso concreto, a jurisprudência constitucional poderá ter, ou terá mesmo, o papel primário na *racionalização* e fundamentação do criminalizável no âmbito da "relação de estabilidade" entre a ordem jurídico-penal e a ordem jurídico-constitucional. Esta parece ser uma conclusão decisiva para a efectivação de um estado de direito material que aspira a valores éticos de "justiça".

Deixando em aberto a discussão entre o mais ou menos *juspositivista*, podemos chegar a uma conclusão provisória: se de um lado temos o pragmatismo

---

[75] A "orientação" em COSTA, José de Faria. *Direito Penal Especial. Contributo para uma sistematização dos problemas "especiais" da Parte Especial.* Reimpressão. Coimbra: Coimbra Editora, 2007. p. 33, e o "horizonte" em ANDRADE, Manuel da Costa. "Constituição e Legitimação do Direito Penal". *Diálogos Constitucionais Brasil/Portugal*, Rio de Janeiro: Renovar, 2004, p. 53-54,

[76] De forma análoga, em relação às situações de restrição da liberdade que englobam as restrições justificadas pela proteção legislativa dos indivíduos contra si próprios, ANDRADE, José Carlos Vieira de. *Os Direitos Fundamentais na Constituição portuguesa de 1976.* 4 ed. (reimpressão). Coimbra: Edições Almedina, 2010. p. 299: "*neste domínio, é de exigir ao legislador uma especial fundamentação social do desvalor atribuído às actividades restringidas, já que as restrições põem em causa medularmente o livre desenvolvimento da personalidade*".

do legislador que procura normalizar o envolvente social recorrendo ao Direito Penal, no limite com finalidades retributivas de modo a reafirmar bens jurídicos cada vez menos definidos (p. ex., maus-tratos aos animais de companhia) ou cada vez mais amplos (p. ex., "segurança" ou "saúde pública"), do outro lado temos importantes referentes constitucionais que animam a intervenção penal para a ponderação das finalidades preventivas conformadoras da dignidade dos bens jurídicos e da necessidade de tutela penal, sob pena de uma declaração de inconstitucionalidade fundamentada. Eis o difícil equilíbrio entre a intervenção penal e as garantias constitucionais dos cidadãos.

Com efeito, temos que reconhecer que sobretudo os direitos fundamentais comportam importantes limites ao legislador em virtude de não poderem ser sujeitos a restrições que desatendam o seu conteúdo essencial. Ora, um tal juízo terá que ser feito pelo legislador penal no momento em que activa as suas valorações discricionárias de natureza político-criminal. Pelo que, para uma adequada fundamentação social do desvalor penal atribuído, devemos reclamar um critério de intervenção conforme o *princípio da proporcionalidade em sentido amplo*[77]. O legislador, sendo assim, goza de uma intervenção penal legítima caso supere os testes da idoneidade, da necessidade e da proporcionalidade em sentido estrito. Ou seja, a protecção de bens jurídicos será legítima caso seja *idónea* e *necessária* face a outros meios menos lesivos, tudo na medida de um juízo de *proporcionalidade* que coteje a gravidade da limitação atribuída e a importância da vantagem que da mesma se espera[78]. Presentes, entre outros, estão princípios tão diversos como a ofensividade, a subsidiariedade e a proporcionalidade das sanções penais.

---

[77] Cf. PUIG, Santiago Mir. *Bases Constitucionales del Derecho Penal.* Colección Biblioteca Básica de Derecho Penal y Ciencias Penales, Madrid: Iustel, 2011. p. 96ss., baseado na "margem de ponderação" de ALEXY, Robert. "Epílogo a la teoría de los derechos fundamentales". *REDC*, 2002, p. 25ss. Nada de estranho no âmbito dos parâmetros de controlo da constitucionalidade de normas incriminatórias por parte do Tribunal Constitucional português, nomeadamente fundando o princípio jurídico-constitucional do "Direito Penal do bem jurídico" e o princípio da "proporcionalidade das sanções penais" no âmbito do princípio da proporcionalidade expresso no Artigo 18, n. 2, da CRP. Cf., neste sentido, com jurisprudência constitucional, ANTUNES, Maria João. "Direito Penal, direito processual penal e direito da execução das sanções privativas da liberdade e jurisprudência constitucional", 2014, p. 90ss.

[78] Veja-se PUIG, Santiago Mir. *Bases Constitucionales del Derecho Penal*, 2011, p. 116, 119, 121.

Este critério de solução de conflitos poderá, contudo, confrontar-se com dificuldades logo no primeiro momento de identificar qual o bem jurídico protegido e qual a correspondência que tem (ou não) com um direito fundamental. O parâmetro fundamental de controlo da constitucionalidade de normas incriminatórias utilizado na jurisprudência do Tribunal Constitucional português, sustentado no "Direito Penal do bem jurídico", começa por questionar, precisamente, a *dignidade do bem jurídico*. O problema, quanto a nós, coloca-se exactamente nos mesmos termos: *não se pode garantir que o legislador está vinculado à escolha de um determinado direito fundamental no momento em que confere dignidade penal aos interesses da pessoa ou da comunidade socialmente relevantes.*

A pergunta que agora está subjacente é a seguinte: a Constituição impõe à intervenção penal uma tutela exclusiva de direitos fundamentais? Por outras palavras: todos os bens jurídico-penais tutelados correspondem, necessariamente, a direitos fundamentais?

Esta pergunta faz todo o sentido porque *a identificação do bem jurídico a proteger legitima um modelo racional de actuação legislativa*[79]. O ideal parece ser uma intervenção penal ancorada na protecção de bens jurídicos fundamentais da pessoa ou da comunidade, com uma validade ético-jurídica de natureza constitucional[80]. Entre nós, Jorge de Figueiredo Dias terá sido o principal representante de um Direito Penal do bem jurídico expressa ou implicitamente ligado aos direitos e deveres fundamentais, conferindo uma "analogia material" ou um "princípio da

---

[79] Nestes termos, TIEDEMANN, Klaus. "Constitución y derecho penal", 1991, p. 168.

[80] Convergente com ANDRADE, Manuel da Costa. "Constituição e Legitimação do Direito Penal", p. 54, "o Direito Penal de uma sociedade secularizada e plural... não vergada ao peso de transcendentes e fechadas mundivisões religiosas, metafísicas, moralistas ou ideológicas *só está legitimado a intervir para proteger bens jurídicos fundamentais da pessoa ou da própria comunidade*". No mesmo sentido, CUNHA, Paulo Ferreira. *A Constituição do Crime*, 1999, p. 89, "*E os bens jurídico-penais acabam por ser aqueles que os penalistas retiram como pedra de toque do conjunto da ordem constitucional vigente, já que, não podendo pautar-se, num sociedade pluralista e a rondar o anómico, por autónomos valores de pura axiologia, têm de arrimar-se ao apoio constitucional: isto é, terão de ver tais valores pelo óculo ou pelo filtro da sua recepção ético-jurídica na Constituição*". Também a construção do "conceito material de crime" de PALMA, Maria Fernanda. "Conceito material de crime e reforma penal". *Anatomia do Crime*, n. 0, julho-dezembro, Coimbra: Edições Almedina, 2014, p. 18, inclui a exigência de congruência entre o fim de protecção das normas penais e os direitos e valores constitucionais, estando em causa a "dignidade punitiva" da conduta.

congruência" à relação entre as ordens jurídico-penal e jurídico-constitucional[81]. E com certeza de que, se assegurássemos todos os bens jurídico-penais como sendo de natureza jurídico-constitucionais, teríamos um modelo político-criminal substancialmente mais garantístico por vincular o legislador a um modelo desenhado pela própria Constituição.

Em primeiro lugar, um modelo garantístico que de algum modo comprime *o princípio partidário* e o instrumentalismo político em virtude de a grande maioria dos direitos fundamentais fazerem parte dos limites materiais da revisão constitucional[82]. Isto é, o legislador ordinário, sem poder democrático para os alterar, teria que subtrair dos existentes direitos fundamentais os bens jurídicos merecedores de tutela penal.

Em segundo lugar, uma garantia por se discutir um bem jurídico comunicável com um direito, liberdade e garantia ou com um direito fundamental de natureza análoga, justamente devido ao regime constitucional português de protecção que os sujeita a uma restrição necessária, adequada e proporcional[83].

E, ainda, um modelo garantístico, por admitir, na protecção do núcleo essencial dos direitos fundamentais, a intervenção do Tribunal Constitucional.

Embora, por outro lado, encontremos argumentos que contrariam a comunicabilidade entre bens jurídico-penais e bens jurídico-constitucionais. É inegável que, quando nos debruçamos sobre os tipos de crime de homicídio, ofensas à integridade física, sequestro ou dano, por se afigurarem evidentes quanto ao objecto de protecção, encontramos uma coincidência cabal com direitos fundamentais. E muitos outros exemplos seriam igualmente evidentes. Porém, podemos defender que é a doutrina, *a posteriori*, a primeira responsável pelo esforço extraordinário de fazer convergir os bens jurídicos protegidos pelo Direito Penal com a ordem jurídico-constitucional, e não o legislador no momento em que decide criminalizar. Mais: dado o generoso catálogo de direitos fundamentais disponibilizado

---

[81]A "analogia material" em DIAS, Jorge de Figueiredo. "O 'Direito Penal do bem jurídico' como princípio jurídico-constitucional...", 2009, p. 34-35; e o "princípio da congruência" em *Direito Penal Português: as consequências jurídicas do crime*, Parte Geral II, Editorial Notícias, 1993, p. 72; ainda, já em 1983, referindo-se a uma "analogia substancial", "Os novos rumos da política criminal e o Direito Penal português do futuro", p. 16.

[82] Cf. o disposto no Artigo 288 da CRP.

[83] Cf. o disposto nos Artigos 17 e 18 da CRP.

pela Constituição, inclusivamente promovendo a analogia[84], haverá uma elevada probabilidade de congruência dos bens que merecem protecção, na óptica da política criminal, com os bens constitucionalmente relevantes, explícitos ou implícitos. Nesta ordem de ideias, difícil é encontrar interesses do indivíduo ou da sociedade que não sejam relacionáveis, de alguma forma, com interesses constitucionalmente protegidos.

No extremo, dir-se-á que o mandato democrático do legislador penal decorre das exigências político-criminais quotidianas e não implica uma tutela de interesses com importância fundamental-constitucional, nem mesmo de uma forma implícita ou indirecta. Poderá ser o caso dos crimes contra os animais de companhia[85]. O que não significa, contudo, uma tutela penal ilegítima à luz dos interesses dos indivíduos ou da comunidade, precisamente por haver um *consenso generalizado acerca da desaprovação da conduta* que o legislador ordinário, na interpretação do seu mandato democrático, entendeu tutelar[86]. São determinados bens jurídicos interpretados por uma política-criminal conjuntural (contextos sociais, culturais, globais etc.) cuja legitimidade resulta de uma autêntica permuta do consenso constitucional, plasmado nos direitos fundamentais, pelo consenso democrático, mais ou menos maioritário, decorrente dos interesses públicos ou privados socialmente relevantes em determinado momento histórico. Aparentam ser razões a favor de um legislador que *não está* vinculado ao âmbito dos direitos fundamentais aquando da escolha dos bens jurídico-penais a tutelar.

Não obstante a falta de referente axiológico-fundamental desta última forma de ver o problema, alguma doutrina tem vindo a admitir uma tal perspectiva[87].

[84] Veja-se, CANOTILHO, J. J. Gomes; MOREIRA, Vital. *Constituição da República Portuguesa Anotada*, vol. I, 4 ed. Revista. Coimbra: Coimbra Editora, 2007. p. 376, na anotação do Artigo 17, "Afigura-se, porém, que, havendo direitos fundamentais fora da Constituição, nada impede que aqueles que detenham natureza análoga aos direitos, liberdades e garantias constitucionais possam beneficiar do respectivo regime constitucional, naquilo que não seja incompatível justamente com a sua qualidade intraconstitucional".

[85] Cf., supra, nota 10.

[86] Em sentido próximo, TIEDEMANN, Klaus. "Constitución y derecho penal", 1991, p. 168.

[87] Em Espanha, PUIG, Santiago Mir. *Bases Constitucionales del Derecho Penal*, 2011, p. 114-115, "*Esto no significa que sólo los derechos fundamentales reconocidos en la Constituición puedan constituir bienes merecedores de tutela penal*", dando o exemplo do valor probatório dos documentos públicos ou da fé pública que tem relevância penal mas que não tem uma relação com a Constituição; em Itália, DOLCINI, Emilio; MARINUCCI, Giorgio. "Constituição e escolha dos bens jurídicos",

Particularmente representativa, entre nós, é a posição de José de Faria Costa. Na sua óptica, não há uma coincidência de valores protegidos entre a ordem jurídico-constitucional e a ordem jurídico-penal, pelo que o legislador não tem de ficar "acorrentado" à ordem de valores constitucionalmente protegida, estando *excepcionalmente* autorizado a demarcar bens jurídico-penais sem correspondência imediata no texto constitucional[88]. Com isso, sobeja alguma discricionariedade na ponderação dos interesses ou valores a tutelar e, neste sentido, a política criminal não se encontra exclusivamente vinculada aos direitos fundamentais para a escolha de bens jurídicos com dignidade penal.

Em todo o caso, faz sentido interrogar um Direito Penal do bem jurídico independente da ordem jurídico-constitucional de valores, quer dizer, um bem jurídico penalmente relevante que não se afigura constitucionalmente relevante mas, ainda assim, decorrente de uma intervenção conforme o princípio da proporcionalidade em sentido amplo. De outro modo, fará pouco sentido questionar um Direito Penal desguarnecido da noção de "bem jurídico" enquanto padrão crítico do objecto que o legislador pretende efectivamente proteger à luz dos interesses públicos ou privados reclamados pelo princípio democrático[89]. Daí a

---

1994, p. 169-170, "*a nossa conclusão vai, portanto, no sentido de que a Constituição não impõe um limite geral ao legislador ordinário na escolha discricionária dos bens a tutelar penalmente: o legislador não está vinculado nesta escolha ao âmbito dos bens constitucionalmente relevantes*"; na Alemanha, TIEDEMANN, Klaus. "Constitución y derecho penal", 1991, p. 167-168, referindo-se nesses termos ao âmbito do Direito Penal económico e ao Direito Penal do ambiente. Em Portugal, é sabido, a questão do direito do ambiente não se coloca nos mesmos termos uma vez que está prevista no Artigo 66 da CRP enquanto integrado nos direitos e deveres económicos, sociais e culturais, especificamente nos direitos e deveres sociais.

[88] Assim, em COSTA, José de Faria. *O Perigo em Direito Penal*. Reimpressão. Coimbra: Coimbra Editora, 2000. p. 189ss.; e "O princípio da igualdade, o Direito Penal e a constituição", 2012, p. 284.

[89] Isso remete-nos para a crítica a outras doutrinas que não as relacionadas com um Direito Penal que tem como principal fundamento a proteção de bens jurídicos. Inevitavelmente, não podemos referir muito resumidamente JAKOBS, Günther. *Derecho Penal. Parte General. Fundamentos y teoria de la imputación*. Traducción Joaquin Contreras y Jose Luiz Murillo, Madrid: Marcial Pons, Ediciones Juridicas, 1995. p. 44-45, segundo o qual a legitimação material do Direito Penal reside no facto de as leis penais serem necessárias para a manutenção da forma da sociedade e do Estado, como um meio de garantir as normas, especialmente as jurídico-constitucionais, protegendo-se a firmeza das expectativas normativas essenciais. Ou seja, um Direito Penal que primeiramente protege o ordenamento jurídico.

importância de uma definição clara e evidente do bem jurídico-penal concreto que se intenta tutelar: se a nossa ideia passa por um legislador disciplinado em relação ao que é susceptível de juridificação penal – com vista a depurar o Direito Penal das imoralidades, do arbitrário, do exclusivamente ideológico ou do metafísico –, então, teremos sempre que nos debruçar sobre a relevância social dos interesses da pessoa ou da comunidade candidatos a "bem jurídico-penal".

Tenhamos presente a verdade histórica: diz-nos que adoptar a concepção do "Direito Penal do bem jurídico" não significa adoptar uma concepção intrinsecamente liberal[90]. No fundo, está presente o sentido político dado ao Direito Penal e aos próprios bens jurídicos protegidos, com especiais influências na natureza dos tipos de crime, p. ex., em virtude da distinção entre crimes particulares ou crimes públicos, ou dos interesses políticos que privilegiam os bens jurídicos enformadores de um *individualismo* ou, em sentido contrário, interesses políticos enformadores de um *comunitarismo*[91]. Isso significa também que a *dignidade* e a *necessidade* de tutela penal dos bens jurídicos, democraticamente legitimados ou não, constitucionalmente significativos ou não, reclama uma vigilância – um controlo, uma fiscalização, como entendermos – não proveniente do próprio órgão político fazedor de leis. Está assim presente a importância harmonizadora do princípio da separação de poderes e do próprio Tribunal Constitucional.

---

[90] Na Alemanha, num passado relativamente recente, aplicou-se a doutrina dos bens jurídicos ao fascismo fazendo-se uma ponderação axiológica de acordo com a ideologia política democraticamente legitimada, passando o bem jurídico supremo a residir na manutenção do partido nacional-socialista e na vida do "F*ü*her". Neste sentido, MIZRAHI, Esteban. *Los pressupostos filosóficos del derecho penal contemporáneo. Conversaciones con Günther Jakobs*. Buenos Aires: Universidad Nacional de La Matanza, 2012. p. 46. Com diferenças residuais, particularmente no que diz respeito ao processo democrático, semelhante história passou-se em Itália e em Portugal. Veja-se DOLCINI, Emilio; MARINUCCI, Giorgio. Emilio;"Constituição e escolha dos bens jurídicos", 1994, p. 154-155: "*Como mostra a experiência italiana sob o fascismo, as normas incriminadoras podem de facto ser construídas segundo a forma liberal da ofensa a bens jurídicos, mas, simultaneamente, ter os conteúdos mais iliberais*".

[91] "Comunitarismo *versus* liberalismo" em NEVES, A. Castanheira. "A crise actual da filosofia do direito no contexto da crise global da filosofia. Tópicos para possibilidade de uma reflexiva reabilitação". Stvdia Ivridica 72, *Boletim da Faculdade de Direito*. Universidade de Coimbra, Coimbra: Coimbra Editora, 2003, p. 93ss.

4 Política criminal e Tribunal Constitucional

Por várias vezes temos vindo a sublinhar os inconvenientes de um Direito Penal instrumentalizado pela estratégia política em virtude de uma certa discricionariedade quanto ao conteúdo do penalmente juridificável. Ora, dificilmente se pode caracterizar a autoridade judiciária como um mero operador da estratégia político-criminal definida. Pelo contrário, a índole política da função legislativa está sujeita aos controlos de índole jurídica de toda a função jurisdicional[92]. O que significa uma determinada tensão entre o poder político e o poder jurisdicional. E aqui referimo-nos, *maxime*, ao poder de jurisdição constitucional – se recordarmos o disposto na Lei Orgânica do Tribunal Constitucional[93]: "*As decisões do Tribunal Constitucional são obrigatórias para todas as entidades públicas e privadas e prevalecem sobre as dos restantes tribunais e de quaisquer outras autoridades*".

Vamos por partes.

Mesmo num esquema rígido de legalidade penal, há espaços de discricionariedade judiciária incontestáveis, com poderes que não implicam confundir a legalidade com o direito. Ou seja, o conceito formal de crime está sempre sujeito a uma realização judiciária[94]. Avulta agora o que Luigi Ferrajoli entende serem espaços "*fisiológicos e insupríveis*" traduzidos em poderes de qualificação jurídica, de verificação fáctica e de valoração dos factos comprovados[95]. Não se pretende com isso defender um activismo susceptível de criar normas incriminadoras, derrogando a competência do legislador e o respectivo princípio da separação de poderes: como é inequívoco, as normas incriminadoras devem ser sempre as mesmas, mutáveis são os factos concretos a partir dos quais as normas são aplicadas[96]. É, pois, razão suficiente para se admitir o poder de fiscalização por parte da autoridade judiciária e uma eventual censura jurídico-constitucional

---

[92] Cf. NEVES, A. Castanheira. "Entre o 'legislador', a 'sociedade' e o 'juiz'...", *BFD*, 1998, p. 14.

[93] Lei Orgânica do Tribunal Constitucional, relativa à organização, funcionamento e processo, no Artigo 2º da Lei n. 28/82, de 15 de novembro.

[94] Relembrando que nos termos do Artigo 1º, al. b), do Código de Processo Penal português, define-se "autoridade judiciária" o juiz, o juiz de instrução e o Ministério Público.

[95] Cf. FERRAJOLI, Luigi. "Constitucionalismo principialista y constitucionalismo garantista", 2011, p. 44-45.

[96] Cf. FERRAJOLI. Luigi. "Constitucionalismo principialista y constitucionalismo garantista", 2011, p. 48.

às normas incriminadoras, *precisamente porque a autoridade judiciária não as pode ignorar*. E não estamos simplesmente a mencionar a norma penal "injusta" para a consciência jurídica daquele que a enquadra e aplica; aqui damos conta do iniludível problema da legislação penal "imperfeita" que, nomeadamente, não define a infracção de forma precisa e clara ou restringe intoleravelmente a liberdade do cidadão. Basta pensar: o princípio da legalidade penal exige uma infração limpidamente definida ("*lege certa*") e o princípio do "Direito Penal do bem jurídico" exige uma clara apreensão do bem jurídico-penal que se pretende tutelar[97].

Pelo que, a todo tempo, a autoridade judiciária pode nomeadamente recusar a aplicação de qualquer norma, promovendo-se a fiscalização sucessiva da norma com fundamento em inconstitucionalidade ou ilegalidade – *num controlo jurisdicional difuso*[98]. Pouco adiantam, neste momento, no quadro constitucional português, as pretensões políticas de fazer subordinar o poder judiciário ao próprio poder político.

Acresce ainda o restante regime de fiscalização da constitucionalidade, inclusivamente em momento anterior, preventivo e abstracto, da responsabilidade de outros actores da justiça constitucional, mormente o presidente da República[99]. De facto, é sempre possível controlar as estratégias político-criminais plasmadas em leis ou decretos-leis, vislumbrando uma eventual inconstitucionalidade material das normas incriminadoras[100]. O despotismo político-legislativo intolerável para o cidadão ou para a comunidade está, em princípio, excluído.

[97] Um exemplo recente bastante elucidativo, embora no âmbito da fiscalização preventiva da constitucionalidade, no Acórdão n. 377/2015, processo n. 658/2015, do Tribunal Constitucional, relacionado com o crime de "enriquecimento injustificado", tendo o legislador inclusivamente (e de forma original) elencado expressamente vários bens jurídicos protegidos, considerando se ainda assim "impossível divisar qual seja o bem jurídico digno de tutela penal que justifica a tutela a incriminação (ponto 15)" sendo, por essa razão, inconstitucional.

[98] Cf. 204 e 280 da CRP, 70 e 72 da Lei n. 28/82, de 15 de novembro.

[99] Redundando na teoria constitucional relacionada com o controlo normativo do Tribunal Constitucional no âmbito dos quatro tipos de fiscalização da constitucionalidade – fiscalização preventiva, fiscalização sucessiva concreta, fiscalização sucessiva abstrata e fiscalização da inconstitucionalidade por omissão.

[100] Ainda a possibilidade de inconstitucionalidades orgânica (quanto à competência), inconstitucionalidade formal (quanto à forma dos actos legislativos) e ou inconstitucionalidade procedimental (quanto ao procedimento na elaboração dos actos legislativos).

Tudo somado resulta nas ultimáveis decisões do Tribunal Constitucional.

Já tivemos oportunidade de referir a obra da jurisprudência constitucional na introdução de princípios constitucionais não escritos ou implícitos de Direito Penal[101], cumprindo agora posicionar o Tribunal Constituicional perante a margem de acção da política criminal.

Procurar um esclarecimento dessa questão implica, antes de mais, partir de um *princípio de presunção da não inconstitucionalidade dos actos do poder político*[102]. Ou seja, presumir toda a norma incriminadora conforme os pressupostos da Constituição até à decisão de inconstitucionalidade. O que de algum modo já sucede. Mesmo não sendo um princípio expresso na lei, é comummente aceite em Portugal a existência de uma fórmula de contenção ("self-restraint") na postura dos juízes do Tribunal Constitucional[103]. Seguidamente, é uma questão de interpretar o *princípio democrático* e, a propósito, ter presente a simplicidade da perspectiva de Robert Alexy: "*enquanto tal, este princípio impõe que o legislador democraticamente legitimado seja, em maior medida possível, quem tome as decisões importantes para a comunidade*"[104].

A decisiva razão para se admitir um argumento de contenção perante a discricionariedade do legislador está, em princípio, relacionada com a distinta e particular legitimação democrática do Tribunal Constitucional[105].

Numa primeira aproximação, isso poderá querer dizer que a zona cinzenta do criminalizável pertence "democraticamente" ao juízo político do legislador penal – o consumo de "cannabis", a protecção da vida em gestação nas diferentes fases

---

[101] Pode-se afirmar com alguma segurança que o principal parâmetro de controlo constitucional das normas incriminatórias reside no principio constitucional do "Direito Penal do bem jurídico".

[102] Um princípio invocado sobretudo na doutrina e na jurisprudência brasileira como "princípio da presunção de constitucionalidade dos actos do poder político".

[103] Assim, na "desejável contenção perante a fundamental prerrogativa de decisão do legislador ordinário", DIAS, Jorge de Figueiredo. "O 'Direito Penal do bem jurídico' como princípio jurídico-constitucional...", p. 46; e menções ao "self-restraint" do Tribunal Constitucional em outros ordenamentos jurídicos europeus-continentais, p. ex., BACIGALUPO, Enrique. *Principios constitucionales de derecho penal.* Buenos Aires: Editorial Hammurabi, 1999, p. 18; e PALAZZO, Francesco. "Direito Penal e Constituição..." *RPCC,* n. 9, 1999, p. 39.

[104] (Tradução nossa) ALEXY, Robert. "Epílogo a la teoría de los derechos fundamentales", *REDC,* 2002, p. 53.

[105] Cf. Artigo 222 da CRP.

de gravidez, o favorecimento de prostituição com intenção lucrativa, a eutanásia, os maus-tratos aos animais, o incesto, e assim por diante.

Num segundo momento, compreende-se melhor a razão pela qual a jurisdição constitucional portuguesa, quando animada por quem de legitimidade processual activa, concretiza uma *fiscalização de normas, ou seja, um controlo normativo*[106]. E não obstante este aparente limite de jurisdição, a latitude permitida à competência do Tribunal Constitucional português[107] estende-se para além de um mero conceito formal de norma (geral e abstracta), abrangendo igualmente um conceito funcional de norma (individual e concreta), isto é, com um controlo das normas que contêm uma "regra de conduta" ou um "critério de decisão" para os cidadãos[108].

Nesses termos, a *práxis* permite, a montante da fiscalização preventiva, uma fiscalização de normas aplicadas no caso concreto, uma fiscalização de segmentos

---

[106] Cf. Artigo 51, n. 5, Lei n. 28/82, de 15 de novembro, e Artigo 277, n.1, da CRP. Uma fiscalização de normas e não uma fiscalização de decisões ou actos comprometedores dos direitos fundamentais dos cidadãos, garantida em outros ordenamentos jurídicos, designadamente no alemão com a "queixa constitucional" e no espanhol com o "recurso de amparo". Veja-se o Artigo 93 ("Tribunal Constitucional Federal: jurisdição), n. 1, 4a, da Lei Fundamental da República Federal da Alemanha ("*Grundgesetz*"): "*O Tribunal Constitucional Federal decidirá: sobre as queixas constitucionais, as quais podem ser apresentadas por qualquer pessoa alegando que um dos seus direitos fundamentais ou um dos seus direitos nos termos do parágrafo (4) do artigo 20 ou nos termos dos artigos 33, 38, 101, 103, ou 104, foi violado por autoridade pública*" (tradução livre). E veja-se o Artigo 53, n. 2 da Constituição Espanhola: "*Cualquer ciudadano podrá recabar la tutela de las liberdades y derechos reconocidos en el artículo 14 y la Sección 1.ª del Capítulo II ante los Tribunales ordinários por un procedimento basado en los principios de preferencia y sumariedade y, en su caso, a través del recurso de amparo ante el Tribunal Constitucional...*".

[107] Cuja determinação adveio em grande medida dos pareceres da própria "Comissão Constitucional", numa competência *autodeterminada*.

[108] Cf. Acórdão n. 26/85, processo n. 20/85, do Tribunal Constitucional. Tenha-se em conta a *delimitação negativa* feita no acórdão: "*A ele escapam, por um lado (e como já a Comissão Constitucional salientara), as decisões judiciais e os actos da Administração sem carácter normativo, ou actos administrativos propriamente ditos; e, por outro lado, os 'actos políticos' ou 'actos de governo', em sentido estrito (como, v. g., os actos do Presidente da República respeitantes à dissolução da Assembleia da República, à nomeação do Primeiro-Ministro etc.). Uns e outros, na verdade, já não serão actos 'normativos', mas actos de aplicação, execução ou simples utilização de 'normas' — isto é, de regras de conduta ou critérios de decisão —, seja de normas infraconstitucionais (como normalmente acontecerá com os primeiros), seja de normas constitucionais (como é característico dos segundos)*".

da norma aplicada no caso concreto e uma fiscalização da norma tal como interpretada pelo tribunal de primeira instância. Mais ainda. Porque falamos de Direito Penal, o âmbito do controlo normativo do Tribunal Constitucional estende-se ao *critério interpretativo inovador* sempre que susceptível de alcançar norma incriminadora relevante para a solução do caso concreto. E isso por estar em causa o princípio da legalidade penal que, manifestamente, não admite o recurso à analogia ("*lege stricta*")[109]. Faz todo o sentido que assim seja: o processo interpretativo de obtenção da norma incriminadora afigura-se constitucionalmente sindicável porque, um tal processo, ou pelo menos a parte inovadora, é da exclusiva competência do legislador, sob pena de se subverter o princípio da separação de poderes.

De uma maneira geral, então, não só a jurisprudência constitucional limita a discricionariedade do legislador com uma fiscalização direcionada às normas incriminadoras produzidas, como também limita a discricionariedade do julgador com uma fiscalização à interpretação e à aplicação dessas mesmas normas, censurando, no limite, o processo de obtenção de normas incriminadoras por recurso à analogia. Portanto, temos um cidadão especialmente protegido pelas matérias jurídico-constitucionais administradas pelo Tribunal Constitucional, sendo certo que, repita-se, em último recurso, pode ainda valer-se de um *amparo europeu* através do recurso ou do mecanismo das "petições individuais" dirigidas ao TEDH[110].

Aqui chegados, não é fácil explanar um conjunto de rigorosos silogismos susceptíveis de concluir obrigatoriamente a inconstitucionalidade das normas incriminatórias. Não se trata de uma simples lógica formal, matemática, relacionada com um juízo de constitucionalidade conforme normas e princípios constitucionais. Identificar o bem jurídico protegido pela norma penal[111], ajuizar

---

[109] Cf. Acórdão 674/99, processo n. 24/97, do Tribunal Constitucional. Cf., ainda, sobre o assunto, com jurisprudência constitucional a sustentar, ANTUNES, Maria João. "Direito Penal, direito processual penal e direito da execução das sanções privativas da liberdade e jurisprudência constitucional", 2014, p. 99-100.

[110] Só possível depois de esgotadas todas as vias de recurso internas, quando se invoque a violação dos direitos reconhecidos na CEDH. O TEDH tem competência para resolver todas as questões relativas à interpretação e à aplicação da respectiva Convenção e dos respectivos protocolos. Cf. Protocolo n. 11 à Convenção, particularmente Artigos 32, 34 e 35.

[111] P. ex., insistimos, qual o bem jurídico protegido pelo crime de maus tratos a animais de companhia?

a ponderação dos valores ou interesses feita pela própria norma incriminadora[112], saber em que medida determinada conduta afecta bens jurídicos essenciais à vida em sociedade a partir de uma verificação empírica[113], valorar ou não uma punição penal como manifestamente excessiva[114], entre outros critérios de controlo que exigem um *princípio de razoabilidade e uma fundamentação*, é muito mais do que "subsumir" e aplicar a lei ao caso concreto. A actividade dos juízes do Tribunal Constitucional, para oferecer critérios de solução jurídico-constitucionais para os casos mais difíceis, tem necessariamente que passar por práticas interpretativas e argumentativas susceptíveis de ponderar todos os interesses do indivíduo e da sociedade em conflito[115]. Desde logo e decisivamente porque esses mesmos interesses não estão todos ao mesmo nível de "ponderação axiológica"[116]. O mesmo é dizer que as diferentes intervenções em tais interesses têm vários graus de certeza[117]. E, no fundo, porque a valoração ou a ponderação feita pelo legislador não é por definição *jurídica*, mas antes política[118], político-criminal, reconhecendo-se-lhe competência e legitimidade democrática para adoptar decisões potestativas desfavoráveis à esfera jurídica fundamental do cidadão, o sistema jurídico terá que acautelar um último reduto de protecção. Eis a tensão entre o legislador penal democraticamente legitimado e o juiz do Tribunal Constitucional.

Para mais uma conclusão provisória, é essencial colher a fórmula outrora pensada por Klaus Tiedmann: "*...o critério decisivo para a política criminal é o da danosidade social da conduta determinada empiricamente, que, mais além da mencionada valoração ético-social, se deve complementar a partir do princípio da proporcionalidade, se bem tomando em consideração a tal efeito, ademais, que o*

---

[112] P. ex., autonomia privada *versus* saúde ou segurança pública.

[113] P. ex., o consumo de "cannabis".

[114] P. ex., assim se questionou no caso do crime de exploração de jogo ilícito no Acórdão 99/02, processo n. 482/01, do Tribunal Constitucional

[115] É aquilo que FERRAJOLI, Luigi. "Constitucionalismo principialista y constitucionalismo garantista", 2011, p. 23, chama criticamente "constitucionalismo principalista ou não positivista".

[116] Cf. COSTA, José de Faria. *O Perigo em Direito Penal*, 2000, p. 254.

[117] Cf. ALEXY, Robert. "Epílogo a la teoría de los derechos fundamentales", *REDC*, 2002, p. 54.

[118] Em sentido próximo, ALEXY, Robert. "Epílogo a la teoría de los derechos fundamentales", *REDC*, 2002, p. 59: "Confiar al Legislador la 'valoración de la situación en que se encuentram los interesses en juego' implica aceptar que su 'apreciación', dado que lleva a cabo dentro del margen de acción estrtuctural, por definición no es una valoración jurídica, sino política".

Direito Penal pode ter como função não só a protecção da ordem de valores existente, como também a introdução de novos valores"[119]. Efectivamente, a partir deste critério introduz-se um elemento de *racionalidade* nas escolhas político-criminais, colocando em evidência o princípio da proporcionalidade em sentido amplo, enquanto garantia jurídica fundamental, de forma a restringir a discricionariedade legislativa. Essa fórmula não se esgotará, de resto, sem a fiscalização provocada do Tribunal Constitucional.

Se duvidarmos dessa forma de ver as coisas, argumentando que a legitimidade do Direito Penal não deve descender do labor da jurisprudência constitucional, por excessiva actividade dos juízes aquando da ponderação, valoração ou *decisão última sobre a zona cinzenta do criminalizável* – no extremo acusando um pensamento jurídico excessivamente jurisprudencialista –, nesse caso é necessário repensar todo o sistema jurídico português. O Direito Penal legitimado pelo normativismo, sem mais, não está imune a directivas político-criminais desnecessárias, desadequadas ou desproporcionais, cujo poder vinculativo influencia o poder de decisão das autoridades judiciárias; logo, é imperativo introduzir um terceiro poder, atribuído ao juiz do Tribunal Constitucional, competente para salvaguardar a restrição intolerável dos bens jurídicos da pessoa ou da comunidade através – no caso português – de uma *fiscalização estritamente normativa*.

---

[119] (Tradução nossa) TIEDEMANN, Klaus. "Constitución y derecho penal". *Revista Española de Derecho Constitucional*, año 11, n. 33, 1991, p. 168.

Breves reflexões sobre a racionalidade do processo legislativo e seu impacto na presunção e no controle de constitucionalidade da lei penal

Raquel Lima Scalcon

Bolsista da Alexander von Humboldt e CAPES para estadia pós-doutoral na Humboldt-Universität zu Berlin, Alemanha. Doutora em Direito pela UFRGS, Porto Alegre

Introdução

Este ensaio tem por objetivo analisar possíveis relações entre o grau de racionalidade do processo legislativo em matéria penal e a presunção de constitucionalidade do seu produto: a nova lei penal. Parte-se da hipótese de que, quanto *menor* for a racionalidade do processo legislativo, tanto *menor* deve ser a presunção de constitucionalidade do seu produto e tanto *maior* deve ser o rigor no controle constitucional da nova lei penal e vice-versa.

Defende-se, assim, que as características concretas do processo legislativo devem servir de indicadores do seu grau de *racionalidade*, isto é, *da sua coerência com os dados da realidade social e da sua capacidade de eficazmente conformá-la à luz dos fins (constitucionais) ambicionados.*[1] Tal verificação, no âmbito penal, é de extrema importância, haja vista se tratar do meio mais restritivo a direitos fundamentais de que dispõe o Estado na persecução de seus objetivos.

Nesse sentido, sugerem-se três parâmetros para realizar a avaliação sugerida: (i) racionalidade *no impulso* do processo legislativo; (ii) racionalidade *no tempo* do processo legislativo; e (iii) racionalidade *no modo* de condução do processo

[1] Muitos podem ser os critérios de racionalidade. O empregado neste trabalho é denominado por Atienza de "teleológico", e por Díez Ripollés de "pragmático". Sobre tais compreensões, ver, respectivamente, ATIENZA, Manuel. *Contribución a una teoría de la legislación.* Madrid: Civitas, 1997. p. 46ss, e DÍEZ RIPOLLÉS, José Luis. *La racionalidad de las leyes penales.* Madrid: Editorial Trotta, 2003. p. 86-7 e 95.

legislativo. Cada parâmetro será analisado separadamente nas seções que seguem, com amplo recurso a exemplos. É o que se passa a realizar.

1 Racionalidade no impulso do processo legislativo em matéria penal (grau de clareza e de correção da base da prognose do legislador)

O termo *prognose* é empregado usualmente com o sentido de previsão da ocorrência de um *evento futuro.*[2] Para os objetivos destas breves reflexões, tal conceito será reduzido à ideia de *juízo hipotético-causal sobre a ocorrência de um fato futuro que, no caso, é a promoção de fins (objetivos) a partir de uma lei penal, como, por exemplo, a tutela de bens jurídicos.* Não há certeza nesse campo, mas meros graus de possibilidade. Como bem refere o físico e filósofo alemão Weizsäcker, a prognose é a "arte do provável" (*Kunst des Wahrscheinlichen*).[3] Ademais, quando o legislador é o sujeito de tal raciocínio, costuma-se falar em *prognose legislativa.*

Sendo assim, a prognose legislativa pode ser decomposta analiticamente em três elementos: (a) *base* da prognose ou diagnóstico; (b) *método* da prognose e (c) *resultado* da prognose ou prognóstico. A *base* representa os dados fáticos recolhidos pelo legislador para delimitar o problema concreto e para eleger as medidas adequadas a saná-lo. Se a base da prognose não for bem construída, tanto uma identificação clara da disfunção social quanto uma criteriosa seleção de meios para sobre ela eficazmente intervir serão, *de plano*, inviáveis. Nesse contexto, um examinador prudente dirigiria um olhar de *desconfiança* a uma prognose legislativa eivada de vícios na sua base.

---

[2] Do grego: *pro* é "antes" e *gnonai* é "reconhecer". Logo, prognose é reconhecer ou conhecer *antes* (ver SOUSA, António Francisco de. *"Conceitos Indeterminados" no Direito Administrativo.* Coimbra: Almedina, 1994. p. 115). Para similar conceito de prognose, ver, na doutrina alemã, as clássicas obras de OSSENBÜHL, Fritz. Die Kontrolle von Tatsachenfeststellungen und prognoseentscheidungen durch das Bundesverfassungsgericht. In: STARCK, Christian (org.). *Bundesverfassungsgericht und Grundgesetz.* Festgabe aus Anlass des 25 jährigen Bestehens des Bundesverfassungsgerichts. Vol. 1 (Verfassungsgerichtsbarkeit). Tübingen: Mohr, 1976. p. 461ss, e PHILIPPI, Klaus Jürgen. *Tatsachenfeststellungen des Bundesverfassungsgerichts.* Ein Beitrag zur rational-empirischen Fundierung verfassungsgerichtlicher Entscheidungen. Colônia: Carl Heymanns Verlag, 1971. p. 28ss.

[3] WEIZSÄCKER, Carl-Friedrich von. Über die Kunst der Prognose. Vortrag anläßlich der Jahresversammlung 1968 des Stifterverbandes für die Deutsche Wissenschaft. Bonn: Privatdruck Stifterverband für die Deutsche Wissenschaft, 1968. p. 11.

Por tal razão, é fundamental avaliar a "racionalidade do impulso legislativo", isto é, o grau de clareza e de correção da *base da prognose.* Nesse contexto, inconsistências de duas ordens podem ser verificadas. Em primeiro lugar, é possível que o "problema" seja falso. Noutros termos, os fatos que o compõem não existem ou talvez não tenham a gravidade afirmada pelo legislador. Em segundo lugar, é possível ter-se um "não problema", decorrente da incapacidade do legislador de formular a questão problemática de modo minimamente claro. Nesse caso, o *suposto* problema pode tanto estar muito vago quanto apresentar conteúdo contraditório ou, ainda, ter limites esfumaçados que impedem, consequentemente, a eleição de meios para solvê-lo. Se não há destino certo, qualquer caminho serve.

Ilustrativamente, convoca-se um famoso exemplo do direito alemão. Trata-se da *Apotheken-Urteil* (ou "Caso das Farmácias").[4] Na ocasião, questionava-se, junto ao Tribunal Constitucional daquele país, a validade de lei do Estado da Baviera que restringia o número de licenças concedidas para a instalação de farmácias, ao exigir que novos estabelecimentos fossem comercialmente viáveis e não causassem prejuízo econômico a competidores próximos.[5] A ideia era, com isso, proteger a saúde pública, na medida em que a não imposição de tais requisitos geraria, segundo o legislador, um descontrole no consumo de medicamentos, em razão da vasta oferta (prognóstico).[6]

No caso narrado, é possível identificar a *base da prognose* (a hipótese do legislador): "a utilização excessiva de medicamentos é causada pela plena liberdade de instalação de novas farmácias". O Tribunal Constitucional, no entanto, verificou que se tratava de leitura equivocada da realidade. A *causa* do problema era falsa. O aumento observado na utilização de medicamentos decorria *não* da abertura

[4] 7 BVerfGE 377, 1958.

[5] A íntegra da decisão pode ser encontrada, em língua alemã, em <http://www.servat.unibe.ch/dfr/bv007377.html>. Excertos fundamentais do julgado estão comentados, em língua inglesa, em KOMMERS, Donald P.; MILLER, Russel A. *The Constitutional Jurisprudence of the Federal Republic of Germany.* 3. ed. Londres: Duke University Press, 2012. p. 666-72.

[6] KOMMERS, Donald P.; MILLER, Russel A. *The Constitutional Jurisprudence of the Federal Republic of Germany,* op. cit., p. 670. Ver ainda MENDES, Gilmar Ferreira. Controle de Constitucionalidade: Hermenêutica constitucional e revisão de fatos e prognoses legislativos pelo órgão judicial. *Revista dos Tribunais,* São Paulo, ano 88, vol. 766, p. 11-28, ago. 1999, p. 22-3.

de novas farmácias, mas das alterações nas condições de vida da população em razão da Segunda Guerra Mundial.[7]

À luz do singelo exemplo narrado, percebe-se a relevância do exame da *racionalidade* do impulso legislativo, especialmente em matéria penal. Como se pode observar, o equívoco na base da prognose é capaz de contaminar, com gravidade, todo o juízo do legislador. Pode, ademais, conduzi-lo a adotar meio inócuo à resolução do problema e, ainda, a emitir prognóstico profundamente equivocado. Isso, no contexto da proposta de uma lei penal, é ainda mais grave, pois significa fundamentar ou amparar a restrição de direitos fundamentais de liberdade em argumentos inconsistentes e, ainda, sob a justificação do fomento de objetivos sequer alcançáveis.

2 Racionalidade no tempo do processo legislativo em matéria penal: grau de maturação da deliberação e da mudança legislativa

No âmbito de processos legislativos em matéria penal, sabe-se que, não raras vezes, "o tempo do poder político atropela o tempo da reflexão".[8] Alguns exemplos concretos são bastante ilustrativos. Um deles diz respeito à aprovação da Lei n. 9.677/98, a qual, dentre outras medidas, (i) separou as condutas de corromper, adulterar, falsificar ou alterar *substância ou produto alimentício destinado a consumo* (tipo penal do Artigo 272 do Código Penal) de outras idênticas em relação, contudo, a *medicamentos* (tipo penal do Artigo 273 do Código penal) e (ii) elevou as penas em ambos os casos, que passaram a ser, para delitos dolosos, de 4 a 8 anos de reclusão, e multa, no caso do delito do Artigo 272, e de incríveis 10 a 15 anos de reclusão, e multa, no caso do delito do Artigo 273.

O Projeto de Lei (PL) n. 4.207/98, que deu origem à referida lei, já tramitava no Congresso Nacional desde março daquele ano. Todavia, encontrava-se estagnado na Comissão de Constituição e Justiça. Sua apressada aprovação foi

---

[7] BVerfGE 377, 1958, p. 140. Disponível em <http://www.servat.unibe.ch/dfr/bv007377.html>. Consultar, ainda, MENDES, Gilmar Ferreira. Controle de Constitucionalidade: Hermenêutica constitucional e revisão de fatos e prognoses legislativos pelo órgão judicial, op. cit., p. 23.

[8] PIRES, Maria Coeli Simões. Painel 4. Diálogos e conflitos no processo de elaboração das leis (conferência reduzida a termo). In: COELHO, Alberto Pinto (org.). *Congresso Internacional de Legística:* Qualidade da Lei e Desenvolvimento. Belo Horizonte: Assembleia Legislativa do Estado de Minas Gerais, 2009. p. 145.

amplamente catalisada pelo escândalo *Microvlar* (o famoso caso da pílula de farinha): em 24/6/1998, apenas uma semana após a denúncia dos fatos em rede nacional, o PL em questão foi votado *em regime de urgência* na Câmara dos Deputados[9]. Encaminhado ao Senado Federal na sequência, foi enviado à sanção presidencial em 1/7/1998. Transformou-se em lei em 2/7/1998, tendo, sem mais delongas, ingressado imediatamente em vigor.[10]

O processo legislativo português também testemunhou situação que bem ilustra o problema lançado. Trata-se da Lei n. 48/2007, que promoveu uma profunda mudança no Código de Processo Penal (mais de 200 inovações e alterações). Ela surpreendentemente entrou em vigor apenas *15 dias* após sua publicação no *Diário Oficial*, impedindo, nas fortes palavras de Costa Andrade, que fosse "lida, ponderada, problematizada, discutida, consensual e intersubjetivamente consolidada"[11]. A isso se soma o fato de que alteração de igual magnitude, tendo como objeto o Código Penal, havia ingressado naquele ordenamento pouco mais de uma semana antes (Lei n. 59/2007), a configurar inédita cumulação de reformas de Códigos na história do Direito português[12].

Outros casos, por sua vez, revelam o problema inverso: em lugar da *pressa*, a *tardança*. Exemplificativamente, a dificuldade de gerar um consenso político mínimo ou mesmo um pleno desinteresse político por dado problema simplesmente podem impedir a aprovação de uma nova legislação. Tal situação é verificada inclusive em relação a obrigações constitucionais de legislar em matéria

---

[9] A tramitação *em regime de urgência*, como bem constata Mendes de Paiva, é característica marcante e compartilhada por vários Projetos de Lei aprovados durante a década de 1990 que recrudesceram intensamente o poder punitivo no Brasil (PAIVA, Luiz Guilherme Mendes de. *A fábrica de penas*. Racionalidade legislativa e a lei dos crimes hediondos. Rio de Janeiro: Revan, 2009. p. 113 ss.).

[10] Conforme bem adverte Helena Lobo da Costa, trata-se de exemplo de uma *lei de crise* ou álibi, isto é, aquela voltada a "acalmar a população e demonstrar presteza, resolução e prontidão diante de determinada situação de crise ou problemática" (COSTA, Helena Regina Lobo da. *Proteção Penal Ambiental*. Viabilidade, efetividade, tutela por outros meios. São Paulo: Saraiva, 2010. p. 129-31). Ver a tramitação da referida lei em <http://www.camara.gov.br/proposicoesWeb/fichadetramitacao?idProposicao=219655>.

[11] COSTA ANDRADE, Manoel da. *"Bruscamente no verão passado", a reforma do Código de Processo Penal*. Observações críticas sobre uma Lei que podia e devia ter sido diferente. Coimbra: Coimbra Editora, 2009. p. 13.

[12] COSTA ANDRADE, Manoel da. *"Bruscamente no verão passado", a reforma do Código de Processo Penal*, op. cit., p. 13.

penal, sendo o Artigo 7º, inc. X, da Constituição Federal um notório exemplo[13]. Surpreendentemente, tem-se Projeto de Lei com o intuito de criminalizar a retenção dolosa do salário do trabalho desde o ano de 1989.[14] A esta altura dos acontecimentos, ainda que haja a sua eventual aprovação, ela não mais será capaz de compensar anos de omissão.

Nesse contexto, argumenta-se que a duração *racional* de um processo legislativo em matéria penal deve ser aquela capaz de *elaborar* a tensão existente entre o grau de complexidade do tema e o grau de urgência da tomada de decisão. Logo, tanto deliberações excessivamente breves quanto excessivamente longas dificultarão a construção de soluções jurídicas aptas a, em alguma medida (sempre singela), responder ao problema concreto objeto da intervenção penal. No primeiro caso, a legislação elaborada às pressas provavelmente não gerará efeitos para além do plano simbólico relativamente aos fins da pena (ainda que gere efeitos concretos perniciosos e custosos no plano da criminalização secundária). No segundo, como adverte Delley, "se um avaliador pedir para ficar 10 anos estudando os efeitos de determinada legislação, os políticos, com razão, talvez digam que em 10 anos o problema será outro"[15]. Noutras palavras, a lei já nascerá anacrônica diante de um contexto social cada vez mais instável e em constante transformação.

3 Racionalidade no modo de condução do processo legislativo em matéria penal

A relevância da presente análise decorre da constatação de que a *forma* ou o *modo* como as leis são elaboradas pode tanto incrementar quanto reduzir sua validade constitucional. Não por acaso, Habermas deriva parcela da legitimidade das normas jurídicas do cumprimento de certas exigências mínimas

---

[13] Constituição da República Federativa do Brasil, Artigo 7º – "Art. 7º São direitos dos trabalhadores urbanos e rurais, além de outros que visem à melhoria de sua condição social: [...] X – proteção do salário na forma da lei, constituindo crime sua retenção dolosa".

[14] A tramitação do Projeto de Lei n. 3.943/1989 pode ser verificada em <http://www.camara.gov.br/proposicoesWeb/fichadetramitacao?idProposicao=20489&ord=>.

[15] DELLEY, Jean-Daniel. Painel 5. Lei e políticas públicas: mecanismos de avaliação (conferência reduzida a termo). In: COELHO, Alberto Pinto (org.). *Congresso Internacional de Legística: Qualidade da Lei e Desenvolvimento*. Belo Horizonte: Assembleia Legislativa do Estado de Minas Gerais, 2009. p. 184.

de racionalidade pelo processo legislativo que as criou.[16] O presente estudo, amparado em tais premissas, aferirá o nível de racionalidade *no modo de condução* do processo legislativo a partir de dois critérios: (i) grau de publicidade e de inclusão nas deliberações e (ii) grau de amparo das deliberações em estudos técnicos e em avaliações de impacto legislativo *ex ante* ou prospectivas. É o que se passa a examinar.

3.1 Grau de publicidade e de inclusão nas deliberações

Em razão do conteúdo normativo do princípio democrático, sustenta-se que o processo legislativo deve estar sempre amparado em *argumentos públicos*, isto é, "explícitos, definidos e sujeitos à contestação".[17] O concreto cumprimento de tal exigência passaria, por sua vez, pelo respeito a três deveres fundamentais: (i) "dever de dar razões", (ii) "dever de informar" e (iii) "dever de incluir e de consultar as partes interessadas".[18] Nesse contexto, os legisladores estariam obrigados a: (i) justificar substancialmente o porquê das alterações legislativas propostas; (ii) dar ampla transparência ao processo deliberativo e (iii) oferecer maior espaço de manifestação a minorias parlamentares e, sobretudo, a terceiros *não parlamentares* interessados e/ou afetados.

Ilustrativamente, uma boa medida para cumprir os dois primeiros deveres seria o preenchimento de *checklists*. Em tais documentos, portanto, deverão estar expressamente indicados os principais dados fáticos acerca da matéria objeto de regulação, os objetivos pretendidos, os direitos fundamentais e/ou garantias

---

[16] HABERMAS, Jürgen. *Facticidad y validez.* Sobre el derecho y el Estado democrático de derecho en términos de teoría del discurso. Traduzido por Manuel Jiménez Redondo. 4. ed. Madrid: Trotta, 2005. p. 363 ss.

[17] CARVALHO NETTO, Menelick de. Painel 3. A contribuição da Legística para uma política de legislação: concepções, métodos e técnicas (conferência reduzida a termo). In: COELHO, Alberto Pinto (org.). *Congresso Internacional de Legística:* Qualidade da Lei e Desenvolvimento. Belo Horizonte: Assembleia Legislativa do Estado de Minas Gerais, 2009. p. 112.

[18] VOERMANS, Wim. Quality of EU Legislation under Scrutiny: what kind of Problem, by what kind of Standards? In: MADER, Luzius; TAVARES DE ALMEIDA, Marta (orgs.). *Quality of Legislation.* Principles and Instruments. Proceedings of the Ninth Congress of the International Association of Legislation (IAL). Baden-Baden: Nomos, 2011. p. 37.

constitucionais eventualmente promovidos ou afetados, os meios disponíveis a tanto, a justificação do meio eleito etc.[19]

Questão problemática diz respeito à obrigatoriedade – ou não – de o legislador apontar claramente o bem jurídico que pretende tutelar com a norma penal, bem como às consequências de sua eventual omissão.[20] Nesse tocante, sustenta-se, de um lado, que tal indicação, embora muito recomendável, não é peremptória e, de outro, que sua ausência não conduz de imediato à inconstitucionalidade da lei elaborada. A questão parece encontrar ponderada solução em um plano de *gradação*, não de *tudo* ou *nada*. Noutras palavras, uma coisa é o legislador não indicar o bem jurídico tutelado em relação a uma nova qualificadora do delito de homicídio. Outra, muito diferente, é não o fazer em relação a delito de alta complexidade técnica, localizado, por exemplo, no âmbito do Direito Penal Secundário (crimes econômicos, crimes falimentares, crimes informáticos etc.).

Quanto maior a dificuldade de identificar o bem jurídico tutelado pelo novo tipo penal, maior é a obrigação de o legislador se antecipar e, desde logo, apontá-lo. O motivo é simples: trata-se de uma decorrência lógica dos próprios deveres de *dar razões* e de *informar*. Ora, no contexto de uma nova criminalização, cujo bem jurídico protegido tem contornos controversos, pouco claros ou talvez sequer exista, o silêncio do legislador significa não apenas a ausência de motivação, mas um atestado da sua própria incompreensão sobre o crime que está tipificando. Logo, caso a lei venha a ser submetida a controle de constitucionalidade, maior dificuldade haverá para superar o juízo de proporcionalidade, uma vez que presentes significativos indícios da sua inadequação e da sua desnecessidade.

Tão relevante quanto a motivação e a indicação de tais elementos seria o recurso a avaliações de impacto legislativo *ex ante*, as quais poderiam antecipar

---

[19] Pode-se utilizar como padrão básico o *checklist* disposto no Anexo I do Decreto n. 4.176/02, o qual estabelece normas e diretrizes para a elaboração, a redação, a alteração, a consolidação e o encaminhamento ao presidente da República de projetos de atos normativos de competência dos órgãos do Poder Executivo Federal, tais como leis, medidas provisórias e decretos.

[20] Sobre a questão, Marta Romero sustenta que, dado o grau de afetação de direitos fundamentais ocasionado por normas penais, a motivação do legislador nesse exato âmbito, além de ser essencial, deve ostentar redobrada minúcia e detalhamento. Nesse sentido, indicações do bem jurídico tutelado, da grave danosidade da conduta regulada, bem como dos direitos fundamentais imbricados são, para a autora, *obrigatórias* (MORALES ROMERO, Marta Muñoz de. *El Legislador Penal Europeu:* legitimidad y racionalidad. Pamplona: Civitas, 2011. p. 587ss).

dificuldades, prevenindo-as, ou mesmo avalizar a escolha legislativa por uma certa medida em detrimento de outras[21]. Já quanto ao terceiro e último dever, a realização de audiências públicas em processos legislativos controversos ou de elevada complexidade seria uma das medidas úteis para permitir uma maior participação de minorias ou de interessados nas deliberações legislativas.

Como se pode antever, tais obrigações estão profundamente relacionadas. O não cumprimento dos deveres de dar razões (justificar) e de informar (tornar a deliberação acessível e transparente) fulmina toda e qualquer participação *efetiva* de interessados/afetados na discussão parlamentar. Ademais, o concreto respeito – ou não – a tais exigências tem impactos significativos no plano jurídico. Quanto menor o nível de justificação, de publicidade e de inclusão nos processos legislativos, tanto mais provável que uma dada Corte Constitucional seja utilizada como "terceira" arena política por aqueles que não tiveram voz.[22]

Um caso advindo do Direito português pode bem ilustrar as repercussões constitucionais de decisões legislativas que ignoram os deveres acima elencados. Trata-se do Acórdão n. 377 de 2015 do Tribunal Constitucional luso.[23] Na ocasião, discutiu-se a constitucionalidade do crime de "enriquecimento *injustificado*", inserido no Código Penal (crime comum) e na Lei dos Crimes de Responsabilidade dos titulares de cargos públicos (crime próprio), após a aprovação do Decreto n. 369/XII pela Assembleia da República. É interessante

---

[21] Conforme Marta Romero, as avaliações de impacto *ex ante* representam, no âmbito jurídico, "um procedimento *standard* que legitima a eleição normativa em um ou em outro sentido" (MORALES ROMERO, Marta Muñoz de. *El Legislador Penal Europeu,* op. cit., p. 585 – trad. nossa). Em similar sentido, consultar CORRÊA, Eduardo Pitrez de Aguiar. *Abertura, inserção e relacionamento da política criminal transnacional na sociedade em rede.* Tese (Doutorado), 466 f. Faculdade de Direito da Pontifícia Universidade Católica do Rio Grande do Sul. Programa de Pós-Graduação em Ciências Criminais, 2015. p. 250 ss.

[22] Em similar sentido, conferir ENGEL, Christoph. The Constitutional Court – applying the proportionality principle – as a subsidiary authority for the assessment of political outcomes. In: *Gemeinschaftsgüter: Recht, Politik und Ökonomie.* Preprints aus der Max-Planck-Projektgruppe Recht der Gemeinschaftsgüter. Bonn, 2001. Disponível em <http://papers.ssrn.com/abstract=296367>, p. 17.

[23] Tribunal Constitucional Português, processo n. 658/2015, Acórdão n. 377/2015, Relatora Senhora Conselheira Maria Lúcia Amaral, por maioria, publicado em 12/8/2015. O inteiro teor pode ser obtido em <http://www.tribunalconstitucional.pt/tc/acordaos/20150377.html>.

observar que não se tratava de discussão nova no âmbito daquela Corte.[24] Em ano prévio (2012), mas da mesma Legislatura, o Parlamento havia aprovado o crime de "enriquecimento *ilícito*" (Decreto n. 37/XII), o qual foi submetido a controle preventivo de constitucionalidade a pedido do presidente da República.[25]

Naquele primeiro momento, o Tribunal pronunciou-se pela inconstitucionalidade das normas penais em questão, especialmente por não verificar, à luz da redação dos tipos, uma clara e definida tutela de bens jurídicos.[26] Datando tal veredito de 2012, os legisladores portugueses aguardaram três anos para aprovar novo crime, não mais de enriquecimento *ilícito*, mas de enriquecimento *injustificado*, ainda que fosse muito similar a descrição típica. A intenção do legislador era, em realidade, pôr em vigor a política criminal gestada ainda em 2012, o que, contudo, exigia a superação das deficiências apontadas pelo Tribunal Constitucional.

Para tanto, uma das medidas tomadas foi a de expressamente declinar os motivos que conduziram a Assembleia da República à criação do referido delito,

[24] Eis a parcial redação dos crimes nos termos do Decreto n. 369/XII: Artigo 335-A, aditado ao Código Penal. Enriquecimento injustificado. 1 – Quem por si ou por interposta pessoa, singular ou coletiva, adquirir, possuir ou detiver património incompatível com os seus rendimentos e bens declarados ou que devam ser declarados é punido com pena de prisão até 3 anos. [...]; Artigo 27-A, aditado à Lei n. 34/87. Enriquecimento injustificado. 1 – O titular de cargo político ou de alto cargo público que durante o período do exercício de funções públicas ou nos três anos seguintes à cessação dessas funções, por si ou por interposta pessoa, singular ou coletiva adquirir, possuir ou detiver património incompatível com os seus rendimentos e bens declarados ou que devam ser declarados é punido com pena de prisão até 5 anos. [...].

[25] Eis a parcial redação dos crimes nos termos do Decreto n. 37/XII: Artigo 335-A, aditado ao Código Penal. Enriquecimento ilícito. 1 – Quem por si ou por interposta pessoa, singular ou coletiva, adquirir, possuir ou detiver património, sem origem lícita determinada, incompatível com os seus rendimentos e bens legítimos é punido com pena de prisão até três anos, se pena mais grave não lhe couber por força de outra disposição legal [...]; Artigo 386, aditado ao Código Penal. Enriquecimento ilícito por funcionário. 1 – O funcionário que, durante o período do exercício de funções públicas ou nos três anos seguintes à cessação dessas funções, por si ou por interposta pessoa, singular ou coletiva, adquirir, possuir ou detiver património, sem origem lícita determinada, incompatível com os seus rendimentos e bens legítimos é punido com pena de prisão de um a cinco anos, se pena mais grave não lhe couber por força de outra disposição legal [...].

[26] Tribunal Constitucional Português, processo n. 182/2012, Acórdão n. 179/2012, Relator Senhor Conselheiro José da Cunha Barbosa, por maioria, publicado em 19/4/2012. O inteiro teor pode ser obtido em <http://www.tribunalconstitucional.pt/tc/acordaos/20120179.html>.

bem como a de elencar os bens jurídicos cuja proteção se intencionava. Nesse sentido, afirmou-se que as condutas criminalizadas atentavam contra "a confiança nas instituições e no mercado, a transparência, a probidade, a idoneidade sobre a proveniência das fontes de rendimento e património, a equidade, a livre concorrência e a igualdade de oportunidades". Como se observa, diversamente do que ocorreu quando da deliberação de 2012, nesta o legislador, ciente das dificuldades que circunscreviam tal crime, preocupou-se em cumprir deveres de *justificação* e de *informação*.

Como bem se argumentou no voto condutor do Acórdão n. 377 de 2015, as considerações do legislador durante a exposição de motivos são de grande valia para fins de interpretação histórica[27]. Ademais, auxiliam na identificação da ponderação realizada, permitindo ao julgador verificar se o emprego da tutela penal era "indispensável [...] para a realização de um fim suficientemente valioso"[28] e, portanto, constitucionalmente justificado. Uma ressalva, contudo, é necessária. Embora o legislador se empenhe em legitimar seu ato, declarando os supostos bens jurídicos protegidos e as razões da alteração normativa, será o Poder Judiciário que, metaforicamente, "homologará" essa manifestação, analisando se ela é coerente com o recorte que, ao final, foi dado ao tipo incriminador.[29]

Nesse sentido, o Tribunal Constitucional português acabou decidindo que, apesar dos motivos legiferantes, não era possível derivar dos tipos penais analisados (crime comum e crime próprio de enriquecimento injustificado) uma eventual proteção de bens jurídicos. Portanto, mesmo tendo o legislador cumprido deveres de *dar razões* e de *informar* sobre o conteúdo da proposta legislativa, seu ato acabou não sendo constitucionalmente válido. Contudo, não há aqui qualquer incoerência. É preciso ter claro que o respeito a tais deveres não será capaz de, *por si só*, assegurar a validade do ato legislativo. O seu descumprimento, todavia, indubitavelmente o vulnerará frente ao controle constitucional.

Do exposto, é possível constatar que, ao se convocar a Assembleia da República a repensar a incriminação proposta, obteve-se um incremento da racionalidade

[27] Tribunal Constitucional Português, processo n. 658/2015, Acórdão n. 377/2015, Relatora Senhora Conselheira Maria Lúcia Amaral, p. 8.

[28] Tribunal Constitucional Português, processo n. 658/2015, Acórdão n. 377/2015, Relatora Senhora Conselheira Maria Lúcia Amaral, p. 12.

[29] Tribunal Constitucional Português, processo n. 658/2015, Acórdão n. 377/2015, Relatora Senhora Conselheira Maria Lúcia Amaral, p. 3.

no modo de condução do segundo processo legislativo em relação ao primeiro. O seu produto também não passou pelo crivo constitucional, é bem verdade. No entanto, parece inegável que o legislador, ao ter de apresentar publicamente justificações materiais a favor da sua decisão criminalizadora, tornou-se muito mais responsável por ela. Ademais, este último processo deliberativo, justamente por que mais transparente e acessível a terceiros do que o anterior, possibilitou uma discussão constitucional muito mais profunda e complexa no âmbito da Corte portuguesa.[30]

3.2 Grau de amparo das deliberações em estudos técnicos e em avaliações de impacto legislativo *ex ante* (da valorização dos *experts*)

Inicialmente, quer-se advertir que as considerações a seguir desenvolvidas partem da premissa de que, ao menos no âmbito penal, as avaliações de impacto legislativo *ex ante* (prospectivas) acerca dos possíveis efeitos concretos de leis deveriam ser obrigatórias.[31] Não se trata de mero capricho, mas de medida fundamental para o incremento da sempre modesta racionalidade da intervenção penal. Se ao Estado é vedado agir arbitrariamente, exige-se do Poder Legislativo, em paralelo, que as leis emitidas ostentem ao menos algum grau de adequação frente aos objetivos perseguidos (eficácia). Nesse contexto, os resultados de avaliações de impacto *ex ante* adquirem uma espécie de "força normativa" que limita o legislador na escolha dos meios de intervenção, na medida em que revelam a inocuidade manifesta e categórica de muitos deles.[32]

O recurso a tais instrumentos avaliativos, para além de permitir um incremento de racionalidade na tomada de decisão política, promove uma espécie de valorização da academia ou dos "experts" no processo legislativo. O ideal é que tais atores sejam terceiros externos, selecionados, por exemplo, mediante editais

[30] Não é outra a constatação de Marta Romero, para quem a justificação ou a motivação das decisões legislativas oferece uma ferramenta essencial à verificação da sua legitimidade pelos Tribunais (MORALES ROMERO, Marta Muñoz de. *El Legislador Penal Europeu:* legitimidad y racionalidad, op. cit., p. 577).

[31] Para similar compreensão, consultar MORALES ROMERO, Marta Muñoz de. *El Legislador Penal Europeu:* legitimidad y racionalidad, op. cit., p. 587 ss.

[32] DELLEY, Jean-Daniel. Pensar a Lei. Introdução a um procedimento metódico. Traduzido por Léo Noronha. *Cadernos da Escola do Legislativo*, Belo Horizonte, v. 7, n. 12, p. 101-143, jan./jun. 2004, p. 136.

para grupos de pesquisadores. Subsidiariamente, os próprios consultores legislativos poderiam realizar uma espécie simplificada de tal avaliação. Entretanto, quanto mais imparcial o exame, tanto melhor, de modo que a primeira hipótese se apresenta mais consentânea ao objetivo buscado.

De qualquer sorte, é preciso estar ciente de que mesmo avaliações de impacto realizadas pelos *experts* da academia (cientistas políticos, sociólogos etc.) ostentarão, em medida não insignificante, uma natureza política. Como bem adverte Engel, elas podem ser armas contra o oponente na arena legislativa.[33] Por esse motivo, os referidos exames não têm uma capacidade plena de racionalizar a decisão política, na medida em que também eles apresentam limitações de várias ordens (epistêmicas, democráticas, hermenêuticas).[34] Tais condições não devem conduzir, todavia, a uma confortável resignação, mas apenas exigem uma responsável modéstia nas pretensões de racionalização do produto legislativo.[35]

Feitas tais advertências, retoma-se o argumento principal. Sabe-se, pois, que no contexto brasileiro as mencionadas avaliações de impacto são, mesmo em relações a proposições em matéria penal, na melhor das hipóteses, facultativas. Enquanto tal situação se mantiver, seria possível indicar consequências, no plano jurídico, decorrentes da sua ausência ou da sua presença em um dado processo legislativo? Sustenta-se que sim. No entanto, as eventuais repercussões não se materializarão imediatamente sob a forma de mandados, proibições ou permissões.

Em realidade, seus impactos serão de outra ordem, a saber: tal característica do processo legislativo deverá atuar como uma espécie de termômetro ou de indicador do seu grau de racionalidade. Logo, a ausência de tais estudos de

[33] ENGEL, Christoph. The Constitutional Court – applying the proportionality principle – as a subsidiary authority for the assessment of political outcomes, op. cit., p. 7.

[34] Sobre tais limitações, ver DELLEY, Jean-Daniel. Painel 5. Lei e políticas públicas: mecanismos de avaliação (conferência reduzida a termo), op. cit., p. 183; GAROUPA, Nuno. Regulatory Impact Assessment. Economic and Political dimensions. In: MADER, Luzius; TAVARES DE ALMEIDA, Marta (orgs.). *Quality of Legislation.* Principles and Instruments. Proceedings of the Ninth Congress of the International Association of Legislation (IAL). Baden-Baden: Nomos, 2011. p. 205-6; MADER, Luzius. Legistic training and Education in Switzerland. In: MADER, Luzius; TAVARES DE ALMEIDA, Marta (orgs.). *Quality of Legislation.* Principles and Instruments. Proceedings of the Ninth Congress of the International Association of Legislation (IAL). Baden-Baden: Nomos, 2011. p. 47.

[35] ENGEL, Christoph. The Constitutional Court – applying the proportionality principle – as a subsidiary authority for the assessment of political outcomes, op. cit., p. 11.

impacto, se não suprida por outros instrumentos, acaba indicando uma elevada arbitrariedade na decisão legislativa.[36] Tal conclusão, por sua vez, deverá ressoar tanto na presunção de constitucionalidade da lei quanto na intensidade do controle de constitucionalidade exercível sobre ela. No primeiro caso, tem-se uma relação de direta proporção; no segundo, de inversa. Noutras palavras, quanto *menor* for a racionalidade do processo legislativo, tanto *menor* a presunção de constitucionalidade do seu produto e tanto *maior* o rigor no controle da lei e vice-versa.

Considerações finais

O ato de legislar é (e continuará sendo) fruto de uma decisão que tenta sintetizar as inevitáveis disputas que ocorrem no contexto de processos políticos. Fato é que a complexidade técnica de uma escolha não será capaz de retirar a dimensão proeminentemente política que ela carrega. Apesar disso, por certo as leis serão potencialmente *mais bem* elaboradas se produtos de um processo legislativo mais racional e cuidadoso. Por sua vez, também o legislador tem reforçada sua responsabilidade pela decisão tomada, na medida em que dele se exige um maior compromisso com a sua *fundamentação*, bem como com os *efeitos concretos* das inovações legislativas sobre direitos fundamentais.

A dificuldade residirá sempre em verificar se o meio eleito será, de fato, capaz de fomentar o fim ambicionado e se não haveria outras medidas igualmente eficazes e menos restritivas a direitos fundamentais contrapostos (*proporcionalidade* em seus subcritérios *adequação* e *necessidade*). Inegavelmente, se o legislador pode valer-se de inúmeras informações e instrumentos para *bem* elaborar a inovação legal (um novo tipo penal, por exemplo), o seu desdém ou sua recusa em melhor fundamentar a decisão necessariamente sinaliza problemas: ou (i) ele não quer empregá-las por temer que o resultado lhe seja desfavorável ou (ii) ele não está sinceramente preocupado com os efeitos concretos de suas escolhas na realidade social.

Qualquer alternativa acaba por retirar sustentação do ato legislativo, que já nasceria com sua presunção de constitucionalidade *mitigada*. Esse inegável

[36] KEYAERTS, David. Interaction between *ex ante* evaluation and judicial review by EU courts. In: MADER, Luzius; MOLL, Chris (coords.). *The Learning Legislator.* Proceedings of the Seventh Congress of the European Association of Legislation (EAL). Nomos: Baden-Baden, 2009. p. 116.

embate entre liberdade política e técnica legislativa (o tempo do poder político *versus* o tempo da reflexão) deve encontrar sua síntese, pois, no controle de constitucionalidade. Diante de um processo legislativo acelerado, confuso e irresponsável, que não conhece o problema concreto objeto da intervenção, que não delimita nem declara os objetivos almejados e que ignora o vasto leque de medidas adequadas a tanto, o seu produto (*a lei*) tem *significante possibilidade* de apresentar vícios constitucionais *materiais*. Ilustrativamente, o meio poderá revelar-se inadequado ou desnecessário; a lei, em concreto, poderá fracassar, não promovendo os fins indicados e afetando, para além do esperado e do devido, direitos fundamentais contrapostos.

A recíproca é verdadeira. Se o processo legislativo for maturado, preciso na definição do problema e dos objetivos (diagnóstico e prognóstico) e, logo, responsável, é bastante provável que seu produto (a lei) também o seja. Nesse contexto, pergunta-se: as características fáticas (qualidades ou deficiências) observadas em um dado processo legislativo em matéria penal não deveriam ressoar na constitucionalidade da lei por ele produzida? Para tanto, considere-se duas leis penais restritivas de direitos fundamentais: uma, fruto de processo legislativo apressado, impreciso e obscuro; outra, resultado de processo legislativo maturado, preciso e claro. Sustenta-se, como tese conclusiva deste ensaio, que não há razão consistente a justificar a atribuição de idêntica presunção de constitucionalidade a ambas as leis penais acima narradas, uma vez que produto de processos legislativos com graus de racionalidade muito diversos. Reitera-se, assim, o já afirmado: quanto *menor* for a racionalidade do processo legislativo, tanto *menor* deve ser a presunção de constitucionalidade do seu produto e tanto *maior* deve ser o rigor no seu controle constitucional.

Investigações internas e processo penal: direito de defesa do ente coletivo *vs.* direito à não autoincriminação dos administradores

Ana Paula Gonzatti da Silva

Doutoranda em ciências jurídico-criminais pela
Faculdade de Direito da Universidade de Coimbra

1 Introdução

A preocupação sobre a gestão e o controle das empresas (principalmente as organizadas sob a forma societária anônima) é constante na história do capitalismo. Os diversos fatores que atuam no universo econômico ao longo do tempo fazem do assunto algo praticamente inesgotável e em contínua renovação.

Desde a década de 1970, o movimento por boas práticas de administração empresarial sedimentou-se sobre a denominação anglo-saxônica de "*corporate governance*". Coutinho de Abreu a delimita como sendo a expressão que "(...) designa o complexo de regras (legais, estatutárias, jurisprudenciais, deontológicas), instrumentos e questões respeitantes à administração e ao controlo (ou fiscalização) das sociedades"[1].

Nesse contexto, a doutrina tem apontado para quatro grandes valores ou padrões de comportamentos considerados ideais: i) *fairness*, senso de justiça e equidade, especialmente no tratamento isonômico conferido aos acionistas; ii) *disclosure*, transparência das informações relevantes; iii) *accountability*, prestação responsável de contas, seguindo boas práticas de contabilidade e auditoria; iv) *compliance*, conformidade no cumprimento de normas reguladoras, presentes nos estatutos sociais, nos regimentos internos e nas instituições legais do país[2].

---

[1] ABREU, Jorge Manuel Coutinho. *Governação das sociedades*. Coimbra: Almedina, 2006. p. 5.

[2] ANDRADE, Adriana; ROSSETTI, Jose Paschoal. *Governança corporativa:* fundamentos, desenvolvimento e tendências. 6. ed. atualizada e ampliada. São Paulo: Editora Atlas S.A, 2012. p.

Referidos valores encontram-se entrelaçados (quase que de forma indissociável) e precisam naturalmente caminhar conjuntamente. Apesar disso, nos últimos anos, os estudos sobre "*compliance*" vêm ganhando maior notoriedade, tanto no ambiente acadêmico quanto na prática das instituições privadas. É cristalino que, em um mundo complexo e globalizado como o atual, estar em conformidade com as diversas formas de regulação (obrigatórias e/ou voluntárias) não é tarefa das mais fáceis e pode trazer repercussões gravosas na "vida" das sociedades empresariais. Vários ramos do conhecimento têm, em virtude disso, se debruçado sobre estratégias acerca da conformidade jurídica dos agentes econômicos no mercado.

Tal realidade abrange também as ciências jurídico-criminais. Com a finalidade precípua de prevenir o cometimento de crimes no seio empresarial, bem como de reduzir possíveis penas (ou pelo menos mitigar os seus efeitos), as pesquisas sobre *criminal compliance* (expressão utilizada para identificar os estudos nessa área do direito) têm se proliferado internacionalmente[3].

Nesse contexto, uma das matérias que merece grande atenção são as denominadas "investigações internas". Lançando mão desses instrumentos, a companhia (ela mesma ou um escritório externo especializado) investiga as condutas realizadas no seu interior que possam ter alguma implicação criminal. Essas ferramentas são de grande valia tanto para as entidades empresariais como para os aparelhos punitivos estatais, uma vez que boas práticas de controle podem ser utilizadas para defesa das sociedades empresárias, ao mesmo tempo que podem auxiliar o Estado no combate aos ilícitos corporativos.

O tratamento teórico das investigações internas envolve, todavia, polêmicas e acalorados debates. Entre os temas controversos, optamos, para fins deste artigo, por tratar especificamente a questão do transporte de "confissões" ou "outras informações comprometedoras" proferidas nas investigações privadas internas para o processo penal, envolvendo, essencialmente, a figura dos administradores das sociedades anônimas.

140-141.

[3] Nesse sentido, Thomas Rotsch faz alusão a diferentes produções literárias existentes na América Latina (em especial no Brasil), Itália, Espanha, Turquia, Suíça, Áustria, Coréia do Sul, Japão, além daquelas tradicionalmente conhecidas (Alemanha, Estados Unidos e Reino Unido). ROTSCH, Thomas. Criminal Compliance – Begriff, Entwicklung und theoretische Grundlegung. In: *Criminal Compliance*. 2015, p. 56-58.

É comum, no desenrolar das investigações internas, a oitiva de administradores (e também de empregados) da pessoa coletiva. Nesse sentido, eles são chamados a relatar tudo o que sabem sobre o objeto da averiguação, inclusive nos casos em que o narrador é personagem da virtual passagem criminosa investigada, o que pode (potencialmente) resultar em uma declaração autoincriminadora. A forma e a utilização dessas informações pela empresa em um processo penal e a natureza jurídica do "documento" produzido causam, entretanto, dúvidas teóricas. Coloca-se, de um lado, o direito de defesa pessoa coletiva e, de outro, o *nemo tenetur se detegere* do administrador, além do interesse do Estado, responsável por uma justa persecução penal.

Apesar da importância e da contemporaneidade do tema, o assunto tem recebido pouca atenção da doutrina luso-brasileira, o que justifica a elaboração de um trabalho que aborde com organização e espírito crítico os seus pontos basilares, contemplando as suas variáveis e analisando-as dentro de uma perspectiva científica. Embora seja uma matéria que envolve questões semelhantes no ordenamento jurídico português e brasileiro, abordaremos a temática sob uma perspectiva legislativa lusitana, tendo em vista que no Brasil o problema pode apresentar-se em uma circunscrição muito restrita (somente em crimes ambientais). Finalmente, o estudo a que nos propomos perpassa por tópicos constitucionais e processuais penais sensibilíssimos e comuns ao direito lusitano e tupiniquim, adequando-se a uma obra coletiva sobre Direito Penal (material e processual) e Constituição fruto de uma comunhão dos dois lados do Atlântico.

2 Investigações internas: sociedade anônima e administradores[4]

2.1 Primeiras linhas

A partir do momento em que uma sociedade anônima tem conhecimento de uma ou mais ações (possivelmente) ilícitas nas suas atividades, compete a ela

[4] Escolhemos trabalhar especificamente com as sociedades anônimas (de capital aberto) no presente trabalho, pois é nelas que surgem com maior intensidade os programas de *criminal compliance* e as investigações internas. Esses mecanismos mostram-se mais relevantes no seio dessas entidades coletivas porque nelas o problema da conformidade com o direito é perpassado por uma teia com alto grau de complexidade de relações (internas, nacionais, internacionais) devido ao campo magnético dessas companhias. É claro, nada impede que uma sociedade limitada ou outros tipos societários utilizados por pequenas e médias empresas também desenvolvam essas

investigar, sob pena de descumprir o seu dever de vigilância[5]. Nesse sentido, as investigações internas (realizadas dentro do ente empresarial e por ele patrocinadas) desempenham um aspecto repressivo sempre que existir um suspeito ou uma conduta capazes de ensejar uma averiguação por parte da entidade empresarial[6]. Cumpre advertir que podem ser alvo de apurações tanto os atos que ensejam repressão de um poder formal (civil, administrativo, penal ou contraordenacional) ou como aqueles informais (que interessam preponderantemente à companhia, como as listas negras, má representação/gestão na mídia)[7]. Por outro lado, elas podem ter por finalidade também a prevenção ou a minimização dos riscos de uma condenação (das diversas naturezas possíveis, sendo o nosso foco a condenação criminal)[8], sob a ótica da empresa[9].

Em que pese o ente coletivo ter o dever de investigar internamente em virtude do seu dever de vigilância, podendo responder civil e penalmente por isso,

---

práticas. Todavia, o seu uso é muito menos frequente, de modo que nos cingiremos à sociedade anônima no presente relatório.

[5] MOOSMAYER, Klaus. *Compliance:* Praxisleitfaden für Unternehmen. 3 Auflage. München: C. H. Beck, 2015. p. 87.

[6] MOMSEN, Carsten. Interne Ermittlungen: Interne Ermittlungen aus strafrechtswissenschaftlicher Sicht. In: *Criminal Compliance*. ROTSCH. Thomas (Hrsg.). Baden-Baden: Nomos, 2015. p. 1236.

[7] MONSEM, 2015, p. 1236.

[8] MOMSEN, 2015, p. 1236.

[9] Werner Leitner entende que o *compliance* possui função preventiva, voltando-se para o futuro, ao passo que as investigações internas possuem função eminentemente repressiva, focando-se no passado. Assim, para o autor, esta tarefa preventiva não seria tarefa das investigações internas, mas sim do *compliance* (1). No mesmo sentido, defende Hans Theile que, embora as investigações internas levantem como principal bandeira a prevenção (orientação que não vem excluída no diploma processual alemão), em verdade a dita prevenção nunca vem de graça (*Nulltarif*) e sempre contém componentes repressivos (em maior ou menor grau). Theile conclui, assim, que, ao realizar este tipo de averiguação interna, está representando apenas o lado repressivo da *compliance*. Por essas razões, seria aconselhável orientar-se tendo por base um cariz repressivo (por excelência dado ao Direito Penal) (2). (1) LEITNER, Werner. Unternehmensinterne Ermittlungen in Konzern. In: *Festschrift für Wolf Schiller:* zum 65. Geburtstag am 12. Januar 2014. LÜDERSSEN, Klaus; VOLK, Klaus; WAHLE, Eberhard (Hrsg.). Baden-Baden: Nomos, 2014. p. 430-431. (2) THEILE, Hans. Die herausbildung normativer Orientierungsmuster für Internal Investigations: am Beispiel selbstbelastender Aussagen. In: *Festschrift für Hans-Heiner Kühne zum 70.* Geburtstag am 21. August 2013. ESSER, Robert (Hrsg.). Heidelberg: C. F. Müller, 2013. p. 500.

a abertura de investigação interna tem, igualmente, um escopo econômico[10]. Os custos da perquirição interna são inferiores a uma investigação externa (que traz consigo mesma uma situação de crise), bem como são incomensuravelmente menores dos danos na reputação societária[11] [12]. Assim, preferível uma investigação interna a uma externa para apurar responsabilidades, evitando o conhecimento do público (e de sua opinião)[13]. O que nos leva a concluir que, pela própria natureza das coisas, essas apurações, além de se preocuparem com a mitigação dos possíveis danos criminais no interior do próprio ente coletivo, também se focam (ou pelo menos deveriam focar-se) na diminuição nos danos causados a terceiros (externos à atividade empresarial)[14].

Para o êxito das investigações internas é fundamental a participação dos colaboradores internos (trabalhadores e/ou administradores) da própria entidade corporativa. Essa atuação pode ocorrer, basicamente, de dois modos. No primeiro, o colaborador denuncia algum fato suspeito e, de posse desta informação, o setor encarregado (da própria entidade ou externo, como escritórios de advocacia ou de auditorias especializadas) começam as buscas[15]. Em verdade, existe um dever

[10] SAHAN, Oliver. Investigaciones empresariales internas desde la perspectiva del abogado. In: *Compliance y teoria del derecho penal.* ESTRADA I CUADRAS, Albert (Trad.). KUHLEN, Lothar; MONTIEL, Juan Pablo; ORTIZ URBINA GIMENO, Iñigo (Eds.). Madrid: Marcial Pons, 2013. p. 249.

[11] SAHAN, 2013, p. 249.

[12] Nesse sentido, Dennis Bock afere que este dano reputacional desenrola-se através da imagem perante os clientes, os fornecedores, os financiadores e seguradores, o mercado financeiro e investidores, *stakeholders* externos, e os trabalhadores. BOCK, Dennis. *Criminal Compliance.* 2 Auflage. Baden-Baden: Nomos, 2013. p. 269-273.

[13] GÓMEZ MARTÍN, Victor. Compliance y derechos de los trabajadores. In: *Compliance y teoria del derecho penal.* KUHLEN, Lothar; MONTIEL, Juan Pablo; ORTIZ URBINA GIMENO, Iñigo (eds.). Madrid: Marcial Pons, 2013. p. 131.

[14] LEWISCH, Peter. Strafrecht und Compliance. In: *Zauberwort Compliance?* Grundlagen und aktuelle Praxisfragen. Wien: Manz, 2012. p. 78.

[15] É claro, a denúncia de um empregado não é a única maneira de iniciar uma investigação interna. A companhia pode perfeitamente começar buscas internas, por exemplo, porque faz parte de sua rotina, porque detectou alguma coisa de errado nos seus dados contabilísticos. Analisando criticamente o tema de denúncia por parte das pessoas integrantes da companhia (*Whistleblowing*), Roland Hefendehl adverte que essa denúncia anônima pode servir, em alguns casos, para propósitos ilegítimos, em vez de realmente servir de proteção do denunciante de perseguição por terceiros. HEFENDEHL, Roland. Alle lieben Whistleblowing. In: *Grundlagen des*

de informação/notificação por parte do funcionário sempre que ele tenha conhecimento de uma irregularidade/ilicitude no ente societário, tendo em conta o princípio da confiança entre empregado(*lato sensu*)-empregador[16]. Mas essa imposição não implica, por suposto, um dever de espionagem por sua parte[17]. Na segunda maneira, o colaborador interno é chamado a participar nas diligências internas, prestando depoimentos a respeito dos fatos que estão em causa. Do mesmo modo, compete a ele falar (em tese, com verdade) sobre aquilo que lhe é perguntado, em decorrência, igualmente, da obrigação/princípio de confiança existente na relação laboral/administrativa[18].

Porém, o dever de colaboração por parte dos colaboradores internos não é desprovido de controvérsias[19]. As discussões são maiores ainda quando esta obrigação acaba em uma autoincriminação do colaborador interno[20] e são potencializadas quando o seu conteúdo é trazido a um eventual processo penal como meio de defesa por parte da empresa. É claro que a última hipótese ocorre mormente quando são corréus a sociedade anônima e os administradores (e não "meros" empregados). Portanto, tratemos mais detalhadamente dos deveres de colaboração dos administradores nas investigações internas.

2.2 Dever de colaboração dos administradores nas investigações internas

Não resta dúvida de que a relação jurídica entre o administrador designado e a sociedade anônima que o designa é das mais complexas, contemplando direitos e deveres recíprocos, respeitantes, exemplificativamente, à gestão e à representação, remunerações, regime laboral, etc etc. e tal. Muito se discute (ainda hoje) a respeito da natureza jurídica da relação entre administradores e sociedades sem haver uma corrente que se sobressaia categoricamente sobre outras[21].

Straf-und Strafverfahrensrechts: Festschrift für Knut Amelung zum 70. Geburstag. BÖSE, Martin; STERNBERG-LIEBEN, Detlev. Berlin: Duncker und Humblot, 2009, p. 643.

[16] BRODIL, Wolfgang. Arbeitsrechtliche Aspekte von Whistleblowing. In: *Zauberwort Compliance?* Grundlagen und aktuelle Praxisfragen. Wien: Manz, 2012, p. 92.

[17] BRODIL, 2012, p. 92.

[18] BRODIL, 2012, p. 92.

[19] LEITNER, 2014, p. 433.

[20] LEITNER, 2014, p. 433.

[21] ABREU, Jorge Manuel Coutinho de. *Curso de Direito Comercial:* das sociedades. Vol. II. 4. ed. Coimbra: Almedina, 2011. p. 581ss. Para aprofundamento no tema, ver CORREIA, L. B. *Os*

Interessa-nos, por hora, apenas manifestar que, a nosso ver, via de regra, o administrador não é um trabalhador convencional[22]. Uma das qualidades imprescindíveis do administrador é a sua autonomia de decisão, manifestada em soberania para exercer as funções de alta direção[23]. Ele goza, assim, de um "espaço de irredutível autonomia decisória, de poder de iniciativa, não sendo reduzível a simples executor", não estando juridicamente subordinado à sociedade[24]. Falta, nessa relação jurídica, a subordinação típica (caracterizadora das relações laborais) e, portanto, não se pode falar em contrato de trabalho[25].

administradores das sociedades anônimas. Coimbra: Almedina, 1993. p. 303ss.

[22] Aqui importa distinguir, conforme Fábio Ulhoa Coelho, amparado no enunciado n. 269 do Tribunal Superior do Trabalho brasileiro, as duas hipóteses possíveis: a do empregado eleito para o órgão de administração e a do profissional especificamente contratado para desempenhar este cargo. Na segunda, o administrador não tinha qualquer vínculo trabalhista com a empresa; presume-se societária a relação jurídica entre administrador-empresa. Na primeira, o contrato de trabalho fica suspenso durante o período do mandato, salvo se permanecer a subordinação típica do vínculo trabalhista. Para que a exceção se configure, a eleição deve ser uma espécie de continuação do vínculo trabalhista antes existente. (1) Um bom exemplo dessa manutenção, trazido por Coutinho de Abreu (em outro contexto, mas que serve para elucidar o presente caso) é o de um trabalhador de uma empresa dominante que é designado administrador de uma sociedade por ela dominada. Nesse caso, não haverá quebra do vínculo empregatício do administrador com a dominante. (2) (1) COELHO, Fábio Ulhoa. *Curso de Direito Comercial.* V. 2. 9. ed. São Paulo: Saraiva, 2006. p. 240ss. (2) ABREU, Jorge Manuel Coutinho de. Administradores e trabalhadores de sociedades (cúmulo ou não). In: *Temas societários*. Instituto de Direito das Empresas e do Trabalho – IDET (coord.). Coimbra: Almedina, 2006. p. 18.

[23] COSTA, Ricardo. Responsabilidade civil societária dos administradores de facto. In: *Temas societários*. Instituto de Direito das Empresas e do Trabalho – IDET (Coord.). Coimbra: Almedina, 2006. p. 31.

[24] ABREU, 2006, (B) p. 15.

[25] Como lembra Fábio Ulhoa Coelho, o que realmente deve-se considerar para saber o verdadeiro tipo de vínculo diz respeito à análise do tipo de subordinação. Para o comercialista brasileiro, "é inegável que o membro da diretoria está submetido seja ao conselho, seja à assembleia geral, uma vez que esses outros órgãos detêm o poder de o destituir do cargo a qualquer tempo. Mas, ao contrário do resultante da generalização proposta por Bueno Magano, a subordinação entre o membro da diretoria e os órgãos superiores nem sempre é *pessoal*, típica do vínculo trabalhista. O conselho de administração e a assembleia geral não se reúnem cotidianamente; ao contrário, fazem-no de forma esporádica e breve. Não há controle, por esses órgãos, da jornada de trabalho (ou de prestação de serviços) do diretor, nem é usual que deles parta qualquer orientação específica sobre a realização de determinadas tarefas. Em outros termos, a subordinação entre os órgãos

A doutrina societária tem apresentado diversas classificações didáticas para a análise dos deveres dos administradores, das quais trazemos apenas algumas: a) quanto à fonte, podem ser legais, estatutárias, contratuais ou deliberativos; b) perante situações relativas, podem se dividir em deveres para com a sociedade, para com os credores da sociedade, para com os sócios da sociedade ou para com terceiros; c) quanto à sua configuração, dividem-se em deveres de conduta ou de mera diligência; d) quanto à natureza da obrigação, podem ser deveres solidários, deveres de meio, deveres de resultado e obrigações de *facere*, de *dare* e de *pati*; e) quanto aos conceitos usados para os explicitar, podem ser determinados (com critérios objetivos bem delimitados e concretos) ou indeterminados (abstratos como, por exemplo, os deveres de cuidado, de lealdade e de informação)[26].

Saber se há um dever jurídico de colaboração dos administradores nas investigações internas passa por alguns dos aspectos supramencionados. Cláusulas expressas nos estatutos sociais ou nos contratos que vinculam o administrador com a sociedade parecem bastante convenientes nesse sentido, eliminando parte das discussões. Nessas hipóteses, a recusa por parte do administrador é considerada uma inadimplência contratual e pode gerar, em virtude disso, sanções como multas, prejuízos remuneratórios e até mesmo a destituição do cargo (com respectivo prejuízo à reputação profissional do agente).

Mas e se não houver explicitamente nos estatutos ou nos contratos a determinação colaborativa? Ainda assim podemos afirmar que o administrador que não se coloca à disposição das investigações internas descumpre um dever jurídico? A nosso ver, sim. A melhor interpretação dos valores indeterminados presentes no Artigo 64 do Código das Sociedades Comerciais, especialmente o relativo à lealdade do administrador, aponta para essa direção. Vejamos:

> Art. 64 Os gerentes ou administradores da sociedade devem observar: (...)

---

societários tem natureza diversa daquela outra que caracteriza o vínculo empregatício. Entre os membros da diretoria e superiores da companhia (conselho de administração, se houver, e assembleia geral, sempre) verifica-se subordinação de órgão para órgão (dependência societária), e não *pessoal* (dependência trabalhista)". COELHO, 2006, p. 241.

[26] CORDEIRO, Antônio Menezes. *Manual de direito das sociedades:* das sociedades em geral. Vol. I. Coimbra: Almedina, 2001. p.729.

b) Deveres de lealdade, no interesse da sociedade, atendendo aos interesses de longo prazo dos sócios e ponderando os interesses dos outros sujeitos relevantes para a sustentabilidade da sociedade, tais como os seus trabalhadores, clientes e credores.

(...).

A fixação do dever de lealdade pela legislação portuguesa tem como um de seus objetivos estabelecer que o administrador deve servir à sociedade e aos acionistas em vez de se servir dela. Apesar da aparência abstrata da referida obrigação, é necessário que o gestor dê aplicação concreta a ele, fazendo prevalecer os interesses sociais sobre os seus individuais. Ora, se as investigações internas têm, a princípio, o escopo de proteger a sociedade de problemas presentes ou futuros, conclui-se que a conduta que se espera do administrador seja sempre a de auxílio. Não o fazendo por questões egoístas, estará fatalmente descumprindo o preceito indeterminado da lealdade. Por sua vez, nas sociedades anônimas portuguesas, a violação grave dos deveres do administrador configura justa causa para a destituição do administrador sem direito ao recebimento de indenização pelo rompimento contratual (Artigo 403, itens 3 e 4 do Código das Sociedades Comerciais). Para que isso ocorra, é necessário, todavia, deliberação da assembleia geral que atenda o quórum legal.

Importante ressaltar que em ambas as situações acima analisadas o poder de coerção da sociedade para forçar o seu gestor a trazer subsídios para a investigação interna se limita a uma espécie de represália privada. Essa pressão pode trazer efeitos colaterais indesejados como uma colaboração aparente e falseada. Mesmo existindo o dever do administrador em contribuir com as averiguações, nada garante que este o faça de forma adequada, pois entre um descumprimento obrigacional civil e a admissão de uma prática criminosa é menos gravoso para o administrador o primeiro.

Nesse sentido, o administrador possui um dever de verdade com intensidade muito inferior ao de uma testemunha em um processo (criminal ou não). Caso ela falte com a verdade, está sujeita a sanções penais (Artigo 360 do Código Penal Português); ele, a sanções privadas. Além disso, não se pode esquecer que o administrador possui uma certa margem de liberdade, apresentado maior resiliência a pressões de falar (com verdade) em relação a um simples trabalhador.

Mas, por outro lado, a sua posição jurídica difere-se muito daquela do visado ou do arguido; este tem total liberdade no interrogatório (negar, esclarecer ou calar), ao passo que aquele, em função do dever de lealdade dos administradores, não está totalmente livre quando presta esclarecimentos em investigações internas.

2.3 Procedimento

Inicialmente é importante salientar que as investigações internas são atividades de inquirição de particulares, o que implica a não obrigatoriedade da aplicação de regras ou princípios do código de processo penal (ou pelo menos a sua relativização[27]. Consequentemente, elas não estão sujeitas ao devido processo, inclusive nos casos em que autoridades públicas tenham participação indireta (como a SEC – *Securities and Exchange Comission* – ou DOJ – *Departament of Justice*, dentro do contexto norte-americano), pois são conduzidas no âmbito das relações de direito privado[28]. Mas isso nem de longe pode significar que elas, assim como todas as demais partes do programa de *compliance*, possam mover-se em um espaço jurídico totalmente livre; pelo contrário, devem satisfazer as exigências jurídicas mínimas fixadas pelo Estado[29].

Esta necessidade é corroborada pelo fato de que as investigações internas devem (ou deveriam) apoiar-se em equivalentes funcionais do processo penal no âmbito público, ao passo que a *criminal compliance*, da legislação penal[30]. Isso porque os programas de *criminal compliance* têm como objetivos principais, sob a ótica da sociedade empresária, a prevenção e a repressão de delitos cometidos no seu interior a fim de proteger o seu patrimônio e a sua reputação[31], inexistindo um afastamento claro e substancial com os princípios que guiam as

---

[27] LEITNER, 2014, p. 437.

[28] LEITNER, 2014, p. 437-438.

[29] MASCHMANN, Frank. Compliance y derechos del trabajador. In: *Compliance y teoria del derecho penal.* FUENTES OSORIO, Juan Luis (Trad.). KUHLEN, Lothar; MONTIEL, Juan Pablo; ORTIZ URBINA GIMENO, Iñigo (eds.). Madrid: Marcial Pons, 2013. p. 152.

[30] MONTIEL, Juan Pablo. Autolimpieza empresarial: compliance programs, investigaciones internas y neutralizacíon de riesgos penales. In: *Compliance y teoria del derecho penal.* KUHLEN, Lothar; MONTIEL, Juan Pablo; ORTIZ URBINA GIMENO, Iñigo (eds.). Madrid: Marcial Pons, 2013. p. 224.

[31] ROTSCH, 2015, p. 1236, p. 64-67.

políticas criminais de um Estado[32]. O *criminal compliance* vem ao encontro dos interesses do Estado, pois suas investigações internas diminuem os custos, os recursos humanos e o tempo para verificar infrações do Direito Penal econômico que, além de serem complexas, muitas vezes anos de buscas não são suficientes para desvendá-las[33]. Tendo em vista a referida conveniência, o Estado acaba por delegar essas funções a entes privados[34], gerando uma espécie de "privatização" (ainda que parcial) do controle e da prevenção da criminalidade empresarial. De bom tom, portanto, seria que as investigações internas não se desconectassem das normas processuais penais.

Todavia, essa correlação não pode, de modo algum, esquecer-se de que o processo penal e as investigações internas apresentam significativas diferenças (embora a analogia entre ambos e a função complementar que elas desempenham em relação a ele), impossibilitando a simples pura transposição das regras processuais penais para as buscas privadas[35]. Nesse sentido, por exemplo, admitir nas investigações internas o princípio do *nemo tenetur* em toda a sua extensão implicaria uma verdadeira desnaturação da relação empregador-trabalhador[36] ou empresa-administrador[37]. Conforme já aferido, em decorrência do dever de lealdade, não deveria o administrador abster-se de falar, e de falar com verdade quando isso lhe é solicitado. A perplexidade a respeito das garantias processuais das pessoas singulares emerge, neste quadro, com maior evidência, com relação à garantia do seu direito ao silêncio[38].

---

[32] MONTIEL, 2013 p. 224.

[33] ROTSCH, 2015, p. 67.

[34] ROTSCH, 2015, p. 68.

[35] MONTIEL, 2013, p. 228

[36] MONTIEL, 2013, p. 228-229.

[37] Num sentido mais restrito, Nieto Martín defende que "se a investigação interna é a antessala do processo penal, devem ser oferecidas garantias similares. Por exemplo, as pessoas que sejam interrogadas devem ser advertidas de que tem o direito a guardar silêncio e qual a finalidade da investigação" (1). Embora estejamos de acordo com o autor, em verdade, esse grau não pode ser suficientemente garantido justamente porque, conforme aduzido no próprio corpo do texto, o contexto em que são feitas as investigações internas não é idêntico ao do processo penal. (1) NIETO MARTÍN, 2013, p. 48, trad. livre.

[38] NICOLICCHIA, Fabio. Corporate internal investigations e diritti dell'imputado del reato presupposto nell'ambito della responsabilità "penale" degli enti: alcuni rilievi sulla base della "lezione americana". In: *Rivista trimestrale di diritto penale dell'economia*. Padova, n. 3-4, 2014, p. 805.

Diante do quadro até agora desenhado, é possível então indagar qual o conjunto normativo que as investigações internas devem seguir, já que as regras processuais penais, embora não sejam aplicadas às relações privadas, devem norteá-las. E, para a nossa surpresa (ou talvez nem tanto), inicialmente já nos deparamos é com a inexistência de regras processuais específicas para as investigações internas sob a forma de *hard law*[39]. Do mesmo modo, as entidades empresarias não possuem, por regra, regulação interna para a realização das investigações internas, com o estabelecimento claro dos procedimentos a serem seguidos (mecanismos de sua ativação, pessoas ou órgão habilitados para as realizar, tipos de prova admissíveis, estrutura dos interrogatórios ou conversas, uso da informação obtida, ...)[40]. Há diferentes maneiras de iniciar as perquirições, que são tão variadas como os seus conteúdos e métodos utilizados[41]. Em decorrência desse vácuo, o sujeito alvo de investigação interna (visado), além de à partida já sofrer interferência em seus direitos fundamentais, tem a sua capacidade de previsibilidade afetada[42].

Tal afirmação põe sobre a mesa o problema do grau de garantias dos visados nestes trâmites: as investigações internas com conotação criminal asseguram as posições jurídicas do Direito Penal processual e material[43]? Como já se pode notar em uma superficial passada de olhos, o nível de proteção processual, principalmente se comparado com aquele existente no processo penal, é infinitamente inferior (ou até inexistente)[44]. A fim de minorar a referida adversidade, o mais interessante seria que os próprios programas de *criminal compliance* estivessem obrigados a estabelecer critérios claros das reais finalidades da investigação interna em questão (preventiva ou repressiva) e dos mecanismos a serem utilizados[45]. Assim, problemas processuais, como o momento da ciência de que o um funcionário tem a qualidade de visado em um inquérito interno, poderiam ser suavizados. Por outro lado, é nítido o contraste entre depoimentos em que o depoente não

---

[39] MOMSEN, 2015, p. 1236.

[40] MONTIEL, 2013, p. 225.

[41] LEIPOLD, Klaus. Internal Investigations – Fluch und Segen zugleich? In: *Festschrift für Wolf Schiller:* zum 65. Geburtstag am 12. Januar 2014. LÜDERSSEN, Klaus; VOLK, Klaus; WAHLE, Eberhard (Hrsg.). Baden-Baden: Nomos, 2014, p. 419.

[42] MONTIEL, 2013, p. 225.

[43] MOMSEM, 2015, p. 1237.

[44] GÓMEZ MARTÍN, 2013, p. 131.

[45] GÓMEZ MARTÍN, 2013, p. 132.

foi avisado do valor confessório e aqueles nos quais houve a advertência[46]. O valor daquilo que foi colhido nas investigações internas poderia, desse modo, em sede processual penal ser maior.

Por fim, quando o administrador/empregado é chamado a prestar declarações dentro do espectro de suas obrigações contratuais/legais em uma investigação interna, por regra, não possui o direito à presença de um advogado[47]. Esta prerrogativa só existe nos casos em que a oitiva busca apurar, ao mesmo tempo, uma conduta supostamente praticada pelo funcionário/administrador ensejadora de demissão/destituição[48] [49].

3 A cooperação dos entes coletivos com as autoridades estatais: privatização do processo penal?

A colaboração (*lato sensu*)[50] entre as próprias sociedades (afetadas em um processo penal ou que tenham potencial para tanto) e o Estado, na qual há o escambo de esclarecimentos sobre condutas por benefícios penais, teve sua origem no direito norte-americano[51]. Na década de 1970, a agência estatal reguladora dos mercados (*Securities and Exchange Comission* – SEC) deparou-se com a escassez de recursos econômicos e humanos diante dos macroprocessos por corrupção que vieram à tona com o famoso caso *Watergate*, e viu-se obrigada a conceder

---

[46] Voltaremos ao assunto no item 4.1.

[47] TASCHKE, Jürgen. "Interne Untersuchungen" in internationalen Konzernen – rechtliche und tatsächliche Probleme. In: *Criminal Compliance vor den Aufgabe der Zukunft*. ROTSCH, Thomas (Hrsg.). Baden-Baden: Nomos, 2013, p. 72.

[48] TASCHKE, 2013, p. 72

[49] Deve-se atentar que nesses casos é facultada a presença de um advogado para o empregado/administrador diferente do advogado da sociedade. Não seria lógico que o próprio advogado do ente coletivo atuasse como advogado do sujeito em causa pelo conflito de interesses que se apresenta.

[50] No presente trabalho, o termo colaboração entre empresas e Estado, bem como seus sinônimos, será utilizado em um sentido amplo. Deve ser entendido, portanto, como condutas ativas por parte do ente empresarial capazes de facilitar, em alguma medida, a persecução penal pelas autoridades estatais.

[51] ESTRADA I CUADRAS, Albert; LLOBET ANGLÍ, Mariona. Derechos y deberes del empresario: conflicto en las investigaciones empresariales internas. In: *Criminalidad de empresa y compliance. Prevención y reacciones corporativas*. SILVA SÁNCHES, Jesús-Marís (dir.). MONTANER FERNÁNDEZ (coord.). Barcelona: Atelier, 2013. p. 199.

vantagens aos entes empresariais que cooperassem[52]. Do descrito, deve-se atentar a dois fatores importantíssimos: surgiu em um sistema de *Common Law* e tendo como protagonista estatal um órgão não penal.

Aos poucos essa colaboração foi sendo estendida para atores penais norte-americanos, mormente para o *Department of Justice* (DOJ – responsável pela persecução penal na justiça federal) e realmente caiu-lhes no gosto. O que gerou, apesar da relativa raridade dos acordos que são feitos a fim de levar a cabo a cooperação, uma autêntica guinada no alvo das persecuções criminais por parte dos agentes do Ministério Público: o foco são as pessoas físicas (administradores/diretores) e as empresas são apenas meio para melhor encontrá-las[53] [54].

Mas a expansão não se limitou aos quadros nacionais estadunidenses. Há algumas décadas a influência da política-criminal dos Estados Unidos no restante dos países é incontestável e nos crimes econômico-empresariais é exercida principalmente através de sua crescente pressão exercida sobre as empresas multinacionais (principalmente as com cotação em bolsas norte-americanas) e por sua forte influência nos instrumentos normativos internacionais[55]. Desse modo, também alguns ordenamentos jurídicos da *Civil Law*, além de implantarem as investigações internas, igualmente vêm tendo as empresas como parceiras, ou melhor, como colaboradoras em procedimentos penais.

---

[52] ESTRADA I CUADRAS; LLOBET ANGLÍ, 2013, p. 199.

[53] FIRST, Harry. Branch Office of the Prosecutor: The New Role of the Corporation in Business Crime Prosecutions. In: *North Carolina Law Review*. North Carolina, Vol. 89, Issue 1, 2010, p. 48. Disponível em: <http://www.nclawreview.org/category/archives/volume-89/89-1/>. Acesso em: 12/03/2016.

[54] Nesse sentido, Harry First aponta os seguintes dados: em um período de quinze anos, quase metade dos acordos conduziram a não acusação, o que significa que os documentos carreados pela empresa que celebrou não foram utilizados contra ela; em contrapartida, a experiência dessas empresas contrasta com a realidade dos indivíduos envolvidos nesses casos, pois entre 2002-2007, de acordo com o *Justice Department's Corporate Fraud Task Force*, foram obtidas 1.236 condenações de pessoas físicas, das quais 214 foram chefes executivos, diretores e presidentes, 53 eram diretores-financeiros, 129 eram vice-presidentes e 23 do conselho corporativo. FIRST, 2010, p. 48-49.

[55] RAGUÉS I VALLÈS, Ramon. Los procedimientos internos de denuncia como medida de prevención de delitios en la empresa. In: *Criminalidad de empresa y compliance. Prevención y reacciones corporativas*. SILVA SÁNCHES, Jesús-Marís (dir.). MONTANER FERNÁNDEZ (Coord.). Barcelona: Atelier, 2013. p. 165.

Assim sendo, na atual conjuntura global, uma vez realizadas as investigações internas, a sociedade pode (e não necessariamente deve) entregar o material produzido ao longo de suas averiguações às autoridades estatais (focando-nos nas de persecução criminal). A decisão, tomada por meio de sua direção, encontra-se em seu campo de discricionariedade[56]; inexiste obrigação legal de cessão[57]. Ela deliberará de acordo com as possibilidades que se desenham diante dos dois quadros (ceder ou não o dossiê). Questionará, assim, em que medida lhe é mais vantajoso concedê-lo ao Ministério Público, assim como se desempenhará um papel proativo em futuras (e possíveis) colaborações[58].

Basicamente essa avaliação terá como pano de fundo a pena fixada em processo penal, e avaliada conforme o grau de sua cooperação. Mas o juízo feito também leva em conta a imagem da entidade empresarial perante terceiros. Certamente lhe é muito caro refletir ao público em geral um modelo de boa empresa, que contribui com os órgãos estatais na elucidação de crimes praticados no seu seio. A sua reputação possui, sem dúvida, valor no mercado. Mas, por vezes, divulgar algo que não era de conhecimento público (e quiçá nem seria) pode ter o efeito inverso, manchando o seu prestígio[59].

Desse modo, uma empresa que tenha um rígido comprometimento com o cumprimento de seu programa de *compliance* terá interesse, por regra, em sedimentar com as autoridades públicas uma cooperação construtiva, fornecendo (e igualmente buscando) esclarecimentos das condutas praticadas no ente coorporativo, embora isso implique a sua própria censura e/ou dos seus administradores e empregados[60].

---

[56] SAHAN, 2013, p. 252.

[57] Outra questão conexa à presente temática é a seguinte: há obrigação de publicizar as informações coletadas com as investigações internas? Como adverte Klaus Moosmayer, ordinariamente inexiste tal dever, exceto nos casos previstos expressamente em lei (como o § 130 do código de processo penal alemão) ou naqueles em que existe uma imposição contratual de um regime adequado de conformidade com os clientes e parceiros contratuais. Questiona ainda o autor se a publicização deve ser considerada por parte das autoridades como um ponto positivo para a empresa, vez que via de regra inexiste obrigação. Conclui ser a resposta positiva, mas coloca dúvidas quanto à sua real aplicação pelas autoridades estatais. MOOSMAYER, 2015, p. 98-99.

[58] SAHAN, 2013, p. 252.

[59] MOMSEN, 2013, p. 61.

[60] MOOSMAYER, 2015, p. 96.

Nesse contexto, outra questão, igualmente relevante, apresenta-se: existe um dever de a sociedade denunciar os seus próprios diretores e/ou trabalhadores ante a jurisdição penal?[61] Ragués i Vallès entende que, para responder essa pergunta, é necessário antes distinguir os casos em que a empresa foi vítima das infrações penais descobertas dos casos em que a empresa se beneficiou da conduta das pessoas físicas pertencentes aos seus quadros[62]. Conforme o catedrático de Pompeu Fabra, na primeira situação, não há qualquer razão para que a pessoa coletiva tema as consequências da denúncia; no segundo, se ela denunciar a pessoa física, certo que também corre o risco de ser chamada ao processo penal[63]. Para o mestre espanhol, a sociedade tem uma obrigação de autodenúncia, na hipótese de desejar uma possível atenuação da pena[64].

Ademais, a cessão do que foi recolhido ao longo das buscas internas pode ser de grande interesse para a sociedade para que a esta demonstre idoneidade do seu programa de *compliance*. Ela poderá comprovar em processo penal (presente ou futuro) que não cometeu uma *offense* (com função similar a condição objetiva de punibilidade), ou seja, que a pessoa coletiva havia adotado de maneira contínua medidas eficazes para prevenir atos delitivos da espécie que foi cometido e da maneira que concretamente ocorreu[65]. Procurará, assim, atestar que tinha e seguia rigorosamente o seu programa de *compliance* – que por si só não é suficiente para exculpar penalmente a pessoa coletiva ou entidade equiparada, assim como a sua ausência não é sinônimo de culpa – e afastar a *offense*[66].

---

[61] RAGUÉS I VALLÈS, 2013, p. 192.

[62] RAGUÉS I VALLÈS, 2013, p. 192.

[63] RAGUÉS I VALLÈS, 2013, p. 192.

[64] RAGUÉS I VALLÈS, 2013, p. 192.

[65] NIETO MARTÍN, Adán. Problemas fundamentales del cumplimiento normativo en el derecho penal. In: *Compliance y teoria del derecho penal.* KUHLEN, Lothar; MONTIEL, Juan Pablo; ORTIZ URBINA GIMENO, Iñigo (eds.). Madrid: Marcial Pons, 2013. p. 39.

[66] Note-se que no direito português, como lembra Teresa Quintela de Brito, o Artigo 11 (que trata da responsabilidade das pessoas coletivas) não faz referência expressa à possível relevância dos programas de *compliance* como causa de exclusão da culpa da pessoa jurídica, servindo o n. 6 desse artigo apenas como cláusula de exclusão de responsabilidade da pessoa coletiva quando o agente singular tiver atuado "contra ordens ou instruções expressas de quem de direito". E, logo em seguida, conclui a professora de Lisboa que " (...) o caráter expresso da ordem ou instrução em contrário não depende da emissão explícita de uma ordem ou instrução contrária à prática do facto punível, nem da existência formal de um ou vários programas de *Compliance*. A exclusão da

A pergunta que se coloca, diante disso, é até que ponto as apurações perpetradas pelas entidades coletivas conseguem não ter como foco principal (e único) a procura de elementos que afastem de si uma possível responsabilidade penal, caso venha figurar como ré em processo penal. E, consequentemente, questiona-se se elas foram realizadas em um ambiente pré-litigioso, e, portanto, por ele influenciadas (provas pré-constituídas[67]). Lembremos que a pessoa jurídica precisa, por regra, investigar antes de colaborar (de modo distinto das pessoas físicas, que podem simplesmente contribuir apresentando documentos que possuem ou

---

responsabilidade penal do ente nos termos do Artigo 11, 6, está antes condicionada pela clareza, efectividade e eficácia das ordens ou instruções em contrário, tendo em conta o concreto modo de organização, funcionamento e actuação jurídico-económica (e até ética) da pessoa jurídica. O que evidencia, uma vez mais, a conexão do disposto no Artigo 11, 6, CP com a eventual relevância dos mecanismos de Compliance no plano da afirmação ou negação de um ilícito-típico colectivo e da culpa colectiva por esse ilícito". BRITO, Teresa Quintela de. Relevância dos mecanismos de "compliance" na responsabilizaçãoo penal. In: *Anatomia do Crime*. Coimbra, n. 0, 2014, p. 82-83.

[67] Nesse sentido, a classificação de Bentham em provas por escritos eventuais/causais (o meio de prova utilizado ocasionalmente sem ter havido a intenção de utilizá-lo como prova em sua formação) e provas por escritos pré-constituídos (o meio de prova foi formado com o propósito de empregá-lo em um futuro processo). O autor dá os seguintes exemplos: "El testimonio que se produce en una causa, si es un escrito que no se ha hecho para esta causa, esto es con una intención directa de parte de su autor, de que fuese empleado en ella como prueba jurídica, se le puede imponer el nombre de *prueba por escrito causal*: tales son cartas, apuntes, notas, un diário o jornal privado etc. Si el testemonio producido en una causa es un escrito autentico, que se ha extendido segun ciertas formas legales para ser empleado eventualmente con el carácter de prueba jurídica, se le puede llamar prueba preconstituida." E, em seguida, conclui o britânico que "Pero se debe distinguir cuidadosamente la prueba preconstituida *ex parte*, este es por una de las partes solamente, como, por ejemplo, un libro de comercio, de la prueba preconstituida a *partibus*, esto es por las partes interessadas de los dos lados, como, por ejemplo, un contrato. La primera espécie podria llamarse prueba semipreconstituida". (1) Ao nosso ver, as investigações internas, embora muitas vezes aparentem provas eventuais (feitas com o intuito de apurações internas), são, em muitos casos, provas pré-constituídas *ex parte*/semipreconstituída (visam a um eventual processo penal e são feitas unilateralmente pela entidade coletiva; a presença do administrador/empregado não o torna parte na construção dessa prova). (1) BENTHAM, M. Jeremías. *Tratado de las pruebas judiciales*. Obra extraida de los manuscritos. Primero Tomo. DUMONT, Estevan (Escrita em francês). C. M. V. (Trad. para o espanhol). Paris: Bossange Frères, 1825, p. 34-35. Disponível em: <http://cdigital.dgb.uanl.mx/la/1080045433_C/1080045433_T1/1080045433_MA.PDF>. Acesso em: 18/6/2016.

declarando aquilo que sabem)[68]. Portanto, a pessoa coletiva, vulgarmente, além de já ter de certo modo direcionado as investigações internas para uma escusa de culpa, conhece os frutos que serão entregues às autoridades e, de antemão, fez um juízo de conveniência de sua entrega ao Estado.

Uma das maneiras de atenuar essas conclusões e reforçar o caráter "imparcial" são as investigações internas efetuadas por terceiros, como escritórios de advocacia e/ou auditoria especializados em programas de *compliance* e que não tenham interesses diretos nos resultados. Mas se forem patrocinadas por advogados da empresa, certamente a balança tenderá a pender para o lado do ente coletivo. Falta ao advogado interno a independência, vinculando-o às estratégias e interesses da empresa[69] [70].

De outra banda, é de extremo interesse das autoridades estatais receberem o portfólio oriundo das investigações internas por distintos motivos[71]. O primeiro deles é a revelação de uma informação que possivelmente sequer era do seu conhecimento[72]. Reflexamente, tem diminuído o tempo e os seus encargos financeiros e humanos nas buscas[73]: além de saber que determinadas condutas ilícitas formam praticadas, conhece os seus pormenores e tem menor desgaste temporal e monetário.

Como maneira de incentivar a (boa) colaboração do ente empresarial, a maioria dos Estados compromete-se a conceder-lhe certas benesses (prêmios)[74], mormen-

---

[68] NIETO MARTÍN, 2013, p. 46.

[69] GASCÓN INCHAUSTI, Fernando. *Processo penal y persona jurídica*. Madrid: Marcial Pons, 2012. p. 144.

[70] Como lembra Gascón Inchausti, justamente pela carência de autonomia do advogado da empresa frente aos interesses dela, o Tribunal de Justiça da União Europeia entende que ele deve ser considerado como um empregado da própria empresa. Desse modo, as relações entre empresa e o seu advogado não estão abarcadas pelo privilégio da confidencialidade. Conclui o professor madrileno então que uma eventual "externalização" de tarefas que, em princípio, o próprio advogado da empresa seria capaz de realizar constitui uma forma de o ente empresarial garantir a confidencialidade e decidir, no caso concreto, se deseja se beneficiar dela ou, ao contrário, deseja colaborar com as autoridades estatais. GASCÓN INCHAUSTI, 2012, p. 144-145.

[71] MOMSEN, 2013, p. 63.

[72] MOMSEN, 2013, p. 63.

[73] MOMSEN, 2013, p. 63.

[74] Nesse sentido, Adán Nieto Martín esclarece que no ordenamento jurídico norte-americano (*Guidelines*), austríaco (*Verbandsverantwortlichkeitgesetz*) e espanhol (artículo 31 *quater* do Código

te no que concerne à aplicação da pena. Desse modo, o bônus sancionatório vincula-se proporcionalmente aos resultados atingidos através da cooperação[75], podendo traduzir-se em significativos valores (como a diminuição de 50% do montante de uma pena pecuniária[76]).

O cenário apresentado leva alguns autores a concluir que a melhor via para frear a criminalidade empresarial é a colaboração entre sociedades empresariais e autoridades estatais, sob a alegação de que esta aliança teria os mesmos efeitos dissuasivos das penas mas com a vantagem de ser mais eficiente, barata (para Estado e sociedade) e satisfatória (para as vítimas)[77]. Dessa forma, concluem, seria possível atacar a criminalidade empresarial através da via mais indicada: investindo contra as pessoas (físicas) que tomam as decisões no seio da pessoa jurídica[78]. Somos levados, impreterivelmente, à conclusão de que o que se quer, incentivando a cooperação da pessoa jurídica, é, inequivocamente, chegar-se aos "verdadeiros" culpados (indivíduos). A entidade coletiva (e a sua possível sanção criminal) é mero meio do qual o Estado se serve para descobrir e sancionar penalmente os agentes individuais (administradores e diretores). A cooperação do sujeito coletivo tem como base o prejuízo da pessoa física imputada[79].

Em verdade, o que temos nesse horizonte de colaboração é a transformação das pessoas coletivas ou entidades equiparadas em verdadeiros agentes privados de investigação. Tal opção de política criminal atesta claramente a privatização

---

penal, na atual versão introduzida em 2015) tem em conta a colaboração da empresa com as autoridades estatais no momento da aplicação da pena (como atenuante) e, em alguns casos, como o alemão e o norte-americano, é tida inclusive no momento de possível utilização do princípio da oportunidade processual. Por outro lado, a lei italiana (Decreto 231/2001) não estabelece nenhum tipo de atenuação ou prêmio para as empresas que detectem atos delituosos e decidam colaborar com o Estado; fala-se, unicamente, em programas de prevenção. (1) Em Portugal, assim como não existe menção expressa aos programas de *compliance* e exclusão da culpa (vide nota n.67), tampouco há previsão legal de diminuição da pena caso a empresa colabore no processo penal. (1) NIETO MARTÍN, 2013, p. 46.

[75] MOMSEN, 2013, p. 63.

[76] MOOSMAYER, 2015, P. 99.

[77] GOENA VIVES, Beatriz. La atenuante de colaboración. In: *Criminalidad de empresa y compliance. Prevención y reacciones corporativas.* SILVA SÁNCHES, Jesús-Marís (dir.). MONTANER FERNÁNDEZ (coord.). Barcelona: Atelier, 2013. p. 257-258.

[78] GOENA VIVES, 2013, p. 257.

[79] NICOLICCHIA, 2014, p. 787-793.

do processo penal, permitindo assim "elidir o controle judicial e alterar seus equilíbrios"[80]. Os problemas dessa metamorfose são múltiplos e evidentes, ocorrendo uma possível mitigação (ou inclusive o próprio esvaziamento) das garantias processuais penais das pessoas físicas suspeitas ou arguidas e, em alguns casos, inclusive da própria pessoa jurídica "investigadora"[81]. E isso, sem dúvida, é um sintoma do transplante de um instrumento (as investigações internas) com uma de uma base jurídico-cultural anglo-saxônica para ordenamentos continentais-europeus[82].

Por fim, diante do quadro apresentado, parece-nos possível (e até saudável para fins de uma obra coletiva que reúne autores de dois países unidos por laços histórico-culturais), invocar um personagem comum na história luso-brasileira: Calabar. Traçando um paralelo com a famosa história do século XVII, atrevemo-nos a dizer que a corporação surge como um novo Calabar, o Estado como Países Baixos e o administrador como Portugal[83]. A entidade coletiva possui as características inerentes ao famoso protagonista do período colonial brasileiro na versão original (muito diferentes daquelas presentes na releitura proposta por Chico Buarque e Ruy Guerra)[84]. Ela conhece "os caminhos" percorridos durante

---

[80] NIETO MARTÍN, 2013, p. 46-48. Trad. livre.

[81] ESTRADA I CUADRAS; LLOBET ANGLÍ, 2013, p. 200.

[82] TASCHKE, 2013, p. 66.

[83] Filho de pai português e mãe indígena, Domingos Fernandes Calabar traiu a metrópole (Portugal) ao apoiar (decisivamente) os holandeses na década de 1630 na luta contra os portugueses e espanhóis no território dos atuais estados de Pernambuco, Paraíba e Rio Grande do Norte. Sua ajuda foi fundamental devido ao vasto conhecimento dos territórios que serviram de palco das batalhas. Quando capturado pelo general lusitano Matias de Albuquerque, foi condenado à forca e teve o seu corpo esquartejado por ter traído a Coroa Portuguesa.

[84] Na década de 1970, esse famoso protagonista do período colonial brasileiro, cujo nome passou a ser sempre relacionado à traição, ressurgiu com vigor. Após mais de três séculos, a afamada trajetória desse personagem foi recontada por Chico Buarque e Ruy Guerra em uma aclamada peça de teatro intitulada "Calabar: um elogio da traição". Os escritores, com seu brilhantismo, fizeram duras críticas à ditadura brasileira através de uma releitura histórica. De traidor, Domingos Fernandes Calabar passou a herói. Nesse sentido, Fernando Peixoto conclui que os autores desmistificaram "com inteligência e sensibilidade o conceito de traidor. E o conceito, vazio e abstrato, de 'traição'". PEIXOTO, Fernando. Uma reflexão sobre a traição. In: *Calabar:* o elogio da traição. BUARQUE, Chico; GUERRA, Ruy. 19. ed. com texto revisto e modificado pelos autores. Rio de Janeiro: Civilização Brasileira, 1994, p. VIII.

a investigação interna (alguns direcionados por ela mesma para fins de escusa de culpa) e os resultados obtidos melhor do que ninguém (como Calabar), tendo uma base sólida para decidir se os entrega ao Estado (do mesmo modo que Calabar cedeu informações valiosas aos holandeses). Todavia, de modo distinto do personagem recontado na dramaturgia brasileira na década de 1970, ela não tem um ideal maior[85], a não ser escapar (total ou parcialmente) da aplicação de uma pena, mesmo que isso implique a traição e a "decapitação" de seus administradores (como faz Calabar ao trair os portugueses). Diante do cenário pintado, vislumbra-se um elogio à traição (e não da traição, como fez a peça de teatro no período da ditadura militar brasileira).

4 Do (im)possível uso das confissões prestadas nas investigações internas no processo penal

Assumindo-se que os administradores das sociedades anônimas têm a obrigação de participar nas investigações internas, embora com o possível custo de autoincriminação, surge a seguinte pergunta: em que medida os produtos desta cooperação são passíveis de utilização/valoração em processo penal? [86]

[85] Conforme alerta Fernando Peixoto, Calabar, na peça de Chico Buarque e Ruy Guerra, " (...) fez uma opção. Sua chamada 'traição' só pode ser compreendida no seio desta opção, que ele se manteve fiel até suas últimas consequências: foi morto e esquartejado. Acreditou que os holandeses pudessem trazer ao país um governo mais livre e humano, menos opressivo e escravizador que a colonização portuguesa". PEIXOTO, 1994, p. VIII.

[86] Enfrentando igualmente essa pergunta, Werner Leitner aduz que até 2014 (ano da publicação de seu artigo) os tribunais superiores alemães ainda não haviam enfrentado essa questão. O jurista boche traz assim, para fins de exemplificação, dois casos julgados pelo Landsgericht (LG) Hamburg e pelo Landsgericht Mannheim. No primeiro, o LG Hamburg recusou-se a aceitar uma proibição de valoração (*Verwertungsverbots*) do resultado das investigações internas, tendo em conta, especialmente, o § 97, Abs. 1 Nr. 3 (em referência ao § 53, Abs.1 S1 Nr. 3 do código de processo penal alemão (StPO)). O tribunal interpretou o referido dispositivo legal de maneira restritiva, entendendo que entre o empregado da empresa e o escritório responsável por realizar as investigações internas não havia confiança suficiente para configurar uma relação de mandato (*Mandantsverhältnis*). Já o LG Mannheim decidiu pelo entendimento de que o § 97 do StPO é uma regra especial em relação ao § 160a do StPO, porquanto aplicável unicamente quando envolver a utilização de objetos apreendidos livremente. Conforme Leitner, a literatura já se manifestou muitas vezes pela proibição de valoração dessas provas (*Beweisverwertungsverbot*), bem como de um eventual efeito-a-distância (*Fernwirkung*) que ela possa produzir. LEITNER, 2014, p.

4.1 Da não recepção como prova emprestada

Compreende-se por prova emprestada aquela que foi produzida em um processo (processo de origem) para nele gerar efeitos e depois foi transladada documentalmente para um segundo processo (processo de recepção), visando, igualmente, à produção de efeitos[87] [88]. Em princípio, não existe impedimento para que se empregue em um processo prova obtida em um outro processo[89]. Nesse sentido, Gustavo Badaró elenca que devem ser observadas quatro exigências: i) a prova tenha sido produzida no processo originário perante um juiz natural; ii) tenha sido facultado à parte do processo de recepção o exercício do contraditório no processo de origem; iii) que o objeto da prova seja o mesmo nos dois processos; iv) o âmbito (grau) de cognição seja o mesmo em ambos os processos[90] [91].

438. Os artigos do StPO referidos podem ser consultados em <https://dejure.org/gesetze/StPO>.

[87] GRINOVER, Ada Pellegrini. A prova emprestada. In: *Revista Brasileira de Ciências Criminais*. São Paulo, Ano 1, Vol. 4, 1993, p. 66.

[88] Interessante notar que o simples fato de a prova ser transladada documentalmente não a transforma, de modo algum, em documental. A natureza da prova é prévia e não se modifica a partir do momento em que ela é utilizada em outro processo. Assim, por exemplo, o depoimento de uma testemunha, reduzido a termo em um processo A, manterá a natureza testemunhal se transferido para um processo B, embora o meio utilizado na realização desta tarefa seja o documental. Assim, para se aferir a espécie probatória em questão (escrito propriamente documental ou escrito testemunhal), perdura a distinção proposta por Malatesta, assentada no critério da irreprodutibilidade oral: "os escritos, reprodutíveis oralmente, não são senão testemunhos escritos: são, ao contrário, propriamente, documentos oralmente irreprodutíveis". MALATESTA, Nicola Framarino. *A lógica das provas em matéria criminal*. Vol. II. CORREIA, Alexandre Augusto (Trad.). São Paulo: Saraiva, 1960. p. 287.

[89] KNIJNIK, Danilo. *A prova nos juízos cível, penal e tributário*. Rio de Janeiro: Forense, 2007. p. 78.

[90] BADARÓ, Gustavo. Prova emprestada no processo penal e a utilização de elementos colhidos em comissões parlamentares de inquérito. In: *Revista Brasileira de Ciências Criminais*. São Paulo, n. 106, 2014, p. 176.

[91] Cumpre lembrar que nem sempre essas quatro exigências são suficientes. Há medidas investigativas, como a interceptação telefônica, que somente podem ser concedidas os casos previstos na lei em matéria de processo criminal e por um juiz, em virtude da garantia constitucional do sigilo das comunicações (Artigo 34, n. 4, da Constituição da República Portuguesa). Como este meio de obtenção de prova só é admitido para processos penais e através de uma decisão judicial motivada de acordo com as razões apresentadas, as provas que dele se originarem ficam vinculadas, pois contêm informações privilegiadas. Nesse caso, conforme alerta Danilo Knijnik, "deve-se afasta a possibilidade de que provas vinculadas a determinadas finalidades possam ser utilizadas para fins

Como facilmente de depreende, o dossiê produzido ao longo das investigações internas não pode ser transferido para o processo penal como prova emprestada tendo em conta que já lhe falta o primeiro requisito: a produção da prova não ocorreu sequer perante um juiz. Não havia qualquer autoridade estatal capaz de atestar com segurança a higidez do material. Portanto, inclusive as declarações prestadas (autoincriminatória ou não) não são aptas para configurar como prova no processo penal (suposto processo de recepção). Ademais, como restou descrito anteriormente, o administrador não é tido como um sujeito nas investigações internas; a sua função nestes procedimentos é servir de meio de obtenção de informações. Consequentemente, não existe a possibilidade de ele contraditar, não se tratando, por isso, de atos de prova, mas sim de atos de investigação[92]. Aliás, cumpre lembrar que ele simplesmente deve falar e falar com verdade. Na mesma esteira, não é possível falar de igualdade cognitiva entre investigações internas e processo penal, tendo em conta, principalmente, que nas primeiras não é possível o contraditório por parte do administrador; o conhecimento para a produção de prova no "processo de origem" (atingido de forma unilateral) é limitado.

Por outro lado, é importantíssimo atentar ao abismo existente entre o grau de garantias oferecidas nas investigações internas e no processo penal, à semelhança do que ocorre nos procedimentos administrativos. Um mero transporte de provas de outras searas para a penal pode (e tende a) implicar uma diminuição grave dos direitos do arguido.

Um bom exemplo, e que encaixa perfeitamente ao problema central do presente trabalho, é o *nemo tenetur*. Conforme vimos, o administrador, uma vez chamado a prestar depoimento nas investigações internas, tem o dever de colaboração. O contrário levaria a uma desnaturação da relação entre empresarial-administrador, baseada nos princípios da boa-fé e de confiança. Todavia, a ausência (ainda que parcial) da liberdade de declaração do depoente (positiva e negativa) que põe em xeque o cerne desse princípio[93] [94], tão caro ao direito

diversos". KNIJNIK, 2007, p. 78.

[92] BADARÓ, 2014, p. 170.

[93] ANDRADE, Manuel da Costa. *Sobre as proibições de prova em processo penal.* 1. ed. (reimpressão). Coimbra: Coimbra Editora, 2013. p. 120.

[94] Justamente para preservar o direito ao silêncio, o arguido pode, como destaca Maria João Antunes, "assumir três comportamentos, em total liberdade: negar tais factos, confessá-los ou remeter ao

processual penal: o direito ao silêncio[95]. Inexiste espontaneidade necessária nos depoimentos penais[96]. Admitir a livre circulabilidade das provas não espontâneas (total ou parcialmente), nesse caso, acarretaria uma verdadeira colaboração coercitiva do arguido com a justiça penal[97] [98].

---

silêncio, devendo encontrar-se livre na sua pessoa, ainda que se encontre detido ou preso (Artigo. 140, n. 1, do CPP)". (1) Nesse sentido, conclui a autora que "o silêncio não pode desfavorecer o arguido, seja total (Artigo 343, n. 1) ou parcial (Artigo 345, n. 1). Tal significa que o tribunal não o pode valorar contra aquele sujeito processual nem no sentido de valer como indício ou presunção da responsabilidade criminal do arguido, nem como factor de determinação da pena concreta". (2). (1) ANTUNES, Maria João Antunes. *Direito processual penal.* Coimbra: Almedina, 2016. p. 122-123. (2) ANTUNES, Maria João. Direito ao silêncio e leitura em audiência de declarações do arguido. In: *Sub Judice.* Coimbra, n. 4, 1992, p. 26.

[95] Conforme Augusto Silva Dias e Vânia Costa Ramos, o direito ao silêncio constitui o núcleo quase absoluto do *nemo tenetur.* Assim, este último, ao contrário do que concepções doutrinais mais restritivas defendem, não se confunde com aquele; é mais abrangente, abarcando, por exemplo, o direito de não entregar documentos sobre os quais não recai nenhum dever de apresentação ou entrega às autoridades judiciárias, em respeito à reserva da vida privada. (1) Nesse sentido, lembram Jorge de Figueiredo Dias e Manuel da Costa Andrade que, "embora não tenham exactamente o mesmo conteúdo, o direito ao silêncio e o direito à não autoincriminação estão incindivelmente ligados: não lhe sendo reconhecido o direito a manter-se em silêncio, o arguido seria obrigado a pronunciar-se revelando informações que o podem eventualmente prejudicar na medida em que contribuem para a sua condenação". (2) DIAS, Augusto Silva; RAMOS, Vânia Costa Ramos. *O direito à não autoinculpação (*nemo tenetur se ipsum accusare*) no processo penal e contraordenacional português.* Coimbra: Coimbra Editora, 2009. p. 21. DIAS, Jorge de Figueiredo; ANDRADE, Manuel da Costa. Poderes de supervisão, direito ao silêncio e provas proibidas (Parecer). In: *Supervisão, direito ao silêncio e legalidade da prova.* DIAS, Jorge de Figueiredo; ANDRADE, Manuel da Costa; PINTO, Frederico de Lacerda da Costa (autores). Coimbra: Almedina, 2009. p. 38.

[96] RAMAJOLI, Sergio. La prova nel processo penale. Padova: CEDAM, 1995. p. 41.

[97] KNIJNIK, 2007, p. 79.

[98] Note-se que a situação é muito semelhante àquela em que o contribuinte entrega, em virtude do seu dever de colaboração, documentação ao fisco e depois elas são repassadas a autoridades de persecução penal e utilizadas contra o contribuinte. De um lado, como bem aponta Manuel da Costa Andrade, "(...) o direito tributário faz impender sobre o contribuinte *deveres de colaboração e verdade*, que podem coenvolver a prestação de declarações ou a entrega de documentos de conteúdo autoincriminatório; enquanto isso, o direito processual penal arma o arguido de um consistente *nemo tenetur se ipsum accusare*" (1). O direito à não autoincriminação, na ocorrência desse "empréstimo", é burlado, tendo em vista que havia o dever de entregar os documentos e eles foram entregues para finalidades extrapenais. É justamente nesse sentido que o mestre conimbricense

Se o Estado não pode cercear a soberania do arguido em suas declarações em um processo penal perante as autoridades públicas, com mais razão ainda não pode admitir que depoimentos com abdicação da autonomia de declaração sejam admitidos exclusivamente porque o Estado, por si, não realizou nenhuma irregularidade. É claro que a entidade empresarial também não realizou nenhuma conduta ilícita sob o prisma das investigações internas. Não existe, na realização do ato em si (dever do administrador de falar com verdade nas investigações internas) nenhuma violação de garantias constitucionais de procedimentos extrapenais[99]. O desrespeito ocorrerá apenas se forem emprestadas ao processo penal, tendo em conta que ela não cumpre os parâmetros da Lei Maior.

A partir do contexto desenhado, outra questão (talvez não tão vulgar) pode ser levantada: e se o administrador, antes de prestar as suas declarações, foi advertido de que elas poderiam ser invocadas em tribunal penal pela entidade coletiva, e, mesmo assim, se autoincriminou? Essa advertência é suficiente para assegurar a posterior utilização desse depoimento autoincriminatório no processo penal? Entendemos que a resposta a essas indagações não se cinge exclusivamente à advertência, mas sim encontra-se no contexto em que ela foi feita (detalhado nos itens 2.3 e 3). Basta recordar que não era obrigatória a presença de um advogado do administrador em seu depoimento e que não estava na presença de um juiz, comprometendo a sua espontaneidade (já embaraçada pelos seus deveres enquanto administrador). O que nos leva a concluir que a mera advertência (que gera a

aduz que "(...) só se atinge a fronteira do inexigível e se actualiza o atentado à dignidade humana com a mudança de fim dos dados de sentido autoincriminatório, coercitivamente trazidos ao procedimento tributário, para a sua utilização em processo penal" (2). Mas note-se que no caso dos documentos entregues, as autoridades públicas poderiam ter alcançado ordenando de buscas e apreensões como meio de obtenção de prova. Já a confissão, como depende da palavra falada, não poderia ter sido alcançada de outra forma. (1) ANDRADE, Manuel da Costa. *Nemo tenetur se ipsum accusare* e direito tributário: ou a insustentável indolência de um acórdão (n. 340/2013) do Tribunal Constitucional. In: *Revista de Legislação e de Jurisprudência*. Coimbra, A. 144, n. 3989, 2014, p. 130. (2) ANDRADE, 2014, p. 146

[99] Perceba-se que a companhia, enquanto responsável pela investigação interna (direta ou indireta), não atua no interesse e sob orientação das autoridades estatais. Se assim fosse, a intervenção do ente empresarial não significaria mais do que "um meio indirecto de interrogatório por parte das autoridades formais" (1) para lograr a confissão, o que a inquinaria. O que poderia ser discutido é até que ponto não foi essa a intenção da entidade empresarial, ao realizar a "delegação" estatal. ANDRADE, 2013, p. 158.

ciência) não é suficiente para garantir que a confissão de um administrador seja valorada em processo penal. Já para as situações em que sequer houve advertência do administrador, entendemos que constituem provas secretas e, portanto, carecem, à partida, de legitimidade, pois, além de ter sido produzida sem o indispensável contraditório, foi feita sem o prévio conhecimento do administrador[100].

4.2 Da (im)possível valoração: direito de defesa *vs.* direito ao silêncio

É necessário, como ponto de partida para a análise de uma possível valoração dos referidos depoimentos em processo penal, atentar para a existência de dois nódulos problemáticos autônomos: de um lado, as obrigações (ainda que mitigadas) de colaboração autoincriminatórias por parte do administrador nas investigações internas da companhia e que não carecem de legitimidade constitucional; de outro, a (in)admissibilidade constitucional da utilização dessa colaboração de conteúdo autoincriminatório em processo penal[101]. No primeiro, não há dever constitucional de observância do direito à não autoincriminação; no segundo, o *nemo tenetur* deve ser observado (exceto nos casos em que for restringido, cumulativamente, por lei prévia e expressa, respeitando o princípio da legalidade, e que também obedeça ao princípio da proporcionalidade e da necessidade, previsto no Artigo. 18, n. 2, da CRP[102]).

Justamente por isso que, como bem destaca Manuel da Costa Andrade, "(...) a tutela absoluta que a Constituição reserva ao *nemo tenetur* tem como reverso a proibição – igualmente absoluta – da mudança de fim dos dados autoincriminatórios da área do direito (...) onde eles foram produzidos coercitivamente, para o campo do processo penal"[103]. A consequência é uma proibição de valoração em processo penal dos elementos de conteúdo autoincriminatório conseguidos

---

[100] Para tal conclusão, baseamo-nos na definição de Ovídio Baptista, segundo a qual "carece de legitimidade a prova secreta produzida sem o prévio conhecimento da outra parte e sem o indispensável contraditório". SILVA, Ovídio Araújo Baptista da. *Teoria geral do processo civil.* MACHADO, Luiz Melíbio Uiraçaba; GESSINGER, Ruy Armando; GOMES, Fábio Luiz (colabs.). Porto Alegre: Letras Jurídicas, 1983. p. 303.

[101] A divisão nesses dois nódulos problemáticos é semelhante (e nela inspirada) à proposta por Manuel da Costa Andrade em relação ao campo tributário e processual penal. ANDRADE, 2014, p. 132.

[102] DIAS; ANDRADE, 2009, p. 45.

[103] ANDRADE, 2014, p. 151.

em outros campos (não penais) em que o arguido tinha obrigações de colaborar, cooperar e falar com verdade[104].

A solução da questão colocada no segundo nódulo poderia, em um primeiro momento, não ensejar dúvidas: não pode o Estado valer-se das confissões realizadas pelo administrador nas investigações internas porque foram prestadas para outras finalidades[105] e desnudas da proteção à não autoincriminação. Bastaria, simplesmente, ao Estado demonstrar a sua superioridade ética, não as valorando.

Todavia, um outro problema, de igual profundidade, apresenta-se a partir do momento em que outro coarguido (a companhia) tem interesse igualmente legítimo em usar aquele depoimento de seu administrador autoincriminatório em sua defesa. Nesta hipótese o interesse punitivo do Estado é posto entre parênteses. O que está em causa, e deve ser o primeiro plano de análise, é salvaguarda do direito à defesa do ente coletivo e a sua possível colisão com o direito ao silêncio.

Note-se que na conjuntura que se apresenta, o direito de defesa é afrontado não pelo Estado em si, mas por um outro particular, que, do mesmo modo, visualiza a possibilidade de ter o seu direito, igualmente legítimo, atacado. Caso fosse o Estado o beneficiário (exclusivo) de uma prova obtida através da violação do direito ao silêncio, em nome da sua pretensão punitiva, dificilmente se poderia falar em ponderação de interesses para fins de possível valoração em processo penal[106].

---

[104] ANDRADE, 2014, p. 152, 153.

[105] Note-se que o termo "finalidades" pode, a um olhar mais apressado, gerar dúvidas. Isso porque as investigações internas visam à apuração de condutas praticados no seio empresarial, bem como a redução de uma possível pena. Assim, se elas buscam a mitigação de uma pena (em processo penal), teriam como finalidade a sua apresentação em um processo penal. Todavia, essa inferência não se sustenta porque o que está em causa nas investigações internas são fins privados, ao passo que no processo penal orienta-se por fins públicos.

[106] Corroborando esse entendimento, Manuel da Costa Andrade esclarece que alguns autores, como Grünwald, Hassemer, Wolter e Amelgung, evidenciam que a doutrina da ponderação "(...) para além de colidir com princípios basilares da organização e funcionamento do estado de direito, só seria possível em nome de uma compreensão do direito extremamente orientado para as consequências e por isso, indiferente à legitimação material e à margem de todo lastro ético-axiológico" (1). No sentido de impossibilidade de ponderação, advoga o autor lusitano, o direito fundamental do *nemo tenetur* "está subtraído a toda a ponderação, não conhecendo qualquer forma de relativização. Nem sequer em nome da salvaguarda ou prossecução dos valores ou interesses comunitários de maior dignidade"(2). É importante notar que é imponderável frente aos interesses comunitários

Todavia, no quadro que se apresenta, o exercício de um direito fundamental (direito de defesa) por parte do seu titular supostamente colide como exercício do direito fundamental (direito ao silêncio) por parte do outro titular, ou seja, uma colisão de direitos[107]. O choque entre direitos fundamentais encontra solução nas regras de direito constitucional de conflitos, que devem primar pela harmonização de direitos e, caso seja necessário, na prevalência de um direito ou bem em relação ao outro, tendo em conta as especificidades do caso concreto[108]. O jurista não pode se furtar a um juízo de ponderação de interesses (de índole transprocessual)[109] e torna-se, assim, um malabarista buscando o "melhor equilíbrio possível entre os direitos colidentes"[110].

A solução, entretanto, só poderá ser encontrada através desse equilibrismo com a obtenção de uma resposta positiva à seguinte questão prévia: o direito de defesa das pessoas jurídicas em processo penal possui a mesma extensão daquele conferido às pessoas físicas?

Inicialmente, cumpre lembrar que, em virtude do Artigo 12, n. 2, da Constituição da República Portuguesa (CRP), as pessoas coletivas gozam dos direitos e estão sujeitas aos deveres compatíveis com a sua natureza. Esta norma busca assegurar às pessoas coletivas "(...)um conjunto de direitos de caráter geral e comum, com as devidas adaptações"[111]. Conforme esclarece Gomes Canotilho, a pretensão do constituinte é que se tenha em conta a essência do direito fundamental concreto, ao lado da essência da pessoa coletiva em causa[112]. Assim, é

(de que tem como representante o Estado), mas não contra particulares. Quando está em causa a proteção de outros interesses particulares de igual relevância, a ponderação pode ser a justa maneira de resolução desse conflito. (1) ANDRADE, 2013, p. 34. (2) ANDRADE, 2014, p. 154.

[107] CANOTILHO, José Joaquim Gomes. *Direito constitucional.* 6. ed. revisada. Coimbra: Almedina, 1993. p. 643.

[108] CANOTILHO, 1993, p. 646-647.

[109] ANDRADE, Manuel da Costa. *Sobre a valoração, como meio de prova em processo penal, das gravações produzidas por particulares.* Separata do número especial do Boletim da Faculdade de Direito de Coimbra – "Estudos em homenagem ao Prof. Doutor Eduardo Correia – 1984". Coimbra: Coimbra Editora, 1987. p. 77.

[110] LERCHE, apud CANOTILHO, 1993, p. 647.

[111] MIRANDA, Jorge. Anotação ao Artigo 12 da Constituição da República Portuguesa. In: *Constituição Portuguesa Anotada.* Tomo I. 2. ed. revisada, atualizada e ampliada. MIRANDA, Jorge; MEDEIROS, Rui (coords.). Coimbra: Coimbra Editora, 2010. p. 212.

[112] CANOTILHO, 1993, p. 558.

possível afirmar, com segurança, que as pessoas jurídicas são titulares do direito fundamental de defesa (consagrado no Artigo 32, n. 1, da CRP, já que "(...) gozam de direitos fundamentais que não pressuponham *características intrínsecas ou naturais do homem como sejam o corpo ou bens espirituais*"[113] e, portanto, o fato de não ser uma pessoa física não lhe retira esta titularidade.

O cerne da problemática, entretanto, encontra-se, como aduz Viera de Andrade, em que sentido e até que ponto se pode falar de titularidade coletiva de direitos subjetivos fundamentais[114]. Como esclarece o professor conimbricense[115], desde logo já fica excluída a maioria dos direitos fundamentais (os estritamente pessoais, os políticos principais e os sociais, inseparáveis da personalidade singular). Ademais, os entes coletivos só possuem capacidade de gozo dos direitos necessários e convenientes à realização de seus fins. Por fim, ressalta que é normal que os preceitos relativos aos direitos fundamentais adequados e necessários às entidades coletivas não são aplicáveis em toda a sua totalidade. Conclui Vieira de Andrade, então, que o Artigo 12, n. 2

> não determina a atribuição directa, por extensão, dos direitos fundamentais às pessoas colectivas, nem sequer contém uma regra de equiparação destas às pessoas humanas (nos termos, por exemplo, do que passa com a equiparação dos estrangeiros aos cidadãos). Não se trata, de facto, de uma extensão geral dos direitos às pessoas colectivas, fundada numa analogia substancial entre os sujeitos. (...) a Constituição reconhece a importância dos meios de acção colectivos para a realização dos indivíduos e, sem perder de vista essa intenção de protecção da dignidade humana individual, pelo contrário, com o intuito e a preocupação de a alargar (...) estende a aplicação de preceitos relativos aos direitos fundamentais a esses entes organizatórios de criação privada. (...) Por detrás da personalidade colectiva está sempre, essa realidade mais profunda que é a pessoa humana, a pessoa direito. Mas, assente isto na perspectiva valorativa ou funcional, não significa que, do ponto de vista estrutural, as

---

[113] CANOTILHO, 1993, p. 559.

[114] ANDRADE, José Carlos Vieira de. *Os direitos fundamentais na Constituição Portuguesa de 1976*. 4. ed. Coimbra: Almedina, 2010. p. 117-118.

[115] ANDRADE, 2010, p. 118-119.

pessoas colectivas sejam apenas representantes dos indivíduos-membros. As pessoas colectivas gozam de direitos fundamentais em nome próprio (...)[116].

Apimentando ainda mais a discussão entram os direitos (fundamentais) de defesa da pessoa coletiva enquanto arguida em um processo penal e os seus contornos. Como questiona Jorge Bravo, "uma vez que nunca estará em causa a susceptibilidade de aplicação de uma pena privativa de liberdade, haverá que assegurar, irrestritamente, o mesmo leque de garantias processuais que vale para os indivíduos?"[117] E conclui o autor de que nenhuma restrição de direitos processuais penais (no plano do estatuto do arguido) poderá ser aplicada aos entes coletivos, salvo aquelas que resultem da sua própria natureza[118]. O que nos leva a inferir que o ente coletivo (enquanto arguido) goza, no mínimo, do cerne dos direitos de defesa conferidos a uma pessoa física arguida.

Desse modo, a sua garantia da defesa (assim como das pessoas individuais) abarca não somente a possibilidade de ser ouvido, mas também a possibilidade de produzir provas e controlar as que possam ser produzidas. O direito à prova (que diz respeito tanto ao MP como à "parte privada"[119]) está, na perspectiva do arguido (independentemente de sua natureza), intimamente ligado ao direito à defesa. A privação do direito de trazer ao processo os meios justificativos ou demonstrativos das próprias alegações, ou os que desvirtuam as da parte contrária, agride, por si só, a defesa. Para tanto, deve ser facultada ao arguido a possibilidade

---

[116] ANDRADE, 2010, p. 119-121.

[117] BRAVO, Jorge dos Reis. *Direito Penal dos entes coletivos:* ensaio sobre a punibilidade de pessoas coletivas e entidades equiparadas. Coimbra: Coimbra Editora, 2008. p. 314.

[118] BRAVO, 2008, p. 315.

[119] TONINI, Paolo. *Manuale di Procedura Penale*. 2. ed. Milano: Giuffrè Editore, 2000. p. 418.

de investigação autônoma e de recolha de elementos probatórios elementares à sua defesa[120] [121] (e que não está limitada ao início da fase processual[122]).

Ademais, como o direito ao contraditório, o direito de defesa pressupõe um equilíbrio entre as partes, de forma a garantir, no mínimo, as mesmas oportunidades (formais e materiais[123]) e os mesmos instrumentos colocados à disposição da acusação[124] [125] e aos demais corréus (caso eles existam). Mas, atenção, essa igualdade não pode, de modo algum, significar que o arguido poderá se utilizar das prerrogativas concedidas exclusivamente ao Estado, bem como substituir-se a ele em suas buscas particulares. O que nos leva a concluir que a companhia (enquanto ré) não dispõe da autoridade necessária para que um interrogatório

---

[120] SILVA, Germano Marques da. *Curso de processo penal.* 6. ed. rev. e actual. Lisboa: Verbo, 2010. p. 167.

[121] Na Itália, já há regulamentação da "*investigazioni difensive*". Assim, é facultada "*ai difensiri delle parte private di ricercare le fonti, di individuare gli elementi di prova e de presentare al giudice*". Aspecto relevante é que "*l' investigazione defensiva constituisce al tempo stesso un direito e un dovere dell'avvocato. È un diritto nei rapporti con l'autorità giudiziaria, che deve permetterne la libera esplicazione; è un dovere nei rapporti con il cliente, in quanto l'attività defensiva può richiedere, per essere efficace, che vengano svolte indagni*". TONINI, 2000, p. 418 e 427, respectivamente.

[122] Conforme Germano Marques da Silva, "Na fase pré-acusatória o arguido deveria poder investigar autonomamente, tanto mais que já nessa fase pode ficar sujeito a medidas de coacção privativas ou restritivas, mas sobretudo a partir da acusação não se entende que não se tenha o direito a que os requerimentos de produção de prova necessários para a defesa sejam deferidos sempre, pois só ao arguido pertence decidir o que é conveniente à sua defesa". SILVA, 2010, p. 167.

[123] Nesse sentido, Schab e Gottwald destacam que essa igualdade não deve ser apenas formal, mas material (*beide Parteien müssen die gleiche Möglichkeit haben, auf sie einzuwirken, und dies nicht nur in formaler, sondern auch in Tatsächlicher Hinsicht*). SCHAB, Karl Heinz; GOTTWALD, Peter. *Verfassung und zivilprozess.* Bielefeld: Gieseking, 1984. p. 65

[124] KARAM, Maria L. O direito à defesa e a paridade de armas. In: *Processo penal e democracia:* estudos em homenagem aos 20 anos da Constituição da República de 1988. BONATO, Gilson (org.). Rio de Janeiro: Lumen Juris, 2009. p. 401.

[125] Todavia, tendo em vista a radical desigualdade material verificada desde o início entre acusação e defesa (a primeira com todo o aparelho estatal; a segunda, somente com seu defensor) – um David contra Golias (1) –, são as garantias de defesa que permitem a atenuação da disparidade (2). (1) OLIVEIRA, Francisco da Costa. *A defesa e a investigação do crime.* 2. ed. Coimbra: Almedina, 2008. p. 18. (2) CANOTILHO, J. J. Gomes; MOREIRA, Vital. *Constituição da República Portuguesa:* anotada. 4. ed. rev., reimp. Coimbra: Coimbra Editora, 2014. p. 516.

realizado em suas investigações internas valha como se tivesse sido prestado a uma autoridade estatal.

Sempre que os órgãos jurisdicionais privam o arguido do direito de alegar ou provar contraditoriamente e em situação de igualdade, o direito de defesa é restringido[126]. Desse modo, "a situação de indefesa ocorre não somente quando se priva ao jurisdicionado o direito de defesa, senão que também quando se produz uma diminuição indevida das possibilidades da mesma"[127]. Pense-se, por exemplo, na impossibilidade de permitir que o arguido "investigue", a fim de carrear provas para o processo. Por fim, importa salientar que, ao violar-se o direito de defesa, fere-se não somente a garantia constitucional do direito de defesa, mas outro princípio básico do estado de direito democrático: o princípio da presunção de inocência[128].

Privar (total ou parcialmente) a pessoa coletiva desse direito seria não atentar ao que diz o texto constitucional em seus Artigos 12, n. 2, e 32, n. 2. Corrobora o entendimento que não deve haver mitigação do direito de defesa dos entes coletivos arguidos em relação ao das pessoas físicas arguidas o fato de que em ambos os casos está em causa a aplicação de uma sanção de cariz penal, conquanto que somente às pessoas físicas possa ser ela restritiva de liberdade. Seguindo essa orientação, haverá de ser feita uma ponderação (simples), já que se trata de dois direitos individuais com igual grau de irradiação[129].

---

[126] PICÓ I JUNOY, Joan. *Las garantias constitucionales del processo.* Barcelona: Bosch, 2012. p. 111.

[127] CORDÓN MORENO, Faustino. *Las garantias constitucionales del processo penal.* Navarra: Aranzadi, 2002. p. 156. Tradução nossa.

[128] SILVA, Germano Marques da. O direito de defesa em processo penal: parecer. In: *Direito e Justiça.* Lisboa, vol. 13, t. 2, 1999, p. 287.

[129] Todavia, caso se entenda que a densidade do direito de defesa da pessoa coletiva é menor do que a do direito de defesa das pessoas singulares, uma vez que não está em causa a liberdade, não nos parece possível falar em um verdadeiro conflito de direitos fundamentais passíveis de ponderação. Os direitos de defesa da primeira (enquanto arguida) tem um alcance de tutela inferior aos da segunda (também enquanto arguida), devido à natureza da possível sanção em causa. Já não são dois direitos fundamentais em toda a sua extensão que estão em causa, mas sim um direito fundamental com seus contornos sensivelmente diminuídos (direito de defesa do ente coletivo) e um direito fundamental que, por si só, não sofreu interferência no seu delinear (direito ao silêncio do administrador). Partindo dessa orientação, somos levados à seguinte conclusão: como a entidade coletiva não corre o risco de perder a sua liberdade, não pode ela, a pretexto da concretização do seu direito de defesa, ter valorados elementos colhidos com a mitigação de direitos e garantias

Para que esta tarefa possa ser concretizada da melhor maneira possível, urge, desde logo, fazer uma divisão entre as hipóteses em que o ente coletivo não dispõe de um outro meio para excluir a sua responsabilidade e seu utiliza das confissões prestadas em sede de investigações internas daquelas em que existe um leque maior de meios de prova idôneos e passíveis de valoração. O que distingue uma situação da outra é a impossibilidade de alcançar os elementos necessários para evitar, assim, uma possível condenação penal injusta (da companhia)[130]. É a necessidade que autoriza a valoração dessa confissão. Todavia, a declaração autoincriminatória do administrador, nem por isso, perderá a sua natureza de ato de investigação (e não ato de prova), uma vez que não foi realizada sob "potencial heurístico do contraditório"[131]. A sua valoração deverá ser feita como tal. O que importa também ter em conta o ambiente em que foram prestadas e as finalidades.

A fim de ilidir a sua responsabilidade penal, a pessoa coletiva buscará demonstrar que: a) a crime não foi praticado em seu nome e no seu interesse pelas pessoas que nela ocupem posição de liderança (Artigo 11, n. 2, "a", do Código Penal Português – CP); o crime foi praticado por quem agia sob a autoridade de pessoas que ocupem posição de liderança em virtude de uma violação dos deveres de vigilância ou controle que lhes incumbia (Artigo 11, n. 2, "b", do CP); o agente do crime atuou contra as ordens ou instruções expressas de quem de direito (Artigo 11, n. 6, do CP). Neste esforço, não são raras as vezes em que a sociedade, como estratégia de defesa, apresenta-se como vítima do delito[132], negando a sua responsabilidade e atribuindo-a aos seus dirigentes ou aos seus funcionários.

---

do administrador, capazes de colocar em xeque a liberdade desse sujeito. No mesmo sentido, fica vedado ao Estado condenar valorando tais elementos.

[130] Tratando de situação semelhante, mas no campo das gravações ilícitas, Manuel da Costa Andrade aduz que "(...) nas hipóteses em que, posto entre parênteses o interesse punitivo do Estado – a valoração da gravação penalmente ilícita é necessária para a salvaguarda de bens jurídicos pessoais como a vida, a integridade física ou a liberdade. Pense-se no caso em que só a utilização da gravação no processo poderá impedir a condenação de um inocente ou pôr termo à prisão de uma pessoa". E assim, conclui o autor que o aplicador do direito não pode se furtar a um juízo de ponderação de interesses. ANDRADE, 1987, p. 76-77.

[131] BADARÓ, 2014, p. 173.

[132] GASCÓN INCHAUSTI, 2012, p. 69.

Nesse sentido, o julgador deverá atentar aos interesses da companhia ainda na realização das suas investigações internas. Elas são feitas, por regra, para atender os interesses do ente coletivo e em procedimento com regras não bem definas. Por isso, as confissões realizadas neste ambiente devem ser valoradas com maior cautela ainda. Soma-se a isso o fato de que, ainda nas investigações internas, é manifesto que os direitos, interesses e deveres da pessoa coletiva que atua como investigadora privada de supostas condutas delitivas chocam-se frontalmente com os direitos e interesses das pessoas físicas integrantes de seus quadros e que estão submetidas às medidas de investigação adotadas[133]. A presença de um terceiro (o Estado) com capacidade sancionatória sobre ambas só aguça esta tensão.

Ademais, importa não perder de vista que, no ordenamento jurídico português, caso não tenham sido carreadas provas suficientes para sustentar uma condenação criminal, impõe-se a absolvição do réu, em virtude da presunção de inocência, inclusive nos crimes supostamente perpetrados por entes coletivos[134]. A sociedade, na qualidade de ré, não possui carga probatória, de maneira distinta do que ocorre, por exemplo, no direito italiano[135]. Mas isso não significa,

[133] ESTRADA I CUADRAS; LLOBET ANGLÍ, 2013, p. 200, Tradução livre.

[134] Nesse sentido, esclarecedoras as palavras de Jorge de Figueiredo Dias: "A absolvição por falta de prova, em todos os casos de persistência de dúvida no espírito do tribunal, não é consequência de qualquer ônus da prova mas sim da intervenção do princípio *in dubio pro reo*". DIAS, Jorge de Figueiredo. *Direito Processual Penal*. 1. ed. Reimpressão. Coimbra: Coimbra Editora, 2004. p. 213.

[135] Embora o direito italiano não preveja a responsabilidade penal das pessoas jurídicas, prevê a "*responsabilita degli enti per gli illeciti amministrativi dipendenti da reato*" (Artigo 1º do Decr. Legisl. 231/2001). Para alguns, inclusive, trata-se de uma verdadeira responsabilidade penal denominada de administrativa através de uma burla de etiquetas. Admitindo ser uma responsabilidade administrativa, a lei italiana inverte o ônus da prova, ao prever, no Artigo 6º do Decr. Legisl. 231/2001, que "*l'ente non risponde se prova che* (...)". Tal previsão, conforme aduz Veneto D'Acri, visa bloquear, ao menos em teoria, o automatismo previsto para os casos em que as infrações criminais foram cometidas por sujeitos em posição apical do ente coletivo – derivado da responsabilidade fundada sobre a política da empresa, em virtude da teoria orgânica. D'Acri adverte que a natureza desse complexo mecanismo que serve para evitar a responsabilidade, assim como o seu real espaço operativo, não estão claros, causando perplexidade na doutrina. O autor defende que se trata de uma causa de exclusão da punibilidade pelos seguintes motivos: i) é construída segundo um esquema de inversão do ônus da prova, de modo que não recai sobre a acusação o dever de provar a existência das quarto condições; ii) o próprio Artigo 6º, em seu número 5, prevê que não fica excluído o confisco dos produtos que a pessoa coletiva oriundos do ilícito penal, sendo que tal medida constitui um efeito presente em todas as sanções do sistema

conforme vimos, que ela não possa trazer ao processo elementos cuja valoração está proibida, salvo os casos em que eles representem a única forma de não a condenar. Assim, a proibição de valoração de declarações do administrador de uma companhia realizadas em investigações internas em virtude da inobservância do seu direito ao silêncio é deixada de lado, em homenagem ao do direito de defesa da entidade empresarial, neste caso específico de necessidade. Contudo, mesmo frente a tal excepcionalidade, o material oriundo da "confissão" deve

---

punitivo do diploma processual em questão, pressupondo, portanto, necessariamente, um reconhecimento da responsabilidade. Salienta esse autor italiano que tal mecanismo de exclusão da responsabiliadde apresenta dificílima aplicação prárica, pois é para o ente coletivo uma verdadeira e própria *probatio diabolica.* (1) Já Giulio De Simone afirma que se trata de um paradigma de "*colpevolezza di organizzazione*" construído negativamente ("*scusante*"). De Simone observa que o Artigo 6º levanta dúvidas quanto à sua legitimidade constitucional, em virtude do princípio da culpa. O autor traz as seguintes hipóteses, capazes de tornar impossível (inexigível) a adoção ou a implementação de um modelo organizativo idôneo pela entidade coletiva: i) uma temporária e não previsível carência de meios financeiros que impede a pessoa juridical de implementar tempestivamente o modelo; ii) um imprevisto *black-out* de consecutivos dias que paralisa as comunicações telemáticas de informações relevantes ao órgão de controle; iii) uma infecção bacteriana que (com um pouco de fantasia) afete, contemporaneamente, todos os componentes deste órgão. Nesse sentido, De Simone conclui que para as pessoas coletivas não se pode ter como certo que vale o antigo brocardo latino *ad impossibilia nemo tenetur.* (2) Desse modo, pode-se concluir que a razão de haver uma inversão do ônus da prova está prevista no Artigo 6 justamente porque ele "parte de uma presunção (empiricamente fundada) de que nos crimes cometidos a partir do vértice do ente coletivo, o requisito subjetivo da responsabilidade é satisfeito no momento em que o vértice exprime e representa a política do ente" (3). Interessante notar que o direito espanhol, conforme Gimeno Beviá, encaminhava-se para a mesma solução: no anteprojeto do Código Penal de 2013 previa que a pessoa jurídica "*podrá quedar exenta si prueba qué (...)*". Todavia, o texto aprovado em 2015 alterou o enunciado para: "*quedará exenta de responsabilidad si se cumplen las siguientes condiciones*" (Artigo 31 bis, n. 2, do Código Penal). (1) D'ACRI, Veneto. *La responsabilità delle persone giuridiche derivante da reato*. Messina: Rubbettino, 2008. p. 264-267. (2) DE SIMONE, Giulio. La responsabilità da reato degli enti nel sistema sanzionatorio italiano: alcuni aspetti problematici. In: *Rivista trimestrale di diritto penale dell'economia.* Padova, Anno XVII, n. 3-4, 2004, p. 675, 677-678. (3) RELAZIONE MINISTERIALE AL D. LGS N. 231/2001, p. 9. Disponível em <http://www.aodv231.it/pagina_sezione.php?id=10>. Acesso em: 20/6/2016. Tradução livre. (4) GIMENO BEVIÁ, Jordi. Algunos problemas procesales en la recuperación de activos. In: *Public compliance:* prevención de la corrupción en administraciones públicas y partidos políticos. NIETO MARTÍN, Adán; MAROTO CALATAYUD, Manuel (dirs.). Cuenca: Universidad de Castilla-La Mancha, 2014. p. 300-302.

ser submetido ao contraditório (tanto do órgão de acusação como dos demais coarguidos).

Diante dessa conclusão, coloca-se outra questão de igual relevância: pode o Estado valer-se dessa confissão para embasar uma possível condenação do administrador, já que ela de alguma maneira já foi valorada no processo penal (a entidade empresarial serviu-se dela para ilidir a sua condenação)?

A resposta para o problema, certamente, já não poderá mais ser extraída de um contexto de colisão de direitos fundamentais que podem e devem ser ponderados. O tema trava-se entre a proteção de um direito fundamental (o direito ao silêncio) e o exercício da pretensão punitiva do Estado. Nesse sentido, invocamos novamente as palavras de Manuel da Costa Andrade, que apontam que *nemo tenetur* (e, por decorrência lógica o direito ao silêncio) "está subtraído a toda a ponderação, não conhecendo qualquer forma de relativização. Nem sequer em nome da salvaguarda ou prossecução dos valores ou interesses comunitários de maior dignidade"[136].

Porém, isso não impede, de modo algum, que outros meios de prova oriundos de investigações internas não atentatórios a direitos fundamentais sejam trazidos ao processo e nele valorados a fim de sustentar uma condenação criminal dos administradores, ressalvados os possíveis efeitos-a-distância. Vale lembrar que o grau de suporte a uma possível sentença condenatória varia, entretanto, conforme o tipo de prova: constituenda ou constituída[137]. As constituendas devem ser produzidas em contraditório judicial (como o depoimento do arguido) para que o juiz as valore e com base nelas (exclusivamente) profira uma condenação. Do contrário, não podem sustentar (exclusivamente) uma condenação se não forem originadas diante do exercício dialético judicial; nesse caso, só podem

---

[136] ANDRADE, 2014, p. 154.

[137] É esclarecedora a distinção entre prova constituenda e pré-constituída apresentada por Mario Chiavaro. Conforme o autor, "le prime sono quelle che prendono corpo soltanto nell'ambito della vicenda processuale; ala loro formazione è dunque immaginabile che possano essere chiamati a dare un contibuto – nei litimi, nei ruoli e nei termine che la legge è chiamata a stabilire – gli stessi protagonisti di tale vicenda; le seconde – da intendere non necessariamente nel senso (pur di uso abbastanza frequente nel linguaggio ordinário) di prove (...) prefabbricate da qualcuno a próprio favore – sono entità preesistenti ala vicenda processuale, o quantomeno ala loro insezione in tale vivenda". CHIAVARO, Mario. *Diritto processuale penale*. Profilo instituzionale. 3. ed. Torino: UTET Giuridica, 2007. p. 300.

corroborar outras provas[138]. Já as constituídas (eventuais ou pré-constituídas – *ex parte* ou *a partibus*), pelo contrário, não são produzidas em contraditório (judicial), sendo a ele submetidas somente quando trazidas ao processo. Conforme já nos manifestamos, as provas constituídas oriundas de investigações internas, embora na maioria das vezes aparentem provas eventuais (feitas com o intuito de apurações internas), são, em muitos casos, pré-constituídas *ex parte* (também chamadas de semiconstituídas), pois visam a um eventual processo penal e são feitas unilateralmente[139]. O que nos leva a inferir que o julgador deve ter muito cuidado ao valorar as provas constituídas ao longo das investigações internas, pois colocam-se fundadas dúvidas sobre como elas podem (e devem) ser valoradas.

5 Considerações finais

No percurso realizado, foi possível constatar que as investigações internas são mecanismos cada vez mais utilizados e com forte inclinação para não serem meros modismos. São uma realidade nas grandes companhias e desempenham papéis fundamentais de prevenção de criminalidade empresarial, bem de repressão. Elas despertam, por isso, grande interesse nos entes coletivos para fins de reputação e para fins de acerto de contas com a justiça penal. Do mesmo modo, elas despertam o fascínio do próprio Estado, cujas capacidades de descoberta e investigação desse tipo de infrações sem o auxílio da entidade empresarial são ínfimas.

Mas ínfimos também são os direitos dos depoentes (administradores) nas investigações internas, se comparados com o processo penal. Do contrário,

---

[138] No processo civil lusitano, este fenômeno é denominado de "Princípio de prova", nos termos do Artigo 421, n. 1, *in fine* do Código de Processo Civil Português: "se, porém, o regime de produção de prova do primeiro processo oferecer às partes garantias inferiores às do segundo, os depoimentos e perícias produzidos no primeiro só valem no segundo como princípio de prova". Funciona como prova "informatória", pois oferece garantias inferiores (1) e, portanto, sua força é "insuficiente, por si só, para provar o facto e só é susceptível de o conseguir quando conjugado com outros meios"; é um contributo "sem força autônoma, mas concretamente relevante quando os meios de prova com que se combine não sejam, por si só, suficientes para gerar no julgador a convicção de que o facto probando se verificou" (2). (1) NETO, Abílio. *Novo código de processo civil anotado*. 3. ed. revisada e ampliada. Lisboa: Ediforum, 2015. p. 529. (2) FREITAS, José Lebre de; MACHADO, A. Montalvão; PINTO, Rui. *Código de Processo Civil:* anotado. Vol. II. 2. ed. Coimbra: Coimbra Editora, 2008. p. 450.

[139] Vide nota n. 68.

a própria relação administrador-sociedade também restaria desnaturada. Em decorrência, o material colhido naqueles procedimentos não pode ser simplesmente transladado para o processo penal, como prova emprestada. É claro que isso não significa que não possam ser valorados de maneira semelhante ao que ocorre com os inquéritos penais (policiais/ministeriais), uma vez que em ambos não existe a garantia do contraditório pleno desenvolvido perante um órgão jurisdicional imparcial.

Quanto ao problema da possível valoração de declarações autoincriminatórias de um administrador de uma companhia prestadas em investigações internas para fins de defesa da entidade coletiva, coloca-se um problema de colisão de direitos fundamentais: direito de defesa (da empresa) *vs.* direito ao silêncio (do administrador). A solução para o embate tem o seu cerne na necessidade da utilização da "confissão". Quando o uso se apresenta como o único meio capaz de elidir a responsabilização penal do ente, pode ser empregado em sua defesa. Mas, antes de servir-se desse expediente, deve ser perquirida a existência de outros igualmente idôneos que não se choquem com o direito à não autoincriminação.

Questão diferente, mas que se coloca igualmente diante dessa conjuntura, é o próprio Estado valer-se da confissão do administrador para o condenar, no caso de ele fazer uso do seu direito ao silêncio ou apresentar outra versão dos fatos. Nesse caso, a proibição de valoração perdura, sequer sendo possível falar em ponderação. Já não há mais uma colisão de diretos fundamentais autorizadora.

A proibição de valoração dessa confissão não impede que o Estado valore outros elementos oriundos de investigações internas trazidos ao processo penal, desde que não afrontem direitos fundamentais. Todavia, a condenação criminal não pode basear-se exclusivamente no conteúdo desse dossiê em relação às provas constituendas. Ela deverá basear-se sempre em atos de prova; nunca poderá ter como fundamento exclusivo esses atos de investigação interna. Já com relação às provas constituídas que chegam ao processo através do aporte das investigações internas a situação é diferente. Questionamentos significativos sobre o modo como elas devem ser valoradas no processo penal são postos e serão expostos em futuros trabalhos...

O direito de ser julgado em um prazo razoável na perspectiva einsteiniana da Teoria da Relatividade

Aury Lopes Jr

Professor Titular no Programa de Pós-Graduação, Mestrado e Doutorado em Ciências Criminais da PUCRS

Introdução

Um dos maiores problemas dos juristas é a crença na suficiência do monólogo jurídico. Crer que o direito dará conta da complexidade dos problemas que a sociedade contemporânea (e a própria violência, enquanto fenômeno social complexo) apresenta. Mas tal reducionismo não é uma prerrogativa exclusiva dos juristas. No fundo, a crença no monólogo científico se esparrama por quase todas as áreas do saber. Quando se fala em "prazo razoável" o jurista não raras vezes limita-se a pensar o tempo objetivo, do relógio e do calendário, sem atentar para as outras dimensões, como o tempo subjetivo e o próprio tempo social. Sem falar no eterno conflito entre o tempo *do* direito (newtoniano até) e o tempo da sociedade, bem como as diferentes concepções do tempo *no* direito e do tempo na sociedade.

É no viés interdisciplinar que se insere o presente trabalho, em uma tentativa de criar um diálogo entre o direito e a perspectiva einsteiniana da Teoria da Relatividade.

O objetivo é mostrar a importância do tempo subjetivo, do tempo social e, principalmente, do tempo como pena no processo penal, rompendo com o paradigma newtoniano do tempo absoluto que parece ainda dominar o pensamento jurídico processual.

1 Recordando o rompimento do paradigma newtoniano

O "tempo" mereceria – ainda que a título de introdução – uma obra que o tivesse como único objeto. Nossa intenção, nos estreitos limites do presente trabalho, é fazer um pequeno recorte dessa ampla temática1.

Num proposital salto histórico, recordemos que para Newton o universo era previsível, um autômato, representado pela figura do relógio. Era a ideia do tempo absoluto e universal, independente do objeto e de seu observador, eis que considerado igual para todos e em todos os lugares. Existia um *tempo cósmico* em que Deus era o grande relojoeiro do universo. Tratava-se de uma visão determinista com a noção de um *tempo linear,* pois, para conhecermos o futuro, bastava dominar o presente.

Com Einstein e a Teoria da Relatividade, opera-se uma ruptura completa dessa racionalidade, com o tempo sendo visto como algo relativo, variável conforme a posição e o deslocamento do observador, pois ao lado do tempo objetivo está o tempo subjetivo.

A Teoria da Relatividade é dividida em especial e geral. A Teoria da Relatividade Especial foi desenvolvida no artigo *Sobre a Eletrodinâmica dos Corpos em Movimento*, publicado no dia 5 de junho de 1905, na revista *Annalen der Physik,* e, posteriormente, complementada pela Teoria da Relatividade Geral, no texto *Teoria da Relatividade Geral* publicado em Berlim em 1916, cujo reconhecimento culminou com o recebimento do Nobel de Física em 1921 (mas pelo trabalho realizado em 1905, pois a relatividade geral ainda enfrentava muita resistência).

No texto publicado em 1905, Einstein demonstra que a ideia do éter (experimento de Fitzgerald e Lorentz) era supérflua e que as leis da ciência deveriam parecer as mesmas para todos os observadores em movimento livre. Eles deveriam medir a mesma velocidade da luz, sem importar o quão rápido estivessem se movendo, pois a velocidade da luz é independente do movimento deles, sendo a mesma em todas as direções. Isso exigia o abandono da ideia de que existe uma quantidade universal chamada tempo que todos os relógios mediriam. Ao contrário, explica Hawking[2], cada um teria seu tempo pessoal. Os tempos de duas

---

[1] Como leitura complementar, recomendamos consultar a obra *Direito ao Processo Penal no Prazo Razoável*, escrita em coautoria com Gustavo Henrique Badaró e publicada pela Editora Lumen Juris, e também nossa obra *Direito Processual Penal*, publicada pela Editora Saraiva.

[2] HAWKING, Stephen. *O universo numa casca de noz*. 2. ed. São Paulo: Mandarim, 2002. p. 9.

pessoas coincidiriam se elas estivessem em repouso uma em relação à outra, mas não se estivessem em movimento. Vários experimentos foram feitos, incluindo uma versão do paradoxo dos gêmeos, feita com dois relógios de alta precisão viajando a bordo de aviões que voavam em direções opostas ao redor do mundo. Eles retornavam mostrando horas ligeiramente diferentes, demonstrando que o tempo era relativo, variável conforme a posição e o deslocamento do observador.

Mas foi em 1916, com a *Teoria da Relatividade Geral,* que Einstein rompe a base da teoria newtoniana do tempo absoluto, demonstrando a superação das três dimensões (altura, largura e comprimento) para acrescentar o *tempo* como quarta dimensão.

Sepultou-se de vez qualquer resquício dos juízos de certeza ou verdades absolutas: a mesma paisagem podia ser uma coisa para o pedestre, outra coisa totalmente diversa para o motorista, e ainda outra coisa diferente para o aviador. A percepção do tempo é completamente distinta para cada um de nós. A verdade absoluta somente poderia ser determinada pela soma de todas as observações relativas[3].

Hawking[4] explica que Einstein derrubou os paradigmas da época: o repouso absoluto, conforme as experiências com o éter, e o tempo absoluto ou universal que todos os relógios mediriam. Tudo era relativo, não havendo, portanto, um padrão a ser seguido. Outra demonstração importante é o chamado "paradoxo dos gêmeos", em que um dos gêmeos (a) parte em uma viagem espacial, próximo à velocidade da luz, enquanto seu irmão (b) permanece na Terra, e, em virtude do movimento do gêmeo (a), o tempo flui mais devagar na espaçonave. Assim, ao retornar do espaço, o viajante (a) descobrirá que seu irmão (b) envelheceu mais do que ele. Como explica Hawking[5], embora isso pareça contrariar o senso comum, várias experiências indicam que, nesse cenário, o gêmeo viajante realmente voltaria mais jovem.

O tempo é relativo à posição e à velocidade do observador, mas também a determinados estados mentais do sujeito, como exterioriza Einstein[6] na clássica explicação que deu sobre Relatividade à sua empregada: *quando um homem se senta ao lado de uma moça bonita, durante uma hora, tem a impressão de que passou*

[3] EINSTEIN. *Vida e pensamentos*. São Paulo: Martin Claret, 2002. p. 16-18.

[4] HAWKING, op. cit., p. 11.

[5] HAWKING, op. cit., p. 11.

[6] EINSTEIN, op. cit., p. 100.

apenas um minuto. Deixe-o sentar-se sobre um fogão quente durante um minuto somente – e esse minuto lhe parecerá mais comprido que uma hora. – Isso é relatividade.

Até Einstein, consideravam-se apenas as três dimensões espaciais de altura, largura e comprimento, pois o tempo era imóvel. Quando se verificou que o tempo se move no espaço, surge a quarta dimensão: o espaço-tempo. Norberto Elias[7] considera como a dimensão social do tempo, em que o relógio é uma construção do homem a partir de uma convenção, de uma medida adotada. Isso está tão arraigado que não imaginamos que o tempo exista independentemente do homem. Sem embargo, o paradoxo do tempo é o fato de o relógio marcar 2 horas ontem e hoje novamente, quando na verdade as 2 horas de ontem jamais se repetirão ou serão iguais às 2 horas de hoje.

Na perspectiva da relatividade, podemos falar em tempo *objetivo* e *subjetivo*, mas principalmente de uma percepção do tempo e de sua dinâmica, de forma completamente diversa para cada observador. Como dito anteriormente, vivemos numa sociedade regida pelo tempo, em que a velocidade é a alavanca do mundo contemporâneo (Virilio).

Desnecessária maior explanação em torno da regência de nossas vidas pelo tempo, principalmente nas sociedades contemporâneas, dominadas pela aceleração e a lógica do tempo curto. Vivemos a angústia do presenteísmo, buscando expandir ao máximo esse fragmento de tempo que chamamos de presente, espremido entre um passado que não existe, uma vez que já não é um futuro contingente, que ainda não é, e que por isso também não existe. Nessa incessante corrida, o tempo rege nossa vida pessoal, profissional e, como não poderia deixar de ser, o próprio direito.

No que se refere ao Direito Penal, o tempo é fundante de sua estrutura, na medida em que tanto cria como mata o direito (prescrição), podendo sintetizar-se essa relação na constatação de que *a pena é tempo e o tempo é pena*[8]. Pune-se através da quantidade de tempo e permite-se que o tempo substitua a pena. No primeiro caso, é o tempo do castigo; no segundo, o tempo do perdão e da prescrição. Como identificou Messuti[9], *os muros da prisão não marcam apenas*

---

[7] Especialmente na obra *Sobre o tempo*. Rio de Janeiro: Jorge Zahar Editor, 1998.

[8] PASTOR, Daniel. *El Plazo Razonable en el Proceso del Estado de Derecho*. Buenos Aires: Ad Hoc, 2002. p. 85.

[9] MESSUTI, Ana. *O tempo como pena*. São Paulo: RT, 2003. p. 33.

a ruptura no espaço, senão também uma ruptura do tempo. O tempo, mais que o espaço, é o verdadeiro significante da pena.

Sem embargo, gravíssimo paradoxo surge quando nos deparamos com a inexistência de um tempo absoluto, tanto sob o ponto de vista físico como também social ou subjetivo, frente à *concepção jurídica de tempo*. O Direito não reconhece a relatividade ou mesmo o *tempo subjetivo*, e, como define Pastor[10], o jurista parte do reconhecimento do tempo enquanto "realidade", que pode ser fracionado e medido com exatidão, sendo absoluto e uniforme. O Direito só reconhece o tempo do calendário e do relógio, juridicamente objetivado e definitivo. E mais, para o Direito, é possível acelerar e retroceder a flecha do tempo, a partir de suas alquimias do estilo "antecipação de tutela" e "reversão dos efeitos", em manifesta oposição às mais elementares leis da física.

No Direito Penal, em que pesem as discussões em torno das teorias justificadoras da pena, o certo é que a pena mantém o significado de tempo fixo de aflição, de retribuição temporal pelo mal causado. Sem dúvida que esse "intercâmbio negativo", na expressão de Mosconi[11], é fator legitimante e de aceitabilidade da pena ante a opinião pública. O contraste é evidente: a pena de prisão está fundada num tempo fixo[12] de retribuição, de duração da aflição, ao passo que o tempo social é extremamente fluido, podendo se contrair ou se fragmentar, e está sempre fugindo de definições rígidas.

Interessa-nos, agora, abordar o choque entre o tempo absoluto do Direito e o tempo subjetivo do réu, especialmente no que se refere ao direito de ser julgado num prazo razoável e à (de)mora judicial enquanto grave consequência da inobservância desse direito fundamental.

---

[10] PASTOR, Daniel, op. cit., p. 79.

[11] MOSCONI, Giuseppe. Tiempo Social y Tiempo de Cárcel. In: *Secuestros Institucionales y Derechos Humanos: la cárcel y el manicomio como laberintos de obediencias fingidas*. Inaki Rivera Beiras e Juan Dobon (orgs.). Barcelona: Bosch, 1997. p. 91-103.

[12] Devemos considerar que o Direito construiu seus instrumentos artificiais de "aceleração", buscando amenizar a rigidez do tempo carcerário. Exemplo típico é a remição, comutação e o próprio sistema progressivo como um todo. Contudo, ao lado do critério temporal estão os requisitos subjetivos, fazendo com que a aceleração dependa do "mérito" do apenado. Poderíamos até cogitar de uma Teoria da Relatividade na execução penal, onde 10 anos de pena para um não é igual a 10 anos de pena para outro. O problema são os critérios que o Direito utiliza para imprimir maior fluidez ao tempo carcerário.

2 Tempo e penas processuais

A concepção de *poder* passa hoje pela temporalidade, na medida em que o verdadeiro detentor do poder é aquele que está em condições de impor aos demais o seu ritmo, a sua dinâmica, a sua própria temporalidade. Como já explicamos em outra oportunidade, o Direito Penal e o processo penal são provas inequívocas de que o *Estado-Penitência* (usando a expressão de Loïc Wacquant) já tomou, ao longo da história, o corpo e a vida, os bens e a dignidade do homem. Agora, não havendo mais nada a retirar, apossa-se do *tempo*[13].

Como veremos, quando a duração de um processo supera o limite da duração razoável, novamente o Estado se apossa ilegalmente do tempo do particular, de forma dolorosa e irreversível. E esse apossamento ilegal ocorre ainda que não exista uma prisão cautelar, pois o processo em si mesmo é uma pena.

Já advertimos do grave problema que constitui o atropelo das garantias fundamentais pelas equivocadas políticas de aceleração do *tempo do direito*. Agora, interessa-nos o difícil equilíbrio entre os dois extremos: de um lado, o processo demasiadamente expedito, em que se atropelam os direitos e garantias fundamentais, e, de outro, aquele que se arrasta, equiparando-se à negação da (tutela da) justiça e agravando todo o conjunto de penas processuais ínsitas ao processo penal.

Mas a questão da dilação indevida do processo também deve ser reconhecida quando o imputado está solto, pois ele pode estar livre do cárcere, mas não do estigma e da angústia. É inegável que a submissão ao processo penal autoriza a ingerência estatal sobre toda uma série de direitos fundamentais, para além da liberdade de locomoção, pois autoriza restrições sobre a livre disposição de bens, a privacidade das comunicações, a inviolabilidade do domicílio e a própria dignidade do réu.

O caráter punitivo está calcado no tempo de submissão ao constrangimento estatal, e não apenas na questão espacial de estar intramuros. Com razão Messuti[14], quando afirma que não é apenas a separação física que define a prisão, pois os muros não marcam apenas a ruptura no espaço, senão também uma ruptura do

---

[13] Parecer: tempo e direito. *Boletim do Instituto Brasileiro de Ciências Criminais – IBCCRIM*, n. 122, janeiro/2003, p. 669.

[14] MESSUTI, Ana, op. cit., p. 33.

tempo. A marca essencial da pena (em sentido amplo) é "por quanto tempo"? Isso porque *o tempo, mais que o espaço, é o verdadeiro significante da pena.*

O processo penal encerra em si uma pena (*la pena de banquillo*)[15], ou conjunto de penas se preferirem, que, mesmo possuindo natureza diversa da prisão cautelar, inegavelmente cobra(m) seu preço e sofre(m) um sobrecusto inflacionário proporcional à duração do processo. Em ambas as situações (com prisão cautelar ou sem ela), a dilação indevida deve ser reconhecida, ainda que os critérios utilizados para aferi-la sejam diferentes, na medida em que, havendo prisão cautelar, a urgência se impõe a partir da noção de *tempo subjetivo.*

A primeira garantia que cai por terra é a da Jurisdicionalidade insculpida na máxima latina do *nulla poena, nulla culpa sine iudicio.* Isso porque o processo se transforma em pena prévia à sentença, através da estigmatização, da angústia prolongada[16], da restrição de bens e, em muitos casos, através de verdadeiras

[15] Ilustrativa é a expressão *pena de banquillo*, consagrada no sistema espanhol, para designar a pena processual que encerra o "sentar-se no banco dos réus". É uma pena autônoma, que cobra um alto preço por si mesma, independentemente de futura pena privativa de liberdade (que não compensa nem justifica, senão que acresce o caráter punitivo de todo o ritual judiciário).

[16] A expressão *stato di prolungata ansia* resume esse fenômeno. Foi empregada na Exposição de Motivos do atual Código de Processo Civil italiano, para justificar a crise do procedimento civil ordinário e a necessidade de implementar formas de tutela de urgência, mas encontra no processo penal um amplo campo de aplicação, levando em conta a natureza do seu *custo.* Como explicamos em outra oportunidade (*Investigação Preliminar no Processo Penal, Editora Saraiva, 2015*), o processo penal submete o particular a uma instituição que, em geral, lhe é absolutamente nova e repleta de mistérios e incógnitas. A profissionalização da justiça e a estrutura burocrática, que foi implantada devido também à massificação da criminalidade, fazem com que o sujeito passivo tenha que se submeter a um mundo novo e desconhecido. Isso sem considerar o sistema penitenciário, que, sem dúvida, é um mundo à parte, com sua própria escala e hierarquia de valores, linguagem etc. Esse ambiente da justiça penal é hostil, complexo e impregnado de simbolismos. Para o sujeito passivo, todo o cenário revela um mistério, que somente poderá compreender depois de submeter-se a toda uma série de cerimônias degradantes. A arquitetura das salas dos tribunais configura um plágio das construções religiosas, com suas estátuas e inclusive com um certo vazio, onde deverá ser "exposto" o acusado. Tudo isso traduz, em última análise, que o binômio crime-pecado ainda não foi completamente superado pelo homem. Os membros do Estado – juízes, promotores e auxiliares da justiça – movem-se em um cenário que lhes é familiar, com a indiferença de quem só cumpre mais uma tarefa rotineira. Utilizam uma indumentária, vocabulário e todo um ritualismo que contribui de forma definitiva para que o indivíduo adquira a plena consciência de sua inferioridade. Dessa forma, o mais forte é convertido no mais impotente dos homens frente à

penas privativas de liberdade aplicadas antecipadamente (prisões cautelares). É o que Carnelutti[17] define como a *misure di soffrenza spirituale* ou *di umiliazione*. O mais grave é que o custo da pena-processo não é meramente econômico, mas social e psicológico. A (de)mora jurisdicional nos remete exatamente para uma situação de "mora", de dívida do Estado em relação ao particular (acusado ou vítima), na medida em que a jurisdição não é efetivada a contento. A demora é equiparada à negação de jurisdição.

Na continuação, é fulminada a Presunção de Inocência, pois a demora e o prolongamento excessivo do processo penal vão, paulatinamente, sepultando a credibilidade em torno da versão do acusado. Existe uma relação inversa e proporcional entre a estigmatização e a presunção de inocência, na medida em que o tempo implementa aquela e enfraquece esta.

O termo "estigmatizar" encontra sua origem etimológica no latim *stigma*, que alude à marca feita com ferro candente, o sinal da infâmia, que foi, com a evolução da humanidade, sendo substituída por diferentes instrumentos de marcação. Atualmente, não há como negar que o processo penal assume a marca da infâmia e a função do ferro candente. A criminologia crítica aponta para o *labeling approach* como essa atividade de etiquetamento[18] que sofre a pessoa, e tal fenômeno pode ser perfeitamente aplicado ao processo penal. Como explicam Figueiredo Dias e Costa Andrade, o *labeling approach*, como perspectiva criminológica, entende que o *self* – a identidade – não é um dado, uma estrutura sobre a qual atuam as "causas" endógenas ou exógenas, mas algo que se vai adquirindo e modelando ao longo do processo de interação entre o sujeito e os demais. Nesse panorama, o processo penal assume a atividade de etiquetamento, retirando a identidade de uma pessoa, para outorgar-lhe outra, degradada, estigmatizada.

---

supremacia punitiva estatal. Tudo isso acrescido do peso da espada de Dâmocles que pende sobre sua cabeça, leva o sujeito passivo a um estado de angústia prolongada. Enquanto dura o processo penal, dura a incerteza, e isso leva qualquer pessoa a níveis de estresse jamais imaginados. Não raros serão os transtornos psicológicos graves, como a depressão exógena. O sofrimento da alma é um custo que terá que pagar o submetido ao processo penal, e tanto maior será sua dor quanto maior seja a injustiça a que esteja sendo submetido.

[17] *Lezioni sul Processo Penale*. Roma: Edizioni Dell'Ateneo, 1946, v. I, p. 67ss.

[18] FIGUEIREDO DIAS, Jorge; COSTA ANDRADE, Manuel. *Criminologia – O homem delinquente e a sociedade criminógena*. Coimbra, 1992. p. 42.

É claro que essa estigmatização é relativa e não absoluta, na medida em que varia conforme a complexidade que envolve a situação do réu (o observador na visão da relatividade de Einstein) e a própria duração do processo. Não há dúvida de que tanto maior será o estigma, quanto maior for a duração do processo penal, especialmente se o acusado estiver submetido a medidas cautelares. O processo penal constitui o mais grave *status-degradation ceremony*. Como explicam Figueiredo Dias e Costa Andrade[19], o conceito de cerimônia degradante foi introduzido em 1956, por H. Garfinkel, como sendo os processos ritualizados em que uma pessoa é condenada e despojada de sua identidade e recebe outra, degradada. O processo penal é a mais expressiva de todas as cerimônias degradantes.

O direito de defesa e o próprio contraditório também são afetados, na medida em que a prolongação excessiva do processo gera graves dificuldades para o exercício eficaz da resistência processual, bem como implica um sobrecusto financeiro para o acusado, não apenas com os gastos em honorários advocatícios, mas também pelo empobrecimento gerado pela estigmatização social. Não há que olvidar a eventual indisponibilidade patrimonial do réu, que por si só é gravíssima, mas que, se for conjugada com uma prisão cautelar, conduz à inexorável bancarrota do imputado e de seus familiares. A prisão (mesmo cautelar) não apenas gera pobreza, senão que a exporta, a ponto de a "intranscendência da pena" não passar de romantismo do Direito Penal.

A lista de direitos fundamentais violados cresce na mesma proporção em que o processo penal se dilata indevidamente.

3 A (de)mora jurisdicional e o direito a um processo sem dilações indevidas

Beccaria[20], a seu tempo, já afirmava com acerto que o processo deve ser conduzido sem protelações. Demonstrava a preocupação com a (de)mora judicial, afirmando que, quanto mais rápida for a aplicação da pena e mais perto estiver do delito, mais justa e útil ela será. Mais justa porque poupará o acusado do cruel tormento da incerteza, da própria demora do processo enquanto pena. Explica que a rapidez do julgamento é justa ainda porque a perda da liberdade (em sede de medida cautelar) já é uma pena. E, enquanto pena sem sentença,

[19] *Criminologia*, op. cit., p. 350.

[20] BECCARIA, Cesare. *Dos Delitos e das Penas*, p. 59.

deve limitar-se pela estrita medida que a necessidade o exigir[21], pois, segundo o autor[22], *um cidadão detido só deve ficar na prisão o tempo necessário para a instrução do processo; e os mais antigos detidos têm o direito de ser julgados em primeiro lugar.*

Cunhamos a expressão *(de)mora jurisdicional* porque ela nos remete ao próprio conceito (em sentido amplo) da "mora", na medida em que existe uma injustificada procrastinação do dever de adimplemento da obrigação de prestação jurisdicional. Daí por que nos parece adequada a construção (de)mora judicial no sentido de não cumprimento de uma obrigação claramente definida, que é a da própria prestação da tutela (jurisdicional) devida.

Cumpre agora analisar os contornos e os problemas que rodeiam o direito de ser julgado num prazo razoável ou a um processo sem dilações indevidas.

4 Fundamentos da existência do direito de ser julgado em um prazo razoável

A (de)mora na prestação jurisdicional constitui um dos mais antigos problemas da Administração da Justiça. Contudo, como aponta Pastor,[23] somente após a Segunda Guerra Mundial é que esse direito fundamental foi objeto de uma preocupação mais intensa. Isso coincidiu com a promulgação da Declaração Universal dos Direitos do Homem, em 10/12/1948, especialmente no Artigo 10, que foi fonte direta tanto do Artigo 6.1 da Convenção Europeia para Proteção

---

[21] Essa é a base do pensamento liberal clássico nas prisões cautelares: a cruel necessidade. Acompanhada do caráter de excepcionalidade e brevidade (provisoriedade). Sobre o tema, remetemos o leitor para nossas obras *Prisões Cautelares* e *Direito Processual Penal*, ambas publicadas pela Editora Saraiva, onde abordamos toda a temática.

[22] Não concordamos, contudo, quando o autor (p. 42) distingue duas espécies de delitos e a eles atribui regras de probabilidade para diferenciar a duração dos processos. Afirma Beccaria que os crimes mais graves são "mais raros, deve diminuir-se a duração da instrução e do processo, porque a inocência do acusado é mais provável do que o crime. Deve-se, porém, prolongar o tempo da prescrição. (...) Ao contrário, nos delitos menos consideráveis e mais comuns, é preciso prolongar o tempo dos processos porque a inocência do acusado é menos provável, e diminuir o tempo fixado para a prescrição, porque a impunidade é menos perigosa". Trata-se de uma premissa equivocada e de uma relação nunca demonstrada. Sem embargo, isso em nada prejudica o brilhantismo da obra, pois devemos considerar o espaço-tempo em que ela foi concebida (Itália, 1764/65), bem como a importância de seu conjunto.

[23] PASTOR, Daniel. *El Plazo Razonable en el Proceso del Estado de Derecho,* p. 103.

dos Direitos Humanos e das Liberdades Fundamentais (CEDH) como também dos Artigos 7.5 e 8.1 da CADH.

Os principais fundamentos de uma célere tramitação do processo, sem atropelo de garantias fundamentais, é claro, podem ser resumidos assim:

– Respeito à dignidade do acusado: considerando os altíssimos custos (econômicos, físicos, psíquicos, familiares e sociais) gerados pela estigmatização jurídica e social, bem como todo o conjunto de penas processuais (medidas cautelares reais, pessoais etc.) que incidem sobre o acusado, o processo penal deve desenvolver-se sem dilações indevidas, pois esse "custo" multiplica-se de forma proporcional à sua duração.

– Interesse probatório: é inegável que o tempo que passa é a prova que se esvai, na medida em que os vestígios materiais e a própria memória em torno do crime, enquanto acontecimento histórico, perdem sua eficácia com o passar dos anos. A atividade probatória como um todo se vê prejudicada pelo tempo, pois se trata de juntar os resquícios do passado que estão no presente (na verdade, um presente do passado, que é a memória), e que tendem naturalmente a desaparecer quando o presente do presente (intuição direta) passa a presente do futuro.[24]

– Interesse coletivo: no correto funcionamento das instituições, inerente à própria estrutura do Estado Democrático de Direito.

– A confiança na capacidade da Justiça: de resolver os assuntos que a ela são levados, no prazo legalmente considerado como adequado e razoável. Para além do limite legal, é fundamental que a Administração da Justiça, na medida em que invocou para si o monopólio da jurisdição, atue num prazo razoável também para o jurisdicionado, pois não podemos continuar desprezando o eterno problema entre o tempo objetivo (absoluto), em que se estrutura o Direito, e o tempo subjetivo daquele que sofre a incidência ou que necessita do amparo do sistema jurídico.

---

[24] Estamos aqui empregando a noção de tempo de André Comte-Sponville (*O Ser-Tempo*, p. 31), que, invocando Santo Agostinho, admite apenas a existência do presente, que pode ser concebido em três dimensões: o presente do passado é a memória; o presente do presente é a intuição direta; o presente do futuro é a espera. Na visão do autor, "o passado não existe, uma vez que já não é, nem o futuro, já que ainda não é" (ibidem, p. 18), de modo que o *ser* é sempre o presente.

O núcleo do problema da (de)mora, como bem identificou o Tribunal Supremo da Espanha na STS 4519,[25] está em que, quando se julga além do prazo razoável, independentemente da causa da demora, se está julgando um homem completamente distinto daquele que praticou o delito, em toda complexa rede de relações familiares e sociais em que ele está inserido, e, por isso, a pena não cumpre suas funções de prevenção específica e retribuição (muito menos da falaciosa "reinserção social").

Trata-se de um **paradoxo temporal ínsito ao ritual judiciário**: um juiz julgando no presente (hoje) um homem e seu fato ocorrido num passado distante (anteontem), com base na prova colhida num passado próximo (ontem) e projetando efeitos (pena) para o futuro (amanhã). Assim como o fato jamais será real, pois histórico, o homem que praticou o fato não é o mesmo que está em julgamento e, com certeza, não será o mesmo que cumprirá essa pena, e seu presente no futuro será um constante reviver o passado.[26]

---

[25] "Es indudable y resulta obvio que cuando se juzga más allá de un plazo razonable (cualquiera que sea la causa de la demora) se está juzgando a un hombre distinto en sus circunstancias personales, familiares y sociales, por lo que la pena no cumple, ni puede cumplir con exactitud las funciones de ejemplaridad y de reinserción social del culpable, que son fines justificantes de la sanción, como con fina sensibilidad dice la Sentencia de 26/6/1992." Apud PEDRAZ PENALVA, Ernesto. "El derecho a un proceso sin dilaciones indebidas". In: *La Reforma de la Justicia Penal*, p. 387.

[26] Pois uma função inerente à pena de prisão é obrigar a um constante reviver o passado no presente. Devemos recordar ainda que o cárcere é um instrumento de caricaturização e potencialização de distintos aspectos da sociedade, de modo que a dinâmica do tempo também vai extremar-se no interior da instituição total, levando ao que denomino "patologias de natureza temporal". Isso significa, em apertada síntese, que o tempo de prisão é tempo de involução, que a prisão gera uma total perda do referencial social de tempo, pois a dinâmica intramuros é completamente desvinculada da vivida extramuros, onde a sociedade atinge um nível absurdo de aceleração, em total contraste com a inércia do apenado. Existe uma clara defasagem entre o tempo social e o tempo do cárcere, como bem percebeu Mosconi ("Tiempo social y tiempo de cárcel". In: *Secuestros institucionales y derechos humanos*: la cárcel y el manicomio como laberintos de obediencias fingidas, p. 91-103). A prisão possui um "tempo mumificado pela instituição" em contraste com a dinâmica e complexidade do exterior. Assim, essa ruptura de existências e significados, de potencialidades, identidades e perspectivas, causa um sofrimento muito maior do que antigamente. Isso exige um repensar a proporcionalidade e adequação da pena a partir de outro paradigma temporal, aliado à velocidade do tempo externo e o congelamento do tempo interno. Não há dúvida de que o tempo da prisão é muito mais lento e longo do que há algum tempo. O choque não está apenas no tempo subjetivo do apenado e no sofrimento, mas também na inutilidade da pena diante do

O Estado resulta, como sintetiza Pedraz Penalva,[27] no principal obrigado por esse direito fundamental, na medida em que cria deveres para o juiz (impulso oficial), bem como para o Estado-legislador (promulgação de um sistema normativo material, processual e mesmo orgânico), para uma efetiva Administração da Justiça, sem esquecer os meios materiais e pessoais.[28] Tampouco pode-se exigir "cooperação" do imputado, na medida em que protegido pelo *nemo tenetur se detegere*. Ademais, os Artigos. 7.5 e 8.1 da CADH não exigem tal participação ativa junto às autoridades judiciais ou policiais.

Na sistemática espanhola, explica Gimeno Sendra,[29] o direito a um processo *sin dilaciones indebidas* é autônomo em relação ao *direito à tutela jurisdicional*

contraste com o tempo social. É por isso que afirmamos que a pena de prisão é *tempo de involução*: o apenado não sairá do cárcere em condições de acompanhar o tempo social, pois está literalmente à margem (por isso, novamente marginalizado) dessa dinâmica. Eis aqui mais um elemento a evidenciar a falácia ressocializadora. Com razão Mosconi (op. cit.) quando conclui apontando a necessidade de reduzir ao máximo a duração da pena de prisão, para evitar um prejuízo ainda maior. A pena, enquanto resposta à inadequação social, é obsoleta e igualmente inadequada, pois em conflito com o pluralismo dinâmico da atual complexidade social. Para o autor, o tempo da prisão deverá pluralizar-se e diferenciar-se necessariamente, inclusive com várias formas de experiência, que abandone qualquer resíduo ideológico ou rigidez preconcebida. Ademais, essa defasagem temporal se transforma em fonte de somatização e enfermidade, de modo que o uso prolongado da instituição penitenciária somente poderá produzir novas patologias sociais (daí, novamente, a necessidade de redução do tempo de duração da pena de prisão).

[27] PEDRAZ PENALVA, Ernesto. "El derecho a un proceso sin dilaciones indebidas". In: *La Reforma de la Justicia Penal*, p. 401.

[28] Interessante a argumentação que o Estado alemão invocou no caso Bock, STEDH 29/3/1984, conforme aponta Pedraz Penalva (op. cit., p. 402), de que "nenhum Estado pode garantir a infalibilidade de seus tribunais, pois o erro judicial cometido por um juiz pode provocar um recurso e, por conseguinte, prolongar o procedimento. Se isso significa uma violação do direito a um prazo razoável, se estará reconhecendo o direito a decisões judiciais impecáveis" (tradução nossa). Tal argumento, ainda que sedutor, carece de qualquer fundamento legítimo, pois como bem respondeu o TEDH "um erro imputável a um Tribunal, entranhado de um atraso oriundo da necessidade de atacá-lo pode, quando combinado com outros fatores, ser considerado para a apreciação do caráter razoável do prazo do Artigo 6.1 (da CEDH)". Não se trata de buscar decisões judiciais impecáveis, obviamente impossíveis, senão de reconhecer a responsabilidade do Estado pelo erro crasso, ou excessiva demora por parte do tribunal em remediar um equívoco evidente, quando forem causadores de longa demora, estamos diante de uma dilação indevida. O que não se pode admitir é que, além do erro, seja ele qualificado pela demora em remediar seus efeitos.

[29] GIMENO SENDRA, Vicente et al. *Derecho Procesal Penal*, p. 106ss.

efetiva, na medida em que consagrados de forma separada e diversa. Inicialmente, inclinou-se o Tribunal Constitucional no sentido de que tal direito estaria contido no direito à tutela. Em termos práticos, pouca relevância tem tal distinção, na medida em que as principais consequências do reconhecimento de sua violação permanecem iguais: imediata concessão de liberdade se o imputado estiver cautelarmente preso e nascimento da pretensão ressarcitória (a questão das *soluções* [compensatórias, processuais ou sancionatórias] será abordada na continuação).

Processualmente, o direito a um processo sem dilações indevidas insere-se num princípio mais amplo, o de Celeridade Processual. Não obstante, uma vez mais evidencia-se o equívoco de uma "Teoria Geral do Processo", na medida em que o dever de observância das categorias jurídicas próprias do processo penal impõe uma leitura da questão de forma diversa daquela realizada no processo civil. No processo penal, o princípio de celeridade processual deve ser reinterpretado à luz da epistemologia constitucional de proteção do réu, constituindo, portanto, um *direito subjetivo processual do imputado.*

Sua existência funda-se na garantia de que *los procesos deben terminar lo más rápidamente que sea posible en interés de todos, pero ante todo en resguardo de la dignidad del imputado.*[30] Somente em segundo plano, numa dimensão secundária, a celeridade pode ser invocada para otimizar os fins sociais ou acusatórios do processo penal, sem que isso, jamais, implique sacrifício do direito de ampla defesa e pleno contraditório para o réu.

Para finalizar, há que se desvelar o **complexo de castração do direito penal**, que, despido de realidade concreta e efetividade fora do processo, foi castrado de sua fluidez, de movimento. Eis um complexo mal administrado pelos próprios penalistas, que, incapazes de assimilar a castração, negam-na, fazendo **construções surreais do estilo "Direito Penal de duas velocidades"** (ou de três, quatro etc.).

Particularmente, discordamos da premissa que norteia a construção de Jesus-Maria Silva Sanchez, pois contém ela um grave erro de negar a castração: o Direito Penal não tem realidade concreta fora do processo penal e, muito menos, "velocidade". Quem tem dinâmica e movimento é o processo.

Logo, **não existe "velocidade" no Direito Penal e tampouco aceleração**. A discussão somente pode situar-se na esfera do processo penal, este, sim, em movimento e passível de aceleração. Daí por que cai por terra toda a construção de

---

[30] PASTOR, Daniel. *El Plazo Razonable en el Proceso del Estado de Derecho*, p. 100.

duas, três, ou quantas velocidades pensarem existir no Direito Penal... Tampouco argumentem que se trata – ou se pretendeu falar – de um sistema punitivo de velocidades ou coisas do gênero. As palavras têm significados e "dizem algo", por mais elementar que isso possa parecer, existindo limites semânticos que exigem um mínimo de rigor científico. Daí por que se deve ter cuidado. Quem tem dinâmica e, portanto, aceleração é o processo.

4 O problema brasileiro: prazo - sanção = ineficácia

O processo penal brasileiro estabelece diversos prazos procedimentais, mas, na sua imensa maioria, são prazos despidos de sanção, ou seja, prazos completamente ineficazes. Mais grave ainda é a situação da prisão preventiva, que não encontra na lei um prazo máximo de duração. Significa dizer que uma prisão processual pode durar enquanto o juiz entender "necessária", criando um absurdo espaço de discricionariedade judicial que tem resultado em verdadeiros absurdos, com prisões cautelares durando vários anos sem julgamento definitivo. Não são poucos os casos em que prisões preventivas duraram 4, 5, 6 e até 7 anos sem julgamento definitivo. Basta uma rápida olhada nas decisões proferidas pelo Superior Tribunal de Justiça para encontrar situações assim.

O ideal portanto é a clara fixação da duração máxima do processo e da prisão cautelar, impondo uma sanção em caso de descumprimento (extinção do processo ou liberdade automática do imputado). Para falar-se em dilação "indevida", é necessário que o ordenamento jurídico interno defina limites ordinários para os processos, um referencial do que seja a "dilação devida", ou o "estándar medio admisible para proscribir dilaciones más allá de él"[31].

Mas não foi essa a opção, ao menos por ora, do legislador brasileiro, cabendo a análise da demora processual ser feita à luz dos critérios anteriormente analisados e acrescido do princípio da razoabilidade.

O princípio da razoabilidade ou proporcionalidade[32] é critério inafastável na ponderação dos bens jurídicos em questão.

---

[31] PEDRAZ PENALVA, Ernesto. El Derecho a un Proceso sin Dilaciones Indebidas, op. cit., p. 395.

[32] Com base na razoabilidade, já decidiram o TEDH e a Corte Interamericana que uma prisão cautelar supere o prazo fixado no ordenamento jurídico interno e, ainda assim, esteja justificada (a partir da complexidade, da conduta do imputado, da proporcionalidade etc.). No "Caso Firmenich *versus* Argentina", a Corte Interamericana de Direitos Humanos entendeu que uma

A questão pode ser ainda abordada desde uma interpretação gramatical, como o faz Gimeno Sendra[33], em que deverá haver, em primeiro lugar, uma "dilação", e, em segundo lugar, que essa dilação seja "indevida".

Por *dilação* entende-se a (de)mora, o adiamento, a postergação em relação aos prazos e termos (inicial-final) previamente estabelecidos em lei, sempre recordando o dever de impulso (oficial) atribuído ao órgão jurisdicional (o que não se confunde com poderes instrutórios-inquisitórios). Incumbe às partes o interesse de impulsionar o feito (enquanto *carga* no sentido empregado por James Goldschmidt) e um dever jurisdicional em relação ao juiz.

Já o adjetivo "indevida", que acompanha o substantivo "dilação", constitui o ponto nevrálgico da questão, pois a simples dilação não constitui o problema em si, eis que pode estar legitimada. Para ser "indevida", deve-se buscar o referencial "devida", enquanto marco de legitimação, verdadeiro divisor de águas (para isso é imprescindível um limite normativo, conforme tratado na continuação).

Gimeno Sendra[34] aponta que a dilação indevida corresponde à mera inatividade, dolosa, negligente ou fortuita do órgão jurisdicional. Não constitui causa de justificação a sobrecarga de trabalho do órgão jurisdicional, pois é inadmissível transformar em "devido" o "indevido" funcionamento da Justiça. Como afirma o autor, "*lo que no puede suceder es que lo normal sea el funcionamiento anormal de la justicia, pues los Estados han de procurar los medios necesarios a sus tribunales a fin de que los procesos transcurran en un plazo razonable* (SSTEDH Bucholz cit., Eckle, S. 15 julio 1982; Zimmerman-Steiner, S. 13 julio 1983; DCE 7.984/77, 11 julio; SSTC 223/1988; 37/1991)".

Em síntese, o Artigo 5º, LXXVIII, da Constituição adotou a doutrina do não prazo, fazendo com que exista uma indefinição de critérios e conceitos. Nessa vagueza, cremos que quatro deverão ser os referenciais adotados pelos tribunais brasileiros, a exemplo do que já acontece nos TEDH e na CIDH:

– complexidade do caso;

– atividade processual do interessado (imputado), que obviamente não poderá se beneficiar de sua própria demora;

---

prisão cautelar, que havia durado mais de 4 anos, estava justificada, ainda que superasse o prazo fixado pelo ordenamento interno (2 anos).

[33] GIMENO SENDRA, Vicente et al. *Derecho Procesal Penal.* Madrid: Colex, 1996. p. 108ss.

[34] Idem, ibidem, p. 109.

– a conduta das autoridades judiciárias como um todo (polícia, Ministério Público, juízes, servidores etc.);
– princípio da razoabilidade.

Ainda não é o modelo mais adequado, mas, enquanto não se tem claros limites temporais por parte da legislação interna, já representa uma grande evolução.

5 Concluindo: o difícil equilíbrio entre a (de)mora jurisdicional e o atropelo das garantias fundamentais

Até aqui nos ocupamos do direito de ser julgado num prazo razoável, seu fundamento, dificuldade no seu reconhecimento e os graves problemas gerados pela (de)mora jurisdicional.

Dessarte, pensamos que:

a) Deve haver um marco normativo interno de duração máxima do processo e da prisão cautelar, construído a partir das especificidades do sistema processual de cada país, mas tendo como norte um prazo fixado pela Corte Interamericana de Direitos Humanos. Com isso, os tribunais internacionais deveriam abandonar a doutrina do não prazo, deixando de lado os axiomas abertos, para buscar uma clara definição de "prazo razoável", ainda que admitisse certo grau de flexibilidade atendendo às peculiaridades do caso. Inadmissível é a total abertura conceitual, que permite ampla manipulação dos critérios.

b) São insuficientes as soluções compensatórias (reparação dos danos) e atenuação da pena (sequer aplicada pela imensa maioria de juízes e tribunais brasileiros), pois produz pouco ou nenhum efeito inibitório da arbitrariedade estatal. É necessário que o reconhecimento da dilação indevida também produza a extinção do feito, enquanto inafastável consequência processual. O poder estatal de perseguir e punir deve ser estritamente limitado pela Legalidade, e isso também inclui o respeito a certas condições temporais máximas. Entre as regras do jogo, também se inclui a limitação temporal para exercício legítimo do poder de perseguir e punir. Tão ilegítima como é a admissão de uma prova ilícita, para fundamentar uma sentença condenatória, é reconhecer que um processo viola o direito de ser julgado num prazo razoável e, ainda assim, permitir que ele prossiga e produza efeitos. É como querer extrair efeitos legítimos de um instrumento ilegítimo, voltando à (absurda) máxima de que os fins justificam os meios.

c) O processo penal deve ser agilizado. Insistimos na necessidade de acelerar o tempo do processo, mas desde a perspectiva de quem o sofre, enquanto forma de abreviar o tempo de duração da pena-processo. Não se trata da aceleração utilitarista como tem sido feito, através da mera supressão de atos e atropelo de garantias processuais, ou mesmo a completa supressão de uma jurisdição de qualidade, como ocorre na justiça negociada, senão de acelerar através da diminuição da demora judicial com caráter punitivo. É diminuição de tempo burocrático (verdadeiros *tempos mortos*) através da inserção de tecnologia e otimização de atos cartorários e mesmo judiciais. Uma reordenação racional do sistema recursal, dos diversos procedimentos que o CPP e leis esparsas absurdamente contemplam e ainda, na esfera material, um (re)pensar os limites e os fins do próprio Direito Penal, absurdamente maximizado e inchado. Trata-se de reler a aceleração não mais pela perspectiva utilitarista, mas sim pelo viés garantista, o que não constitui nenhum paradoxo.

Em suma, para além das questões jurídicas, é fundamental que o direito e os juristas compreendam a complexidade da relação tempo-direito e tempo-processo. Existe um tempo intramuros e outro tempo extramuros, um tempo dentro do processo e outro fora do processo. Para além dessas diferentes dinâmicas, existe o tempo subjetivo, especialmente sentido e experimentado pelo acusado, que sofre diversas penas processuais antes mesmo de chegar-se ao final do processo. Recordando Carnelutti, uma das maiores misérias do processo penal é exatamente esta: para saber se devemos punir alguém, já vamos punindo através do processo. E, nessa punição, o tempo desempenha uma função crucial, fundante do próprio sofrimento. É, portanto, na perspectiva interdisciplinar e na compreensão da superação do paradigma newtoniano que vamos encontrar uma nova forma de pensar e compreender o direito de ser julgado em um prazo razoável. Parafraseando Einstein, quando alguém é acusado, ele é colocado na chapa quente do fogão. Processo penal é isso, muito antes de chegar na pena, já colocamos o acusado sentado na chapa quente do fogão. Por isso, é preciso respeitar esse tempo, pois as consequências da demora são irreversíveis. O tempo indevidamente apropriado não volta mais.

Os prazos de duração máxima da investigação e as previsões constitucionais de legalidade e presunção de inocência

Cláudia Cruz Santos

Professora da Faculdade de Direito da Universidade de Coimbra

1 Introdução

O núcleo da reflexão prende-se com a necessidade de avaliar as consequências da violação do prazo de duração máxima do inquérito. Terão tais prazos um cariz meramente indicativo ou deverão, pelo contrário, ser considerados prazos peremptórios ou de caducidade, sendo que, após o seu decurso, torna-se inevitável o encerramento do inquérito?

A resposta a esta interrogação, que já foi aliás esboçada em várias conferências[1] proferidas nos últimos anos e vertida em letra de texto em estudos[2] publicados em Portugal e no Brasil, afigura-se-me clara e inequívoca: justificando-se a existência daquele prazo de duração máxima do inquérito – prazo esse que é

[1] A ideia forte parece ter sidovantagem ou a agravaçcriminalizaçç a sua duraçe de protecçte do prazo de prescriç O assunto foi tratado, sempre com o sentido de resposta que iluminará este parecer, nomeadamente na Escola da Polícia Judiciária, a 25/5/2015, com a comunicação "O regime jurídico-penal da corrupção", por ocasião do Encontro Temático sobre Corrupção organizado pela Unidade Nacional de Combate à Corrupção da Polícia Judiciária; em 20/6/2015, na conferência "Corrupção, Aspectos Processuais na Fase de Investigação" nas Jornadas sobre a Corrupção organizadas na Figueira da Foz pela Associação Sindical dos Juízes Portugueses, pelo Conselho Distrital de Coimbra da Ordem dos Advogados e pelo Sindicato dos Magistrados do Ministério Público; a 24 de outubro de 2015, por ocasião da participação no painel de debate sobre a Corrupção no Encontro Nacional de Estudantes de Direito, na Faculdade de Direito da Universidade do Porto.

[2] Cf. SANTOS, Cláudia. "Os crimes de corrupção – notas críticas a partir de um regime jurídico-penal sempre em expansão". In: *Julgar*, Revista da Associação Sindical dos Juízes Portugueses, n. 28 (janeiro-abril de 2016), p. 89-105, e "Novos Rumos na Prevenção e Repressão da Corrupção". In: *Direito Penal e Política Criminal*, Porto Alegre: ed. Dóris, setembro de 2016. p. 81ss.p. 81 ss.

distinto, e muito mais curto, do que o prazo de prescrição do procedimento criminal – pela necessidade de evitar uma desprotecção excessiva de direitos fundamentais do arguido no processo penal, trata-se necessariamente de um prazo de caducidade. Com efeito, se é sabido que a matéria da prova – essa prova que no inquérito criminal se procura, em nome da descoberta da verdade e da realização da justiça – é seguramente uma daquelas em que mais vincadamente conflituam as finalidades do processo penal[3] – de descoberta da verdade, por um lado, e de não desprotecção excessiva dos direitos fundamentais do arguido, por outro lado –, é também seguro que a teleologia do processo penal, num estado de direito, supõe a constante procura da solução que mais cabalmente contribua para a *concordância prática*[4].

Dessa específica teleologia do direito processual penal – recortada, de resto, pelo próprio texto constitucional – resulta aquele que é o pilar do direito processual penal em qualquer Estado que se pretenda de direito: a descoberta da verdade não é finalidade que se possa perseguir a qualquer preço *e em qualquer tempo*; as autoridades judiciárias estão vinculadas na sua actuação também pelo respeito pelos direitos fundamentais; o papel do Ministério Público é tanto acusar caso existam indícios suficientes da prática do crime e de quem é o seu agente como é arquivar quando tais indícios não sejam obtidos no prazo para tal legalmente admitido.

A necessidade de descoberta da verdade não pode, portanto, ser usada como discurso legitimador para a desprotecção em medida insuportável dos direitos fundamentais do arguido, sob pena de assim se contribuir não para o aperfeiçoamento da nossa justiça penal (a justiça penal própria de um estado de direito) mas porventura para o seu deslizamento em um sentido contrário àquele que deve ser o dos ponteiros do relógio da História.

Para além de que há casos em que as exigências quanto ao *tempo* para a produção da prova obedecem cumulativamente aos propósitos de protecção

[3] Sobre as finalidades do processo penal, cf. DIAS, Jorge de Figueiredo. "O novo Código de Processo Penal", *Textos Jurídicos I*, Ministério da Justiça, 1987, p. 14.

[4] Nas palavras de Figueiredo Dias, ult. ob. cit., p. 13, sendo as finalidades do processo com frequência antinómicas, cumpre "operar a concordância prática das finalidades em conflito; de modo a que de cada uma se salve, em cada situação o máximo conteúdo possível, optimizando os ganhos e minimizando as perdas axiológicas e funcionais", mas sempre com o limite intransponível da dignidade humana.

dos direitos fundamentais do arguido e de favorecimento da descoberta da verdade. Decorrido demasiado tempo, pode tornar-se cada vez mais difícil a descoberta da verdade, na exacta medida da perda de frescura de alguma prova, do esmorecimento de algumas memórias, da possibilidade até, em alguns casos, de uma sua reconstrução indevida. Ou seja: a violação das normas legais sobre os prazos máximos para a duração da investigação não só atinge as garantias do arguido como contamina a possibilidade de descoberta da verdade, tornando-a menos certa, menos segura, menos verdadeira, poder-se-á dizer. Incumpridos tais requisitos, atingem-se os direitos fundamentais do cidadão. Mas atinge-se também a descoberta da verdade porque nos desviamos do caminho e nos afastamos do tempo que o legislador achou mais seguro para dar à prova a fiabilidade e a segurança devidas. E, quando assim é, não só *não se favorece a concordância prática como, pelo contrário, se prejudica o núcleo essencial de ambas as finalidades do processo*. A conhecida máxima *justice delayed is justice denied* significa, assim e necessariamente, não só que o atraso na realização da justiça é uma injustiça para os que a esperam, mas também que a passagem do tempo dificulta ou impossibilita uma resposta ainda justa ao problema posto.

Exposto o horizonte problemático em que nos situamos e antes de se iniciar uma ponderação mais detalhada dos vários tópicos convocados, parece metodologicamente útil antecipar duas conclusões: (i) o prazo de duração máxima do inquérito é um prazo que o legislador processual penal previu de forma expressa como prazo diferente do prazo de prescrição do procedimento criminal, descrevendo de forma estrita as circunstâncias em que a sua prorrogação pode ser admitida. Essa previsão legal significa que o ponto de concordância prática entre as finalidades por vezes conflituantes de descoberta da verdade e de protecção de direitos fundamentais do arguido foi estabelecido pelo legislador. A natureza deste prazo impossibilita que ele seja considerado como meramente indicativo ou ordenador pelo que a sua violação determina necessariamente o encerramento do inquérito, sem prejuízo de uma sua reabertura nos termos previstos pela lei; (ii) Tratando-se o prazo de duração máxima do inquérito de um prazo previsto pelo legislador e que se impõe ao Ministério Público com o fundamento na protecção de direitos fundamentais, a função de controlo, em nome das liberdades, tem de caber ao juiz de instrução, quer durante o inquérito quer na instrução, não determinando tal controlo qualquer forma de ingerência no modo como o

Ministério Público conduz o inquérito, por não significar sequer uma avaliação da actividade investigatória e da sua significância.

2 A insustentabilidade do argumento da complexidade do processo e das dificuldades dos crimes investigados

O argumento usado para justificar a subsistência de processos de inquérito mesmo depois de estar amplamente ultrapassado o prazo máximo para a sua duração é, com frequência, o da complexidade do processo associada à dificuldade de produção de prova no âmbito dos crimes investigados.

Essa particular complexidade alegada é com frequência associada à criminalidade organizada ou à criminalidade dita "económico-financeira", de que são paradigma crimes como os de corrupção, que por isso vale a pena tomar aqui como exemplo para se evidenciar uma ideia nuclear: depois de o legislador ter criado um conjunto significativo de institutos orientados para a eficácia da investigação destas manifestações criminais e depois de ter alargado já o prazo de duração máxima do inquérito em função da sua complexidade, não pode vir depois o aplicador do direito pretender valorar duplamente aquilo que o legislador já teve em conta na criação de regimes excepcionalíssimos, legitimados precisamente pela complexidade.

Considere-se, pois, a título de exemplo, a corrupção. As especificidades dos crimes de corrupção que poderiam dificultar a sua descoberta e a sua punição foram já invocadas, desde 2001, como fundamento para sucessivas alterações do seu regime jurídico-penal com um denominador comum: o alargamento muitíssimo significativo das margens de punibilidade. Assim, a título de exemplo, considere-se a eliminação do elemento típico "contrapartida" nos crimes de corrupção própria e imprópria, a neocriminalização do recebimento indevido de vantagem ou a agravação das molduras penais.

Outra das mais relevantes novidades no regime jurídico da corrupção de agentes públicos em Portugal prende-se com o alargamento, através da Lei n. 32/2010, *para 15 anos do prazo de prescrição do procedimento criminal relativo a todos estes crimes de corrupção*, ainda que o limite máximo da sua moldura penal não seja superior a 10 anos de prisão[5].

[5] Cf. a redacção dada ao Artigo 118, n. 1, al. a, do CP.mpo que é, repita-se, desde 2007dmite que seeu, em cumprimento de imposiçuido o a ober tutela efectiva e em tempo

A ideia forte parece ter sido a seguinte: se os crimes de corrupção têm especificidades que causam dificuldades acrescidas à investigação, será porventura de se admitir uma investigação também especial. Ou seja: se queremos investigar a corrupção com a maior eficiência possível[6], poder-se-ão admitir alguns procedimentos excepcionais. Mas, considerando-se que a resposta possa ser pelo menos parcialmente positiva, que procedimentos são esses e que limites deverão ter? Devem evidenciar-se algumas dessas especificidades dos crimes de corrupção para depois olhar para algumas novidades justificadas pela necessidade de enfrentar de modo eficiente as dificuldades causadas por tais especificidades.

Sob o ponto de vista criminológico, a corrupção pode ser classificada como crime sem vítima (na modalidade de crime de vítima abstracta), na medida da existência frequente de um pacto entre o corrupto e o corruptor, desconhecido por outros, sendo que ninguém se identifica como vítima[7]. Acontece, ademais, em espaços de privacidade e reserva. Ora, é sabido que a actuação das instâncias formais de controlo é em regra mais reactiva do que pró-activa. Na corrupção não há, em regra, ninguém que reclame uma resposta punitiva do Estado. Ou seja: impõe-se uma actuação mais pró-activa, sob pena de não se compreender sequer que existe algo a justificar uma investigação.

A isso acrescem outras dificuldades específicas, relacionadas com a técnica legislativa adoptada: a descoberta do crime é com frequência muito posterior à consumação, na medida em que se prescinde, como elementos típicos indispensáveis, da prática do acto mercadejado ou da efectiva transferência da vantagem. A corrupção passiva consuma-se com o pedido ou a aceitação do suborno pelo agente público e a corrupção activa com a promessa ou a entrega

---

[6] Os problemas suscitados por uma hipervalorização da eficiência em detrimento das garantias são evidenciados, entre outros, por WEDY, Miguel. "Garantias, Consenso e Justiça no Processo Penal". In: *Direito Penal e Política Criminal*. Porto Alegre: PUCRGS, 2015. p. 276ss. O autor sublinha que, sob a bandeira da eficiência, "vem sendo uma constante, em vários ordenamentos jurídicos, um certo desfalecimento das garantias", nomeadamente "expresso na relativização da presunção de inocência". Porém, "para que um processo seja eficiente e justo, ele não poderá prescindir de garantias (...). Não se pode esquecer que o sistema penal e processual penal deverá ter uma eficiência mínima e republicana, com órgãos de investigação e acusação independentes e equidistantes, com magistrados que preservem a sua imparcialidade e distribuam a justiça num tratamento igualitário das partes".

[7] Cf. SCHUR, Edwin. *Crimes without victims*. New Jersey: Aspectrum Books, 1965.

da vantagem (chegando, tais manifestações de vontade, ao conhecimento dos seus destinatários)[8]. Esta antecipação da tutela, justificada pelo intuito de eliminar dificuldades probatórias, pode suscitar alguns engulhos quando existam actos muito posteriores ao pacto mas que desencadeiam a investigação. Estará essa investigação ainda em prazo?

Assim sucintamente elencadas algumas das dificuldades invocadas para defender a excepcionalidade da investigação dos crimes de corrupção, importa porém notar que *foram já admitidas pelo legislador um conjunto de soluções especiais* – que acrescem à antes mencionada previsão de crimes de corrupção depurados dos elementos típicos cuja prova suscitava mais dificuldades – e que, diz-se, visam ultrapassar problemas na descoberta e na investigação da corrupção, favorecendo a almejada eficácia.

De forma sintética: a alegada complexidade dos crimes de corrupção e as mencionadas dificuldades na sua investigação e prova levaram o legislador português, desde 2001, a encetar um conjunto de reformas orientadas para a eficácia. No plano do direito substantivo, criminalizou-se o recebimento indevido de vantagem, eliminou-se o elemento típico "contrapartida" para evidenciar a desnecessidade da prova do chamado sinalagma e agravaram-se as molduras penais. Alargou-se, extraordinariamente, o prazo de prescrição do procedimento criminal. Mas, além disso, criaram-se novas soluções tendentes à descoberta do crime e ao favorecimento dos denunciantes. A compreensão de que é este o horizonte legislativo em que a investigação da corrupção, em Portugal, hoje se move, não deixa de suscitar uma interrogação profunda: se é assim, se admitimos tudo isto para facilitar a investigação e a punição mais eficazes dos crimes de corrupção, como pode aceitar-se, ainda assim, o pressuposto de que nada funciona, pelo que se teria de tolerar uma escandalosa violação dos prazos de duração máxima do inquérito? A resposta, unívoca, é a de que não se podem aceitar tais violações do prazo de duração máxima do inquérito com aquele fundamento.

Foram com efeito tomadas várias medidas para favorecer a descoberta de crimes de corrupção e o início da investigação.

[8] Cf., por todos, COSTA, António Manuel de Almeida. *Comentário Conimbricense do Código Penal.* Tomo III. Coimbra: Coimbra Editora, 2001. p. 683. No que respeita à corrupção passiva, afirma-se que ela "só se consuma no momento em que a solicitação ou a aceitação do suborno, por parte daquele último (o funcionário) chegam ao conhecimento do destinatário". Quanto à corrupção activa, exige-se para a sua consumação que "a proposta de suborno ou a anuência à sua prévia solicitação cheguem ao conhecimento do funcionário".

Uma das primeiras é a protecção dos denunciantes. Com esse propósito, alterou-se recentemente a Lei n. 19/2008, de 21 de abril, através da Lei n. 30/2015, de 22 de abril, passando a dispor-se no seu Artigo 4º que: "*1. Os trabalhadores da Administração Pública e de empresas do sector empresarial do Estado, assim como os trabalhadores do sector privado, que denunciem o cometimento de infracções de que tiverem conhecimento no exercício das suas funções ou por causa delas não podem, sob qualquer forma, incluindo a transferência não voluntária ou o despedimento, ser prejudicados.(...) 3. c) Beneficiar, com as devidas adaptações, das medidas previstas na Lei n. 93/99, de 14 de julho, que regula as medidas para a protecção de testemunhas em processo penal*".

Por outro lado, foram sendo criadas (ainda que com uma redacção que continua a suscitar muitas dúvidas, apesar das melhorias introduzidas em 2015) as normas de direito premial constantes do Artigo 374 – B do Código Penal, que contemplam com a dispensa ou a atenuação das pena várias hipóteses de colaboração.

Sob outra perspectiva, uma certa ideia de favorecimento do processo, com um alargamento da participação mesmo daqueles que se não podem considerar ofendidos em sentido estrito, resulta da possibilidade de constituição de assistente, nos termos do Artigo 68, n. 1, alínea e) do Código de Processo Penal.

Finalmente, a admissibilidade das investigações criminais encobertas – nos termos da Lei n. 101/2001, Artigo 2º, al. n) – constitui um outro vector de limitação dos direitos fundamentais do arguido em nome da eficácia da realização da justiça. E o mesmo sucede com a aplicabilidade dos regimes especiais de recolha de prova, quebra do segredo profissional e perda de bens a favor do Estado previstos na Lei n. 5/2002, de 11/1. A excepcionalidade deste regime particularmente severo é dificilmente compatível com a sua admissão no âmbito dos processos atinentes a crimes de corrupção activa e passiva que não sejam manifestação de uma criminalidade organizada. Este é um problema suscitado pelo n. 2 do Artigo 1º, cujo teor literal é passível de dúvidas interpretativas, ainda que mal se compreenda a admissibilidade de expedientes tão gravosos e excepcionais mesmo para as formas de corrupção menos graves e não praticadas de forma organizada.

Por outro lado, também o tempo durante o qual *a lei* admite que se investigue criminalidade complexa, como a corrupção, é mais amplo do que o tempo para a investigação da criminalidade comum. A afirmação da complexidade e da opacidade dos crimes de corrupção surge com frequência associada ao entendimento de que as instâncias formais de controlo carecem de mais tempo para os investigar. O problema dos limites temporais para a investigação põe-se, porém, sobretudo em dois planos: o do prazo de prescrição do procedimento criminal; o do prazo da duração máxima da fase de investigação (em Portugal, a fase de inquérito do processo penal). Estes tempos, o da prescrição do procedimento criminal e o da duração máxima do inquérito, são diferentes e estão previstos de forma autónoma pelo legislador em diversas disposições legais. Sobre o prazo de prescrição do procedimento criminal dispõe o Artigo 118 do Código Penal; sobre o prazo de duração máxima do inquérito dispõe o Artigo 276 do Código de Processo Penal.

O primeiro aspecto do qual ressalta a aceitação de um tempo excepcionalmente longo durante o qual se pode iniciar a investigação de crimes de corrupção prende-se com o regime da prescrição do procedimento criminal. Como antes se já afirmou, *alargou-se* com a Lei n. 32/2010 *para 15 anos o prazo de prescrição do procedimento criminal relativo a todos os crimes de corrupção*, independentemente do limite máximo da sua moldura penal.

Os prazos de duração máxima do inquérito, por seu turno, estão previstos no Artigo 276 do CPP e a sua existência justifica-se plenamente à luz de duas das principais finalidades do direito processual penal: o restabelecimento da paz jurídica, que não é compatível com a indefinição prolongada da resposta punitiva; a não desprotecção em medida insuportável de direitos fundamentais dos envolvidos no processo, sobretudo o arguido.

Ambos os tempos – o tempo da prescrição do procedimento criminal e o tempo de duração máxima do inquérito – foram já extraordinariamente alargados nas hipóteses de corrupção. Ou seja: o legislador já valorou as especificidades da corrupção e da criminalidade considerada muito complexa para determinar um alargamento extraordinário daqueles prazos. E, assim sendo, não pode admitir-se, por maioria de razões, que venha o aplicador querer ampliar ainda mais aquilo que o legislador já ampliou porventura de forma excessiva.

3 A compressão de direitos fundamentais durante o inquérito

A compressão de direitos fundamentais pelo facto de se ser arguido é tão óbvia que nem careceria de justificação. Nas palavras de José de Faria Costa, "*este império do tempo instantâneo tem influências devastadoras na aplicação da justiça penal. Vejamo-lo em traços muito rápidos. Na verdade, peguemos em um exemplo vulgaríssimo, se depois de o Ministério Público levar a cabo uma acusação contra quem quer que seja e essa acusação chega aos canais dos meios de comunicação de massa e se, para além disso, o acusado é alguém "apetecível", normalmente um político, é certo e sabido que o seu julgamento, isto é, se é culpado ou não, é feito naquele momento, naquele instante. E porque o princípio da presunção de inocência não vale para os políticos (muito por culpa sua, diga-se em abono da verdade), funcionando socialmente, aliás, para eles o princípio da presunção de culpa, é, então, certo e sabido que o acusado é considerado culpado e condenado no pelourinho da praça pública dos meios de comunicação de massa. Sem apelo nem agravo. E de nada vale as constituições virem dizer que vigora o princípio da presunção de inocência. O tempo do instante é esmagador nas consequências (nefastas e tantas vezes devastadoras) que o tempo longo da justiça penal jamais poderá apagar. Porque, queiramo-lo ou não, o tempo do processo penal não é, não pode ser instantâneo, tem de ser o tempo que um processo justo admite*"[9]. José de Faria Costa trata de forma expressa as hipóteses em que já houve acusação mas não houve ainda condenação, evidenciando o prejuízo enorme que essa espera causa ao acusado. Mas tudo parece *ainda pior* quando, apesar de se ser apenas um arguido contra o qual o Estado não logrou sequer fazer uma acusação, a pessoa já foi privada da sua liberdade por lhe ter sido aplicada uma medida de coacção e o seu nome (assim como o dos seus próximos) já foi vilipendiado por todas as formas na praça pública. O autor, naquela sua análise, refere-se ao tempo que um processo justo admite. O legislador cunhou o tempo que achou justo para a investigação – e um tempo que é, repita-se, desde 2010, excepcionalmente longo[10]. Quando se ultrapassa esse tempo então

[9] Cf. COSTA, José de Faria. "O mundo de hoje e o Direito Penal: primeira aproximação". In: *Direito Penal e Política Criminal*. Porto Alegre: PUCRGS, 2015, p. 9-10.

[10] Uma análise da evolução dos prazos para a investigação mostra que a tendência de alargamento não se iniciou em 2010, mas bastante antes. Sobre isso, GONÇALVES, Manuel Lopes Maia. *Código de Processo Penal – Anotado e comentado*. Coimbra: Almedina, 2001. p. 550, referiu, há mais de década e meia, que é "de notar o significativo aumento de prazos relativamente aos do

só uma conclusão é possível: temos já um tempo que é manifestamente injusto. Um tempo por cuja subsistência, não sejamos ingénuos, são responsáveis todos aqueles que, podendo, o não fazem cessar, admitindo por isso a subsistência do estado de coisas – *esmagador, nefasto e devastador* – sobre o qual escreveu José de Faria Costa.

O "apagamento" pelo aplicador do direito desses prazos de duração do inquérito previstos pelo legislador significa, portanto, um inaceitável "apagamento" de finalidades do processo penal, o que não pode justificar-se, num sistema em que a procura da concordância prática é imposta logo no plano constitucional, nem sequer pela invocação de uma outra finalidade que é a descoberta da verdade. O que está em causa é, portanto, saber-se durante quanto tempo se admite a limitação de direitos fundamentais dos investigados no âmbito do processo penal e de que tempo dispõem as autoridades judiciárias (sobretudo o Ministério Público) para desempenhar a sua função na fase de investigação[11].

4 O apagamento da lei

O *apagamento dos prazos* de duração máxima do inquérito associado à sua compreensão como prazos meramente indicativos é também, num ordenamento jurídico como o português – por vezes tem de se sublinhar aquilo que é manifesto –, *um apagamento da lei*. O legislador português não optou por uma

---

inquérito preliminar, e mesmo da instrução preparatória do direito anterior. É que os prazos do direito anterior eram irrealistas e houve o intuito de fixar prazos mais consentâneos com a realidade, para serem mesmo cumpridos".

[11] Em rigor deve até sublinhar-se que a celeridade da investigação não é só imposta pela tutela de direitos fundamentais, mas igualmente pela finalidade de descoberta da verdade. Como bem nota João Conde Correia a propósito do alargamento, em 2010, dos prazos de duração máxima do inquérito, "o Ministério Público não precisa de mais prazos. Ele sabe que, geralmente, eles correm contra si, enfraquecendo o *ius puniendi* estadual. O que está em causa são as condições para (pelo menos) cumprir os prazos actuais, não o seu alargamento. Para que é que lhe servem prazos mais longos se afinal – no momento que verdadeiramente importa – devido ao inelutável decurso do tempo, as testemunhas já não se lembrarem de nada, tiverem morrido ou as provas físicas tiverem sofrido um processo de deterioração semelhante?" ("Prazos máximos de duração do inquérito, publicidade e segredo de justiça: uma oportunidade perdida!". *As Alterações de 2010 ao Código Penal e ao Código de Processo Penal.* Coord. Rui do Carmo e Helena Leitão, Coimbra Editora/CEJ, 2011, p. 170.)

formulação vaga ou indeterminada no que tange ao seu entendimento de que o inquérito deve ser célere. Não, aquilo que fez foi antes consagrar concretos prazos de duração máxima do inquérito e prever de forma estrita as circunstâncias que podem determinar a sua prorrogação. Assim sendo, desconsiderar tais prazos implica necessariamente uma ponderação sobre a eventual derrogação do princípio da legalidade que o legislador processual penal português cunhou logo no Artigo 2º do CPP sob a epígrafe "*Legalidade do processo*": "*A aplicação de penas e medidas de segurança criminais só pode ter lugar em conformidade com as disposições deste Código*".

Como muito bem nota Daniel Pastor, "*nem o limite máximo de duração de um processo (prazo razoável) nem as consequências jurídicas de o ultrapassar podem ser definidos pela lei de um modo aberto ou deixados à determinação dos juízes (teoria do conceito jurídico indeterminado), tendo antes de ser estabelecidos pelo Parlamento para que realmente valha em toda a sua extensão o princípio político segundo o qual toda a actividade do Estado, mas especialmente a que significa o exercício da sua violência punitiva, tenha a sua legitimação na lei e encontre nela também os seus limites, inclusive os temporais*"[12].

Apenas a lei pode determinar os prazos de duração máxima do inquérito criminal. Admitir que os prazos de duração máxima do inquérito são determinados pela autoridade judiciária que os deve aplicar (através da consideração como apenas indicativos dos prazos expressamente previstos na lei) implica uma violação do disposto no Artigo 20, n. 5, da CRP, que reconhece tal competência apenas ao legislador: "*para defesa dos direitos, liberdades e garantias pessoais, a lei assegura aos cidadãos procedimentos judiciais caracterizados pela celeridade e prioridade, de modo a obter tutela efectiva e em tempo útil contra ameaças ou violações desses direitos*".

Só pode falar-se em "devido processo legal" quando a coerção a que se admite sujeitar o arguido esteja prevista na lei, também no que respeita à sua duração. O princípio da legalidade supõe, portanto, as ideias dialécticas de que *nulla poena, nullum crimen y nulla coactio sine lege*. Foi por assim ter compreendido que o legislador constitucional português deixou claro que *cabe à lei* assegurar procedimentos judiciais caracterizados pela celeridade e que o legislador processual penal português, cumprindo tal imperativo, cunhou prazos precisamente

[12] Cf. PASTOR, Daniel. "Acerca del derecho fundamental al plazo razonable de duración del proceso penal", *Revista de Estudios de la Justicia*, n. 4, 2004, p. 51ss.

determinados para a duração máxima do inquérito, não deixando aos aplicadores a possibilidade de escolherem, eles próprios, os prazos que julgam razoáveis para o exercício da pretensão punitiva do Estado.

5 O apagamento da presunção de inocência

Por outro lado e com idêntica importância, a consideração do processo penal como direito constitucional aplicado que tem como pedra de toque a presunção de inocência[13] impede que se aceitem violações significativas dos prazos de duração máxima do inquérito. No fundo, o que inapagavelmente subjaz à ideia de que se pode investigar sem prazo é *a convicção de que o arguido é culpado*: *ainda não se encontraram indícios bastantes da sua culpa, mas com mais tempo eles encontrar-se-ão*. Pelo contrário, a presunção de inocência levada a sério em todas as suas implicações teria como consequência a conclusão oposta: não se encontraram elementos suficientes para sustentar a responsabilidade criminal do investigado dentro do prazo dado pelo legislador, por isso ele é, até que surja prova em contrário (essa prova que pode levar à reabertura do inquérito), inocente. Ou seja: violações dos prazos de duração máxima do inquérito levam necessariamente implícita uma derrogação da presunção de inocência.

Como se deixou muito claro logo na Exposição de Motivos do Código de Processo Penal português, que não pode deixar de assumir peso significativo na interpretação das normas concretas, "*a celeridade é também reclamada pela consideração dos interesses do próprio arguido, não devendo levar-se a crédito do acaso o facto de a Constituição, sob influência da Convenção Europeia dos Direitos do Homem, lhe ter conferido o estatuto de um autêntico direito fundamental. Há, pois, que reduzir ao mínimo a duração de um processo que implica sempre a compressão da esfera jurídica de uma pessoa que pode ser – e tem mesmo de presumir-se – inocente.*

---

[13] Para um aprofundamento deste tópico, cf., muito recentemente, ILUMINATI, Giulio; CAPPARELLI, Bruna. "O processo penal como direito constitucional aplicado". *Direito Penal e Política Criminal.* Porto Alegre: PUCRGS, 2015. p. 35ss. Os autores, depois de recordarem que "o processo penal como direito constitucional aplicado é uma definição pertencente à doutrina alemã e provavelmente recondutível a Eberard Schmidt, nos anos 50", afirmam que "a presunção de inocência resume todas as garantias do processo penal" para, depois, concluírem que, "porque todos somos presumidos inocentes, não se podem aplicar tratamentos rigorosos contra uma pessoa sem necessidade".

Como haverá ainda que prevenir os perigos de uma estigmatização e adulteração irreversível da identidade do arguido (...)".

Aceitar-se uma investigação muito para além do tempo admitido pelo legislador radica, pois, na pressuposição de que o arguido é culpado e que, com mais tempo, se descobrirá a prova dessa culpa. Mas significa também que se não compreende o sentido que deve ter a finalidade de descoberta da verdade no processo penal de um estado de direito porque se não compreende que foram estabelecidos limites a esse objectivo – *que não é uma missão* –, os limites inerentes ao devido processo legal. Aceitar a violação dos prazos de duração máxima do inquérito significa desconsiderar que, como escreveu Michele Taruffo, "o processo constitui um contexto jurídico", acrescentando-se que "no processo os factos em relação aos quais se há de investigar a verdade são identificados sobre a base de critérios jurídicos, representados essencialmente por normas que se consideram aplicáveis para decidir a controvérsia específica"[14].

Nas adequadas palavras de Perfecto Andrés Ibañez, "*administrar justiça só se pode efectivar com critérios racionais, sobre problemas do mundo real e dificilmente poderia sustentar-se (e menos aceitar-se) hoje uma forma de exercê-la que flua por um sistema que ignore um dado empírico. Deste modo, não cabe dúvida de que a qualidade de verdade que pode produzir, em geral, o processo, tem, em todo o caso, uma dimensão inevitavelmente formal, na medida em que a sua busca está sujeita a limitações procedimentais de diversos tipos e se deve dar por concluída em algum momento legalmente prefixado*"[15].

---

[14] Cf. TARUFFO, Michele. *La prueba de los hechos*. Madrid: Editorial Trotta, 2002. p. 90ss.

[15] Cf. IBAÑEZ, Perfecto Andrés. *Valoração da Prova e Sentença Penal*. Rio de Janeiro: Editora Lumen Iuris, 2006. p. 34. Sobre a inevitabilidade do arquivamento quando se ultrapassa o prazo previsto para a investigação, cf. LOPES JR, Aury; BADARO, Gustavo. *Direito ao Processo Penal no Prazo Razoável*, Rio de Janeiro: Editora Lumen Iuris, p. 126ss, que consideram que a continuação do processo, além do prazo razoável, já não é legítima e viola "o Princípio da Legalidade, fundante do estado de direito, que exige limites precisos, absolutos e categóricos – incluindo o limite temporal – ao exercício do poder penal estatal". Ainda de forma mais enfática, aduzem que "tão ilegítimo como é a admissão de uma prova ilícita, para fundamentar uma sentença condenatória, é reconhecer que um processo viola o direito de ser julgado num prazo razoável e, ainda assim, permitir que ele prossiga e produza efeitos. É como querer extrair efeitos legítimos de um instrumento ilegítimo, voltando à absurda máxima de que os fins justificam os meios".

Não é um arqueólogo nem um historiador, o aplicador do direito – e o Ministério Público sabe-o bem, claro, em todos os muitos inquéritos que são arquivados porque num dado tempo não lhe foi possível obter indícios suficientes da verificação de crime ou de quem foram os seus agentes, mas não em outros inquéritos, porventura surpreendentemente. Seria útil avaliar o número de inquéritos em Portugal em que há despacho de arquivamento com o fundamento previsto no n. 2 do Artigo 277 do CPP. Quantos arquivamentos por insuficiência de provas houve em processos por furto, roubo, violência doméstica ou violação? Ou em processos por corrupção, tráfico de influência ou branqueamento de capitais? Pelo menos alguns, supõe-se. Porque o aplicador do direito sabe, na maioria dos casos, que não pode investigar sem tempo, afinal não é um arqueólogo nem um historiador, e a investigação própria do processo penal atinge o osso da existência de pessoas ainda vivas. E não é um arqueólogo ou um historiador[16], o aplicador do direito, precisamente porque o mundo do direito lhe impõe, num estado de direito, limites que têm uma natureza axiológica específica.

6 Os caminhos para o apagamento dos prazos de duração máxima do inquérito (e a sua refutação)

Existem duas vias principais para, contra o princípio da legalidade, contra a presunção de inocência e em prejuízo da teleologia do processo penal e da concordância prática das suas finalidades, *indevidamente* se "apagarem" os prazos de duração máxima do inquérito previstos no Artigo 276 do CPP.

A primeira via consiste em atribuir-lhes um cariz meramente ordenador ou indicativo. Uma das formulações mais claras para enjeitar com veemência tal perspectiva continua a ser a de Francesco Carrara: "*seria burlar o povo criar preceitos atinentes ao procedimento deixando a sua observância ao gosto do juiz (...). Se o legislador dita um procedimento que possa ver violado pelo arbítrio dos juízes, não faz uma lei, antes se limita a dar um conselho*"[17].

---

[16] Apesar de se julgar que existem diferenças entre a actividade do juiz e a do historiador, não se enjeitam algumas semelhanças. Sobre elas, MENDES, Paulo de Sousa. "A prova penal e as regras da experiência". In: *Estudos em Homenagem ao Prof. Doutor Jorge de Figueiredo Dias*, vol. III, Coimbra: Coimbra Editora, 2010, p. 1002, sublinha que "por definição, o juiz historiador tem de reconstituir um facto individual que ele mesmo não percepcionou".

[17] Cf. CARRARA, Francesco. *Programa de Derecho Criminal*. Editorial Temis, 1956, tomo II, p.

O entendimento de que os prazos de duração máxima do inquérito são meramente indicativos é inaceitável por razões que merecerão análise mais desenvolvida mas que se resumem facilmente a dois aspectos principais: (i) a especial complexidade já foi valorada pelo legislador processual penal quando admitiu um alargamento dos prazos de duração máxima do inquérito nas hipóteses de maior complexidade, pelo que não pode haver uma dupla valoração por aquele que é precisamente o destinatário da norma, o Ministério Público; (ii) a existência daqueles prazos de duração máxima do inquérito contende com direitos fundamentais do arguido, tendo o legislador fixado o ponto da concordância prática entre a descoberta da verdade e a protecção de direitos fundamentais quando previu o tempo durante o qual uma compressão mais intensa daqueles direitos pode ser admitida em nome da descoberta da verdade, mas já não a partir daí.

A segunda via que conduz ao apagamento dos prazos de duração máxima do inquérito consiste em defender que o Estado pode sempre investigar enquanto não ocorrer o prazo de prescrição do procedimento criminal. Se o procedimento criminal ainda não está prescrito, como poderia o Estado ficar impedido de investigar? Daqui resultaria a conclusão de que o Ministério Público tem legitimidade para continuar a investigar, prolongando o inquérito, mesmo depois de ultrapassados os prazos da sua duração máxima. Entender assim significaria, porém, desentender o essencial, que é, para mais, confirmado pelo incontornável elemento literal: a previsão de prazos diferentes para a prescrição e para a duração do inquérito em duas normas diferentes de dois códigos diferentes. É fácil compreender por quê. O prazo de prescrição é o prazo longo durante o qual a espada pende sobre a cabeça de alguém, mas ainda longe, porque o exercício do poder punitivo pode estar ainda adormecido ou latente, nomeadamente por se não ter descoberto ainda que houve um crime ou porque inexistem elementos que permitam associar a responsabilidade a uma pessoa determinada. O prazo de duração máxima do inquérito é o prazo mais curto durante o qual o exercício do poder punitivo está activo e se dirige contra uma pessoa determinada que, por essa razão, se torna arguido numa investigação movida contra si, com todos os padecimentos que lhe estão associados. Este é o tempo em que a espada já não pende, adormecida e distante como pode suceder durante parte do tempo

277. Se é certo que o autor se refere ao juiz, por todas as razões vale o seu entendimento para o Ministério Público, que também é uma autoridade judiciária.

de prescrição do procedimento criminal, mas antes o tempo em que a espada se aproximou já da garganta do arguido. O único tempo durante o qual se admitem, por exemplo, investigações criminais encobertas, nomeadamente através de escutas telefónicas. O tempo durante o qual se pode prender antes de se ter conseguido sequer acusar. Por tudo isso, este tempo tem que ser mais curto. Por isso, este tempo é de facto mais curto, como de forma inequívoca esclareceu o legislador no Artigo 276 do Código de Processo Penal, distinguindo sem margem para dúvidas este prazo de duração máxima do inquérito daquele outro prazo, o de prescrição do procedimento criminal, que está previsto no Artigo 118 do Código Penal.

Ainda sobre este aspecto, há um derradeiro ponto que cumpre sublinhar e a traço muito grosso. Reconhecer este prazo de duração máxima do inquérito como prazo peremptório decorrido o qual tem de haver despacho de encerramento do inquérito não significa encurtar o prazo de prescrição do procedimento criminal nem desconsiderar a importância da descoberta da verdade como finalidade do direito processual penal. E é assim porque, como também bem reconheceu o legislador, enquanto não tiver decorrido o prazo mais longo da prescrição do procedimento criminal sempre se admitirá a reabertura daquele inquérito "*caso surjam novos elementos de prova que invalidem os fundamentos invocados pelo Ministério Público no despacho de arquivamento*" (Artigo 279, n. 1, do CPP).

O prazo de 18 meses para o inquérito só é admitido nas hipóteses de especial complexidade (Artigo 276, n. 3, al. c). Repita-se aquilo que parece óbvio: *o legislador já teve em consideração a especial complexidade da investigação e por isso lhe reconheceu um prazo diferente e muito mais longo*[18]*; não pode, por essa razão, vir o aplicador derrogar essa valoração já feita pelo legislador, valorando mais uma vez aquilo que já fora tido em conta para se aceitar um prazo diferente.*

Quando queremos saber em que momento termina um prazo, a primeira questão para a qual precisamos de encontrar resposta prende-se com o momento a partir do qual se inicia a sua contagem. Nos termos do Artigo 276, n. 4,

[18] CUNHA, José Damião da. "Prazos de encerramento do inquérito (...)", cit., p. 123, afirma que existe, por parte do legislador, "uma dupla elevação de prazo (elevação de prazo porque a criminalidade é de difícil investigação – Artigo 215, n. 2; e outra elevação, porque é de excepcional complexidade), e depois no "fim", admite ainda uma dupla prorrogação (não exactamente para o mesmo "universo de criminalidade"; só para parte dele)". O autor considera que "parece excessiva (...) esta dupla inferência".

do CPP: "*o prazo conta-se a partir do momento em que o inquérito tiver passado a correr contra pessoa determinada ou em que se tiver verificado a constituição de arguido*". Este "*ou*" não pode, naturalmente, ser interpretado como conferindo à autoridade judiciária o poder de escolher quando começa a contar o prazo, permitindo o alargamento do prazo à custa de um retardamento na constituição de arguido. Se antes da constituição de arguido já correr inquérito contra pessoa determinada (Artigo 58, n. 1, al. a, do CPP), é a partir do momento em que há inquérito contra pessoa determinada que se começa a contar o prazo. Se houver imediata constituição de arguido, o prazo conta-se, naturalmente, a partir desse momento. *Se o legislador tivesse querido admitir o início da contagem do prazo só com a constituição de arguido, teria dito que o prazo se conta a partir do momento em que se tiver verificado a constituição de arguido*. A razão pela qual autonomizou a hipótese de o processo correr contra pessoa determinada é precisamente esclarecer que a contagem do prazo se inicia aí mesmo que haja um retardamento da constituição de arguido.

Definido com clareza este momento a partir do qual se começa a contar o prazo de duração do inquérito, deve ser simples (e quando o não é está-se a fazer perigar a própria teleologia do processo que o impede de ser por tempo indeterminado) a conclusão sobre aquele que é o tempo para o seu fim. A partir daqui suscita-se uma outra questão: o que sucede quando esse fim já chegou, quando já terminou o prazo de duração do inquérito, sem que o Ministério Público tenha acusado, arquivado, optado pelo arquivamento em caso de dispensa de pena ou pela suspensão provisória do processo? Tendo em conta as finalidades que presidem à existência daquele prazo, a resposta deveria ser apenas uma: em nome da paz jurídica e da não desprotecção de direitos fundamentais do arguido, dever-se-ia considerar extinta a pretensão punitiva do Estado relativamente àqueles factos, arquivando-se o inquérito. De forma inequívoca, dispõe-se no Artigo 277, n. 2, do CPP que "*o inquérito é igualmente arquivado se não tiver sido possível ao Ministério Público obter indícios suficientes da verificação do crime ou de quem foram os seus agentes*". Este arquivamento não impede, cumpre também sublinhá-lo uma outra vez, uma posterior reabertura do inquérito, desde que surjam "*novos elementos de prova que invalidem os fundamentos invocados pelo Ministério Público no despacho de arquivamento*" (cf. o Artigo 279, n. 1, do CPP).

7 A possibilidade de prorrogação do prazo

Poder-se-ia sustentar, porém, que existem outras normas que suscitam dúvidas quanto à conclusão de que, atingido aquele prazo limite para o inquérito, inexiste alternativa ao despacho de encerramento. Assim, nos termos do Artigo 108 do CPP (*Aceleração de processos atrasados*): "*1. Quando tiverem sido excedidos os prazos previstos na lei para a duração de cada fase do processo, podem o Ministério Público, o arguido, o assistente ou as partes civis requerer a aceleração processual. 2. O pedido é decidido pelo procurador-geral da República, se o processo estiver sob a direcção do Ministério Público*". No Artigo 276, n. 6, do CPP, por seu turno, dispõe-se que, em caso de atraso do inquérito, o magistrado titular do processo tem de comunicar ao superior hierárquico. E prevê-se no n. 7 do mesmo artigo que este superior hierárquico pode avocar o processo e dá sempre conhecimento ao procurador-geral da República, ao arguido e ao assistente "*da violação do prazo e do período necessário para concluir o inquérito*". Acrescenta-se no n. 8 que, recebida aquela comunicação, pode o procurador-geral da República determinar a aceleração processual.

Dessas normas poderia resultar a convicção – contrária à solução antes esboçada e que se julga a única coerente com a existência de um prazo para a investigação que é imposto pela própria teleologia do processo – de que é possível prolongar-se o tempo da investigação para além dos prazos legalmente fixados.

Em defesa de tal entendimento, poder-se-ia invocar ainda a questão da exclusão do segredo de justiça depois de decorrido aquele prazo de duração máxima do inquérito e a jurisprudência obrigatória fixada pelo Acórdão n. 5/2010, de 15/4, segundo o qual "*o prazo de prorrogação do adiamento do acesso aos autos a que se refere a segunda parte do Artigo 89, n. 6, do Código de Processo Penal, é fixado pelo juiz de instrução pelo período de tempo que se mostrar objectivamente indispensável à conclusão da investigação, sem estar limitado pelo prazo máximo de três meses, referido na mesma norma*". Dir-se-ia, olhando isoladamente para essas normas: a única consequência para a violação dos prazos de duração máxima do inquérito é a publicidade que a partir daí será dada ao processo.

Esta é, porém, posição que se não pode aceitar, por razões que se julgam muito claras. Primeiro, parece evidente que se o legislador prevê com detalhe as circunstâncias que podem determinar uma prorrogação do prazo, tal prorrogação só pode existir verificadas essas circunstâncias e cumpridos os requisitos formais exigidos. Ou seja: o cuidado que o legislador teve, em alterações recentes do Código de Processo Penal, na previsão detalhada dos requisitos para a prorrogação só pode significar que quis ser ele, legislador, e não outro, a definir os exactos termos em que, excepcionalmente, se pode ultrapassar o prazo previsto para a duração do inquérito, verificados os requisitos apertados previstos na lei *e apenas esses*. As alterações do Artigo 276 do CPP evidenciam um alargamento dos prazos mas também uma descrição detalhada das circunstâncias de prorrogação – o que só pode significar que, se o legislador quis prever prazos mais amplos sobretudo para a investigação da criminalidade mais complexa, prazos que tornem a investigação exequível, ao mesmo tempo sentiu a necessidade de pôr um travão firme às possibilidades de prorrogação.

Em segundo lugar, cumpre notar que o teor da solução prevista no Artigo 89, n. 6, do CPP é totalmente coerente com a ideia de que os prazos de duração máxima do inquérito são prazos de caducidade, decorridas as prorrogações que a *lei admite*. O sentido do disposto nesta norma só pode ser – à luz de uma interpretação teleológica que não desconsidera o elemento literal – o de que, durante essas prorrogações nas exactas circunstâncias admitidas pela lei, o inquérito deixa de ser secreto, a menos que o juiz de instrução determine, a requerimento do Ministério Público, a exclusão da publicidade.

Em terceiro lugar, com grande relevância, deve registar-se a ideia já manifestada por José Damião da Cunha de que "*implicitamente o legislador terá revogado esta Jurisprudência* (a jurisprudência obrigatória fixada pelo Acórdão n. 5/2010, de 15/4). *Com efeito, as razões ou os fundamentos que estiveram na base da pronúncia do Acórdão – de que se destacam naturalmente os exíguos prazos previstos e o facto de não haver circunstâncias de 'suspensão' do inquérito – são exactamente as razões que justificam a intervenção do legislador, consagrando estas alterações (...). Ora, cremos assim que, por força destas 'novidades' legislativas, este Acórdão ou deve ser considerado revogado ou, então, será susceptível de ser 'desafiado', face a estes novos elementos legais*"[19].

[19] Cf. CUNHA, José Damião da. "Prazos de encerramento do inquérito, segredo de justiça e publicidade do processo". In: *As Alterações de 2010 ao Código Penal e ao Código de Processo Penal.* Coord. Rui do Carmo e Helena Leitão, Coimbra Editora/CEJ, 2011, p. 136-137. Também CATARINO, Nuno. "Publicidade, segredo de justiça e prazos de inquérito: os segredos da reforma". In: *As Alterações de 2010 ao Código Penal e ao Código de Processo Penal.* Coord. Rui do Carmo e Helena

Ou seja: a revisão do CPP de 2010, ao consagrar aquilo a que Damião da Cunha chama "generosos" alargamentos dos prazos de duração do inquérito, além da possibilidade da sua suspensão caso existam "cartas rogatórias em execução", torna irrazoável a jurisprudência antes fixada num contexto em que os prazos eram muito mais curtos e não se admitia aquela suspensão. Com grande interesse para a questão em apreço, escreveu ainda o autor: "*uma das interpretações, ou uma das qualificações, que predominantemente se atribuiu ao prazo de encerramento de inquérito era a de que este se deveria conceber como meramente ordenador. Após a revisão, não se pode continuar a caracterizar, por forma tão evidente (ou tão acrítica) o prazo de encerramento como meramente 'ordenador'; sem que, por oposição (e por paradoxal que pareça esta afirmação), se possa afirmar que nos encontramos, agora, perante um prazo 'sancionatório' ou peremptório, estabelecido sob pena de uma qualquer 'caducidade*'"[20].

8 O entendimento vertido no Acórdão do Tribunal da Relação de Lisboa de 9 de julho de 2015

No sentido de considerar que o decurso do prazo estabelecido para a duração do inquérito não pode ser visto como meramente ordenador, decidiu-se no Acórdão do Tribunal da Relação de Lisboa de 9/7/2015 (processo 213/12.2TELSB-F. L1-) que "*o prazo de conclusão do inquérito é um prazo de caducidade. Ora, se em sede de direitos disponíveis os prazos para o exercício do direito é de caducidade mal se compreenderia que em sede de processo penal, em que estão em causa direitos, liberdades e garantias, maxime o direito fundamental à liberdade, se não entendesse serem os prazos de caducidade*".

Este é, pelas razões antes elencadas e que se prendem com as próprias finalidades do direito processual penal, o entendimento que se julga correcto. Se o legislador

---

Leitão, Coimbra Editora/CEJ, 2011. p. 189-190), a propósito do entendimento de que os prazos de duração máxima do inquérito são meramente ordenadores, afirma que "esta realidade não é ontológica e pode ser reapreciada", ainda que na sua opinião apenas *de lege ferenda*, defendendo uma reforma "que fixe prazos peremptórios para a conclusão das investigações, sem prejuízo das necessárias suspensões em caso de perícias e outras diligências de elevada complexidade". Concorda-se que esta é a solução correcta, mas julga-se, diversamente do autor e em função da análise feita, que é já a única coerente com as finalidades do nosso direito processual penal e com o texto legal.

[20] Cf. ob. cit., p. 122, 125-126.

fixa um tempo durante o qual se pode investigar a prática de um crime, fá-lo em nome da protecção de direitos fundamentais e da obtenção da paz jurídica. Não se pode, portanto, sob pena de se impedir a concordância prática das finalidades conflituantes do processo penal, admitir que a descoberta da verdade justifique a desconsideração daqueles dois outros vectores. E a história encarrega-se de nos recordar o que significa, o que sempre significou, a excessiva orientação do processo pela finalidade de descoberta da verdade, pedra de toque dos sistemas inquisitórios e não democráticos.

Assim sendo, uma interpretação teleológica das normas antes convocadas (*e que já vai o mais longe que se julga possível para favorecer a descoberta da verdade*) deve conduzir a que se não admita qualquer alargamento do período de inquérito a não ser que: (i) tenha havido imediata comunicação por parte do magistrado titular do processo ao seu superior hierárquico, justificando o atraso; (ii) exigindo-se ainda que este superior hierárquico defina o curtíssimo período de tempo necessário para a conclusão do inquérito e (iii) dê disso conhecimento ao procurador-geral da República, ao arguido e ao assistente.

O que equivale a afirmar que a regra é, naturalmente, a de que decorrido o prazo para o inquérito sem que haja prova suficiente para sustentar uma acusação, o inquérito deve ser de imediato arquivado. Só se admite que assim não seja, nos termos dos números 6 e 7 do Artigo 276 do CPP, verificado o procedimento antes descrito e justificada a excepcionalidade da medida, em princípio associada à existência de uma diligência probatória muito relevante, ainda em curso e na iminência de ser concluída.

Ultrapassados os prazos de duração máxima do inquérito, há que indagar se foram cumpridos os requisitos para que a prorrogação do prazo fosse admitida, o que supõe, para além das exigências formais de comunicação, identificar a diligência concreta que já estaria em curso e que se revelaria indispensável para a descoberta da verdade, definindo-se com clareza o prazo dentro do qual estaria concluída. Tendo em conta tudo o que antes se disse, afigura-se inquestionável a interdição de que essa prorrogação seja temporalmente tão dilatada que equivalha quase à duração de um outro inquérito. O prazo máximo previsto é, repita-se, de dezoito meses, e sobre este já escreveu, entre outros, João Conde Correia, que, numa reflexão sobre o alargamento dos prazos de duração máxima do inquérito que se deu em 2010 e ponderando o direito fundamental à decisão em prazo razoável, entende que "legitimar legalmente, mesmo em criminalidade muito complexa e de difícil investigação, prazos tão longos (*v.g.* 18 meses), parece ser incompatível com esses direitos e com as exigências do mundo actual"[21]. Dezoito meses é um prazo longo, porventura muito longo. Ultrapassar significativamente esse prazo já muito longo previsto pelo legislador é inaceitável.

Passado demasiado tempo, é precisamente a passagem de *demasiado tempo* que, por si só, não permite qualquer dúvida sobre a inexistência, dentro do tempo admitido pelo legislador, de indícios obtidos *ou em vias de obtenção* que permitissem suportar uma acusação do arguido. Deveria, pois, ter o inquérito sido arquivado nos termos do Artigo 277, n. 2, do Código de Processo Penal: "*o inquérito é igualmente arquivado se não tiver sido possível ao Ministério Público obter indícios suficientes da verificação de crime ou de quem foram os agentes*".

9 O controlo judicial da violação do prazo de duração máxima do inquérito

Julgando-se inequívoco – como se julga – que o prazo de duração máxima do inquérito não pode ter uma natureza meramente indicativa, por se tratar de um prazo imposto pela prossecução das finalidades mais fundas do direito processual penal – aquelas que no fundo lhe dão sentido e que o devem recortar como processo penal próprio de um estado de direito –, urge depois averiguar quem poderá sindicar a violação desse prazo.

Pode considerar-se cabido nas competências do juiz de instrução um poder--dever de controlar o cumprimento dos prazos de duração máxima do inquérito e

[21] Cf. CORREIA, João Conde. "Prazos máximos de duração do inquérito, publicidade e segredo de justiça: uma oportunidade perdida!". In: *As Alterações de 2010 ao Código Penal e ao Código de Processo Penal.* Coord. Rui do Carmo e Helena Leitão. Coimbra Editora/CEJ, 2011, p. 169. Nas palavras do autor, "assim, como não teve engenho nem arte para remover as causas da morosidade processual, o legislador limitou-se a alargar os prazos máximos de duração do inquérito. A consciência das dificuldades de implementar, no curto prazo, as reformas necessárias a um processo penal célere determinou o legislador a optar por esta solução pouco compatível com o direito a uma decisão num prazo razoável (Artigos 20, n. 4, e 32, n. 2, da CRP e 6º da CEDH) e demais exigências comunitárias". Se dezoito meses já é um prazo dificilmente compatível com o direito fundamental a uma decisão num prazo razoável, sobra a interrogação sobre aquilo que se diria sobre um prazo de mais de quarenta e dois meses...

das condições e termos legalmente previstos para a sua prorrogação, e determinar as consequências para o seu incumprimento? Em que momento do processo? Ainda durante o inquérito, ou apenas na instrução?

Também aqui o sentido da resposta se afigura transparente. Tratando-se o prazo de duração máxima do inquérito de um prazo justificado sobretudo (ainda que não só) pela protecção dos direitos fundamentais do arguido, a sua sindicância cabe – em cheio, poder-se-ia mesmo dizer – nas competências que o juiz de instrução não pode deixar de ter enquanto *juiz das liberdades* ou *juiz das garantias*. Assim não o admitir, em nome da defesa da autonomia do Ministério Público, equivaleria a deixar sem controlo a decisão sobre a duração do inquérito. Dito de outra forma: a *entidade controlada* no que tange ao respeito pelo prazo de duração máxima do inquérito e a *entidade que controla* não podem ser uma e a mesma, sob pena de assim se neutralizar, fenomenologicamente, um imperativo axiológico e legal. E não se vê, para mais e com importância decisiva para a dilucidação do problema em apreço, que daí possa resultar qualquer ingerência no desempenho pelo Ministério Público das suas atribuições de *dominus* do inquérito, porque nunca caberá ao juiz de instrução avaliar a adequação da actividade investigatória promovida pelo Ministério Público, mas tão somente fazer as contas necessárias à verificação sobre se foi ou não ultrapassado o tempo que o legislador processual penal estabeleceu respeitando preceitos constitucionais.

Dito da forma intencionalmente mais simples: o juiz de instrução limitar-se-á, nestas hipóteses, a olhar para o calendário e a fazer as contas necessárias à conclusão sobre se estamos ou não ainda dentro do tempo daquela investigação, eventualmente já prorrogada; não lhe competirá, em nenhuma circunstância, opinar sobre a adequação ou o desvalor de um certo *iter* investigatório escolhido pela autoridade judiciária que o Ministério Público também é. Uma tal actuação do juiz de instrução de mero controlo dos prazos, nas suas vestes de juiz das garantias, é necessariamente admitida quer na fase de inquérito, quer na fase de instrução.

10 Considerações finais

É função do juiz de instrução actuar durante o inquérito como juiz das garantias ou das liberdades e na instrução como garante de que só será julgado aquele relativamente ao qual tiverem sido produzidos indícios suficientes *de acordo com o devido processo legal.* Sem nunca olvidar que, nas palavras de Trocker, "*um processo que perdura por longo tempo transforma-se num cómodo instrumento de ameaça e pressão, uma arma formidável nas mãos dos mais fortes para ditar ao adversário as condições da rendição*"[22].

Quando a autoridade judiciária que o Ministério Público é *aplica* os prazos que vinculam *os outros* como necessariamente peremptórios mas vê os prazos aplicáveis à duração do inquérito, que deviam vinculá-lo, como prazos indicativos ou ordenadores, tem de se questionar se é ainda no processo penal de um estado democrático que nos movemos. Porque, como bem notaram dois dos mais eminentes processualistas penais que escrevem em português, "*a concepção de poder passa hoje pela temporalidade, na medida em que o verdadeiro detentor do poder é aquele que está em condições de impor aos demais o seu ritmo, a sua dinâmica, a sua própria temporalidade. O Direito Penal e o processo penal são provas inequívocas de que o Estado-Penitência (usando a expressão de Loic Wacquant) já tomou, ao longo da história, o corpo e a vida, os bens e a dignidade do homem. Agora, não havendo mais nada a retirar, apossa-se do tempo*"[23].

Num estado democrático que respeita a separação de poderes, o poder judicial, que aplica o direito, não pode neutralizar o exercício do poder legislativo que criou o direito também quando definiu os prazos para a aplicação da justiça. Se o Ministério Público não se sentir vinculado na sua actuação pelos prazos que o legislador lhe impõe, julgando para mais que actua sem controlo porque "tem a faca e o queijo na mão", todos perdemos. É o estado de direito que perde. E também por isso se impõe que o juiz de instrução, numa estrutura processual de máxima acusatoriedade como se quis que fosse o processo penal português, actue nesta sede como juiz das garantias. Nunca olvidando, portanto, aquilo que a nossa democracia quis que fosse: o *juiz das liberdades.*

---

[22] Cf. TROCKER, Nicolò. *Proceso civile e constituzione:* probblemi di diritto tedesco e italiano. Milão: Giuffrè, 1974. p. 276ss.

[23] Cf. LOPES JR., Aury; BADARÓ, Gustavo. *Direito ao Processo Penal no Prazo Razoável.* Rio de Janeiro: Editora Lumen Iuris, 2006. p. 44.

Breves apontamentos sobre os sistemas processuais penais e a superação de categorias históricas à luz da Constituição

Fabrício Dreyer de Ávila Pozzebon

Professor Titular da Escola de Direito da PUCRS

Marcelo Machado Bertoluci

Doutorando em Ciências Criminais pela PUCRS

1 Introdução

É de fundamental importância a análise dos movimentos da história, que permitem compreender as estruturas de poder estatal, as quais acabam por produzir (em geral, com permanente conflituidade) estruturas de Processo Penal. A "organização" processual penal bem representa os modelos de estrutura estatal, assim como os movimentos, a evolução e a involução no que concerne às liberdades públicas[1].

Temerário entendermos que determinados sistemas (sobretudo aqueles com aparência democrática) necessariamente produzam clareza conceitual, instrumentalidade garantista e tenham a dignidade da pessoa humana como valor inelutável. Não raras vezes, a *aparência* de legalidade é portadora de lacunas processuais perigosas, espaços amplos para o casuísmo, falta de compreensão sistêmica e, seguidamente, reveladores movimentos *utilitaristas* e *eficientistas*, supostamente "bem-intencionados".

Não é pela "nomenclatura" do sistema que podemos vislumbrar seu *núcleo fundante*, mas sim por suas especificidades, características e instrumentalização.

---

[1] Sobre essa dinâmica, ver POZZEBON, Fabrício Dreyer de Ávila. A efetividade dos direitos fundamentais no processo penal. *Revista Direito & Justiça*, Porto Alegre: EDIPUCRS, v. 37, n. 1, p. 5-11, jan./jun. 2011.

É essencial decodificarmos o verdadeiro conteúdo epistêmico dos sistemas e questionarmos a fórmula amplamente afirmada de que na *investigação criminal* não incidem garantias fundamentais, dentre as quais o *devido processo legal*, o *contraditório* e a *ampla defesa* como seus corolários lógicos.

Por mais que acreditemos que evolui positivamente a compreensão de que a própria investigação criminal deve ganhar contornos *acusatórios*, existem retrocessos históricos de difícil sustentação no sistema processual penal brasileiro, os quais reforçam a ideia de um modelo que tem "aparência de acusatório"[2] ou mesmo é "tomado como misto apenas enquanto discurso"[3].

Mais do que nunca é momento de pensarmos o processo penal afastado do perigoso mito da "verdade"[4]. A "verdade" é contingencial e o núcleo fundante da temática é a *eficácia* ou a *ineficácia* do *sistema de garantias*. Importante a realização de um deslocamento prévio dos pressupostos da discussão.

O direito ao contraditório, imprescindível limitador estatal, em ambas as fases da persecução penal, deve significar verdadeiro avanço democrático. Mais do que nunca, é necessária a efetiva filtragem constitucional, a fim de que o Processo Penal possa ser aplicado, cada vez mais, conforme a Constituição Federal. Muito além das "nomenclaturas" e "definições", é necessário perquirirmos o *conteúdo* dos atos e sua (in)conformidade constitucional.

Os novos e ainda quase indecifráveis paradigmas (por exemplo, o *eficienticismo* e o *utilitarismo*), presentes no "novo Direito Penal do Consenso", exigem, mais do que nunca, nossa capacidade de reflexão acerca do Sistema Processual Penal. Embora novos, mas aplicados sem hesitação, os institutos verificáveis na Lei n. 12.850/13, a qual dispõe sobre investigação criminal, meios de obtenção de prova e procedimento criminal, nos casos de organizações criminosas, representam importante impacto legislativo, apontam para a relativização de princípios e características do Processo Penal brasileiro e, não raras vezes, deixam o intérprete sem os indispensáveis referenciais dogmáticos.

---

[2] PRADO, Geraldo. *Sistema acusatório*. A conformidade constitucional das leis processuais penais. 4. ed. Rio de Janeiro: Lumen Juris, 2006. p. 195.

[3] COUTINHO, Jacinto Nelson Miranda. Fundamentos à inconstitucionalidade da delação premiada. *Boletim IBCCRIM*, São Paulo: Revista dos Tribunais, a. 13, n. 159, p. 7-9, fev. 2006. p. 08.

[4] KHALED JR., Salah H. *A busca da verdade no processo penal:* para além da ambição inquisitorial. São Paulo: Atlas, 2013.

O estudo dos sistemas processuais penais e a identificação daquilo que supera a abordagem histórica sobre os mesmos é, sem dúvida, uma exigência atual. Necessária a eleição dos critérios verdadeiramente produtores de *efetividade constitucional* e de afirmação do *sistema de garantias*.

2 Os sistemas processuais penais

Os sistemas processuais penais representam um conjunto de elementos destinados à configuração de um modelo principiológico e também são indicativos da estrutura de poder do próprio Estado.

Sempre oportuno, portanto, avaliarmos as características dos sistemas processuais e os fatos que ensejaram, ao longo do tempo, movimentos cíclicos de evolução e involução legislativa e a permanente conflituidade entre estruturas do processo penal ora autoritário ora democrático. Difícil, igualmente, identificarmos os sistemas processuais penais como exclusivamente "puros", ou seja, com características exclusivas de determinada matriz conceitual. A interligação (e, por vezes, a confusão principiológica) é uma realidade ainda verificável.

Relativamente ao conceito de sistema, Jacinto Coutinho aponta, com a costumeira propriedade:

> Tenho a noção de *sistema* a partir da versão usual, calcada na versão etimológica grega (*systema* – atos), como um *conjunto de temas jurídicos que, colocados em relação por um princípio unificador, formam um todo orgânico que se destina a um fim*. É fundamental, como parece óbvio, ser o conjunto orquestrado pelo *princípio unificador* e voltado para o fim ao qual se destina.[5] [grifo no original]

É necessário, como bem aponta o citado autor, perquirirmos o núcleo fundante do sistema e o princípio reitor que o dirige. As avaliações acerca da estrutura do sistema, bem como do objetivo e da finalidade, devem ocorrer permanentemente. O casuísmo deve ser sempre evitado.

2.1 Sistema inquisitório

O sistema inquisitório na Europa medieval ganhou força entre os séculos XII e XIV e acabou por substituir o sistema acusatório. Seu *núcleo* identifica a

[5] COUTINHO, Jacinto Nelson de Miranda. *Crítica à teoria geral do direito processual penal*. Rio de Janeiro: Renovar, 2001. p. 16-17.

reunião no mesmo órgão de Estado das funções de acusar e julgar. Na esteira de Lorena Winter:

> Su desarollo se debe – como la inmensa mayoría de las grandes reformas jurídicas – a que el modelo de processo inquisitivo controlado por funcionarios sometidos a una estricta jerarquía, representaba un mecanismo útil y eficaz para la consolidación del poder de gobiernos centralizados, con el paradigma de las monarquías absolutistas em Francia.[6]

Totalmente identificável o fenômeno da *centralização*, sendo os Estados Absolutistas os grandes fomentadores do aludido sistema.

As palavras de Nicolau Eymerich bem retratam a lógica de *dominação*, *arbitrariedades* e exercício desmedido de poder praticado, tudo em nome da persecução aos "delitos de lesa majestade".

> Vamos esclarecer logo que, nas questões de fé, o procedimento deve ser sumário, simples, sem complicações e tumultos, nem ostentação de advogados e juízes. Não se pode mostrar os autos de acusação ao acusado nem discuti-los. Não se admitem pedidos de adiamento, nem coisas do gênero. E, já que distinguimos três maneiras de abrir um processo, vamos retomá-las agora, examinando o desenrolar de cada uma.[7]

Juízos com elementos "espirituais", *tarifa das provas*, regras rígidas de valoração probatória, uso de *tortura* para obtenção da confissão (aliás, a confissão tida como *regina probationum*) e todo um aparato de absoluta falta de racionalidade, proporção e respeito à condição humana era verificável.

Aury Lopes Júnior[8] bem demonstra a mudança de fisionomia do sistema inquisitório, explicando que, na origem do referido sistema, acusador e acusado tinham igualdade de poderes:

- disputa desigual entre juiz – inquisidor e o acusado;
- juiz assume a atividade de inquisidor, atuando desde o início também como acusador (confusão de funções);

---

[6] WINTER, Lorena Bachmaier (coord.). *Proceso penal y sistemas acusatorios*. Madri: Marcial Pons, 2008. p. 16.

[7] EYMERICH, Nicolau. *Manual dos inquisidores*. Brasília: Universidade de Brasília, 1993. p. 110.

[8] LOPES JR., Aury. *Fundamentos do processo penal*. Introdução crítica. 2. ed. São Paulo: Saraiva, 2016.

- o acusado de sujeito processual é convertido em objeto de investigação;
- atuação de ofício do julgador;
- o processado é a melhor fonte de conhecimento e chamado a declarar a verdade;
- admite-se a inatividade das partes;
- procedimento escrito e secreto. Total desamor ao contraditório;
- sistema de chamada tarifa probatória;
- não produção de coisa julgada pela sentença;
- prisão como regra durante o processo.

Resta transparente que a *verdade absoluta* assume grande fonte justificadora de barbáries e o "arrependido" sempre poderá abrir o caminho para um mundo melhor, desde que não se oponha ao dogma.

Os métodos de *aflição física* e *psíquica* eram justificados, e falar sobre a imparcialidade do julgador seria impossível. A *inexistência de contraditório* e a ratificação da confissão perante o Tribunal do Processo inquisitivo era o melhor dos mundos.

O processo inquisitório concebido como uma inequívoca demonstração do *modelo de Estado* predominou até fins do século XVIII e início do século XIX.

2.2 O sistema acusatório

O sistema acusatório teve origem na Grécia e na Roma Republicana, nas quais a valorização da acusação privada era uma das formas de sua demonstração. A transferência da acusação privada para o Estado, muito lentamente, abriu espaço para uma nova estruturação sistêmica, sobretudo com os ideais de valorização do homem.

Ferrajoli aponta:

> A batalha cultural e política contra a irracionalidade e o arbítrio desse procedimento forma um dos motivos animadores de todo o Iluminismo penal reformador. De Thomasius a Montesquieu, de Beccaria a Voltaire, de Verri a Filangierri e a Pagano, todo o pensamento iluminista concordou com a denúncia da desumanidade da tortura e do caráter despótico da Inquisição, assim como com o redescobrimento dos valores garantistas da tradição acusatória, tal como foi transmitida do antigo processo romano ao ordenamento

inglês. Foi, portanto, natural que a Revolução Francesa adotasse – na oportunidade imediatamente seguinte a 1789 – o sistema acusatório, baseado na ação popular, no júri, no contraditório, na publicidade e oralidade do juízo e no livre convencimento.[9]

Ainda nos tempos atuais, a vigilância contra a irracionalidade (sobretudo no plano legislativo) e o abuso de poder apresenta-se como necessária no plano da persecução penal. A necessidade da afirmação de que a persecução criminal no Brasil deve atender aos critérios objetivos de respeito às garantias constitucionalmente reconhecidas continua no atual momento histórico.

Interessante o magistério de Tornaghi:

> Contra aquela ordem de coisas, que calcinava a convicção dos bons e rebaixava a dignidade dos maus, levantaram-se as vozes essencialmente paladinas e tenazmente operosas de Beccaria, Gilangieri, Romagnosi e tantos outros que desencadearam um movimento grandioso, formaram uma dinastia intelectual e inauguraram uma época imorredoura.[10]

O sistema acusatório, marcado pelo *equilíbrio* entre as partes e a *separação de funções* com a *gestão da prova nas mãos das partes*, evidencia a igualdade dos litigantes e a publicidade. O julgador atua como o controlador da legalidade, realizando as necessárias filtragens.

De acordo com a pertinente lição de Aury Lopes Júnior[11], são características do sistema acusatório:

- atuação judicial passiva. Afastamento da iniciativa e gestão da prova. Atividades a cargo das partes;
- pessoas distintas encarregadas de acusar e julgar;
- falta de atuação judicial "de ofício". Não aceitação de denúncia anônima nem processo sem acusador legítimo e idôneo;
- delito de denunciação caluniosa do apenado;
- acusação por escrito e com indicação de provas;

---

[9] FERRAJOLI, Luigi. *Direito e razão*. Teoria do garantismo penal. Tradução de Ana Paula Zoner, Fauzi Hassan Choukr, Juarez Tavares e Luiz Flávio Gomes. São Paulo: Revista dos Tribunais, 2002. p. 454.

[10] TORNAGHI, Helio. *A relação processual*. 2. ed. rev. e atual. São Paulo: Saraiva, 1987. p. 4.

[11] LOPES JR., Aury. *Fundamentos do processo penal*. Introdução crítica. 2. ed. São Paulo: Saraiva, 2016.

– contraditório e direito de defesa;
– procedimento oral e julgamentos públicos.

E complementa quanto às alterações da forma acusatória, apontando as características do sistema acusatório na atualidade:

– clara distinção entre as atividades de acusar e julgar;
– iniciativa probatória deve ser das partes;
– juiz como terceiro imparcial, alheio a labor de investigação e passivo no que se refere à coleta da prova, tanto de imputação como de descargo;
– tratamento igualitário das partes;
– procedimento como regra oral;
– publicidade do procedimento;
– contraditório e possibilidade de resistência;
– ausência de tarifa probatória (livre convencimento motivado);
– coisa julgada com finalidade de segurança jurídica e social;
– duplo grau de jurisdição.

É bem verdade que todos os parâmetros e diretrizes democráticos citados com propriedade por Aury Lopes Júnior[12] como elementos nucleares do processo penal democrático no Brasil acabam por sofrer um verdadeiro teste com o modelo verificável na Lei n. 12.850/13. Os critérios para a investigação criminal, os meios de obtenção de prova e o procedimento criminal nas hipóteses de persecução criminal nos casos de organizações criminosas têm sofrido verdadeira "nova leitura". Como reinterpretarmos o "direito ao silêncio", o "devido processo legal e o contraditório" na seara das "delações premiadas"? Ainda é cedo para avaliarmos as consequências dos novos institutos.

Com acerto aponta André Faria[13]: "No Brasil, ao contrário do que se possa pensar, não vigora um sistema acusatório puro, já que nosso código processual penal, em dados momentos, mantém, de forma inequívoca, traços inquisitoriais".

Nessa linha também é o magistério de Paulo Rangel:

> O Brasil adota um sistema acusatório que, no nosso modo de ver, não é puro em sua essência, pois o inquérito policial regido pelo sigilo, pela inquisitoriedade,

[12] Ibidem.

[13] FARIA, André. *Os poderes instrutórios do juiz no processo penal.* Uma análise a partir do modelo constitucional de processo. Belo Horizonte: Arraes, 2011. p. 35.

tratando o indiciado como objeto da investigação, integra os autos do processo, e o juiz, muitas vezes, pergunta, em audiência, se os fatos que constam do inquérito policial são verdadeiros. Inclusive, ao tomar depoimento de uma testemunha, primeiro lê seu depoimento prestado, sem o crivo do contraditório, durante a fase do inquérito, para saber se confirma ou não, e, depois, passa a fazer as perguntas que entende necessárias. Neste caso, observe o leitor que o procedimento meramente informativo, inquisitivo e sigiloso, dá o pontapé inicial na atividade jurisdicional à procura da verdade processual. Assim, não podemos dizer, pelo menos assim pensamos, que o sistema adotado entre nós é puro. Não é. Há resquícios do sistema inquisitivo, porém já avançamos muito.[14]

Resta de meridiana percepção que os elementos probatórios obtidos na fase inquisitorial, não raras vezes, sofrem um verdadeiro processo de "imunização" processual, e as consequências daí decorrentes são praticamente irreversíveis.

2.3 O sistema misto

A nomenclatura de imprecisa definição já evidencia a dificuldade de emancipação do sistema misto em relação aos sistemas de origem. A falta de uma principiologia unificadora potencializa a dependência a outros sistemas e os momentos de conflituidade e incoerência principiológica são constantes.

Pertinentes as palavras de Jacinto Coutinho acerca do tema:

> Salvo os menos avisados, todos sustentam que não temos, hoje, sistemas puros, na forma clássica como foram estruturados. Se assim o é, vigora sempre sistemas mistos, dos quais, não poucas vezes, tem-se uma visão equivocada (ou deturpada), justo porque, na sua natureza, acaba recepcionado como um terceiro sistema, o que não é verdadeiro. O dito sistema misto, reformado ou napoleônico é a conjugação dos outros dois, mas não tem um princípio unificador próprio, sendo certo que ou é essencialmente inquisitório (como nosso), com algo (características secundárias) proveniente do sistema acusatório, ou é essencialmente sistema inquisitório. Por isso, só formalmente podemos considerá-lo como um terceiro sistema, mantendo viva, sempre, a noção referente a seu princípio unificador, até porque está aqui, quiçá, o ponto

[14] RANGEL, Paulo. *Direito processual penal*. 12. ed. Rio de Janeiro: Lumen Juris, 2007. p. 51.

> de partida da alienação que se verifica no operador do direito, mormente o processual, descompromissando-o diante de um atuar que o sistema está a exigir ou, pior, não o imunizando contra os vícios gerados por ele.[15]

A falta de identificação no sistema misto de seu núcleo fundamental é algo preocupante. Embora exista a separação quanto às funções de acusar e julgar, há uma lógica de *duplicidade de valoração das provas* pelo julgador: *livre convicção motivada* e íntima convicção. E a sempre temível "busca da verdade" segue como algo pretendido.

A incoerência e a insegurança, mais uma vez, têm sua presença visível no referido sistema.

3 A superação das categorias históricas

Embora "o Direito no Ocidente – desde a revolução papal – possua um forte elemento diacrônico e, mais que isso, um forte elemento de tradição"[16], a partir das características desses sistemas de direito processual penal e do consenso sobre a impossibilidade de trabalharmos com um modelo "puro", como ficam, na contemporaneidade, categorias tão caras ao processo penal, especialmente quando outras concepções ampliam o espectro de reflexão? Como harmonizá-las à luz das garantias constitucionais aplicáveis ao processo penal, quando esse convívio tem demonstrado pontos tão claros de tensão? Qual o caminho possível para um modelo de maior conformidade com a Constituição Federal? Essas são algumas das questões que se passa a abordar.

3.1 A inclusão de outras concepções ao pensar o sistema

A ideia de trabalhar a superação de categorias históricas, especialmente neste restrito espaço de reflexão, passa pela consciência da necessidade de incluir noções que adquiriram no conhecimento em geral e, portanto, também no processo penal, um amplo espaço de percepção e aplicação.

---

[15] COUTINHO, Jacinto Nelson de Miranda. *O papel do novo juiz no processo penal.* Crítica à teoria geral do direito processual penal. Rio de Janeiro: Renovar, 2000. p. 17-18.

[16] BERMAN, Harold. J. *Direito e revolução:* a formação da tradição jurídica ocidental. Tradução de: Eduardo Takemi Kataoka. São Leopoldo: Unisinos, 2006. p. 684.

O rito, ou a construção artificial e dinâmica que é o processo penal, ainda traz, a partir da concepção tradicional, a pretensão de que esse seja o lugar da reconstituição ou recognição dos fatos (da "verdade" dos fatos), de modo a fornecer elementos para que o juiz possa, ao final, aplicar a norma cabível e restabelecer a ordem jurídica violada. No caso da seara penal, de regra, mediante a "justa aplicação da pena". Essa reconstituição fática está prevista para se dar em dois momentos diversos de persecução: a administrativa e a judicial.

A fase administrativa, de regra policial, ainda que não necessariamente diante de seu caráter informativo que outras peças também podem propiciar, marcada pelo seu caráter inquisitorial, ou seja, sigiloso, investigatório e de regra não contraditório, onde o suspeito é "objeto de investigação". E a fase judicial, caracterizada como sede de aplicação das garantias constitucionais, com disposições em favor do réu, parte nitidamente frágil frente à pretensão punitiva estatal, que goza da presunção de inocência. A solução deve se dar com base na "verdade real", após o transcurso do devido processo legal, de modo a satisfazer o sentimento geral de justiça e restabelecer a paz social abalada com a prática delitiva, através da aplicação da pena.

Esse rito tem suas características sujeitas a maior ou menor preponderância dos sistemas processuais penais aplicados. E, mesmo que tais sistemas sejam fundamentais para que se possa falar das características da persecução penal em suas fases, há uma gama de fatores que igualmente exercem marcante influência na sua definição. Nesse sentido, conforme Genacéia da Silva Alberton[17], enquanto o sistema acusatório, típico do estado democrático de direito, mostra-se mais sensível à exigência de liberdade, o inquisitório de matriz estatal autoritária (cujos traços ainda estão presentes no processo penal brasileiro) pende a assegurar a punição do culpado. Sobre os poderes da acusação e da defesa, por exemplo, no modelo atual, verifica-se que o acusado não dispõe de um sistema organizado, como ocorre com a polícia judiciária. Mas foi ao traçar princípios que norteiam o processo penal, como garantias constitucionais, como contraditório, ampla defesa, presunção do estado de inocência, que a Constituição Federal de 1988

---

[17] ALBERTON, Genacéia. O artigo 594 do Código de Processo Penal no âmbito da ampla defesa. In: TOVO, Paulo Cláudio (org.). *Estudos de Direito Processual Penal.* Porto Alegre: Livraria do Advogado, 1995. p. 63-91. p. 66-67.

instaurou um momento processual mais liberal, denotando uma tendência, crescente ao sistema acusatório, nos moldes do sistema italiano.

Ademais, a inclusão de noções como "complexidade", "aceleração" e "risco" contribui para a crise de conceitos tão caros ao processo penal, como "verdade", "segurança" e "controle", obrigando a acentuada reflexão. Ou seja, que "verdade" ou "segurança" é possível obtermos no processo penal e o quanto estamos dispostos a sacrificar em temos de garantias constitucionais para buscá-las, inclusive na fase investigatória?

E não se pode olvidar que essa crise na matriz do conhecimento racional e que, portanto, também atinge os institutos processuais penais, implica fragilidade às próprias garantias, a exigir seu fortalecimento em termos hermenêuticos.

Diante da relevância do *jus libertatis* do investigado e do acusado, há um consenso de que as garantias do processo penal se impõem, e que a "verdade possível de ser obtida", sistemicamente, deve estar sujeita às "regras do jogo", como se verifica, por exemplo, quando se fala na proibição de provas ilícitas ou na possibilidade de revisão criminal exclusivamente em favor do réu no Direito brasileiro. Assim, o processo penal deve buscar o convívio mais harmônico possível entre a "verdade", o "controle" e a "segurança", com os relevantes direitos constitucionais e infraconstitucionais das pessoas.

Como afirma Aury Lopes Júnior[18], é necessário assumir os riscos e lutar por um sistema de garantias mínimas, pois, "[...] como risco, violência e insegurança sempre existirão, é sempre melhor risco com garantias processuais do que risco com autoritarismo". Entre essas garantias trazidas pelo autor[19] estão: a) a jurisdicionalidade (*nulla poena, nulla culpa sine iudicio*); b) a gestão da prova e separação das atividades de acusar e julgar (sistemas: acusatório e inquisitório); c) a presunção de inocência; d) o contraditório e direito de defesa (*nulla probatio sine defensione*). Mas não se pode descurar, como afirma o autor, que,

> [...] como vivemos em uma sociedade acelerada, caracterizada pelo risco, essa sociedade acostumada com a velocidade não quer esperar pelo processo. Nesse cenário os juízes são pressionados para decidirem rápido e as comissões

---

[18] LOPES JR., Aury. *Introdução crítica ao processo penal:* fundamentos da instrumentalidade garantista. Rio de Janeiro: Lumen Juris, 2006. p. 67-68.

[19] Ibidem.

de reforma para criarem procedimentos mais rápidos, esquecendo-se que o tempo do direito será sempre outro, por uma questão de garantia.[20]

Com a velocidade avassaladora do conhecimento em uma sociedade marcada por relações cada vez mais complexas de forma a multiplicar as demandas é fundamental diferenciar o tempo social do tempo do processo. No modelo atual, o juiz é premido pela impossibilidade de uma reflexão mais alongada sobre os fatos do processo, ao mesmo tempo em que é cada vez mais exigido na rapidez de suas decisões. Não há mais como pensar o papel do juiz como o que dispunha de um tempo alargado para analisar os processos. Hoje, o juiz deve julgar na instantaneidade moderna, o que significa dizer, na velocidade que a sociedade impõe. O problema é que o juiz, na contemporaneidade, perde o tempo da reflexão e a distância para melhor apreender a problemática.

Daí pode-se ter a dimensão do desafio enfrentado.

Apenas a título de elucidação, foi nesse contexto de "aceleração" que o legislador constituinte brasileiro, através da Emenda Constitucional n. 45, de dezembro de 2004, ao acrescentar o inciso LXXVIII no Artigo 5º da Carta Magna, erigiu como garantia constitucional o "tempo razoável e a jurisdição útil", de forma a enfrentar os pontos de estrangulamento da celeridade processual, o que, no processo penal, deve ser tomado com cautela, em razão da legitimidade da investigação, da imprescindibilidade do processo para imposição da pena e da observância das garantias. Essa introjeção da velocidade a partir da aludida Emenda Constitucional atinge seu ápice quando é alterado, também, o Artigo 93, II, "c", da Constituição, que passa, no tocante aos critérios para promoção dos juízes, a contar com a seguinte redação: "aferição do merecimento conforme o desempenho e pelos critérios objetivos da produtividade e presteza no exercício da jurisdição, e pela frequência em cursos oficiais ou reconhecidos de aperfeiçoamento"; além de acrescer ao aludido artigo a alínea "e", nos seguintes termos: "não será promovido o juiz que, injustificadamente, retiver autos em seu poder além do prazo legal, não podendo devolvê-los ao cartório sem o devido despacho ou decisão".

Não se nega que a previsão e o uso indiscriminado de medidas processuais procrastinatórias têm prestado um desserviço à credibilidade do processo penal

[20] Idem. *Introdução crítica ao processo penal:* fundamentos da instrumentalidade garantista. Rio de Janeiro: Lumen Juris, 2004. p. 37.

como um todo; todavia, é preocupante o uso nessa seara de expressões como "presteza" e "produtividade" como critérios de promoção judicial.

O ritmo social não é o ritmo do processo como tradicionalmente se tinha. Então o juiz tem menos tempo para julgar. O processo segue uma lógica racional. O tempo de aceleração é um tempo de racionalização próprio das ciências modernas (tecnociência). É algo paradoxal. Enquanto o processo e o tempo seguem o trâmite da racionalidade assim como o tempo da racionalidade, há um novo ritmo social que a racionalidade não dá conta. O tempo do processo, não acelerado, é o tempo do ritual, que está vinculado a uma tradição. Na aceleração que temos, é impossível pensar que podemos ter rituais da mesma forma que antes. A racionalidade se mitifica e o mito é ritualizado no processo. Com a aceleração vai alterar o ritual. Há uma desconformidade entre o processo e o ritmo social. O legislador cria a lei para diminuir o descompasso, mas não oferece as alternativas ou os meios materiais para adequar o tempo social e o tempo do processo, e vice-versa. E se não há isto, é necessário ampliar a visibilidade. O tempo social não é o tempo ritualizado do processo. Querer adequar esse àquele significa alterar as características do processo. Com essa alteração apenas no âmbito legislativo, sem a adoção das medidas necessárias à implementação, há fragilização das garantias.

Além dos prejuízos jurídicos, há ainda os de ordem probatória, pois, como aduz Ruth Maria Chittó Gauer[21], a velocidade, que imprime um volume de informação em uma duração temporal quase instantânea, dilui, drasticamente, o ponto de sustentação do passado. Nesse sentido, a identificação das regras processuais penais, seja na fase persecutória administrativa ou judicial, torna-se cada vez mais difícil de ser conhecida e aplicada através do instrumental fornecido pelo processo penal. As situações "reais" apreendidas ao longo da história perdem o sentido amplo e dão lugar ao restrito, ao instantâneo, ao superficial.

Analisadas as questões relativas às características do sistema processual penal à luz de outras concepções que ampliaram o horizonte de reflexão, bem como os desafios inerentes a sua harmonização com o respeito às garantias constitucionais aplicáveis ao processo penal, passa-se, agora, a uma proposta de caminho possível para que seja possível pensarmos um modelo mais próximo ao acusatório

---

[21] GAUER, Ruth Maria Chittó. Falar em tempo, viver o tempo! In: ______. (coord.). *Tempo & historicidade*. Porto Alegre: EDIPUCRS, 2016. p. 31-50. p. 35.

e de maior conformidade com a Constituição Federal, em ambas as fases da persecução penal.

3.2 O critério da democraticidade como fundamento da persecução penal

Na mesma linha do referido acima, embora seja sempre oportuno o exame, a avaliação dos fatos históricos que fomentaram a mutação das regras processuais penais, o momento atual exige o enfrentamento do tema além das categorias históricas.

Há necessidade quanto ao processo penal de deslocamento de análise, pois, para a afirmação da Constituição Federal, não raras vezes produz resultado de maior utilidade e efetividade a abordagem *além* da verificação dos sistemas.

Lorena Winter[22] com precisão aponta que o debate atual deve estar centrado não tanto na figura do juiz de instrução ou na conveniência da sua substituição. Embora o núcleo da abordagem seja referente ao processo penal na Espanha, afastadas as peculiaridades daquele país, merecem reflexão suas palavras.

Muito apropriada a instigação que faz a referida autora quanto à necessidade de buscas das respostas para as seguintes questões:

> [...] importante para la protección de los ciudadanos es que el aparato estatal sea utilizado para el esclarecimiento de hechos delictivos y no para otros fines no leg*í*timos [...] que el Estado vele por la seguridad de los ciudadanos y dé uma respuesta eficaz ante la criminalidad, al mismo tiempo que se garantice la libertad del ciudadano frente al uso abusivo del proceso penal por parte del poder.
>
> Quién debe vigilar que las medidas de investigación son *lícitas y* proporcionales em cada caso [...] las medidas de investigación devem estar sometidas a control judicial.
>
> Como garantizar la *máxima* eficacia de la investigación [...] que sean conocedores de los limites de actuación y la relevancia de operar dentro del marco de los derechos fundamentales [...].

---

22 WINTER, Lorena Bachmaier (coord.). *Proceso penal y sistemas acusatorios*. Madri: Marcial Pons, 2008.

> El valor probatorio que se otorga a esas actuaciones realizadas en la fase de instrucción sin contradicción [...] para que se logre ser respetuoso con el derecho de defensa y la igualdad de armas [...] bien transformar la fase de instrucción en contradictória [...].[23]

A reflexão proposta pela autora revela-se pertinente, sobretudo quando, nos próprios *sistemas acusatórios*, deparamo-nos com *elementos inquisitivos*. A falta de "pureza" dos sistemas exige um olhar para além das especificidades de cada sistema.

Quando Rui Cunha Martins examina "verdade e sistema", aponta:

> [...] uma determinada noção de *processo*; uma determinada noção de *sistema processual*; uma determinada noção de *verdade enquanto elemento do sistema processual*; e uma determinada noção do modo como esse *processo-feito-sistema* elege os seus *critérios de fundamentação*.[24] [grifo no original]

Essas seriam, segundo o referido autor, as novas plataformas da arquitetura do problema.

A verificação se os critérios de fundamentação do sistema processual penal estão sendo devidamente cumpridos deve ser uma constante. O respeito aos direitos fundamentais, o controle jurisdicional permanente, a verificação do atendimento das finalidades essenciais estatais, os limites e a proporcionalidade da atuação persecutória, bem como o novo modelo de "eficiência" da persecução criminal, estão permanentemente na pauta do sistema processual penal.

E segue Rui Cunha Martins:

> Assim, entendo o *processo*, qualquer processo, como um dispositivo articulador de elementos de vária ordem, um dos quais pode ser o valor "verdade", e cujas modalidades de interação têm tanto de regular quanto de imprevisível, respondendo basicamente por *critérios de conectividade*. É sobre esta multiplicidade que investe, em dado momento (mais exatamente: no momento em que essa dinâmica processual se constitui em processo ao serviço de algum ícone específico: processo *histórico*, processo *econômico*, processo *constituinte*,

---

[23] WINTER, Lorena Bachmaier (coord.). *Proceso penal y sistemas acusatorios*. Madri: Marcial Pons, 2008. p. 34-36.

[24] MARTINS, Rui Cunha. *O ponto cego do direito*. The brazilian lessons. 3. ed. São Paulo: Atlas, 2013. p. 64.

> processo *administrativo*, processo *civil*, processo *penal*...), uma necessidade de sistema, correspondente à vontade de impor uma estrutura dotada de sentido à dispersão constitutiva dos elementos processuais. Trata-se, neste ponto, de direcionar a conectividade e de a direcionar para um fim. Essa *vontade sistêmica*, que de alguma maneira implica uma perda de espontaneidade e imprime uma marca de estabilidade ordenadora, traduz-se na eleição de determinado elemento (funcional, doutrinário ou outro) para princípio regente do todo processual, decorrendo do caráter dessa opção e do modelo por ela definido (no caso do penal: inquisitivo, acusatório, ou outro) uma redistribuição de lugares e desempenhos no quadro do dispositivo.[25] [grifo no original]

Como bem aponta o referido autor[26], a "vontade sistêmica" deve ser compreendida a partir dos princípios regentes do sistema, os quais devem ordenar os "lugares" e "modo" de atuação dos atores da cena processual penal.

E complementa:

> [...] o *processo-feito-sistema* impõe uma modelação a um dispositivo antes movido pela circunstancialidade impulsiva do *critério da conectividade*, mas, ao fazê-lo, fica por sua vez vinculado à necessidade da sua própria conjugação com o permanente exercício-limite do *critério da democraticidade*.[27] [grifo no original]

O aludido critério da democraticidade sugere o cumprimento de garantias concorrentes, nas palavras do autor[28]. As garantias individuais acabam por alimentar a persecução criminal. O direito a perseguir o autor do delito e exigir justo julgamento acaba por fortalecer as garantias individuais em verdadeiro círculo comunicante.

No que concerne ao sistema processual, segundo o referido autor[29], ele é o "*microcosmo democrático do estado de direito*" [grifo no original].

E nas palavras de Geraldo Prado:

---

[25] MARTINS, Rui Cunha. *O ponto cego do direito*. The brazilian lessons. 3. ed. São Paulo: Atlas, 2013. p. 65.

[26] Ibidem.

[27] Ibidem, p. 66.

[28] Ibidem.

[29] Ibidem, p. 72.

Na verdade, o sistema processual está contido no sistema judiciário, por sua vez espécie do sistema constitucional, derivado do sistema político, implementando-se deste modo um complexo de relações sistêmicas que metaforicamente pode ser desenhado como de círculos concêntricos, em que aquele de maior diâmetro envolve o menor, e assim sucessivamente, contaminando-se e dirigindo-o com os princípios adotados na Lei Maior.[30]

E seguimos com António Magalhães Gomes Filho:

Acima de tudo, as garantias em questão não apenas se somam ou justapõem, mas se articulam em relações mais complexas; na verdade, há entre elas uma impenetração recíproca, de tal modo que umas conferem efetividade às outras e são também por estas reforçadas, dando lugar a um sistema circular apto a assegurar, em níveis cada vez mais elevados, a proteção do indivíduo por meio do processo.[31]

A permanente conflituidade é da própria essência do processo penal. A ideia de processo pressupõe conflito e necessidade de equilíbrio de forças e justa tutela de interesses antagônicos e aparentemente de difícil conciliação.

Nesse diapasão, todo o Sistema Processual se estabelece sobre essa tensão, praticamente irresolúvel. Elege o autor o critério da *democraticidade* como princípio unificador dos sistemas processuais de inspiração democrático-constitucional[32].

Aponta Rui Cunha Martins:

Dizer "democrático" é dizer o contrário de "inquisitivo", é dizer o contrário de "misto" e é dizer mais do que "acusatório". Inquisitivo, o sistema não pode legalmente ser; misto também não se vê como (porque se é misto haverá uma parte, pelo menos, que fere a legalidade); acusatório, pode ser, porque se trata de um modelo abarcável pelo arco de legitimidade. Mas só o poderá ser à condição: a de que esse modelo acusatório se demonstre capaz de protagonizar essa adequação. Mais do que acusatório, o modelo tem que ser democrático.[33]

[30] PRADO, Geraldo. *Sistema acusatório*. A conformidade constitucional das leis processuais penais. Rio de Janeiro: Lumen Juris, 1999. p. 63.

[31] GOMES FILHO, António Magalhães. *A motivação das decisões penais*. São Paulo: Revista dos Tribunais, 2001. p. 32-33.

[32] MARTINS, Rui Cunha. *O ponto cego do direito*. The brazilian lessons. 3. ed. São Paulo: Atlas, 2013.

[33] bidem, p. 73.

O *princípio unificador* seria mais do que o modelo, na medida em que o processo penal representa também um instrumento político.

E a Constituição deve ser a grande referência do Processo Penal.

Necessário que o conjunto de normas de proteção de garantias constitucionais, além de fundamentais ao próprio exercício democrático (*ampla defesa, contraditório, devido processo legal, juiz natural, regularidade* e *efetividade do processo acusatório*), gere efeito necessário aos órgãos persecutórios. O abuso de poder e os permanentes riscos de involução autoritária são constantes, inclusive no estado democrático de direito.

Assim leciona Nilo Batista:

> Não existe um estado de direito democrático estagnadamente acabado, como *hortus conclusus* do empreendimento democrático. Dentro dele, pulsa surdamente e procura avançar, por todos os interstícios que se apresentam, o estado de polícia. [...] O juiz, no estado de direito democrático, tem precisamente esta função: a de filtrar implacavelmente toda a demanda de criminalização que lhe é apresentada, impedindo a passagem de todo poder punitivo que não seja meridianamente constitucional e racional. Para exercer tal função – cuja importância para o estado de direito dispensa considerações –, dispõe ele do direito penal.[34] [grifo no original]

A atualidade e a pertinência da lição de Nilo Batista saltam aos olhos em tempos do "novo Direito Penal do Consenso".

A absoluta relativização de alguns princípios de Processo Penal e a dificuldade de preservação e respeito de muitos dos indispensáveis critérios garantidores apontam para um sinal de alerta.

Dentre os desafios, por certo, está nossa necessidade de convivência e atuação quotidiana com recentes e irreversíveis institutos processuais penais, meios de obtenção probatória e novos paradigmas de atuação.

Por outro lado, a "abertura de horizontes" deve estar em conformidade com os valores escolhidos pelas sociedades democráticas como aqueles que informam o estado democrático de direito.

---

[34] BATISTA, Nilo. A criminalização da advocacia. *Revista de Estudos Criminais*, Sapucaia do Sul: Notadez, a. IV, n. 20, p. 85-91, out./dez. 2005, p. 86-87.

4 Conclusão

Os critérios da utilidade e da eficiência, os quais devem ser compreendidos sem paixões, não podem excluir os pilares estruturais do *sistema de garantias*, sob pena de perigoso retrocesso, personalismos desmedidos e o temível risco da injustiça no caso concreto.

Portanto, com a compreensão do atual momento histórico e da recente simbiose entre o Processo Penal brasileiro e institutos mais recentemente chegados ao sistema pátrio, é fundamental, além da compreensão sistêmica, o necessário equilíbrio para a afirmação da Constituição Federal.

A devida cautela com a aplicação de "novos" e "sedutores" institutos, potencializados por um suposto "clamor social", ou por um discurso de "direito penal máximo" como forma de "solução" dos problemas sociais mais graves e prementes, é necessária para não subverter as características essenciais ao sistema de garantias, cujo reconhecimento remonta conquistas de séculos de evolução humana e que devem pautar um processo penal que tem como tábua axiológica a Constituição Federal.

Uma análise aprofundada sobre os sistemas processuais penais está a exigir, além de uma reflexão sobre as suas características e se estão mais ou menos presentes em uma fase ou em outra da persecução penal, ou, ainda, quais são preponderantes no processo penal de um país ou de outro, seja incluído nessa reflexão um novo olhar a partir das concepções de "complexidade", "aceleração" e "risco" e seus reflexos na forma de concebermos e aplicarmos o processo penal e seus institutos.

Dentre os caminhos possíveis, a aplicação do critério da democraticidade como elemento fundante do Processo Penal contribui para um modelo que, "mais do que acusatório, tem de ser democrático", no qual as garantias constitucionais sejam respeitadas e encontrem seu respectivo espaço em todas as fases persecutórias, de modo a possibilitar uma investigação e um processo, conforme a Constituição, que atendam às suas finalidades, com respeito à dignidade da pessoa humana como orientação e limite.

O princípio constitucional da presunção de inocência e a (im)possibilidade de execução provisória da pena após decisão condenatória de segundo grau

Gina Ribeiro Gonçalves Muniz

Mestranda em Ciências Jurídico-Criminais pela Universidade de Coimbra

1 Impostação do problema: o princípio constitucional da presunção de inocência e seus reflexos na fixação do termo inicial para o cumprimento de pena

O processo penal de um país reflete o posicionamento autoritário ou democrático de sua Magna Carta[1]. O Brasil autointitula-se, conforme redação expressa de sua Constituição, como Estado Democrático de Direito, premissa que impõe nortear a função punitiva estatal pelo respeito à teleonomologia[2] do Direito Penal e o almejado equilíbrio entre a liberdade e a responsabilidade[3], parametrizado

[1] LOPES JR., Aury. *Direito processual penal.* 10. ed. São Paulo: Saraiva (versão e-book), 2013. p. 40. Faria Costa também comunga desse entendimento: COSTA, José de Faria. *Linhas de Direito Penal e de filosofia:* alguns cruzamentos reflexivos. Coimbra: Coimbra Editora, 2005. p. 54.

[2] Vide BRONZE, Fernando José. *A metodonomologia entre a semelhança e a diferença.* Coimbra: Coimbra Editora, 1994. p. 96-97. Linhares, discorrendo sobre a terminologia adotada por Bronze, expressa o sentido do termo como "um teleologismo de fins e de valores". Cf. LINHARES, José Manuel Aroso. Juízo ou decisão? Uma interrogação condutora no(s) mapa(s) do discurso jurídico contemporâneo. In: BRONZE, Fernando José; LINHARES, José Manuel Aroso; MARQUES, Mário Alberto Reis; GAUDÊNCIO, Ana Margarida Simões (coords.). *Juízo ou decisão? O problema da realização jurisdicional do direito.* Coimbra: Instituto Jurídico da Faculdade de Direito da Universidade de Coimbra, 2016. p. 233.

[3] Acerca da dialética entre responsabilidade e liberdade, vide NEVES, A. Castanheira. Entre o legislador, a sociedade e o juiz ou entre sistema, função e problema – Os modelos actualmente alternativos da realização jurisdicional do direito. In: *Boletim da Faculdade de Direito*, vol. LXXIV. Coimbra: Coimbra Editora, 1998. p. 18

pelo princípio da dignidade da pessoa humana[4] e por toda uma panóplia de princípios implícitos e explícitos no texto constitucional, imprescindíveis para a legítima realização judicativo-decisória. Entretanto, em épocas de convulsões sociais e aumento da criminalidade, são comuns os influxos de um discurso punitivista que busca mitigar os direitos fundamentais a partir de interpretações regressistas e, assim, alterar os parâmetros de legitimidade da decisão judicial.

Em virtude da violência que assola a sociedade brasileira, as pessoas clamam pela redução da criminalidade e iludem-se com a ideia de que o recrudescimento do trato dos indivíduos acusados da prática de delitos é um importante passo para suprir esse anseio. Trata-se, no entanto, de uma visão falseada, que domina o raciocínio de alguns juristas, habita no imaginário popular e atenta contra o Estado Democrático de Direito, pois admite intoleráveis restrições dos direitos individuais, conquistados durante séculos de lutas sociais[5].

Dentre os elementos estruturantes do Estado Democrático de Direito, encontra-se o princípio da presunção de inocência, previsto na maioria das Constituições democráticas[6] e em inúmeros instrumentos normativos internacionais que versam sobre direitos humanos[7]. Na Constituição Brasileira de 1988 (CF) , referido

---

[4] Sobre a dignidade da pessoa humana, pondera Figueiredo Dias que se trata do "fundamento axiológico-normativo de toda a ordenação que se queira justa e que se radique numa exigência de humanidade". Cf. DIAS, Jorge de Figueiredo. *Direito Processual Penal.* Coimbra: Seção de Textos da Faculdade de Direito da Universidade de Coimbra, 1988-89. p. 29.

[5] "É um erro grosseiro acreditar que o chamado discurso das garantias é um luxo ao qual se pode renunciar nos tempos de crise." Cf. ZAFFARONI, Eugenio Raúl. *O inimigo no Direito Penal.* Tradução de Sérgio Lamarão. 3. ed. Rio de Janeiro: Revan, 2011. p. 187

[6] SANCHEZ, Javier; GÓMEZ-TRELLES, Vera. *Variaciones sobre la presunción de inocencia:* análisis funcional desde el Derecho penal. Madri: Marcial Pons, 2012. p. 31.

[7] A presunção de inocência foi inicialmente prevista na Declaração de Direitos do Bom Povo da Virgínia (1776). Em virtude dos influxos iluministas, foi aposta na Declaração dos Direitos do Homem e do Cidadão (Artigo 9º), de 1789. Após a Segunda Guerra Mundial, no afã de demonstrar o compromisso estatal com a tutela dos direitos humanos, vários Estados assinaram a Declaração Universal de Direito dos Homens, onde a presunção de inocência foi expressamente contemplada (Artigo 11.1). A DUDH configurou um reconhecimento expresso, em plano supranacional, de que o ser humano possui direitos e garantias. Trata-se de um documento internacional pioneiro, seguido por uma série de outras declarações, que também consagraram o princípio da presunção de inocência, como o Pacto Internacional sobre Direitos Civis e Políticos (Artigo 14, § 2º), a Declaração Americana dos Direitos e Deveres do Homem (Artigo XXVI), a Convenção Americana

princípio encontra assento no Artigo 5º, inciso LVII, com a seguinte redação: "ninguém será considerado culpado até o trânsito em jugado da sentença penal condenatória"[8]. O Brasil é ainda signatário da Convenção Americana sobre Direitos Humanos (CADH), também conhecida como Pacto de San José da

---

sobre Direitos Humanos (Artigo 8º, § 2º), a Convenção Europeia para Proteção dos Direitos do Homem e das Liberdades Fundamentais (Artigo 6º, § 2º), a Carta dos Direitos Fundamentais da União Europeia (Artigo 48, § 1º), a Carta Africana dos Direitos Humanos e dos Povos/Carta de Banjul (Artigo 7º, § 1º, "b") e a Declaração Islâmica sobre Direitos Humanos (Artigo 19, "e").

[8] No processo de elaboração da Constituição Brasileira de 1988, a primeira redação conferida à matéria pela Subcomissão dos Direitos e Garantias Individuais, dizia: "Considera-se inocente todo o cidadão, até o trânsito em julgado da sentença penal condenatória". Encaminhada essa proposta à Comissão de Soberania e dos Direitos e Garantias do Homem e da Mulher, da qual aquela era parte integrante, o texto recebeu adaptações e ganhou a seguinte forma: " Presume-se a inocência do acusado, até o trânsito em julgado da sentença penal condenatória". Todavia, alguns constituintes consideraram excessivo utilizar-se a expressão "inocente" para referir-se a "delinquentes". Foi então proposta uma emenda modificativa pelo deputado José Ignácio Ferreira, cuja redação seguiu imutável até a aprovação da Constituição, onde o instituto foi consagrado com o seguinte teor: "Ninguém será considerado culpado até o trânsito em julgado da sentença penal condenatória". Essa redação assemelha-se à adotada na Constituição Italiana: "L'imputato non è considerato colpevole sino condanna definitiva". É preciso, todavia, ressaltar o contexto histórico que influenciou a redação do texto italiano: os ideais da Escola Técnica-Jurídica, na qual se destacava o pensamento de Manzini de que o processo penal servia como instrumento para se buscar a culpa do culpado. Em virtude da literalidade da redação conferida à matéria, levantaram-se vozes em favor de uma distinção entre presunção de inocência e presunção de não culpabilidade. Todavia, os próprios juristas italianos entendem essa celeuma como ponto superado, vez que à pessoa só restam duas opções: inocente ou culpado. Acusado é apenas o termo empregado para referir-se à pessoa que está respondendo a um processo-crime e a acusação que sobre ele recai não lhe retira a tutela de inocente. Culpado é o indivíduo assim declarado por sentença condenatória transitada em julgado. Dessa feita, a presunção de inocência consagra-se com equivalência nas expressões "ser presumido inocente" e "não ser presumido culpado". Cf. CAMARGO, Monica Ovinski de. *Princípio da presunção de inocência no Brasil:* o conflito entre punir e libertar. Rio de Janeiro: Lumen Juris, 2005. p. 237-240. Ademais, ressalte-se que, ainda que houvesse diferença substancial entre presunção de não culpabilidade e presunção de inocência, o Brasil teria de respeitar esta última fórmula, por ser signatário de tratados internacionais de direitos humanos que consagram a presunção de inocência. Sobre a temática, vide GOMES, Luiz Flávio; MAZZUOLI, Valério de Oliveira. *Direito Penal – Comentários à Convenção Americana sobre Direitos Humanos/ Pacto de San José da Costa Rica*, vol. 4. São Paulo: RT, 2008. p. 85-91.

Costa Rica, e o Pacto Internacional sobre Direitos Civis e Políticos (PIDP)[9], que consagram, outrossim, a presunção de inocência como um elemento basilar do sistema processual penal. O processo penal compreendido e interpretado dentro de uma perspectiva constitucional[10], convencional[11] e humanitária[12] busca, pois, a eficácia máxima dos direitos fundamentais[13].

Para além de reconhecer e afirmar a relevância do princípio da presunção de inocência no ordenamento jurídico, impõe-se hoje o desafio de garantir efetividade a esse e outros direitos processuais fundamentais correlatos[14], para evitar que um distanciamento prático do proposto aporte teórico conduza a um processo

---

[9] A CADH, também conhecida como Pacto de São José da Costa Rica, e o PIDCP foram recepcionados no ordenamento interno brasileiro por intermédio, respectivamente, do Dec. n. 678/92 e do Dec. n. 592/92. O Supremo Tribunal Federal tem entendimento consolidado no sentindo de que os Tratados Internacionais que versam sobre Direitos Humanos e são ratificados pelo Brasil gozam de *status* supralegal e que, se aprovados com o quórum de 3/5 dos votos, em dois turnos de votação, alcançam força de emenda constitucional. Para um maior detalhamento do tema, vide NERY JÚNIOR, Nelson; NERY, Rosa Maria de Andrade. *Constituição Federal comentada e legislação constitucional.* 1. ed. em e-book baseada na 5. ed. impressa. São Paulo: Revista dos Tribunais, 2014. p. 28.

[10] DIAS, Figuereiro Dias. *Direito Processo Penal.* 1. ed. reimp. Coimbra: Coimbra Editora, 2004. p. 74ss.

[11] HASSEMER, Winfried. *Crítica al derecho penal de hoy.* 2. ed. reimp. Buenos Aires: Ad-Hoc, 2003. p. 114.

[12] LOPES JR, Aury; PAIVA, Caio. Audiência de custódia e a imediata apresentação do preso ao juiz: rumo à evolução civilizatória do processo penal. In: *Revista Liberdades* n.17, set./dez. 2014, p. 13.

[13] CASARA, Rubens R. R. *Mitologia processual penal.* São Paulo: Saraiva, 2015. p. 83-84.

[14] "Cada direito é e apresenta-se normalmente como um conjunto (*pack*) de direitos, uma estrutura ou complexo de direitos." Cf. ALEXANDRINO, Jose Melo. A natureza variável dos Direitos Humanos: uma perspectiva da dogmática jurídica. In: HOMEM, António Pedro Barbas; BRANDÃO, Cláudio (orgs.). *Do Direito Natural aos Direitos Humanos.* Coimbra: Almedina, 2015. p. 115. Sobre a matéria, ensina Bolina: "Existem, assim, outros princípios que se configuram como consequências do princípio da presunção de inocência, uma vez que se revelam imprescindíveis para evitar que este se transforme numa proclamação materialmente esvaziada de conteúdo e de tal modo maleável que se tornaria compatível com quase todos os sistemas processuais, incluindo os que sacrificam irremediavelmente a dignidade humana aos fins da perseguição penal". Cf. BOLINA, Helena Magalhães. Razão de ser, significado e consequências do princípio da presunção de inocência (Artigo. 32, n. 2, da CRP). *Boletim da Faculdade de Direito de Coimbra, Vol. IXX (Separata), Estudos nos Cursos de Mestrado,* 1994, p. 446.

penal autoritário e repressivo[15], tarefa que incumbe precipuamente ao Supremo Tribunal Federal (STF), no contexto do direito brasileiro.

Recente aresto do STF gerou, entretanto, celeuma em torno da compatibilidade do princípio da presunção de inocência com a possibilidade de execução provisória da pena após decisão condenatória de segundo grau. O ponto nodal da presente investigação consistirá em uma análise crítica do posicionamento do STF acerca da matéria. Para tanto, se faz necessária a elaboração de uma pergunta nuclear: o réu pode ser tratado como culpado antes do trânsito em julgado da sentença penal condenatória? Dito de outra forma: pode ser suprimido o "estado de inocência" do condenado por acórdão recorrível?

Para responder a indagação acima formulada, se realizará um cotejo crítico entre os fundamentos que conduziram a maioria dos ministros do STF a entender pela admissibilidade da execução provisória da pena após acórdão condenatório recorrível e as balizas que, noutro norte, servem de sustentáculo para adoção de entendimento oposto ao sufragado pela Corte Suprema.

2 Princípio da presunção de inocência: dialética entre o *ius puniendi* estatal e o *ius libertatis* da pessoa

Em 17 (dezessete) de fevereiro de 2016, o STF, no julgamento do HC 126.292/SP, contrariou posicionamento vigente na Corte desde 2009 e admitiu a execução provisória da pena após decisão condenatória em segundo grau de jurisdição[16]. Este *leading case* gerou controvérsia judicial relevante e a matéria

[15] Costa enfatiza que a presunção de inocência não constitui mero patrimônio histórico do processo penal: "Ela continua a ser grande trave-mestra que suporta o processo penal democrático, o processo justo e equitativo". COSTA, Eduardo Maia. A presunção de inocência do arguido na fase de inquérito. In: *Revista do Ministério Público*. Ano 23, n. 92, p. 65-79, out./dez. 2002, p. 70.

[16] Colaciona-se aqui excerto do voto do ministro Edson Fachin: "Esta Suprema Corte retomou um entendimento que vigorou desde a promulgação da Constituição em 1988 até 2009, por quase vinte e um anos portanto, segundo o qual o efeito meramente devolutivo dos recursos especial e extraordinário não colide com o princípio constitucional da presunção de inocência, previsto no Artigo 5º, inciso LVII, da Constituição Federal. Como se vê, vinte e um dos vinte e oito anos registraram essa compreensão. Foram mais de duas décadas e sob a égide da CRFB, tempo no qual as portas do STF, para proteger a liberdade, jamais se fecharam por esse motivo. E ao fazê-lo em fevereiro último apreciou processo pautado pela Presidência do Tribunal no âmbito de seus regulares afazeres". Disponível em: <http://www.stf.jus.br/arquivo/cms/noticiaNoticiaStf/anexo/

passou a ser discutida em sede de controle concentrado de constitucionalidade, haja vista o ajuizamento das ações declaratórias de constitucionalidade (ADC) n. 43 e n. 44. Em ambas, o objeto é a declaração de constitucionalidade do Artigo 283 do Código de Processo Penal (CPP) e contemplaram ainda pedido de medida cautelar visando a suspensão das prisões que foram decretadas com fulcro no precedente do HC 126.292/SP[17], bem como obstar que fossem decretadas execução provisória de novas penas de prisão[18].

Por maioria de votos[19], no dia 5 (cinco) de outubro de 2016, o STF decidiu pelo indeferimento de medida cautelar nas ADCs n. 43 e n. 44. Os ministros optaram por atribuir ao Artigo 283 do CPP interpretação conforme à Constituição e, desta feita, concluíram pela admissibilidade da execução provisória da pena após decisão condenatória de segundo grau.

Em 11 de novembro de 2016, antes da análise meritória das ADCs n. 43 e n. 44, em julgamento feito pelo Plenário Virtual nos autos do Recurso Extraordinário com Agravo (ARE) n. 964246[20], o STF entendeu pela repetição de jurisprudência e mais uma vez acenou favoravelmente à possibilidade da execução provisória

---

ADC44.pdf>. Acesso em: 3/12/2016.

[17] Outro ponto digno de reflexão diante do aresto ora examinado, embora não figure como objeto de estudo da presente investigação, é a questão da (ir)retroatividade da jurisprudência penal. Acerca das distintas correntes existentes sobre o tema e suas respectivas fundamentações, vide, *v. g.*: SANGUINÉ, Odone. Irretroatividade e retroatividade da jurisprudência penal. In: *Revista Brasileira de Ciências Criminais*, ano 8, n. 31, jul./set. 2000, p. 144-169, e DOTTI, René Ariel. A jurisprudência penal no tempo: a ultratividade e a irretroatividade do julgado (HC 126.292/SP). In: *Revista Brasileira de Ciências Criminais*, ano 24, vol. 121, n. 34, julho/2016, p. 251-289.

[18] No caso da ADC 43, houve também requerimentos subsidiários para que, cautelarmente, fosse (a) conferida interpretação conforme ao Artigo 283 do CPP, a fim de determinar a aplicação analógica das medidas alternativas à prisão previstas no Artigo 319 do CPP; ou, subsidiariamente, (b) interpretação conforme do Artigo 637 do CPP, restringindo-se a "não produção do efeito suspensivo aos recursos extraordinários, e condicionando a aplicação da pena à análise da causa criminal pelo STJ quando houver a interposição do recurso especial".

[19] Vencidos os ministros Marco Aurélio (relator), Rosa Weber, Ricardo Lewandowski, Celso de Mello e, parcialmente, Dias Toffoli.

[20] Trata-se de recurso interposto em favor do mesmo sentenciado que figura como paciente no HC 126.292, razão pela qual a relatoria coube ao ministro Teori Zavascki por critério de prevenção. Disponível em: <http://www.stf.jus.br/portal/cms/verNoticiaDetalhe.asp?idConteudo=329322 >. Acesso em: 3/12/2016

da pena após decisão condenatória em segundo grau de jurisdição, mesmo que pendentes recursos para os Tribunais Superiores[21]. No mesmo julgamento, a Corte, por unanimidade, reconheceu repercussão geral à matéria. Destarte, a decisão tem força vinculante para todo o Judiciário brasileiro.

Feito um breve relato das decisões do STF que desembocaram do *leading case* acima referido, passa-se a focar no objeto eleito para a presente investigação, qual seja: (in)compatibilidade entre o princípio da presunção de inocência e a possibilidade de execução provisória da pena após acórdão condenatório de segundo grau.

Preceitua o Artigo 283 do CPP, com a redação dada pela Lei n. 12.403/2011: "Ninguém poderá ser preso senão em flagrante delito ou por ordem escrita e fundamentada da autoridade judiciária competente, em decorrência de sentença condenatória transitada em julgado ou, no curso da investigação ou do processo, em virtude de prisão temporária ou prisão preventiva". A tese vencedora no STF firmou entendimento de que a redação conferida ao Artigo 283 do CPP não revogou as modalidades de prisão não contempladas em seu texto legal, bem como asseverou inexistir antinomia entre a regra objeto das ADCs e a norma do Artigo 637 do CPP[22], conjugado com os Artigos 995 e 1.029, § 5º, ambos do Código de Processo Civil (CPC)[23], que determinam que os recursos especial

---

[21] Por seis votos a quatro, o STF decidiu pelo desprovimento do recurso, com reafirmação de jurisprudência da Corte. Vencidos os ministros Dias Toffoli, Ricardo Lewandowski, Marco Aurélio e Celso de Mello. A ministra Rosa Weber não se manifestou. Disponível em: <http://www.stf.jus.br/portal/cms/verNoticiaDetalhe.asp?idConteudo=329322 >. Acesso em: 3/12/2016.

[22] Preceitua o Artigo 637 do CPP: "O recurso extraordinário não tem efeito suspensivo, e uma vez arrazoados pelo recorrido os autos do traslado, os originais baixarão à primeira instância, para a execução da sentença".

[23] Reza o Artigo 995 do CPC: "Os recursos não impedem a eficácia da decisão, salvo disposição legal ou decisão judicial em sentido diverso". O Artigo 1029, § 5 do mesmo diploma legal, dita que: "O pedido de concessão de efeito suspensivo a recurso extraordinário ou a recurso especial poderá ser formulado por requerimento dirigido: I – ao tribunal superior respectivo, no período compreendido entre a publicação da decisão de admissão do recurso e sua distribuição, ficando o relator designado para seu exame prevento para julgá-lo; II - ao relator, se já distribuído o recurso; III – ao presidente ou ao vice-presidente do tribunal recorrido, no período compreendido entre a interposição do recurso e a publicação da decisão de admissão do recurso, assim como no caso de o recurso ter sido sobrestado, nos termos do Artigo 1037". Estes artigos do CPC seriam aplicáveis ao processo penal por força do Artigo 3º do CPP, que dispõe: "A lei processual penal

e extraordinário são recebidos, como regra, no efeito meramente devolutivo. Ademais, argumentou-se que, se acaso existisse eventual antinomia, essa seria solucionada pelo critério temporal regulamentado no Artigo 2º, § 1º, da Lei n. 4.657/42 (Lei de Introdução às Normas do Direito Brasileiro)[24] e, desta feita, prevaleceria a eficácia imediata da decisão condenatória proferida em grau de apelação, vez que o CPC entrou em vigor em 2016.

Pelo retroexposto, concluiu-se pela convivência harmônica entre o Artigo 283 do CPP e a possibilidade de execução da pena após sentença condenatória de segundo grau, sem que isso configure qualquer ofensa ao princípio da presunção de inocência. O Artigo 283 normatizaria a regra geral de que a condenação só produz efeitos de encarceramento após o seu trânsito em julgado e, concomitantemente, sem que exista incompatibilidade, vigora regra especial que autoriza a imediata eficácia do decreto condenatório quando este só seja impugnável por intermédio de recursos extraordinários, haja vista que estes têm efeito meramente devolutivo. Os ministros frisaram, todavia, que, excepcionalmente, diante de abuso de poder ou teratologia, é permitido atribuir efeito suspensivo aos recursos extraordinários.

Pensa-se, todavia, que o Artigo 283 do CPP elenca as três formas de prisões constitucionalmente admitidas no processo penal: prisão em flagrante, prisão cautelar (preventiva ou temporária) e prisão-pena. Desta feita, qualquer outra espécie de prisão fere o princípio da legalidade[25], vez que a CF, bem como o Pacto de San Jose da Costa Rica do qual o Brasil é signatário, determinam que apenas lei em sentindo estrito pode regulamentar matéria penal. A prisão-pena só é admissível, por expressão literal da CF[26], após o trânsito em julgado de uma

admitirá interpretação extensiva e aplicação analógica, bem como o suplemento dos princípios gerais de direito".

[24] Dita o Artigo 2º, § 1º, da Lei n. 4.657/42: "A lei posterior revoga a anterior quando expressamente o declare, quando seja com ela incompatível ou quando regule inteiramente a matéria de que tratava a lei anterior".

[25] "O processo penal é um instrumento limitador do poder punitivo estatal, de modo que ele somente pode ser exercido e legitimado a partir do estrito respeito às regras do devido processo. E, nesse contexto, o Princípio da Legalidade é fundante de todas as atividades desenvolvidas, posto que o *due process of law* estruturase a partir da legalidade e emana daí seu poder." Cf. LOPES JR., Aury. *Direito processual penal.* 10. ed. São Paulo: Saraiva (versão e-book), 2013. p. 1548.

[26] Palavras proferidas pelo ministro Lewandowski em trecho do seu voto: "Não vejo como fazer uma

sentença penal condenatória[27], e não após o esgotamento dos recursos ordinários[28]. Destarte, ficaria ainda rechaçada a possibilidade de execução provisória decorrente de condenação em segundo grau de jurisdição, por configurar violação ao princípio da presunção de inocência[29] enquanto norma de tratamento[30]: o

---

interpretação contrária a esse dispositivo tão taxativo". No mesmo diapasão, asseverou a ministra Rosa Weber: "Não posso me afastar da clareza do texto constitucional". Disponível em: <http://www.stf.jus.br/portal/cms/verNoticiaDetalhe.asp?idConteudo=326754>. Acesso em: 3/12/2016.

[27] Leciona Figueiredo Dias: "O direito processual penal é, como se exprime H. Henkel, verdadeiro direito constitucional aplicado (...) Daqui resultam, entre outras, as exigências correntes: de uma estrita e minuciosa regulamentação leal de qualquer indispensável intromissão, no decurso do processo, na esfera dos direitos do cidadão constitucionalmente garantidos; de que a lei ordinária nunca elimine o núcleo essencial de tais direitos, mesmo quando a Constituição conceda àquela lei liberdade para os regulamentar." Cf. DIAS, Figueiredo Dias. *Direito Processo Penal.* 1. ed. reimp., Coimbra: Coimbra Editora, 2004. p. 74.

[28] Sobre a temática, ensina Lopes Jr.: "Tratar a questão como mera 'ausência de efeito suspensivo' é, processual e constitucionalmente, um absurdo, pois é completamente inadmissível uma pena antecipada. Poucos são os autores que, no processo penal, superando o reducionismo da categoria 'efeito recursal', enfrentam a problemática efetivamente à luz da presunção de inocência... Em definitivo, pensamos que o direito de o réu aguardar o julgamento do recurso especial ou extraordinário em liberdade está numa dimensão completamente distinta daquela tradicionalmente colocada, desde uma equivocada perspectiva de teoria geral do processo, pois não se legitima uma prisão pelo simples fato de o recurso não ter 'efeito suspensivo'. O ponto nevrálgico da questão é completamente diverso: há *periculum libertatis*, ou seja, a necessidade real e concreta da prisão cautelar?". Cf. LOPES JR., Aury. *Direito processual penal.* 10. ed. São Paulo: Saraiva (versão e-book), 2013. p. 2575-2578.

[29] "Nestes termos, a presunção de inocência é violada na medida em que se desrespeita a cláusula restritiva que o constituinte expressamente estabeleceu (até o trânsito em julgado da sentença penal condenatória)." Cf. MORAES, Maurício Zanoide de. *Presunção de inocência no processo penal brasileiro:* análise de sua estrutura normativa para a elaboração legislativa e para a decisão judicial. Rio de Janeiro; Lumen Juris, 2010. p. 445. Apresenta-se trecho do voto do ministro Dias Tofolli: "Daí porque interpretar trânsito em julgado como mero exaurimento dos recursos ordinários subverteria o texto legal, haja vista que não se concebe a existência do trânsito em julgado provisório: ou se exaure a legítima possibilidade de recorrer, e a pena pode ser executada, ou não se exaure, e a execução da pena é vedada". Disponível em: <http://www.stf.jus.br/arquivo/cms/noticiaNoticiaStf/anexo/VotoADCs43e44MinDiasToffoli.pdf>. Acesso em: 3/12/2016.

[30] A presunção de inocência foi um conceito elaborado historicamente e pode se manifestar enquanto norma de tratamento, modelo de processo penal e norma probatória ou de juízo. Cf. TORRES, Jaime Vegas. *Presunción de inocência y prueba en el proceso penal.* Madri: La Ley, 1993, p. 36. No

acusado deve ser tratado como inocente durante todo o procedimento de apuração da culpa e somente uma sentença judicial transitada em julgado que concluir pela sua condenação tem o condão de lhe declarar culpado[31]. Impende ainda destacar a relevância que o trânsito em julgado possui no Estado Democrático de Direito, vez que consolida as relações sociais, garantindo-lhes estabilidade e segurança jurídica[32], consubstanciando-se em termo objetivo para a cessação da eficácia do princípio da presunção de inocência[33].

Ademais, é válido pontuar que a execução antecipada de condenação proferida em segundo grau não encontra guarida na sistemática do ordenamento jurídico brasileiro, vez que a Lei de Execução Penal (LEP) é categórica em afirmar só ser possível a execução da pena após o trânsito em julgado da sentença condenatória[34].

---

mesmo sentido: STRECK, Lenio Luiz. A presunção de inocência e a impossibilidade de inversão do ônus da prova em matéria criminal: os Tribunais Estaduais contra o STF. In: *Revista Jurídica do Ministério Público do Estado do Paraná*. Ano 2, n. 3, dez./2015, p. 207. É importante destacar que são desmembramentos distintos da presunção de inocência, mas que se inter-relacionam para assegurar uma melhor efetividade do direito fundamental.

[31] VILELA, Alexandra. *Considerações acerca da presunção de inocência em direito processual penal.* Reimp. Coimbra: Coimbra Editora, 2005. p. 34-35.

[32] CANOTILHO, J. J. Gomes; *Direito Constitucional e Teoria da Constituição.* 7. ed. Coimbra: Almedina, 2003. p. 264-265.

[33] "Os recursos têm por efeito necessário o impedimento de que se produza a coisa julgada. Logo, na sua pendência, ainda estamos diante de alguém que é constitucionalmente inocente, exigindo a plena eficácia da presunção de inocência. Não só a carga da prova segue nas mãos do acusador (com a necessária observância do *in dubio pro reo*), como também o valor liberdade deve ser preservado. Portanto, inadmissível qualquer tipo de prisão 'obrigatória', pelo simples fato de tal ou qual recurso não ter 'efeito suspensivo' ... A questão vai muito além da categoria processual de 'efeito recursal', senão que se situa na dimensão de eficácia/ineficácia da garantia constitucional da presunção de inocência." Cf. LOPES JR., Aury. *Direito processual penal.* 10. ed. São Paulo: Saraiva (versão e-book), 2013. p. 2329.

[34] Preceitua o Artigo 105 da LEP: "Transitando em julgado a sentença que aplicar pena privativa de liberdade, se o réu estiver ou vier a ser preso, o juiz ordenará a expedição de guia de recolhimento para a execução".

Essa mesma imposição é válida para a execução das penas restritivas de direitos[35] e até mesmo para a mera pena de multa[36].

Adverte-se que situação diversa é a possibilidade de progressão de regime, após a decretação de sentença recorrível, ao réu preso. A admissibilidade, nesse caso, se fundamenta nos critérios de proporcionalidade e não em execução provisória da pena. Não haveria lógica em que o réu preso provisoriamente continuasse encarcerado em regime mais severo do que o ditado em seu decreto condenatório. É inerente à prisão cautelar a necessidade de sua constante revisão ao longo da persecução penal, tendo como parâmetro para análise de sua proporcionalidade a pena prevista em abstrato para o tipo legal de crime ou a cominada por decisão judicial condenatória recorrível[37].

Pontua-se ainda que, antes mesmo da revogação expressa dos Artigos 393, inc. II, e 408, § 1º, ambos do CPP, que admitiam inscrição no rol dos culpados, respectivamente, dos condenados provisórios e pronunciados, o STF já tinha firmado posicionamento pela impossibilidade do lançamento do nome do réu no rol dos culpados antes do trânsito em julgado da sentença condenatória[38],

[35] Reza o Artigo 147 da LEP: "Transitada em julgado a sentença que aplicou a pena restritiva de direitos, o juiz da execução, de ofício ou a requerimento do Ministério Público, promoverá a execução, podendo, para tanto, requisitar, quando necessário, a colaboração de entidades públicas ou solicitá-la a particulares".

[36] Dispõe o Artigo 50 do CP: "A multa deve ser paga dentro de 10 (dez) dias depois de transitada em julgado a sentença. (...)". Transcreve-se trecho do voto do ministro Celso de Mello: "Vê-se, portanto, qualquer que seja o fundamento jurídico invocado (de caráter legal ou de índole constitucional), que nenhuma execução de condenação criminal em nosso país, mesmo se se tratar de simples pena de multa, pode ser implementada sem a existência do indispensável título judicial definitivo, resultante, como sabemos, do necessário trânsito em julgado da sentença penal condenatória". Disponível em: <http://www.stf.jus.br/arquivo/cms/noticiaNoticiaStf/anexo/ADC43MCM.pdf>. Acesso em: 3/12/2016.

[37] MORAES, Maurício Zanoide de. *Presunção de inocência no processo penal brasileiro*: análise de sua estrutura normativa para a elaboração legislativa e para a decisão judicial. Rio de Janeiro: Lumen Juris, 2010. p. 451-453. No Brasil, a matéria é sumulada pelo STF. Preceitua a Súmula 716: "Admite-se a progressão de regime de cumprimento da pena ou a aplicação imediata de regime menos severo nela determinada, antes do trânsito em julgado da sentença condenatória". A Súmula 717 também dispõe sobre o tema: "Não impede a progressão de regime de execução da pena, fixada em sentença não transitada em julgado, o fato de o réu se encontrar em prisão especial".

[38] Sobre o posicionamento do STF nessa questão, vide os seguintes arestos da Corte: HC 69.696/SP, HC 80.174/SP, HC 80.535/SC, HC 82.812/PR. Precedentes colhidos do voto do ministro

sob a argumentação de que tal prática afrontava o princípio constitucional da presunção de inocência. É, pois, contraditório, que a Corte utilize o mesmo fundamento (princípio da presunção de inocência) para coibir "o menos" (inscrição no rol de culpados) e admitir "o mais" (encarceramento) face ao condenado em segundo grau de jurisdição.

Os ministros que votaram pelo indeferimento da medida cautelar frisaram ainda que os Tribunais Superiores não funcionam como cortes revisoras universais, vez que, além do número reduzido de membros destes Órgãos Colegiados, a Constituição Federal é clara, conforme disposição dos Artigos 105, III, e 102 em atribuir, respectivamente, ao STJ e ao STF a tutela da ordem jurídica infraconstitucional e constitucional. Desta feita, ainda que interpostos pelo réu, os recursos extraordinários transcendem o caso concreto e tem como objetivo precípuo o aperfeiçoamento da jurisprudência. Frisou-se ainda que o recurso extraordinário tem como um dos seus requisitos a repercussão geral, ou seja, vislumbra-se um caráter objetivo que se sobrepõe aos termos subjetivos do caso concreto. A própria regulamentação constitucional dos recursos extraordinários justificaria, pois, a opção legislativa de conceder eficácia imediata à decisão condenatória de segundo grau de jurisdição.

Ocorre que, ainda que seja ínfima a possibilidade de se reverter a situação do réu nas instâncias extraordinárias, ela existe e há de ser considerada, pois a liberdade do cidadão é um direito fundamental consagrado constitucionalmente[39].

Celso de Mello, Disponível em: <http://www.stf.jus.br/arquivo/cms/noticiaNoticiaStf/anexo/ADC43MCM.pdf>. Acesso em: 3/12/2016.

[39] Essa constatação é reforçada por elementos empíricos anexados aos autos da ADC, onde dados estatísticos mostram casos em que condenados em segunda instância receberam provimento em prol do desencarceramento nas instâncias superiores. Nesse diapasão colaciona-se trechos dos votos dos ministros Edson Fachin e Teori Zavascki. Palavras de Fachin: "Tomo ainda, por exemplo, os dados da Defensoria Pública do Estado do Rio de Janeiro. Informa que analisou 1.476 processos nos quais foi requerente junto ao Superior Tribunal de Justiça entre março e dezembro de 2015. Desses apenas 896 requeriam a absolvição, redução da pena ou atenuação do regime, já que os demais se referem à execução criminal, prisões provisórias e nulidades processuais. Dos 896 feitos, 42%, ou seja 377, eram recursos especiais ou agravos em recursos especiais, já que os demais eram *habeas corpus*. Note-se que a decisão deste colegiado não altera a forma como usualmente se tem enfrentado o *habeas corpus*. Dentre os 377 recursos ao STJ, segundo o memorial, 41%, ou seja, 155 resultaram em solução favorável no que diz respeito à libertação dos representados. Há, sem dúvida, percentual, dentre os 155 casos favoráveis, decorrente de concessão de *habeas*

Os ministros que encamparam o voto vencedor alegam, entretanto, que essas situações de injustiças podem ser contornadas pela interposição de medida cautelar para conceder efeito suspensivo aos recursos extraordinários ou via *habeas corpus*, que muitas vezes é concedido até de ofício pelos Tribunais Superiores.

Levantou-se também o argumento de que os Tribunais Superiores não são aptos a revisar matéria fática e probatória, o que implicaria que a certeza da autoria e materialidade do fato criminoso fosse constatada nas instâncias inferiores e, desta feita, estaria autorizada, com fulcro na ordem pública, a imediata aplicação da pena como forma de garantir a credibilidade e a moralização do sistema de justiça.

Em que pese não seja competência dos Tribunais Superiores o reexame fático e probatório de matéria já decidida nas instâncias inferiores[40], isso não lhes impede de corrigir eventuais injustiças, como, por exemplo, retificar a tipificação dos

---

corpus de ofício. Na medida em que, quando o Tribunal Superior concede ordem de ofício, não conhece ou julga improcedente o recurso, isso significa dizer que o instrumento manejado não foi o responsável direto pelo sucesso, que poderia ter sido obtido com o *habeas corpus*. Ainda assim, Senhora Presidente, percebe-se que de todo o universo de assistidos pela Defensoria Pública do Rio de Janeiro, em números absolutos, 155 tiveram sua situação de injustiça revertida num Tribunal Superior". Disponível em: <http://www.stf.jus.br/arquivo/cms/noticiaNoticiaStf/anexo/ADC44.pdf>. Acesso em: 3/12/20-16. Parte do voto do ministro Teori Zavascki: "Mais do que isso: fiz um levantamento da quantidade de Recursos Extraordinários dos quais fui relator e que foram providos nos últimos dois anos e cheguei a um dado relevante: de um total de 167 REs julgados, 36 foram providos, sendo que, destes últimos, 30 tratavam do caso da progressão de regime em crime hediondo. Ou seja, excluídos estes, que poderiam ser facilmente resolvidos por *habeas corpus*, foram providos menos de 4% dos casos". Disponível em: <http://www.stf.jus.br/arquivo/cms/noticiaNoticiaStf/anexo/ADC43TZ.pdf>. Acesso em: 3/12/2016.

[40] Pontua-se ainda ser questionável a divisão entre "matéria de fato" e "matéria de direito". Para Castanheira Neves, a distinção entre fato e direito seria "gnoseologicamente absurdo", visto que "o facto que tem a ver com o direito é um facto já de determinação jurídica" (NEVES, A. Castanheira. *Questão-de-facto–questão-de-direito* – ou o problema metodológico da juridicidade (ensaio de uma reposição crítica). Coimbra: Almedina, 1967, p. 428). Ainda sobre a temática, ensina o autor: "A judicativa decisão concreta não pode considerar assim "o direito" e os "factos", separados e independentes entre si, já que o seu ponto de partida e o seu objecto decisório são antes dados pelo *caso jurídico*, a situação e o acontecimento histórico-sociais juridicamente relevantes objectivados pela intencionalidade problemático-jurídica que justamente como "caso jurídico" o constitui e, portanto, numa constituinte unidade de realidade e juridicidade de que tudo depende". Cf. NEVES, A. Castanheira. "Matéria de facto – Matéria de Direito", in *Digesta*, 3º vol. Coimbra: Coimbra Editora, 2008. p. 328.

delitos, rever dosimetria da pena, alterar o regime prisional inicialmente fixado e até mesmo reformar uma decisão condenatória para absolver o réu[41].

Frisa-se que a certeza da formação da culpa não se vincula exclusivamente à prova, para além de qualquer dúvida razoável, de autoria e materialidade – questões de natureza fática analisadas até o segundo grau de jurisdição –, mas implica ainda uma valoração sobre tipicidade, antijuridicidade e culpabilidade do réu[42].

Outro argumento ventilado no entendimento dominante da Corte foi que a presunção de inocência tem *status* de princípio, e não de regra, o que autoriza que haja uma ponderação na sua aplicação quando confrontadas com outros princípios constitucionais de mesmo porte[43]. Indubitavelmente, há de se concordar que o direito fundamental à inocência é norma constitucional com estrutura de princípio e que, como qualquer outro direito fundamental, não é absoluto[44]. Todavia, há de se ponderar que também não existe restrição ilimitada. Deve-se primar pela máxima aplicabilidade do princípio da presunção de inocência[45]. O

---

[41] Vide GIACOMOLLI, Nereu José. *O devido processo penal*. 3. ed. São Paulo: Atlas, 2016. p. 139. Sobre a temática, relata o ministro Dias Tofolli que essas situações ocorrem "máxime quando se considera que, não obstante sumulados diversos entendimentos pelos tribunais superiores, em inúmeros casos, as instâncias inferiores se negam a observá-los, a pretexto da inexistência de efeito vinculante, forçando, assim, o acusado a percorrer uma autêntica *via crucis* recursal". Disponível em: <http://www.stf.jus.br/arquivo/cms/noticiaNoticiaStf/anexo/VotoADCs43e44MinDiasToffoli.pdf>. Acesso em: 3/12/2016.

[42] Salutar o questionamento levantado pelo ministro Marco Aurélio: "Indaga-se: perdida a liberdade, vindo o título condenatório e provisório – porque ainda sujeito a modificação por meio de recurso – a ser alterado, transmudando-se condenação em absolvição, a liberdade será devolvida ao cidadão? Àquele que surge como inocente? A resposta, presidente, é negativa". Disponível em: <http://www.stf.jus.br/portal/cms/verNoticiaDetalhe.asp?idConteudo=324393&caixaBusca=N>. Acesso em: 3/12/2016.

[43] Trecho do voto do ministro Roberto Barroso: "A presunção da inocência é ponderada e ponderável em outros valores, como a efetividade do sistema penal, instrumento que protege a vida das pessoas para que não sejam mortas, a integridade das pessoas para que não sejam agredidas, seu patrimônio para que não sejam roubadas". Disponível em: <http://www.stf.jus.br/portal/cms/verNoticiaDetalhe.asp?idConteudo=326754>. Acesso em: 3/12/2016.

[44] COSTA, Eduardo Maia. A presunção de inocência do arguido na fase de inquérito. In: *Revista do Ministério Público*. Ano 23, n. 92, p. 65-79., out./dez. 2002, p. 72. Sobre a relatividade dos direitos humanos, vide ainda GARCIA, Bruna Pinotti; LAZARI, Rafael de. *Manual de Direitos Humanos*. 2. ed. Salvador: Editora Jus Podivm, 2015. p. 54-57.

[45] MORAES, Maurício Zanoide de. *Presunção de inocência no processo penal brasileiro*: análise de sua

Estado é o detentor do *ius puniendi* que recai sobre os integrantes da sociedade e é também o garantidor do *ius libertatis* dos cidadãos. Na colisão entre esses institutos, a celeuma deve ser resolvida com a harmonização das antinomias da melhor maneira possível[46]. É justamente da dialética entre o aparato punitivo estatal e o direito de liberdade individual que avulta a presunção de inocência: trata-se de uma opção política de proteger a pessoa[47] em detrimento do poder punitivo do Estado, nos meandros do processo penal[48].

---

estrutura normativa para a elaboração legislativa e para a decisão judicial. Rio de Janeiro: Lumen Juris, 2010. p. 174, 331, 342 e 497. Leciona o autor (p. 172): "Todo o estudo está teleologicamente endereçado a demonstrar a força cogente para a maior realização possível da presunção de inocência, seja por força vinculativa dos diplomas internacionais incorporados pelo Brasil em seu ordenamento interno, seja pelas próprias características, dimensões e efeitos que os recentes estudos constitucionais emprestam aos direitos fundamentais". Adiante, consigna ainda (p. 342): "A presunção de inocência é direito fundamental que pode ser restringido, desde de que de maneira excepcional, prevista em lei justificada constitucionalmente e aplicada de modo proporcional por decisão judicial motivada em seus desígnios juspolíticos. Importante, pois, deixar claro que a efetividade é a regra; excepcionalmente se pode restringi-la".

[46] "A via para um correto equacionamento da evolução do processo penal nos quadros do Estado de Direito material deve, em meu entender, partir do reconhecimento e aceitação da tensão dialética entre tutela dos interesses do arguido e tutela dos interesses da sociedade representados pelo poder democrático do Estado (...)". Cf. DIAS, Jorge de Figueiredo. Para uma reforma global do processo penal português (da sua necessidade e de algumas orientações fundamentais). In: *Para uma nova justiça penal.* Coimbra: Almedina, 1996. p. 206.

[47] Pessoa não se equipara a indivíduo: "a categoria "pessoa" é, portanto, diferente da categoria "indivíduo": esta última é uma (in-divisa) unidade de dimensão quantitativo-espacial, aquela primeira um valor com um sentido qualitativo-intencional. À pessoa reconhece-se, na intersubjectividade comunitária e mesmo de uma (tão do nosso tempo) perspectiva bioeticamente centrada, uma dignidade de todo independente de determinado sexo..." (BRONZE, Fernando José. *Lições de introdução ao Direito.* 2. ed. Reimpressão. Coimbra: Coimbra Editora, 2010. p. 492).

[48] "Esse princípio fundamental da civilidade representa o fruto de uma opção garantista a favor da tutela da imunidade dos inocentes". Cf. FERRAJOLI, Luigi. *Direito e Razão*: teoria do garantismo penal. 4. ed. Tradução Juarez Tavares, Luiz Flavio Gomes, Ana Paula Zomer Sica e Fauzi Hassan Choukr. São Paulo: Revista dos Tribunais, 2014. p. 506. O princípio da presunção de inocência é especialmente importante quando se reconhece "uma radical desigualdade material de partida entre a acusação (normalmente apoiada no poder institucional do Estado) e a defesa". Cf. CANOTILHO, J. J. Gomes; MOREIRA, Vital. *Constituição da República Portuguesa Anotada.* Volume I. 3. ed. Coimbra: Coimbra Editora, 1993. p. 202.

Outrossim, o princípio da presunção de inocência, do qual o direito à liberdade do acusado figura como corolário, não obsta a eficiência persecutória, vez que se admite que o acusado seja preso antes da sentença final, mas apenas implica determinar que tais prisões obedeçam à disciplina de uma medida cautelar, revestida do caráter da excepcionalidade[49]. É cediço que o sistema constitucional brasileiro consagra a liberdade como regra e a prisão como exceção[50]. A execução de pena ainda não transitada em julgado configura violação, e não restrição, ao princípio da presunção de inocência. Pese-se ainda que esse novo posicionamento do STF vai resvalar no aumento do número de presos no caótico sistema prisional brasileiro[51].

Suscitou-se ainda como fundamento, para o indeferimento da medida cautelar, o princípio da proibição da proteção deficiente[52]. Este princípio autoriza a decretação de inconstitucionalidade de normas que, por algum motivo, caracterizam empecilho à proteção penal a direitos fundamentais estatuídos constitucionalmente. Dito de outra forma, sustentou-se que o condicionamento da execução da pena ao trânsito em julgado da sentença condenatória embaraça

---

[49] "Ora, numa ordem jurídica assente na dignidade da pessoa humana e em princípios de liberdade e democracia, a presunção de inocência do arguido em processo penal terá também por função impor que a contenção, a suspensão e a negação de direitos do arguido (seja 'dentro' do processo, seja 'fora' dele sejam o mais limitadas possível (quantitativa e qualitativamente) e que assumam um caráter transitório e reversível, de modo a assegurar que, uma vez alcançada uma decisão no sentido da inocência do arguido, aquelas contenção, suspensão e negação sofridas pelo arguido ao longo do processo se possam considerar 'suportáveis'". Cf. PATRÍCIO, Rui. O direito fundamental à presunção de inocência (revisitado – a propósito do novo Código de Processo Penal de Cabo Verde). In: *Revista do Ministério Público.* Ano 26, n. 104, p. 119-138., out/dez. 2005, p. 129-130.

[50] Juarez Tavares assevera: "A garantia e o exercício da liberdade individual não necessitam de qualquer legitimação, em face de sua evidência". Cf. TAVARES, Juarez. *Teoria do Injusto Penal.* 3. ed. Belo Horizonte: Del Rey, 2003. p. 162

[51] DOTTI, René Ariel. A jurisprudência penal no tempo: a ultratividade e a irretroatividade do julgado (HC 126.292/SP). In: *Revista Brasileira de Ciências Criminais*, ano 24, vol. 121, n. 34, julho/2016, p. 287.

[52] Sobre o princípio da proibição da proteção deficiente, vide FELDENS, Luciano. Direitos Fundamentais e Direito Penal: a Constituição Penal. 2. ed. Porto Alegre: Livraria do Advogado (versão e-book), 2012, Capítulo 5, item 5.5., e MENDES, Gilmar Ferreira; MARTINS, Ives Granda da Silva; NASCIMENTO, Carlos Valder (coords.). *Tratado de Direito Constitucional* 1. 2. ed. São Paulo: Saraiva (versão e-book), 2012. p. 789-790

a punição de crimes violadores de direitos humanos e impede a efetividade da função jurisdicional[53].

Defendeu-se também nos votos vencedores ser legítima a execução provisória da pena como forma de salvaguardar os bens jurídicos protegidos pela tutela penal. O Direito Penal é indubitavelmente um dos instrumentos de que dispõe o ordenamento jurídico para a proteção dos direitos humanos. Registra-se, todavia, que o Estado não olvida a proteção do Direito Penal ao assinalar que a pena só deve ser imposta após o trânsito em julgado do decreto condenatório, mas apenas respeita o estado de inocência que é conferido ao réu até a ultima palavra do Judiciário sobre o fato criminoso que supostamente lhe envolve. Pensar o contrário é permitir que o discurso punitivista atropele as garantias fundamentais[54].

Não se nega que sejam legítimas as pretensões da sociedade em ter um sistema punitivo eficaz. É preciso, todavia, fincar que inexiste vínculo entre o estado de inocência assegurado a todos que respondem a um processo penal e a morosidade e a ineficiência do sistema punitivo brasileiro. A necessidade de manutenção da ordem pública e convivência social pacífica não implicam, por si só, legitimidade

---

[53] O ministro Roberto Barroso enfatizou que o condicionamento do cumprimento da pena ao trânsito em julgado contribui para o aumento da criminalidade e agrava o descrédito da sociedade no sistema de justiça brasileiro. O ministro Luiz Fux demonstrou pensamento semelhante ao asseverar que: "Estamos tão preocupados com o direito fundamental do acusado que nos esquecemos do direito fundamental da sociedade, que tem a prerrogativa de ver aplicada sua ordem penal". Na mesma esteira, afirmou ainda a minsitra Carmem Lúcia: "Se de um lado há a presunção de inocência, do outro há a necessidade de preservação do sistema e de sua confiabilidade, que é a base das instituições democráticas. A comunidade quer uma resposta, e quer obtê-la com uma duração razoável do processo". Disponível em: <http://www.stf.jus.br/portal/cms/verNoticiaDetalhe.asp?idConteudo=326754>. Acesso em: 3/12/2016.

[54] "O Direito Penal liberal, de um Estado Democrático de Direito, caracteriza-se pela limitação do *jus puniendi*. Com essa limitação, protege-se a pessoa humana frente ao Estado e, com isso, restringe-se à aplicação da consequência penal – a pena – através de uma série de requisitos prévios a sua aplicação". Cf. BRANDÃO, Cláudio. Francisco da Vitória e a raiz dogmática do Direito Penal. In: HOMEM, António Pedro Barbas; BRANDÃO, Cláudio (orgs.). *Do Direito Natural aos Direitos Humanos*. Coimbra: Almedina, 2015. p. 327

do poder punitivo[55]. Não se pode mais conceber o processo penal apenas como meio de defesa social, olvidando sua missão de garantia do cidadão[56].

Recusa-se o discurso dicotômico que privilegia a manutenção da ordem pública (interesse da coletividade) em detrimento à soltura do acusado, como se esta fosse um interesse puramente individual. A liberdade ultrapassa, e muito, a categoria de interesse privado, pois faz parte dos direitos e garantias constitucionalmente assegurados a todos os cidadãos. No mais, uma das exigências do Estado Democrático de Direito é a proteção do homem (enquanto pessoa) numa posição de coexistência (e não de hierarquia) com a proteção dos interesses sociais[57]. Tampouco podemos aceitar que, em nome de uma (im)posta ordem pública, seja relativizado o direito à liberdade individual. Relativizado para prevalecer qual direito ou o direito de quem? Pode-se, a pretexto de combater a violência e/ou evitar a impunidade, mitigar garantias constitucionais que foram conquistadas ao longo dos séculos? Inadmissível que a incompetência do aparato estatal na repressão à criminalidade sirva de argumentação para considerar como "excessivo garantismo" o que outrora era tido como "acervo incontornável dos direitos fundamentais universalmente reconhecidos"[58]. A segurança pública não figura entre as finalidades do processo penal, ainda que este seja um mito "presente em regimes autoritários que se apresentam como Estados de Direito: o de que o processo penal é instrumento de segurança pública/pacificação social"[59].

---

[55] GUIMARÃES, Claudio Alberto Gabriel. *Constituição, Ministério Público e Direito Penal:* a defesa do estado democrático no âmbito punitivo. Rio de Janeiro: Editora Revan, 2010. p. 22.

[56] Leciona Ferrajoli: "Se é verdade que os direitos dos cidadãos são ameaçados não só pelos delitos, mas também pelas penas arbitrárias – que a presunção de inocência não é apenas uma garantia de liberdade e de verdade, mas também uma garantia de segurança ou, se quisermos, de defesa social: da específica 'segurança' fornecida pelo Estado de direito e expressa pela confiança dos cidadãos". Cf. FERRAJOLI, Luigi. *Direito e Razão:* teoria do garantismo penal. 4. ed. Tradução Juarez Tavares, Luiz Flavio Gomes, Ana Paula Zomer Sica e Fauzi Hassan Choukr. São Paulo: Revista dos Tribunais, 2014. p. 506. No mesmo diapasão: MORAES, Maurício Zanoide de. *Presunção de inocência no processo penal brasileiro:* análise de sua estrutura normativa para a elaboração legislativa e para a decisão judicial. Rio de Janeiro: Lumen Juris, 2010. p. 234-237

[57] LOPES JR., Aury. *Direito processual penal.* 10. ed. São Paulo: Saraiva (versão e-book), 2013. p. 42 e 43.

[58] MOUROS, Maria de Fátima Mata, *Direito à inocência* – Ensaio de processo penal e jornalismo judiciário. Estoril: Princípia Editora, 2007. p. 45.

[59] CASARA, Rubens R. R. *Mitologia processual penal.* São Paulo: Saraiva, 2015. p. 194-195.

Ademais, é de suma importância pontuar que os preceitos constitucionais insertos em um Estado Democrático de Direito precisam ser arraigados na mentalidade dos juristas e cidadãos leigos[60]. Pouca serventia tem o reconhecimento da presunção de inocência se a cultura dominante propugna por um Estado Penal repressivo[61] onde os "criminosos" devem ser alvo de uma árdua persecução penal em defesa da sociedade[62]. Este pensamento remonta aos ideais outrora sustentados pela Escola Positivista Italiana que entendia o processo penal como instrumento de defesa da sociedade em face do delinquente[63]. Nesse contexto, o Estado Democrático de Direito[64] cederia lugar ao Estado Policial[65].

---

[60] MOURA, José Souto de. A questão da presunção de inocência do arguido. In: *Revista do Ministério Público*. Ano 11, n. 42, p. 31-47, abril/jun. 1990, p. 47.

[61] "As contínuas vivências e descrições da criminalidade de massa condimentam um clima generalizado de medo ao crime, impotência do Estado e promessas de que, com maior repressão, a situação melhora". Cf. ARAÚJO, Dyellber Fernando de Oliveira. Institutos penais de emergência – "novas" fórmulas para velhos dilemas – Uma análise dos novos estudos de política-criminal voltada aos indesejados pela sociedade. In: ANDRADE, Manuel da Costa; NEVES, Rita Castanheira (coords.). *Direito Penal de hoje: novos desafios e novas respostas*. Coimbra: Coimbra, 2009. p. 165.

[62] "(..) surge o discurso de que, se o sistema não funciona, o que equivale a argumentar, se não combate eficientemente a criminalidade, é porque não é suficientemente repressivo. Diante do fracasso da repressão penal, com o incremento da cultura punitiva, materializada no aumento do número de prisões (até mesmo as cautelares) e na suspensão das garantias constitucionais". Cf. PRADO, Geraldo; CASARA, Rubens R. R. Eficientismo Repressivo e Garantismo Penal: dois exemplos de ingenuidade na seara epistemológica. In: BATISTA, Vera Malaguti (coord.). *Discursos sediciosos:* crime, direito e sociedade. Rio de Janeiro: Editora Revan, p. 67-74, ano 17, n. 19/20, 1º e 2º semestres de 2012, p. 69.

[63] COSTA, Eduardo Maia. A presunção de inocência do arguido na fase de inquérito. In: *Revista do Ministério Público*. Ano 23, n. 92, p. 65-79., out./dez. 2002, p. 79.

[64] "Um processo penal efetivo exige o respeito aos direitos fundamentais e à capacidade de punir em atenção ao devido processo penal. O Estado que pretende legitimar a punição daqueles que violam a lei, não pode, para punir, violar seus próprios comandos legais". Cf. PRADO, Geraldo; CASARA, Rubens R. R. Eficientismo Repressivo e Garantismo Penal: dois exemplos de ingenuidade na seara epistemológica. In: BATISTA, Vera Malaguti (coord.). *Discursos sediciosos*: crime, direito e sociedade. Rio de Janeiro: Editora Revan, p. 67-74, ano 17, n. 19/20, 1º e 2º semestres de 2012, p. 71.

[65] Também chamado Estado Totalitário Penal, nas palavras de GUIMARÃES, Claudio Alberto Gabriel. *Constituição, Ministério Público e Direito Penal:* a defesa do estado democrático no âmbito punitivo. Rio de Janeiro: Editora Revan, 2010. p. 126. Sobre a temática, leciona Homem: "O conceito de Estado de Direito assenta no monopólio da violência legítima por parte do Estado.

Noutro norte, apontou-se que a opção pela literalidade do texto do Artigo 5º, LVII, da CF poderia conduzir a situações em que o réu utilizasse artifício para impedir a execução da pena, como, por exemplo, a interposição de sucessivos embargos declaratórios. Pensa-se, todavia, que o sistema jurídico é dotado de mecanismos aptos a combater recursos meramente protelatórios[66], não sendo

Se, hoje, esta é uma ideia trivial, não podemos perder de vista que não o era no final do século XVIII, mesmo nos países onde o absolutismo cultivava a teoria da Polícia e do Estado de Polícia". HOMEM, António Pedro Barbas. Do Direito Natural aos Direitos do Homem. In: HOMEM, António Pedro Barbas; BRANDÃO, Cláudio (org.). *Do Direito Natural aos Direitos Humanos*. Coimbra: Almedina, 2015. p. 85. Com o avultamento do Estado Policial "o Direito Penal não é ameaça, mas um módulo auxiliar. Não é a '*ultimo ratio*' como os penalistas sempre disseram, mas em muitos âmbitos é '*prima ratio*' ou mesmo '*sola ratio*'. Cf. HASSEMER, Winfried. Processo Penal e Direitos fundamentais. In: PALMA, Maria Fernanda (coord.). *Jornadas de Direito Processual Penal e Direitos Fundamentais*. p. 15-25. Coimbra: Almedina, 2004. p. 22.

[66] Compartilha-se um trecho do voto do ministro Dias Tofolli: "Ademais, existem mecanismos ja **consolidados na** jurisprudência dominante desta Suprema Corte para se coarctar o abuso no direito de recorrer. Cito, como exemplo, o julgamento da questão de ordem no RE n. 839.163/DF, Pleno, de minha relatoria, DJe de 10/2/2015. Conforme assentei no voto condutor desse julgado, "o Supremo Tribunal Federal admite a determinação de baixa dos autos independentemente da publicação de seus julgados seja quando haja o risco iminente de prescrição, seja no intuito de repelir a utilização de sucessivos recursos, com nítido abuso do direito de recorrer, cujo escopo seja o de obstar o trânsito em julgado de condenação e, assim, postergar a execução dos seus termos. (...) No mesmo sentido, da Primeira Turma e da Segunda Turma, colho precedentes dos ministros Roberto Barroso (HC n. 120.453/PR, DJe de 1/7/2014), Rosa Weber (HC n. 114.384/SC, DJe de 9/8/2013), Luiz Fux (ARE n. 752.970/DF-AgR-ED-ED, DJe de 5/2/2014), Ricardo Lewandowski (HC n. 107.891/SC, DJe de 21/5/2014) e Gilmar Mendes (ARE n. 665.384/RJ-AgR-ED, DJe de 5/9/2012). (...) Portanto, dúvida não há de que a questão é objeto da jurisprudência dominante da Corte. ... Em meu sentir, a determinação de imediata baixa dos autos, independentemente da publicação da decisão, para a execução imediata da pena constitui mecanismo suficiente para tutelar as situações de abuso do direito de recorrer, o qual pode e deve ser utilizado pelos tribunais superiores. Com esse mesmo propósito (tutelar as situações de abuso do direito de recorrer), o Plenário, no julgamento do RE n. 465.383/ES-AgR-AgR- EDv-ED, de minha relatoria, admitiu, em matéria penal, a imposição de multa sobre o valor da condenação por litigância de má-fé. Aliás, nesse mesmo julgado, entendeu a Corte que o risco iminente de consumação da prescrição da pretensão punitiva, quando caracterizada a procrastinação, legitima a baixa dos autos ao juízo de origem para a imediata execução da pena, independentemente do trânsito em julgado da decisão... Vê-se que, nessas hipóteses, justificadamente, em razão do abuso no direito de recorrer, opera-se tão somente a antecipação do momento do trânsito em julgado da

justificável a supressão de direitos fundamentais como meio hábil de se garantir a efetividade da atividade punitiva estatal. Outras vozes sustentam válida a execução provisória da pena com a fundamentação de que há uma excessiva demora no julgamento dos recursos, o que conduz à impunidade de uma parcela de réus, com a ocorrência, por exemplo, da prescrição. Não se pode aceitar que as falhas do Judiciário[67] sirvam de gazua para restringir os direitos fundamentais do acusado, mormente quando seu comportamento em nada interferiu para a criação da situação.

Por fim, afirmou-se no julgamento das ADCs que a presunção de inocência incide em grau mais leve após a condenação em segundo grau de jurisdição, cedendo lugar ao interesse estatal em realizar a execução da pena em prazo razoável. Dito de outra forma, admite-se que o estado de inocência vai perdendo força ao tempo em que a persecução penal vai contemplando decisões desfavoráveis aos réus (recebimento da acusação, sentença condenatória de primeiro grau e sentença condenatória de segundo grau)[68]. Sustentam, pois, que uma decisão condenatória de segundo grau, embora recorrível, se funda em alto grau de probabilidade de autoria e materialidade, o que justificaria a aplicação imediata da pena. Esse fundamento remonta aos ideais das Escolas Positivista[69] e Técnico-Jurídica de

---

sentença condenatória, a autorizar o cumprimento definitivo da pena, em estrita conformidade com o Artigo 283 do Código de Processo Penal". Disponível em: <http://www.stf.jus.br/arquivo/cms/noticiaNoticiaStf/anexo/VotoADCs43e44MinDiasToffoli.pdf>, Acesso em: 3/12/2016.

[67] " (...) as dificuldades ou os incômodos de índole prática não são suficientes quando a eles se contrapõem a letra e a *ratio* da lei." Cf. SANTOS, Cláudia Maria Cruz. Prisão preventiva – Habeas corpus – Recurso ordinário (Acórdão do Supremo Tribunal de Justiça de 20 de fevereiro de 1997). In: *Revista Portuguesa de Ciência Criminal.* Coimbra: Coimbra Editora, ano 10, p. 303-312, abr./jun. 2000, p. 311.

[68] Em favor de uma visão gradualista da presunção de inocência, asseverou Gilmar Mendes: "Há diferença entre investigado, denunciado, condenado e condenado em segundo grau". Disponível em: <http://www.stf.jus.br/portal/cms/verNoticiaDetalhe.asp?idConteudo=326754>. Acesso em: 3/12/2016.

[69] "Para Ferri, na medida em que se caminhava na persecução penal em direção à certeza judicial da delinquência, com a mesma intensidade se desfazia a lógica jurídica da presunção de inocência. Assim, em perfeita sintonia com Garafolo afirmava ser uma impropriedade lógica aceitar-se a presunção de inocência apos a sentença condenatória do juiz". Cf. MORAES, Maurício Zanoide de. *Presunção de inocência no processo penal brasileiro:* análise de sua estrutura normativa para a elaboração legislativa e para a decisão judicial. Rio de Janeiro: Lumen Juris, 2010. p. 115.

presunção da culpa, vez que se parte da diretriz de que, se a persecução penal avançou até uma sentença condenatória, a decisão final já é certa (condenação)[70].

Pensamos que aceitar a visão gradualista da presunção de inocência é o mesmo que admitir que, a partir de determinado momento processual – acórdão condenatório em segundo grau –, passa a vigorar a presunção de culpa em total dissonância com o imperativo constitucional que é enfático em separar o inocente do doravante culpado somente quando do trânsito em julgado da sentença condenatória[71].

3 Conclusão: da inafastabilidade do trânsito em julgado da decisão penal condenatória como parâmetro para e desconstituição do "estado de inocência" do réu

O princípio da presunção de inocência deriva da necessidade de se garantir o equilíbrio necessário entre o *ius puniendi* estatal e o *ius libertatis* da pessoa no

[70] Vide MORAES, Maurício Zanoide de. *Presunção de inocência no processo penal brasileiro:* análise de sua estrutura normativa para a elaboração legislativa e para a decisão judicial. Rio de Janeiro: Lumen Juris, 2010. p. 455.

[71] Posicionando-se contra a visão gradualista do princípio da presunção de inocência, vide CARVALHO, Américo A. Taipa de. *Sucessão de leis penais.* 3. ed. Coimbra: Coimbra Editora, 2008. p. 414-415; MORAES, Maurício Zanoide de. *Presunção de inocência no processo penal brasileiro:* análise de sua estrutura normativa para a elaboração legislativa e para a decisão judicial. Rio de Janeiro: Lumen Juris, 2010. p. 445; HASSEMER, Winfried. *Crítica al derecho penal de hoy.* 2. ed. 1 reimp. Buenos Aires: Ad-Hoc, 2003. p.116-117; COSTA, Eduardo Maia. A presunção de inocência do arguido na fase de inquérito. In: *Revista do Ministério Público.* Ano 23, n. 92, p. 65-79, out./dez. 2002, p. 76. Sobre a temática, leciona Antunes: "Embora seja de refutar uma concepção gradualista da presunção de inocência, podendo concordar-se com aqueles que afirmam que o princípio da presunção de inocência, até o trânsito em julgado da decisão condenatória ou vale sempre ou não, não podemos deixar de concluir que o sentindo específico da evolução concreta da tramitação processual acaba por deixar rasto no princípio, nomeadamente por passar a ser outro o "jogo" da harmonização das finalidades do processo penal e dos diversos direitos fundamentais em conflito. A forma como este princípio se articula com outras garantias processuais do arguido é diferente consoante haja ou não dedução de acusação, haja ou não pronuncia ou haja ou não condenação". Cf. ANTUNES, Maria João. O segredo de justiça e o direito de defesa do arguido sujeito a medida de coação. In: *Liber Discipulorum para Jorge de Figueiredo Dias.* Coimbra: Coimbra Editora, 2003. p. 1242, nota de rodapé n. 9.

curso do processo penal, sua adoção se coaduna com critérios políticos de inegável viés democrático e desvencilha-se de um discurso repressivo, que entende possível desconsiderar os direitos fundamentais sempre que constituam suposto óbice à atividade punitiva.

A decisão do STF, ao admitir a execução provisória da pena após condenação em segundo grau, representa um retrocesso na salvaguarda dos direitos fundamentais da pessoa, com o intuito de suprir a insuficiência estatal no seu papel de garantir a segurança pública da sociedade e combater a criminalidade.

É cediço, todavia, que a forma correta de solucionar a criminalidade é atuar sobre suas causas, e não sobre suas consequências. Não se pode admitir que o pretenso combate à violência sirva de pretexto para se relativizar os direitos fundamentais, que foram erigidos em lutas seculares. É intolerável que o tão importante princípio da presunção de inocência, viga mestra do modelo de processo penal nos Estados Democráticos de Direito, seja relativizado, principalmente quando se sabe que a tutela da inocência é importante garantia assegurada ao acusado frente a eventual arbítrio do Estado.

A prisão decorrente de acórdão condenatório recorrível não se encaixa em nenhuma das modalidades de prisão legalmente previstas no ordenamento brasileiro, quais sejam: prisão em flagrante, prisão cautelar (preventiva ou temporária) e prisão-pena. Destarte, não se pode criar nova modalidade de encarceramento baseada no argumento de que os recursos extraordinários são dotados exclusivamente de efeito devolutivo. Tampouco se pode coadunar com a execução provisória da pena sob o fundamento de que os Tribunais Superiores não têm competência para rever matéria fática e probatória, pois o referido limite não configura empecilho para que sejam retificadas possíveis injustiças. O cerne da questão não se encontra nos efeitos que os recursos produzem ou nos limites de cognição do STJ e STF, mas sim no âmbito de proteção do princípio da presunção de inocência, que, embora não seja um direito fundamental absoluto, há de vigorar, efetivamente, durante toda a persecução penal.

Embora, em regra, os direitos fundamentais processuais penais sejam concretizados de forma individual, eles são concebidos em prol da coletividade e servem como legitimação do poder punitivo estatal. Quando o estado de inocência é indevidamente retirado de um réu, a insegurança paira sobre toda a sociedade, vez que os detentores do monopólio punitivo deixam de cumprir as diretrizes constitucionais

A criação, pela via jurisprudencial, de um artificial marco de antecipação dos efeitos da sentença condenatória viola, portanto, o princípio da presunção de inocência, vez que o preceito constitucional é expresso em estabelecer que o direito fundamental vigora até o trânsito em julgado da sentença penal condenatória. Somente neste momento se opera a "certeza" exigida constitucionalmente para que seja afastado o "estado de inocência" do réu. O acórdão recorrível representa apenas a conclusão de mais uma fase da persecução penal. Ainda que o juízo de segunda instância fundamente a decisão condenatória em um juízo de "certeza", permanece a possibilidade de reforma pelo Tribunal Superior. O constituinte originário, consciente de todo o trâmite do processo penal, optou por assegurar o "estado de inocência" até a decisão da última instância judicial: trata-se de escolha representativa da conjugação dos direitos fundamentais da dignidade da pessoa humana, da presunção de inocência e do devido processo legal.

A convivência harmônica entre democracia e o *ius puniendi* tem como pressuposto fundamental o respeito à dignidade da pessoa humana. A luta pela efetivação do princípio da presunção de inocência e de outros direitos fundamentais desvencilha-se das políticas repressivas que sustentam a flexibilização das garantias do processo penal e constitui pressuposto essencial para o resgate de um Direito Penal consoante a sua teleonomologia no contexto do Estado Democrático de Direito.

Acordos sobre a sentença em matéria penal. Fundamento sociológico e preocupações constitucionais

João Prata Rodrigues

Mestre em Ciências Jurídico-Criminais na
Faculdade de Direito da Universidade de Coimbra

Introdução

Com este trabalho pretendemos estudar o fenómeno da justiça consensualizada,[1] investigando as suas origens e os seus fundamentos sociológicos e jurídicos. Do mesmo modo, aumentando o foco de atenção, estudaremos as propostas de acordo sobre a sentença penal, terminando por realizar uma análise crítica da proposta avançada por Jorge de Figueiredo Dias acerca desta mesma temática. Justificamos a maior atenção dada a esta proposta por duas razões: a primeira tem que ver com um argumento de natureza prática, já que foi segundo a proposta desse autor que estes acordos foram reproduzidos na realidade jurisdicional portuguesa (ainda que em breve trecho, como iremos ver). Por outro lado, parece-nos que na forma idealizada por este autor para este instituto é a que mais soluções oferece aos diversos desafios que este instituto poderá acarretar, se tal for novamente pretendido na Administração Judiciária portuguesa.

A proposta de Figueiredo Dias baseia-se num acordo entre os diversos sujeitos processuais,[2] que tem em vista a definição de uma moldura penal que será a utilizada pelo juiz na sentença, após a audiência de julgamento. Este acordo é firmado com o pressuposto de que o arguido, utilizando o instituto do 344 do Código de Processo Penal (CPP), confessará os factos dispostos na acusação/pronúncia, no momento das declarações do arguido. Por outro lado, este

[1] Preferimos o termo justiça consensualizada, em desprimor do conceito de justiça negociada, por ter a capacidade de se afastar de ideias venais e *do ut des*. Deste modo, DELMAS-MARTY, 2000, p. 660.

[2] DIAS, 2011, p. 83ss.

acordo só será procedente na eventualidade de que o juiz considere, mediante uma análise probatória séria, que a confissão é credível e livre de toda coacção (344, 3, c, do CPP *a contrario*).[3]Assim, se se verificarem essas duas condições, o juiz, caso considere o arguido culpado, definirá a medida concreta da pena dentro da moldura por si acordada com os outros sujeitos processuais, *rectius,* arguido, o Ministério Público (doravante também "MP") e o assistente.[4] Este acordo não inclui qualquer cláusula que recuse o direito ao recurso por parte do arguido.[5] Por outro lado, é central nesta proposta que o acordo se concretize em momento posterior à fixação do objecto do processo penal, ou seja, após a acusação (do MP ou, em casos de crimes particulares em sentido estrito, do assistente) ou a pronúncia do juiz de instrução – (379 1 b do CPP), para que não possa haver situações institucionalizadas de barganha acerca da verdade factual a ser artificialmente e limitadamente conhecida pelo juiz, situação que violaria o princípio da legalidade.

Central nesta análise é perceber esta medida como concretizadora de duas exigências que nos parecem essenciais no hodierno processo penal: o enriquecimento das estruturas de consenso, pelas razões que defenderemos ao longo deste trabalho, e a celeridade que o instituto da confissão imprime no processo, já que, pelo 344, pela confissão livre e credível se renuncia à posterior produção de prova, passando-se de imediato à fase das alegações orais e à determinação da pena aplicável (alíneas a) e b) do número 2).[6] Diga-se pois, desde já, que não são os acordos sobre a sentença que cumprirão o *leitmotiv* da celeridade, mas sim a confissão do arguido. O que os acordos irão fazer é criar um relevante estímulo à decisão de o arguido confessar (porque realmente consegue quantificar o benefício para si já que é natural "reconhecer que uma confissão terá (deverá ter), por via de princípio, uma influência significativa em termos de medida da pena)[7], caso o arguido, no seu espaço de autonomia, decida-o fazer, desde que

[3] Abordando as necessidades de como se deve proceder a confissão (OLIVEIRA, 2013, p. 119).

[4] Já assim proposto no ano de 1983 por DIAS, 1983, p. 236. Foge ao escopo do nosso trabalho a discussão de quais poderiam ser as prerrogativas do assistente neste momento processual. Resta-nos concordar com a posição assumida por DIAS, 2011, p. 84-90.

[5] Sobre este ponto, DIAS, 2011, p. 93-97.

[6] Na perspectiva da celeridade, PINTO, 2008, p. 139 e, de uma perspectiva global, COSTA, 1986, p. 147.

[7] DIAS, 2011, p. 54.

tal declaração se tome credível para um Tribunal mandatado para a procura da verdade processualmente válida ("o tribunal sobre o qual recai o dever de reunir todas as provas indispensáveis para a decisão", Ac. 1166/96), permitindo excluir "falsos positivos", atentatórios da dignidade da pessoa humana, no seu corolário do princípio da culpa.

Esses assuntos serão estudados ao longo deste trabalho. No entanto, consideramos ser importante apresentar, antes de tal momento, um quadro sociológico dessa forma de justiça consensual. É importante perceber o quadro social da justiça contemporânea, pois será por esse prisma e pelas críticas que a ela se apresentam que se poderão perceber as soluções avançadas e as propostas efectivadas na ordem jurídica penal.

Consenso e Habermas

Consideramos de importante monta apresentar, ainda que sinteticamente, os pensamentos de Jürgen Habermas sobre os axiomas dos acordos sobre a sentença que têm que ver com o consenso como origem da validade do discurso jurídico.

Esse autor, na sua talvez obra maior, *Teoria da Acção Comunicativa*, apresenta-nos três conceitos essenciais: mundo da vida, sistema e razão comunicativa (onde está incluída a linguagem). Começando por este último, para Habermas há, principalmente, duas racionalidades opostas que entram em confronto: a racionalidade cognitivo-instrumental (razão fundamentada no sucesso perante problemas, com directivas de eficiência e eficácia) e a racionalidade comunicativa.[8] A razão[9] comunicativa é um modo de atribuir validade a uma afirmação (de origem plúrima) quando a ela se chega por um modo de coordenação de posições, à partida dissentes, e que pelo meio-condutor da linguagem se finda numa posição de entendimento.

Por outro lado, o mundo da vida é considerado como pano de fundo, um horizonte partilhado que é tido como verdadeiro[10] – "conjunto de objectos

---

[8] HABERMAS, 1984, p. 8.

[9] "Dizemos (...) que uma conclusão é racional quando se encontra sustentada pela referência a certos pressupostos através de uma mediação estruturada do pensamento e do seu discurso" (VALE, 2011, p. 135).

[10] HABERMAS, 1987, p. 130.

historicamente determináveis por uma experiência comum".[11] [12] Mundo da vida que é constituído por três parcelas: **(i)** cultura aceite como o acervo de conhecimento que fornece aos cidadãos meios interpretativos do mundo; **(ii)** sociedade como as normas legítimas segundo a qual se faz a partilha intersubjectiva do mundo; **(iii)** a Pessoa pelos mecanismos que fazem o agente ser humano, ou seja, que lhe permitem perceber o mundo e interagir com ele, e, como tal, criadores da sua personalidade.[13] A acção comunicativa, em que se baseia a razão comunicativa, permite a reprodução dessas três componentes de modo a existir um desenvolvimento deste mundo da vida.[14] O que se pretende no Estado Contemporâneo (num momento de uma consciência moral pós-convencional) é o retorno à racionalidade comunicativa,[15] onde, perante um dissenso inicial, os sujeitos intervenientes-destinatários possam ultrapassar as suas posições diferentemente subjectivas, chegando a uma posição consensual que reproduza o mundo da vida, gerando-se a integração social e permitindo novamente um discurso autónomo em relação ao sistema preso à racionalidade cognitivo-instrumental.[16] Assim, conseguir-se-ia voltar à noção de mundo da vida – pelo entendimento mútuo chegar-se-ia a uma visão (não questionável por ser comum) de vivência de partilha intersubjectiva.[17]

E isso acontece já que os intervenientes na comunicação atribuem validade às afirmações do seu interlocutor e, consequentemente, aceitam-nas.[18] Esta validade

---

[11] "*Lebenswelt* como conjunto de objectos historicamente determináveis por uma experiência comum" (LINHARES, 1989, p. 59).

[12] HABERMAS, 1987, p. 138.

[13] Habermas tem como antecedente teórico George Mead.

[14] HABERMAS, 1987, p. 138.

[15] É curioso o trabalho de Pierre Guibentif que analisa os estudos de Luhmann sobre o sistema jurídico. Segundo o autor, Luhmann dá uma importância à comunicação e à linguagem que não dava nos seus primeiros escritos. Para Luhmann, adquire a função de meio condutor das expectativas e do código binário legal/ilegal (GUIBENTIF, 2005, p. 193, e LUHMANN 1980, p. 225). Habermas não deixa passar esta mudança em branco, acusando Luhmann de desprezar a importância da linguagem, "subalternizando-a" (HABERMAS, 1998, p. 345-347). Igualmente sobre este tema, SANTOS, 2014, p. 237, nota 377.

[16] NEVES, 1996, p. 94, e HABERMAS, 1987, p. 10.

[17] HABERMAS, 1984, p. 13.

[18] HABERMAS, 1984, p. 99; HABERMAS, 1998, p. 296. Essa diferença é basilar para contrariar a crítica de que a linguagem é igualmente importante para a racionalidade estratégica. Ver p. 94ss.

pode advir de ser verdadeira, justa e/ou apropriada. Para este trabalho interessar-nos-á, verdadeiramente, o segundo juízo, que é eminentemente normativo.

O que Jürgen Habermas propõe é a reconciliação do Direito com a Moral através de um procedimento.[19] Esta moralidade, não vista sob o ponto de vista substantivo, pois esta, no seu estado actual, é claramente fragmentada, mas sob o ponto de vista processual apresentado.[20] É nesta perspectiva que Habermas defende que, sem este procedimento, o direito fica "reduzido a um meio de organização" e "ameaça perder todas as referências de justiça".[21]

O "entrelaçamento" entre o Direito e a Moral dá-se nas "instituições"[22] num processo regressivo de validação *a posteriori*, através do entendimento e a aceitação por todo o auditório de uma norma pré-positivada. Estamos diante de um direito que é, em primeiro termo, positivado, mas que é excedido por uma análise de justiça, que não é mais que a aceitação por todos os destinatários[23] sob ponto de vista discursivo – racionalidade comunicativa, onde as partes validam a afirmação sob o ponto de vista normativo. Como afirma Habermas, citado por Paulo Dá Mesquita, "necessito de submeter a minha máxima com o fim da respectiva pretensão de validade ser escrutinada discursivamente.[24] Esta racionalidade comunicativa foi a resposta que Jürgen Habermas ofereceu ao iminente perigo "patológico" da colonização do mundo da vida [25] pelo sistema (racionalidade económica e de eficácia disposta inicialmente na economia e na burocracia, mas que este autor considera que se vai expandido ilegitimamente em certas áreas, que seriam inicialmente guiadas por uma racionalidade linguística)[26]

[19] "Interessa-nos o *entrelaçamento*, simultâneo, de moral e direito" (HABERMAS, 1992, p. 58).

[20] HABERMAS, 1992, p. 58. Que não é mais do que a percepção do critério e da análise do Outro sobre a mesma questão. Assim, SANTOS, 2014, nota 377, p. 230; de igual modo, HABERMAS, 1998, p. 277, 317 e 329: "nas sociedades modernas também se formam "processos naturais e espontâneos de autocompreensão e de formação de identidade a partir dos projetos polifónicos e turvos".

[21] HABERMAS, 1992, p. 93.

[22] LINHARES, 1989, p. 24-5.

[23] LINHARES, 1989, p. 154-155, 159; SANTOS, 2014, p. 230, nota 377.

[24] HABERMAS, 1992, p. 58,93, 102: "O procedimento tem a função de provar se as normas podem contar com uma aprovação geral. Assim, pois, o direito é capturado pela consciência moral que tem uma função pioneira para o desenvolvimento jurídico", e MESQUITA, 2010, p. 15, nota 4.

[25] LINHARES, 1989, p. 28; DEFLEM, 1998, p. 785.

[26] De modo paradigmático, HABERMAS, 1987, p. 183, com uma racionalidade voltada para a tecnicização e para o valor. De igual modo, p. 356-368 da mesma obra.

com a sua "situação ideal de comunicação" onde os participantes sem coacção de nenhuma ordem e de um modo sincero, encontrarão a afirmação que é por todos considerada válida, demovidos apenas pela apresentação do melhor argumento.[27] A explicitação desta parcela dos estudos deste autor desemboca, assim mesmo, neste último ponto, já que se poderá tomar essa "situação ideal discursiva" o *plateau* para os acordos sobre a sentença em matéria penal.

São conhecidas as críticas a este pensamento: **(i)** a impossibilidade de reflectir na prática os exigentes pressupostos desta racionalidade,[28] demonstrando uma posição algo *naïve* perante o desejo da procura de consenso diante de sentimentos egoístas ou pela sua liminar impossibilidade;[29] **(ii)** por outro lado, pode esta teoria ser acusada de promover o desejo errado de construção de um sujeito ideal, imune a todo o seu contexto histórico-social – um *homo oeconomicus* que tenderia sempre para a mútua compreensão.[30] A estas críticas juntam-se outras duas: **(iii)** o esvaziamento axiológico-normativo a que é subjacente a esta doutrina processualista, onde o "dever-ser" disposto na norma é meramente preenchido pelo conjunto das posições subjectivas e, por isso, individuais dos sujeitos destinatários, não havendo qualquer procura de um projecto normativo comunitário que deverá ser postulado e seguido;[31] **(iv)** a segunda tem que ver com o aviso já feito há várias décadas por Ralf Dahrendorf no seu "artigo-manifesto"[32] que "*universal consensus means, by implication, absence of structurally generated conflict*", onde estas estruturas dialógicas de consenso se parecem muitas das vezes com os "diálogos" de Platão – "*both share an atmosphere of unrealism, lack of controversy and irrelevance*" e que "*we have good reason to be suspicious if we find a society or social organization that displays no evidence of conflict*".[33] Fazem-se tais citações para exemplificar que, se tais "consensos universalizáveis" existem, é porque talvez tenha ocorrido algum tipo de coacção ou de condescendência

[27] OST, 2007, p. 411; SILVA, 2001, p. 135; SANTOS, 2014, p. 230. HABERMAS, 1992, p. 32, e MESQUITA, 2010, p. 18-9. Habermas citado por FERNANDES, 2001, p. 147.

[28] SANTOS, 2014, p. 231, nota 363; ANDRADE, 1989, p. 327-328.

[29] SANTOS, 2014, p. 231.

[30] LINHARES, 1989, p. 174 e 175.

[31] LINHARES, 1989, p. 159, 179 e 191-192; OST, 2007, p. 420-421.

[32] Expressão de DIAS; ANDRADE, 1997, p. 504, 505, sobre este mesmo tema.

[33] DAHRENDORF, 1958, p. 116, 118 e 126; OST, 2007, p. 421. CHRISTIE, 1981, p. 35, alerta para a escassez de conflito na sociedade contemporânea.

de algum actor social que, mesmo não concordando, prefere não expressar a sua posição antinómica.[34]

Teorias interaccionistas e instâncias formais de controlo

Se, por um lado, as teorias interaccionistas nos demonstraram as consequências do contacto dos delinquentes com as instituições formais de controlo e como há efeitos colaterais desse contacto não só indesejáveis como altamente prejudiciais, mesmo de acordo com as finalidades das ordens jurídica penal e processual penal, a comunidade vai cada vez mais estando cativa de Tribunais. Sendo estes incapazes de apresentar respostas em tempos tidos como comunitariamente razoáveis. Assim, causa-se mal à própria comunidade que tem a intenção de punir o comportamento criminalmente desviante através de uma instituição formal de controlo que não respeita o arguido na sua Pessoalidade e os seus direitos e garantias.

Será, pois, por esta breve resenha do *status* da justiça *lato sensu* que iniciaremos este percurso. A partir de meados do século XX, deu-se a percepção dos mecanismos de desumanização e de infantilização dos visados pelas instituições formais de controlo. O movimento, onde se inserem estas propostas de consenso em processo penal, nasce, pois, também, por uma resposta normativa a uma clarividência sociológica que pretendemos aqui apresentar. A *Labelling Aproach*, doutrina criminológica que nasce na década de 60 do século passado nos Estados Unidos, vem romper com uma histórica e estabilizada ciência do crime positiva e "etiológico-determinista"[35] – o delinquente, por factores endógenos ou exógenos, estaria predestinado ao crime e, portanto, o mais importante e útil estudo seria a determinação das condições dos fenómenos da criminalidade (são conhecidos os estudos de Lombroso e de Durkheim como polos exemplificativos da procura da origem criminógena em factores tanto biológicos como sociais). O que

[34] Como se fosse o anti-herói de Melville, Bartleby, com respostas constantes de "*I would prefer no to*" perante a possibilidade de discórdia (ANDRADE, 1989, p. 330-331). Sobre este pensamento aplicado ao processo penal onde é normal, ou mesmo sintoma de saúde democrática, que haja conflito.

[35] DIAS; ANDRADE, 1997, p. 43; BECKER, 1963, p. 3; DIAS, 1981, p. 8. Sobre as diferentes perguntas que os criminólogos tradicionais e os novos criminólogos fazem em BARATTA, 1986, p. 85.

a Perspectiva Interaccionista[36] vem defender é que não será uma característica endógena ou exógena que afecta o agente e o torna delinquente, mas que o crime é uma realidade social, construída igualmente numa dada esfera social. "*Deviance: it created by society*"[37] – esta conclusão tem, assim, como pressupostos a fragmentariedade axiológica e a neutralidade do comportamento, e será por este flanco que esta teoria será mais atacada, como veremos mais à frente.

Perante a neutralidade de todo o comportamento, a diferença entre aqueles que são considerados "desviantes"[38] está na reacção social do poder institucionalizado, inicialmente através da criação de normas sociais (neste caso, normas penais).[39] [40] Portanto, de uma ausência de desvalor axiológico de todo o agir humano, é na criação de leis incriminadores que surge a reconstrução *a posteriori* da censura comunitária a um determinado comportamento. Há diferentes leituras para quem cria essas normas, mas poderemos sintetizar esses agentes no conceito de "*moral crusaders*".[41]

---

[36] Enquadrada na criminologia crítica ao lado da etnometodologia e da criminologia radical. A etnometodologia é uma doutrina que nasce com os estudos de Alfred Schutz e que defende que a realidade social não tem características de objecto mensurável, mas apenas como construção social dos vários intervenientes, o que traz consequências para uma análise do crime como fenómeno neutro. DIAS; ANDRADE, 1997, p. 55, e BARATTA, 1986. A criminologia crítica tem como definição de crime: "*the crimes against collectivities such as nations and exploited classes as well as against all individuals*" (SCHWENDINGER, 1977, p. 9-13). Vê-se, facilmente, a utilização dos conceitos marxistas sobre o fenómeno criminal, não sendo crime mais do que uma parte da superestrutura da relação de domínio dos meios de produção e (de exploração do proletariado no estado actual) (DIAS; ANDRADE, 1997, p. 58, nota 95).

[37] BECKER, 196, p. 8.

[38] Difícil tradução de "*deviance*", conceito que pretende ser central nestes autores do *Labelling*.

[39] BECKER, 1963, p. 9; BARATTA, 1986, p. 83: "carácter relativo e socialmente construído daquela noção" (DIAS, 1981).

[40] Sobre um ponto de vista jurídico-dogmático, segundo a perspetiva interacionista, todos os crimes seriam *delicta mere prohibita*.

[41] Conceito avançado por Becker, que permite uma caracterização plural em termos de motivação (BECKER, 1963, p. 147ss). Não resistimos a citar a passagem, que pode ser "etiquetada (em honra à teoria que estudamos) a muitas situações: "*The success of the crusade, therefore, leaves the crusader without a vocation. Such a man, at loose ends, may generalize his interest and discover something new to view with alarm, a new evil about something ought to be done*" (p. 153). É facilmente perceptível que a Criminologia Radical, de origem marxista, encontra os criadores dessas normas sociais na classe dominante.

A teoria interaccionista é denominada na língua inglesa de *Labelling Aproach*, porque considera que é desviante aquele em que se consegue colar a etiqueta, o "rótulo", o "labéu" com tal atributo.[42]

Estes autores dedicam-se, assim, ao estudo da reacção criminal e às suas problemáticas envolventes,[43] que se poderão colocar em dois grandes grupos: a selectividade da reacção criminal e a carreira desviante começada no *estigma*. Sobre o primeiro, estes autores preocuparam-se por demonstrar que, além da selectividade do legislador ao tornar certo comportamento (que seria, por definição, neutro) desvalioso, haveria uma selectividade das instâncias formais de controlo – Polícia, Ministério Público e Tribunais à cabeça, ou seja, com a aplicação das directivas (de criminalização) a que estas instituições estão sujeitas obrigatoriamente pelo princípio da legalidade, estudando os fenómenos das cifras negras e das competências de acção, mostrou-se que o sistema sofre de grave aleatoriedade.[44] Sobre esta diferenciação, Becker criou quatro categorias: o que, pela criação de normas penais, não as infringe; o que não pratica o tipo ilícito mas é erradamente acusado, o desviado e o "*secret deviant*".[45] [46] [47] Sobre o segundo ponto, e o mais importante para este trabalho, os autores do *Labelling Aproach* abordaram os processos de estigmatização, que nascem da reacção social, que levam aos fenómenos de *deviance* secundária. Ou seja, da inicial reacção

---

[42] DIAS, 1981, p. 10; BECKER, 1963, p. 9.

[43] DIAS, 1981, p. 10; BECKER, 1963, p. 33.

[44] DIAS; ANDRADE, 1997, p. 367-368.

[45] BECKER, 1963, p. 20. Não se traduziu por falta de termo na nossa Língua Portuguesa: "*here an improper act is commited, yet no one notices it or react to it as a violation of the rules*"; delinquência real e potencial na terminologia de DIAS; ANDRADE, 1997, p. 346.

[46] BARATTA, 1986, p. 101-104; TIEGER, 1971, p. 718ss. Sobre este tema preferimos realçar o raciocínio de Becker que *avant la lettre* afirmava que novas criminalizações levariam a maiores selectividades e a maiores "cifras negras", já que aumentando o enfoque em determinados tipos-ilícitos (por pressão dos *moral crusaders*) deixariam de reprimir outros tipos de ilícito, por mera escolha política (BECKER, 1963, p. 156-161). Como mero exemplo, de uma hipótese de selectividade, veja-se a análise comparatística entre a percentagem de estrangeiros a residir no nosso país e a percentagem de presos estrangeiros nos nossos estabelecimentos prisionais (GOMES 2011 – ou num já clássico, WACQUANT, 1999 p. 70-74), com análise de estatísticas mundiais, onde se defende existir um maior encarceramento dos condenados.

[47] HUGHES, 1945, p. 353-4. Esse autor apresenta vários exemplos dessa relação entre o *status* e as características auxiliares marginalizadas do mundo do trabalho.

social retiramos processos de adscrição de características ao agente, que terão consequências na sua identidade e no seu comportamento e que poderão levar à formação de uma posterior carreira delinquente.[48]

Estes autores baseiam muito as suas ideias no interaccionismo simbólico de George Mead. George Herbert Mead, no seu livro *Mind, Self and Society*,[49] aborda, de uma perspectiva original, a criação e o desenvolvimento da consciência-de-si ou, de uma maneira mais abreviada e que parece mais correcta, a criação e o desenvolvimento do *self*.[50] Este filósofo norte-americano defende que o *self* não nasce com o ser humano, não é uma característica que lhe pertence, mas que nasce da interacção social, ou seja, da comunicação e da resposta do Outro – Outro como comunidade, "*generalized other*".[51] Distinção importante para este autor é entre *self* e perspectiva ou experiência subjectiva,[52] ou entre consciência e autoconsciência. Para este autor, é a partir do *self* (desenvolvido socialmente) que é possível o Homem passar do "Eu" para o "*me*", ou seja, Mead defende que no contacto social e na comunicação com o(s) outro(s), pelo *self* ("identidade" para Figueiredo Dias e Costa Andrade, a imagem-que-temos-de-nós), tornamo-nos objecto de observação de nós próprios, ou seja, o Eu que percepciona o Eu – "eu percepciono-me".[53] E isso acontece porque retiramos da resposta do outro às nossas solicitações (*lato sensu*) uma imagem que o outro tem de nós e que forma e molda o nosso *self*.[54] Toda esta mudança irá afectar a imagem que temos de nós e, consequentemente, as nossas acções baseadas nessa imagem fundamental, já que "*It is in the form of the generalized other that the social process*

[48] DIAS ,1981, p. 22, e DIAS; ANDRADE, 1997, p. 345.

[49] Na edição que consultámos *on-line*, as páginas não foram numeradas e como tal será para nós impossível citar do modo ortodoxo e correcto, pedindo desculpa por tal facto. Do "*link*" constante na bibliografia será possível proceder ao *download* e pelas ferramentas de buscas actuais facilmente se poderá efectuar a certificação das fontes, essencial na transmissão de conhecimentos.

[50] É-nos conhecida esta mesma preferência em DAMÁSIO, 2010.

[51] "*The self is something which has a development; it is not initially there, at birth, but arises in the process of social experience and activity, that is, develops in the given individual as a result of his relations to that process as a whole and to other individuals within that process*" (BLUMER, 1966, p. 535).

[52] "*A man alone has, fortunately or unfortunately, access to his own toothache, but that is not what we mean by self-consciousness.*"

[53] "*selfconsciousness referring to a recognition or appearance of a self as an object*".

[54] "*self-consciousness refers to the ability to call out in ourselves a set of definite responses which belong to the others of the group*".

influences the behavior of the individuals involved in it and carrying it on, i.e., that the community exercises control over the conduct of its individual members".[55] Cria, pois, esse autor, uma relação triangular do Eu, o outro ("*generalized other*") e Eu como objecto de estudo e análise.

Para estes autores do *Labelling* é importante a construção do *self* daqueles que se tornam objecto das instâncias formais de controlo, já que da imagem resultante da interacção entre os agentes e as instâncias formais de controlo pode resultar uma diferente "imagem de si-próprio", que será reconstruída de acordo com uma imagética de "delinquente" que as instâncias formais terão imposto ou nisso pretendem. Os autores que se debruçam sobre essa problemática, tendo como pano de fundo essas teorias do Interaccionismo Simbólico, analisam os diferentes ritos e momentos que alteram o *self* do delinquente: o tribunal, a prisão, o pós-sanção (que não é mais do que o prolongamento do castigo fora da prisão), que alteram o comportamento futuro do delinquente.

Um conceito que trespassa todos estes momentos é o *estigma*, imediatamente relacionado com o conceito de *self*. Para Erving Gofmann, estigma é uma característica do sujeito que o define e diferencia em relação à generalidade das pessoas de uma comunidade.[58] Essa definição da pessoa acontece porque adivinhamos (ainda que erradamente) outras características adjacentes dessa primeira que nos foi apresentada. Há uma cisão entre uma identidade virtual e uma identidade real do sujeito, e é essa cisão, criada pelo estigma, que o fará isolar-se, em atitude defensiva, dos grupos dos "normais" (sujeitos sem essas características desvaliosas, portanto, não sujeitos ao estigma), onde anteriormente pertencia e que o tomarão como detentor tanto do estigma como das características que adivinham estar adjacentes.[56] Sobre esta temática, Everett Hughes teorizou que para cada estatuto social há um conjunto de características auxiliares que engrandecem a figuração da pessoa que carrega tal *status* e que vão sempre acoplados e ligados umbilicalmente a um estatuto principal e classificatório.[57] Para o nosso caso, o

[55] Cf. BLUMER, 1966, p. 538.

[56] GOFMANN, 1981, p. 117: "O normal e o estigmatizado não são pessoas, e sim perspectivas que são geradas em situações sociais durante os contatos mistos".

[57] HUGHES, 1945, p. 353-354. Esse autor apresenta vários exemplos dessa relação entre o *status* e as características auxiliares, apresentando soluções para o problema que vai subjacente: a contradição de características, que leva ao desnorte do seu titular (p. 358, 359). Hughes não se debruçou sobre o delinquente, mas o raciocínio analógico é legítimo e válido. Cf. BECKER, 1963, p. 32,

encontro com as instituições formais de controlo criará um novo *status* principal, e desse se deduzirá um conjunto de características auxiliares que enquadram o comportamento singular de delinquência num quadro caracterizador maior: ser desenraizado, ter desprezo pelas regras de boa convivência social, praticar outros tipos de crimes, défice cultural ou cognitivo etc.[58]

Essa imagem que o "*generalized other*" tem de si (mesmo se baseada em características que podem, possivelmente, não corresponder à verdade) vai afectar o *self* do delinquente, conformando-se com essa *persona* que lhe foi imposta.[59] Sincronicamente, a comunidade sensível à mudança de *status* terá um comportamento diverso para com o agente, pelas mesmas razões estereotipadas, num processo, pois, de autoalimentação. Há um habitual afastamento dos grupos a que anteriormente pertencia, o seu dia a dia sofre alterações, pode haver uma perda de emprego, com maior risco de carência financeira. As pessoas mais próximas poderão, igualmente, afastar-se para evitar o estigma que ultrapassa a pessoalidade do delinquente, pois há sempre a "mulher, o pai, os filhos, os irmãos de um homicida ou de um ladrão".[60]

Este desenraizamento da sua estrutura social e pessoal, causado pela reacção social, poderá ser acompanhado por uma aproximação a outros delinquentes, igualmente sofredores de semelhantes processos de etiquetagem, onde já não

---

33. O conceito de "estereótipo" é semelhante (DIAS; ANDRADE, 1997, p. 347, 348). Zygmunt Bauman, citado por Cláudia Cruz Santos, aborda igualmente este problema, afirmando que esse *status* principal é exponenciado pela ausência de contactos diários, já que haverá cada vez menos conflito de imagens contraditórias (porque além de recluso poderia ter outras qualidades, vocações bem tidas pela comunidade), soerguendo-se, unicamente, a de recluso, in SANTOS, 2014, p. 489, nota 776, e BARATTA, 1990.

[58] Abordagem desses e outros estereótipos em GOFMANN, 1956, p. 121.

[59] DIAS; ANDRADE, 1997, p. 345. Significativa a história narrada por Heinrich Böll, demonstrando a conformação do agente à imagem que lhe atribuem (DIAS, 1981, p. 4).

[60] CORREIA, 1961, p. 342. Este artigo aborda de um modo impressivo, mas rigoroso a carreira delinquente e o efeito criminógeno da pena de prisão. Realçamos, especialmente, a análise da vida posterior ao cumprimento da pena (p. 344-8). Goffman sobre essas relações afirma que a sociedade as toma como uma só pessoa, fazendo daí o contágio do estigma para estas (GOFFMAN, 1956, p. 28; BECKER, 1963, p. 33-35). Um interessante estudo de sentido contrário, defendendo que, no seu objecto de análise (delinquência juvenil), este estigma não se faz sentir com uma intensidade digna de grande realce. FOSTER, 1972, p. 202-209: "*Only a small proportion of the boys studied felt that they were seriously handicapped by having a record with the police or court*" (p. 208).

existe estigma (já que não há processo social que o crie – todos os delinquentes são iguais entre si).[61]. Perante o distanciamento da comunidade em geral, promovem-se contactos nestas bolhas homogéneas de pessoas tidas entre si como semelhantes.[62] Nesses contactos há, simultaneamente, um processo de aculturação e perda da identidade anterior.[63] [64] Este fenómeno de aculturação é exponenciado no cumprimento de pena de prisão, como veremos.

Falta apenas analisar a consequência prática na acção futura do delinquente, a delinquência secundária, mas esta já está subentendida na análise de aculturação, onde aumentam os momentos de crispação com a ordem instituída, aumentando os problemas sociais já provocados por uma anterior "estigmatização, punição, segregação e controlo social", agindo de acordo com o *status* de delinquente. De onde se conclui que "*deviant activities often seem to derive support from the very agencies designed to suppress them*".[65] Desse modo, ressalvando casos de não concretização e de interrupção deste ciclo vicioso (também abordados pelos autores do *Labelling*), cumpre-se o Teorema de Thomas – "*if men define situations as real, they are real in their consequences*".[66] Com efeito, se Becker afirma que o impulso para a prática de ilícitos existe sempre, mudando apenas o compromisso com instituições sociais, nesta mudança tanto psicológica como social essas anteriores amarras deixam de existir,[67] formando-se, assim, as carreiras desviantes.[68]

Estudados os fenómenos, deter-nos-emos nas estruturas que são a causa daqueles. Falaremos de instâncias formais de controlo: tribunal e a prisão. O tribunal, perante o arguido, é considerado uma "*status degredation ceremony*"[69] na conhecida expressão de Harold Garfinkel. Segundo esse autor, este ataque à

---

[61] Ver supra.

[62] GOFFMAN, 1981, p. 27: "Há um conjunto de indivíduos dos quais o estigmatizado pode esperar algum apoio: aqueles que compartilham seu estigma e, em virtude disto, são definidos e se definem como seus iguais".

[63] DIAS; ANDRADE, 1997, p. 352-353.

[64] BECKER, 1963, p. 38. Um estudo sociológico feito por este autor corrobora esta tese, p. 98.

[65] ERIKSON, 1962, p. 311.

[66] DIAS; ANDRADE, 1997, p. 346.

[67] BECKER, 1963, p. 26-28. Da mesma perspectiva falando da privação de "barreiras de resistência criminal", RODRIGUES, 1994, p. 561, nota 233.

[68] DIAS, 1981, p. 22.

[69] GARFINKEL, 1956, p. 420.

pessoa e à sua identidade acontece nos moldes da indignação moral, que permite atacar certa personalidade/acção ao mesmo tempo em que se fortalece os laços comunitários (secularizados) entre "puros".[70] A destruição da identidade da pessoa desenrola-se pela reconstituição na consciência comunitária de uma imagem de uma pessoa por outra, reconstituição, diremos, numa linguagem jurídica, retroactiva.[71] E isso acontece pela noção de estigma – a cerimónia, ritualizada, deve ser uma experiência marcante para a criação do estigma ("visa, quer pela cicatriz que deixa no corpo, quer pelo espectáculo de que é acompanhado, tornar infame o condenado; (...) o suplício (...) marca em redor, ou melhor, no próprio corpo do condenado sinais que não se devem apagar").[72] Neste artigo de Garfinkelsão estudados os meios mais eficazes para que essa reconstituição possa ocorrer. Muitos destes têm que ver com práticas discursivas de convencimento de que o agente agiu de modo premeditado e recorrente, sendo, pois, um sujeito que não se enquadra na comunidade, que não é guiado pelos mesmos princípios deontológicos, ao contrário do denunciante (quem profere o discurso)que professa os valores da comunidade, sendo meramente o núncio de tais posições valiosas e comunitariamente partilhadas.[73]

De seguida, esse autor aborda outros factores mais estruturais e contextuais, onde afirma que há certas regras que, se seguidas, poderão favorecer a eficácia desta reconstrução, como são o espaço, a amplitude subjectiva de participação, o modo de participação: se pessoalmente ou em meios de comunicação social, se feito por intervenções sucessivamente repartidas (para cada acusação, uma resposta, ou a resposta vir só no final de todas as acusações), entre outros factores. Interessa-nos, pois, entender que os tribunais são para esse autor "*the arena of degradation whose product, the redefined person, enjoys the widest transferability between groups has been rationalized*", sendo isto feito por profissionais do Direito (distanciados do facto e do delinquente).[74] Mas, mesmo em tribunal, há diversos modelos em que a eficácia de "etiquetagem" pode ser reduzida, como este artigo

[70] GARFINKEL, 1956, p. 421.

[71] GARFINKEL, 1956, p. 421; ERIKSON, 1962, p. 311.

[72] FOUCAULT, 2013, p. 45.

[73] GARFINKEL, 1956, p. 422-3.

[74] GARFINKEL, 1956, p. 424. Sobre a relevância da difusão do crime pelos *mass media*, que cultivam uma forte reconstituição da identidade do agente e do seu meio envolvente, abordando a experiência portuguesa, MACHADO, 2004, p. 277-9.

indica. De igual modo, Kai Erikson refere que esta imposição do papel de delinquente acontece sempre em espaços públicos e altamente difundidos, ritualizados e formalizados,[75] usando muitas das vezes a repetição *ad nauseam* de argumentos deterministas da recorrência, extremamente eficazes para a concretização da reconfiguração do *self*.[76] É muito interessante a interpretação que Orson Welles faz da obra de Kafka *O Processo* num filme de 1962. Enquanto Kafka toma o espaço de tribunal como labiríntico e sombrio, o cineasta interpreta esse mesmo espaço como muito amplo, sempre lotado de cidadãos e jornalistas, ruído e luzes, onde, de igual modo, o arguido se sente perdido e "engolido" pela máquina judiciária.

Daqui poderemos já levantar o véu da nossa tese ao afirmar que consideramos ser também, como melhor veremos, o tribunal um espaço de excelência para a ressocialização, e que esta passa igualmente pela redução do efeito estigmatizante da acção jurisdicional penal. Seguimos de perto a afirmação de Costa Andrade e de Figueiredo Dias: "a acção jurisdicional vale ainda como a mais paradigmática das cerimónias degradantes, e, a mais eficaz em termos de estigmatização, o tribunal é igualmente a instância formal com maior capacidade para manipular a identidade dos desviantes e compeli-los a uma 'carreira' de delinquência".[77]

Um outro momento relevante na carreira desviante é o cumprimento de pena de prisão. Esta é igualmente estigmatizante, mas muitas das vezes é apenas a consolidação da reconstituição do *self* que lhe foi imposta em Tribunal. Erving Goffman celebrizou-se pela criação do conceito de "instituição total".Hospitais, escolas, prisões, orfanatos, lares, mosteiros são exemplos de tal categoria que a cultura anglo-saxónica intitula de "*asylum*".[78]

Uma primeira característica desses espaços é a ausência de locais diferenciados para momentos diferentes do dia a dia, observando ao mesmo tempo um regime de isolamento e distanciamento do resto da sociedade.[79] Uma outra consequência

---

[75] ERIKSON, 1962, p. 311.

[76] ERIKSON, 1962, p. 312.

[77] DIAS; ANDRADE, 1997, p. 512.

[78] GOFFMAN, 1961, p. 313.

[79] GOFFMAN, 2006, p. 16. Sobre este ponto Foucault realça que só a partir do século XIX houve uma preocupação de as prisões serem espaços opacos, onde antes haveria uma necessidade no carácter público da execução da pena (FOUCAULT, 1973, p. 105). FOUCAULT, 2013, p. 14-16 e 44-45, apresenta uma mudança recente de publicização do processo penal e da supressão do espetáculo punitivo (com o desaparecimento do suplício, tornando-se parte oculta do processo (*lato sensu*).

é o esvaziamento da Pessoa: isso acontece, segundo o autor, porque esta é despojada dos contactos pessoais que a realizam, das rotinas familiares e de trabalho, dos seus bens pessoais, das suas roupas, objectos, vivências e pessoas, de espaços de privacidade que, ao fim e ao cabo, concretizam a sua Pessoalidade.[80]

A este processo de perda da sua personalidade Goffman dá o conceito de "mortificação do eu", que acontece logo à entrada do *asylum*, o que só fará aumentar/consolidar o novo papel que a sociedade lhe quer atribuir, deixando de estar presente o *self* anterior ao contacto com as instâncias formais de controlo).[81] [82] Com o despojamento da sua identidade anterior, abre-se caminho a uma subculturação, processo que é coerente tanto com o seu *status* como com o seu labéu.

O preso é ainda subjugado por regras uniformizadas, procedimentos, horários e esquemas de preenchimento de tempo, que não permitem que possa conformar o seu tempo e as suas rotinas segundo a sua vontade, como o fazia nos momentos anteriores ao cumprimento da pena.[83] Porventura, a diferença mais paradigmática não estará tanto na possibilidade de conformar o seu dia a dia, já de si limitado por razões económicas e de outras ordens (já que, de igual modo, os sistemas prisionais podem oferecer diferentes possibilidades de ocupação do seu dia a dia), mas sim na incapacidade intrínseca de definição do seu modo de vida, sem que tenha de contar com o auxílio ou a presença do oficial.[84] Todo esse

---

[80] Esta ideia de ligação entre proprietário e os bens ser de teor personalístico (COSTA, 1999, p. 277-279).

[81] Estamos perante um exemplo claro do conceito de "interpretação retrospectiva" e da reconstituição retroactiva da personalidade. Ver supra. DIAS; ANDRADE, 1997, p. 348.

[82] Dois exemplos literários: o famoso letreiro na entrada do Inferno "Deixai toda esperança, ó vós que entrais" da Divina Comédia de Dante Alighieri e "Então pela primeira vez nos apercebemos de que a nossa língua carece de palavras para exprimir esta ofensa, a destruição de um homem. Num ápice, com uma intuição quase profética, a realidade revelou-se-nos: chegámos ao fundo. (...) Já nada nos pertence: tiraram-nos a roupa, os sapatos, até os cabelos (...). Tirar-nos-ão também o nome: se quisermos conservá-lo, teremos de encontrar dentro de nós a força para o fazer, fazer com que, por trás do nome, algo de nós, de nós tal como éramos, ainda sobreviva" (LEVI, 2004, p. 24).

[83] GOFFMAN, 1961, p. 318. Foucault diz-nos que essas instituições totais eram uma ambição de várias instituições, incluindo fábricas, por razões claras de maior produtividade (FOUCAULT, 1973, p. 108).

[84] GOFFMAN, 2006. "Uma das formas mais eficientes para perturbar a 'economia' de ação de uma pessoa é a obrigação de pedir permissão ou instrumentos para actividades secundárias que a pessoa pode executar sozinha no mundo externo" (p. 44). RODRIGUES, 2006, p. 46: "A vida prisional

processo leva a uma desresponsabilização do agente, criado por este ambiente "irreal", e a um processo de "infantilização".[85]

Uma última palavra: o entusiasmo com que foi recebida essa teoria interaccionista foi imensurável – para muitos criou uma ruptura com o mundo criminológico anterior, já que, com os postulados da ataraxia axiológica de todo o comportamento, todo o estudo etiológico da criminalidade viraria inútil. Pior, tornava-se enganador.

Actualmente, essas posições não merecem crédito. Se, de facto, há comportamentos com um baixo valor penal,[86] outros comportamentos tipificados escapam a estas problemáticas, como os casos de crimes contra a vida, integridade física ou contra o *jus ambulandi*. Igualmente, a teoria interaccionista nunca poderá ser considerada como uma ciência global do crime porque não carrega as ferramentas (importantes) que a anterior criminologia detinha – já não em termos determinísticos, mas ninguém contesta a necessidade de compreender as razões/motivações (mas não será isso uma percepção demasiado racionalizada do crime?) que levam o agente à sua prática na "desviância primária".[87] Uma outra crítica que se faz é o facto de esses autores terem caído num determinismo verificável após o primeiro contacto com as instituições formais de controlo.[88] Sobre este ponto, apraz-nos dizer que tendemos a concordar com uma posição mais madura e mais contida desta teoria. Concluímos com o desabafo ventilado por Howard Becker na revisitação da sua teoria – "muitos pediram ao *Labelling* mais do que ele podia e queria dar".[89]

Ficam assim descritos os conceitos necessários do *Labelling Aproach* para se poderem dar os próximos passos.

---

se rege por regulamentos asperamente limitativos que dificultam as mais diversas actividades".

[85] GOFFMAN, 1961, p. 316; RODRIGUES, 2006, p. 47; e RODRIGUES, 1983, p. 199.

[86] Os *delicta in se/ delicta mere prohibita* e o *leitmotiv* do *Alternativ –Entwurf Eines Strafgesetzbuches* como exemplos de casos onde a questão pode ser levantada (DIAS, 2012, p. 109 e 113).

[87] DIAS, 1981, p. 25.

[88] DIAS; ANDRADE, 1997, p. 356. Sobre este ponto, seria injusto não afirmar que os diversos autores que estudámos abordam esta questão, afirmando que há diversas variáveis, admitindo não ser um trajecto unidirecional, havendo momentos em que poderão haver cortes com a carreira desviante. Como exemplo, BECKER, 1963 p. 36.

[89] DIAS, 1981, p. 31.

Tempus Fugit – Dos problemas de legitimidade da justiça às soluções apresentadas

Afirmar-se que um dos maiores problemas da actividade jurisdicional reside em não se conseguir obter uma resposta final em prazo razoável soaria, nestes dias, a trivialidade, não fossem os maiores e seríssimos problemas que daí advêm. A delonga no processo penal é tema abordado em várias gerações de cultores do Direito Penal. Beccaria, no seu *Dos Delitos e das Penas*, no final do século XVIII, falava-nos da distância temporal que deveria ser curta entre o delito e a pena, já que isso seria benéfico ao arguido, reduzindo-lhe a incerteza (porque a pena deve ser posterior à sentença, e aos valores da comunidade, existindo uma proporcionalidade inversa entre a distância temporal e o desejado raciocínio de associação entre o castigo e o delito.[90] Igualmente Montesquieu demonstrou preocupação com a não eficácia dos propósitos da prevenção geral relativamente à resposta não expedita da justiça, afirmando que é por aí que se combate o crime, não na severidade das penas.[91] Desses dois autores retiramos grande parte do quadro problemático. A delonga excessiva[92] afecta a eficácia da prevenção geral,[93] afecta

[90] BECCARIA, 2009, p. 102-4.

[91] DIAS, 1983, p. 222. De igual modo, PADILHA, 2016, p. 34, abordando as expectativas da sociedade, diríamos, conformada com os valores jurídicos partilhados pela comunidade, defende que essas expectativas serão restabelecidas se existir uma solução objectiva à questão que é colocada ao tribunal, mais ou menos independentemente de uma severidade da pena: "o que a sociedade espera é um resultado objetivo, mensurado, adequado e eficaz, que possa implicar no reconhecimento de que as instâncias formais de controle funcionam e combatem eficazmente a criminalidade, em suas vertentes – preventiva e sancionadora".

[92] Falamos na adjectivação "excessiva" de modo propositado. Como já se disse supra, a justiça tem um espaço próprio e um tempo próprio que pode ser considerado "lento" e nem toda "a delonga, todo o segredo, todo o atraso é sinónimo de fraqueza". Não se poderá esquecer que "o objectivo profundo de muitas regras jurídicas é *atrasar* a tomada de decisão, para permitir que se exprimam todos os pontos de vista e que as paixões arrefeçam, ora para proteger terceiros, ora o próprio interessado" (OST, 2007, p. 357 e 366). Sobre a diferença entre morosidade necessária e desnecessária, assim como uma resenha às causas gerais deste problema, que não será um foco deste trabalho, ver PINTO, 2008, p. 10-18.

[93] Que, como se sabe, é a exigência de "estabilização contrafáctica das expectativas comunitárias na validade da norma violada" (DIAS, 2012, p. 80; RODRIGUES, 1996, p. 526), que aborda que o processo célere é uma obrigação disposta em vários documentos internacionais, realçando, pela sua importância o 6 da CEDH.

a certeza do Direito nas perspectivas do arguido (que terá de conviver com a incerteza por tempos excessivos) e da comunidade (demora excessiva na procura da verdade e em assentar a paz social), aumenta as probabilidades de uma decisão final injusta (o princípio da concentração exige uma decisão em prazo tendencialmente curto, com uma imediação do julgador a ser vital para uma boa e fundada decisão – 328 do Código de Processo Penal[94]) e faz da presunção de inocência um mero conceito teórico[95] – se, perante o Direito, permanece inocente até ao trânsito em julgado da sentença condenatória (32, 2, da Constituição da República Portuguesa), o estigma é, com a delonga, imposto ao réu, já que aquele não obedece a uma lógica normativa, por ser um fenómeno psicossocial.[96]

Os tribunais que se debruçavam na repreensão penal não conseguiram fazer face ao aumento de processos, o que fez com que as delongas excessivas se tornassem tão habituais como intoleradas.[97] Essa delonga tornou-se insustentável, e o Estado demonstrou-se incapaz.[98]

Do problema às respostas já oferecidas

Perante um quadro de "*overloading*" no processo penal[99] causado maioritariamente por crimes de pequena e média criminalidade,[100] era exigido ao legislador

[94] Sobre isso, DIAS, 1989, p. 121-124.

[95] DIAS, 1983, p. 222; RODRIGUES, 2003, p. 40-41, e PINTO, 2008, p. 18-24.

[96] Mesmo que todos os sujeitos processuais se esforcem em veicular a presunção de inocência, a "cerimónia degradante" será eficaz. Já Garfunkel – ver supra – afirmava que o tempo de decisão afectava a eficácia da reconstituição da imagem. "O direito ao processo célere é, pois, um corolário daquela" presunção de inocência (CANOTILHO; MOREIRA, 2007, p. 519).

[97] DIAS, 2011, p. 15.

[98] RODRIGUES, 2003, p. 40; ANDRADE, 1989, p. 341 – "um caudal de delinquência que ultrapassa as suas possibilidades reais", e BRANDÃO, 2015, p. 169.

[99] Expressão de Jorge de Figueiredo Dias e MONTE e outros, 2009, p. 814.

[100] RODRIGUES, 2006, p. 40 e 67: "o caminho para responder à heterogeneidade da criminalidade do nosso tempo – organizada e de massa – não pode ser o da homogeneidade do sistema punitivo", ANDRADE, 1989, p. 340: "a avalanche de quase pancriminalização e a massificação de certas formas de delinquência", e SANTOS, 2015, p. 150, nota 11. Abordando a mesma questão, BRANDÃO, 2015, p. 176, afirmando que a maioria das condenações são a penas inferiores a 5 anos (50, 1, do Código Penal). FERNANDES, 2001, problematiza a causa desta "inflacção legislativa em matéria penal", tomando a sua origem no "modelo do Estado social" e pelo enfraquecimento relativo da eficácia intimidatória da sanção penal" (p. 96-98). Sobre isso, como

procurar soluções,[101] dada a "exasperação crescente perante a ineficácia das polícias e da justiça". E a solução foi encontrada na diferenciação.[102] Diferenciação de resposta (ou mesmo ausência desta) que segue vectores que são principalmente dois, a saber: a dignidade penal do facto e necessidade da pena (carência de tutela penal).[103] E isso pode acontecer tanto no direito substantivo como no direito adjectivo.[104] Exemplos destes mecanismos dá-nos Costa Andrade, por exemplo: "descriminalização pura e simples, a conversão de crimes em contraordenações", "a dispensa de pena", entre outras.[105]

Uma outra forma de diversificação é a diversão. Diversão tida como a construção de uma linha condutora de actos processuais, que cumprindo a mesma função (na grande maioria dos casos), não segue a tramitação ordinária do processo,[106] concretizando-se, desse modo, exigências de adequação e de diferenciação na resposta.[107] Em Portugal temos processos divertidos nos Artigos 280 e 281

---

já abordado, poderemos dizer que é um problema de equilíbrio, mas num ciclo vicioso – mais sanções, menos poder simbólico do Direito Penal, mais sanções. Segundo as estatísticas fornecidas pela Direção-Geral de Reinserção e Serviços Prisionais havia, em 2014, 14.000/11.673 pessoas a cumprir pena de prisão (são apresentados estes dois números em dados "oficiais") em Portugal e 27.348 a cumprir pena não privativa da liberdade. O cenário é animador relativamente ao ideário político de preferência pelas segundas (70 CP) por dois motivos: o número é francamente superior e em claro crescimento ao longo dos anos. Porém, e se pudermos confiar nas estatísticas, havia um número considerável de pessoas a cumprir pena de prisão inferior a 3 anos, 2.293. Se somarmos este número ao número de penas não privativas da liberdade, percebemos a grandeza relativa desse tipo de crimes de pequena e média criminalidades no fenómeno geral da nossa estrutura jurídica penal.

[101] DIAS, 2011, p. 39.

[102] Diferenciação que para FERNANDES, 2001, p.,135, nasce do princípio da adequação.

[103] DIAS, 2012, p. 668ss. De igual modo, ANDRADE, 1989, p. 321-322 e nota 3 das mesmas páginas.

[104] COSTA, 2013, p. 89, exige, contra a corrente legislativa, com a redução do fluxo discursivo criminalizador, solução que resolveria o *tilt* dos tribunais.

[105] ANDRADE, 1989, p. 320, 321.

[106] COSTA, 1986, e FERNANDES, 2001, p. 133.

[107] COSTA, 1986, p. 20. LEMERT, 1981, p. 36, tem um conceito mais abrangente, afirmando que "*process whereby problems otherwise dealt with in a context of delinquency and official action will be defined and handled by other 'means*". Deste conceito de Lemert retiramos um conceito onde se podem incluir a despenalização, por exemplo. Igual conceito apresenta Jakobs que compreende "desde a inactividade da polícia nos casos de bagatela (...) até aos programas de educação intensiva" (FERNANDES, 2001, p. 133).

(com a diversão simples do 280 e a diversão com intervenção do 281)[108] e os processos especiais dos Artigos 381 e seguintes do Código de Processo Penal. É compreensível que, com estas reacções diversificadas, mais leves para a tramitação e para a máquina judiciária, se dê algum fôlego ao processo penal, para que possa melhorar as suas respostas e concretizar as suas finalidades penais e processuais penais.

Além de todas as consequências nefastas para o processo penal, nas suas finalidades e intervenientes (*justice delayed, justice denied*), a delonga exagerada afronta o direito constitucional do acesso efectivo ao Direito e aos tribunais,[109] disposto no Artigo 20 da Constituição da República Portuguesa (CRP), especialmente o Artigo 20, 4 – "Todos têm direito a que uma causa em que intervenham seja objecto de decisão em prazo razoável". Na exegese do Artigo 20, 4, da CRP, afirma-se que este direito a uma decisão em prazo razoável poderá ser comprimido por razões particulares daquele determinado processo jurídico em específico, mas não "poderão considerar-se causas justificativas do 'atraso' (...) deficiências regulativas do processo".[110] Igualmente este direito de decisão em prazo razoável faz parte da bateria de direitos constantes na Convenção Europeia dos Direitos do Homem, no Artigo 6.[111]

Esta diversificação, seja por processos de descriminalização, despenalização,[112] dispensa de pena, mediação penal, pelas bagatelas penais e princípios de adequação social, seja por mecanismos processuais de diversão, teve um impacto importante na redução da estigmatização do processo penal, ao mesmo tempo que permite uma intervenção mais eficaz.[113]

[108] COSTA, 1986, p. 21.

[109] Sublinhando a particular relação entre o tempo de resposta na função dos tribunais de tutela jurisdicional efectiva, PINTO, 2008, p. 28. Por isso, ainda antes da positivação dessa particular exigência, já havia um sentido implícito concordante.

[110] CANOTILHO; MOREIRA, 2007, p. 417. Ainda que seja importante ressalvar, como afirmou o TC, que essa decisão jurisdicional tem de conseguir imprimir uma necessária celeridade, mas que mantenha a importante e complexa função jurisdicional incólume e com os inalienáveis direitos do arguido, Ac. 212/00. Sobre isso, MIRANDA; MEDEIROS, 2010, p. 441.

[111] Como se sabe, artigo por onde se fundam muitas condenações do Estado Português por violação de tal preceito. PINTO, 2008, p. 26, dá igualmente conta de que essa garantia está disposta em diversos ordenamentos constitucionais de países com culturas jurídicas diferentes.

[112] COSTA, 1986, p. 24 para a diferença entre descriminalização e despenalização.

[113] OLIVEIRA, 2013, p. 90-92.

Vejamos, num Direito Penal de tendência liberal, defender-se-á que deve a intervenção penal ser de *ultima ratio*, para que, entre outras prementes razões, aumente a carga simbólica da condenação e da sanção[114] e porque o Estado só poderá contrair os Direitos, Liberdades e Garantias dos cidadãos quando tenha essa estrita necessidade, no caso de não existir possibilidade de escolha de uma medida menos lesiva que cumpra os mesmas necessidades legítimas (é esta a lógica presente no contrato social – todas as possibilidades de comportamento serão possíveis, *excepto* quando haja uma necessidade vital que faça restringir essa liberdade, tanto comunitária como de outro cidadão)[115] – e, se isso é assim, com a escolha entra uma pena e uma contraordenação e é assim entre uma pena privativa da liberdade e uma pena não privativa da liberdade (70 do Código Penal), será igualmente, em termos genéricos e amplos, entre uma tramitação processual que é mais lesiva e uma diferente menos lesiva, menos intrusiva – e, por isso, este raciocínio tanto estará presente com a despenalização, descriminalização como na diversão, por nós entendida – "*if in doubt, do not pain*".[116]

Essas estruturas diversificadas nascem também do contexto de aplicação prática das doutrinas do *Labelling Aproach*. Como já se abordou, estas teorias estudaram o estigma e a reconstituição do *self*. Um dos locais primordiais desta reconstituição é o julgamento penal e a sua "cerimónia degradante". A audiência em tribunal tem alto grau de eficácia na alocação do estigma, pela sua ritualização, formalidade e grande publicidade do evento. Nas formas divertidas do processo – "correlato adjectivo de descriminalização"[117] – (principalmente aquelas onde não há uma vivência da audiência de julgamento – processo sumaríssimo, suspensão provisória do processo e arquivamento em caso de dispensa de pena) há uma menor probabilidade de se conseguir reconstituir a imagem própria do delinquente, o que favorece a ideia de *ultima ratio* e de menor dano possível a

---

[114] RODRIGUES, 2003, p. 44, e TORRÃO, 2000, p. 117. "Reagindo menos vezes, a máquina punitiva ganha uma credibilidade e provoca maior alarme social quando efectivamente reage, possibilitando um reforço mais vivificado na consciência colectiva dos cidadãos."

[115] SANTOS, 2014, p. 612-613.

[116] DIAS; ANDRADE, 1997, p. 359-360; COSTA, 1999, p. 203ss, e CHRISTIE, 1981, p. 3. Defendendo a aplicação do 18 da CRP num âmbito processual, TORRÃO, 2000, p. 245-246.

[117] DIAS, 2009, p. 66. Hassemer considera essas estruturas processuais uma defraudação do direito substantivo HASSEMER, 2001, p. 10).

causar ao agente da prática do crime, ao mesmo tempo em que se combate a delinquência secundária.[118]

Sobre essas tramitações divertidas, pensamos ser importante fazer uma pequena incursão pelo princípio da legalidade e da oportunidade. Alguns autores abordam as soluções actuais de diversão como soluções de oportunidade. Ora, com o devido respeito, não nos parece haver aqui qualquer princípio da oportunidade. Se tal princípio existisse, haveria a possibilidade de o Ministério Público optar ou não por esses mecanismos de diversão por razões que não incluídas no objetivo da prossecução da política criminal, fora do estrito cumprimento do princípio da legalidade. O princípio da oportunidade, se bem entendido, promove a possibilidade de decidir perante critérios próprios de conveniência de serviço ou de Estado ou por razões prático-pragmáticas – razões de ordem "política (*raison d'Etat*), financeira ou até social".[119] Por outro lado, em sistemas onde o princípio da oportunidade vigora, a decisão na investigação e persecução em tribunal pode muitas das vezes depender de participação de entidade governamental.[120] Nada disso pode acontecer no nosso ordenamento, por imperativo constitucional (219, 1, da CRP) e, como tal, perante esses institutos divertidos, há um dever funcional de os accionar, verificados os requisitos dispostos nas suas normas legais. Claro que, muitas das vezes, os pressupostos dos mecanismos de diversão estarão estabelecidos por via de conceitos indeterminados, "cujo conteúdo e extensão são em larga medida incertos".[121] Para esses conceitos, é devida uma interpretação do seu sentido e serem estes valorados no momento da sua comparação jurídica com o problema-questão. Portanto, conceitos que permitem uma actualização axiológica altamente recomendável, criadora de respostas válidas, que através da motivação da decisão permitem a moldagem de um determinado sentido de resposta ao caso concreto.[122] O que não nos coloca nem numa posição de subjectivismo, nem de razões distantes das finalidades do processo penal, tanto em concreto como abstractamente definido.

[118] COSTA, 1986, p. 20 e 66, e RODRIGUES, 2003, p. 48.

[119] Sobre isso, DIAS, 1989, p. 121-124.

[120] DELMAS-MARTY, 2000, p. 450-451.

[121] LINHARES, 2009, p. 173.

[122] Deste modo, LÚCIO, 1991, p. 215, e LINHARES, 2009, p. 199. Exemplos desses conceitos indeterminados, altamente pacificados são os 40, 71 e 72 do Código Penal.

O princípio da legalidade, visto classicamente, resume-se ao dever de abrir inquérito perante notícia de crime e de acusar se existirem indícios suficientes da prática do facto e da autoria (262, 2, e 283, 1, do Código de Processo Penal),[123] com um consequente princípio da indisponibilidade.[124] Na nossa opinião, o que acontece perante os mecanismos de diversão é um estender[125] do princípio da legalidade, havendo, actualmente, o dever de promover essa diferenciação, imposta pelo legislador e pela sua política criminal, sendo o seu cumprimento uma exigência constitucional (219, 1, CRP). Pensamos, pois, que seria importante renovar o conceito do princípio da legalidade, já que com o actual ser-nos-á obrigatório criar uma entorse conceptual para abarcar tais mecanismos.[126] Assim, poderemos defender que, à falta de melhor definição de princípio da legalidade (mantendo-se totalmente correcta a primeira parte deste princípio na definição tradicional – abrir inquérito perante notícia do crime), deverá o Ministério Público "participar na execução da política criminal definida pelos órgãos de soberania", onde já estão incluídas estas mais recentes prioridades, sendo uma delas a diversificação da reacção criminal.[127]

Essas tramitações divertidas baseiam-se, ainda, numa perspectiva inovadora do processo penal de que o *full enforcement* não é o caminho mais acertado, já que, *se tal fosse possível*, levar-nos-ia a descredibilizar a importância das normas

---

[123] SANTOS, 1999, p. 248. A autora concorda igualmente na inexistência de juízos de oportunidade em processo penal, "pelo menos no plano do *law in the books*".

[124] FERNANDES, 2001, p. 564-566.

[125] No mesmo sentido, FERNANDES, 2001, p. 145. Limitando a crítica à confusão entre consenso e oportunidade, dentro dos mecanismos de diversão, OLIVEIRA, 2013, p. 63.

[126] Parece-nos que essa definição do princípio da legalidade nasceu de um ambiente onde vingava a doutrina do *full enforcement* e, como tal, era exigida uma postura de total reactividade perante o facto e perante o delinquente (CAEIRO, 2000, p. 31).

[127] Sobre isso, Artigos 4 e 5 da Lei-quadro de Política Criminal, Lei n. 17/2006 de 23 de maio. O Acórdão 16/2009 do STJ já abordava a questão deste princípio da legalidade ser interpretado de um modo actualista. São conhecidas as duras críticas que Costa Andrade dirige a esta Lei que pretendeu fazer a "quadratura do círculo" entre causas incompatíveis: a selecção democrática de prioridades e o princípio da legalidade *tout court* (ANDRADE, 2006, p. 263, 272 (especialmente). Sobre o mesmo tema, RODRIGUES, 1998, p. 234. Pedindo uma leitura "corajosamente aberta" do princípio da legalidade, CHIAVARIO, 1995, p. 359.

e do seu cumprimento perante a descoberta de todo o comportamento que lhe era contrário.[128]

Um ponto central da suspensão provisória do processo, do arquivamento em caso de dispensa de pena e do processo sumaríssimo é a relevância superior dada à vontade do arguido, que é sujeito processual e que, desse modo, conforma, pela sua actividade processual, a decisão final.[129] Isso acontece como explicitam o 280, 2,[130] o 281, 1, a), e o 396, 2, 3 e 4, todos do Código de Processo Penal. Essa concordância do arguido, que é vital para essas diferentes tramitações, demonstra duas preocupações: o direito ao conflito de que o arguido é titular em processo penal e a preocupação cada vez maior em obter espaços de consenso em processo penal. [131] Esta ideia de consensualidade, como já se afirmou, foi sendo tomada como forma de resposta aos novos desafios da justiça criminal, já que, "tornando-se mais consensual, mais rápida e mais eficaz a reacção social", reforçaria a "sua função simbólica".[132]

Não se olvide que o arguido, como sujeito processual, tem um poder de conformação, pela sua actividade processual, da decisão final futura, mesmo em

---

[128] É conhecida a posição de Boaventura Sousa Santos, que afirma que essas estruturas divertidas assim como as penas de substituição foram um modo de relegitimação do Estado e de aumento do seu poder de controlo, por mecanismos, superficialmente, menos onerosos para os cidadãos, dando especial ênfase às estruturas "comunicativas" e "informais": "Na medida em que o Estado consegue, por esta via, controlar acções e relações sociais dificilmente reguláveis por processos jurídicos formais e integrar todo o universo social dos litígios decorrentes dessas acções e relações no processamento informal, o Estado está de facto a expandir-se", ao mesmo tempo que reduz os seus custos em controlo social (SANTOS, 1982, p. 28; ver também 24-9). De igual modo, alertando para um viés romântico na análise dessas medidas, BELEZA, 1983, p. 167. FERNANDES, 2001, 135-138, dá-nos relato de autores (Volk e Jung) que defendem que essa diversificação tem o objectivo de aumentar o controlo e o poder do Estado com os mesmos meios, por meio de estruturas menos pesadas.

[129] COSTA, 1986, p. 6.

[130] Para que não haja um roubo do conflito, ANDRADE, 1989, p. 336.

[131] Souto Moura inclui nesses espaços de consenso o Artigo 16, 2 e 3. Não o fundamentando, só poderemos expressar as nossas dúvidas nesta inclusão. Se, de facto, não há dúvida que se poderão incluir numa forma diversificada de reacção social, não vemos aqui qualquer sinal de consenso (ou de mera concordância) com outros sujeitos processuais (MOURA, 2012, p. 5, nota. 6.

[132] RODRIGUES, 1998, p. 236.

processos comuns; o tribunal não é, nesses casos, "Júpiter a trovejar oculto".[133] No entanto o que se passa nesses institutos divertidos é uma conformação superior: perante uma dada acusação, só poderá haver arquivamento no disposto do 280 com a concordância do arguido; só poderá haver suspensão provisória do processo com a concordância do arguido (entre outros, como o assistente e o juiz de instrução), e o requerimento do Ministério Público, no processo sumaríssimo, só será procedente perante a não oposição do arguido. Pretendeu-se, com isso, valorizar uma melhor participação do arguido que garantiria também uma decisão com menor grau de crispação, onde as partes tenderiam para um ponto de cedência mútua, levando à pacificação do conflito,[134] ao mesmo tempo em que se cumpriria um ideário de maior autonomia e de dignidade do arguido.[135]

Figueiredo Dias, ao abordar os institutos agora elencados e já implementados no sistema jurídico português, afirma, no entanto, não serem "estruturas e procedimentos de verdadeiro 'consenso', mas mais simplesmente em meras *concordâncias* perante (...) propostas ou requerimentos de um ou mais sujeitos processuais",[136] afirmando serem estruturas insuficientes para cumprimento de uma "eficiência funcionalmente orientada" e de um pensamento contemporâneo de valorização do cidadão.[137] Porém, é importante não esquecer o que se disse

---

[133] ANDRADE, 1989, p. 326.

[134] "O que participa é porque sente que tem algo em comum, porque lançou pontes ou atravessou pontes." In: COSTA, 1986, p. 65.

[135] RODRIGUES, 2003, p. 43-4, querendo demonstrar que a afirmação de que as estruturas de consenso foram uma mera resposta à inoperacionalidade da justiça é redutor e errado. De modo semelhante ao texto: "A pessoa humana volta a emergir, por si própria, e não pelos laços que a ligam ao Estado", e DELMAS-MARTY, 2010, p. 662 e 667, que nos indica que essas alterações têm um enquadramento político-ideológico mais amplo.

[136] DIAS, 2011, p. 21. De igual modo, SANTOS, 2015, p. 186.

[137] Não se duvida da análise rigorosa de Jorge Figueiredo Dias perante o documento normativo. O nosso ponto tem que ver com a relativa plasticidade que essas propostas e requerimentos podem ter na prática, podendo haver interpelações e interpretações de sentido e de vontade inter-partes antes da proposta formal ou da apresentação do requerimento, podendo tornar-se estruturas de consenso (é natural que assim aconteça, se existir uma vontade efectiva na escolha por essas estruturas divertidas). De igual modo, ANDRADE, 1989, p. 357. De uma interpretação mais consensualista e menos de concordância salta à vista o perigo de uma possível *charge bargaining*, onde poderia haver uma redução dos factos/crimes a acusar por parte do MP para que o arguido aceitasse a suspensão provisória do processo, já que estamos num momento anterior à dedução de

na análise de Habermas, já que se deverá sempre ter a perspectiva clara de que o consenso não é o alfa-ómega do processo penal, tendo de haver outros caminhos perante o fracasso da comunicação,[138] não podendo toda a imposição penal ficar dependente da concordância do agente.[139]

Sobre este ponto dos limites do consenso, o legislador estabeleceu que essas estruturas de consenso só deveriam valer para a pequena e a média criminalidades. A escolha é justificada na limitação de aplicação a crimes com correspondentes (abstractas) baixas penas de prisão e justifica-o no preâmbulo do Decreto-Lei 78/87 de 17 de fevereiro que aprovou o Código de Processo Penal – ou seja, apenas para crimes com penas em que se ainda se permita a sua substituição (50 do CP). Costa Andrade atribui essa diferença de tratamento legislativo a diferentes posturas e atitudes interiores dos sujeitos processuais perante o *output* do processo, tendo essas diferenças que ver com, na pequena criminalidade, haver vontade real de colaboração com a justiça penal e de possível modificação do comportamento do arguido para um consentâneo com os valores jurídicos comunitários. De outro modo, haveria na criminalidade mais grave um desprezo pela justiça penal e por tais valores que esta subsidariamente protege, num manto de "criminalidade violenta e organizada".[140]

Não nos parece a melhor decisão e a melhor linha de pensamento. Para Hans-Ludwig Schreiber, numa estrutura de consenso, a "decisão terá de emergir como resultado de uma interpenetração de posições contrastantes e, por isso, aceitável por todos ou parte dos intervenientes".[141] Desta definição, a que aderimos, não nos parece possível fazer um corte de possibilidade dessa estrutura entre a pequena e a média criminalidades e a criminalidade mais grave, num quadro mais ou

---

acusação (ainda numa fase de inquérito, onde o MP poderia moldar os factos a levar a tribunal). Isso seria (mais) possível pela abertura a espaços de negociação que poderia dar azo a essas ilícitas transacções. Parece-nos um perigo com grande dano, mas tenderemos a confiar na assunção do princípio da legalidade pelos magistrados do MP e na estrutura hierarquizada, que tem o poder de controlar esse tipo de actuações-.

138 Não deixam de ser fundadas críticas, mas não se poderá criticar as ideias de Habermas quanto ao ordenamento jurídico, já que este excepcionava tal discurso da sua tese (MESQUITA, 2010, p. 69-70).

139 TORRÃO, 2000, p. 73.

140 ANDRADE, 1989, p. 334 -335.

141 MIRANDA, 2003, p. 45.

menos estático. Porque, como afirma Costa Andrade, a distinção entre espaços de consenso e de conflito "tem mais a ver com a postura ou atitude espiritual e cultural dos diferentes sujeitos processuais"[142] e, dessa perspectiva, parece-nos impossível inferir uma postura anticolaboracionista de todos os arguidos por criminalidade grave, ou até mesmo de uma relevante fatia dos mesmos. Até porque, como se disse, essa postura deverá muitas das vezes acabar, já que são, em regra, do interesse do arguido (abstractamente tido, sem tomar em relevância o espaço de autonomia de cada um) a utilização de tais estruturas de consenso.[143] Concluindo esta etapa, se é inegável que o legislador pensou essas estruturas de consenso para a pequena e a média criminalidades (não um "certo tipo de criminalidade", conceito já de difícil aplicação, como já se sentenciou, pelo seu carácter heterogéneo), consideramos que não haverá limitações às estruturas de consenso a não ser a sua própria impossibilidade fáctica concreta, até porque, como afirma Cláudia Cruz Santos, é nessas situações onde é mais necessário realizar a "almejada contenção da prisão".[144]

Não se afirme que essas estruturas de consenso prejudicam as garantias de defesa e, como tal, essas perdas processuais não deveriam ser consentidas na criminalidade mais violenta, onde há uma consequente resposta mais grave e lesiva do Estado ao delinquente,[145] já que esta posição sofre de algum cinismo. As garantias processuais de defesa devem estar sempre presentes, independentemente do crime a ser julgado em tribunal, não havendo nenhuma razão lógica para que sejam cerceadas nas estruturas de consenso; se, de facto, tais limitações fossem encontradas, deveriam ser corrigidas, não limitando à partida esses espaços de consenso, como se o mal residisse em tais estruturas em si mesmas.[146]

---

[142] ANDRADE, 1989, p. 335.

[143] RODRIGUES, 2003, p. 49.

[144] SANTOS, 2015, p. 156. BRANDÃO, 2015, p. 174, afirma ser melhor uma "abordagem gradual" na aplicação desses espaços de consenso, defendendo, no entanto, que esses espaços de consenso são muitas das vezes soluções altamente benéficas para criminalidade mais complexa e de pesadas sanções (caso do Direito Penal secundário).

[145] ANDRADE, 1989, p. 336. Para esse autor, nas soluções de conflito, dever-se-á promover o "antagonismo", a "contrariedade", onde não poderá haver compressões de garantias processuais do arguido, como a presunção de inocência. De igual modo, COSTA, 2013, p. 91-92.

[146] Do mesmo tema, mas sobre uma perspectiva diversa, BRANDÃO, 2015, p. 165.

Fernando Pinto Torrão afirma que essas estruturas de consenso poderiam, noutra perspectiva, sacrificar a prevenção geral enquanto finalidade do Direito Penal, pela relativa informalidade das mesmas, reduzindo-se a "dramatização formal-processual do conflito", afirmando que não haveria "eco na consciência colectiva comunitária".[147] Podendo esse autor ter alguma razão quanto à ligação entre ritualização e prevenção geral, como já abordado anteriormente com as técnicas de adstrição de estigma ao agente, parece-nos que, pelo menos neste caso dos acordos, os autos irão sempre à fase de audiência de tribunal e haverá (provavelmente, caso não exista nenhuma existência de circunstância que exclua a responsabilidade do arguido) uma sentença condenatória, como acontece no caso das estruturas mais ritualizadas e conflituais.

Por outro lado, o consenso acerca de uma verdade recortada judicialmente não deve ser tido como fundamento único para o estabelecimento de um quadro fáctico que leve inelutavelmente ao exercício da máquina punitiva do Estado.[148] Ora e não obstante, é isso precisamente que actualmente acontece em Portugal com os processos sumaríssimos, com o juízo de censura do juiz incluído num despacho (para este efeito; a lei afirma ser um despacho, mas que "vale como sentença condenatória – 397, 1, CPP) homologatório do acordo sobre a veracidade dos factos imputados pelo Ministério Público ao arguido.[149] Colocando-nos sobre a perspectiva de estudo de Habermas, estamos perante uma presunção *jure et de jure* de que existiu uma situação ideal de discurso entre aqueles dois sujeitos

---

[147] TORRÃO, 2000, p. 141-142.

[148] Sobre este ponto, na diferenciação entre "'consenso como processo' e não necessariamente também o 'consenso (auto)legitimador'", DIAS, 2011.

[149] Ainda que se possa afirmar que o processo sumaríssimo "não representa a manifestação de um espaço de consenso" (OLIVEIRA, 2013, p. 66), já que a proposta concreta depende do Ministério Público. Do mesmo modo, já citado DIAS, 2011, p. 21. Concordaremos que não há uma estrutura dialógica estabelecida na lei. No entanto, é clara a existência de uma proposta e de uma concordância (ainda que tácita, já que se basta com a não oposição do arguido 397 CPP). Ainda sobre este processo sumaríssimo, o requerimento ao tribunal é da competência do MP, mas esta competência nasce de um poder-dever, que terá de ser utilizado caso se cumpram os requisitos estabelecidos no Artigo 392 CPP),OLIVEIRA, 2013, p. 67, e SANTOS, 2015, p. 160 e 187. Sobre a relação entre verdade e consenso, COSTA, 2005, p. 95-99. TEIXEIRA, 2000, p. 45, considera que o processo sumaríssimo se situa num "espaço de oportunidade", indicando as "razões que permitem fundamental a 'oportunidade' deste mecanismo".

processuais[150] que, a partir de uma situação inicial de dissenso, chegaram a uma concordância, e essa concordância é criadora de validade do discurso jurídico presente no Despacho. Isso porque o juiz não pode aferir do valor da prova conseguida na fase de inquérito, nem da sua correlação com os factos que são imputados ao arguido, nem exigir que se façam outras diligências probatórias para que se dê a devida credibilidade (em caso de necessidade) da concordância sobre a substância factual e a futura condenação (395 e 311, 3, do CPP).[151] Aliás, essas conclusões são as mesmas que o Tribunal Constitucional partilha em acórdão recente: "É um juízo que repousa nos factos descritos no requerimento, sem averiguar a sua realidade, e numa análise jurídica de primeira aparência" (Ac. TC. 444/2012). Essa situação é ainda mais preocupante caso se tome como admissível o cumprimento de pena de prisão efectiva, caso o condenado não cumpra as injunções e regras de conduta impostas, como já defendido por jurisprudência portuguesa.[152] Ainda que tal possibilidade fosse vedada, não se pode esquecer que, como afirma Nuno Brandão, "o princípio da culpa é tão violado quando se pune um inocente com uma pena de prisão como quando se aplica uma pena não privativa da liberdade a um inocente".

Antecipando, desde já, o juízo comparativo a fazer, parece-nos que essa forma especial de processo penal poderá ser atentatória contra a estrutura acusatória do processo penal e contra a obrigatoriedade de uma decisão jurisdicional na aplicação de uma pena, e, portanto, passível de juízos de inconstitucionalidade, já que não há possibilidade legal de se apurar a verdade processualmente válida, obstando a uma das finalidades do processo penal. Parece-nos, assim, relevante a discussão da conformidade constitucional deste instituto com o Artigo 32, 5, da Constituição, pela ausência da estrutura acusatória, já que, na definição da veracidade da factualidade que baseia a condenação, o juiz não tem qualquer tipo de competência (nem o consenso "pode ir tão longe que se corra o risco que a redução da complexidade em que se analisa dê azo, paradoxalmente, a um processo

[150] RODRIGUES, 1996, p. 532 citando Hassemer: "na sua resposta à questão de saber quando tem lugar o discurso livre de domínio: 'Nunca e em parte alguma'".

[151] Por todos, LOPES, 2011, p. 401-405.

[152] Seguimos de perto BRANDÃO, 2015, p. 177-178. Vale a pena ler a certeira construção de SANTOS, 2015, p. 171: "tão só averiguar, partindo dos factos descritos no requerimento do Ministério Público, se correspondessem à verdade material, se os pressupostos de aplicação do processo sumaríssimo se verificavam".

inquisitório")[153], o que faz com que não haja uma separação entre a acusação e a entidade que julga,[154] mas também com o Artigo 32, 1, pela impossibilidade imposta pela lei de *non contedere* (397, 2, CPP) e dos Artigos 20, 4 e 5, 27, 2, e 202, 1 (todos da CRP), pela limitação clara ao papel jurisdicional do juiz, por onde se baseia a sentença/despacho que irá aplicar uma pena ao arguido. Sobre o Artigo 20, 4 e 5, da CRP, Gomes Canotilho e Vital Moreira afirmam que há um "direito à decisão da causa pelos tribunais" e a uma "tutela jurisdicional efectiva",[155] exigências que não chegam a ser cumpridas quanto à veracidade dos factos em que o MP consubstancia a sua acção penal.

Por outro lado, este processo sumaríssimo, por não deter nenhum controlo sobre a realidade dos factos avançados pelo MP, não detém qualquer salvaguarda que proteja o próprio arguido do uso de força coercitiva pelo MP ao arguido, com vista à aceitação do requerimento – um controlo jurisdicional que permitiria essa mesma salvaguarda, sem que o Tribunal Constitucional encontre qualquer desconformidade.[156] Não obstante, como dá conta Nuno Brandão, actualmente

[153] RODRIGUES, 2006, p. 530. Do mesmo texto, p. 526 e 535, alertando para os perigos constitucionais dessas formas de celeridade processual.

[154] CANOTILHO; MOREIRA, 2007, p. 522, tendo o TC concordado com a noção apresentada por estes autores, Ac. TC 50/2015. "No que ao n. 5 respeita, cumpre dizer, no essencial, que a estrutura acusatória do processo significa o reconhecimento do arguido como sujeito processual a quem é garantida efectiva liberdade de actuação para exercer a sua defesa face à acusação que fixa o objecto do processo e é deduzida por entidade independente do tribunal que decide a causa" in Ac. TC 129/07. Neste sentido, Ac. TC 137/02: "Por outro lado, o princípio da jurisdicionalidade da aplicação do Direito Penal (artigos 27, n. 2, 32, n. 4) justifica-se certamente de um modo essencial pelo fim da descoberta da verdade material, sem prejuízo de visar igualmente o respeito das garantias de defesa (Artigo 32). Finalmente, quando o Artigo 202, n. 1, atribui aos tribunais competência para administrar a justiça, esta referência em matéria penal tem que entender-se como significando a justiça material baseada na verdade dos factos, que é indisponível, não se admitindo a condenação do arguido perante provas que possam conduzir à sua inocência". Por outro lado, parece-nos que esta solução é atentatória à reserva do juiz na repressão das violações à legalidade democrática (202, 2), conceito ao qual o Ac. TC 67/06 atribui ao processo penal. Sendo assim e existindo esta reserva de juiz em matéria penal pelo 202, 2, já não se poderá afirmar, como nos pareceu sempre menos correcto, afirmar que há uma menor garantia por se tratar de pena não privativa da liberdade.

[155] CANOTILHO; MOREIRA, 2007, p. 415-416.

[156] COSTA, 2001, p. 39 e 46: "a perda de referência obrigatória à verdade material torna o processo manipulável segundo os fins visados pelo Ministério Público, que se encontra numa inevitável

serão poucos os autores a elencar essas questões, dando-se o caso de se "conviver tranquilamente com um processo sumaríssimo".[157]

Defenderemos, posteriormente, que ao contrário do processo sumaríssimo, nos acordos sobre a sentença esses pontos negativos não se apresentam, já que a confissão (o equivalente à não oposição/concordância do arguido neste processo sumaríssimo) não levará à automática fixação como verdadeiros dos factos dispostos na acusação, já que é exigido ao juiz que faça uso dos seus poderes-deveres de investigação para comprovar a credibilidade da declaração do arguido, "criando ele próprio as bases necessárias à sua decisão".[158] Por isso, defendemos que os acordos sobre a sentença não estarão em desconformidade com os Artigos 20, 4, 27, 2, 202, 1, e 5, e 32, 5, da Constituição, pelo menos na possibilidade de a causa ser julgada livre e efectivamente por um juiz . É para nós claro que só uma solução que permita aferir jurisdicionalmente da culpa do agente é que não esbarrará nas exigências da Constituição, a começar nos seus artigos primeiro e segundo.

Da ressocialização

A ressocialização do delinquente é tida, entre nós, como a "finalidade primordial" do sistema penal, mesmo perante a prevenção geral.[159]

Num estado laico, secular e liberal terá de existir um qualquer benefício que possa contrabalançar o mal da pena de prisão,[160] ao mesmo tempo em que se respeita a liberdade e a dignidade da pessoa humana. E aí surge a prevenção especial que, actualmente, por ordem do quadro normativo, será apenas a prevenção da reincidência – o esforço para que o agente não volte, no futuro, a praticar outros crimes.[161] Essa finalidade é, pois, tida como primacial para a nossa CRP,[162] por exigência claríssima do estado de direito social e do seu princípio da socialidade.

posição de supremacia total sobre o arguido". Do mesmo modo, IBÁÑEZ, 2001, p. 32: "a defesa é atraída de forma insidiosa para a área do acusador público", e RODRIGUES, 1996, p. 543.

[157] BRANDÃO, 2015, p. 178. Dando conta deste "novo paradigma de verdade processual", alertando para a necessidade de sempre existir, como Beccaria já afirmava, um processo de carácter "informativo", IBÁÑEZ, 2001, p. 30-31.

[158] DIAS, 1989, p. 51. Sobre os diversos modelos de processo penal, da mesma obra, p. 44 e seguintes.

[159] SANTOS, 2014, p. 493.

[160] SANTOS, 2014, p. 338, nota 377, e SANTOS, 2007, p. 464-5, que nos fala de um "mal útil".

[161] DIAS, 2012, p. 54-56, e HASSEMER, 2012, p. 173.

[162] SANTOS, 2014, nota 377, p. 494-495.

Por o recluso se encontrar numa especial posição de debilidade, obriga-se o Estado a disponibilizar os meios necessários (se o arguido os quiser usar) a uma futura reintegração na sociedade, em que consiga resistir ao impulso de uma futura prática criminosa,[163] principalmente numa situação onde a debilidade (ou uma maior debilidade) nasce da concretização de interesses do Estado e da comunidade, com a necessidade de prevenção geral.

Não obstante, essa ressocialização, mesmo no seu conteúdo mínimo, sofreu duras críticas: em primeiro lugar, a crítica das doutrinas retributivas que afirmavam que esses cálculos utilitaristas subjacentes a esta finalidade violariam a dignidade da pessoa-humana; por outro lado, acusava-se o sistema judicial de querer um paradoxo, ao querer promover a ressocialização em ambiente de ausência de liberdade e de autoconformação de si e do seu comportamento.[164] [165] Essa ideia foi amplamente estudada pelo *Labelling Aproach*, como já vimos; e, se assim se tomassem as críticas como certeiras toda a arquitectura penal estaria em risco: diante de um "*nothing works*" e estando sujeito aos ditames de um Direito Liberal, dever-se-ia obedecer à maxima *primum non nocere*.[166]

[163] DIAS, 2009, p. 58, RODRIGUES, 2006, p. 38, e HASSEMER, 2012, p. 173: "*pero solo puede assegurar las condiciones de posibilidad bajo las que pueda conseguirse esse cambio, pero no el cambio mismo*". Esta perspectiva, que aceitamos, nasce da impressão de que o crime nasce de uma desigualitária distribuição de rendimentos e oportunidades, fazendo com que os mais necessitados, por "necessidade", pratiquem mais frequentemente ilícitos-típicos de natureza criminal. Duas reflexões sobre este ponto: os "crimes de colarinho branco" são crimes tendenciais de outras franjas da sociedade; a outra é que neste pensamento há uma subentendida socialização da responsabilidade pela prática do crime – sobre este tema, uma obra cinematográfica actual de Miguel Gomes, *Mil e uma Noites*, Vol. 2 – O Desolado onde se percebe que os crimes se sucedem num "interminável rol de culpa e miséria". Mas esta socialização da responsabilidade deve ter dois limites: um na intrincada questão da liberdade, mas que assumimos que reside na esfera do agente (onde preferimos seguir uma vertente existencialista deste conceito, como faz DIAS, 2012, p. 522ss); o outro, na certeza de que o crime é também um fenómeno social (como já se viu), mas que existe independentemente do tipo de sociedade e do seu grau de maturidade (RODRIGUES, 1983, p. 188-189).

[164] DIAS, 2009, p. 58; SANTOS, 2014, p. 316.

[165] BELEZA, 1983, p. 166 e 167, BARATTA, 1990: "*Desde el punto de vista de una integración social del autor de un delito, la mejor cárcel es sin duda, la no que existe*".

[166] RODRIGUES, 1983, p. 188. OLIVEIRA, 2013, p. 61-62, aborda a possibilidade de as estruturas de consenso poderem concretizar várias finalidades concomitantemente – "a possibilidade de o consenso integrar todos os benefícios das propostas de reforma do sistema penal e a necessidade de se manter a coerção estatal em hipóteses determinadas" (p. 62).

No entanto é, pois, inegável a importância da prevenção geral e, do que vimos, concluiu-se também pela necessidade de procurar um sistema penal com menor capacidade de dessocialização, com menores processos de estigmatização, onde pudessem, entre o mais, ser apresentadas soluções diferenciadas para realidades igualmente diferentes.[167] Talvez por isso, mesmo perante críticas, o nosso sistema penal nunca abandonou essa finalidade de prevenção especial.[168] Essa prevenção especial sustentou-se nalgumas exigências: ser apenas uma prevenção da reincidência, nunca podendo ter um cariz de educação moral, em razão da existência da liberdade de consciência constitucionalmente garantido ou, de um modo mais abrangente, do "direito a ser diferente" numa sociedade plural e democrática;[169] e segundo, na liberdade na decisão de adesão aos programas ressocializadores, dada a dignidade da pessoa visada pelas instâncias formais de controlo.[170]Deu-se, assim, uma "relegitimação"[171] da prevenção especial pelas ideias de aceitação, concordância e consenso do delinquente, já que se concluiu que, para além da sua necessidade jurídica, existindo concordância, aumentar-se-ia a eficácia dessas medidas.[172] Isso porque pela aceitação há uma maior probabilidade de partilha de valores e de regras,[173] estimulando-se o cidadão-arguido a ser mais activo e participativo. Pelo consenso devolve-se, pois, humanidade e dignidade ao agente porque readquire capacidade de escolha, de definição da sua vida e do seu dia a dia, num ambiente extremamente marcado por uma heterodefinição, como são os tribunais e as prisões.

Essa participação e poder de conformação são extremamente úteis para combater a desresponsabilização, a infantilização e a subcultura delinquente, já que

---

[167] RODRIGUES, 1994, p. 566, aborda a resposta homogénea que as prisões dão a reclusos com necessidades e contextos díspares.

[168] RODRIGUES, 2006, p. 9-15, 41 e 45, onde aborda estudos que apresentam resultados positivos na concretização dessa finalidade. Sobre a influência das críticas na política criminal de outros países, RODRIGUES, 1983, p. 188, 189, e DIAS, 2009, p. 62, 63.

[169] RODRIGUES, 1983, p. 180 e 188; RODRIGUES, 2006, p. 38, 53 e 56.

[170] DIAS, 2009, p. 56, e RODRIGUES, 2006, p. 57-8; SANTOS, 2007, p. 465.

[171] RODRIGUES, 2006, p. 151.

[172] RODRIGUES, 2006, p. 175, "é hoje reconhecidamente aceite que um tratamento forçado é um tratamento fracassado". Ideia já expressamente partilhada no DL 400/82, que aprova o Código Penal com a importância da participação para o sucesso da prevenção especial.

[173] ANDRADE, 1989, p. 357.

se aproxima o delinquente (tanto em tribunal como na prisão) de uma situação por si conhecida do mundo exterior onde se depara com diferentes opções e escolhas.[174] Em resumo, "a tendência consensualista na justiça penal obedece a uma lógica racionalizadora e de eficácia, mas não é alheia ao movimento de expansão dos direitos do homem", como afirma Anabela Miranda Rodrigues, expressando a génese das duas exigências.[175] Isso fará com que se reduza a capacidade de estigmatização e a consequente delinquência secundária, já que haverá uma maior probabilidade de não haver uma reconstrução do *self* no agente.

O mesmo se passa com a proposta de diversão nos nossos acordos sobre a sentença, onde se potencia a liberdade real do arguido, a sua dignidade e uma prevenção especial logo em tribunal (abordamos essa finalidade de um modo ainda mais modesto, mas, por certo, mais realista, com a não dessocialização, ou seja, na não eficácia dos mecanismos conhecidos da cerimónia degradante).[176] E ganhamos uma nova perspectiva na abordagem deste tema, porque olhamos esses acordos tanto como uma medida divertida que combate a ineficiência do sistema judiciário, como tendo ainda outros benefícios para o "dever-ser" que pretende "ser".[177] Permitindo uma emancipação do delinquente como verdadeiro Ser autónomo com capacidade de conformação e não mero objecto de uma engrenagem automatizada e rotinada. O "direito processual penal é (...) direito constitucional aplicado, 'sismógrafo' ou 'espelho da realidade constitucional' e deverá concretizar as suas exigências democráticas, de liberdade, dignidade humana e de socialidade" (1º e 2º da CRP).[178]

Por outro lado, se, de facto, a execução das penas se modificou e se tem hoje como essenciais a transacção e as estruturas de consenso, muito por causa da preocupação do estigma e da reconstituição do *self*, parece-nos claro que, por saudável coerência e importância prática, essas estruturas possam ser deslocadas e antecipadas para o julgamento, o local catalisador, como se viu, para o processo de

[174] Gofmann aborda a angústia do recluso perante um próximo mundo exterior, dada essa mesma perda da prática da escolha e decisão em meio prisional (GOFFMAN, 2006, p. 66; SANTOS, 2014, p. 489, nota 777).

[175] RODRIGUES, 2006, p. 144; de igual modo, p. 163 e 165.

[176] COSTA, 1986, p. 65; RODRIGUES, 1994, p. 563, em tom crítico dessas transferências de poder e das simplificações de procedimento,OST, 2007, p. 364.

[177] RODRIGUES, 2003, p. 42, e SANTOS, 2014, p. 580.

[178] MONTES e outros, 2009, p. 83-4, e RODRIGUES, 2003, p. 45.

estigmatização. Não se duvide, assim, que a fase de julgamento tem uma função vital para a aceitação (voluntária) da sanção e dos valores que lhe são imanentes.[179]

Na nossa opinião, esses acordos têm ainda uma virtude acrescida, pois podem cair na noção social de contrato. Esta figura, que poderá ser estranha aos normais quadros do Direito Penal e do Direito Processual Penal, é, para o cidadão médio, uma figura basilar da sua autonomia e liberdade, o que corresponde aos princípios do direito dos Contratos, o Direito Civil. Dê-se a palavra a Carlos Mota Pinto: "a autonomia da vontade (...) consiste no poder reconhecido aos particulares de autorregulamentação dos seus interesses, de autogoverno da sua *esfera jurídica*".[180] Este acordo-contrato sobre a sentença permite reforçar a autonomia, a individualidade da pessoa-arguido, tornando-se menos intensos os processos de estigmatização, ao mesmo tempo em que não se dão fenómenos de desresponsabilização, já que a pessoa toma este negócio como seu e com a capacidade de "autorregulamentar" os seus interesses, atrasando, assim, a subculturação.[181]

Uma outra qualidade desses acordos, e particularmente da proposta de Figueiredo Dias, é a informalidade patente nas negociações entre os sujeitos processuais. Como afirma Luhmann, o processo jurídico aceita apenas certas possibilidades de comportamentos, não podendo os sujeitos processuais fugir ao rito e aos seus papéis, sendo tal constrição prejudicial para as partes menos experientes. Nas estatísticas conhecidas, a maioria dos arguidos tem baixos níveis de literacia, sendo maior o choque "cultural" com o tribunal e com os autos, podendo prejudicar a sua defesa[182]. Ora, nessas negociações informais são

[179] DIAS; ANDRADE, 1997, p. 513, "Maybe participation is more important than solutions", in CHRISTIE, 1981, p. 35.

[180] PINTO, 2005, p. 102 e ANDRADE, 1989, p. 331.

[181] RODRIGUES, 2006, p. 143, 146 e 153 sobre o benefício do contrato. Do mesmo modo TORRÃO, 2000, p. 47.

[182] DIAS; ANDRADE, 1997, p. 541; COSTA, 2013, p. 95 abordam a problemática desta igualdade de armas que só existe para os sujeitos com maior competência de acção. Baratta alerta para a ideologia do Direito Privado do contrato que tenta mascarar a desigualdade real num contrato entre pares, BARATTA, 1986, p. 169. Foram realizados estudos que comparam a eficácia na defesa oficiosa e de advogados contratados que revelam acentuadas diferenças a pender para o segundo – o que vem, ainda, aumentar as clivagens na possibilidade de defesa. Do contrato como "instrumento privilegiado de domínio do forte sobre o fraco" fala-nos RODRIGUES, 2003, p. 51. Sobre estas objecções, reforçamos uma dupla argumentação: de que a perda nas garantias de defesa são conjunturais e não dependem da estrutura de consenso e/ou de conflito; que há desigualdades

permitidas novas formas de "impor os seus pontos de vista (...) e apresentá-los revestidos de credibilidade", tornando-se sistemas mais complexos, mas, ainda assim, mais democráticos, respondendo, dentro das suas possibilidades, à complexificação do mundo da vida.[183]

Por fim, através do acordo, há um claro incentivo real à confissão por parte do arguido, com a perceção, através da *praxis*, que o seu comportamento processual vai ser valorado positivamente, através da redução (tendencial) da pena futura. Poder-se-ia atacar este instituto, alegando que, por este incentivo, poder-se-ia descurar a verdade material, com a conivência de um arguido amedrontado perante a máquina judiciária. Porém, ter-se-á sempre de aceitar que se deverá confiar na autonomia do arguido, auxiliado pelo seu advogado (se, de facto, aquele acordo não o favorece porque tem como pressuposto factos que não correspondem à verdade, é natural que não o "assine") e que o juiz deverá aferir, na sua livre apreciação, da seriedade e da liberdade da confissão, no uso do seu poder de investigação, subsidiário da estrutura acusatória do processo penal (340

que influenciam o decorrer do julgamento que cumpre a tramitação processual habitual, como já se viu, assim François Ost citado por DELMAS-MARTY, 2000, p. 661 – "*el modelo del derecho impuesto que funciona en la jerarquia y en silencio es más contractual que la imagen que se tiene del mismo*"; por fim relembrar que há sempre subjectividade num comportamento vinculado à lei (o do Ministério Público) e não se vê como as estruturas de consenso podem prejudicar o modo de intersubjectivar esse espaço irredutível de vontade. Aliás, as cifras negras, a selectividade das várias instâncias formais de controlo em estruturas ritualizadas são bons exemplos disso mesmo. Foi realizado na Alemanha, a pedido do Tribunal Constitucional desse mesmo país, sobre a aplicação deste regime (recentemente precipitado na lei). Os resultados do inquérito feito a juízes deixaram preocupada a comunidade jurídica e esse mesmo Tribunal. Observaram-se percentagens não negligenciáveis de acordos celebrados por modos ilegais, sem avaliação de credibilidade da confissão (!), propostas de acordo apresentados de modo unilateral sem possibilidade de negociação efectiva. Para mais dados, BRANDÃO, 2015, p. 172-3 com referências bibliográficas.

[183] Figueiredo Dias demonstrava essa preocupação na redução de estigmatização quando problematizava a disposição arquitectónica e de espaços da sala de audiência (DIAS, 1989, p. 122-123). Se bem nos lembramos, essas audiências de julgamento com intervenção mais reduzida do público (porque mesmo que se conte com o momento da confissão do arguido, pressuposto desse acordo, e da avaliação da sua credibilidade, seriedade e liberdade), há uma resposta mais célere, mais reservada, menos ritualizada. São, portanto, situações de sinal contrário dos muitos processos de estigmatização apontadas por Garfinkel. Sobre a nova estrutura criando novos sistemas de contacto, ao contrário de outros altamente ritualizados, COSTA, 1992, p. 121-122, e LUHMANN, 1980, p. 40.

do CPP)[184], como acontece no regime do 344 do CPP.[185] A única diferença para este instituto já existente (e a nosso ver, extremamente positiva) é a expressão do incentivo ser superior, e, sublinhe-se uma vez mais, ser um incentivo também construído pelo próprio arguido. Por outras palavras, o comportamento processual positivo do arguido deve ser tido em consideração como factor de medida da pena (pelo 72, 2, e), do CP), e isso existiria sempre, mesmo sem esses acordos.[186] Pois, como não se poderá esquecer, o comportamento processual do arguido influenciará a medida da necessidade preventiva,[187] e, assim sendo, toda a "confissão livre, total ou parcial, devem, sem dúvida, ser levadas em consideração, pelo menos na medida em que excedam ou se não confundam com (...) mera 'táctica processual'". O que agora se propõe com os acordos é que se deixe de ser um benefício a quantificar para se tornar quantificado. Uma última palavra para afirmar que este acordo, que tem como pressuposto uma confissão, não tem qualquer obrigatoriedade de ser seguido de uma condenação, já que há uma mera confissão (ainda que tenha de ser integral e sem reservas; por outras palavras, nela não se podem incluir declarações a expressar factualidades que possam vir a entregar qualquer cláusula de exclusão da ilicitude ou de culpa)[188], que terá como seguimento processual uma decisão motivada do juiz acerca dos factos.[189]

Análise constitucional da proposta de Figueiredo Dias

Como já se afirmou, esta proposta de acordo sobre a sentença assenta sobre algumas peças-chave do quadro judicial, a saber: a maior necessidade de imprimir celeridade às respostas dos órgãos jurisdicionais, o respeito pela autonomia do indivíduo e a valorização de uma ressocialização assente nessa mesma autonomia, que é tomada como o principal criador de atrito às consequências nefastas de contacto com as instituições formais de controlo. Assim sendo, há uma clara

[184] DIAS, 1983, p. 106ss.

[185] BRANDÃO, 2015, p. 173, e DIAS, 2011, p. 44-48.

[186] A ligação do regime da confissão à atenuação especial da pena foi uma proposta avançada por Figueiredo Dias logo em 1985, que acabou por cair na Comissão de Reforma, independentemente de poder haver uma redução, de acordo com as regras gerais (DIAS, 2011, p. 25).

[187] RODRIGUES, 1994, p. 675-678, e DIAS, 2009, p. 254.

[188] Defendendo isso mesmo, Ac. TRC 18/4/2012.

[189] BRANDÃO, 2015, p. 173, e DIAS, 2011, p. 45; MOURA, 2012, p. 9.

refracção desses acordos de alguns princípios fundamentais da Constituição da República Portuguesa, como são o princípio da dignidade da pessoa humana e do princípio da socialidade.

Independentemente de qual deva ser o princípio constitucional a garantir o seu substrato, uma maior autonomia do indivíduo perante o Estado, e neste caso em específico perante a Administração Judiciária, seja através da dignidade da pessoa humana (disposta no Artigo 1º da Constituição), seja o Artigo 26, 1, com o desenvolvimento da personalidade, é para nós clara a ideia de que a autonomia dada ao cidadão em diferentes sistemas de contacto é um vector principal da Constituição Portuguesa.[190]

Primeiramente gostaríamos de frisar que não consideramos que a fase de julgamento, sem a utilização de uma forma divertida, viole o princípio da dignidade da pessoa humana, nem tampouco o livre desenvolvimento da personalidade na pessoa do arguido, e, como tal, não consideramos que o actual processo penal, sem a existência desses acordos sobre a sentença possa ser inquinado por qualquer juízo de inconstitucionalidade. Por outro lado, não é despiciendo referir que toda esta primeira análise tem mais que ver com uma política legislativa conforme aos princípios constitucionais do que com um aferição constitucional das soluções tanto actuais e futuras, já que se baseiam em ambas soluções que não consideramos constitucionalmente inválidas, como bem afirma o Tribunal Constitucional: "o recurso de constitucionalidade apenas contempla a apreciação da validade de normas à luz da Constituição, não cabendo a este Tribunal indicar qual a melhor interpretação de preceitos infraconstitucionais (...) ou sequer tomar posição sobre a melhor solução legislativa para o problema" (Ac. TC. 101/2006).

Isso não invalida, claro, que se tomem as exigências de autonomia da pessoa, como corolário directo da dignidade da pessoa humana e do livre desenvolvimento da personalidade e se criem modelos de interacção entre a pessoa e o Estado mais conformes aos mesmos. Por isso, vale a pena fazer uma resenha por tais princípios, ainda que de um modo sintéctico.

É consensual na doutrina e na jurisprudência que a dignidade da pessoa humana se baseia na ideia de autonomia da pessoa na sua decisão pessoal de

---

[190] Para usar a terminologia de Niklas Luhmann, sobre este conceito, COSTA, 1992, p. 119-121

conformação do seu viver[191] [192] e que é na dignidade da pessoa humana que reside toda a construção do estado de direito (Ac. TC 951/96). Esta ideia advém, entre o mais, dos escritos de Kant[193] – "Autonomia é, pois, o fundamento da dignidade da natureza humana e de toda a natureza racional".[194] É, pois, a ideia de autodeterminação do seu ser, do modo de diálogo com o mundo e com as suas ideias onde se baseia uma das exigências de dignidade.[195]

Reis Novais defende que o princípio jurídico da dignidade da pessoa humana não permite *per se* a definição de um conceito positivo, sendo apenas um conceito de pendor negativo. Por outras palavras, este autor considera que só será possível a utilização autónoma da dignidade do Artigo 1 da nossa Constituição em caso de soluções jurídicas que violem claramente esse estatuto de autonomia ontológica.[196] Concordaremos também com esse autor quando considera que a dignidade da pessoa humana raramente é fundamento único de juízos de inconstitucionalidade, servindo muitas vezes como mote interpretador ou limite de direitos fundamentais, estes sim mais frequentemente invocados em sede de justiça constitucional.[197] Um dos mais comuns préstimos da dignidade da pessoa humana é ser,como acima

---

[191] Alertando para que a dignidade não depende de caracterizações descritivas de capacidades cognitivas, LOUREIRO, 2000.

[192] Do mesmo modo, NOVAIS, 2015, 2, p. 96.

[193] KANT, 2008, p. 79-85. Mais uma vez é para nós importante deixar claro que não consideramos que o processo penal na sua forma comum-tradicional seja uma situação de heterodefinição, que faça com que o sujeito arguido esteja subtraído da sua própria dignidade. Claro que o arguido é sujeito processual, e como tal poderá ter o poder de influenciar a decisão jurisdicional final. Por outro lado, há garantias processuais que impedem a heterodefinição do comportamento processual do arguido, como o princípio do *nemo tenetur*.

[194] KANT, 2008, p. 79.

[195] NOVAIS, 2015, 2, p. 96, e COSTA, 1999, p. 191. Esta ideia é corroborada por a jurisprudência constitucional, a título de exemplo Ac. TC 105/90.

[196] NOVAIS, 2015, 2, p. 83ss. Esse autor, pela pluralidade de sentidos comunitariamente aceites para uma noção positiva de conformações da dignidade, considera que só a sua utilização como conceito negativo ou impeditivo permite o garante da sua força e exigência normativa. Sobre a utilização mais alargada e dos seus efeitos contraproducentes, NOVAIS, 2015, 1, principalmente p. 81 e 182.

[197] NOVAIS, 2015, 1, p. 69ss. De igual modo, COSTA, 1999, p. 194 e 197. Esses dois autores afirmam mesmo que o princípio da dignidade da pessoa humana não é considerado um direito fundamental.

se notou, o critério densificador do 18, 3, CRP na interpretação de "extensão e o alcance do conteúdo essencial dos preceitos constitucionais".[198] No entanto, a dignidade da pessoa humana já foi, deixe-se a título de exemplo, encarada *per se* com o Acórdão 509/02 do Tribunal Constitucional.[199] Do mesmo modo, a culpa em Direito Penal tem uma clara e directa relação com o princípio da dignidade e da autonomia na definição do sujeito e do seu modo de interacção.[200] Esta ideia é corroborada pelo Acórdão 426/91 do Tribunal Constitucional, sendo este Acórdão ainda seguido pela jurisprudência constitucional mais actual.[201]

Ainda sob o ponto de vista da autonomia da pessoa humana, há uma corrente de autores que defende que se deverá procurar não tanto nesta dignidade da pessoa humana, mas no direito ao desenvolvimento da personalidade.

O Acórdão 105/90 do Tribunal Constitucional defende esta ideia ao afirmar que do princípio da dignidade "não são dedutíveis 'directamente', por via de regra, 'soluções jurídicas concretas'.[202] Neste desenvolvimento da personalidade, visto de um modo lato, em harmonia com a interpretação feita pelo Tribunal Constitucional Alemão do Artigo 2, 1, da Constituição da República Federal da Alemanha com o seu conceito de "livre desenvolvimento da personalidade", toma o desenvolvimento da personalidade em dois corolários essenciais: a tutela da personalidade e a liberdade geral de acção.[203] Do texto "todos têm direito ao livre desenvolvimento da personalidade desde que não violem os direitos

---

198 É Vieira de Andrade que faz essa directa correlação entre os conceitos, mas outros autores defendem ideias paralelas:
MIRANDA, 2012, p. 350, CANOTILHO; MOREIRA, 2007, p. 395, e ANDRADE, 2012, p. 284

199 Tinha que ver com a função do Rendimento Mínimo Garantido, "conteúdo mínimo do direito a um mínimo de existência condigna, postulado, em primeira linha, pelo princípio do respeito pela dignidade humana", e, portanto, foge ao escopo do nosso trabalho.

200 Por todos sob uma perspectiva penal, DIAS, 2011, p. 82 e 83. Tomando esta ligação, CANOTILHO; MOREIRA, 2007, p. 199.

201 "O princípio de culpa está consagrado, conjugadamente, nos artigos 1º e 25, n. 1, da Constituição: deriva da essencial dignidade da pessoa humana, que não pode ser tomada como simples meio para a prossecução de fins preventivos, e articula-se com o direito à integridade moral e física". Ac. TC 426/91.

202 No entanto, este acórdão é argumentativamente insistente a arguir que a dignidade da pessoa humana não é uma "mera proclamação retórica, de uma simples 'fórmula declamatória', despida de qualquer significado jurídico-normativo".

203 PINTO, 1999, p. 163.

dos outros nem infrinjam a ordem constitucional e a lei moral" (2,1, da Lei Fundamental alemã), a doutrina e a jurisprudência alemã retiram um direito geral de personalidade e uma liberdade geral de acção.[204]

Para este trabalho, a relevância está, claro, para a liberdade geral de acção que o Tribunal Constitucional já considerou ser o "direito ao livre desenvolvimento da personalidade, englobando a autonomia individual e a autodeterminação e assegurando a cada um a liberdade de traçar o seu próprio plano de vida" – Ac. TC. 288/98 e mais recentemente o Ac. 403/2015, corroborando a mesma ideia. Percebe-se que há então um certo isomorfismo clara entre a dignidade da pessoa humana e o livre desenvolvimento da personalidade previsto no Artigo 26, 1.[205] Essa liberdade geral de acção pode ser tomada tanto sob um ponto de vista negativo como positivo. Esta primeira perspectiva é a tradicional,[206] sob o prisma das teorias dos direitos fundamentais, sendo pois um direito de defesa contra intromissões exteriores (relembre-se a ideia já acima exposta de dignidade como ausência de heterodefinição do próprio comportamento), mas actualmente não poderá ser olvidada uma perspectiva positiva e activa dessa conformação do livre desenvolvimento da personalidade, a que Canotilho e Vital Moreira intitulam de "direito à criação ou aperfeiçoamento de pressupostos indispensáveis ao desenvolvimento da personalidade".[207]Assim, além do *status* negativo que cria em todos a um dever geral de respeito,[208] há deveres que obrigam o Estado a actuar para que o desenvolvimento da personalidade se torne efectivo na prática existir, cumprindo os deveres atinentes ao "direito à educação e cultura, direito a condições indispensáveis à ressocialização"[209]. Nesse *statuts* positivo onde agora caminhamos, cabe por excelência a proposta desses acordos sobre

---

[204] MIRANDA; MEDEIROS, 2010, p. 611-612. Em Portugal, por o texto constitucional não utilizar uma referência à liberdade ("livre desenvolvimento" na expressão alemã), há doutrina que considera que da norma portuguesa não se poderá retirar um sentido tão lato como o Tribunal Constitucional o fez. Não nos parece que seja apenas um direito fundamental que tem como sujeito jovens na fase de aprendizagem, como alguma doutrina defende. Sobre este tema e discussão, com referências bibliográficas, MIRANDA; MEDEIROS, 2010, p. 611-614.

[205] Sobre esta relação, NOVAIS, 2015, 1, p. 86.

[206] ALEXY, 2015, p. 401.

[207] CANOTILHO; MOREIRA, 2007, p. 464.

[208] PINTO, 1999, p. 218.

[209] CANOTILHO; MOREIRA, 2007, p. 464.

a sentença, já que, com esta mudança no modo de relacionamento do arguido com a Administração Judiciária, dão-se novas possibilidades de afirmação da autonomia e de conformação do próprio comportamento que antes inexistiam e consequentemente permitem um livre desenvolvimento da personalidade do arguido constitucionalmente garantido. Isso acontece porque se ofereceu a possibilidade de que o arguido pudesse conformar de um modo mais intenso e presente (reduzindo a distância fáctica e psicológica à instituição do tribunal, como se defendeu) o seu comportamento, ao mesmo tempo que se responsabiliza por esse comportamento (neste caso pelo acordo em que livremente declarou a intenção de fazer parte), acarretando um aumento de possibilidades e de situações em que poderá agir livremente.[210] Não pretendendo encontrar uma resposta definitiva à questão sobre se esta nova conformação do livre desenvolvimento da personalidade se situa no seu *status* negativo ou positivo,[211] tomaremos esta medida incluível no *status positivo*, já que esses acordos criam "meios jurídicos para a realização desse fim", na expressão de Jellinek.[212]Por definição, como pertencente à vertente positiva de um direito fundamental (em específico deste livre desenvolvimento da personalidade) consubstancia-se numa prestação positiva do Estado que favorece a posição jurídica do cidadão.[213] Assim sendo, a criação deste mecanismo de contacto entre o arguido e os diversos sujeitos processuais é tomada como uma prestação positiva do Estado.

Se de facto há um dever estatal, que deve dirigir e actualizar a política geral, de promover a autonomia e a liberdade intrínseca de cada um dos cidadãos ,não faria sentido haver um direito a uma concretização desse dever através de uma medida concreta e definida pelo titular do direito ao desenvolvimento da personalidade. Defendemos, pois, que o legislador está obrigado a seguir essas directrizes de construção político-social, porque se tratam de "princípios politicamente conformadores",[214] mas que é na independência do seu espaço político

[210] "A ideia de que a pessoa é um agente responsável, um sujeito autónomo, capaz de reflexão sobre si e sobre o que lhe é exterior, capaz de fazer escolhas racionais, de se autodeterminar e, consequentemente, de avaliar e valorar moralmente o seu comportamento e o dos seus semelhantes, de se responsabilizar por ele e de assumir compromisso e vinculações" (NOVAIS, 2015, 2, p. 102-103).

[211] Sobre esta divisão, ALEXY, 2015, p. 263ss.

[212] Citado por ALEXY, 2015, p. 264.

[213] ALEXY, 2015, p. 402.

[214] CANOTILHO, 2002, p. 1152.

que se encontrarão as respostas concretas que podem conformar e concretizar o direito fundamental constitucionalmente garantido.[215] Se é verdade que a conformação própria do direito fundamental (ou da dignidade se se tomar como passível de ter um conteúdo positivo, supra) se baseia numa discricionariedade irredutível atribuída ao legislador, outra coisa é afirmar que os acordos sobre a sentença alargam e expandem as possibilidades de se fazer valer o direito ao livre desenvolvimento da personalidade, e aqui parece não haver dúvidas que sim.

Esses acordos sobre a sentença, na classificação usada por Alexy, situam-se no conceito de direito a um procedimento, já que seriam criados "de forma a que o resultado seja, com suficiente probabilidade e em suficiente medida, conforme aos direitos fundamentais",[216] permitindo uma nova competência ao arguido – "como Jellinek afirmava, [tratam-se de] competências [que] acrescem 'à capacidade de acção do indivíduo, algo (...) que ele por natureza não possui'". Numa palavra e para o que este trabalho importa, esta prestação positiva do Estado permite realizar, em maior medida, aquele direito fundamental.[217]

Seguindo o argumento apresentado por Reis Novais, que, aliás, o baseia nos axiomas do Estado de Direito Liberal de que as liberdades de cada um serão ilimitadas a menos que haja argumentos ponderosos e constitucionalmente válidos que as cerceiem.[218] Este autor afirma que, mesmos em casos onde a dignidade ou o livre desenvolvimento da personalidade não são violados, por se manterem em limiares toleráveis de limitação, toda a restrição a uma conformação autónoma da relação de um sujeito com o seu mundo terá de ser justificada – defendendo existir uma "ilegitimidade de limitações à liberdade que, mesmo sem porem em causa o valor da independência moral dos sujeitos, constituam a imposição de restrições ou sacrifícios gratuitos, desnecessários, desrazoáveis, na sua liberdade geral de acção autonomamente conformada".[219] Não querendo afirmar que há uma imposição constitucional ao legislador para implementar esses acordos sobre a sentença penal, apenas diremos que uma medida que permita novas formas de

---

[215] CANOTILHO, 2002, p. 1250, e MIRANDA; MEDEIROS, 2010, p. 77.

[216] ALEXY, 2015, p. 473.

²25 ALEXY, 2015, p. 238.

[217] Sobre a relatividade desse cumprimento do dever de protecção e promoção do direito fundamental, NOVAIS, 2015, 2, p. 191.

[218] NOVAIS 2012, p. 57.

[219] NOVAIS 2012, p. 49-50.

expressão da autonomia e da livre conformação do arguido tenderá a beneficiar de uma presunção que entrega o ónus argumentativo a quem queira defender a maldade desses novos momentos.

Ao mesmo tempo, é claro que esta medida é também benéfica e concretizadora do princípio da socialidade e do estado de direito social. Como se defendeu, uma medida que promova a autonomia, a responsabilização e a liberdade do arguido permite reduzir os efeitos estigmatizantes, de desresponsabilização e de infantilização do contacto com as instituições formais de controlo, como já abordado. "A sociedade também deve ser democrática de modo a proporcionar a todos igualdade de oportunidades ou de condições para o exercício dos seus direitos",[220] sendo, pois, esta medida igualmente concretizadora do mandato do Artigo 2 da CRP e da norma programática do 9, d, também da Constituição.[221] Fernando Pinto Torrão defende, neste âmbito, que este princípio da socialidade, numa vertente político-criminal, poderá ter uma "incidência intraprocessual", sendo verdadeiramente este um caso disso mesmo.[222]

Por fim, essa proposta que incrementa, por um lado, os espaços de consenso entre os diversos sujeitos processuais e a celeridade na resposta jurisdicional, por outro, permite uma concretização de uma exigência constitucional inscrita no Artigo 20, 4, CRP, conformando-se a realidade jurisdicional ao projecto constitucional onde está inserida.[223] Sob este ponto é relevante salientar a opinião de Figueiredo Dias. Este autor defende um "processo funcionalmente orientado" como "uma exigência irrenunciável inscrita no princípio do estado de direito", a que Figueiredo Dias toma como refracções do princípio do estado de direito democrático (Artigos 2, 3, e 9, b, da CRP).[224] E por isso todas as propostas que, num quadro factual um tanto ou quanto trágico, visem promover a celeridade da

---

[220] MIRANDA; MEDEIROS, 2010, p. 112.

[221] Ver supra a fundamentação constitucional do princípio da ressocialização. Ainda que essa proposta não se possa considerar uma proposta que obrigue o Estado a uma prestação, no sentido tradicional do termo, não há aqui nenhum acréscimo financeiro relevante, e, portanto, é uma proposta que tem uma refracção de preocupação com a socialidade. Sobre isso, por exemplo, NOVAIS, 2012, p. 291-294.

[222] TORRÃO, 2000, p. 249.

[223] LOPES, 2011, chama a esta união entre celeridade e consenso uma "cumplicidade pragmática". Sobre este direito, MIRANDA; MEDEIROS, 2010, p. 441.

[224] DIAS, 2011, p. 37.

justiça, irão ao encontro destas exigências basilares. Não será, pois, surpreendente que Figueiredo Dias tome "o princípio jurídico-constitucional do favorecimento do processo" como o fundamento axiomático-constitucional desses acordos.[225]

Por outro lado, e sob ponto de vista de uma análise de uma possível inconstitucionalidade, não encontramos que esta proposta possa lesar o princípio constitucional da legalidade da acção penal (e na suas refracções de indisponibilidade e objectividade), nem da verdade material nem tampouco da reserva de jurisdição.[226]

Do princípio da legalidade da acção penal classicamente antevisto, que se explica com o dever de o MP abrir inquérito existindo notícia de crime e de deduzir acusação caso encontre indícios suficientes da prática de um crime por um determinado agente, não poderá haver violação do Artigo 219, 1 (além da já abordada questão da conformidade da diversão processual com a Constituição, resposta que já demos ser positiva *supra*), por esses acordos serem cronologicamente posteriores à fase de inquérito, não permitindo qualquer acordo prévio à dedução de acusação que pudesse omitir certos factos criminalmente relevantes do conhecimento pelo juiz.[227] Claro está que essa proposta de acordos não viola as imposições constitucionais do Ministério Público na fase de inquérito, já que se situam a jusante da mesma.[228] Este sentido de resposta foi o mesmo já apresentado tanto pela doutrina como pela jurisprudência constitucional italiana, na análise de figura paralela e, para este efeito, semelhante, onde existe igualmente um princípio da legalidade da acção penal explícito na Constituição italiana, tanto na vertente do dever do MP como do princípio-corolário da imutabilidade.

---

[225] DIAS, 2011, p. 38.

[226] Será com certeza importante afirmar que uma similar proposta desses acordos no ordenamento alemão, ainda que veiculando preocupações já abordadas supra, não mereceu um juízo de inconstitucionalidade por parte do seu Tribunal Constitucional (FERNANDES, 2001, p. 418). Claro está que esse juízo foi feito em abstracto, não contendo com uma realidade e aplicação problemáticas destes acordos, como nos dá conta BRANDÃO, 2015, p. 172-173.

[227] Se tal ilegalidade pode na prática ocorrer, tal não se deve nem directa nem indirectamente à proposta de acordos sobre a sentença.

[228] Demonstrando que o artigo 219, 1, se aplica à fase de inquérito, Ac. TC. 581/00, onde se levantaram os problemas também já abordados dos alegados espaços de oportunidade ou de legalidade aberta, por exemplo, Ac. TC. 67/2006.

Uma das preocupações constitucionais que poderiam ser levantadas acerca desses acordos sobre a sentença teria que ver com o princípio da igualdade. Aliás, foi esse um dos argumentos apresentados pelo STJ para negar a possibilidade de existência desses acordos.

Não obstante, como o Tribunal Constitucional acertadamente argumentou, esses espaços de "legalidade aberta" não entrarão em colisão com o princípio da igualdade, se a sua implementação for acompanhada de pressupostos de aplicação que, como vimos, contendo ou não conceitos indeterminados, mas que obrigam os sujeitos processuais (neste caso o tribunal e o Ministério Público) a fazer uso desses métodos divertidos, caso tais pressupostos se tomem como verificados na situação concreta. "A exigência constitucional da legalidade em matéria penal e processual penal não é incompatível com a atribuição de poderes não estritamente vinculados ao Ministério Público e ao juiz, desde que se encontrem legalmente delimitados os *pressupostos* do exercício desses poderes, desde que resultem do conjunto do sistema os *critérios* a que deve atender-se no respectivo exercício, e desde que a margem de liberdade atribuída não leve à falta de *previsibilidade* da decisão" (Ac. TC 244/99) demonstra taxativamente a posição do Tribunal Constitucional sobre esta matéria. Esta concretização do princípio da igualdade, baseada, pois, na constituição de pressupostos legalmente estabelecidos tem outra virtude. Caso os pressupostos se baseiem em circunstâncias fácticas ou exigências normativas (como acontece nos outros mecanismos de diversão já presentes no Código de Processo Penal), não se dá qualquer tipo de possibilidade de criação de mecanismos perversos de tornar o julgamento não baseado num consenso anterior num produto apenas exclusivo a determinadas castas de autos. Este é um problema central sentido nos EUA que permite, como que havendo um caminho à partida supletivo que é o da *plea of guilty*, haver coacções para que o arguido o escolha.[229] Pelo contrário defendemos: como ocorre com o direito ao silêncio, o desinteresse do arguido pela utilização desse mecanismo processual

[229] Para além do que já foi dito sobre este regime, MCCONVILLE; MIRSKY, 1993, p. 176-177, 183 e 184, que relatam decisões jurisdicionais que deram conta de procuradores que aumentam o âmbito da sua acusação com vista a forçar o arguido a firmar o acordo e a apenas permitir os acordos em caso de dificuldade em concretizar uma futura convicção positiva do júri sobre aquele determinado crime. Ainda sobre isso, TURNER, 2006, p. 234, apresenta essa diferença tanto de mentalidade como legal relativamente ao modelo alemão: "*The common presumption in Germany, at least at present, is that the case will go to trial and not that it will be plea-bargained*".

não poderá nunca prejudicar a sua posição ou uma eventual futura condenação ("até porque (...) um processo de consenso pode terminar, por força doa vontade de qualquer um dos participantes (...). Sem que, com isso, a posição jurídico processual de qualquer dos participantes no procedimento de consenso seja por uma qualquer forma afectada").[230] A existência de um regime dual, baseado na verificação ou não dos seus pressupostos, é igualmente importante para que não haja a possibilidade de o MP apenas usar essas estruturas de consenso, por decisão própria, em processos onde o inquérito seja mais exigente ou haja, num determinado processo, uma maior dificuldade probatória.[231] Em conclusão, parece-nos que esses acordos não poderão violar o princípio da igualdade, como este não é violado com a existência de outras estruturas divertidas.

Por outro lado, esses acordos não poderão estar constitucionalmente inquinados por violação do princípio da verdade material e da reserva de juiz.[232] Para o TC a exigência constitucional deste princípio da verdade material é plúrima e complexa, já que contende com o princípio da dignidade da pessoa humana, da proporcionalidade, da jurisdicionalidade da aplicação do Direito Penal e da competência dos tribunais para administrar a justiça (Ac. TC 137/02). Também nos parece que esta solução não viola o princípio da verdade material. Defende-se isso, porque, ao contrário do processo sumaríssimo onde uma censura jurídico-penal poderá existir sem que haja uma jurisdicionalização total na aplicação da pena e quanto à investigação dos factos elencados pelo MP (poder-se-ia argumentar que a última palavra seria do juiz, mas esta é claramente uma decisão fraca, quase homologatória[233] – abordando a reserva de juiz que obriga na matéria penal a

---

[230] DIAS, 2011, p. 57.

[231] Nesse sentido, RODRIGUES, 2008, p. 242. Abordando o perigo dessa nova estrutura de consenso tomar o processo comum, sendo um direito do arguido, num processo que lhe é mais prejudicial por haver recusado uma estrutura divertida, IBÁÑEZ, 2001, p. 34-35.

[232] Resposta paralela foi dada no ordenamento alemão onde existe igualmente o princípio da investigação em processo penal (FERNANDES, 2001, p. 405).

[233] Ainda que com algum exagero, consideramos relevante citar uma opinião de um magistrado alemão acerca do regime do *plea bargaining* norte-americano – "*From the perspective of the court, you give up on the responsibility of the court to clarify the matter and to fashion a just resolution... The Court becomes like a notary, who certifies something without much verification*", in TURNER, 2006, p. 227. Essa opinião pode ser transposta para o processo sumaríssimo, havendo infelizmente pontos de contacto entre os dois regimes.

uma maior extensão, Ac. 453/93), aqui a confissão terá de ser avaliada pelo juiz quanto à sua credibilidade e liberdade da confissão, de acordo com os factos e provas apresentados pelo MP.. Como essa proposta de instituto se aproveita de um instituto já conhecido e legalmente posto, que é o do Artigo 344, não reduzindo as suas tutelas e garantias jurisdicionais de controlo da confissão,[234] não poder-se-á dizer que essa proposta de acordo possa lesar este princípio da verdade material, transposto legalmente no Código de Processo Penal no Artigo 340, CPP. Como se disse, essa decisão não viola o princípio da reserva de juiz, já que a decisão final do magistrado não detém qualquer diferença de uma decisão que siga o processo comum e é conforme o 202, 2, da Constituição, já que as repressões da violação da legalidade democrática são atributos do magistrado judicial, sem que este sofra na sua função de qualquer limitação quanto à cognição da prova dos factos e da sua subsunção às normas legais (Ac. TC 67/06 e 510/16).

Questão diferente e incidental perante a discussão acerca de um juízo de inconstitucionalidade deste instituto é a possibilidade de limitação desses acordos a crimes cuja pena não seja superior a 5 anos, já que, só assim, e nestes casos, a confissão do arguido permite a simplificação processual, pela renúncia à produção de prova posterior.[235] Essa limitação tem obviamente que ver com a uma ideia geral de exclusão desse tipo de medidas divertidas baseadas no consenso para a criminalidade mais grave. Com o que já se disse *supra*, valerá neste ponto *mutatis mutandis*, devendo essa solução jurídica ser repensada, pois os pressupostos dessa mesma divisão[236] poderão, neste caso, não ser tão prementes que obriguem a essa limitação no âmbito de aplicação.

De igual modo, essa proposta não poderá violar o princípio da culpa, pois, o julgador terá a obrigação de decidir por uma pena que se situe abaixo da medida da culpa explicitada no facto. E isso é igualmente conseguido, pois, no modelo que propõe Figueiredo Dias e sob o qual tendemos em quase tudo a concordar, do acordo sairá uma moldura penal e nunca uma medida concreta da pena que poderia estar eventualmente acima do limite permitido pela culpa (40, CP).[237] [238]

---

[234] Aturadamente, DIAS, 2011, p. 44-48.

[235] Solução que inexiste no ordenamento brasileiro. Assim, PADILHA, 2016, p. 6.

[236] OLIVEIRA, 2013, p. 119, nota 392.

[237] Sobre isso, DIAS, 2011, p. 51-52.

[238] U.S. 742 (1970).

O acórdão do STJ que negou a possibilidade de existência desses acordos sobre a sentença alegou que poderiam ser estes inconstitucionais por se basearem em métodos de provas proibidos e, como tal, por inferência lógica, em sentido contrário ao Artigo 32, 8, da CRP. Afirmou-se isso por, na sua visão, ter existido uma promessa de vantagem legalmente inadmissível. Haverá duas formas de analisar essa questão. Ou se afirma que, e parece ter sido esta a visão do STJ, a partir do momento em que tais acordos sobre a sentença sejam legislativamente estabelecidos não haverá qualquer nulidade processual. E assim sendo, não censuramos a posição do STJ pela rejeição desses acordos baseado na inexistência de lei que regule as negociações entre os sujeitos processuais nos moldes ocorridos na decisão *a quo*. No entanto, consideramos mais relevante problematizar a questão de esses acordos, mesmo que legalmente estabelecidos, poderem ou não atentar contra o princípio constitucional do 32, 8, da Constituição. A norma constitucional é concretizada no Código de Processo Penal que considera nula a prova por utilização de um método de obtenção de prova inválido, sendo a nulidade da prova insanável – 126, 1, do Código de Processo Penal. Isso porque os métodos utilizados violariam a integridade moral da pessoa pela utilização de meios enganosos (a vantagem legalmente inadmissível).

Sobre isso e em primeiro lugar, defendemos que a alínea e) é uma mera pormenorização da alínea a) que fala em "utilização de meios enganosos", perdendo grande importância prática. Aliás, esta alínea e) é raramente invocada pelos tribunais superiores portugueses, demonstrando a sua pouca utilidade enquanto sentido autónomo de antijuridicidade.

Sobre a ideia de promessas legalmente inadmissíveis consideramos importante o estudo de uma decisão do Supreme Court (Brady c. EUA de 1970) sobre este mesmo assunto.. Estavamos perante um caso de sequestro qualificado, pelo qual o arguido poderia ser condenado a pena capital. O arguido inicialmente não quereria confessar (*plea of not guilty*) mas, apercebendo-se que os coarguidos iriam confessar o crime, alterou a sua estratégia processual, decidindo-se pelo *plea of guilty*, mas por um crime de menor gravidade, *plea* que foi aceite pelo tribunal. Posteriormente, e por causa de um juízo de inconstitucionalidade da cominação de pena de morte para o crime que Brady teria alegadamente cometido (não tendo sido este o crime pelo qual apresentou a sua *plea of guilty*), o seu advogado veio defender que a existência de penas de morte para aquele tipo de crime tinha apenas o efeito de compelir os arguidos a renunciar ao seu direito ao tribunal, aceitando uma pena menor por uma confissão por crime de menor gravidade. O Supreme Court acabou por afirmar que a redução da pena, ainda que ostensiva (de pena de morte para uma concreta pena de prisão de 50 anos), não teria efeitos coercivos, e, portanto, não considerou procedente o argumento de Brady. Mais importante que a decisão final ficou a ideia de que o Tribunal afirmou que o *plea of guilty* deveria ser aceite, excepto quando houvesse ameaças ou erradas representações (assim porque "*knowingly, voluntarily and intelligently*" é a condição necessária para se aceitar como voluntário o *plea of guilty*), sendo tais o que o Supreme Court considera serem promessas não cumpríveis ou benefícios ilegais (*v.g.*, subornos).

Essa passagem é relevante, pois pode ser usada no nosso caso e no nosso instituto. Porque nos acordos sobre a sentença todas essas situações são relativamente ultrapassadas, já que o arguido conhece relativamente as hipóteses de molduras penais que poderá enfrentar caso confesse ou não confesse. Assim, parece-nos que os acordos sobre a sentença, ainda que se possa atacá-los numa perspectiva puramente legalista, não são passíveis de serem considerados um meio enganoso para o arguido ou coactivos ou que lesem a sua integridade moral. Como tal, não serão inconstitucionais por violação do Artigo 32, 8, da CRP; a menos que, como acontece nas normas norte-americanas, se prometa ao arguido vantagens legalmente inadmissíveis que fujam e que ultrapassem o que é possível propor num acordo deste tipo, que não é mais do que uma moldura penal construída pelos sujeitos processuais.[239]

Preocupação constitucional sobre a imparcialidade do juiz

Da proposta avançada por Figueiredo Dias retemos apenas uma preocupação, ainda sob ponto de vista constitucional. Esta tem que ver com a presença do juiz, em moldes semelhantes aos outros sujeitos processuais, na definição do acordo quanto à a moldura a ser aplicada. E essa presença activa nesse novo meio de comunicação pode ser prejudicial para uma garantia com valor constitucional

[239] Assim é a norma norte-americana: "*Before accepting a plea of guilty or nolo contendere, the court must address the defendant personally in open court and determine that the plea is voluntary and did not result from force, threats, or promises (other than promises in a plea agreement)*" in 11, B, 2), da Federal Rules of Criminal Procedure.

de imparcialidade do juiz, caso seja seguida *tout court* a proposta de Figueiredo Dias.[240]

É para nós clara a importância da participação do juiz nesses acordos, sendo esta justificada por razões de uma verdadeira "interpenetração de posições contrastantes", ainda para mais quando é este o magistrado que assume a função de decisão quanto à concretização no caso concreto das finalidades do Direito Penal.

No entanto, diremos desde já que não nos parece que esses acordos tivessem de contar com uma presença (mais ou menos activa, veremos) do juiz para que não fossem considerados inconstitucionais. Veja-se a clara aceitação constitucional dos Artigos 16, 3 e 4, do CPP e a semelhança de soluções entre essas duas situações, onde o MP limita a competência do juiz na aferição da moldura de pena e, consequentemente, da medida concreta da mesma. Veja-se que, de acordo com a jurisprudência uniforme do TC, nenhum preceito constitucional é violado pela norma em causa, na medida em que quem de facto julga é o juiz e é este quem fixa a medida concreta da pena. Só que é igualmente claro que, no caso de se ter usado da faculdade do n. 3 do Artigo 16, a moldura penal abstracta a poder ser utilizada pelo juiz fica limitada, não podendo o juiz usar toda a sua dimensão originária em crimes que teriam em abstracto a possibilidade de terem uma correlata pena superior a cinco anos de prisão.[241] E, nesta parte, bem pode dizer-se, como se faz no Acórdão n. 393/89, que "o Ministério Público condiciona, assim, a fixação da pena do caso; como porta-voz que é do poder punitivo do Estado, diz ao juiz que, face às circunstâncias do caso e tendo presentes os critérios legais de aplicação concreta das penas, a colectividade que ele representa, não pretende que ao réu se aplique por aquele caso pena superior a três anos. E di-lo no exercício de um poder expressamente definido na lei.". Aliás, como o Acórdão TC 296/90 bem afirma, a obrigatoriedade da constituição de um tribunal singular face à limitação imposta pelo MP de se aplicar uma pena até cinco anos de prisão limita, ainda que para níveis toleráveis (e portanto, não inconstitucionais), o direito de defesa do arguido, pois retira a possibilidade da

[240] DIAS, 2011, p. 52-53, rejeita essa possibilidade. Afirma esse autor que "também no processo em que não exista um acordo o juiz vai humanamente, ao longo do procedimento, formando opiniões e juízos relevantes para o resultado do processo, sem que em função dessa realidade possa falar-se de uma ilegítima antecipação do resultado final".

[241] Ainda que FERREIRA,1990, p. 106-109 não considere esse juízo definitivo, podendo entre outras soluções processuais o tribunal considerar-se incompetente.

existência de um tribunal colectivo, que permitiria uma interpretação da prova e de uma motivação mais completa e fidedigna.

Ora, é claro que esses acordos, ainda que limitando a actividade jurisdicional futura do juiz, já que impõem que a pena concreta se situe na moldura abstracta definida por acordo, não excluem a possibilidade de constituição de tribunais colectivos, caso se cumpram os requisitos dispostos para os mesmos do Artigo 14 do CPP nem tampouco a reserva de juiz porque, de acordo com o TC, o Artigo 16, 3 também não é passível de ser considerado constitucionalmente inválido. Fica assim clara a ideia de que a ausência do juiz na definição desses acordos não seria contrária à Constituição, nem pelo princípio do acusatório, nem por razão do direito de defesa nem pelo princípio da jurisdicionalidade das decisões em matéria penal. Em contraponto com a fixação da competência através do 16, 3, CPP poder-se-á defender, pois, uma interpretação enunciativa que nos parece válida – *a maiori, ad minus* sobre uma perspectiva de um juízo de inconstitucionalidade.

No entanto, a presença do juiz parece-nos ponderosa por outros motivos. A participação do juiz permite que o arguido conheça um juízo de prognose acerca de qual seria a pena mínima que o tribunal consideraria adequada, de acordo com os Artigos 40 e 71, CP, para que ainda permitisse a necessária estabilização contrafáctica da norma violada que tutela certos bens jurídicos. Ao mesmo tempo, o arguido deveria conhecer o valor mínimo da redução de pena em comparação com a pena concretamente determinada (caso não houvesse confissão) para que consiga mensurar qual o benefício mínimo para si da confissão, e, portanto, conhecer igualmente o juízo de prognose que o juiz fará quanto à pena a aplicar caso não exista confissão ao abrigo do 344 do CPP. Em poucas palavras, o juiz deveria definir qual seria a pena mínima e um valor mínimo de redução da pena relativamente a uma pena que não tivesse sido antecedida de uma confissão.[242] Sendo que, a partir desses três valores, toda a negociação deveria ser possível, sem a presença do juiz ainda que este último ficasse vinculado na construção da pena concreta caso existisse uma confissão do arguido.

Além da importância deste dado para que o acordo possa contar com a participação de uma figura central para o processo penal como é o juiz, este modo

---

[242] Na realidade alemã, só o máximo de pena é que é acordado, ou seja, só o por nós proposto valor de redução da pena máxima a aplicar (TURNER, 2006, p. 222).

de proceder permite que se alcance uma verdadeira interpenetração das várias posições contrastantes, cumprindo-se uma verdadeira estrutura de consenso. Como se afirmou anteriormente, essa nova estrutura pode passar dum âmbito de concordância ou mera não oposição a propostas do MP, sendo, pois, solução única nos métodos divertidos.

Por outro lado, a doutrina vai defendendo que a presença do juiz neste tipo de acordos permite que haja uma menor possibilidade (e mesmo capacidade) de o Ministério Público apresentar-se nas negociações com instrumentos coactivos, através da dramatização de cenários punitivos improváveis, caso o arguido não decida por confessar.

A doutrina igualmente relata que o advogado do arguido, por razões várias, mas tendo como pano de fundo igualmente a incerteza das penas a aplicar, é muitas vezes (por exemplo, na realidade norte-americana) um auxiliador do Ministério Público na concretização desses acordos assinados "às escuras". A partir do momento em que o juiz apresenta aqueles dados, aumenta-se claramente o conhecimento do arguido e do seu advogado e estes adquirem uma posição negocial engrandecida e, consequentemente, reduz-se drasticamente a possibilidade de coacções morais baseadas na ignorância, no receio e na inferioridade negocial da defesa. [243]

Assim sendo, caso se dê a emissão dessas informações, parece-nos que a presença do juiz pode ser mitigada. O que propomos é que as informações aqui elencadas devam ser conhecidas previamente ao momento de contacto entre os outros sujeitos processuais: o arguido, advogado, Ministério Público e assistente, sendo, portanto, a base de partida para as negociações que terão de cumprir para que esse acordo se torne vinculativo para a construção futura da medida concreta da pena. Consideramos que a presença do advogado nessas negociações é condição suficiente para a protecção contra tentativas de coacção moral por parte do MP, já que o advogado é também um sujeito processual mais informado sobre os *outputs*

[243] TURNER, 2006, p. 204-5. Este foi sempre o argumento central para a presença do juiz, já que este poderia carrear para as negociações dados que permitiriam uma decisão mais esclarecida por parte do arguido – "*judicial input may reduce the influence of prosecutorial tactics such as threats and bluffing, which also tend to coerce the defendant into accepting a plea deal*". De igual modo, esse autor da prática alemã retira essa possibilidade de o arguido tomar conhecimentos dos diversos cenários, caso não se concretize um acordo final, como uma característica muito positiva deste modelo (p. 223-237).

daquele julgamento, cumprindo assim uma função própria de administração da justiça, ao serviço da justiça, pelo esforço para que o processo decorra de um modo processualmente válido (em termos objectivos), e do arguido (em termos subjectivos).[244] Esta solução legal é utilizada no Estado da Flórida, numa das vertentes existentes de modelos norte-americanos de *plea bargaining.*[245] Nesse estado, em derrogação da regra geral (seguida em outros estados), o juiz terá uma influência no processo negocial como apenas fornecedor de informações, sendo essa a única função, não participando nas posteriores negociações, nem como interveniente nem como moderador. Essa participação pode ser requerida pelos sujeitos processuais, no sentido de se inteirarem se a proposta que pensam apresentar em tribunal será aceite pelo juiz.[246] Assim, como já se defendeu, com

---

[244] FERNANDES, 2001, p. 216 referindo-se ao papel do advogado no *patteggiamento sulla pena*: "o defensor permanece vinculado de forma estreita ao seu cliente muito menos no sentido de adesão à vontade por ele manifestada e mais no de que haja uma vinculação responsável, voltada para o esclarecimento adequado (...) de forma a possibilitar uma escolha consciente (...). No exercício desta última missão o defensor está indiscutivelmente a cumprir também o seu papel de velar pelo interesse público". De igual modo, DIAS, 1983, p. 214. Acerca dos acordos sobre a sentença, DIAS, 2011, p. 84, defende a "obrigatoriedade da intervenção processual do defensor".

[245] TURNER, 2006, estuda a diversidade de modelos de *plea bargaining* existentes nos EUA tendo em conta a participação do magistrado. Primeiramente revela que o modelo tradicional é o da abstenção de participação judicial nas negociações. Isso tem que ver claramente com a estrutura adversarial do processo penal norte-americano e pela preocupação com a imparcialidade do juiz que posteriormente irá participar na audiência de julgamento e na construção da sentença; ao mesmo tempo, considera-se que o juiz estando presente nas negociações poderia assumir uma função, ainda que inconsciente, de compelir o arguido a aceitar, por este perceber que é do interesse pessoal do juiz a concretização do *plea bargaining.* Este último ponto é facilmente explicável pela pressão que incide sobre a Administração Judiciária norte-americana de redução dos processos pendentes – "*judges sacrifice fairness and accuracy for the sake of moving the docket along*" (p. 199-203). Segundo as Federal Rules of Criminal Procedure, o juiz, em tribunal, aferirá se existe liberdade subjacente à decisão do arguido e que esse acordo terá de ter sustentáculo na prova conseguida, pelo Artigo 11, B, 2) e 3). O que esse autor defende é que será sempre uma cognição limitada por parte do juiz, p. 206 e 212, defendendo que só estando no centro das negociações poderá o magistrado, de facto, ajuizar correctamente. FEELEY, 1982, p. 340 e 346, afirma que as negociações são apenas um corolário, ainda que em extensão, da estrutura adversarial. Do mesmo modo, TORRÃO, 2000, p. 46.

[246] TURNER, 2006, p. 239-240, sobre esse modelo. Esse modelo foi proposto inicialmente pela American Bar Association (ABA) e seguido por esse estado.

essa informação, ainda que apenas *a posteriori* e a pedido, garante-se uma maior cognoscibilidade e certeza para os sujeitos processuais, garantindo uma negociação mais paritária. Turner defende que o processo penal norte-americano tenderá a ganhar com uma presença do juiz cada vez mais activa, demonstrando casos que respondem às suas preocupações, já que, só estando presente, poderá o juiz aferir da liberdade da confissão e da razoabilidade da imputação e da pena, tendo em conta a factualidade apresentada pelo procurador, da confissão feita pelo arguido, defendendo mesmo que deve o juiz procurar activamente uma solução que permita satisfazer todos os interesses em participação, como acontece na Alemanha e em outros estados norte-americanos.[247]

No entanto, esse mesmo autor defende que terá de haver cautelas nessa mesma participação do juiz: "*system that endorses judicial participation must take special care to display a serious commitment to judicial integrity. Even the appearance of partiality or coerciveness could undermine one of the key benefits of judicial involvement*".[248]

Essa diferença deste modelo quanto ao apresentado por Figueiredo Dias tem, assim, que ver com a garantia de imparcialidade do magistrado judicial. A ideia é facilmente explicável. Se o juiz pudesse participar nas negociações, tenderia a adquirir um "conhecimento-preconceito" de como ocorreu a situação fáctica que é subjacente à acção penal. Independentemente de as negociações encontrarem bom porto e existir um acordo firmado, ou as mesmas saírem frustradas por não se terem encontrado um acordo entre os sujeitos processuais, é importante que não retenha conhecimentos prévios tão marcantes do objecto do processo antes

[247] TURNER, 2006, p. 258.

[248] TURNER, 2006, p. 264. As garantias propostas por este autor são a necessidade de substituição do juiz que participou nas negociações, que viu recusada a sua proposta pelo arguido e a proibição de os juízes iniciarem os processos de negociação com a apresentação de uma proposta às outras "partes envolvidas" e a especial atenção dos advogados a perigos de coerção judicial para a conclusão de um acordo. Concordamos que o advogado deve estar especialmente atento às tentativas de coerção, sejam elas advindas do MP ou do juiz, e que este segundo não deve ter a possibilidade de iniciar o processo de negociações, devendo este caber ao MP, caso se cumpram os requisitos para a criação em concreto desse espaço de contacto entre os diversos sujeitos processuais. As regras de impedimento, por nossa parte, são desnecessárias, pois, sem que o juiz tenha de estar presente, o advogado assumirá uma verdadeira função de administração de justiça, negando possibilidades de coerção e ao mesmo tempo o juiz tem um poder-dever de aferir da credibilidade da confissão prestada pelo arguido (=*plea of guilty*).

da audiência de julgamento.[249] A participação do juiz, independentemente do resultado das negociações, faria com que esse magistrado formasse uma "convicção antecipada sobre a participação nos factos objectos de prova", já que tomaria conhecimento, pelo menos, de uma disponibilidade do arguido para o acordo e para uma posterior confissão dos factos. Por outro lado, o juiz, tomando conhecimento da existência de uma vontade inicial dos diversos sujeitos processuais para a existência de uma moldura penal, percepciona também a possibilidade de um encurtamento processual muito significativo. Esse encurtamento processual obrigará a uma função jurisdicional muito menos exigente, tornando-se um sujeito processual altamente interessado na concretização do acordo, podendo perder a neutralidade que lhe era devida.

Temos clara noção de que Figueiredo Dias ressalvou claramente a possibilidade de as negociações, com a presença do juiz (como este autor as vê), saírem goradas, não podendo ser usada contra o arguido a existência de uma propensão do mesmo para a confissão. E, não podendo usar essa informação como elemento de prova, poderemos afirmar que não há qualquer consequência prática de uma negociação gorada onde participou o magistrado judicial, já que, além de esse elemento de prova ser proibido, todas as informações obtidas naquele momento de contacto deverão ser consideradas provas proibidas.[250] E como tal, não podendo ser usadas na fundamentação de uma decisão de condenação (ainda que o juiz possa ter concluído, na fase de negociações, pela credibilidade da potencial confissão, já que toma como plausível que o arguido tenha de facto praticado tal conduta criminosa que, ao tempo, estava disposto a confessar), terá de se basear em prova produzida ou examinadas em audiência, prova esta que terá de ser processualmente válida (Artigos 355 e 374, 2, do CPP).

Não obstante, não sendo o escopo deste trabalho aferir da essencialidade da fundamentação da decisão jurisdicional, faremos disso breves notas. O argumento é este: defende-se que é na fundamentação que se objectiva o que poderá antes ter sido um impulso interno do decisor,[251] que ao mesmo tempo permite o convencimento do auditório, fazendo com que as decisões, porque factualmente

---

[249] LOPES, 2005, p. 33.

[250] DIAS, 2011, p. 77-79.

[251] Assim, LÚCIO, 1991, p. 215.

congruentes e juridicamente válidas, se tornem comunitariamente aceites.[252] Por tal importância, o ordenamento jurídico toma a sentença que não tenha fundamentação como nula. É central a importância do conceito da "verdade" no processo penal, pois é de uma interpretação da prova e do direito tida como válida pela comunidade jurídica que nasce a sua legitimidade. Aliás, esta fundamentação é exigida tanto pela Constituição com o Artigo 205, 1, CRP, como pelo CPP no Artigo 97, 5.

No entanto, consideramos que a fundamentação, ainda que completa, não é o único nem suficiente momento criador da legitimidade na decisão jurisdicional. Consideramos igualmente que a imparcialidade do órgão jurisdicional assume um papel muito relevante para a concretização do mesmo objectivo.

Utilizando o esquema apresentado por Reichenbach que divide, nas áreas da descoberta científica, o contexto de descobrimento e o contexto de justificação, onde o primeiro se prende com o processo de descoberta, ou seja, o contexto pessoal e ambiental da descoberta, sendo que o segundo tem que ver com a possibilidade de a descoberta poder ser justificada através de uma comunicação convincente, tanto em termos lógicos como em termos factuais. Reichenbach dá uma clara preferência ao segundo momento, já que é por ele que se avalia se determinadas descobertas científicas poderão tomar lugar no avanço científico ou, não passando nos testes lógicos e racionais do método científico, serão descredibilizados enquanto pesquisa científica. Igual raciocínio poderia ser, pois, usado no discurso jurídico da seguinte forma: se o argumento jurídico é apresentado de um modo que se toma racionalmente válido e lógico, nada mais haverá a arguir, tomando-se aquela decisão como uma válida construção jurídica.[253]

---

[252] Impressivamente, LOPES, 2011, p. 61, 65 e 142. Do mesmo modo, LÚCIO, 1991, p. 214 e 217, que aborda o conceito de "justiça convincente". Perelman neste ponto defendia que as decisões jurisdicionais têm três auditórios – "as decisões da justiça devem satisfazer três auditórios diferentes, de um lado as partes em litígio, a seguir, os profissionais do foro e, por fim, a opinião pública, que se manifestará pela imprensa e pelas reacções legislativas às decisões dos Tribunais", citado em BORGES, 2005, p. 83. FERRAJOLI, 1997, p. 68: "*En el derecho penal, la única justificación aceptable de las decisiones es la representada por la verdad de sus presupuestos jurídicos y fácticos, entendida la 'verdad' precisamente en el sentido de 'correspondencia' lo más aproximada posible de la motivación con las normas aplicadas y los hechos juzgados*". Ainda sobre isso na mesma obra, p. 542-546. Do mesmo modo, LOPES, 2011, p. 142.

[253] AGUILÓ, 1997, p. 71-72: "*En particular, en el caso de las decisiones judiciales, la transposición se*

Ora, não poderemos concordar com essa visão das coisas. Primeiramente, e ainda no campo das ciências "exactas", Thomas Kuhn notabilizou-se pela defesa da investigação científica se basear em paradigmas. Não sendo o espaço próprio para extensos comentários acerca destes estudos, é importante afirmar que, para Kuhn, paradigmas são "modelo que dão lugar a uma determinada tradição de investigação científica corrente",[254] sendo um "corpo implícito de crenças teóricas e metodologias interdependentes que permitem a selecção, a avaliação e a crítica".[255] Para esse autor, os paradigmas oferecem já respostas científicas para determinado conjunto de problemas, tendo essas respostas que ser coerentes e validar o paradigma que o cientista abraçou na sua investigação científica – se um resultado concreto conseguido pelo investigador não for coincidente com a resposta que o paradigma poderia dar, o paradigma não é, na maioria dos casos, questionado, mas sim o método utilizado naquela descoberta.[256]Por outro lado, esse autor demonstra convincentemente que não é raro que antagónicas respostas sejam fruto de diferentes bases de trabalho dos cientistas, sendo as duas argumentações válidas e correctas, ainda que nos respectivos paradigmas: "Perguntou a um distinto físico e a um eminente químico se um único átomo de hélio era ou não uma molécula. Responderam ambos sem hesitar, mas as respostas não foram coincidentes. Para o químico, o átomo de hélio era uma molécula, visto que se comportava como tal de acordo com a teoria dos gases. Para o físico, por outro lado, o átomo de hélio não era uma molécula, pois não exibia qualquer espectro molecular. Presumivelmente estavam ambos a falar da mesma partícula, mas olhavam-na sob a influência do seu próprio treino e prática de investigação".[257] Por fim, esse autor refere duas ideias que são essenciais para este trabalho: a diferente aceitação que uma descoberta terá num determinado círculo que não obterá em um círculo que não partilhe o mesmo paradigma; a segunda tem que ver com esse autor defender que a escolha de um entre dois

---

ha hecho para distinguir entre lo que puedan ser los móviles psicológicos, el contexto social, las circunstancias ideológicas que puedan haber llevado a un juez a dictar una determinada resolución, por un lado; y, por otro, las razones que el juez alega para tratar de mostrar que su decisión es correcta o válida".

[254] KUHN, 2009, p. 32. Não nos é desconhecida a posição contrária de Karl Popper a essas teorias de Thomas Kuhn.

[255] KUHN, 2009, p. 39.

[256] Impressivamente sobre este tópico, KUHN, 2009, p. 71.

[257] KUHN, 2009, p. 82. De igual modo, já em contexto judicial, TARUFFO, 2011, p. 118.

paradigmas concorrentes tem tanto de bagagem racional como irracional, já que muitas das vezes os dois são irrepreensivelmente plausíveis e defensáveis no momento da escolha pelo cientista.[258] Portanto, ainda no domínio das ciências naturais, terá caracteres mitológicos considerar-se correcta a total racionalidade que implica que só uma das soluções é a válida.[259]. Como defende Perelman, e contrariamente ao que defendia Descartes, poderão existir duas decisões racionais de sentido contrário, bastando que certo pressuposto da decisão tenha sido mais ponderoso para a decisão do que o mesmo na decisão contrária. Ao mesmo tempo, Kuhn demonstra que um raciocínio que tome outro semelhante como irracional poderá advir de um contexto (em latíssimo sentido) diferente do seu semelhante.

Ora, como se viu, é, pois, essencial perceber-se o contexto tanto do cientista como da comunidade que apoia a sua descoberta ou que a desconsidera, pois aí pode estar uma importante informação para descodificar e percepcionar as diferentes posições.

Por outro lado, outra corrente de estudos preocupa-se com a própria ideia de "verdade", neste caso em específico da "verdade" na fundamentação do juiz. É facto assente que é manifestamente impossível objectivar toda e qualquer decisão jurisdicional que tenha como emissor um ser humano nas vestes de juiz. O ideal positivista que permitiria essa forma de juízo caiu já por terra, podendo considerar, como o fez Ferrajoli, que a imagem proposta por Beccaria de um juiz como "indiferente investigador da verdade" é ingénua[260] e, portanto, o que se poderá alcançar é sempre uma certeza relativa ou aproximada de correlação entre a decisão e a factualidade ou suas normas.[261] Como afirma Fritz Brecher "é precisamente nas argumentações pedantemente exactas, pensadas com um grau extremo de rigor e exactidão, que temos frequentemente a impressão de que algo (...) não faz sentido".[262]

---

[258] KUHN, 2009, p. 207 e seguintes. Permita-se só sublinhar uma expressão que consideramos elementar: essas conversões [de paradigmas] ocorrem não apesar de os cientistas serem humanos, mas porque os cientistas são humanos.

[259] Inexistindo nestas temáticas a Lei do Terceiro Excluído.

[260] FERRAJOLI, 1997, p. 56.

[261] FERRAJOLI, 1997, p. 542.

[262] Citado por LOPES, 2011, p. 189.

É, sim, necessário não absolutizar esse contexto de justificação, pois dele não se garantirá a existência, já no plano do Direito, de uma resposta juridicamente válida, se racionalmente parecer conforme.

Da capo, se é uma exigência constitucional a existência de uma fundamentação na sentença penal que permita a racionalização da decisão e a sua exteriorização, tomando-a como cognoscível, e, por outro lado, ou admitida comunitariamente ou, em caso contrário, passível de recurso[263] (o Tribunal Constitucional ao longo de diversos acórdãos vai densificando esta exigência – como exemplos, o Ac. TC 408/2007 quanto à fundamentação de uma decisão de recurso, o Ac. 61/2006 sobre a necessidade de especificação na fundamentação e o Ac. 401/02, onde o Tribunal Constitucional, de um modo interessante, aborda as funções de convencimento da apreciação da prova feita "livremente" pelo juiz), não nos poderemos bastar com essa exigência para que se diga que uma intervenção jurisdicional é válida e legítima.

Raciocínios ao longo do tempo

Uma outra realidade estudada é a dificuldade acrescida de o decisor se desvincular de uma história inicialmente construída que dela toma conhecimento. Este dado é, pois, relevante para a aceitabilidade da decisão, tanto pela comunidade jurídica como um todo como pelas instâncias superiores, que interiorizam a motivação e a tomam como válida ou pelo menos lhe garantem um juízo de plausibilidade.[264] [265] Este problema coloca-se em diversas frentes. Elencaremos duas: a ordem como as narrativas são explanadas e a consequente dificuldade de o julgador se afastar da narrativa escolhida inicialmente por si como a mais plausível, e, em segundo, como as fundamentações podem ter implícitas argumentações que, não se baseando numa factualidade conhecida em tribunal, permitem a consistência de uma dada justificação.

---

[263] Sobre estas funções da fundamentação, com abundantes referências bibliográficas, BORGES, 2013, p. 78-87.

[264] WASON, 1960, p. 129: "*inferences from confirming evidence (Bacon's 'induction by simple enumeration') can obviously lead to wrong conclusions because different hypotheses may be compatible with the same data. In their crudest form such inferences are apparent in the selection of facts to justify prejudices*".

[265] KUNDA, 1990, p. 5 e 23.

Sobre esta segunda problemática, que contende com a aceitabilidade das decisões *a posteriori*, uma corrente doutrinal defende que as decisões jurisdicionais poderão conter construções não baseáveis em provas construídas ou analisadas, mas em dadas inferências e outra forma de argumentações situados num "*stock of knowledge*"[266] constituídos por generalizações, e outras formas de aglomeração de conhecimentos-base.[267] Esses dados estão subjacentes ao processo de decisão através da construção de uma narrativa, permitindo melhorar a sua coerência interna e externa.[268] Não querendo neste trabalho discutir a complexa problemática da narrativa no processo judicial, é pois importante não absolutizar a aceitabilidade como sinónimo de validade, já que esta poderá, nalguns casos, apenas significar que há uma partilha daquele *stock*, ainda que este careça muitas das vezes de uma prévia fundamentação ("*Plausibility is tested by background generalizations; the truth of specific factual conclusions is tested by reasoning from particular evidence*"),[269] mesmo que justificada em máximas de experiência que, muitas das vezes, serão apenas generalizações comunitariamente difundidas.[270]

Quanto ao primeiro problema, alguns autores estudam um fenómeno de inércia que será aqui importante. Esta tem que ver com o fenómeno de adesão a uma narrativa, pela sua inicial plausibilidade, que faz com que o esforço argumentativo para se desvincular dessa primeira seja muito superior ao despendido no inicial convencimento. Por outro lado, a informação apresentada num segundo tempo

---

[266] TWINING, 1990, p. 338.

[267] TWINING, 1990, p. 338: "*agglomerations of beliefs that typically consist of a complex soup of more or less well-grounded information, sophisticated models, anecdotal memories, impressions, stories, myths, proverbs, wishes, stereotypes, speculations, and prejudices. Fact and value are not sharply differentiated. Nor are fact, fantasy and fiction. Nor can one take for granted either consistency or coherence within an individual's or a society's 'stock of knowledge*".

[268] TWINING, 1990, p. 337.

[269] TWINING, 1990, p. 337; TARUFFO, 2011, p. 139. Sobre este mesmo tema é importante referir que o próprio CPP, sobre a apreciação da prova, releva apenas o "erro notório na apreciação da prova" para aferir da nulidade da sentença – 410, 2, c), que para o STJ é "se dá por provado, ou não provado, de um facto que contraria com toda a evidência, segundo o ponto de vista de um homem de formação média, a lógica mais elementar e as regras de experiência comum" (Ac. STJ 02/02/201).

[270] Esta ideia parte da feliz construção de TARUFFO, 2011, p. 141.

será, normalmente, interpretada nos pressupostos e quadros mentais já oferecidos pelos dados primeiramente conhecidos.[271]

Assim sendo e por tudo o já apresentado, a divisão proposta por Reichenbach não pode ser totalmente oferecida ao sistema jurídico, sob pena de se encontrarem soluções que não poderão ser consideradas *tout court* regulares e válidas, [272] já que toda a aceitação por parte de um auditório terá que ter em conta outros factores que causam ruído e "irritam" (na fórmula de Luhmann).

A questão da imparcialidade, sob o ponto de vista de Luhmann

Os sujeitos em tribunal têm uma posição ambivalente: têm a certeza de que haverá uma decisão final que põe termo ao conflito, mas desconhecem totalmente o seu conteúdo e sentido. E é por essa posição ambivalente que existe "a esperança de o [o tribunal] poder influenciar".[273] Ao mesmo tempo, essa postura de colaboração e a consequente aceitação pela comunidade da decisão como legítima, que, se lembra, advém da "disposição generalizada para aceitar decisões de conteúdo ainda não definido, dentro de certos limites de tolerância" tem como base um cumprimento rigoroso das regras processuais e do cumprimento escrupuloso de todos os papéis dos diversos intervenientes, para que a decisão final possa ser vista como uma consequência lógica e racional da existência daqueles factos e normas, não podendo intrometer-se nenhum qualquer intermediário ilegítimo nesta ligação.[274] Por a comunidade e os intervenientes poderem atribuir relevância ao procedimento, espera-se que a decisão jurisdicional se torne para o destinatário (especialmente para a parte vencida) norma prescritiva de comportamento.

Em todo o procedimento jurídico o juiz terá de ser visto de um prisma de imaculada imparcialidade e isso significará que não poderá abandonar o seu papel e o procedimento preestabelecido – se assim for cumprido, em princípio, o

[271] LAWSON, 1968 p. 537-539. KUHN; WEINSTOCK; FLATON, 1994, p. 289, abordam o processo de construção pelos tribunais de júri da narrativa e da sua credibilização e descredibilização de factos que, respectivamente, suportam ou não a construção narrativa. Sobre este modo de construção de narrativa, o central artigo de PENNINGTON; HASTIE, 1986, especialmente p. 194 e 205.

[272] AGUILÓ, 1999, p. 72, alegando a importância do contexto de descoberta para asserção do contexto de justificação.

[273] LUHMANN, 1980, p. 91.

[274] LUHMANN, 1980, p. 91 e 92.

auditório tomará a decisão como a conclusão do Direito sobre o caso e não uma decisão subjectiva voluntarista. Assim, Luhmann vê no cumprimento do direito processual e numa imagem de imparcialidade do julgador a artéria principal para que essas decisões se tornem legítimas e "aceites" – "*un pouvoir qui accepte (...) son propre procès de legitimation*"[275]

Se é verdade que Luhmann defende um sistema de pendor legalista e de aplicação quase silogística do direito, argui por várias vezes a conformação mútua do processo pelos sujeitos, afirmando ser pela incerteza do resultado que existe uma colaboração, enquanto procedimento, dos sujeitos com a justiça. A preocupação maior desse autor é, assim, com a impressão de imparcialidade do tribunal para que todo o processo seja tido como decorrência de caminhos lógicos e puramente racionalizáveis. E nesse ponto, escudados por esse autor, consideramos que a presença do juiz nesses momentos informais dos acordos sobre a sentença (mas mais complexos – na terminologia do sociólogo alemão, porque permitem um maior leque de comportamentos dos sujeitos processuais) pode ser prejudicial para a ideia de imparcialidade (em sentido objectivo e subjectivo), correndo o risco de não se tornar um processo legitimado e válido pelo cumprimento do procedimento. Porque, mesmo que não tomemos o direito como um projecto meramente legalista, deve o direito ser constituído e realizado por um projecto normativo, onde não se devem incluir objectivos individuais ou elementos subjectivos do juiz, tais como os objectivos de menor esforço. E aí, entramos na tese maior desse autor quando defende ser o procedimento um caminho com uma resposta incerta, construída pela actividade das partes e que corresponderá à resposta do sistema jurídico (e só deste) ao problema-caso e aos factos apresentados a tribunal. Tem razão esse autor ao avisar do perigo de "juízes (...) que se sentem (...) incitados a abandonar periodicamente os seus papéis e, se necessário, a terem uma conversa de homem para homem"[276] em estruturas que fujam ao previamente ritualizado e que possam pôr a imparcialidade em perigo e concomitantemente a legitimidade da decisão.

Fica assim clara a importância de Luhmann para a imparcialidade, frisando esse autor a importância da impressão dos destinatários da decisão jurisdicional.

---

[275] LUHMANN, 1980, p. 31.

[276] Ver supra e MESQUITA, 2010, p. 69, que defende posição semelhante. Sobre este problema, PADILHA, 2016, p. 19.

Como se disse, a posterior aceitação da decisão nasce pela ambivalência de posições: os sujeitos processuais sabem que haverá uma decisão final, mas desconhecem o seu sentido concreto, e creem que a resposta final será conseguida através da contribuição de cada sujeito, mas principalmente de acordo com os factos e a prova produzida (sempre apresentados em tribunal) e com o Direito a aplicar ao caso ("disposição generalizada para aceitar decisões de conteúdo ainda não definido, dentro de certos limites de tolerância").[277] [278] Assim sendo, para que a decisão se torne norma prescriptiva de conduta, o tribunal deve ser beneficiário de uma presunção de confiança de que só está sujeito à lei e ao Direito e aos factos conhecidos em tribunal.

Esta abertura com Luhmann permite-nos afunilar o estudo dessa proposta de acordos sobre a sentença na análise com princípio da imparcialidade, garantia constitucional, que tem duas vertentes: primeiramente, a preocupação com a imparcialidade sob ponto de vista subjectivo ("o que pensa o juiz que intervém num tribunal, no seu foro interior nessa circunstância"[279]) e a imagem dessa mesma imparcialidade, sendo que é esta a que Luhmann frisa na sua obra.

Começando pela vertente objectiva, que tem que ver com uma imagem de ausência de preconceitos quanto ao mérito da questão que possam pôr em causa a necessária equidistância do julgador. Estas dúvidas que podem ter a sua razão de ser em motivos familiares, orgânicos ou por funções anteriormente exercidas. Por outras palavras, exige-se que o juiz não detenha conhecimentos, opiniões anteriores ou mesmo interesses pessoais que possam influenciar à partida o resultado final. Para o que à imparcialidade objectiva diz respeito, segundo Jorge de Figueiredo Dias e Maria João Antunes, é necessário "*considérer le juge comme une entité qui doit fournir, sur le plan fonctionnel, les garanties nécessaires à l'exclusion du moindre doute quanto à sa capacité à être impartial dans sa décision*" e que deve ser evitado "*tout prix de circonstances qui pourraient perturber cette atmosphère*".[280] Como tal, essas garantias objetivas são claramente factores de legitimidade da justiça e da decisão jurisdicional concreta[281]. As soluções

[277] LUHMANN, 1980, p. 40.

[278] Ver supra o que foi disto sobre os estudos de Luhmann.

[279] LOPES, 2005, p. 86.

[280] DIAS; ANTUNES, 1990, p. 737. Ainda que duma perspectiva algo diversa na discussão de factos da vida pessoal dos magistrados, encontra-se a mesma ideia em GARCIA, 2008, p. 32.

[281] LOPES, 2005, p. 42 e 82.

apresentadas para garantir essa imparcialidade objetiva consubstanciam-se em proibições de actuações jurisdicionais nos casos especificados pela lei. Aí o legislador encontra dois grandes grupos: casos onde o juiz julga em causa própria ou em que tem relação familiar com um dos sujeitos processuais (39, 1, a) e b), do CPP) – nessas situações o legislador em abstracto afirma que não estão garantidas as condições de imagem de imparcialidade do seu juízo futuro, tratando-se esses casos de proibições absolutas. O segundo conjunto de proibições absolutas tem que ver com o que Mouraz Lopes intitula serem relacionamentos funcionais. Nesse segundo caso, onde se incluem o Artigo 39, 1, b) e c), e o Artigo 40 do CPP, proíbe-se a participação judicial se esse magistrado já tiver participado no processo que faz tornar comunitariamente impossível a confiança dada quanto à isenção do juiz naquele caso concreto (de decidir sem preconceitos), por ter adquirido conhecimentos num momento prévio à fase de julgamento ou por ter demonstrado uma propensão para uma direcção na resposta jurisdicional.[282] Preocupar-nos-emos, neste estudo, apenas com as proibições advindas de actividades anteriores no mesmo processo.

Sob o ponto de vista ainda objectivo da imparcialidade, o Tribunal Constitucional vem defendendo que essas proibições absolutas só serão constitucionalmente necessárias caso os actos anteriores, pela sua relevância, frequência ou intensidade, sejam criadores de uma dúvida sobre a imparcialidade daquele concreto julgador, distinguindo o Tribunal de outros actos inidóneos a criar tal desconfiança, que o Tribunal considera serem actos pontuais e isolados (por exemplo, o Ac. TC 90/2013, em jurisprudência constante). A corrente jurisprudencial desse tribunal foi densificando a doutrina aqui exposta, utilizando-a para responder a problemas concretos que tinham que ver com a presença de um juiz que tinha praticado actos em vestes de juiz de instrução, ao qual o legislador foi actualizando as regras de impedimentos em sucessivas alterações legislativas do Artigo 40 CPP, com perspectiva no Artigo 32, 5, CRP.

Um dos assuntos mais controversos desse artigo relacionava-se com a possibilidade existente até 1999 de o juiz do julgamento poder decretar a medida coactiva de prisão preventiva na fase de inquérito, sem que estivesse legalmente impedido, já que só o juiz que a decretasse e a mantivesse a medida de coacção seria legalmente impedido de exercer funções jurisdicionais na fase de julgamento.

---

[282] Assim, LOPES, 2005, p. 33.

Com o Acórdão 186/98, foi declarado inconstitucional com força obrigatória geral a norma que a isso permitia. Na fundamentação desta decisão, alegou-se que o juiz que decreta a prisão preventiva assume uma forte convicção sobre a autoria do crime, relacionando-a com o agente visado por tal medida (usando mesmo esse Acórdão a expressão "convicção arreigada"), perdendo a imagem de isenção e de imparcialidade. Assim sendo, interpretar-se-á a corrente do Tribunal Constitucional que apenas um acto do juiz é causa necessária e suficiente para que constitucionalmente se deva excluir a participação desse juiz, não obstante e independentemente, como ressalva esse Acórdão, da possibilidade de existir uma "independência interior que ele [seja] capaz de preservar", dada a excepcionalidade da medida de coacção e pela exigência dos pressupostos para a sua aplicação como o são as alíneas do Artigo 202, 1, CPP,[283] não valendo mais a divisão que se poderia fazer entre actos esporádicos e repetidos.

Coerentemente com o acórdão já anteriormente explicitado – Ac. 444/2012 –, o mesmo Tribunal não considerou inconstitucional a possibilidade de o juiz que concorda com a sanção proposta pelo MP poder participar na fase de julgamento caso o arguido não recuse a sanção proposta, ao contrário do que acontece com a rejeição do juiz da sanção proposta, que leva *ope legis* à proibição de participação na fase de julgamento (40, e), do CPP). Claro está, como já abordado, nessa decisão há uma ausência de análise e escrutínio da prova apresentada pelo MP, onde a aceitação da proposta do MP se faz apenas por uma liminar não rejeição da conjugação da proposta de uma pena e da prova de um crime alegado pelo

[283] Figueiredo Dias mostrou-se muito crítico da solução avançada pelo TC quanto à inconstitucionalidade da legislação que permitia ao juiz participação na fase de julgamento que anteriormente tivesse decretado prisão preventiva como medida de coacção – para esse autor o TC não teria feito uma "leitura integrada dos dispositivos da lei ordinária vigente" – citado por LOPES, 2005, p. 123, nota 332. Referia-se aos institutos da recusa e escusa, que permitindo que o juiz seja afastado do processo caso casuisticamente a impressão de imparcialidade se tenha, por seus actos, por perdida, poderiam responder às exigências necessárias do caso, sem que tivesse de existir uma solução abstracta. Defendemos que, pela exigência dos pressupostos para aplicação da medida de coacção, há uma clara interpretação comunitária do sentido de resposta dado pelo juiz relativamente à imputação do crime àquele agente, criando-se uma desconfiança relativamente às suas decisões futuras, desconfiança que deve ser limitada por ser altamente prejudicial para a legitimidade da Justiça. Em sentido concordante a Figueiredo Dias (BRITO, 1998 p. 38). Para Figueiredo Dias, só a decisão de pronúncia deveria ser geradora de um impedimento, dando espaço para que todas as outras situações pudessem ser resolvidas através da suspeição (LOPES, 2005, p. 112).

Ministério Público ("é um juízo que repousa nos factos descritos no requerimento, sem averiguar a sua realidade, e numa análise jurídica de primeira aparência. Significa, apenas, que a aplicação daquela sanção não constitui um erro palmar (manifesto) face aos fins das penas").[284]

Para este caso específico do processo sumaríssimo, tenderemos mais a tomar a ausência de impedimento como inconstitucional, pois consideramos que se deveria ter seguido um diferente critério que possa ter mais que ver com a verdadeira razão de ser do princípio da imparcialidade, como acontece com o Tribunal Constitucional italiano, que prefere um conceito que incida na possibilidade de manutenção de um sentido de decisão já assumido anteriormente[285] – "*'forza della prevenzione', e cioè dalla naturale propensione a tenere fermo il giudizio precedentemente espresso in ordine alla medesima res iudicanda*" – a inércia já falada. Ou seja, para esse Tribunal, aquele juiz que assume um determinado sentido de resposta relativamente à imputação, demonstrando um processo de racionalização expressa num juízo ainda na fase de inquérito (pois foi sempre nessa relação que as questões sempre se puseram), carregará um relevante preconceito, já que dificilmente alterará o seu sentido de decisão, demonstrando um perigo para a impressão de imparcialidade daquele juiz e do tribunal, devendo consentaneamente ser afastado da fase de julgamento.[286]

---

[284] SANTOS, 2015, p. 171, nota 96, dá conta de que o Tribunal Constitucional italiano declarou inconstitucional a norma que não proíba a participação do juiz após a rejeição de um requerimento em tudo semelhante ao que acontece ao proposto por estes acordos sobre a sentença. Duas pequenas notas: o juiz apenas terá de concordar com o acordo com as partes, não participando nas negociações, e este acordo poderá ocorrer anteriormente à dedução de acusação, na fase de "investigações preliminares", ao contrário do proposto por Figueiredo Dias – sobre este regime italiano, o estudo exaustivo de FERNANDES, 2001, – sobre estes pontos aqui abordados, consultar as p. 226 e 243-253, abordando especialmente como o princípio da verdade material pode ser salvaguardado se o acordo é firmado num momento ainda muito precoce da investigação.

[285] LOPES, 2005, p. 172, 174.

[286] Seguimos de perto LOPES, 2005, p. 172-174. Este critério permitia mais claramente interpretar o problema do juiz que decide manter a vigência da prisão preventiva (decretada por outro juiz) e posteriormente participa na fase de julgamento, solução considerada não inconstitucional pelo Ac. TC 29/99. Demonstrando uma posição paralela, afirmando ser incoerente impedir o juiz que decreta, mas não quem apenas mantém a medida de coacção da prisão preventiva, ainda que mostrando uma posição diametralmente oposta à aqui defendida neste texto, DIAS, 1998, p. 209, e o voto de vencido de Paulo Mota Pinto no Ac. TC 29/99.

Com este critério, defendemos igualmente que a participação nas negociações deverá ser razão para impedimento, já que, por estas existirem, levará sempre à ideia de que o arguido, caso encontre um acordo que o satisfaça, poderá confessar a prática dos crimes a ele imputados – sendo, portanto, uma confissão latente. Conjugado com a participação do juiz *tout court*, levará à impressão comunitária de que o juiz partilha, em momento anterior à fase de julgamento do mesmo preconceito existente.

Na proposta de Figueiredo Dias, o acordo terá de ser firmado por todos os sujeitos processuais, mas que se baseia sempre numa apetência e vontade do arguido de confessar na fase de julgamento o crime praticado na fase de julgamento. Assim sendo, fica clara a ideia de que, independentemente da questão da imparcialidade em sentido subjectivo que será mais à frente discutida, a comunidade tomará a participação e a conclusão do acordo com uma imagética do juiz que toma como credível a confissão e, como tal, poderá considerar "consistente a hipótese da acusação",[287] não havendo hipótese, parece-nos, de se manter uma "aparência de isenção e imparcialidade" (Ac. TC 444/2012). Essa mesma hipótese é avançada por Figueiredo Dias quando afirma que "apesar de o arguido relevar disponibilidade para apresentar uma confissão, ou mesmo tendo-o feito, de tal disponibilidade ou confissão não poderá ficar traço processual se as conversações não tiverem conduzido ao acordo sobre a sentença: nem a confissão pode ser referida em audiência, nem ela pode ser de qualquer forma valorada em sede de prova"[288]. Concordamos com a posição de Figueiredo Dias acerca da proibição de valoração da prova. O que nos parece, e salvo devido respeito, é que essa solução é insuficiente, porque não cobre toda a problemática aqui apresentada, onde a questão da imparcialidade nos parece central.

Porque é o modelo utilizado pelo Tribunal Constitucional, consideramos de igual modo que este, por coerência interna com julgados passados, consideraria a não existência de impedimento – para o juiz que marca presença nas negociações tendentes a firmar um acordo sobre a sentença e que posteriormente participa na fase de julgamento – inconstitucional, já que se cria a imagem, como já se defendeu, de que o juiz interioriza a hipótese do MP e que assume a culpa do arguido, já que este se dispõe a confessar (porque se dispôs a participar nas

---

[287] LOPES, 2005, p. 172.

[288] DIAS, 2011, p. 77-78.

negociações) caso encontre um acordo que satisfaça os seus pessoais interesses naquele caso concreto. Interpretação de não inconstitucionalidade perante o 32, 5, CRP significaria que não haveria uma insuportável lesão da aparência de imparcialidade no caso de um juiz que deve aferir da credibilidade e liberdade de uma confissão, confissão esta que nasce de um acordo firmado também por si, sendo que nessas negociações prévias o arguido se mostrou receptivo a confessar os factos presentes na acusação/pronúncia. Aqui, como no caso do decreto/manutenção da prisão preventiva, parece-nos que há uma lesão clara ao princípio da imparcialidade, porque, de um modo geral e abstracto, o juiz nos dois casos assume uma posição processual que implica necessariamente um conhecimento ou mesmo a tomada de uma decisão (quando decide permitir esse momento processual e nele intervém e molda o rumo do mesmo) que altera a sua predisposição perante o caso.

A acrescentar a este argumento quanto à necessidade da solução prévia e abstracta da imparcialidade, é igualmente do interesse comunitário que a comunidade ofereça legitimidade à actividade jurisdicional e à sua decisão futura, havendo igualmente um interesse público que poderá requerer uma solução legal subtraída à análise casuística, tanto dos sujeitos que requerem o afastamento por suspeição como do magistrado que decide sobre o concreto incidente.[289] Antecipando futuras críticas, não tomamos como essencial a verificação de uma decisão jurisdicional por excelência como acontece nos outros exemplos do 40 CPP, bastando o contacto com uma situação que o torna detentor de uma informação prévia ao momento posterior de produção de prova (onde verdadeiramente o magistrado deveria formar a sua convicção acerca dos factos presentes na acusação) que moldará a imagem comunitária da sua actividade jurisdicional ao longo do futuro julgamento.[290] Numa palavra, a intervenção sob a perspectiva de Figueiredo Dias, salvo melhor opinião, viola o princípio da imparcialidade, caso haja uma participação posterior na fase de julgamento. Defendemos que

[289] Deste modo, LOPES, 2005, p. 100, 121 e 182. Como já se explicitou, DIAS, 1998, mostrou-se contra este regime tão lato dos impedimentos, afirmando que os actos isolados não deveriam ser criadores de impedimentos (p. 208 e 209).

[290] LOPES, 2005, p. 33: "uma intervenção prévia ao momento adequado à produção de provas, que levasse à formação de uma convicção antecipada sobre a participação nos factos objectos de prova e debate em julgamento, claramente que viria a contaminar o processo, que se exige limpo e transparente".

essa violação é inconstitucional, já que se cumprem os requisitos apresentados pelo Tribunal Constitucional: pela sua relevância e intensidade (o tribunal apresenta disjuntivamente essas características relacionadas), a participação do juiz acarretará uma dúvida insuportável acerca da existência de preconceitos quanto à autoria do facto ilícito.

Fica assim provada, a nosso ver e salvo melhor opinião, a possível inconstitucionalidade da proposta de Figueiredo Dias por violação do princípio da imparcialidade,[291] quando permite que o juiz participe, em iguais moldes aos outros sujeitos processuais, nas negociações tendentes à definição de um acordo sobre a sentença penal.

Por outro lado, tendemos a tomar como periclitante a imparcialidade na sua vertente subjectiva no caso do juiz que participa nas negociações. Ainda que essa equidistância psicológico-mental seja presumida, tendemos a afirmar que muito provavelmente esta acabará por não existir.[292] O magistrado, ao tomar percepção da disponibilidade do arguido em confessar os factos presentes na acusação, num ambiente pouco ritualizado e informal, conformar-se-á com essa possibilidade, podendo criar-se um processo de "*confirmation bias*" que enviesará o seu processo cognitivo futuro que será essencial na avaliação da credibilidade e liberdade da confissão na fase de julgamento. Esse processo psicológico é explicável pela assimilação de um conhecimento prévio que fará com que os futuros dados (como o são a produção e a apresentação da prova em audiência de julgamento) sejam tomados de dois modos: ou interpretados e analisados à luz da primeira informação (a imputação do crime àquele agente) como elementos igualmente comprovadores da hipótese, ou desprezados ou menorizados se contenderem com uma hipótese contrária à inicialmente reconhecida pelo juiz.

---

[291] Tendo igual preocupação com o princípio da imparcialidade neste regime (OLIVEIRA, 2013, p. 128), mas propondo uma solução baseada na incompatibilidade e impedimento. Parece-nos que o modelo por nós proposto, não precisando de qualquer exigência legal de impedimento, já que o juiz só tomará conhecimento da vontade de o arguido confessar no momento próprio da audiência de julgamento (343 e 344 do CPP). Ao mesmo tempo permite que o juiz não tome qualquer conhecimento de uma disponibilidade do arguido confessar, ainda que esta tenha, de facto, existido, mas onde as negociações não permitiram o encontro final dos vários interesses, impedindo um acordo que servisse de antecedente a uma confissão.

[292] Sobre a presunção, LOPES, 2005, p. 87.

Este fenómeno psicológico é amplamente estudado pela psicologia e por investigadores que incidem o seu campo de investigação na área judiciária. [293] Não conseguiremos destrinçar qualquer razão específica que possa minorar ou excluir esta hipótese de a pessoa do juiz que toma conhecimento, num meio especialmente informalizado, de uma disponibilidade de o arguido poder confessar os factos subjacentes ao crime que lhe é imputado e posteriormente não consiga, com total liberdade de espírito exigida, aferir da credibilidade e da ausência de coacção na confissão do arguido na fase de julgamento. Bem pelo contrário, tomamos como séria a hipótese de o juiz assumir essa prática do crime por aquele agente, valorizando de uma maneira não desproporcional as provas que sustentam a primeira assunção e reduzindo o peso relativo das provas que possam ser contrárias à hipótese.[294] Pela existência deste fenómeno psicológico, e como as negociações são prévias à declaração do arguido, tenderemos a tomar como séria a possibilidade de o juiz, ainda que inconscientemente, ter a sua capacidade crítica de análise da confissão enviesada, pondo em risco a imparcialidade na sua vertente subjectiva.

Por considerarmos que a presença do juiz pode contender seriamente com as garantias exigidas pelo 32, 5, CRP, onde se inclui a garantia de imparcialidade, consideramos ser mais razoável que o juiz possa tomar a função de apenas informar os sujeitos processuais sobre o limite mínimo que considera aplicável a determinado facto criminoso, em consideração às finalidades da pena (40 CP) e sobre o valor mínimo de redução da pena, caso o arguido decida por confessar

[293] Já se abordou incidentalmente estes fenómenos na não absolutização da racionalidade da fundamentação na decisão, ver supra. A literatura sobre este assunto é já extensa, por todos (JONAS; SCHULZ-HARDT; FREY; THELEN, 2001, p. 557): "*When people seek new information, these information search processes are often biased in favor of the information seeker's previously held beliefs, expectations, or desired conclusions*" e "*These biased information search processes lead to the maintenance of the information seeker's position, even if this position is not justified on the basis of all available information*"*; In these experiments, the participants were confronted with a string of new information in sequence, which either supported or conflicted with their tentative decisions. An overestimation of the diagnostic value of supportive information and an underestimation of the diagnostic value of conflicting information were consistently demonstrated in these studies* (p. 558).

[294] Sobre a aplicação desta hipótese à participação em processos de *plea bargaining* (REISNIK, 1982, p. 432) e "*the evidence on confirmatory bias raises the possibility that the judge will form preconceptions during the discovery phase of litigation that will cause her to misread additional evidence presented at trial*" (RABIN; SCHRAG, 1999, p. 71).

em comparação com uma pena igualmente comunicada (num juízo de prognose) que não tenha sido antecedida pela confissão, em atenção aos benefícios que terá para a administração da justiça e as menores exigências punitivas, tendo em conta a prevenção geral e especial (72 CP).

Propomos que essas informações devam ser veiculadas ao Ministério Público que deve requerê-las, caso se cumpram os pressupostos taxativamente estabelecidos por norma legal. Como se disse, a existência desses pressupostos é essencial para a salvaguarda do princípio da legalidade e igualdade e, por isso, em sentido completamente diverso aos puramente subjectivos pressupostos para este mecanismo de diversão avançados pela Procuradoria Geral Distrital de Lisboa.[295] Caso as negociações entre os restantes sujeitos processuais não consigam firmar um acordo, terá de existir uma proibição total da valoração dos factos conhecidos nessas mesmas negociações, ou da propensão do arguido a confessar ou mesmo da confissão feita naquele momento processual.

Pelas razões apresentadas, tanto no âmbito da divisão entre o contexto de justificação/contexto de descobrimento, tenderemos a afirmar que é essencial que o contexto de descobrimento seja tomado em consideração na avaliação da decisão do juiz e da sua legitimidade. Como se defendeu, o contexto da decisão, que Reichenbach considerou ser de interesse diminuto para a justificação, importa. Como se tentou provar, este contexto, que tanto pode ser uma actividade jurisdicional anterior ou o *stock* de conhecimentos, tem um papel muito relevante na decisão e é vital a atenção que lhe é dada, para se conseguir garantir uma justiça que permita a sua credibilidade, valorização e legitimidade e para que a comunidade a tome como futura norma do seu comportamento. Assim sendo, é relevante o estudo do contexto de descoberta da decisão jurisdicional, pois será necessário e muito salutar que, como defende Manuel Atienza, seja conhecido tanto como o decisor fundamenta a sua decisão como da forma como chegou à mesma.[296]

---

[295] Recomendação n. 1/2012 no SIMP: "Assim, a PGD Lisboa sugere aos senhores magistrados do Ministério Público do Distrito que, ponderada a importância deste instituto para a melhoria da justiça penal: a) Afiram, a nível local, da receptividade à celebração de acordos sobre a sentença em matéria penal, com os senhores magistrados judiciais; b) Na hipótese de obtenção de reacção positiva, concebam previamente os procedimentos indicativos a adoptar, sem prejuízo das adaptações que os casos concretos exigirão".

[296] ATIENZA, 2003, p. 215.

Não se olvida que muitas das vezes os processos de decisão basear-se-ão igualmente em momentos intuitivos "que não se podem ou dificilmente se podem justificar",[297] e, por isso a racionalização de todo o processo mental é de todo impossível. No entanto, tem de haver um esforço efectivo de reduzir as assimetrias entre os dois momentos, para que não se permitam tentativas de racionalização de processos de criação de decisão que nada tenham que ver com as exigências processuais em causa, concretizando, enfim, o ensejo de melhor e aproximar os contextos de descoberta e de justificação na decisão judicial.[298]

Outras soluções poderiam ser apresentadas, como a introdução de um impedimento, como de resto foi abordado neste trabalho, ao juiz que participasse nessa fase processual. No entanto, por razões de celeridade e adequação processual, pensamos que se tornaria uma estrutura pesada e quase disfuncional.[299] Assim sendo, não sendo parte dessa estrutura, garantindo apenas aquele conjunto de informações aqui elencados (que permite que o juiz possa depois ficar vinculado ao acordo, se tais limites forem respeitados e ao mesmo tempo em que reduzem o grau de incerteza do defensor e arguido, aumentando consequentemente a sua posição negocial e a paridade entre os diversos sujeitos processuais), consideramos que sob ponto de vista constitucional as dúvidas dissipam-se, já que o juiz tomará conhecimento do acordo (se tiver chegado a um entendimento válido entre todos) só na fase de julgamento, ou, caso não se consiga chegar a um acordo, o juiz não terá qualquer conhecimento de qual a razão que não o permitiu e se o arguido demonstrou alguma vez disponibilidade para a confissão.

---

[297] LOPES, 2011, p. 185, com uma citação de Hutchenson Jr que nos parece elucidativa desta mesma ideia: "intuitivo clarão e entendimento que permite, de forma repentina, esclarecer a conexão entre dúvidas".

[298] Deste modo, AGUILÓ, 1997, p. 73.

[299] PADILHA, 2016, p. 34, demonstra o mesmo tipo de preocupações, propondo a solução que aqui criticamos: "Entretanto, ainda que não possa ser utilizada em juízo, não há como apagá-la do mundo dos fatos e da mente do julgador, circunstância que pode ser atenuada pela sua exclusão física dos autos e, ainda, pela remessa do feito a outro órgão judicante, o qual esteja imune a influências anteriores outras, quando do julgamento do caso, agora com base em uma pena emoldurada a partir dos fatos trazidos pelas partes e provados em juízo, durante a regular instrução probatória".

Conclusão

Da proposta de Jorge de Figueiredo Dias retiramos pontos muito positivos: celeridade, simplificação e informalidade processuais (com os benefícios apresentados), pois segue o regime do 344 do CPP, onde há uma renúncia a uma prova posterior, tomados os factos como provados e a passagem a uma fase de alegações orais e à consequente, mas não automática (porque motivada), determinação da sanção; o respeito pelo princípio da imutabilidade, já que há uma acusação a fixar os factos que são imputados ao arguido (em sentido concordante o Ac. TC 97/90);[300] um acordo de vários sujeitos processuais e o aproveitamento de figuras bem conhecidas do nosso processo (como a confissão do 344 do CPP). Com esta ressalva quanto à participação do juiz na fase de negociações que poderia tornar a proposta passível de um juízo de inconstitucionalidade, pela análise feita da jurisprudência passada do Tribunal Constitucional, consideramos que esta proposta será extremamente valiosa e concretizadora da tutela jurisdicional efectiva (Artigo 20, 4, CRP) na vertente da imposição de que a decisão seja tomada em prazo razoável, permitindo uma "eficiência funcionalmente orientada"[301], já que respeita tanto a posição do arguido como a legitimidade da justiça na sua decisão concreta.

Referências

AGUILÓ, Josep. "Independencia e imparcialidad de los jueces y argumentación jurídica". In: *Isonomia*, n. 6, 1997, p. 71-83.

ALEXY, Robert. *Teoria dos Direitos Fundamentais*. Trad. de Virgílio A. da Silva. S. Paulo: Malheiros Editores, 2015.

ANDRADE, José Carlos Vieira de. *Os direitos fundamentais na Constituição Portuguesa de 1976*. 5. ed. Coimbra: Almedina, 2012.

ANDRADE, M. da Costa. "Consenso e Oportunidade (reflexões a propósito da suspensão provisória do processo e do processo sumaríssimo)". In: *Jornadas de Direito Processual Penal. O Novo Código de Processo Penal*. Coimbra: Almedina, 1989.

ATIENZA, Manuel. *As Razões do Direito Teoria da Argumentação Jurídica*. São Paulo: Landy, 2003.

---

[300] Sobre isso, DIAS, 1989, p. 94 e 103.

[301] Não é outra coisa o que o TC pugna no seu Acórdão 212/00.

BARATTA, Alessandro. *Criminología Crítica Y Crítica Del Derecho Penal – Introducción a la sociologia jurídico-penal.* Siglo XXI Editores, 1986.

______. "Resocialización o control social por un concepto crítico de 'reintegración social' del condenado". In: *Criminología crítica y sistema penal.* Organ.: Comisión Andina Juristas y la Comisión Episcopal de Acción Social, Lima, 1990.

BECCARIA, Cesare. *Dos Delitos e das Penas.* 3. ed. Fundação Calouste Gulbenkian, 2009.

BECKER, Howard. *Outsiders.* MacMillan Pub Co Inc., 1963.

BELEZA, Teresa Pizarro. "A reinserção social dos delinquentes: recuperação da utopia ou utopia da recuperação?". In: *Cidadão delinquente – reinserção social?* Lisboa: Instituto de Reinserção Social, 1983.

BLUMER, Herbert. "Sociological Implications of the Thought of George Herbert Mead". In: *American Journal of Sociology*, 71, 5, 1966, p. 535-544.

BORGES, Hermenegildo. In: *Vida, Razão e Justiça, Racionalidade argumentativa na Motivação Judiciária.* Coimbra: Minerva Editora, 2005.

BRANDÃO, Nuno. "Acordos sobre a Sentença Penal: Problemas e Vias de Solução". *Revista Julgar* n. 25, 2015, p. 161-178.

BRITO, Mário de. "Impedimento do Juiz por Participação em Processo", In: *RMP*, 76, 1998, p. 25ss.

CANOTILHO, J. J. Gomes; MOREIRA, Vital. *Constituição da República Anotada.* Vol. I. 4. ed., Coimbra: Coimbra Editora, 2007.

CHIAVARIO, Mário. "A obrigatoriedade da acção penal na constituição italiana: o princípio e a realidade". In: *Separata de Ciência Criminal*, Ano 5, 3-4, 1995, p. 329-359.

CHRISTIE, Nils. Limits to pain, <http://www.ipsir.uw.edu.pl/UserFiles/File/Katedra_Socjologii_Norm/TEKSTY/NChristieLimitsToPain.pdf>. Consultado pela última vez dia 22/1/2017.

COSTA, A. M. Almeida. "Comentário". In: *Comentário Conimbricense ao Código Penal.* Tomo II. Coimbra: Coimbra Editora, 1999.

COSTA, Eduardo Maia. "Justiça Negociada: do logro da eficiência à degradação do Processo equitativo". In: *Julgar*, 19, 2013, p. 87-97.

______. "Princípio da oportunidade: muitos vícios poucas virtudes". In: *Revista do Ministério Público*, Lisboa, A.22, 85, 2001, p. 37-49.

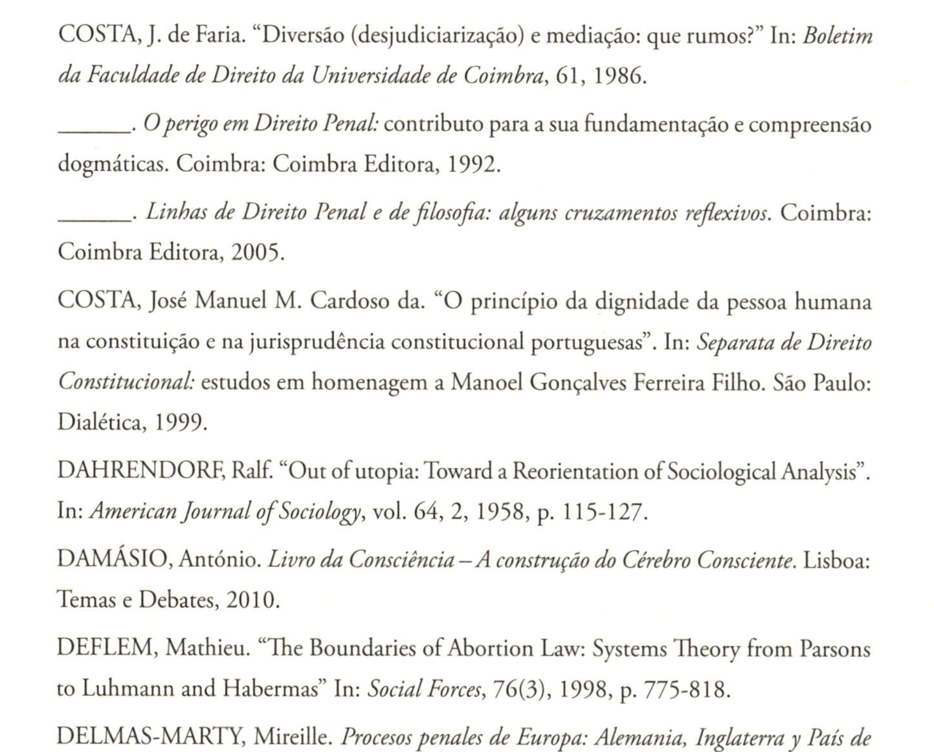

COSTA, J. de Faria. "Diversão (desjudiciarização) e mediação: que rumos?" In: *Boletim da Faculdade de Direito da Universidade de Coimbra*, 61, 1986.

______. *O perigo em Direito Penal:* contributo para a sua fundamentação e compreensão dogmáticas. Coimbra: Coimbra Editora, 1992.

______. *Linhas de Direito Penal e de filosofia: alguns cruzamentos reflexivos*. Coimbra: Coimbra Editora, 2005.

COSTA, José Manuel M. Cardoso da. "O princípio da dignidade da pessoa humana na constituição e na jurisprudência constitucional portuguesas". In: *Separata de Direito Constitucional:* estudos em homenagem a Manoel Gonçalves Ferreira Filho. São Paulo: Dialética, 1999.

DAHRENDORF, Ralf. "Out of utopia: Toward a Reorientation of Sociological Analysis". In: *American Journal of Sociology*, vol. 64, 2, 1958, p. 115-127.

DAMÁSIO, António. *Livro da Consciência – A construção do Cérebro Consciente*. Lisboa: Temas e Debates, 2010.

DEFLEM, Mathieu. "The Boundaries of Abortion Law: Systems Theory from Parsons to Luhmann and Habermas" In: *Social Forces*, 76(3), 1998, p. 775-818.

DELMAS-MARTY, Mireille. *Procesos penales de Europa: Alemania, Inglaterra y País de Gales, Bélgica, Francia, Italia*. Association de Recherches Pénales Européennes. Zaragoza: Editorial Edijus, 2000.

DIAS, J. de Figueiredo. "A perspectiva Interaccionista na Teoria do Comportamento Delinquente". In: *Separata Boletim da Faculdade de Direito*, Coimbra, 1981.

______. "Para uma Reforma Global do Processo Penal Português". In: *Para uma Justiça Penal*. Coimbra: Almedina, 1983.

DIAS, J. de Figueiredo; ANTUNES, Maria João. "La notion européenne de tribunal indépendant et impartial: une approche à partir du droit portugais de procédure penal". In: *Revue de Science Criminelle et de Droit Pénal Comparé*, n. 4, 1990, p. 733-741.

DIAS, J. de Figueiredo; ANDRADE, M. da Costa. *Criminologia, O Homem Delinquente e a Sociedade Criminógena*. Coimbra: Coimbra Editora, 1997.

DIAS, J. de Figueiredo. "Acordos sobre a sentença em Processo Penal. O 'Fim' do Estado de Direito ou um Novo 'Princípio'?". In: *Ordem dos Advogados*. Porto: Conselho Distrital do Porto, 2011.

______. *Direito Penal, Parte Geral*. 2. ed. Coimbra: Coimbra Editora, 2012.

ERIKSON, Kai T. "Notes on the Sociology of Deviance". In: *Social Problems*, vol. 9, 4, 1962.

FEELEY, Malcolm M. "Plea Bargaining and the Structure of the Criminal Process". *7 Just. Sys.* J. 338, 1982.

FERNANDES, Fernando. *O Processo Penal como Instrumento de Política Criminal*. Coimbra: Almedina, 2001.

FERNÁNDEZ GARCÍA, Eusebio. "Los jueces buenos y los buenos jueces. Algunas sencillas reflexiones y dudas sobre la ética judicial". In: *Derechos y Libertades: revista de filosofía del derecho y derechos humanos*, 19, 2008, p. 17-35.

FERRAJOLI, Luigi. *Derecho y razón: teoría del garantismo penal*. Colección Estructuras y Procesos, Serie Derecho. 2. ed. Madrid: Editorial Trotta, 1997.

FERREIRA, Manuel Marques. "Artigo 16º, n. 3 e 4, do CPP – Normas de efeitos restritos e meramente processuais". *Tribuna da Justiça*, 2, 1990.

FOSTER, Jack Donald; DINITZ, Simon; RECKLESS, Walter C. "Perceptions of Stigma following Public Intervention for Delinquent Behavior". In: *Social Problems*, vol. 20, 2, 1972, p. 202-209,

FOUCAULT, Michel. *A Verdade e as Formas Jurídicas*. Rio de Janeiro: Nau Editora, 1973.

______. *Vigiar e Punir*. Lisboa: Edições 70, 2013.

GARFINKEL, Harold. "Conditions of Successful Degradation Ceremonies". In: *American Journal of Sociology*, vol. 61, 5, 1956, p. 420-424.

GOFFMAN, Erving. "On the characteristics of total institutions: Staff-inmate relations". In: CRESSEY, Donald R. (ed.). *The prison:* Studies in institutional organization and change. New York: Holt, Rineheart and Winston, Inc., 1961.

______. *Manicómios, Prisões e Conventos*. 7. ed. São Paulo: Editora Perspectiva, 2006.

______. "Estigma – notas sobre a manipulação da identidade deteriorada". <https://edisciplinas.usp.br/pluginfile.php/92113/mod_resource/content/1/Goffman%3b%20Estigma.pdf>. Consultado pela última vez no dia 22/1/2017.

GOMES, Sílvia. *Criminalidade, Etnicidade e Desigualdades*. Braga: Universidade do Minho, 2011.

GUIBENTIF, P. "O direito na obra de Niklas Luhmann". In: *O pensamento de N. Luhmann*. Organização de J. M. Santos. Lisboa: TA PRAGMATA, 2005.

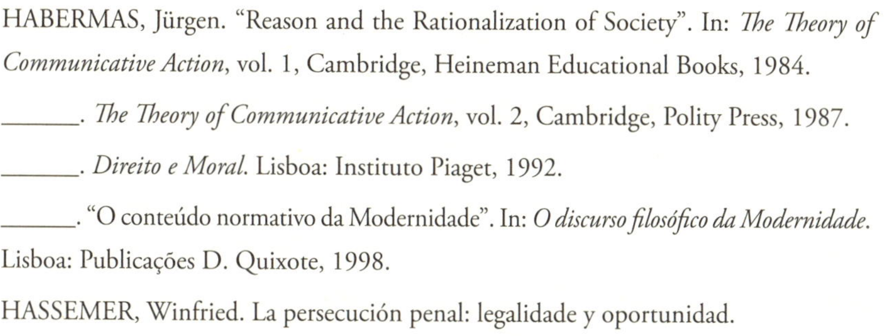

HABERMAS, Jürgen. "Reason and the Rationalization of Society". In: *The Theory of Communicative Action*, vol. 1, Cambridge, Heineman Educational Books, 1984.

______. *The Theory of Communicative Action*, vol. 2, Cambridge, Polity Press, 1987.

______. *Direito e Moral*. Lisboa: Instituto Piaget, 1992.

______. "O conteúdo normativo da Modernidade". In: *O discurso filosófico da Modernidade*. Lisboa: Publicações D. Quixote, 1998.

HASSEMER, Winfried. La persecución penal: legalidade y oportunidad.

<www.dialnet.unirioja.es/descarga/articulo/2530062.pdf>, 2001. Consultado pela última vez dia 22/1/2017.

HASSEMER, Winfried; CONDE, Francisco Muñoz. *Introducción a la criminología y a la política criminal*. Valencia: Tirant lo Blanch, 2012.

HUGHES, Everett Cherrington. "Dilemmas and Contradictions of Status". In: *American Journal of Sociology*, 50, 5, 1945, 353-359.

IBÁNEZ, Perfecto Ibánez. "Justiça de oportunidade: uma alternativa não jurisdicional ao processo penal". In: *Revista do Ministério Público*, Lisboa, a. 22 n. 85, 2001, p. 25-36.

JONAS, E.; SCHULZ-HARDT, S.; FREY, D.; THELEN, N. "Confirmation bias in sequential information search after preliminary decisions: an expansion of dissonance theoretical research on selective exposure to information". In: *J. Pers. Soc. Psychol*, 80, 4, 2001, p. 557-71.

KANT, Immanuel, 1724-1804. *Fundamentação da metafísica dos costumes*. Trad. Paulo Quintela de *Grundlegende zur Metaphysik der Sitten*, Série "Textos filosóficos". Lisboa: Edições 70, 2008.

KUNDA, Ziva. "The Case for Motivated Reasoning". In: *Psychological Bulletin*, vol. 108, 3, 1990, p. 480-498.

KUHN, D.; WEINSTOCK, M.; FLATON, R. "How well do jurors reason? Competence dimensions of individual variation in a juror reasoning task". In: *Psychological Science*, 5, 1994, p. 289-296.

KUHN, Thomas S. *A estrutura das revoluções científicas*. Lisboa: Guerra e Paz, 2009.

LAWSON, R. "Order of presentation as a factor in jury persuasion". In: *Kentucky Law Journal*, 56, 1968, p. 523-555.

LEITE, André Lamas. "Execução da Pena Privativa de Liberdade e Ressocialização em Portugal: Linhas de um Esboço". In: *Revista de Criminologia e Ciências Penitenciárias*. <https://repositorioaberto.up.pt/bitstream/10216/56629/2/12556.pdf>, p. 9. Consultado pela última vez dia 22/1/2017.

LEMERT, Edwin. "Diversion in Juvenile Justice: What Hath been Wrought" *in* "Journal of Research in Crime and Delinquency" 18, 1, 1981, p. 34-46.

LEVI, Primo. *Se isto é um homem*. Colecção Mil Folhas. Lisboa: Público, 2004.

LINHARES, José Manuel Aroso. "Habermas e a Universalidade do Direito. A 'Reconstrução' de um Modelo 'Estrutural'". In: separata, *Boletim da Faculdade de Direito da Universidade de Coimbra*, Coimbra, 1989.

______. *Sumários desenvolvidos de Introdução ao direito*, policopiado, Coimbra, 2009.

LOPES, José António Mouraz. *A Fundamentação da Sentença no Sistema Penal Português Legitimar, Diferenciar, Simplificar*. Coimbra: Almedina, 2011.

______. *A Tutela da Imparcialidade endoprocessual no Processo Penal Português*. Studia Iuridica, Coimbra Editora, 2005.

LOUREIRO, João. "O direito à identidade genética do ser humano". In: *Portugal-Brasil Ano 2000*. Coimbra: Coimbra Editora, 2000, p. 263-389.

LÚCIO, Álvaro Laborinho. "Subjectividade e motivação no novo processo penal português". In: *Revista Portuguesa de Ciência Criminal*, ISSN 0871-8563, ano 1, 2, 1991, p. 205-220.

LUHMANN, Niklas. *Legitimação pelo procedimento*. Brasília: Ed. Uni. de Brasília, 1980.

MACHADO, Carla. *Crime e Insegurança, Discursos do Medo, imagens do 'outro'*. Lisboa: Casa das Letras, 2004. MCCONVILLE, Mike; MIRSKY, Chester. "Looking Through the Guilty Plea Glass: the Structural Framework of English and American State Courts". In: *Social & Legal Studies*, vol. 2, 2, 1993, p. 173-193.

MESQUITA, P. Dá. *Processo Penal, Prova e Sistema Judiciário*. Coimbra: Coimbra Editora, 2010.

MIRANDA, Jorge. *Manual de Direito Constitucional*. Tomo 4, "Direitos fundamentais". 5. ed. Coimbra: Coimbra Editora, 2012.

MIRANDA, Jorge; MEDEIROS, Rui. Colab. Maria da Glória Garcia et al. *Constituição portuguesa anotada*. 2. ed. rev., actual. e ampliada. Coimbra: Coimbra Editora, 2010.

MONTE, Mário Ferreira; CALHEIROS, Maria Clara; MONTEIRO, Fernando Conde. Universidade do Minho. Escola de Direito "Que futuro para o direito processual penal?". In: *Simpósio em homenagem a Jorge de Figueiredo Dias, por ocasião dos 20 anos do código de processo penal português*. Coimbra Editora, 2009.

MOURA, José de Souto. 2012. "Acordos em processo

Penal". <http://www.pgdlisboa.pt/docpgd/files/acordos%20souto%20moura.pdf>. Consultado pela última vez no dia 22/1/2017).

NEVES, Marcelo. "Luhmann Habermas e o Estado de Direito". *Lua Nova*, 37, 1996, p. 93-106.

NOVAIS, Jorge Reis. *A dignidade da pessoa humana*. Vol. I e II. Coimbra: Almedina, 2015.

______. *Direitos fundamentais e justiça constitucional em estado de direito democrático*. Coimbra: Coimbra Editora, 2012.

OLIVEIRA, Rafael Serra. *Consenso no processo penal:* uma alternativa para a crise do sistema criminal. Dissertação do 2º ciclo de Estudos em Direito, Faculdade de Direito da Universidade de Coimbra, Coimbra, 2013.

OST, François. *O Tempo do Direito*. Lisboa: Instituto Piaget, 2007.

PADILHA, Karla Rebelo Marques. "Ensaio sobre a Possibilidade de Métodos de Otimização do Resultado do Processo Penal, no Âmbito da Criminalidade Econômico-Financeira, Testando o Acordo Sobre a Sentença. Sem Comprometer o Sentido do Devido Processo Legal e Outras Garantias do Arguído", no prelo, 2016.

PENNINGTON, Nancy; HASTIE, Reid. "Evidence evaluation in complex decision making". In: *Journal of Personality and Social Psychology*, vol. 51, 2, 1986, 1986, 242-258.

PINTO, Ana Luísa. *A Celeridade no Processo Penal:* o Direito à Decisão em Prazo Razoável. Coimbra. Coimbra Editora, 2008.

PINTO, Paulo Mota. "O direito ao livre desenvolvimento da personalidade". In: "*PortugalBrasil – ano 2000*", Studia Iuridica, 40, Coimbra, Coimbra Editora, 2000, p. 149-246.

RABIN, Matthew; SCHRAG, Joel L. "First Impressions Matter: A Model of Confirmatory Bias". In: *The Quarterly Journal of Economics*, 114, 1, 1999, 37-82.

RESNIK, Judith. "Managerial Judges Harvard". *Law Review*, 96, 1982, 374- 448.

RODRIGUES, Anabela Miranda. *A determinação da medida da pena privativa de liberdade (os critérios da culpa e da prevenção)*. Dissertação de Doutoramento, Coimbra, 1994.

______. "A socialização como finalidade da execução da pena privativa de liberdade". In: *Novo Olhar sobre a Questão Penitenciária*. 2. ed. Coimbra: Coimbra Editora, 2006.

______. "Polémica actual sobre o pensamento de reinserção social". In: *Separata de Cidadão Delinquente: Reinserção Social?*, Lisboa, Instituto de Reinserção Social, 1983.

______. "Os processos sumário e sumaríssimo ou a celeridade e o consenso no Código de Processo Penal". In: *Revista Portuguesa de Ciência Criminal*, ano 6, 4, 1996, p. 525-544,

______. "Celeridade e Eficácia – uma opção político-criminal". In: *Estudos em homenagem ao Professor Doutor Jorge Ribeiro de Faria*. Coimbra Editora, 2003.

SANTOS, André Teixeira dos. "Do processo sumaríssimo: uma idílica solução de consenso ou uma verdade produzida?". In: *O Direito*, Lisboa, A. 137, 1, 2005, p. 137-189.

SANTOS, Cláudia Cruz. *O crime de colarinho branco:* da origem do conceito e sua relevância criminológica à questão da desigualdade na administração da justiça penal. Tese de Mestrado, Coimbra FDUC, 1999.

______. "Um crime, dois conflitos: e a questão, revisitada, do 'roubo do conflito' pelo Estado". In: *Sep. de: Revista Portuguesa de Ciência Criminal*, Coimbra Editora, 2007, p. 459-474.

______. *A Justiça Restaurativa, Modelo de Reacção ao Crime Diferente da Justiça Penal. Porquê, Para Quê e Como?* Coimbra: Coimbra Editora, 2014

______. "Decisão Penal Negociada". In: *Revista Julgar*, 25, 2015, p. 144-160.

SCHWENDINGER, Herman e Julia. "Social Class and the definition of crime". In: *Crime and Social Justice*, Herman Schwendinger and Julia Schwendinger, 7, 1977, p. 4-13.

SILVA, Filipe Carreira da. "Habermas e a esfera pública: reconstruindo a história de uma ideia". In: *Sociologia, Problemas e Práticas*. Lisboa, 2001.

TARUFFO, Michele. "Narrativas Processuais". In: *Revista Julgar*, 13, Coimbra Editora, 2011, p. 111-153.

TEIXEIRA, Carlos Adérito. *Princípio da oportunidade: manifestações em sede processual penal e sua conformação jurídico-constitucional*. Coimbra: Almedina, 2000.

TIEGER, Joseph H. "Police Discretion and Discriminatory Enforcement". In: *Duke Law Journal*, 1971, p. 717-743.

TORRÃO, Fernando. *A relevância político-criminal da suspensão provisória do processo*. Coimbra: Almedina, 2000.

TURNER, Jenia Iontcheva. "Plea Bargaining and Disclosure in Germany and the United States: Comparative Lessons". *William & Mary Law Review*, 183, 2015, 1-49.

TWINNING, William. *Rethinking evidence: exploratory essays*. Oxford, New York, NY, USA: Blackwell, 1990.

VALE, Luís Menezes do. *Metodologia do Direito: Guião das aulas práticas*. 6. versão, policopiada, Coimbra, 2011.

WACQUANT, Loïc. "As Prisões da Miséria". <www.sabotagemrevolt.org>, 1999. Consultado pela última vez dia 22/1/2017.

WASON, P. C. "On the failure to eliminate hypotheses in a conceptual task". In: *The Quarterly Journal of Experimental Psychology*, 12, 3, 1960, p. 129-140.

BOUTIQUE
JURÍDICA